Zauber der Medusa

Einige Texte zu den ausgestellten Werken überschritten die vorgegebene Länge und mußten aus Raummangel gekürzt werden. Herausgeber und Verlag sprechen den Autoren ihr Bedauern aus.

Werner Hofmann

ZAUBER DER MEDUSA

Europäische Manierismen

Herausgegeben von den Wiener Festwochen

Katalog zur gleichnamigen Ausstellung der Wiener Festwochen.
Veranstalter: Stadt Wien und Republik Österreich, vertreten durch das Bundesministerium für Wissenschaft und Forschung
(3. April bis 12. Juli 1987 im Wiener Künstlerhaus)

Wissenschaftliches Konzept und Leitung der Ausstellung:
Prof. Dr. Werner Hofmann, Hamburger Kunsthalle

Wissenschaftliche Assistenz:
Matthias Boeckl, Edda Hevers, Jacqueline Hofmann

Mitarbeit an der wissenschaftlichen Konzeption der Architekturbeiträge:
Peter Haiko, Mara Reissberger

Koordination, Organisation: Monika Faber
Mitarbeit: Katharina Theodorakis-Pratscher
Hamburger Sekretariat: Gisela Kittler, Ingrid Peters

Ausstellungsgestaltung: Luigi Blau
Mitarbeit: Otmar Hasler, Roland Koeb, Franz Loranzi
Restauratorische Betreuung der Leihgaben: Joachim Goppelt

Katalogredaktion: Matthias Boeckl
Mitarbeit: Katja Albert, Sabine Stengl

Katalogautoren:
Hans H. Aurenhammer (HA)
Brigitte Birbaumer (BB)
Matthias Boeckl (MB)
Wolfgang Drechsler (WD)
Monika Faber (MF)
Günther Heinz (GH)
Peter Haiko (PH)
Geza Hajos (GHa)
Bernhard Heitmann (BH)
Edda Hevers (EH)
Eva Maria Höhle (EMH)
Werner Hofmann (WH)
Robert Keil (RK)
Michaela Krieger (MK)
Zdeňek Lukeš (ZL)
Susanne Neuburger (SN)
Juan Bassegoda Nonell (JBN)
Karin Orchard (KO)
Matthias Pfaffenbichler (MP)
Mara Reissberger (MR)
Elisabeth Scheicher (ES)
Vladimír Šlapeta (VŠ)
Sabine Stengl (SS)
Gerhard Stradner (GSt)
Georg Syamken (GS)
Peter Thurmann (PTh)
Gabriele Werner (GW)
Johannes Wieninger (JW)

Herausgeber: Wiener Festwochen
Intendanz: Dr. Ursula Pasterk

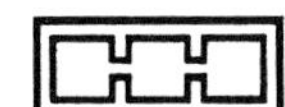

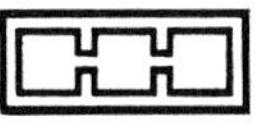

Löcker Verlag Wien 1987

Lektorat: Claudia Mazanek
Graphische Gestaltung: Tino Erben
Umschlaggestaltung unter Verwendung von
Antoine Caron „Triumph des Frühlings“
Satz, Druck und Bindung: F. Seitenberg, Wien
ISBN 3-85409-107-9 (kartonierte Ausgabe)
ISBN 3-85409-103-6 (gebundene Ausgabe)
Printed in Austria

Dr. Helmut Zilk
Bürgermeister und Landeshauptmann von Wien

Die Kulturstadt Wien gilt weltweit nicht nur als Zentrum der Musik, sondern auch als Stätte der bildenden Kunst – vor allem wegen der berühmten Sammlungen, die die Museen der österreichischen Bundeshauptstadt beherbergen. In den letzten Jahren ist es mit einer Reihe großer Ausstellungen gelungen, diesen Sektor kulturellen Schaffens wieder in den Blickpunkt der kunstinteressierten Öffentlichkeit des In- und Auslands zu rücken.

In diesem Sinn ist die über 800 Exponate umfassende Schau „Zauber der Medusa" als Fortsetzung der so erfolgreichen Wiener Ausstellungsserie zu verstehen. Für die Qualität der Auswahl europäischer Manierismen bürgt der Name Werner Hofmann: Er brachte es zustande, Schaustücke der bedeutendsten Museen der Welt zu dieser wohl einzigartigen Großausstellung der Wiener Festwochen zu vereinen.

Franz Mrkvicka
Amtsführender Stadtrat für Kultur und Sport von Wien

Wiens Kulturleben, traditionell eher den Bereichen Musik und Theater zugeneigt, hat in den vergangenen Jahren mehr und mehr auch in den Bereichen der bildenden Kunst und des Ausstellungswesens an Profil gewonnen. Publikumserfolge wie die Türkenausstellung oder „Traum und Wirklichkeit" sind nur die markantesten Beispiele dafür, wie sehr gerade auf diesem Gebiet das Publikumsinteresse gestiegen ist.

Nachdem die Wiener Festwochen schon 1986 mit „Wien-Fluß" und „De Sculptura" wichtige Akzente auf dem Ausstellungssektor gesetzt haben, stellen sie heuer mit der Schau „Zauber der Medusa" das Phänomen des Manierismus in den Mittelpunkt einer Großausstellung. Gerade heute, in einer Zeit vielfach gebrochener Denkweisen, finden sich aktuelle Bezüge zu dieser Thematik, die die Kunstgeschichte seit dem 16. Jahrhundert begleitet. Der Manierismus als Bestandteil auch unseres Denkens und Seins steht in einer Ausstellung zur Diskussion, die zu einem Ereignis über die Grenzen Österreichs hinweg werden könnte.

Ich freue mich besonders, daß im Zuge dieser Ausstellung Prof. Dr. Werner Hofmann nach langem wieder ein großes Vorhaben in Wien verwirklicht – ihm wie auch dem gesamten Gestaltungsteam gilt mein besonderer Dank.

Dr. Ursula Pasterk
Intendantin der Wiener Festwochen

Die „Wahlverwandtschaft" zwischen geistigen und künstlerischen Haltungen verschiedener Epochen, das Weiterwirken zum Teil sehr alter ästhetischer Grundmuster bis in die Gegenwart – das gehört für mich zu den faszinierendsten, immer aktuellen „großen Themen" der europäischen Kunst-, Kultur- und Geistesgeschichte. Solche Wahlverwandtschaft können wir etwa zwischen der sich extrem „modern" gebärdenden Kunst des 16. und 17. Jahrhunderts und unserer Moderne feststellen. Das Erkennen dieser Wahlverwandtschaft ermöglicht das Verstehen einer Kontinuität im Schöpferischen und stiftet vielfältige Beziehungen zwischen den Kunstwerken der Gegenwart und den großen Meisterwerken der Spätrenaissance.

Sicher werden wir da keine Identität im Individuellen entdecken, aber dafür eine umso erstaunlichere Verwandtschaft von Ideen, geistigen Haltungen, Träumen und Begierden, für die alle das Haupt der antiken Medusa als Symbol stehen kann: das Medusenhaupt als ambivalentes Schlüsselbild, das charakteristischerweise die Künstler der Spätrenaissance ebenso fasziniert hat wie die Künstler der Moderne. Ein Bild, das in sich gleichsam alle Spannungen der Welt vereint, Schönheit und Schrecken, zwanghafte Leidenschaft und gefühllose Kälte.

Die geistige Entdeckung des Manierismus zu Ende des 19. Jahrhunderts ist das Verdienst von Wiener Kunsthistorikern: Sie haben als erste erkannt, daß „Manierismus" mehr ist als nur ein Stil, eine künstlerische Mode, eine Haltung. Sie haben zuerst den Manierismus als jenes Schwellenphänomen definiert, in dem sich die zwiespältige Haltung des zwischen Selbstüberschätzung und Selbstzweifel schwankenden „modernen" Bewußtseins darstellt. Und es ist diese Beziehung zur Moderne und heutigen Postmoderne, die die Auseinandersetzung mit dem Manierismus, mit seinen Kunst- und Weltbildern, so besonders aktuell und spannend macht.

Die Verwirklichung unseres Ausstellungsprojekts war für mich von Anfang an untrennbar mit der Wahl eines Kunsthistorikers verbunden, der die Deutung der Welt des Manierismus zu seinem geistigen Anliegen gemacht hat. Erst als Professor Dr. Werner Hofmann, prominenter Wiener Kunstwissenschaftler, Gründer des Wiener Museums des 20. Jahrhunderts und Leiter der Hamburger Kunsthalle, sich vom „Zauber der Medusa" faszinieren ließ und zusagte, die wissenschaftliche Planung und die thematische Konzeption der Schau zu übernehmen, war das Projekt gesichert. Ich bin sehr glücklich, daß Werner Hofmann nun, 18 Jahre nach seiner Übersiedlung nach Hamburg, erstmals wieder in Wien eine Großausstellung betreut. Ich möchte ihm dafür besonders danken und mit diesem Dank den Wunsch verbinden, ihn auch in den kommenden Jahren für weitere Ausstellungsprojekte begeistern zu können.

Danken möchte ich auch allen Museumsdirektoren des In- und Auslands, die sich bereit erklärten, Kunstwerke von höchster Bedeutung und höchstem Wert zur Verfügung zu stellen. Die großzügige Unterstützung, die dieses Projekt von Professor Dr. Hermann Fillitz, dem Ersten Direktor des Wiener Kunsthistorischen Museums, erhielt, war dabei von besonderer Bedeutung. Nicht zuletzt erfordert die Realisierung einer so umfangreichen Ausstellung ein Engagement und einen persönlichen Einsatz, der im Falle unseres kleinen Mitarbeiterstabes wortwörtlich ein Total-Einsatz war. Dafür möchte ich vor allem dem Organisationsteam rund um Dr. Monika Faber und dem Ausstellungsgestalter, Architekt Luigi Blau danken. Für die sorgfältige Katalogbetreuung sei vor allem Matthias Boeckl sowie den Mitarbeitern des Löcker Verlags und der Druckerei Seitenberg und nicht zuletzt Tino Erben gedankt.

Dank möchte ich schließlich all jenen sagen, die diese Ausstellung durch Budgetgarantien ermöglichten. Dr. Helmut Zilk als Bürgermeister von Wien und Kulturstadtrat Franz Mrkvicka brachten dem Projekt von Anfang an Interesse und große Sympathie entgegen. Auch die Hilfe des Wissenschaftsministeriums war unerläßlich.

International erfolgreiche Ausstellungen nach Wien zu holen, ist fraglos eine kulturpolitische Verpflichtung Wiens. Eigene Ausstellungsprojekte zu verwirklichen, die auch mit internationalem Interesse rechnen können, halte ich für die Wiener Festwochen, für die Kunstszene Wiens und für den Ruf der Stadt als Kunstmetropole noch für weit wichtiger. Der Erfolg von „Traum und Wirklichkeit" hat das bewiesen. Ich hoffe, daß die Ausstellung „Zauber der Medusa" auf das Publikum ähnlich magische Anziehungskraft ausüben wird und daß diese Bilanz geistesgeschichtlicher und künstlerischer Zusammenhänge als Anstoß genommen wird, der alten Tradition des „Modernen" in der europäischen Kultur auf die Spur zu kommen.

Die Geschichte dieser Ausstellung nahm einen kurzen, aber intensiven Verlauf. Sie trat, nachdem im Herbst 1984 ein erstes Kontaktgespräch zwischen Ursula Pasterk und mir stattgefunden hatte, im März des vergangenen Jahres in ihr entscheidendes Stadium. Damals formte sich in Wien der Kreis der wissenschaftlichen Mitarbeiter, dem sich wenig später die Hamburger Kollegen anschlossen.

Sieht man von dem antagonistischen Hintergrund ab, vor dem die berühmte Erzählung von Dickens spielt, könnte man von „a tale of two cities" sprechen, obgleich die ursprüngliche Idee einer Ausstellungsachse Wien–Hamburg sich diesmal noch nicht verwirklichen ließ.

An erster Stelle ist das Zusammenwirken der wissenschaftlichen Energien zu nennen, die sich in beiden Städten für das Unternehmen begeisterten. Dafür danke ich den Lehrkräften und Studenten des Kunsthistorischen Seminars in Hamburg und des Kunsthistorischen Instituts in Wien, in besonderem Maße – und unserer fernen Alpbacher Manierismus-Gespräche mit Jean Rouvier gedenkend – meinem Freund Gerhard Schmidt für eine großzügige „Leihgabe" in Gestalt seines Assistenten Matthias Boeckl, der als Redakteur des Kataloges viel Ausdauer und organisatorisches Geschick bewiesen hat.

Die Zusammenarbeit war nicht minder fruchtbar im Bereich der Sammlungen – hier nahm sie für die Verwirklichung meines Konzepts geradezu entscheidende Bedeutung an. Ich stehe nicht an, das Gewicht der Leihgaben aus den Wiener Sammlungen als den zentralen Faktor zu bezeichnen, welcher über den Rang der Ausstellung und ihre Fülle entschied. Ohne die Mitwirkung des Kunsthistorischen Museums, der Graphischen Sammlung Albertina, des Museums moderner Kunst, des Österreichischen Museums für Angewandte Kunst, der Österreichischen Galerie und des Historischen Museums der Stadt Wien wäre die Ausstellung ein peinlicher Torso geworden – unzumutbar selbst als Beispiel der „Fragmentästhetik", von der auf den folgenden Seiten mehrmals die Rede ist. Für ihr Verständnis, ihre Großzügigkeit und für mannigfache Anregungen danke ich den Sammlungsleitern und ihren Mitarbeitern:

Prof. Dr. Hermann Fillitz, Dr. Wolfgang Prohaska, Dr. Karl Schütz, Dr. Manfred Leithe-Jasper, Dr. Rudolf Distelberger, Dr. Elisabeth Scheicher, Dr. Christian Beaufort-Spontin, Mag. Matthias Pfaffenbichler, Prof. Dr. Gerhard Stradner, Prof. Hubert Dietrich, ak. Rest. Gerald Kaspar, Hofrat Prof. Dr. Walter Koschatzky, Hofrat Dr. Erwin Mitsch, Doz. Dr. Richard Bösel, Dr. Dieter Ronte, Dr. Wolfgang Drechsler, Peter Noever, Dr. Hanna Egger, Dr. Elisabeth Schmuttermeier, Dr. Brigitte Huck, Hofrat Dr. Hubert Adolph, Dr. Gerbert Frodl, Dr. Gabriele Hammel, Hofrat Dr. Robert Waissenberger, Dr. Renate Kassal sowie dem Atelier Hollein (Madeleine Jenewein).

Diese breite Basis wurde aus Hamburg erheblich ergänzt durch Leihgaben des Kupferstichkabinetts (Dr. Eckhard Schaar, Dr. Hanna Hohl), der Gemäldegalerie (Dr. Helmut R. Leppien) und der Skulpturensammlung (Dr. Georg Syamken) der Kunsthalle und aus den Beständen des Museums für Kunst und Gewerbe (Prof. Dr. Axel von Saldern, Dr. Bernhard Heitmann, Dr. Rüdiger Joppien). Zahlreiche öffentliche und private Sammlungen sowie Künstler und Galeristen haben sich unseren Leihbitten gegenüber aufgeschlossen gezeigt, was besonderen Dank verdient im Hinblick auf die häufige, zuweilen dauernde Beanspruchung, welcher viele Werke und auch ihre Betreuer in unseren Tagen ausgesetzt sind. Hier wie überhaupt ging es nicht um die Menge, sondern um signifikante Werke, um entscheidende Akzente. Konkret: Ohne das Museum of Modern Art (William S. Rubin) würde de Chirico fast ganz fehlen, ohne Zürich (Dr. Ursula Perucchi, Dr. Felix Baumann) und Basel (Dr. Dieter Koepplin) erginge es Füssli ähnlich, und ohne das Deutsche Architekturmuseum in Frankfurt am Main (Prof. Dr. Heinrich Klotz) hätten wir auf das Kapitel der postmodernen Architektur verzichten müssen. Doch diese Beispielreihe ließe sich fortsetzen: Sie sollte Paris (Centre Pompidou, Musée Picasso, Bibliothèque Nationale) und London (Victoria & Albert Museum), aber auch Amsterdam und Braunschweig, München und Nürnberg einschließen. Auch private Sammler, von denen einige ungenannt bleiben wollen, haben uns Werke von herausragender Qualität überlassen. Allen Leihgebern sei herzlichst gedankt!

Das Wiener Künstlerhaus sah sich einer neuen Belastungs- und Eignungsprobe als Ausstellungshaus ausgesetzt. Hier kam der Architekt zum Zug. Meine Zusammenarbeit mit Luigi Blau stand unter einem guten Stern. Mochten wir beide, wie es sich für so ein schwieriges Projekt empfiehlt, anfangs die Möglichkeit „einträchtiger Zwietracht" als Chance einkalkuliert haben, so erwies sich dies als unbegründet, wodurch hoffentlich das harmonische Resultat unseres Ideenaustauschs nicht um prickelnde Reize gebracht wurde. Doch darüber werden die Besucher entscheiden.

Das Netz der organisatorischen Verflechtungen – Leih- und Transportprobleme, Versicherungsdetails, Photobeschaffung u. a. m. – wurde von Dr. Monika Faber geknüpft, wobei Edda Hevers ihr in Hamburg vortrefflich assistierte. Ebenso unermüdlich wie umsichtig hat Frau Faber sich der schwierigsten Probleme angenommen, unterstützt von den bewährten Kräften des Büros der Wiener Festwochen (Frau Generalsekretärin Hildegarde Waissenberger). Schließlich danke ich Tino Erben, dem Gestalter des Kataloges und der Plakate, dem Löcker Verlag (Dr. Claudia Mazanek) und allen Mitarbeitern der Druckerei Seitenberg für ihren Einsatz, der ein hervorragendes Ergebnis erbracht hat, und zuallerletzt Ursula Pasterk für ihr Vertrauen, besonders aber für den Optimismus, den sie unserem Vorhaben unentwegt zukommen ließ.

BELGIEN

Antwerpen
Museum Plantin Moretus

Brügge
Groeningemuseum

Brüssel
Musée d'Ixelles

BUNDESREPUBLIK DEUTSCHLAND

Augsburg
Städtische Kunstsammlungen

Berlin
Akademie der Künste – Sammlung Baukunst
Galerie Brusberg
Senator für Stadtentwicklung und Umweltschutz
Staatliche Museen, Stiftung Preußischer Kulturbesitz
– Kunstbibliothek
– Kupferstichkabinett
– Skulpturengalerie
– Staatliches Institut für Musikforschung – Musikinstrumenten-Museum
Technische Universität, Universitätsbibliothek

Braunschweig
Herzog Anton Ulrich-Museum

Bremen
Kunstverein
Sammlung Ingrid und Volker Schmidt

Darmstadt
Hessisches Landesmuseum

Dodenburg
Ferdinand Kriwet

Düsseldorf
Galerie an der Düssel
Konrad Klapheck
Kunstmuseum

Frankfurt am Main
Deutsches Architekturmuseum
Museum für Kunsthandwerk
Städtische Galerie, Liebieghaus; Museum alter Plastik
Städtische Galerie im Städelschen Kunstinstitut

Hamburg
Galerie Brockstedt
Galerie Meißner
Galerie Neuendorf
Hamburger Kunsthalle
– Gemäldegalerie
– Skulpturensammlung
– Kupferstichkabinett
– Bibliothek
Museum für Kunst und Gewerbe
Paul Wunderlich

Hannover
Sprengel Museum

Itzehoe
Wenzel-Hablik-Stiftung

Kaiserslautern
Pfalzgalerie

Karlsruhe
Badisches Landesmuseum
Horst Eugen Kalinowsky

Kassel
Staatliche Kunstsammlungen

Köln
Galerie Der Spiegel
Bernard Schultze
Sammlung Dr. Speck
Spiegelgalerie, Christa Nagel
Prof. Curt Stenvert
Nachlaß André Thomkins
Wallraf-Richartz-Museum
Prof. O. M. Ungers

Mönchengladbach
Städtisches Museum Schloß Rheydt

München
Bayerisches Nationalmuseum
Bayerische Staatsgemäldesammlungen
Glyptothek (Silvano Bertolin)
Münchner Stadtmuseum
Daniel Spoerri
Städtische Galerie im Lenbachhaus

Nürnberg
Germanisches Nationalmuseum
Michael Mathias Prechtl

Schleswig
Schleswig-Holsteinsches Landesmuseum, Schloß Gottdorf

Schweinfurt
Sammlung Georg Schäfer

Stuttgart
Staatsgalerie

Wedel
Prof. Kurt Kranz

Wolfenbüttel
Herzog August Bibliothek

Wuppertal
Sammlung Wolfgang Rauball

DÄNEMARK

Kopenhagen
Statens Museum for Kunst

DEUTSCHE DEMOKRATISCHE REPUBLIK

Dresden
Staatliche Kunstsammlungen

Frankfurt an der Oder
Galerie Junge Kunst

Leipzig
Museum der Bildenden Künste
Prof. Werner Tübke

FRANKREICH

Dijon
Musée des Beaux-Arts

Ecouen
Musée de la Renaissance, Château d'Écouen

Malakoff
Pablo Reinoso

Nancy
Musée des Beaux-Arts
Musée de l'École de Nancy

Nizza
Musée des Beaux-Arts Jules Chéret

Paris
Banque Paribas
Bibliothèque Nationale
Coll. Artcurial
Coll. Eliza Breton
Coll. Juliette Man Ray
Coll. Mme Sao Schlumberger
Liliane et Michel Durand Dessert
École nationale supérieure des Beaux-Arts
Fondation Custodia (Coll. F. Lugt)
Institut Néerlandais
Galerie Colette Greuzevault
Galerie de France
Galerie Daniel Templon
Musée d'Art Moderne de la Ville de Paris
Musée des Arts Decoratifs
Musée du Louvre
– Departement des Arts Graphiques (Cabinet des Dessins)
– Departement des Objets d'Art
– Departement des Peintures
– Departement des Sculptures
Musée Gustave Moreau
Musée National d'Art Moderne, Centre Georges Pompidou
Christian d'Orgeix
Musée Picasso
Anne et Patrick Poirier

Rennes
Musée des Beaux-Arts de Rennes

Strasbourg
Musée d'Art Moderne
Musée des Arts Décoratifs

GROSSBRITANNIEN

Edinburgh
National Galleries of Scotland

Glasgow
Glasgow Museums and Art Galleries

London
British Museum, Department of Prints and Drawings
Piccadilly Gallery
Royal Academy of Arts
University of London, Courtauld Institute Galleries

Victoria and Albert Museum
- Department of Ceramics
- Department of Drawings, Prints, Paintings and Photographs
- Department of Metalwork
- Department of Sculpture

Manchester
Manchester City Art Galleries

JUGOSLAWIEN

Ljubljana
Arhitekturni Muzej
Damian Prelovšek

KANADA

Toronto
Art Gallery of Ontario

NIEDERLANDE

Amsterdam
Rijksmuseum
- Rijksprentenkabinet
- Afdeling Beeldhouwkunst en Kunstnijverheid

Rotterdam
Museum Boymans-van Beuningen

Utrecht
Centraal Museum

ÖSTERREICH

Ambras
Kunsthistorisches Museum, Sammlungen Schloß Ambras

Graz
Alte Galerie am Landesmuseum Joanneum

Güssing
Burgstiftung Batthyány

Klosterneuburg
Stiftsmuseum des Chorherrenstiftes

Linz
Oberösterreichisches Landesmuseum

Mödling
Rudolf Hausner
Anne Hausner

Rohrau
Graf Harrach'sche Familiensammlung

Salzburg
Salzburger Museum Carolino Augusteum

Wien
Graphische Sammlung Albertina
Akademie der Bildenden Künste
- Gemäldegalerie
- Bibliothek und Kupferstichkabinett

Coop Himmelblau
Fachbibliothek für Kunstgeschichte der Universitätsbibliothek
Ernst Fuchs
Gesellschaft der Musikfreunde
Historisches Museum der Stadt Wien
Hans Hollein
Wolfgang Hutter
Rob Krier
Galerie Krinzinger
Kunsthistorisches Museum
- Gemäldegalerie
- Sammlung für Plastik und Kunstgewerbe
- Sammlung alter Musikinstrumente
- Waffensammlung

Anton Lehmden
Museum moderner Kunst
Christian M. Nebehay Ges. m. b. H.
Österreichische Galerie
Österreichische Nationalbibliothek
- Theatersammlung

Österreichisches Museum für Angewandte Kunst
Anrulf Rainer
Zbyněk Sekal
Technisches Museum
Sammlung H. W.
Zentralsparkasse und Kommerzialbank

SCHWEIZ

Basel
Sammlung Carl Laszlo
Öffentliche Kunstsammlung, Kupferstichkabinett

Lugano
Bruno Reichlin und Fabio Reinhart

Zürich
Prof. Max Bill
Kunsthaus
Galerie Lopes AG

SPANIEN

Barcelona
Cátedra Gaudí

TSCHECHOSLOWAKEI

Prag
Nationalgalerie
Technisches Nationalmuseum

UNGARN

Budapest
Museum der Bildenden Künste

VEREINIGTE STAATEN VON AMERIKA

Chicago
The Art Institute of Chicago

Detroit
Detroit Institute of Arts

Hope, Idaho
Sammlung Ed and Nancy Kienholz

New York
Cooper Hewitt Museum
Cooper Union School of Architecture
Barry Friedman Ltd.
Gilman Paper Company
The Museum of Modern Art
Perls Galleries

und zahlreiche andere Leihgeber, die nicht genannt werden wollen

Inhalt

Orientierungsplan der Ausstellung

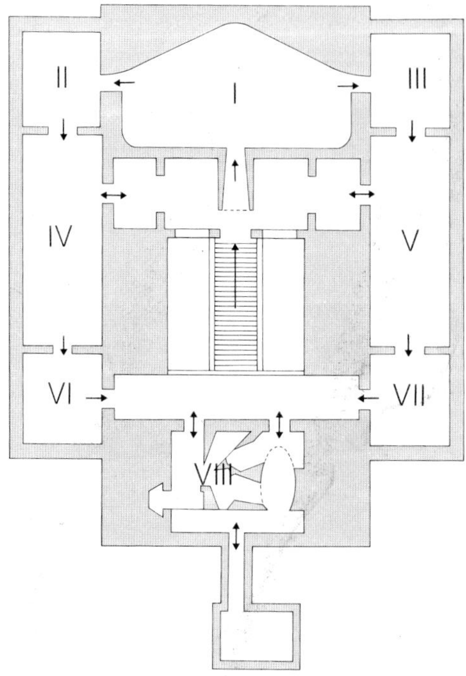

Obergeschoß

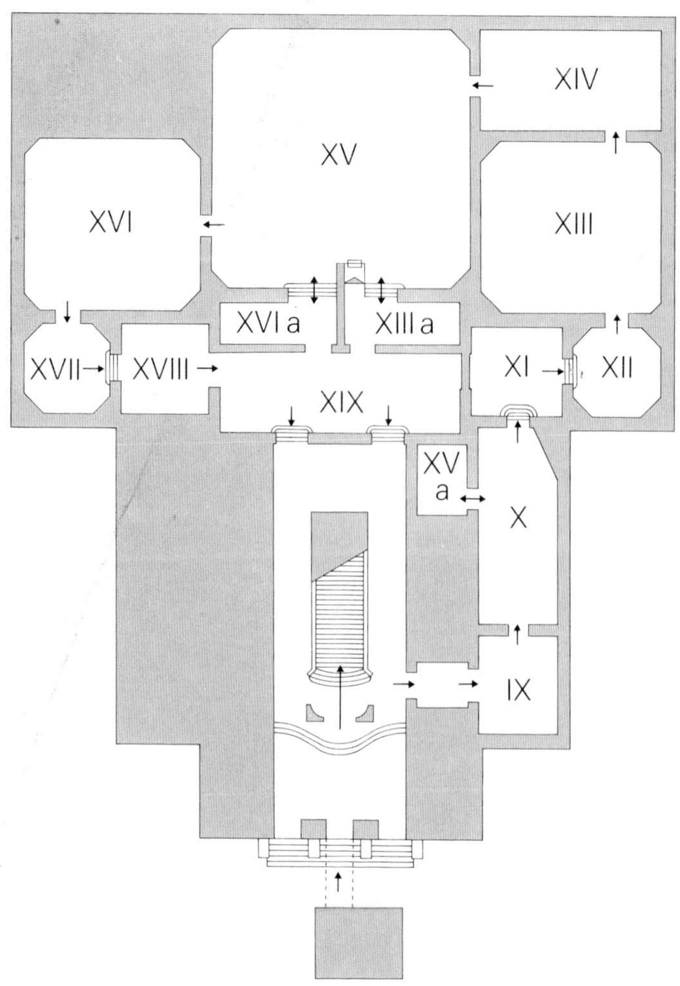

Erdgeschoß

... ein guter alter Abguß der Medusa Rondanini; ein wundersames Werk, das, den Zwiespalt zwischen Tod und Leben, zwischen Schmerz und Wollust ausdrückend, einen unnennbaren Reiz wie irgendein anderes Problem über uns ausübt ...

Goethe, Italienische Reise III

Medusa war unter den drei Gorgonen die sterbliche. Die anderen beiden waren unsterblich und nie alternd, wie die übrigen Göttinnen. Neben die sterbliche legte sich Poseidon, der Gott mit dunklen Locken, im weichen Gras unter Frühlingsblumen. Diese Erzählung bringt die Medusa ganz in die Nähe der Persephone. Auch diese, die Unterweltskönigin, wurde zwischen Frühlingsblumen von einem dunklen Gott geraubt und kam, als wäre sie eine Sterbliche, unter die Toten. Sie ist es, die den Kopf der Gorgo, „der schrecklichen Riesengestalt'', denen entgegenschickt, die zu ihr in die Unterwelt eindringen wollen. Das ist gleichsam der andere Aspekt der schönen Persephone. Und das eben ist das Merkwürdigste an der Medusa: Obwohl auch sie „schönwangig'' war wie ihre Mutter, das Seeungeheuer Keto, ähnelte sie samt ihren Schwestern doch den Erinnyen. Goldene Flügel besaßen die Gorgonen, aber eherne Hände. Sie hatten mächtige Hauer wie die Eber, Schlangen um den Kopf und als Gürtel um den Leib gewunden. Wer das schreckliche Gorgoantlitz erblickte, dem ging der Atem aus und der erstarrte auf der Stelle zu Stein.

Wie es dazu kam, daß das Gorgohaupt auch für sich allein erscheinen konnte, nach einer Version in der Unterwelt, als Selbstabwehr der Persephone, nach einer andern, durch viele Darstellungen bezeugten, an der Brust der Pallas Athene, erfährt man aus der Geschichte des Perseus. Seine Mutter nannte diesen Helden Eurymedon, als sei er auch „Herrscher des Meeres'' und Gatte der Medusa, nicht bloß ihr Töter. Beschützt und geleitet hatte den Perseus in seinem Unternehmen, das Medusenhaupt zu gewinnen, vornehmlich Athene. Sie hatte ihn belehrt, gegen die Gorgo so vorzugehen, daß er ihr Antlitz nicht erblicke, sondern nur dessen Spiegelung in seinem blanken Schild. Das gleiche Verfahren kam in gewissen Weiheriten unserer Jünglinge vor; die erschreckende Maske, die sie betrachten mußten, sahen sie in einem silbernen Gefäß gespiegelt. Ähnlich konnte Perseus den Gorgokopf anblicken, ohne ihn von Angesicht zu Angesicht anschauen zu müssen. Er schlug den Kopf ab, mit der Sichel, die er von Athene, von Hermes oder von Hephaistos als Geschenk erhalten hatte.

Aus dem Halse der Medusa sprang das geflügelte Roß Pegasos hervor, von dem in der Geschichte des Helden Bellerophon erzählt wird. Doch nicht das Roß allein entsprang ihr. Mit ihm wurde, auf die gleiche Weise, auch Chrysaor geboren, der Held mit Namen „der mit dem goldenen Schwert''. Das maskenartige Gorgohaupt, das Gorgoneion, trug fortan Athene entweder als Schildzeichen oder an ihrem Brustpanzer, auf dem heiligen Ziegenfell, der Aigis, befestigt.

Karl Kerényi
Die Mythologie der Griechen, I

Werner Hofmann

Einträchtige Zwietracht

Der Brauch, über den Plan einer Ausstellung Rechenschaft abzulegen, ist nicht nur für den Besucher und den Leser des Kataloges von Nutzen. Geschrieben, nachdem die Auswahl abgeschlossen wurde und bereits die ersten Druckfahnen eintreffen, hat eine solche Einführung auch für ihren Verfasser den Wert einer klärenden, rückblickenden Bilanz. Ich skizziere kurz den Hergang, ehe ich in Einzelfragen der Methode und Begriffsbestimmung eintrete. Vor zwei Jahren, im Winter 1985, schlug mir Ursula Pasterk, die Intendantin der Wiener Festwochen, vor, eine Manierismus-Ausstellung zu entwerfen. Ursprünglich war damals Hamburg als zweiter Veranstaltungsort vorgesehen. Von Anfang an ging es nicht darum, einen ohnehin schwankenden Epochenbegriff zu illustrieren, sondern in den Plural zu öffnen, um Manierismen also. Daraus ergab sich konsequent die Ausdehnung auf das 20. Jahrhundert, ein Schritt, den Autoren wie Hocke (1957) und Hauser (1964) zwar schon vollzogen hatten, der aber noch nie in einer Ausstellung erprobt worden war.

Ich sprach vom Entwerfen der Ausstellung. Das Wort bezeichnet genau die Absichten, aus denen das Konzept hervorging. Es konnte nicht darum gehen, mit beschränkten Mitteln und ohne die Patronanz politischer Institutionen das wiederholen zu wollen, was die Europarats-Ausstellung „Der Triumph des Manierismus'' (Amsterdam 1955) zusammengetragen hatte. Überblicke von solcher Opulenz lassen sich heute nicht mehr verwirklichen. Die Leihfähigkeit der Kunstwerke und die Leihfreudigkeit ihrer Besitzer haben als Folge starker, oft ungebührlicher Beanspruchung in den letzten Jahren rapide abgenommen. Dem mußte der Entwurf Rechnung tragen. Auch der Ausstellungsmacher darf sich der „List der Vernunft'' bedienen und aus der Not eine Tugend machen. Konnte es unsere Ambition nicht sein, ein kunsthistorisches Panorama von Florenz bis Prag, von Mantua bis Fontainebleau zu erarbeiten, so galt es, dafür eine ebenso überzeugende wie realisierbare Alternative zu finden. Mit anderen Worten: Das künstlerische Geschehen mußte vorbehaltlos aus der Topographie der lokalen Schulen und Zentren, aus der Chronologie der Stilphasen herausgelöst und anderen Strukturen eingefügt werden. Dieser Ansatz entspricht heutigen Bedürfnissen. (Der Hamburger Ausstellungszyklus „Kunst um 1800'' – 1974/80 – steht und fällt mit der These, daß „Stil'' kein ausreichendes Ordnungsmuster für Ausstellungskonzepte abgibt.)

Auf der Suche nach anschaubaren, induktiv gewonnenen Schwerpunkten und Bezugsfeldern tauchte plötzlich die Mars-Venus-Beziehung auf. Damit lag in groben Zügen die dialektische Gliederung fest. Wieder einmal erwies sich das Spannungsverhältnis der Geschlechter als ein tragfähiges dialektisches Grundmuster, in dem sich die kunst- und geistesgeschichtlichen Prozesse – Polaritäten ebenso wie Transitorien – unterbringen ließen. Später fand ich beim Wiederlesen von Edgar Winds Studien über „Heidnische Mysterien in der Renaissance'' (1981), die unerwartete Bestätigung für die Richtigkeit meiner intuitiven Themenwahl.

Der Kunsthistoriker, der sein Geschichtsbild von Walter Friedländers berühmtem Aufsatz über „Die Entstehung des antiklassischen Stils in der italienischen Malerei um 1520" (Repertorium für Kunstwissenschaft, 1925) ableitet, wird dafür in unserer Ausstellung kaum Belege finden. In diesem Mangel hat mein Konzept seine Folgerichtigkeit. Es setzt, da eine Ausstellung kein Buch ist, bewußt auf eine „andere" Kunstgeschichte als die der Handbücher, Vorlesungen und Seminare. Da es sich als unmöglich erwies, Schule für Schule, Jahrzehnt für Jahrzehnt abzufragen, mußte notwendig eine Bündelung nach Themengruppen vorgenommen werden. Sie ist, wie die Übersicht auf Seite 10 dieses Buches zeigt, den räumlichen Gegebenheiten angepaßt: Im zentralen ersten Saal wird das künstlerische Klima in einer Reihe von Höhepunkten evoziert, daran schließen sich die Welt des Herrschers, der Aufrührer und Gewalttäter (II, IV) und auf der Gegenseite Venus und ihre Verwandlungen (III, V). Der „weiblichen" Seite ist der Triumph der Künste zugeordnet (VII), womit auf dem Mars-Flügel der Tod und die letzten Dinge (VI) korrespondieren. Beide Stränge finden wieder in der Mitte zusammen, wo der Manierismus sich seine Zauberwelt errichtet: in den Tagträumen der Kunst- und Wunderkammern (VIII).

Indes, jedes Ausstellungskonzept ist so gut, wie es sich veranschaulichen läßt. Als die inhaltlichen Rahmenvorstellungen sich geklärt hatten, hing ihre Verwirklichung vor allem von der Unterstützung durch die Wiener Sammlungen ab. Sie wurde in großem Umfang gewährt, wofür ich meinen Kollegen an anderer Stelle meinen Dank ausspreche. Zugleich aber erwies es sich als schwierig, die Ausstellung nach Hamburg zu transferieren, weshalb ich diesen Gedanken schließlich fallen lassen mußte, denn nichts ist peinlicher als die ihrer Spitzenwerke beraubte Reprise einer eindrucksvollen Première. Hingegen bleibt zu überlegen, ob sich nicht, gestützt auf die graphischen Beispiele, eine eigenständige „Hamburger Fassung" destillieren läßt.

Es trifft sich, daß unser Vorhaben in ein anspruchsvolles internationales Bezugsfeld geraten ist. Das Thema Manierismus wurde neuerdings auch andernorts wieder aufgegriffen. Im Vorjahr stellte Adalgisa Lugli die Ausstellung „Wunderkammer" für die Biennale in Venedig zusammen. Bereits 1983 war ihr Buch „Naturalia et Mirabilia – Il collezionismo enciclopedico nelle Wunderkammern d'Europa" erschienen. Eben läuft in Venedig eine „Mostra Arcimboldo" unter Einschluß der Einflüsse, die von diesem Maler auf die Moderne ausgingen. Wenn heute der Manierismus wieder untersucht wird, dann ist daran die Identitätskrise der Avantgarden ebenso beteiligt wie deren Folge, die Postmoderne.

Ohne bei der wissenschaftlichen Sachforschung Deckung zu suchen, sehe ich in unserer Ausstellung eines der Ergebnisse der Wiener Manierismus-Forschung und ihrer vielschichtigen Tradition. Dazu zählen die Einsichten von Riegl, Schlosser, Dvořák, Gombrich und Sedlmayr ebenso wie die Neuaufstellung der Ambraser Kunstkammer durch Elisabeth Scheicher, Ortwin Gamber, Kurt Wegerer und Alfred Auer (1977), die zu wenig beachtete Ausstellung „Curiositäten und Inventionen aus Kunst- und Rüstkammer" (O. Gamber und Ch. Beaufort-Spontin, Wien 1978), die von Gerhard Egger untersuchten „Ornamentalen Variationen des Manierismus" (Museum für Angewandte Kunst, 1981) und die einschlägigen, von Konrad Oberhuber betreuten Graphikausstellungen der Albertina. Wurde bei einem dieser Anlässe das Interesse an Kunstkammer-Gegenständen auf den gegenwärtigen Umgang mit einer Kunst zurückgeführt, „die den Menschen leugnet oder verzerrt und daher eher dem von vornherein nicht-figuralen Kunsthandwerk zuneigt" (Klauner), so deutet sich darin bereits *ein* Aspekt der Fragen an, mit denen diese Ausstellung beschäftigt ist.

Gewinn oder Verlust oder etwas von beiden? Das sind seit Riegl und Dvořák die Probleme, die das Thema Manierismus aufwirft. Haben wir es mit einer europäischen Bewußtseinskrise oder bloß mit einer – allerdings nachhaltigen – experimentellen Erweiterung des künstlerischen Möglichkeitsspektrums zu tun? Angesichts dieser Fragen ist kaum einem Manierismus-Forscher die Überprüfung seines Standpunktes erspart geblieben. Als Gombrich in der „gestörten Form" des Palazzo del Tè die künstlerische Absicht erkannte, durch „Störung und Sprengung selbstgeschaffener Formwelten" zu überraschen, stellte er ganz allgemein die Möglichkeit produktiver Destruktion fest: „Das Noch-nicht-Gestaltete wird zum Ausgestalteten in einen Kontrast gesetzt, der uns beunruhigt und fesselt." Wir sehen darin immer noch ein Kriterium manieristischen „Kunstwollens" (hier – wenn irgendwo – trifft Riegls Terminus den Kern der Sache), indes Gombrich sich im Rückblick von seiner Giulio-Romano-Analyse distanziert (vgl. S. 22ff). Zwar bezeichnet er bei dieser Gelegenheit den Vergleich von Manierismus und Moderne als anachronistisch, doch scheint er gewisse Übereinstimmungen zu billigen. So vermutet er, „daß Parmigianino und alle die Künstler seiner Zeit, die bewußt darauf aus waren, selbst auf Kosten der natürlichen Schönheit der alten Meisterwerke etwas Neues und Unerwartetes zu schaffen, vielleicht die ersten ‚modernen' Künstler waren" (Die Geschichte der Kunst, Köln o. J., S. 291). Damit ergänzt Gombrich seine früher ausgesprochene Einsicht, daß der manieristische Künstler „gleichsam mehrere Systeme, mehrere Register bereithält, um immer aufs Neue den Reichtum, die varietà seiner Erfindungsgabe zu erweisen".

Auf diese und andere Kriterien gestützt, veröffentlichte ich vor mehr als drei Jahrzehnten einen Aufsatz über „ ‚Manier' und ‚Stil' in der Kunst des 20. Jahrhunderts" (Studium Generale 1955; wiederabgedruckt in: Bruchlinien, München 1979, S. 232ff). Deutlicher noch als damals setze ich heute die Akzente auf Wahlfreiheit, Möglichkeitsform, Multimaterialität und Stilmischung – lauter Merkmale, in denen sich das ausspricht, was John Shearman, der Autor des vorzüglichsten Manierismus-Buches, als „the confident assertion of the artist's right" bezeichnet (Mannerism, London 1967, S. 171). Demgemäß fällt es mir schwer, im Manierismus Kollektivneurosen oder gar eine Krise der Kunst auszumachen.

Der Aufsatz über Manier und Stil führte einen bislang nicht beachteten Essay Goethes in die Diskussion ein. Was dieser Text für die Morphologie des Manierismus erbringt, zeigt der Vergleich mit den Aussagen eines kompetenten Vertreters der klassizistischen Kunstlehre. In seiner vierten Akademierede sagte Reynolds am 10. Dezember 1771: „Jene, welche glauben, man könne den großen Stil glücklich mit dem orna-

1 Einfache Nachahmung der Natur, Manier, Stil, in: ders., Schriften zur Kunst (Hrsg. Christian Beutler), Zürich–Stuttgart 1954, 2. A. 1965, S. 66ff

2 Dazu: Erich Auerbach, Mimesis. Dargestellte Wirklichkeit in der abendländischen Literatur, Bern–München 1946 (3. A. 1964)

mentalen mischen, die einfache, ernste und majestätische Würde Raffaels mit der Glut und Geschäftigkeit eines Paolo Veronese oder Tintoretto verbinden, sind völlig im Irrtum.'' Weniger als zwei Jahrzehnte später veröffentlichte Goethe im Teutschen Merkur 1789 die Skizze „Einfache Nachahmung der Natur, Manier, Stil''[1], in der er die Manier als ein „Mittel'' zwischen den beiden anderen Sprachhöhen deutete. Er billigt diese Sattelstellung, denn sie läßt den Künstler mühelos nach zwei Richtungen blicken; sie ermöglicht es ihm, nach Gutdünken zwischen verschiedenen „Höhenlagen''[2] zu wählen. In Goethes offener Terrainbestimmung der „Manier'' steckt bereits das Möglichkeitsspektrum verschiedener Manierismen:

„. . . es verdrießt ihn (den Menschen), der Natur ihre Buchstaben im Zeichnen gleichsam nur nachzubuchstabieren; er erfindet sich selbst eine Weise, macht sich selbst eine Sprache, um das, was er mit der Seele ergriffen, wieder nach seiner Art auszudrücken, einem Gegenstande, den er öfters wiederholt hat, eine eigne bezeichnende Form zu geben, ohne, wenn er ihn wiederholt, die Natur selbst vor sich zu haben, noch auch sich geradezu ihrer ganz zu erinnern.

Nun wird es eine Sprache, in welcher sich der Geist des Sprechenden unmittelbar ausdrückt und bezeichnet. Und wie die Meinungen über sittliche Gegenstände sich in der Seele eines jeden, der selbst denkt, anders reihen und gestalten, so wird auch jeder Künstler dieser Art die Welt anders sehen, ergreifen und nachbilden: er wird ihre Erscheinungen bedächtiger oder leichter fassen, er wird sie gesetzter oder flüchtiger wieder hervorbringen.

Wir brauchen hier nicht zu wiederholen, daß wir das Wort Manier in einem hohen und respektablen Sinne nehmen, daß also die Künstler, deren Arbeiten nach unserer Meinung in den Kreis der Manier fallen, sich über uns nicht zu beschweren haben.''

Bis zu diesem Punkt beziehe ich mich immer noch auf Denkansätze, die mich seit mehr als drei Jahrzehnten beschäftigen und die nun der Ausstellungsentwurf um ein Stück weiter brachte. Das hängt unmittelbar mit dem Titel zusammen. Eines Tages stellte er sich ein, wohl in Erinnerung an Mario Praz' Buch „La Carne, la morte e il diavolo'', das ein Kapitel über „La Bellezza medusea'' enthält. Dort findet sich auch der Hinweis auf Goethes tiefes Wort über seine Begegnung mit einem alten Abguß der Medusa Rondanini: „ein wundersames Werk, das, den Zwiespalt zwischen Tod und Leben, zwischen Schmerz und Wollust ausdrückend, einen unnennbaren Reiz wie irgend ein anderes Problem über uns ausübt'' (Italienische Reise, III, Rom 1788). Auf unser Thema bezogen, stellt sich der Zwiespalt – schon für Goethe ein „Problem''! – als konstitutives Merkmal des manieristischen Kunstwollens dar. „Bewußtheit macht unsicher'', sagt Pinder. Sie macht aber auch ideenreich, fördert das Experimentieren, das Koppeln von Extremen, das Kombinieren von unvereinbaren Kategorien wie Tod und Leben, Schönheit und Häßlichkeit. Die schön/grauenhafte Medusa ist das faszinierende Emblem des produktiven Zwiespalts, der Manierismus heißt. In ihrem Schicksal verdichtet sich die formale Gratwanderung dieses Kunstwollens zur Parabel.

Medusas Geschichte fängt problemlos an, doch eben weil sie von „herrlichster Schönheit'' (dieses und die folgenden Zitate stammen aus dem IV. Buch der Metamorphosen des Ovid) ist, zieht sie offensichtlich die brutale Formstörung in Gestalt des Poseidon auf sich, der sie in einem Tempel der Pallas Athene vergewaltigt, wodurch er auch die Göttin kränkt. Diese straft die Gorgo, indem sie ihre Haare in Schlangen verwandelt und ihr so ihr Schönstes nimmt: „Nichts an ihr jedoch war zu schauen so schön wie ihr Haar." Für den Verlust ihrer Schönheit wird die Bestrafte mit verwandelnder Macht ausgestattet: Sie versteinert jeden, der ihr ins Auge blickt. Die Gegend rund um ihre Behausung gleicht einer Skulpturenlandschaft, ähnlich dem Garten von Bomarzo (Abb. 1). In dieser Bannung nimmt die Gorgo die magische Rolle des Künstlers auf furchtbare Weise wahr: Sie ergreift vom Lebendigen Besitz, indem sie es tötet und im Stein verewigt. Diese Allmacht möchte Perseus brechen und zugleich in seine Gewalt bringen. Durch seine Tat tritt die Macht der Bannung aus der Wahllosigkeit – Medusa versteinert *jeden* – in die Entscheidung eines Individuums. Listig provoziert Perseus die Begegnung der Medusa mit sich selbst. Sein spiegelnder Schild fängt ihren Blick auf, während er sie enthauptet. Der Todesschrecken, den ihr Auge anderen bereitete, ist nun ihren eigenen Zügen abzulesen. Medusa wird zum Opfer ihres Bannes, zu ihrem eigenen Gebilde, zugleich aber wird sie zur Täterin, freilich nur als Instrument des Perseus. Ihr Haupt verleiht ihm Macht über Leben und Tod. Er kann damit seine Feinde bannen, er kann aus dem Blut den Pegasus hervorgehen lassen oder die Schlangen Libyens oder Wasserpflanzen zu Korallen härten (darauf spielt Lévy-Dhurmer mit seiner Medusa an, Abb. 2). Schließlich erreicht die bannende Macht ihre höchste Stufe, sie geht auf jene Göttin über, zu deren Schutzbefohlenen die Künstler und Handwerker zählen: Perseus schenkt Pallas Athene das Haupt, das ihr fortan als Apotropaion dienen wird: „Jetzt noch, mit Schrecken und zitternder Furcht ihre Feinde zu lähmen, trägt sie vorn an der Brust die Schlangen, die sie geschaffen" (vgl. Kat. III. 10, V. 58).

Abb. 1 Monumentalskulpturen in Vicino Orsinis „Sacro Bosco" zu Bomarzo

Abb. 2 Lucien Lévy-Dhurmer, Medusa, Paris, Musée du Louvre, Departement des Arts Graphiques

So schließt sich der Kreis. Wir erkennen, daß niemand anderer als die Schutzgöttin der Künste den Einfall hatte, aus dem Schönen das Häßliche hervorzuholen und beide zu komplementären Bewußtseinsinhalten zu machen. Medusa ist ein mythisches Bild für die Frag-Würdigkeit der Schönheit, sie steht für die Versuchung des Künstlers, das Unbekannte aufzudecken und in Gestalt des Perseus den Bann zu brechen, um dessen verwandelnde Macht an sich zu nehmen. Der Spiegel, in dem die Gorgo erstarrt, ist gleichsam das metaphorische Behältnis, in das diese Grenzerfahrungen von Ohnmacht und Macht umgegossen werden. Das mag Konrad Klapheck geahnt haben, als er seine Medusa in eine Schreibmaschine bannte und sich des Wortes aus der Ersten Duineser Elegie erinnerte (Kat. XV. 21):

> Denn das Schöne ist
> nichts als des Schrecklichen Anfang, den wir noch grade ertragen,
> und wir bewundern es so, weil es gelassen verschmäht
> uns zu zerstören.

Der tödliche Bann ist in der ästhetischen Distanz aufgehoben: er wird zur Kunsterfahrung, in die der Schreck der Medusa eingegangen ist. Im Genie, das immer ein Schrecken für seine Zeit ist (so Rilke über Rodin), lebt er fort. In der ersten Elegie trifft Rilke genau die Grenzzone, wo der

Zwiespalt, von dem Goethe beinahe schaudernd spricht, durch Ambivalenz beruhigt wird, wo das Schöne und das Schreckliche, Leben und Tod, Wollust und Schmerz zu Erlebniszwittern werden. Diese „Ambivalenzkonflikte" (Freud) haben die Manieristen aufgedeckt und zum Kunstthema erhoben.

Angefangen mit Leonardo[3] hat die bannende „Häßlichkeit" der tot/lebendigen Medusa immer wieder sporadisch die Künstler der Renaissance beschäftigt[4], sahen sie doch in ihren Zügen die Hybris der Schönheit exemplarisch in Frage gestellt, wodurch ihr eigenes Suchen nach bestimmten Ausdrucksgesetzen auf den unsicheren Boden der Ambivalenz geriet. Medusa ist deshalb keine Formel für den expressionistischen „Schrei" (Munch) und dessen Eindeutigkeit, denn ihre Vielschichtigkeit bewahrt die Erinnerung an ihre Schönheit und die Hoffnung auf deren Wiedergeburt. Aber, und das ist die manieristische Komponente dieses Zaubers, Grauen und Schönheit stehen in der Aura einer kühlen, an Leblosigkeit grenzenden maskenhaften Distanz, für deren Verfremdungswirkung ein Dichter des 16. Jahrhunderts, Mellin de Saint-Gelais, das treffende Wort fand, als er ein Armband aus Haaren besang:

> Ja, euch Haaren
> Gelang's, zu wandeln mich derart,
> Daß ich mir selbst ein Fremder ward,
> Drum hab ich euch der Kraft geziehen,
> Die dem Medusenhaupt verliehen,
> Die seelenlos den Körper macht,
> In ihm nur jähe Glut entfacht.[5]

Im fließenden Haar steckt die Chance der Medusa, ihre Schönheit zurückzugewinnen (vgl. Kat. XIII.21, XV.47), indes die Schlangen-Metapher sie dem „Untier" annähert, das Leonardo aus verschiedenen Kriechtieren zusammensetzte. Solche Scheusale sollen Angst erwecken. Daran knüpft die Medusa des Rubens an, die ursprünglich hinter einem Vorhang verborgen war – eine Schutzmaßnahme, deren man sich noch in den sechziger Jahren unseres Jahrhunderts in der Wiener Gemäldegalerie bediente. Kein Wunder in einer Stadt, wo das Haupt der Gorgo für Sigmund Freud die Rolle eines gordischen Knotens spielte, aus dem seine Phantasie die Komponenten aller „Urängste" herauslöste: die Kastrationsangst und die Angst des Knaben vor dem Geschlechtsorgan der Mutter; zugleich verwandelt sich der Penis, „dessen Fehlen die Ursache des Grauens ist", in Schlangen, doch taucht er auch im Schreckerlebnis auf, „denn das Starrwerden bedeutet die Erektion . . .".[6] Nicht einmal Dalí hätte vermocht, diese Symbolwucherung zu veranschaulichen.

Wir verbinden mit dem Antlitz der Medusa Zwiespälte und Ambivalenzen: eine Kunstsprache, die nicht mit *einer* Zunge spricht, deren Produkte nicht aus *einem* Guß sind. Demnach ist das meduseische Kunstwerk vom „Gesetz des Selbstwiderspruchs" gekennzeichnet. Dieses Wort stammt von Edgar Wind, der damit die orphische Theologie, wie sie sich Pico della Mirandola darstellte, auf den Begriff brachte. Die Götter verfügen demnach über gegensätzliche Kräfte: „Apoll verleiht durch seine Musik ebenso poetischen Wahnsinn wie poetisches Maß. Hermes, der Gott der Beredsamkeit, rät zum Schweigen. Minerva, die Göttin

3 Ein Bauer, berichtet Vasari, wollte sich von Leonardo einen Schild bemalen lassen. Der Maler fing an „nachzusinnen, was er wohl darauf malen könne, um den, der sich ihm entgegenstellte, zu erschrecken und diese Wirkung hervorzubringen, wie man ehedem vom Haupt der Medusa erzählt. Zu diesem Zweck brachte er nach einem Zimmer, welches er allein betrat, Eidechsen, Grillen, Schlangen, Schmetterlinge, Heuschrecken, Fledermäuse und andere seltsame Tiere dieser Art und erbaute aus diesem wunderlichen Haufen durch verschiedenartige Zusammenstellung ein gräßliches und erschreckliches Untier, gab ihm einen vergifteten Atem und einen feurigen Dunstkreis und ließ es aus einem dunklen zerborstenen Felsen hervorkommen. Gift aus dem offenen Rachen, Feuer aus den Augen und Rauch aus den Nüstern sprühen, so wunderbar, daß es fürwahr ungeheuerlich und schrecklich erschien."

4 Vgl. Eugène Müntz, Le Type de Méduse dans l'art florentin du XVe siècle, in: Gazette des Beaux-Arts 1897, S. 115 ff – Detlef Heikamp, La Medusa dell Caravaggio . . ., in: Paragone XVII/1966, S. 62 ff – Ausst.-Kat. P. P. Rubens, Kunsthistorisches Museum, Wien 1977, Kat. 23 (W. Prohaska)

5 Cheveux qui sceustes estranger
Moy de moy mesme, et me changer
Tellement, que je vous accuse
De l'effect de ceux de Meduse,
M'ayant rendu un corps sans ame,
Ou plustost une vive flamme.
(Blasons auf den weiblichen Körper, ausgewählt und übertragen von Lothar Klünner, Berlin 1964, S. 10)

6 Freud hält sich beide Wege offen: Sowohl das Vorzeigen der Vulva wie das des erigierten männlichen Gliedes wird als apotropäische Geste gedeutet, doch am Ende der knappen Skizze steht die Anregung, man müßte „der Genese dieses isolierten Symbols des Grauens in der Mythologie der Griechen und seinen Parallelen in anderen Mythologien nachgehen". (S. Freud, Das Medusenhaupt, 1922, in: Gesammelte Werke XVII [Schriften aus dem Nachlaß], London 1946, S. 47 f)

des Friedens, bevorzugt kriegerische Tracht. Mars, der Gott des Krieges, ist verliebt in Venus, die als Göttin der Eintracht den Streit liebt'' (Heidnische Mysterien, S. 225). Das Kind, das Mars mit seiner Geliebten zeugt, trägt diesen Selbstwiderspruch weiter: Harmonia est discordia concors.

Diese klassische Formel wird durchaus folgerichtig auch umgekehrt in concordia discors (im folgenden beziehe ich mich auf Winds V. Kapitel). Einträchtige Zwietracht und zwieträchtige Eintracht – das besagt zweierlei: einmal, daß jedes Ding sein Gegenteil in sich trägt, und zum anderen, daß künstlerische Gebilde aus Gegensätzen zusammengefügt sind – gemacht, nicht gewachsen! Darin erkennen wir das manieristische Kunstverfahren, und wir sind nun in der Lage, ihm eine zeitgenössische Kunsttheorie zur Seite zu stellen. Auf Plutarch zurückgreifend und Platons wie Plotins Lehre von den Gegensätzen nützend, definierte Pico della Mirandola die Schönheit als zusammengesetztes und in sich gegensätzliches Prinzip von Mann und Frau, von Mars und Venus.[7] In der Kunstpraxis leitet sich daraus eines der für den Manierismus kennzeichnenden Themen ab: Der Androgyn (vgl. Kat. VIII. 35).

Der Widerstreit zwischen Formbewahrung und -zerstörung, Verfeinerung und Vergröberung ist mithin in dem mythologischen Liebespaar Mars und Venus verkörpert, jener Widerstreit, von dem Gombrich sagt: ,,Das Noch-nicht-Gestaltete wird zum Ausgestalteten in einen Kontrast gesetzt. . . .'' Dahinter steht der philosophische Gegensatz von Form und Materie, eine Spannung, zu deren Auflösung sich schon Aristoteles des Gegensatzes der Geschlechter bediente. Die Materie, heißt es in der ,,Physik'', sehnt sich nach Form ,,wie das Weibliche das Männliche verlangt''. Die zwieträchtige Eintracht von Mars und Venus zielt folglich in die ureigensten Bereiche des manieristischen Kunstwollens, in die Kunst- und Wunderkammern, sie erstreckt sich auf die ganze Spannweite, die vom rohen Fundstück bis zur raffinierten Kunstform und zum geometrischen Capriccio (z. B. Kat. VIII. 69) reicht. Dazwischen liegen die metamorphen Einfälle eines Arcimboldo und der vielen Ornament- und Arabeskenerfinder, in denen Form wieder in bloße Materie zurückzufallen scheint (Kat. I. 3, I. 4, VII. 55, VIII. 3). Ein Wort noch zu Harmonia. An ihrem Schicksal bewahrheitet sich die zwieträchtige Eintracht. Als Kadmos, ihr Gemahl, in eine Schlange verwandelt wird, begehrt sie sein Schicksal zu teilen. Es geschieht, und ,,vereint in enger Umschlingung'' ziehen sich beide friedlich in ein Versteck zurück (Ovid, Met. IV, 597–603).

Da es dem Katalog an Ausführlichkeit nicht mangelt, darf sich die Einleitung damit begnügen, die Kriterien aufzulisten, die später – objektbezogen – immer wieder verwendet werden, um den Manierismus als eine Kunst des künstlerischen Bewußtseins darzustellen:

1. Stilmischung[8]: Wir verwenden dafür manchmal auch den Sprachgebrauch Erich Auerbachs: ,,Mischung der Höhenlagen'';
2. Wahlfreiheit: d. h. die ,,grundsätzliche Möglichkeit, den Realitätsgrad subjektiv zu wählen und anzuwenden'' (Dvořák);
3. Möglichkeitsform: Jede künstlerische Formulierung wird zu einer von vielen möglichen. Die Variation – als Ausdruck der varietà – kann sich dem Thema substituieren;
4. Multimaterialität: das Neben- und Ineinander von Materie und Form, faktischen und fiktiven Wirklichkeiten.

7 Pico della Mirandola wird von Wind (Heidnische Mysterien) ausführlich zitiert:
,,Daher kann kein einfaches Ding schön sein. Daraus folgt, daß es keine Schönheit in Gott gibt, denn Schönheit enthält in sich eine gewisse Unvollkommenheit, das heißt, sie muß auf bestimmte Weise zusammengesetzt sein, was auf den ersten Grund keineswegs zutrifft. . . Doch darunter (unterhalb des ersten Grundes) beginnt Schönheit, weil dort Gegensätzlichkeit beginnt, ohne die es nur Gott gäbe und keine Schöpfung. Auch genügt es zur Bildung einer Kreatur nicht, daß Gegensätzlichkeit und Zwietracht zwischen verschiedenen Elementen herrschen, sondern erst, wenn sie zueinander ins rechte Verhältnis treten, vereinigen sich die Gegensätze und wird Zwietracht zur Eintracht. Als wahre Definition von Schönheit mag somit gelten, daß sie nichts anderes ist als freundliche Feindschaft und einträchtige Zwietracht. Daher sagt Heraklit, daß Krieg und Streit Vater und Herr aller Dinge seien, und in bezug auf Homer, daß man von dem, der den Streit verfluche, sagen könne, er habe wider die Natur gelästert. Vollkommener ist jedoch Empedokles, wenn er Zwietracht nicht für sich allein, sondern zusammen mit Eintracht als den Ursprung aller Dinge einführt, wobei er unter Zwietracht die Verschiedenheit der Elemente versteht, aus denen sie zusammengesetzt sind, und unter Eintracht deren Vereinigung; daher sagt er, daß einzig in Gott keine Zwietracht herrsche, denn in ihm gäbe es keine Vereinigung verschiedener Elemente, sondern seine Einheit sei einfach, ohne jede Zusammensetzung. Und da es in der Zusammensetzung erschaffener Dinge notwendig ist, daß die Vereinigung den Streit überwindet (sonst würden die Dinge zugrunde gehen, weil ihre Elemente auseinanderfielen) – aus diesem Grund heißt es bei den Dichtern, daß Venus Mars liebt, da Schönheit, die wir Venus nennen, nicht ohne Gegensätzlichkeit bestehen kann, und daß Venus Mars zähmt und besänftigt, da die mäßigende Kraft zur Bändigung und Überwindung von Streit und Haß führt, die zwischen den gegensätzlichen Elementen herrschen. Ähnlich ist Venus – nach Meinung der antiken Astrologen, deren Ansicht Platon und Aristoteles übernahmen, nach den Schriften Abenazras des Spaniers sowie auch nach Moses – in der Mitte des Himmels gleich neben Mars angesiedelt, da sie seinen von Natur aus zerstörerischen und verderblichen Trieb zähmen muß, geradeso wie Jupiter die Bosheit Saturns ausgleicht. Wäre jedoch Mars der Venus – d. h. die Gegensätzlichkeit der elementaren Bestandteile ihrem angemessenen Verhältnis – stets untergeordnet, würde nie etwas vergehen.''

8 In seinem Aufsatz ,,Pieter Bruegel der Ältere'' schreibt Dvořák:
,,. . .wie im Mittelalter finden wir in gleichzeitig bestehenden Richtungen, doch nicht minder bei einem und demselben Künstler, in einem und demselben Kunstwerke unbedingten gegenständlichen und formalen Realismus neben von jeder Naturbeobachtung losgelösten Stoffen und Formen, Porträt neben Formel, Genre neben überirdischer Bedeutsamkeit, Wirklichkeit neben ihrer Überwindung. Der Reichtum des heterogen verschiedenartigen künstlerischen Schaffens in den folgenden Jahrhunderten wäre gar nicht zu verstehen, ohne diese grundsätzliche Möglichkeit, den Realitätsgrad subjektiv zu wählen und anzuwenden'' (in: Kunstgeschichte als Geistesgeschichte, München 1923, 2. A. 1928, S. 222)

In diesen vier Kriterien sind enthalten: die Verfremdung, die Verschlüsselung der Form- und Sachinhalte, die „gestörte Form" – Ambivalenzen der verschiedensten Art, mit deren Hilfe die Manieristen die Vieldeutigkeit gegen die Eindeutigkeit des Nachahmungsstrebens ausspielen. Ihr Zweifel an der Eindeutigkeit künstlerischer Aussagen bereitet dem Kunstideal der Renaissance in dem Maße ein Ende, in dem dieses der Eintracht die Zwietracht versagt, also den doppelten Boden meidet, auf dem das manieristische Kunstwerk steht.

Anders als Goethe, der die Manier nicht an die Höhe des „Stils" herankommen ließ, sie aber gelassen als Möglichkeit, als Wahlfreiheit akzeptiert, gab Dvořák seiner Rehabilitierung des Manierismus das Pathos einer Spiritualität, das die Zeitfarbe des Expressionismus atmet, trotzdem aber in der Substanz noch immer viele gültige Beobachtungen enthält.[9]

Mit ähnlichem Verkünderpathos hatte etwa ein Jahrzehnt zuvor ein Künstlertheoretiker die „Merkmale einer großen geistigen Epoche" ausgerufen. Zieht man von Kandinskys[10] Einsichten die messianisch-eschatologischen Akzente ab, bleibt ein nüchterner Befund, auf dem heute noch unser Jahrhundert steht. Kandinsky sah in der Kunst seiner Gegenwart eine schier grenzenlose Freiheit, bezogen auf die Wahlmöglichkeiten eines Spektrums, das von der härtesten Materie bis zur zweidimensional (abstrakten) Form reicht – von Venus zu Mars, um im Sprachgebrauch Picos zu bleiben.

Kandinsky ist der geistige Terrainvermesser nicht nur der Moderne, er hat, eben weil er auf die Wahlfreiheit setzte, bereits die Postmoderne vorweggenommen. Das wird heute übersehen oder zu wenig erkannt. Er sah die Möglichkeiten des Künstlers zwischen zwei Polen, der großen Abstraktion und der großen Realistik – wir denken an Goethes „Stil" und die „einfache Nachahmung", vermittelt durch den wendigen Zwischenträger „Manier": „Zwischen diesen zwei Polen liegen viele Kombinationen der verschiedenen Zusammenklänge des Abstrakten mit dem Realen." Also concordia discors und discordia concors. Mit dem von Kandinsky ausgestellten Freibrief sind die Manierismen des 20. Jahrhunderts legitimiert. Ihm entnehmen sie die Stilmischung, die Wahlfreiheit, die Möglichkeitsform und die Multimaterialität. Das ist ein weites Feld, dem freilich die Mehrsinnigkeit einen überprüfbaren Umfang zuweist. Was außerhalb ihrer liegt, setzt auf Einsinnigkeit – ob es sich nun um expressionistische Bekenntniskunst, um die programmatische Gegenstandslosigkeit der Konstruktivisten oder das Informel oder neuerdings um „einfache Nachahmung" handelt: Manieristisch ist in unserem Jahrhundert jede Kunstsprache, ob abstrakt oder gegenständlich, welche den Zwiespalt, das Sowohl-als-auch thematisiert. So gesehen, ist die Unterscheidung zwischen Moderne und Postmoderne für unser Thema ohne Relevanz.

Der Großteil der Räume im Erdgeschoß ist den Manierismen des 20. Jahrhunderts gewidmet. Dieser zweite Teil der Ausstellung folgt notwendig einem anderen Gestaltungsprinzip als der erste. Aufeinander bezogen, bilden beide eine concordia discors. Das 16. Jahrhundert ließ sich nach mythologischen Schwerpunkten gliedern, die sich aus der Mars-Venus-Spannung ergaben. Diese inhaltliche Bindung fällt im

9 Die entscheidenden Passagen stehen im Text seines Vortrages über Greco und den Manierismus, 1920 (in: Kunstgeschichte als Geistesgeschichte, S. 270): „Die Wege, die bis dahin zur Erkenntnis und zum Aufbau einer geistigen Kultur führten, wurden verlassen, und das Ergebnis war ein scheinbares Chaos, wie uns unsere Zeit als ein Chaos erscheint. Auf dem Gebiete der Kunst hat man diese Periode, die keine abgeschlossene Periode ist, sondern eine Bewegung, deren Anfänge bis zum Beginn des 16. Jahrhunderts reichen, und deren Wirkungen nie aufgehört haben, in der unglücklichsten Weise als die des Manierismus bezeichnet, weil die naturalistisch orientierten Kunsthistoriker an ihr nur so viel beobachteten, daß die Mehrzahl der Künstler darauf verzichtet hat, selbständig aus der Natur zu schöpfen und sich, ähnlich der Kunst nach dem Zusammenbruche der Antike, mit überlieferten Formen und deren Umwertung begnügten. Damit ist jedoch das Wesen dieser Kunstperiode bei weitem nicht erschöpft. Wenn ein Weltgebäude, wie es das der Weltanschauung des späten Mittelalters, der Renaissance und Reformation war, zusammgestürzt, müssen Ruinen entstehen. Die Künstler, ebenso wie die immer viel zu Vielen auf allen geistigen Gebieten, verloren die Stütze allgemeiner Maximen, an der sich ihr Fleiß, ihre ehrgeizigen Ziele und ihre kleinen Einfälle anranken konnten. Und so stehen wir vor dem Schauspiel einer ungeheuren Disturbation, und in buntem Gemisch des Alten und Neuen und in verschiedenen Richtungen suchen die Philosophen, die Literaten, Gelehrten und Politiker und nicht minder die Künstler nach neuen Krücken und Zielen; die Künstler zum Beispiel in einem virtuosen Artistentum oder in neuen formalen Abstraktionen, die sich zu akademischen Lehren und Theorien verdichtet haben. Anderseits gewinnt das Gegenständliche eine neue Bedeutung, und zwar bald das Grobsinnliche, bald das literarisch Ausgeklügelte. Die Stoffe erweitern sich nach allen Seiten hin, dem Bedürfnisse der Künstler entsprechend, Aufmerksamkeit zu erwecken, d. h. die Originalitäten und Subjektivität ihrer Stellung zur Umwelt zu betonen."

10 Kandinsky, Über die Formfrage. Der Aufsatz erschien zuerst im Almanach „Der Blaue Reiter", München 1912. Wir zitieren nach dem Wiederabdruck in dem Sammelband: Essays über Kunst und Künstler (Hrsg. Max Bill), Stuttgart 1955, S. 21 ff

20. Jahrhundert weg ebenso wie Medusa als Gestalt nur mehr sporadisch auftaucht, aber als ästhetische Grundfigur der Verfremdung (sprich: Versteinerung) immer noch spürbar ist (Kat. XIV. 33, XIV. 39, XVI. 2). War im 16. Jahrhundert die formale Variationsbreite erheblich vom Anteil des Kunsthandwerks bestimmt, wo Lizenzen zum Tragen kamen, denen sich die „hohen Künste" (wie die Malerei) versagten, so tritt sie heute, im Zeitalter der völligen Vermischung aller Gattungen, in jedem Bereich auf. Anders gesagt: Die Variationsbreite der formalen Möglichkeiten ist wie nie zuvor Thema und Impuls jedes künstlerischen Geschehens, welches sich als „Kunstwollen" versteht. Aus all dem ergab sich eine andere Konzeption, eine andere Gliederung der Werke, denn die Manieristen unseres Jahrhunderts zeichnen sich dadurch aus, daß sie – am deutlichsten die Surrealisten – Wahlfreiheit, Stilmischung und Verfremdung mit einem eklektischen Spürsinn betreiben, der mit der Quellenkenntnis eines Kunsthistorikers wetteifert. Dies aufzuzeigen, bot es sich an, den Bewegungen und Gruppen ihren Kollektivumriß zu belassen, innerhalb dessen sich ihre zwieträchtige Eintracht abspielt. Vollständigkeit ist auch hier nicht angestrebt. Exempla müssen zur Positionsbestimmung genügen. Warhol belegt z. B. die huldigend-ironisierende Kunst-aus-Kunst-Praxis, die sich auch bei Lichtenstein, Dimitrijević, der Equipo Cronica u. a. beobachten läßt. Sie alle finden sich in Hockneys „Selbstbildnis mit blauer Gitarre" (Kat. XVIII. 8), dieser Ikone der Selbstprüfung, in der Dürers Hieronymus und seine Melencolia eins geworden sind, im Dialog mit dem Angebot der Möglichkeitsformen.

Wenn solcherart die moderne Kunst von ihrem Messianismus entlastet und auf das Spielbrett der Artistik verwiesen wird, kann die Einsicht nicht ausbleiben, daß die sogenannte Postmoderne ein Scheinproblem ist. Das sieht jeder, der in den historischen Zusammenhängen, die unsere Ausstellung veranschaulicht, ein Stück Bewußtseins- und Problemkontinuität erkennt. Ich spreche nicht (wie Hocke) vom Manierismus als einer der beiden Konstanten der europäischen Geistesentwicklung. Eben weil mit dem Manierismus des 16. Jahrhunderts ein neues Kunstbewußtsein auftritt, das sich bis zum heutigen Tag mehr und mehr radikalisiert hat, wäre es falsch, die Kriterien desselben auszudehnen und zu verdünnen. Manierismen – das ist die Modernität par exellence, das sind ihre Gewinne und ihre Verluste.

Im 5. Akt des Sommernachtstraums[11] ist es endlich so weit: Philostrat stellt dem Hof das angekündigte Stück vor. Es trägt den Titel:

> Ein kurz langweil'ger Akt vom jungen Pyramus und Thisbe, seiner Lieb. Komische Tragödie.

Darauf der Herzog:

> Kurz und langweilig? Komisch und doch tragisch?
> Das ist ja glühend Eis und schwarzer Schnee.
> Wie findet man die Eintracht dieser Zwietracht?

Umfänglicher angelegt als Shakespeares Spiel im Spiel (übrigens ein Beispiel der Stilmischung!) gibt unsere Ausstellung auf diese Frage – wie es sich für das Thema gehört – mehr als eine Antwort.

11 Ich folge der Textfassung des Burgtheaters (1986), die den Monolog des Herzogs auf diesen und Philostrat verteilt. Die Übersetzung nach A. W. Schlegel besorgten Uwe Jens Jensen und Alfred Kirchner. Hier der Originaltext: „A tedious brief scene of young Pyramus
And his love Thisbe: very tragical mirth.
Merry and tragical! tedious and brief!
That is, hot ice and wonderous strange snow.
How shall we find the concord of this discord?"

Ernst H. Gombrich

Rückblick auf Giulio Romano

Anläßlich des Internationalen Seminars „Giulio Romano architetto e la sua influenza" hielt Prof. Sir Ernst H. Gombrich am 30. August 1982 den hier abgedruckten Vortrag im Palazzo del Tè in Mantua. (Auszüge dieses Textes wurden im Heft 2/1987 der Zeitschrift „FMR" publiziert.)

Als ich mit der Einladung geehrt wurde, bei diesem Kongreß zu sprechen, sagte ich meinen Kollegen, die mich zur Annahme überreden wollten, ich glaubte nicht, einen Beitrag zu diesem Thema leisten zu können; mein Interesse hätte sich nämlich schon seit langem ganz anderen Fragen in der Geschichte und Theorie der Kunst zugewandt. Sie beharrten aber dennoch, und so dachte ich mir, vielleicht könnten meine Erinnerungen und Betrachtungen für die jüngere Generation von gewissem Interesse sein. Inzwischen bin ich ja selbst fast ein historisches Monument geworden.

Ich erinnere mich an meinen ersten Besuch im Palazzo del Tè, 1930, vor genau 52 Jahren – ich war damals 21 Jahre alt und studierte im zweiten Jahr an der Wiener Universität. Der Palast erschien mir als ein aufregendes Bauwerk. Bei der Durchsicht der Literatur entdeckte ich, daß zuletzt sehr wenig über Giulio Romano und fast überhaupt nichts über seine Architektur geschrieben worden war. So schlug ich Julius von Schlosser vor, dieses Thema zum Gegenstand meiner Doktorarbeit zu machen; er stimmte dem gerne zu.

Zu Beginn des Jahres 1932 verbrachte ich einige Zeit hier im Albergo Borsa. Vor einem halben Jahrhundert vollendete ich dann meine Dissertation über Giulio Romano als Architekt. Sie wurde auszugsweise 1934 und 1935 im „Jahrbuch der Kunsthistorischen Sammlungen in Wien"[1], vor kurzem auch im Katalog der Londoner Gonzaga-Ausstellung[2] veröffentlicht.

Denke ich an den Gegensatz zwischen jenen Tagen und heute, dann muß ich mich an eine parallele Geschichte in der Architekturhistoriographie erinnern, über die niemand anderer als Goethe reflektiert hat. Natürlich bin ich nicht so eingebildet, mich mit Goethe zu vergleichen, ich spreche hier nicht von mir selbst, sondern von Geschmacksveränderungen, deren Zeuge wir beide geworden sind. Goethe stellte dem zweiten Teil seiner Autobiographie „Aus meinem Leben" als Motto voran: „Was man in der Jugend wünscht, hat man im Alter die Fülle."[3] Dieses Motto verrät einen erstaunlichen Optimismus, wenn es als allgemeine Betrachtung bewertet wird, im Laufe des Erzählens stellt sich aber heraus, daß Goethe damit die Veränderungen des Geschmackes und die Ausbreitung intellektueller Moden meinte. Er war in Straßburg mit 21 Jahren von der Schönheit des gotischen Münsters überwältigt gewesen, mußte zu seiner Überraschung und Empörung aber feststellen, daß sein Stil niemandem gefiel. Er machte diesen daher zum Gegenstand seiner ersten Veröffentlichung, der 1772 erschienenen Schrift „Von deutscher Baukunst"[4].

Als er vierzig Jahre später seine Autobiographie verfaßte, sah er sich einer vollständig veränderten Situation gegenüber. Die gotische Architektur war in Deutschland unter der Jugend zur großen Mode geworden, diese bewunderte nicht allein ihre Schönheit, sondern betrieb auch ernsthafte Studien in Zusammenhang mit der Restaurierung des Kölner

1 E. H. Gombrich, Zum Werke Giulio Romanos. I. Der Palazzo del Tè, in: Jahrbuch der Kunsthistorischen Sammlungen in Wien N. F. VIII/1934, S. 79 ff; II. Versuch einer Deutung, ebenda N. F. IX/1935, S. 121 ff

2 E. H. Gombrich, „That rare Italian Master . . .". Giulio Romano, Court Architect, Painter and Impresario, in: D. Chambers-J. Martineau (Hrsg.), Splendours of the Gonzaga, London 1982, S. 77 ff

3 J. W. v. Goethe, Aus meinem Leben. Dichtung und Wahrheit, Zweiter Teil, in: Goethes Werke. Hamburger Ausgabe, Bd. 9, München 1974, S. 217

4 J. W. v. Goethe, Von deutscher Baukunst. D. M. Ervini a Steinbach, ebenda, Bd. 12, München 1973, S. 7 ff

Doms. Und so schreibt Goethe, er müsse sich nicht tadeln, daß er sich so weit von seinen anfänglichen Bemühungen entfernt hatte, da jetzt auf diesem Gebiet ohnehin genügend Arbeit geleistet würde. Es ist mir hoffentlich erlaubt zu sagen, daß ich eine ähnliche Befriedigung empfand, als ich das Programm dieses Kongresses studierte.

Goethes Hymne auf das Straßburger Münster ist ein Meisterwerk der Literatur – zum Unterschied von meiner Dissertation; aber Goethe hatte nur sehr unklare Vorstellungen über die Geschichte der Architektur, und ich hatte etwas mehr, wenn auch nicht genug. Das Denkmal des deutschen Mittelalters zog Goethe aus ideologischen Gründen an, die ihm kaum bewußt waren – er war von der Strömung des aufkommenden deutschen Nationalismus ergriffen und wollte sich dem Diktat des französischen Geschmacks entgegenstellen. Ich weiß heute, daß auch meine Wahl durch die Ideologie meiner Zeit und meiner Umwelt beeinflußt worden ist. Es war die Zeit, als einige Bewegungen der modernen Kunst Vorläufer in der Vergangenheit suchten. Der Gedanke, daß der Manierismus, der noch von Wölfflin und Berenson verachtet worden war, einen eigenen Wert, den Wert des Antiklassischen, besitze, wurde damals überall diskutiert – ich brauche darauf nicht näher einzugehen. An Untersuchungen manieristischer Bilder – von Pontormo und Parmigianino, Tintoretto und El Greco – bestand kein Mangel, die Frage aber, ob man auch von einer Architektur des Manierismus sprechen könnte, war noch keineswegs entschieden.

Ich hatte meine kunsthistorischen Studien auf dem Gebiet der frühmittelalterlichen Kunst begonnen, aber damals interessierte ich mich wie heute auch für Psychologie, also für ein in Wien endemisches Thema. Erinnere ich mich recht, so war es Hans Sedlmayers Buch über die Architektur Borrominis[5], das mein Interesse auf die Architektur lenkte, weil der Autor in dieser ambitionierten Studie sowohl die wahrnehmungspsychologischen wie auch die charakterologischen Aspekte im Werk Borrominis zu interpretieren versuchte. Es war also nur natürlich, daß ich angesichts der bizarren und eindrucksvollen Schöpfung des Schülers Raffaels dachte, hier allein könnte das Problem des Manierismus in der Architektur studiert werden. Schließlich war hier das Verhältnis der Stile der Malerei und der Stile der Architektur keine Frage abstrakter Spekulation. Derselbe Künstler, der die Innenräume ausmalte, hatte auch die Außenarchitektur entworfen. Ich ging daher bei meiner Analyse von der Variationsbreite der Innendekorationen aus. Ich war – wie es wohl jeder andere auch gewesen wäre – überrascht vom Gegensatz zwischen dem berühmten Bravourstück der „Sala dei Giganti" und der extremen klassizistischen Zurückhaltung in der ganz nahe gelegenen „Sala degli Stucchi".

Ich hoffte nun deutlich machen zu können, daß auch in der Architektur Giulios dieser Kontrast zweier Gestaltungsmöglichkeiten zu beobachten ist. Ich zeigte, daß sich der für den Manierismus charakteristische Ausdruck von Konflikten und Grausamkeit in der launenhaften Verwendung der Rustika im Palazzo del Tè und noch mehr in der Porta della Cittadella und der Cavalerizza manifestiert, während die klassizistischen Möglichkeiten in der Gartenfassade und vor allem in den Formen des Domes zutage treten.

5 H. Sedlmayr, Die Architektur Borrominis, Berlin 1930

Heute weiß ich, daß meine Interpretation des Manierismus als eines Stils der ungelösten Gegensätze damals in der Luft lag. Es kann kein reiner Zufall sein, daß gleichzeitig mit meiner Analyse des Palazzo del Tè Wittkower, den ich nicht einmal kannte, seine berühmte Studie über Michelangelos Biblioteca Laurenziana, mit einer sehr ähnlichen Deutung des Manierismus, schrieb.[6] Und das ist nicht überraschend, weil sogar Wöfflin diesen Stil schon in gewissem Sinn so verstanden hatte, nur hatte er den ungelösten Konflikt verdammt, der für unsere Generation nun eine positive Errungenschaft bedeutete.[7]

Ich weiß heute auch, daß meine Interpretation des kühlen und klassizistischen Aspekts der Kunst Giulio Romanos ihren Ursprung in damaligen Debatten hatte, ich denke hier vor allem an Wilhelm Pinders Aufsatz „Zur Physiognomik des Manierismus''[8], in dem dieser die kalten und maskenhaften Köpfe der höfischen Porträts Bronzinos als einen weiteren Ausdruck seelischer Konflikte interpretierte. Und damit nicht genug: Ich glaube heute, daß meine Auffassung von einer Polarität von Manierismus und Klassizismus im Werk eines einzigen Künstlers auch von der Kunst meiner Zeit beeinflußt worden war. In diesen Jahren erstaunte uns Picasso, als er vom Kubismus mit seinen ungelösten Konflikten zu den klassizistischen Gemälden und Zeichnungen wechselte, die in Verbindung zu seinen Illustrationen und den Entwürfen für das Russische Ballett stehen. Ich besaß zwar keine eingehende Kenntnis von Picassos Werk, wußte aber natürlich genug, um mich für die Gründe einer solchen Wandlung zu interessieren.

Was ich an diesen Diskussionen in meinem Umkreis dagegen nicht akzeptieren konnte, war die Auffassung, daß die Kunst einer Zeit immer auch der Ausdruck dieses Zeitalters sein müsse. Es schien mir offenkundig übertrieben, den Palast mit seinem ungezügelten Sensualismus als Symptom eines tiefen seelischen Unbehagens zu deuten. Ich wählte dagegen einen eher soziologischen Ansatz und fragte, was man zu dieser Zeit von einem Hofkünstler erwartete. Als meinen Schlüssel verwendete ich jenen Brief des Lorenzo Leonbruno, in dem er dem Herzog „neue, noch nie gesehene Bizarrerien''[9] verspricht, falls ihm dieser weitere Aufträge geben werde. Man erinnert sich hier an die berühmte Aufforderung Diaghilews an Cocteau, „Étonnez-moi''. Und wie man jemanden zum Staunen bringt, das wußte Giulio sicher.

Was ich damals vorschlug, könnte man heute als eine „Ökologie der Kunst'' bezeichnen, die den Akzent auf jene Nische im Ambiente des Künstlers setzt, in der dieser vorfindet, was man von ihm erwartet und was als akzeptabel gilt. Dennoch glaubte ich nicht, auf das Problem der individuellen Psychologie des Künstlers verzichten zu müssen, denn schließlich konnten weder Giulio noch Cocteau ihre erstaunlichen Tricks aus einer anderen Quelle als aus ihrer eigenen Psyche, bewußt oder unbewußt, hervorholen. Damals überraschte mich die Mischung aus Erotismus und Grausamkeit in der Bilderwelt des Palastes. Ich schlug vor, auch die Neuerungen in Giulios architektonischem Stil in einem solchen Licht zu sehen. Die ungelösten Konflikte der Architektur würden so Beklemmungen und Angstneurosen verraten. Ich darf hier vielleicht sagen, daß eine solche psychologische Deutung nicht nur auf den „genius loci'' Wiens zurückzuführen war, wo ich durch Ernst Kris mit

6 R. Wittkower, Michelangelos Biblioteca Laurenziana, in: The Art Bulletin XVI/1934, S. 123 ff

7 H. Wöfflin, Die Klassische Kunst, München 1899, S. VII

8 W. Pinder, Zur Physiognomik des Manierismus, in: Die Wissenschaft am Scheideweg von Leben und Geist, Festschrift für Ludwig Klages, Leipzig 1932, S. 148 ff

9 „. . . nuove bizzarrie non mai più vedute.'' Vgl. P. Carpi, Giulio Romano ai servigi di Federico II Gonzaga, in: Atti e Memorie della R. Accademia Virgiliana di Mantova, n. s. XI-XIII/1920, doc. 1

dem Kreis um Freud bekannt wurde. So seltsam es klingen mag, sie entsprach auch den Forderungen, die niemand anderer als Benedetto Croce an die Historiker der Architektur gestellt hatte. Wie Sie vielleicht wissen, war Schlosser ein enger Freund und Anhänger Croces und hatte viele seiner Aufsätze ins Deutsche übersetzt. In einem von ihnen fand ich einen Abschnitt, von dem ich sicher sein konnte, daß er Schlosser genauso gefallen würde wie mir.

Am Schluß seines Aufsatzes „Von einigen Schwierigkeiten, die die Geschichte der Baukunst betreffen'' aus dem Jahr 1904, zieht Croce die Folgerungen:

„Es ist notwendig, die praktischen Beweggründe, die in der Seele des Künstlers tätig waren, zu erforschen, ebenso wie sein und seiner Zeit Wesen, die Überlieferungen, die Schulgewohnheiten, die fremden Einflüsse, die gefühlsmäßige Wirksamkeit dieser oder jener Architektur- und Geschmacksformen usw. erforscht werden sollen.

Es ist aber notwendig, nicht etwa bei diesen stehen zu bleiben, sondern die künstlerische Synthese anzustreben, d. i. den wesentlichen und herrschenden Moment, in dem der Künstler zu einer eigenen Vision oder Formung gelangt ist, und die das praktische Werk in ein Kunstwerk wandelt.

Auf diese Art wird auch die Architekturgeschichte zu einem psychologischen, besser zu einem Geistesproblem. Die Sache mag gelegen kommen oder nicht, sie ist unausweichlich: es gibt keinen anderen Weg. Die Unterscheidung zwischen künstlerischen Bauwerken und solchen, die es nicht sind, muß sich auch ihrerseits auf eine geistige Auslegung gründen . . . Das, worum es sich vielmehr handelt, ist, sozusagen die ursprüngliche architektonische Emotion wieder hervorzurufen; es ist das ein Prozeß idealer Wiedergabe, der immer möglich ist, vorausgesetzt, daß man, mit der notwendigen Vorbereitung, den mitfühlenden Geist in sich verspürt. Und es bleibt selbstverständlich, daß man sich davor hüten muß, auf die Gebäude der Vergangenheit unsere Phantasiespiele zu übertragen, wofür Ruskin des öfteren unnachahmliche und doch immer wieder nachgeahmte Beispiele geliefert hat.''[10]

Kann ich auch solcher „Phantasiespiele'' angeklagt werden? – Schon 1980 habe ich in einer Rezension von Egon Verheyens Buch über den Palazzo del Tè öffentlich gestanden, daß mir selbst dieser Verdacht gekommen war, als ich nach dem Krieg wieder nach Mantua kam und den Palast mit neuen Augen sah.[11] Ich fragte mich damals, ob ich die festliche und frivole Dekoration dieses Lusthauses nicht allzu ernst genommen hatte. Diesen Eindruck, glaube ich, hatten auch viele der jüngeren Autoren nach Frederick Hartts Monographie: John Shearman, Paolo Carpeggiani, Kurt Forster, Richard Tuttle und Verheyen selbst. Die neuen Nuancen in der Beurteilung mögen Ansichtssache sein, das gilt aber nicht für eine andere Entwicklung in der Forschung. Ich denke hier an die Entdeckung von Stradas Zeichnungen des Palastes durch Verheyen[12] und die von diesem und vor allem von Professor Forster und Richard Tuttle gefundenen und vor elf Jahren veröffentlichten Berichte über eine radikale Restaurierung im 18. Jahrhundert.[13]

Es stellt sich also heraus, daß sich meine Interpretation auf nicht ganz gesicherte Tatsachen stützte. Ich komme mir wie ein Literatur-

10 B. Croce, Kleine Schriften zur Ästhetik, ausgew. und übertragen von J. v. Schlosser, Bd. 2, Tübingen 1929, S. 247 ff

11 In: The Burlington Magazine CXXII/1980, S. 70 f

12 E. Verheyen, Jacopo Strada's Mantuan Drawings of 1567/68, in: The Art Bulletin XLIX/1967, S. 62 ff

13 K. Forster-R. Tuttle, The Palazzo del Tè, in: Journal of the Society of Architectural Historians XXX/1971, S. 267 ff

geschichtler vor, der ein Buch über ein berühmtes Werk veröffentlichte, sich dabei aber, wie sich später herausstellt, auf einen bearbeiteten und verfälschten Text gestützt hatte.

Wenn das alles wäre, dann sollte ich lieber meine Nachfolger auf diesem Forschungsgebiet beglückwünschen und schweigen. Ich würde es aber, offen gesagt, bedauern, wenn die in meiner Arbeit zitierten Texte aus dem 16. Jahrhundert unter den Ruinen meines Gedankengebäudes begraben blieben. Diese Quellen verlangen eine erneute Diskussion. Ich halte es daher für nützlich, hier über sie zu referieren.

Ich beziehe mich vor allem auf jene Stelle im Vierten Buch Serlios, in der dieser von unserem Palast spricht, und die ich in meiner Dissertation nach der ältesten Übersetzung des 16. Jahrhunderts zitierte:

„Es hat die alten Römer fur hupch und zierlich gedoucht, nicht allain das Dorico sunder auch das Jonico und Corinthio mit dem Rustico zuo vermengen. Desshalben so ist es nicht unrecht, wann man allain mit ayner Manier ain Vermischüng mit disen beurischen Werck macht. Anzaygende in dem ains Tayls ein Werck der Natur, und ains Tayls ein Werck des Werckmaysters. Dann die Seulen umbwickelt mit den beurischen Staynen, und auch der Architrave und Phrise zergänzt von den Penanten zaygt an ain Werck der Natur, aber die Capitel und Tayls der seulen desgleichen die Cornice mit dem Frontispicio zaygen an ain Werck der Händt, welche Vermischung mains Gedunckens dem Äug seer angenäm ist, und erzaigt in im selbs ain grosse Stercke . . . Und diser Vermängung hat sich Julius Romanus mer erlustigt weder kain andrer, wie dess Rom an viel Orten Gezeückniss gibt, auch Mantoa, in dem seer schönen Palatz Te genant, nit weyt von der stat hinaus. Warlichen ain exempel der Architectur und Malerey zuo unsern zeytten." [14]

Die Wichtigkeit dieser Äußerung wird, glaube ich, nicht durch die interessante Entdeckung geschmälert, daß in den Restaurierungen des 18. Jahrhunderts oft die Rauheit der Rustika noch verstärkt wurde; und ich frage mich, ob Serlio diese Interpretation der Rustika als „Werck der Natur" nicht aus dem Munde Giulios selbst erhalten hat. Daß Serlio den Palast gesehen hat, ist klar, ist es da nicht wahrscheinlich, daß er auch mit dem Architekten gesprochen hat?

Für das Urteil Serlios ist die „Vermischung" der Rustika „dem Äug seer angenäm . . . und erzaigt in im selbs ain grosse Stercke". Ein anderer in meiner Dissertation zitierter Text Serlios erlaubt, noch weiter zu gehen. Ich meine die Stelle in der Münchner Handschrift, in der das Portal eines römischen Feldlagers in Dazien beschrieben wird: „Dies ist das Haupttor des Lagers . . . es ist mit Rustika gemischte korinthische Arbeit, damit bildlich die Sanftheit und Freundlichkeit des Geistes Kaiser Trajans beim Verzeihen und die Stärke und Strenge beim Bestrafen gezeigt wird." [15]

An einem anderen Ort der Handschrift sagt Serlio: „Das Lager hatte zwei Tore, sehr verschieden gearbeitet. Das eine, in Rustika gearbeitete war auf der Seite, wo die Barbaren am wildesten sind, das andere in korinthischer Arbeit auf der nach Italien gerichteten Seite." [16]

In den italienischen Architekturtraktaten des 16. Jahrhunderts gibt es nur wenige Bemerkungen dieser Art. Woher kommen sie? Serlio gibt seine Quelle hier mit Namen an: Marco Grimani, Patriarch von Aquileja.

14 Übersetzung des Pieter Coecke van Aelst (1542), die auch in Anm. 1 (1934) auf S. 87 zitiert ist. Vgl. S. Serlio, Regole generali di architettura, Venezia 1537, libro IV, S. 133 v: „E stato parer de gli antichi Romani mescolar col Rustico non pur il Dorico: ma il Ionico, e'l Corinthio ancora, il per che non sarà errore se d'una sola maniera si farà una mescholanza, rappresendando in questa, parte opera di natura, et parte opera di artefice: percioche le colonne fasciate dalle pietre rustiche, et ancho l'architrave, et fregio interotti dalli conii dimostrano opera di natura, ma i capitelli et parte delle colonne, et cosi la cornice col frontispicio rappresentano opera di mano: laqual mistura, per mio aviso, è molto grata all'occhio, et rappresenta in se gran fortezza . . .et di tal mistura se ne è più dilettato Julio Romano, che alcun'altro, come ne fa fede Roma in più luoghi, et anco Mantoa nel bellissimo palazzo detto il Tè, fuori di essa poco discosto, essempio veramente di Architettura et di pittura a nostri tempi."

15 München, Staatsbibliothek, cod. icon. n. 190 („Della castramentatione di Polibio ridotta in una cittadella murata . . ."): „Questa è la principale porta della castramentazione . . . È di opera Corinthia mista con lo rustico, per dimostrare figuratamente la tenerezza e piacevolezza dell'animo dell'imperatore Trajano nel perdonare: et la rubustezza et la severità nel punire."

16 „Il castramento aveva due porte, di estrema deferenzia di opera. Quello che è di opera rustica era da quella banda dove li barbari erano più feroci . . .e quella di opera corinthia era dela banda verso la Italia."

Man errät leicht, daß der Patriarch diese Art, die Architektur zu betrachten, weder Vitruv noch Alberti verdankt, sondern der für die Ästhetik der Renaissance entscheidenden Tradition. Damit meine ich die Lehre von der Redekunst, deren Wichtigkeit auch Shearman betont hat.[17] In den antiken Traktaten der Rhetorik lernten die Gelehrten der Renaissance, wie man Form und Bedeutung, Sinneseindruck und Gefühlsausdruck miteinander verbinden kann. Ein wesentlicher Grundsatz der antiken Rhetorik besagte, daß zwischen dem Klang einer Aussage und ihrem Sinn Übereinstimmung bestehen müsse.

Der genaueste Bezug zu der Interpretation von Grimani und Serlio befindet sich im Traktat „De collocatione verborum'' des Dionysios von Halikarnassos. Hier wird von dem kraftvollen Eindruck gesprochen, der durch den Verzicht auf Verfeinerung und sogar mit rauhen Tönen erzielt werden kann. Er wird mit der Roheit primitiver Bauten verglichen. Der herbe Charakter folgt aus dem unvermittelten Nebeneinander der Wörter, „nicht unähnlich alten Gebäuden, deren Steine nicht zu Quadern behauen und in rechtem Winkel zusammengefügt sind, sondern den Eindruck zufällig übereinandergetürmter grober Steine machen''.[18]

Ich behaupte nicht, daß Grimani genau an diese Worte dachte, obwohl sie 1508 in Venedig von Aldus Manuzius in einem Sammelband mit griechischen rhetorischen Texten gedruckt worden waren; war ja die von Dionysius mit einem architektonischen Vergleich illustrierte ästhetische Doktrin in den antiken Traktaten der Rhetorik ganz allgemein verbreitet. In seinem in derselben Ausgabe enthaltenen Traktat über den Stil lehrt Demetrius etwa, eine allzu geglättete Komposition sei für eine starke Sprache ungeeignet, dissonante Laute würden einer Rede dagegen mehr Kraft verleihen. Spontan im Augenblick gefundene Worte seien viel wirkungsvoller, vor allem um Zorn auszudrücken, als eine übertriebene Suche nach Form und Harmonie.[19]

Es muß kaum hinzugefügt werden, daß diese Doktrin auch in dem viel bekannteren Text von Cicero, „Orator'', reflektiert wird, allerdings in einer etwas anderen Akzentuierung.[20] Cicero beginnt seine Diskussion über das beliebte Thema der Unterscheidung der drei „genera dicendi'' mit einem längeren Abschnitt über den niedrigen Stil; diesen zeichne eine gewisse Naivität aus; auf alle rhetorischen Mittel wie Rhythmus und Euphonie müsse verzichtet werden, wohingegen es eine Regel des Stiles überhaupt sei, jeden „hiatus'' oder „concursus'', also dissonante Töne, zu vermeiden. Cicero räumt ein, daß in diesem Fall solche Fehler eine gefällige Nachlässigkeit der Form darstellen. In einer bezeichnenden Klammer fügt er an, daß es eine gewisse Nachlässigkeit, „sed quaedam negligentia est diligens'', gibt. Wie manche Frauen ohne Schmuck noch schöner sind, so gefällt ein schlichter und sogar ungepflegter Stil: „subtilis etiam incompta oratio delectat.''[21]

Cicero hebt in dieser Ästhetik des Natürlichen und nicht Gepflegten nicht so sehr den Eindruck der Kraft als die Wohlgefälligkeit hervor. Ich brauche nicht daran zu erinnern, daß diese Lobrede der „negligentia diligens'' von Baldassare Castiglione in einer der berühmtesten Passagen des „Cortegiano'', im Loblied der Lässigkeit, der „sprezzatura'', ausgearbeitet wurde.

Castiglione geht von dem Grundsatz aus, daß man vor allem das

17 J. Shearman, Giulio Romano: tradizione, licenze, artefici, in: Bolletino del Centro Internazionale di Studi di Architettura Andrea Palladio IX/1967, S. 354 ff

18 Denys d'Halicarnasse, la Composition Stylistique, hrsg. v. G. Aujac - M. Lebel, Paris 1981, VI, S. 22

19 Demetrius, On Style, Hrsg. W. Rhys Roberts, Hildesheim 1969, V, S. 299 f

20 M. T. Cicero, Orator, XXIII, 77, 78

21 Ebenda, XXIII, 78

Gekünstelte vermeiden soll: „Man kann hier sagen, daß wahre Kunst ist, was keine Kunst zu sein scheint." Die ästhetischen Folgerungen, die Castiglione aus dieser Maxime zieht, sind wohlbekannt. Von der Musik sprechend, erinnert er seine Leser, daß reine Harmonie mißfallen kann, während manche Dissonanzen angenehm sind. Und in Hinblick auf die Malerei: „Man sagt auch, daß bei einigen hervorragenden antiken Malern das Sprichwort gegolten habe, daß zuviel Fleiß schädlich sei, und daß Protogenes von Apelles getadelt wurde, weil er die Hände nicht von der Tafel zu lassen verstand." Aus eigener Erfahrung fügt er hinzu: „Eine einzige mühelose Linie, ein einziger leicht hingeworfener Pinselstrich, wobei die Hand, ohne von emsigem Fleiß oder irgendeiner Kunst geführt zu werden, aus sich selbst heraus auf ihr Ziel in den Absichten des Malers loszugehen scheint, enthüllen auch in der Malerei deutlich die Vortrefflichkeit des Künstlers, über deren Bedeutung sich dann jeder seinem Urteil gemäß verbreitet. Dasselbe gilt beinahe für jede andere Sache."[22]

Unter diesen „anderen Sachen" befindet sich gewiß auch die Architektur. Vielleicht hatte, wie ich sagte, Serlio Kontakt mit Giulio Romano. Mit noch mehr Sicherheit nehme ich an, daß Giulio Romano oft mit Baldassare Castiglione gesprochen haben muß. Indem er das Konzept des unvollendeten Werks in die Architektur einführte, entwickelte er, wie ich glaube, eine andere Form der „sprezzatura".

Ich teile die Meinung mancher Autoren, Giulio hätte mit der scherzhaften Anwendung des „non finito" – also einer Form der „sprezzatura" – aus einer Not gleichsam eine Tugend gemacht. Die Umstände bei der Errichtung eines Palastes zwangen ihn zu improvisieren. Wie hätte er das besser lösen können, als durch die Verbindung der Realität der Improvisation mit dem Anschein einer willentlichen Verachtung pedantischer Regeln? Zwischen diesem und Serlios Gedanken besteht aber kein Widerspruch, weil die „sprezzatura" eben eine Tugend der Natürlichkeit und nicht des Künstlichen ist.

Aber es erscheint mir wichtig, ganz klar herauszustellen, daß künstlerische Freiheiten nur Freiheiten sind, wenn es eine Regel gibt, gegen die man verstoßen kann. In der Architektur gibt es, wie in der Rhetorik, einen enormen Unterschied zwischen dem, der die Regeln nicht kennt, und dem, der sie kennt, aber willentlich durchbricht. In anderen Worten: Die gewünschte Wirkung hängt von einem Publikum ab, das diese Abweichung von den Regeln zu schätzen weiß. Ich bin zwar derselben Meinung wie jene Autoren, die bezweifeln, daß der Manierismus ein „antiklassischer" Stil ist, aber man kann nicht leugnen, daß er ein nachklassischer, gleichsam ein Parasit des Klassischen, ist. In meiner Dissertation zog ich auch zu dieser Frage Serlio als Quelle heran. In seinem „Libro extraordinario", das einigermaßen bizarre Entwürfe für Portale enthält, verteidigt er sich gegen den Verdacht, er würde die klassischen Regeln nicht kennen.

„Geziemendste Leser, den Grund, warum ich in vielen Dingen so freizügig gewesen bin, sage ich euch jetzt. Ich sage: weil ich weiß, daß der größte Teil der Menschen in den meisten Fällen neue Dinge begehrt, und vor allem, daß es einige gibt, die in jedem Werk, das sie machen lassen, genug Platz wünschen, um Inschriften, Wappenschilder, Impresen und ähnliche Dinge anzubringen; andere wieder Historien in Halb- und

22 B. Castiglione, Das Buch vom Hofmann, Hrsg. F. Baumgart, Bremen o. J., S. 54 und 56 ff

Flachrelief; einige etwa einen antiken Kopf oder ein modernes Porträt, und ähnliche Dinge. Aus diesem Grund bin ich zu solchen Freizügigkeiten gekommen, habe oftmals einen Architrav, Fries und auch Teil des Gesimses unterbrochen, mich aber dabei der Autorität einiger römischer Altertümer bedient. Manchesmal habe ich einen Giebel unterbrochen, um eine rechteckige Tafel oder ein Wappen anzubringen. Ich habe viele Säulen, Pfeiler und Türsturze mit Bändern versehen, und manchmal Friese, Triglyphen und Blattwerk unterbrochen.''[23]

Alle diese Lizenzen – wie ich in der hier angeregten Terminologie sagen könnte – sind das Ergebnis eines gesellschaftlichen Anspruches, Aspekte der architektonischen Umwelt im 16. Jahrhundert. Die Regeln der Kunst, fügt Serlio hinzu, bleiben dennoch unverletzt. Denn, wie er schreibt:

„Wenn alle diese Dinge entfernt, die Gesimse hinzugefügt, wo sie unterbrochen wurden, und jene Säulen vollendet, die nicht vollendet waren, werden die Werke vollständig und in ihrer ursprünglichen Form verbleiben.''[24]

Es scheint mir nicht einmal möglich zu leugnen, daß die Existenz der Regeln bei manchen Künstlern dieser Zeit eine zwiespältige Haltung hervorgerufen hat. Schließlich besitzen wir als Beweis den „locus classicus'' Vasaris, auch ein Architekt des 16. Jahrhunderts also, der nur zwölf Jahre nach Giulio – für den Vasari tiefste Bewunderung empfand – geboren wurde. Ich spreche von der berühmten Lobrede über Michelangelo und dessen Neue Sakristei:

„Hier brachte er eine Verzierung in gemischter Ordnung an, die mannigfaltigste, ungewöhnlichste, welche jemals alte oder neuere Meister anzuwenden vermochten.'' Die Neuheit der architektonischen Formen Michelangelos lobend, fährt Vasari fort, sie „. . . sind völlig verschieden von dem, was die Menschen früher für Maß, Ordnung und Regel geachtet hatten, nach allgemeinem Brauch, sowie dem Vorbild Vitruvs und der Antike . . . Solche Kühnheit ermutigte diejenigen, welche Michelangelos Verfahren sahen, ihn nachzuahmen; und neue Erfindungen hat man seitdem gesehen . . . Daher sind ihm die Künstler zu unendlichem ewigen Dank verpflichtet, weil er die Bande und Ketten brach, mit denen belastet alle stets auf der gewöhnlichen Straße fortgegangen waren.''[25]

Was mich hier am meisten interessiert, ist nicht so sehr Vasaris Lob des von ihm so bewunderten Meisters, sondern der Ausdruck der Feindschaft gegen die „Bande und Ketten'' Vitruvs und der Antike. Kann man sich etwa vorstellen, daß Giuliano da Sangallo und Bramante sich auf diese Weise aufgelehnt hätten?

Gewiß war es ein Anachronismus, den sogenannten Manierismus mit der künstlerischen Situation des 20. Jahrhunderts gleichzusetzen. Nach fünfzig Jahren versteht man aber leicht, wie ein solcher Anachronismus entstehen konnte. Beiden Epochen ist ein gewisser Verlust der Unschuld gemeinsam, auch die Natürlichkeit wird so zu etwas Künstlichem.

Vor fünfzig Jahren, als ich meine Dissertation schrieb, hatte ich mich noch weiter gewagt: Ich behauptete damals, diese ambivalente Haltung gegenüber Regeln und Konventionen hätte sich nicht auf den

23 S. Serlio, Libro extraordinario, Venedig 1584 (Erstausgabe Lyon 1551), fol. 2 r: „Discretissimi Lettori, la cagione, perch'io sia stato così licentioso in molte cose, hora ve la dirò. Dico che conoscendo, che la maggior parte degli huomini appetiscono il più delle volte cose nuove, et massimamente che ve ne sono alcuni, che in ogni piccola operetta, che facciano fare, gli vorebbono luoghi assai per porvi lettere, armii, imprese, et cose simili: altre istoriette di mezo rilievo, o di basso: alcuna fiata una testa antica, ò un ritratto moderno, et altre cose simili. Per tal cagione sono io trascorso in cotai licentie, rompendo spesse fiate uno Architrave, il Fregio, e ancora parte della Cornice: servendomi però del autorità di alcune antichità Romane. Tal volta ho rotto un Frontispicio per collocarvi una riquadratura, ò una arme. Ho fasciato di molte colonne, pilastrate e supercilii rompendo alcuna volta degli Fregi, et de Triglifi et de'fogliamini.''

24 „Le qual tutte cose levate via, et aggiunte delle Cornici, dove son rotte, et finite quelle colonne che sono imperfette, le opere rimarrano intere, et nella sua prima forma.''

25 G. Vasari, Le vite . . ., Hrsg. G. Milanesi, VII, Firenze 1881, S. 193. Übersetzung frei nach E. Förster, in: G. Vasari, Leben . . ., Bd. V, Stuttgart-Tübingen 1847, S. 323f

Bereich der Kunst beschränkt. Ich bezog mich dabei auf jene leidenschaftlichen Verse, mit denen Tasso in der „Aminta" die verlorene Unschuld und die Tyrannis der Ehre beklagt:

O golden-schönes Alter,
Nicht, weil von Milch die Flüsse
Da flossen und der Honig troff von Wäldern.
. . .
Nur deshalb, weil der leere
Gegenstandslose Namen,
Der Götze falscher Meinungen und Trüge,
Den Dummheit nennt die „Ehre",
Als andre Zeiten kamen,
Und den man dem natürlichen Gefüge
Zum Zwingherrn schuf, damals noch nicht geboten,
Nicht mengte in das Leben
Verliebter bittre Atzung,
Noch nicht die harte Satzung
Auf Seelen prägte, die zu freiem Weben
Von der Natur bestellt –
Weil da noch galt: Erlaubt ist, was gefällt.
Du ließst zuvörderst, Ehre,
Den Freudenquell versiegen . . .
Am besten wärs, du brächtest
Unruhevollen Schlummer
Dem, der da viel bedeute,
Uns aber, kleine Leute,
Laß leben wie in Urzeit, frei von Kummer.[26]

26 T. Tasso, Aminta, I/2
O bella età dell'oro,
Non già perchè di latte
Sen corse il fiume, e stillò mele il bosco; . . .

Ma sol, perchè quel vano
Nome senza soggetto,
Quell'idolo d'errori, idol d'inganno,
Quel che dal volgo insano
Onor poscia fu detto,
Che di nostra natura 'l feo tiranno

Non mischiava il suo affanno
Fra le liete dolcezze
Dell'amoroso gregge;
Nè fu sua dura legge
Nota a quell'alme in libertate avvezze;
Ma legge aurea e felice,
Che Natura scolpì ‚S'ei piace ei lice'. . .

Tu prima, Onor, velasti
La fonte dei diletti . . .
Vattene, e turba il sonno
Agl'illustri, e potenti:
Noi qui negletta, e bassa
Turba senza te lassa
Viver nell'uso dell'antiche genti.

War das wirklich, was Tasso dachte? Ja und nein. Wir dürfen nicht den Fehler begehen, die Kunst mit dem Leben zu verwechseln. Dieser Chor ist Teil eines dramatischen Werkes, und Tasso drückt hier als Dichter ein Gefühl aus, das wir alle kennen. Man könnte sagen, es ist Rhetorik, denn jeder Dramatiker ist ein Meister der Rhetorik. Ich denke, die Kunsthistoriker – das gilt auch für meine Arbeit über Giulio Romano – haben mitunter gerade diese dramatische und rhetorische Funktion vernachlässigt. Wenn wir von der Bedeutung eines Kunstwerks sprechen, dürfen wir nicht auch annehmen, das Kunstwerk wolle eine Wahrheit verkünden.

Im Zuge der Tendenzen unserer Zeit haben sich die jüngsten Studien über den Palast besonders mit seiner politischen Bedeutung beschäftigt. Die scharfsinnigen Beobachtungen Forsters, in denen dieser die Ähnlichkeit der Gartenfassade mit der Darstellung des „Palatium imperiale" auf einem Mosaik in Ravenna hervorhob, führten ihn zur Interpretation des ganzen Palastes als „propagandistische" Verherrlichung der kaiserlichen Macht oder zumindest imperialistischer Aspirationen des Frederico Gonzaga[27]. Verheyen geht noch weiter und versteht den größten Teil der malerischen Ausstattung als politische „Propaganda".[28]

Aber was ist Propaganda? „Propaganda fidei" bezeichnet die Tätigkeit der Verbreitung des Glaubens und der Bekehrung der Heiden. Die Propaganda ist nichts anderes als der Versuch der Überzeugung der öffentlichen Meinung, ihre typischen Mittel sind Massenpredigt und volkstümliche Presse. Mit einer Gartenfassade oder Fresken in privaten Gemächern macht man keine Propaganda. Ich glaube im Gegenteil, wir verwenden diesen Begriff zu frei, wenn wir behaupten, daß die Gonzaga

27 Vgl. not. 13

28 E. Verheyen, The Palazzo del Tè in Mantua, Images of Love and Politics, Baltimore-London 1977

irgend jemanden von ihrer fürstlichen Macht überzeugen wollten. Kein Teilnehmer am politischen und diplomatischen Spiel hätte sich so leicht beeinflussen lassen.

Die Rhetorik will aber nicht immer überzeugen, sie beansprucht nicht, „die Wahrheit und nichts als die Wahrheit" zu behaupten. „Aliud est laudatio, aliud est historia", sagte Bruni.[29] Im rhetorischen Spiel konnte man unbedenklich den regierenden Fürsten mit Jupiter und seine Favoritin mit Venus vergleichen, weil das mit der Realität überhaupt nichts zu tun hatte. Was der Vergleich mit der Rhetorik uns lehren kann, ist eine neue Einschätzung der Autonomie der Kunst. Wie die Feste und Schauspiele dieser Zeit entführt uns der Palast, seine Architektur und seine Fresken, in eine unwirkliche Welt. Wenn wir diesen rhetorischen Fiktionen allzuviel Gewicht verleihen, dann lösen sie sich im Nichts auf.

„Der Maler", sagt Plato, „macht einen Traum für den Wachen."[30] Nicht seinen eigenen Traum, und noch viel weniger seinen privaten Alptraum, wie ich einmal geglaubt habe; worauf es ankommt, ist die Macht der Phantasie, die sich von der empirischen Wirklichkeit löst. Ich leugne gewiß nicht, daß zwischen Schöpfung und Schöpfer ebenso eine Verbindung bestehen muß wie zwischen der Stellung des Auftraggebers und seinem künstlerischen Geschmack. Giulio Romano war kein Raffael, und Frederico kein Agostino Chigi. Aber was mir heute am wesentlichsten scheint, ist die Existenz einer Traumwelt, einer Welt der Kunst. So treten wir denn ein in dieses Zauberreich, das geschaffen wurde, uns zu entzücken.

(Übersetzung aus dem Italienischen: Hans H. Aurenhammer)

29 L. Bruni, Epistolarum libri VIII, Hrsg. L. Mehus, Florenz 1741, 7. Buch, 4. Brief

30 Plato, Sophistes L, 266 c

Edwin Lachnit

Zur Geschichtlichkeit des Manierismusbegriffs

1. Methodische Grundlagen

„Ich glaube indessen, daß ‚postmodern' keine zeitlich begrenzbare Strömung ist, sondern eine Geisteshaltung oder, genauer gesagt, eine Vorgehensweise, ein *Kunstwollen.* Man könnte geradezu sagen, daß jede Epoche ihre eigene Postmoderne hat, so wie man gesagt hat, jede Epoche habe ihren eigenen Manierismus (und vielleicht, ich frage es mich, ist postmodern überhaupt der moderne Name für Manierismus als metahistorische Kategorie)."[1] Wenn Umberto Eco sein zum „Kultroman" der Postmoderne gewordenes Werk aus der vordergründigen Zuordnung zur Gegenwart in ein überzeitliches Beziehungsgefüge hebt und dabei unversehens auf den Manierismus stößt, so operiert er mit einem Instrumentarium, das die Wiener Kunstwissenschaft an der Wende zum 20. Jahrhundert bereitgestellt hat. Alois Riegl hat den *concetto* des „Kunstwollens" entwickelt, der es erlaubte, das Kunstschaffen jeder Epoche als adäquaten Ausdruck der jeweiligen weltanschaulichen Auffassung zu sehen. Ein antiklassischer Stil gilt damit nicht mehr als „Verfall" eines absoluten ästhetischen Ideals, sondern als Zeugnis eines geänderten Denkens und Empfindens. Eine komplexe geistige Umstrukturierung wird an der formalen Zuständlichkeit der Werke sichtbar, und auf diese hat sich die Untersuchung des Kunsthistorikers zu beschränken; die treibenden Kräfte, welche die Veränderung bewirken, liegen im metaphysischen Bereich und damit außerhalb des wissenschaftlichen Erkenntnisstrebens. (Eco machte die analoge Erfahrung, daß der labyrinthische Aufbau seines Buches als Metapher einer pluralistischen Entwicklung verstanden wurde: „Der Leser ist unmittelbar, ohne Vermittlung durch die Inhalte, mit der Tatsache in Berührung gekommen, daß es unmöglich ist, nur *eine* Geschichte zu haben.")

Anhand augenfälliger formaler Erscheinungen hebt Riegl also das Verdikt auf, die italienische Kunst des 16. Jahrhunderts sei eine Zersetzung der Renaissance, erklärt sie vielmehr aus einem neuen subjektiven Bewußtsein, das mit voller Absicht auf organische Natürlichkeit verzichtet und Vorbilder aus einer früheren Zeit entlehnt, ohne deren innere Einheit anzustreben: „Was nennen wir Manierismus? Äußere Nachahmung der charakteristischen Merkmale in der Kunst Michelangelos oder auch Raffaels . . .; aber die geistige Vertiefung tritt ganz zurück nicht so sehr wegen Nichtkönnens, sondern wegen Nichtwollens."[2] Aus freier Entscheidung bildet man „Kunst aus Kunst", bewundert das mit artistischer Virtuosität vorgetragene *capriccio.* Doch der überhandnehmende Formalismus stützt sich auf eine ausgeprägte theoretische Kunstlehre, die in der *idea,* dem genialen Entwurf in der Vorstellung, das höchste und eigentlich künstlerische Prinzip preist.

Was wie eine *contradictio in adjecto* anmutet, ist tatsächlich eine notwendige Folge des manieristischen Dualismus. Der von der Form gelöste Inhalt, die von Riegl vermißte „geistige Vertiefung", kehrt in der Errichtung eines akademischen Kanons zurück, gegen den die bewußte

1 Umberto Eco, Nachschrift zum „Namen der Rose", dt. München-Wien 1984, S. 77

2 Alois Riegl, Die Entstehung der Barockkunst in Rom, hrsg. von Arthur Burda und Max Dvořák, Wien 1928, S. 153

Gestaltungswahl verstoßen kann, um ihre Möglichkeiten überhaupt erst künstlerisch zur Geltung zu bringen. Lomazzos Schönheitsideal, zusammengesetzt aus den exquisitesten Einzelteilen verschiedener Vorbilder, legitimiert auch die hybriden Köpfe Arcimboldos (Kat. I. 3, I. 4). „Der Subjektivismus fordert die Akademie, so paradox es klingt'', konstatiert Riegl, und Ernst Gombrich ergänzt später, „daß mit dem Auftreten der ‚reinen Form' als etwas an sich Sinnvolles auch die Störung dieser Form ästhetisch interessant, ja unter Umständen wertvoll wird, als Zeugnis nämlich des Affekts, der die Ruhe der Verhältnisse durchbricht. Die Dialektik beinahe aller neuzeitlichen Kunstentwicklung ist mit diesem Zwiespalt bezeichnet. Nur von dem System aus wird die Durchbrechung des Systems als solche sinnvoll, nur als Widerspiel der Harmonie kann Dissonanz als Ausdruck begriffen werden. So ist es erklärlich, daß gerade eine Zeit, die wie der Manierismus in seiner Kunstübung die Form auflöst, entwertet, verschiebt und verzerrt, in der Theorie die rationale Ordnung desto heiliger achtet und desto starrer zu überliefern strebt, als fürchte sie mit ihr die Basis zu verlieren, von der aus gerade ihre größten Kunstwerke verstanden werden wollen.''[3] Riegls positivistische Entwicklungsgeschichte ist prädestiniert, den Manierismus als „metahistorische Kategorie'' im Sinne Ecos zu erfassen. Äußerliche Faktoren, wie die „Gründung von Akademien'', die „erwachende Neigung der Künstler zum geistreichen Theoretisieren'', erschließen sich als „Erscheinungen, die damals ganz neu waren, aber sich bis auf unsere modernste Zeit fortgesetzt haben''. Die Werke selbst gelangen als wertneutrale Dokumente eines historischen Prozesses bei der Entstehung der Barockkunst zur Besprechung, als Symptome der „in gewissem Sinne kunstfeindlichen'' Gegenreformation. Originalität und Qualität dieses Kunstwollens im 16. Jahrhundert bleiben ausgeklammert.

Dort weiterzugehen, wo Riegls Methode geendet hatte, war für die folgende Forschergeneration an zwei Punkten möglich: in der Berücksichtigung des geistesgeschichtlichen Überbaus, der sich in der sichtbaren Form des Kunstwerks manifestiert (wobei das dazu nötige „Einfühlungsvermögen'' des Historikers wiederum von überzeitlichen Phänomenen ausgeht); und in der Frage nach dem Wesen der Kunst schlechthin, nach dem Besonderen, Einzigartigen, das dem von einer individuellen Künstlerpersönlichkeit geschaffenen Gebilde anhaftet, nach der Gestaltqualität, die es aus der Masse historisch-dokumentarisch bedeutsamer Erzeugnisse von Menschenhand heraushebt und zum Kunstwerk an sich macht. Das manieristische Stilmittel der *figura serpentinata* (Abb. 1) beispielsweise konnte Ausdruck einer spiritualistischen Weltanschauung sein, formgewordene „Immanenz der Bewegung, die von Ort und Zeit unabhängig ist'' und aus „Quellen des Geistigen'' gespeist wird, „nicht der Natur, sondern einer inneren Vorstellung'' entstammt, der „auch die Linien zu dienen'' haben (Dvořák); oder Trivialisierung eines einst künstlerischen Elements, der „über Michelangelo noch hinausgeführte doppelte Kontrapost'', von einem Stilmerkmal zur geläufigen Wendung geworden, Resultat eines artifiziellen Verfahrens, dem es darum ging, „dem Naturbild sein Gesetz'' aufzuerlegen, „also recht um ein *far di maniera,* dem diese Periode und Richtung ihren sehr charakteristischen Namen verdankt'' (Schlosser).

Abb. 1 Parmigianino, Madonna dal collo lungo, 1534–40, Florenz, Uffizien

3 Ernst Gombrich, Zum Werke Giulio Romanos, in: Jahrbuch der kunsthistorischen Sammlungen in Wien N. F. IX/1935, S. 141

Abb. 2 El Greco, Das Begräbnis des Grafen Orgaz, 1586, Toledo, Santo Tomé

Auch Max Dvořák erkannte bei der Behandlung der Barockkunst die Notwendigkeit, auf den Manierismus einzugehen, und berief sich dankbar auf die Vorarbeiten Riegls, an die er anschließen konnte.[4] Er erkannte aber auch, daß die Kunst des 16. Jahrhunderts aus einer subjektiven Entscheidungsfreiheit nicht hinreichend zu erklären war. Dem Künstler stand für die Wahl seiner bildnerischen Mittel das gesamte Spektrum der Realitätsgrade zwischen Naturalismus und Idealismus zur Verfügung; er hatte die Möglichkeit, aus der Phantasie zu schöpfen und realistische neben stilisierte Elemente zu stellen, Disparates zu kombinieren, Klassisches mit Abstrusem zu mischen.[5] Betrachtet man diese Situation allein vom formalen Standpunkt, so bietet sich zwangsläufig das „Schauspiel einer ungeheuren Disturbation'', ist der Manierismus ein kunstimmanent nicht zu erklärendes „scheinbares Chaos''. Um dem zu begegnen, mußte man die widersprüchlichsten Erscheinungen einer höheren Einheit subsumieren können, und dies war nur auf einer geistigen Ebene zu bewerkstelligen. Man fragte, wie sich der Inhalt verändert hatte, um eine solche formale Vielgestaltigkeit hervorzurufen. „Das Wesentlichste war, daß sich die Probleme, die den wichtigsten Inhalt der Renaissance und Hochrenaissance bildeten, überlebt hatten. Sie sind hinsichtlich formaler Schönheit von Raffael, hinsichtlich der Bewältigung der Körper von Michelangelo, hinsichtlich der Schönheit der Farbe von Tizian bis zur Grenze des damals Erreichbaren geführt worden, so daß jeder Versuch, die Probleme weiter zu entwickeln, zum Betreten neuer Wege zwingen mußte. Die formalen Probleme wichen ideellen, der wissenschaftliche Geist der Renaissance einem poetischen, dessen Hauptbereich die Welt einer idealistischen Fiktion war.'' Die Ursachen für die vermeintliche Willkür in der Kunst waren in einer vergeistigten Weltanschauung zu suchen, die nicht empirisch fixiert war und die Wahlmöglichkeit zwischen verschiedenen „Höhenlagen des Ausdrucks'' gestattete. Idealismus und Naturalismus als gegensätzliche künstlerische Gestaltungspotentiale wurzeln in ein und demselben geistigen Prinzip und sind letztendlich identisch. „Beides ist eben kein absolutes Gesetz mehr, kein letztes Ziel, sondern ein Ausdrucksmittel dessen, was der Künstler zu sagen hat.'' Mit dieser ideengeschichtlichen Synthese scheinbar heterogener Auffassungen – später mit dem Schlagwort „Kunstgeschichte als Geistesgeschichte'' etikettiert – ließen sich für Dvořák die formalistisch unbewältigten Probleme nicht nur des Manierismus lösen.[6]

Mit der Transzendierung des Kunstbegriffs beschränkte sich aber auch der Manierismus des 16. Jahrhunderts nicht mehr als lokale Erscheinung auf Italien. Als geistige Bewegung war er im Norden ebenso anzutreffen, wo doch durch das Fortleben der Gotik und die fehlende Klassik ganz andere formale Vorbedingungen herrschten.[7] Und die expressiven Züge eines Michelangelo oder Tintoretto kulminieren im Bestreben El Grecos, „die Naturvorbilder ganz seiner künstlerischen Inspiration unterzuordnen'' (Abb. 2). Dvořáks Studie „Über Greco und den Manierismus'' gab den entscheidenden Anstoß zur Emanzipierung des Manierismus als kunsthistorische Stilbezeichnung.[8]

Nichtsdestoweniger blieb bei dieser Akzentverschiebung von Riegls Formengrammatik auf die geistigen Determinanten der Kunstentwick-

4 Max Dvořák, Geschichte der italienischen Kunst im Zeitalter der Renaissance, hrsg. von Johannes Wilde und Karl M. Swoboda, 2. Bd.: Das 16. Jahrhundert, München 1924, S. 118 ff

5 Vgl. dazu Werner Hofmann, Grundlagen, der modernen Kunst, Stuttgart 1978, S. 139 ff, und ders., „Manier'' und „Stil'' in der Kunst des 20. Jahrhunderts, in: Bruchlinien, München 1979, S. 232 ff

6 Vgl. Max Dvořák, Idealismus und Naturalismus in der gotischen Skulptur und Malerei, in: Kunstgeschichte als Geistesgeschichte, Wien 1924, S. 41 ff

7 Max Dvořák, Pieter Bruegel der Ältere, in: Kunstgeschichte als Geistesgeschichte (cit. not. 6), S. 217 ff

8 Max Dvořák, Über Greco und den Manierismus. Vortrag im Österreichischen Museum für Kunst und Industrie am 28. Oktober 1920, abgedruckt in: Kunstgeschichte als Geistesgeschichte (cit. not. 6), S. 259 ff

lung die epochenübergreifende Perspektive erhalten. Auch Dvořák konzedierte dem Manierismus, der „keine abgeschlossene Periode ist, sondern eine Bewegung, deren Anfänge bis zum Beginn des sechzehnten Jahrhunderts reichen und deren Wirkungen nie aufgehört haben", konstitutive Bedeutung für die ganze neuzeitliche Kultur. Zwischen der Reformation im Deutschland des 16. Jahrhunderts und der Bewegung „gegen den Kapitalismus" am Ende des Ersten Weltkrieges ließen sich Parallelen ziehen. Die ideologische Geschichtsauffassung – bei Dvořák nahezu schwärmerisch religiös gestimmt – ging konform mit der marxistischen Geschichtsphilosophie bei Georg Lukács, den der Wiener Kunsthistoriker sehr wohl kannte und in dessen „Sonntagskreis" eine Reihe von Dvořák-Schülern verkehrte.[9] Das auf den ersten Blick befremdende Nahverhältnis der beiden Schulen wird vielleicht einsichtiger, wenn Otto Benesch die geistesgeschichtliche Theorie des Lukács-Kreises erläutert: „Sie betrachtet den einzelnen geschichtlichen Wert nicht im konkreten Zeitverlauf, der ihn mit einem Vorher und Nachher von Erscheinungen verknüpft erscheinen läßt, mit denen ihn oft gar keine Beziehungen des inneren Sinns verbinden, sondern erfaßt ihn in seiner idealen zeitlichen Wesenheit, in der mit seiner Eigenart untrennbar verbundenen zeitlichen Potentialität, die um ihn gleichsam einen geschichtsphilosophischen Idealraum schafft, ihn in seiner schicksalhaften, kausal rationalistischer Erkenntnis unzugänglichen Einzigkeit weisend. Doch werden die Dinge dadurch nicht isoliert und chaotisch unverbunden, sondern die Vielheit der einzelnen ideellen Zeitspatien der Geschichte fließt zusammen in der metaphysischen Zeit- und Raumeinheit, die das Universum umspannt, in der alle Dinge sind und weben, die dem Gottesbegriff der deutschen Mystiker gleichkommt. Auch in dieser metaphysischen Einheit erscheinen die Dinge in einer zeitlichen Abfolge, die aber nicht ihrer tatsächlichen, irdisch konkreten entspricht, sondern der ideellen ihres inneren Sinnes. Das im geschichtsphilosophischen Denken geoffenbarte Aufgehen der ideellen zeitlichen Abfolge der Dinge in der höheren metaphysischen Einheit entspricht der ‚Selbsterkenntnis Gottes in den Dingen' bei den Mystikern."[10] Wie Realismus und Abstraktion als Gestaltungsmöglichkeiten, so sind auch historischer Materialismus und christliche Mystik als weltanschauliche Orientierungen zwei Seiten einer Medaille, entsprungen aus dem „Glauben an die unsterblichen Ideen". Ein jüngerer Vertreter dieser Richtung ist Ecos Mönch, der *Il Manifesto* liest.

Neben Benesch, der ob seiner expressionistischen Disposition seinem Lehrer nahestehen mußte, ist Karl von Tolnai zu erwähnen, dessen Bruegel-Studien Dvořák fortsetzen und dem 16. Jahrhundert das Weltbild eines „riesigen beseelten Organismus" zuweisen, dem nur eine „auf die geistesgeschichtlichen Zusammenhänge gerichtete Betrachtungsweise" gerecht wird.[11] Wichtiger für die Erweiterung von Dvořáks Spiritualismus durch marxistisches Gedankengut zu einer universalsystematischen Kultursoziologie sind Friedrich Antal[12] und vor allem Arnold Hauser. In seiner monumentalen Abhandlung, die den Manierismus ganz im Sinn Dvořáks als „Krise der Renaissance und Ursprung der modernen Kunst" untertitelt, eliminierte Hauser mühelos die übertrieben religiöse Einstellung Dvořáks und hielt jegliche rein kunsthistorische

9 Ausst.-Kat. Die ungarische Kunstgeschichte und die Wiener Schule 1846–1930, Collegium Hungaricum, Wien 1983, S. 76 f

10 Otto Benesch, Max Dvořák. Ein Versuch zur Geschichte der historischen Geisteswissenschaften, in: Repertorium für Kunstwissenschaft XLIV/1924, S. 195 f

11 Otto Benesch, The Renaissance in Northern Europe, Cambridge-Harvard 1947 – Karl von Tolnai, Studien zu den Gemälden P. Bruegels d. Ä., in: Jahrbuch der kunsthistorischen Sammlungen in Wien N. F. VII/1934, S. 105 ff

12 Friedrich Antal, Zum Problem des niederländischen Manierismus, in: Kritische Berichte 3–4/1928–29, S. 207 ff – ders., Florentine Painting and its Social Background, London 1948

Methode für ungeeignet, die „Geschichte der Kunst als Teil des Kulturprozesses'' zu erklären.[13] Jaromír Neumann blieb es schließlich vorbehalten, selbst Antal noch als rückständig zu kritisieren und die orthodoxe marxistische Geschichtsschreibung *expressis verbis* als konsequente Vollendung von Dvořáks methodischen Ansätzen zu deklarieren.[14]

Es verwundert nicht, daß eine weniger integrationistische Strömung der Kunstwissenschaft angesichts dieser Entwicklung befürchtete, über der ideologischen Spekulation die Kunst zu verlieren. Dvořáks Manierismusbegriff war im zweiten Jahrzehnt des 20. Jahrhunderts entstanden und projizierte das Empfinden des zeitgenössischen Expressionismus in die Vergangenheit.[15] Otto Kurz umschrieb die Einschätzung des Manierismus als Epoche ekstatischer Künstler mit der treffenden Formulierung, daß Dvořák eigentlich Kokoschka gemeint habe, wenn er von Greco sprach, während Julius von Schlosser in seiner „Kunstliteratur'' das Kapitel über das 16. Jahrhundert aus „einer gründlichen Kenntnis des thematischen Denkens des Cinquecento'' verfaßt habe.[16]

Die Aufbereitung der Quellen ist denn auch die wichtigste methodische Voraussetzung für Schlosser.[17] Riegls teleologischer Formalismus hatte den Wandel sichtbarer Merkmale *sine ira et studio* beobachtet; jedes Einzelwerk war ihm eines von vielen gleich bedeutsamen Gliedern, aus denen sich eine Entwicklungskette konstruieren ließ. Dvořáks geistesgeschichtliche Intuition wiederum basierte auf Interpretationen und stellte einen Erkenntnisanspruch, der gar nicht mehr das materiell gegebene Objekt betraf. Schlosser bediente sich dagegen eines philologischen Verfahrens, um mit Hilfe des theoretischen und biographischen Schrifttums das wahre schöpferische Ingenium und seine einmalige, unvergleichliche Leistung – das Kunstwerk – zu erschließen. Den philosophischen Rückhalt bot in diesem Fall Benedetto Croce. Unter dessen Einfluß sowie in Anlehnung an sprachwissenschaftliche Modelle entwickelte Schlosser eine „Stilgeschichte'', wobei „Stil'' das monadische Wesen des genialen Künstlerindividuums meint, den innersten, autonomen Gehalt, der allein das Kunstwerk ausmacht. Allen anderen Faktoren einer historischen Einordnung – Fragen der Schulung und des Nachwirkens, der Konvention und Tradition, des Nachempfindens und Variierens von Vorbildern – habe sich eine „Sprachgeschichte'' der bildenden Kunst anzunehmen, unter welche auch der Manierismus fällt: „... denn geht es dort um das Eigenwesen und seinen Ausdruck, so hier um die Auswirkung, den Eindruck, der für jenes gar keine Bedeutung hat. Damit beginnt das Wesen der Kopisten, Nachahmer und Industriellen, die in dieser von unserem heutigen Dekadententum so eifrig umworbenen Periode des Manierismus (wie des ‚Barocco') ihre Stelle haben, aber aus der Stilgeschichte zum größten Teil ausscheiden, dafür aber hier, in der Sprachgeschichte, an ihrem Platze sind.''[18]

In dieser drastischen Kategorisierung erweist sich Schlossers Beitrag zur Manierismusforschung als zweischneidig. Zum einen eröffnete sich dem quellenkritisch geschärften und materialienkundigen Blick die grundsätzliche Bedeutung mancher „Absonderlichkeiten'' und Randerscheinungen des bildnerischen Schaffens[19]; zum anderen entzog sich der Manierismus paradoxerweise einer kunst-historischen Definition, wenngleich Schlosser korrekter als seine Vorgänger auf das 16. Jahr-

13 Arnold Hauser, Der Manierismus. Die Krise der Renaissance und der Ursprung der modernen Kunst, München 1964

14 Jaromír Neumann, Das Werk Max Dvořáks und die Gegenwart, in: Acta Historiae Artium VIII/1962, S. 177 ff

15 Vgl. dazu die Arbeiten von Werner Hofmann (cit. not. 5) und Edwin Lachnit, Kunstgeschichte und zeitgenössische Kunst, phil. Diss., Wien 1984, S. 151 ff (Drucklegung in Vorbereitung); ferner die ebenso profunde wie launige Kritik an Hausers Manierismusdeutung bei Ernst Gombrich, Die Sozialgeschichte der Kunst, in: Meditationen über ein Steckenpferd, dt. Wien 1973, S. 135 ff

16 Otto Kurz, Julius von Schlosser. Personalità – Metodo – Lavoro, in: Critica d'Arte, 11–12/1955, S. 419

17 Julius von Schlosser, Die Kunstliteratur. Ein Handbuch zur Quellenkunde der neueren Kunstgeschichte, Wien 1924

18 Julius von Schlosser, „Stilgeschichte'' und „Sprachgeschichte'' der bildenden Kunst. Sitzungsberichte der Bayerischen Akademie der Wissenschaften, phil.-hist. Abt., Heft 1, Jg. 1935, München 1935, S. 30 f

19 Julius von Schlosser, Die Kunst- und Wunderkammern der Spätrenaissance, Leipzig 1908 – ders., Geschichte der Porträtbildnerei in Wachs, in: Jahrbuch der kunsthistorischen Sammlungen des Allerhöchsten Kaiserhauses, XXIX/1911, S. 171 ff – ders., Randglossen zu einer Stelle Montaignes, 1903, wiederabgedruckt in: Präludien, Berlin 1927, S. 213 ff

hundert einzugehen vermochte. Aber den Kunstcharakter sprach er der Epoche ab, und als Quintessenz blieben ebenfalls nur Assoziationen zur Gegenwart, und zwar keine besonders vorteilhaften; stimmten Riegl und Dvořák in der prinzipiellen Annahme eines geschichtlichen Fortschritts überein, so erhöhte sich für Schlosser mit der Entdeckung manieristischer Züge höchstens die Fragwürdigkeit der Moderne.[20]

Ungeachtet dessen zeitigte Schlossers Grundeinstellung nachhaltige Folgen bei seinen Schülern, die die Auseinandersetzung mit der individuellen Kreativität in psychologischer Hinsicht vertieften oder werkgerechte, nicht rezeptiv „verfälschte" Erkenntnisse im Strukturalismus suchten.

Ernst Gombrich sprach sich gegen vorgefaßte, vom konkreten Werk abgelöste Konzepte aus und bekannte sich zu einer auf Fakten gestützten und in der Beobachtung geprüften Historiographie.[21] In der Dialektik von Form und Inhalt auf Riegl zurückgreifend und von dort aus den entscheidenden Schritt weitergehend, sah er die formalen Konflikte des Manierismus nicht als Krise der vorhergehenden Klassik. Nicht aus Unvermögen, ein Stadium der Vollendung noch weiterführen zu können, noch aus einer bewußten Auflehnung gegen ein solches, sondern in einem Fortschrittsprozeß, in einer gesellschaftlichen Umschichtung, die auch die Rolle der Kunst betrifft, tritt die Dissonanz als eine Art *frisson nouveau* auf, vom Auftraggeber erwartet und vom Künstler geboten. Exemplarisch dafür steht Giulio Romanos Palazzo del Tè in Mantua, der in Architektur und Ausmalung von der Hand eines Künstlers die Polarität von Manierismus und Klassizismus in sich vereint.[22] Der von Giulio verwendete Formenschatz wird durchaus als allgemeines Sprachgut der Zeit anerkannt, dem die Störung inhärent ist. Die bedeutende Tat Gombrichs, mit der er auch über Schlosser hinausging, liegt also nicht in der affirmativen Aufwertung des Manierismus als eines antiklassischen Stils, sondern in der Öffnung des Kunstbegriffes für das formal Ungelöste. In der rationalen Grenzerweiterung, mit der Unharmonisches als Kunst zugelassen wird, steckt das relevante Kriterium der Anti-Kunst des 20. Jahrhunderts.

Innerhalb dieser weitgesteckten Akzeptanz wird die „gestörte Form" psychologisch als wesentliche Leistung einer Künstlerindividualität ausgewiesen: als Ausdruck negativer Affekte – des Schreckhaften, Beklemmenden, Bedrohlichen, Gequälten (Abb. 3, 4). Seitens des Künstlers fließt das seelische Moment reflektiert in das Werk ein – der Künstler „ist von der Entdeckung fasziniert, daß Störung der Form Intensivierung des Ausdrucks bedeuten kann" – und aktiviert die geistige Relation zwischen Werk und Betrachter: „In dieser gewollten Spannung zwischen Vorgestelltem und Gestaltetem, zwischen ‚Idee' und ‚Materie', die erst im Bewußtsein des Betrachters den Ausgleich finden soll, liegt ein stark dynamisches Element. Das Kunstwerk ist nicht in sich ruhende Form, es geht den Betrachter vielmehr direkt an, es beunruhigt ihn und fordert zur Teilnahme auf, wie etwa eine unaufgelöste Akkordreihe den Hörer bedrängt und zwingt, die Vollendung und Abrundung des harmonischen Motivs wenigstens in Gedanken zu vollziehen." Bezugssystem der manieristischen Kunst wird der Intellekt. Das Kunstwerk versteht sich nicht mehr als Ort der Wahr*heit,* als Kristallisationspunkt von Form und

Abb. 3 Giulio Romano, Palazzo del Tè, Mantua, 1525–35, Hoffassade

Abb. 4 Giulio Romano, Detail aus dem Gigantensturz, Fresko in der Sala dei Giganti, Palazzo del Tè, Mantua

20 Julius von Schlosser, Ein Lebenskommentar, in: Johannes Jahn (Hrsg.), Die Kunstwissenschaft der Gegenwart in Selbstdarstellungen, Leipzig 1924, S. 95 ff – ders., Einleitung zu C. Fr. v. Rumohr, Italienische Forschungen, Frankfurt/Main 1920

21 Ernst H. Gombrich, Introduction: The Historiographic Background, in: The Renaissance and Mannerism. Studies in Western Art. Acts of the Twentieth International Congress of the History of Art, vol. II, Princeton, New Jersey 1963, S. 163 ff – vgl. zum folgenden auch Gombrichs Beitrag „The Style *all'antica:* Imitation and Assimilation", ebenda, S. 31 ff

22 Gombrich 1934 (in: Jahrbuch, cit. not. 11), S. 79 ff, und 1935 (cit. not. 3), S. 121 ff

Abb. 5 Pieter Bruegel d. Ä., Das Schlaraffenland, 1567, München, Alte Pinakothek

Inhalt, Substanz und Gestaltung, Aussage und Aufnahme, sondern als Funktion der Wahr*nehmung;* das Unvollkommene, Störende, Überraschende zielt auf einen Bewußtseinsakt, den zu setzen es den Betrachter selbst nötigt. Nicht von ungefähr bringt Gombrich den Hinweis auf die immaterielle Bewegung, die Musik, die in ihrem Bestand überhaupt perzeptiv bedingt ist. In stetem Bemühen eignet sich der Verstand jeden neuen Eindruck an und legt ihn schließlich als Regel fest, die vom nächsten Entwicklungsschritt sofort wieder gesprengt wird, so daß sich „das Bild des Wettlaufs Achills mit der Schildkröte'' bietet.

Es wäre zu oberflächlich, nur aufgrund dieser Metapher an den zweiten Bestseller der letzten Jahre zu denken: Douglas R. Hofstadters „Gödel, Escher, Bach''[23] vereint eine Fülle manieristischer Elemente in sich, die als Anknüpfungspunkt dienen können. Wie Ecos Roman ein intellektuelles Bravourstück, wie dieser – wenn auch unter anderem Vorzeichen – eine Reunion von Wissenschaft und Kunst, weist es signifikante Eigenschaften manieristischer Dichtung auf und setzt sich „aus Sprachbildern zusammen, die gewissermaßen auch einzeln betrachtet und genossen werden können'', aus „aufeinandergehäuften Vergleichen, Metaphern, Concetti, Antithesen, Wortspielen und Pointen aller Art''[24]. Auf den wahrnehmungspsychologischen und erkenntnistheoretischen Umgang mit dem Irritierenden und die dabei zutage tretende Affinität von bildender Kunst und Musik kann hier nicht im Detail eingegangen werden; es sei nur festgehalten, daß angesichts dessen auch Gombrichs Methode eine, allerdings nicht intendierte Aktualität innewohnt.[25]

Verwandt mit dem von Gombrich erörterten Gebrauch der nicht intakten künstlerischen Form ist die direkte Einbeziehung der Natur. Orientiert sich der Manierismus unter Verzicht auf das Natur*vorbild* einerseits am Kunstideal, so verschafft er andererseits dem Naturwerk selbst Eingang in die künstlerische Gestaltung. Die Problematik der Kunstkammerstücke und Naturabgüsse, die schon Schlosser beschäftigt hatte, griff Ernst Kris in seiner frühen Abhandlung über den Stil „rustique'' auf.[26] Er belegte die anerkannte Gleichstellung der merkwürdigen zoomorphen Gerätschaften Jamnitzers und Palissys (vgl. Kat. I.35, VIII.45) mit der höchsten klassizistischen „Stilisierung'' und gewann wichtige Aufschlüsse über das Zusammenspiel ästhetischer Interessen und einer naiven Freude an naturwissenschaftlichen Beobachtungen in der manieristischen Kunst.

Hans Sedlmayr setzte Schlossers Weg in der Überzeugung fort, zu einer exakten Bestimmbarkeit der Kunst zu gelangen, die ihm durch psychologisierende Ableitungen nicht erreichbar schien. Jede von außen herangetragene Erklärung entstelle das Werk und produziere erst das, was sie nachzuweisen vorgebe. Nicht das Kunstwerk dürfe sich, den Deutungen des Interpreten anpassend, verwandeln, sondern der Wissenschaftler habe die richtige Einstellung zu finden, um in den Dialog mit dem betreffenden Werk treten zu können. Auszugehen sei einzig von der gegebenen Struktur des Werkes, nach der sich alle Verfahrensmodi der Untersuchung zu richten hätten. An den Gemälden Bruegels entdeckte er ein solches strukturelles Merkmal in der *macchia*[27] (Abb. 5). Der Terminus, der aus der italienischen Kunsttheorie des 19. Jahrhunderts

23 Douglas R. Hofstadter, Gödel, Escher, Bach – Ein Endloses Geflochtenes Band, dt. Stuttgart [5]1985

24 Hauser (cit. not. 13), S. 271

25 Wie sehr aber Gombrich beim Entwurf seines Manierismusbildes vom 20. Jahrhundert beeinflußt war, darüber ist er sich in einem „Rückblick auf Giulio Romano'' selbst klar geworden (hier abgedruckt auf S. 22 ff). – Zur modernen Theorie des „Kunstwerks in Bewegung'', der aktiven Teilnahme des Rezipienten als Vollzugsinstanz des Kunstwerks und zu einer Reihe weiterer hier angeschnittener Themenkomplexe findet sich reichlich Stoff bei Umberto Eco, Das offene Kunstwerk, dt. Frankfurt am Main 1977.

26 Ernst Kris, Der Stil „Rustique''. Die Verwendung des Naturabgusses bei Wenzel Jamnitzer und Bernard Palissy, in: Jahrbuch der kunsthistorischen Sammlungen in Wien N. F. I/1926, S. 137 ff

27 Hans Sedlmayr, Die „macchia'' Bruegels, in: Jahrbuch der kunsthistorischen Sammlungen in Wien N. F. VIII/1934, S. 137 ff

stammt und von Croce bekanntgemacht wurde, bezeichnet die „pure" Bildform, die übergegenständliche Organisation der Bildfläche, von deren Beschaffenheit die Bildmotive und -gehalte abhängen; die Strukturanalyse liefert somit den Zentralschlüssel zum Verständnis des ganzen Werkes. Sedlmayr fühlte sich damit im Besitz eines streng kunstwissenschaftlichen Instrumentes, sparte nicht mit Kritik an Tolnais und Antals Deutungsversuchen und ließ auch Dvořák nicht ungeschoren. Wie aber kommt die eigentümliche *macchia* Bruegels zustande? In einem nicht ganz leicht nachzuvollziehenden Gedankengang macht Sedlmayr dafür eine „Entfremdung" verantwortlich, die „an den Gegenständen vor sich geht" und in keinem Verhältnis zum wahrnehmenden Subjekt steht. Zur Einsicht in die „Stückelung aus Teilen verschiedener Realität" gelangt er durch den Surrealismus, der ihm als Modell „der manieristischen Grundphänomene, wie jener der Kunst Bruegels" vor Augen steht. Im Grunde geht Sedlmayr also nicht anders vor als die Methoden, die er zu überwinden glaubt, nur nicht auf eine humane Befindlichkeit bezogen, sondern auf eine abstrakte Kunstauffassung. Als *ultima ratio* muß mit der „Entfremdung" ein Begriff herangezogen werden, der – wie Gombrich betont[28] – aus der Psychopathologie stammt, aber auf eigenwillige Weise verdinglicht wird, so daß er auch dem in der marxistischen Terminologie geläufigen Sinn nicht entspricht.[29]

Mit der komplizierten Behandlung des Manierismusproblems, die hier ungebührlich schematisiert werden mußte, hat Sedlmayr keinen wirklich nachhaltigen Einfluß ausgeübt. Die *macchia*-Theorie findet gelegentlich bei Dagobert Frey Erwähnung, der einen Brückenschlag von der strukturalistischen Werkanalyse über die psychologische Diagnostik zurück zur geistesgeschichtlichen Synthese der Dvořák-Schule unternimmt.[30] Die für den Manierismus charakteristische „dialektische Zwiespältigkeit", die wir schon unter vielen Namen angetroffen haben, faßt Frey in das Prinzip der „Polarität des Dämonischen und Göttlichen" und sieht, auch hierin Sedlmayr folgend, „auffallende Übereinstimmungen mit der Gegenwartskrise". Im Mittelpunkt aber steht der Mensch, der reflektierend der Spannungen und Widersprüche innewird. „Geistesgeschichte ist die Geschichte des Bewußtwerdens des Menschen."

An dieser Stelle ist noch auf eine Dvořák-Schülerin hinzuweisen, die in keinem methodischen Kontext unterzubringen war: Lili Fröhlich-Bum schränkte den Manierismusbegriff auf einen besonderen Typus ein – das klassizierende, überlängte Figurenideal, das weder Ausdruck vermitteln noch Handlung darstellen will und keinen anderen Anspruch erhebt, als Grazie und Schönheit zu repräsentieren.[31] Es wird in einer eigenen Entwicklungsreihe zusammengefaßt, die parallel zum Barock bis ins 18. Jahrhundert verläuft; in höchster Vollendung steht gleich an ihrem Anfang Parmigianino (Abb. 1), an ihrem Ende Georg Raphael Donner. Durch den Ausschluß konträrer Erscheinungen, wie etwa Grecos oder der niederländischen Romanisten, wird die Spannungsintensität, der entscheidende Wesenszug manieristischer Kunst, neutralisiert. Übrig bleibt eine auf äußerliche Ähnlichkeit gegründete Gruppierung, isoliert von der Gesamtheit eines geschichtlichen Zeitabschnittes, aber auch ohne zeitlose Allgemeingültigkeit. Fröhlich-Bum hat mit ihrer Stileinteilung keinen Anklang gefunden. „In Anbetracht des Schülerverhältnisses

28 Ernst H. Gombrich, Kunstwissenschaft und Psychologie vor fünfzig Jahren, in: Wien und die Entwicklung der kunsthistorischen Methode (Akten des XXV. Internationalen Kongresses für Kunstgeschichte, Bd. 1), Wien 1984, S. 101

29 Hauser (cit. not. 13), S. 402, not. 186

30 Dagobert Frey, Manierismus als europäische Stilerscheinung, Stuttgart 1964

31 Lili Fröhlich-Bum, Parmigianino und der Manierismus, Wien 1921

zu Dvořák muß ausdrücklich bemerkt werden, daß Fröhlich-Bums Auffassung des Manierismus nicht der Dvořáks entspricht und von ihm entschieden abgelehnt wurde'', weiß Frey.[32]

2. Metahistorie oder Metamanierismus?

Das Unterfangen, den Manierismus als wissenschaftstauglichen Vereinbarungsbegriff der Kunstgeschichte zu installieren, war beständig geprägt von der Notwendigkeit, Antagonismen, Widersprüche und Disharmonien aufzulösen bzw. auf einen gemeinsamen Nenner zu bringen. Dies wird aus der kursorischen Betrachtung der Wiener Schule deutlich, von der die entscheidenden Impulse ausgingen und die allein uns hier interessierte. Das Bild erschiene noch konfuser, würde man die gattungsspezifischen Probleme der Architektur, der bildenden und angewandten Künste oder die unterschiedlichen Voraussetzungen in den einzelnen Kunstlandschaften angemessen berücksichtigen und dazu auch die wichtigen Beiträge heranziehen, die etwa die deutsche Kunstforschung geleistet hat (Pinder, Panofsky, Hoffmann, Würtenberger u. a.) – ganz zu schweigen von den literaturhistorischen Annäherungen (Curtius, Hocke). Jeder Forscher hat, so scheint es, einen anderen Aspekt des Manierismus entdeckt, jeder wertete die Erkenntnisse seiner Vorgänger anders. (Als eklatantes Beispiel konnte ein polnischer Gelehrter die Tatsache, daß Friedrich Antal lange Zeit „nur als soziologisierender, der marxistischen Methodologie nahestehender Forscher betrachtet'' wurde, als unbefriedigende Einschränkung beklagen, während eine westeuropäische Antal-Publikation von der Prämisse ausgeht, sie sei „von größter Bedeutung für all die, die auf einer materialistischen, d. h. wissenschaftlichen Grundlage die künstlerischen Manifestationen der Vergangenheit interpretieren wollen''.[33])

Die definitorische Verworrenheit hat besonders die italienische Forschung zu starker Zurückhaltung im Umgang mit dem Manierismus bewogen. Einer Anregung Roberto Longhis folgend, wies Giuliano Briganti die Antiklassik-Auslegung als „nationalistische Selbstgefälligkeit'' des deutschsprachigen Raumes zurück und schlug die Wiedereinführung der nicht-tendenziösen Bezeichnung *maniera* im Sinne Vasaris vor.[34] Eugenio Battisti dagegen empfindet den Manierismus als „teils dekorative, teils expressionistische, im ganzen antiklassische Zeit'', möchte aber den nivellierenden Oberbegriff ganz abschaffen; da das 16. Jahrhundert „in einem Nebeneinander zahlloser Stile besteht, die oft ganz selbständig sind'' und den einzelnen Künstler nicht verbindlich festlegen, sei eine Problemgeschichte angebrachter als eine Geschichte der Persönlichkeiten.[35]

Praktikabler erscheint uns das Postulat Jan Białostockis, nicht auf den einmal eingeführten Terminus zu verzichten, „vielmehr ihm einen gutdefinierten und begrenzten Inhalt'' zuzuschreiben. Um diese Präzisierung zu erreichen, befaßt sich Białostocki mit den Künstlern und ihren Werken, während Stile, Bewegungen und Tendenzen „nur als Arbeitshypothesen aufzufassen sind''. Auf diese Weise gelingt es ihm, die Eigenheiten der polnischen Kunst des 16. Jahrhunderts herauszuarbei-

32 Dagobert Frey, Max Dvořáks Stellung in der Kunstgeschichte, in: Jahrbuch für Kunstgeschichte des Kunsthistorischen Instituts des Bundesdenkmalamtes 1923, S. 20, not. 18

33 Sergiusz Michalski, Zur methodologischen Stellung der Wiener Schule in den zwanziger und dreißiger Jahren, in: Kongreßakten (cit. not. 28), S. 84 – Nikos Hadjinicolaou, Vorwort zu Frederick Antal, Raffael zwischen Klassizismus und Manierismus, Gießen 1980, S. 6

34 Giuliano Briganti, Der italienische Manierismus, dt. Dresden 1961 – Vgl. dazu Fritz Baumgart, Renaissance und Kunst des Manierismus, Köln 1963, S. 28

35 Eugenio Battisti, Hochrenaissance und Manierismus, Baden-Baden 1970 (Paperback-Ausgabe 1979), S. 5f

ten und diese als eine Art „Volkssprache'' innerhalb des internationalen Manierismus von italienischen und niederländischen Ausformungen zu sondern.[36]

Ein Umstand jedoch haftet der Auseinandersetzung mit dem Manierismus seit Riegl und Dvořák unweigerlich an: die Frage seines überzeitlichen Charakters. Mag es dem jeweiligen Autor bewußt gewesen sein oder nicht, mag er es darauf angelegt oder dagegen opponiert haben – eine Verbindung zu seiner Zeit, mehr noch: zu unserer eigenen Gegenwart läßt sich durchwegs herstellen. „Der Ausdruck ‚Manierismus' . . . dient zur Bezeichnung einer wiederkehrenden Möglichkeit in der Kunst, auch wenn er für eine bestimmte geschichtliche Periode gebraucht wird'', sagt Battisti und zitiert ein „für die Entstehung des Manierismus in der Baukunst recht aufschlußreiches Urteil der Zeitgenossen'' über einen Architekten: „Es klang sehr unterschiedlich: einerseits lobten ihn die Modernisten, andererseits beklagte man seine vollständige Respektlosigkeit gegenüber den schon vorhandenen Monumenten oder gegenüber den vorhandenen Gegebenheiten, d. h. man tadelte, daß er das Neue ohne Rücksicht auf das Alte einfügte.''[37] Es geht dabei um den Abbruch von Alt-St. Peter unter Bramante und nicht um Holleins Projekt für den Wiener Stephansplatz. Welche Berechtigung haben nun solche Assoziationen, deren sich schon mehrere aufdrängten? Gibt es einen ursächlichen Zusammenhang zwischen dem 16. Jahrhundert und heute? Taucht der Manierismus als „metahistorische Kategorie'' in der Postmoderne wieder auf? Weit entfernt von einer erschöpfenden Antwort, beschränken wir uns auf einige prinzipielle Hinweise, mit deren Hilfe sich weitere Betrachtungen leicht anstellen lassen. Wir beziehen uns dabei vorrangig auf Werke der Literatur, die große Popularität erlangt haben und wohl als repräsentativ gelten können, zumal sich in theoretischen Belangen mit Worten am leichtesten argumentieren läßt.

Als Grundkomponente des Manierismus stellte sich der Verlust der künstlerischen Unschuld heraus, das intellektuelle Bewußtsein, mit dem auf Vorbilder aus der älteren Kunst zurückgegriffen wird, dem Naturwerk künstlerischer Reiz abgewonnen wird, zwischen verschiedenen „Realitätsgraden'', „Stilhöhen'' und „Ausdruckslagen'' gewählt wird, diese miteinander vermischt werden und neben der Praxis ein entsprechendes Theoriegebäude errichtet wird. All diese Teilaspekte, die im einzelnen Elektizismus, Naturalismus, Idealismus usw. heißen, verbinden sich im 16. Jahrhundert zu einem in seiner Widersprüchlichkeit einheitlichen Konglomerat, das wir uns eben Manierismus zu nennen entschlossen haben. Wenn heute dieselben Kräfte wirken, so ist es ein geschichtsphilosophischer Gemeinplatz, daß sich keine historische Situation identisch wiederholt, da das Wissen um die Vergangenheit die Gegenwart verändert. Wir können nicht unter denselben Voraussetzungen wie das 16. Jahrhundert einen Manierismus entwickeln, da dieser Manierismus selbst zur Voraussetzung geworden ist; zu den Bausteinen, aus denen unser intellektuelles Bewußtsein einen „Manierismus'' entstehen läßt, gehört das intellektuelle Bewußtsein, das einen Manierismus entstehen ließ – wir „manierieren'' den Manierismus!

So weiß Eco ganz genau, daß er aus drei in der Geschichte auftre-

36 Jan Białostocki, Der Manierismus zwischen Triumph und Dämmerung, und: Manierismus und „Volkssprache'' in der polnischen Kunst, beides in: Stil und Ikonographie, Dresden 1966, S. 57 ff bzw. 36 ff

37 Battisti (cit. not. 35), S. 192 f

Abb. 6 M. C. Escher, Selbstporträt im Konvexspiegel, 1935, Den Haag, Haags Gemeentemuseum

tenden Arten von Labyrinthen das manieristische auswählt, es als Gegenstand wie auch als Methode seiner Erzählung verwendet und dadurch zum unendlichen Rhizom steigert. Der manieristische Topos bildet das übernommene Motiv und gleichzeitig die literarische Technik der Übernahme. Der Manierismus wird zum Multiplikator seiner selbst.

Genauso geht M. C. Escher bei seinem Selbstporträt im Konvexspiegel aus dem Jahr 1935 vor (Abb. 6). Der Anlaß ist nicht nur in einem „ursprünglichen'' manieristischen Gebaren zu suchen, wie künstlerischer Virtuosität, entfremdeter Realitätserfahrung und was immer man dafür in Anspruch nehmen will, sondern natürlich in der ganz konkreten Absicht, Parmigianino (Kat. I. 5) zu paraphrasieren. Die indirekte Welt des manieristischen Requisits wird in einer weiteren Inversion zum „Bild im Bild'', zur doppelt gebrochenen Wirklichkeit, von der Hand des Künstlers „manipuliert''. Überhaupt sind die Hände der Code dieser sonderbaren Grenzüberschreitung: Die offene Linke, die die Kugel hält, verschmilzt mit ihrem Spiegelbild und führt den Betrachter aus einer Realitätssphäre in die andere hinüber, wo er seine eigene Rechte auf dem Oberschenkel liegen sieht. Wie kommt aber dann die Abbildung zustande? Ereignet sich im Raum, den uns der Spiegel zeigt, etwas anderes als das, was uns der Spiegel zeigt? Es bedarf des Glaubens an die Dreifaltigkeit, um in diesem Selbstporträt Maler, Modell und Betrachter gleichzeitig als Einheit und als verschiedene Personen zu akzeptieren. Die Verzahnung inkompatibler Wirklichkeitsräume entspricht durchaus der von Frey getätigten Beobachtung, daß im Manierismus „die Raumgrenze problematisch wird, daß nach dem Dahinter gefragt wird, einem Dahinter, hinter dem es immer wieder ein Dahinter geben muß, das unbestimmt und geheimnisvoll bleibt''[38]. Aber wie einfach ist dagegen Parmigianino! Der zur Schranke gelängte Handrücken führt zwischen dem Betrachter und dem Bild, „das heißt zwischen dem Maler und der Außenwelt, eine Trennung herbei''[39], und nichts rechtfertigt einen Zweifel daran, daß die unsichtbare Rechte den Pinsel führt.

Eschers verdichtete Manierismus-Paraphrasen regen nun Hofstadter zu einem seinerseits manieristischen Vorgehen an; denn er verspricht ja keine didaktische Einführung in die bildnerische Phantastik – das macht Gombrich viel besser[40] –, sondern baut auf einer gemeinsamen Struktur, die er in Eschers Graphik, in musikalischen und mathematischen Œuvres findet, sein eigenes literarisches Opus auf; auch bei Hofstadter konvergieren Sujet und Darstellungsmittel.

Diese wenigen Überlegungen mögen genügen, um unsere These zu formulieren: nicht *der* Manierismus existiert als überzeitliche Konstante, sondern unter verschiedenen zeitlichen Voraussetzungen sind manieristische Verhaltensweisen möglich, die sich in der Weiterverarbeitung der jeweiligen Vorlagen gewissermaßen selbst potenzieren. Der eingangs zitierten Auffassung würden wir es vorziehen, einen „Metamanierismus'' als historische Kategorie zu sehen. Die intellektualistische Wortschöpfung erhofft sich keine bleibende Aufnahme in die kunstwissenschaftliche Fachsprache; eine Differenzierung des Manierismusbegriffes jedoch wäre dem Zugang zur Vergangenheit wie dem Umgang mit der Gegenwart nützlich.

38 Frey (cit. not. 30), S. 33

39 Hauser (cit. not. 13), S. 196

40 Ernst Gombrich, Vom Bilderlesen, in: Meditationen (cit. not. 15), S. 229 ff

Günther Heinz

Der Romanismus der Niederländer und die Maniera

Die Kunst des 16. Jahrhunderts nördlich der Alpen, Malerei und Bildhauerkunst der Deutschen, Niederländer und Franzosen, erreicht eine auffallende Verwandtschaft der Ausdrucksformen in ihrer Abhängigkeit vom italienischen Vorbild. Das direkte Studium der Künstler in Italien selbst wird zur Forderung, der sich der gebildete Kunstschaffende nicht entziehen kann. Hier gilt es, wie der niederländische Kunstschriftsteller Karel van Mander ausdrücklich vermerkt, die mittlerweile ausgegrabenen Werke der antiken Skulptur und die Werke der großen Meister der Renaissancekunst an den Originalen zu studieren. Doch hat dieses Studium keineswegs die zeitgleiche italienische Kunstübung übersehen, so daß die Italienfahrer nicht die klassische Ausdrucksform nach Hause gebracht, sondern eine charakteristische Arbeitsweise entwickelt haben, in der die vorbildhaften klassischen Prinzipien in einer moderneren Brechung erscheinen.

Was die Niederländer in Italien an zur gleichen Zeit entstandenen italienischen Werken studiert haben, gehört einer Kunstrichtung an, die zwar eine starke Bindung zu den großen Meistern der klassischen Renaissance bekennt, doch von dem von diesen erreichten Equilibrium von Nachahmungsforderung und Streben nach der erschlossenen Idealität deutlich abweicht. Äußere Gründe für die Veränderung der Gestaltungsweise anzuführen, will nicht gelingen. Denn die verschiedenen historischen Bewegungen, die für den Wandel in der theoretischen wie praktischen künstlerischen Tätigkeit verantwortlich gemacht werden können, gelten ebenso bereits für die Zeit der Hochblüte des eigentlich klassischen Schaffens. Allein der Begriff der Unbeständigkeit aller menschlichen Gegebenheiten und insbesondere der geschichtlichen Bewegungen kann als Grundsatz für diese Zeit angenommen werden, wie denn Francesco Guicciardini diese Tatsache als Grundsatz seiner historischen Überlegungen – so in der Vorrede zu seiner Geschichte Italiens – deklariert hat. Die „Instabilität'' kann damit wohl auch da festgestellt werden, wo der erreichte oben genannte Ausgleich im eigentlich „Klassischen'' schließlich ins Wanken geraten ist. Die Entwicklung der künstlerischen Sprache kennt allerdings keinen scharfen Bruch zwischen der Ausdrucksweise der großen, vorbildhaften Meister und derjenigen der nachfolgenden Künstler, wie Lomazzo zweifellos richtig feststellt (vgl. Kat. VII. 31). Das gesteigerte Bewußtsein von künstlerischem Schaffen als solchem übernimmt die jüngere Generation von bereits hochgepriesenen Berühmtheiten wie Leonardo, Michelangelo und Raffael. Überlegungen hinsichtlich der Bedingungen zur Hervorbringung des Kunstwerks führen zu der Erkenntnis, daß in der Formung der künstlerischen Mittel sich das Ingenium des hervorragenden Meisters zeigt, die Begabung als solche, abgesehen vom Erlernten und abgesehen vom Bezeichnen eines bestimmten Gegenstandes: Eine schön gezogene Linie allein offenbart den hervorragenden Künstler, wie Castiglione ausführt und damit den bildenden Künstler als geistig Schaffenden erklärt. Es wird damit allerdings das Ingenium, eigentlich geradezu das von Natur gegebene „ingenium rude" nach Horazens Darlegung, als entscheidend hervorgehoben. Später hat Lomazzo, wohl ausgehend vom „ingenium rude" des römischen Dichters, diese bestimmende Geisteskraft des Künstlers als die „furia naturale", als eine der grundsätzlichen Möglichkeiten beschrieben, der die rationale Überlegung als notwendige Ergänzung gegenübersteht. Gerade diesem Autor war die bruchlose Entwicklung von den vorbildlichen Meistern der Renaissance, die er ständig zitiert, herauf bis zu seiner Zeit – sein Traktat erschien im Jahr 1584 – als selbstverständlicher historischer Ablauf klar. Doch zeigt das künstlerische Schaffen in einem Fortgang etwa seit der Generation der um die Jahrhundertwende Geborenen die starke Wirkung dieses neu gewonnenen Selbstverständnisses des künstlerischen Vorganges an sich als den eigentlichen Sinn künstlerischer Produktion. Dem Maler ist somit ebenso wie dem Dichter die völlige Freiheit in der Erfindung gestattet, da ja die reine Demonstration der Begabung selbst die Unabhängigkeit von einem gestellten Thema bewirken kann und tatsächlich öfters auch bewirkt. Ebenso steht dem bildenden Künstler dieselbe Freiheit in der Erfindungsgabe, d. h. der Auswirkung in der Phantasie, wie dem Dichter zu. „Pictoribus atque poetis quidlibet audendi semper fuit aequa potestas." Dies wird ohne Einschränkung, die Horaz noch für notwendig hält, angenommen. Die Demonstration der Erfindungskraft wird zugleich mit derjenigen der subjektiven Formungskraft als Zeichen der hervorragenden Kunstbegabung angesehen. Die Instabilität, wie sie der freischaffenden Phantasie folgt, begründet die Variabilität der gültigen Proportionen der menschlichen Figur je nach der Ausdrucksqualität, die dem gewählten Thema entspricht bzw. wie sie dem Temperament des Künstlers angemessen ist. Lomazzo zitiert die Variabilität nach den vorbildhaften Künstlern und findet folgende Ausdrucksmöglichkeiten: „maestà e bellezza" bei Raffael, „furia e grandezza" bei Rosso, „cura et industria" bei Perino del Vaga, „grazia e leggiadria" bei Parmigianino, „fierezza" bei Polidoro. Es wäre also verfehlt, nur eine richtige bzw. ideale Proportionierung anzunehmen, da auch extreme Lösungen ausdrucksstark sein können und bestimmten Begriffen besonders gut entsprechen. So ist der Ausdruck der „grazia" in der gelängten Proportion, insbesondere bei der Präsentation des weiblichen Körpers, zu erreichen. Das Abbild des Körpers folgt somit einem schwungvollen, eleganten Linearismus, der weit über die Möglichkeit der Naturnachahmung hinausgeht und damit zum bewußten Beispiel der Eigenwirksamkeit der künstlerischen Medien wird. Es ist bezeichnend, daß die Variabilität in der Proportionslehre in denjenigen Richtungen auftritt, denen der „disegno" vor allem Grundlage gewesen ist, während z. B. die venezianische Malerei davon weit weniger berührt wird. Der Begriff der Grazia, der nun so häufig als erstrebenswertes Ziel der Bemühungen genannt wird, ist als die Attraktion der sensualistischen Schönheit zu verstehen. Dabei ist zu beachten, daß die Attraktion durch die Formung des Liniengefüges, d. h. durch die schwungvolle Linienführung, erreicht wird. Lomazzo erkannte richtig dieses Gestaltungsprinzip in der Formgebung der Werke Parmigianinos, die er als durchaus schätzenswert beurteilte. Er versäumte auch nicht, bei der Behandlung über die verschiedenen Proportionsmöglichkeiten auf Dürers Schema von der extrem gelängten Proportion hinzuweisen. Dieses Gestaltungsprinzip hat eine außerordentliche Wirkung erreicht und somit das klassische Schönheitsideal fast vollständig ersetzt. Das Streben nach der Grazia im Inhalt der Darstellung wie im künstlerischen Problem der Formung zeigt allerdings eine bewußte Abwendung von der Nachahmungslehre, an deren Stelle das Schaffen nach der subjektiven Phantasie tritt. Dominant ist das Konzept eines Abbildes des Vollkommenen als eines künstlichen Gebildes, das nicht aus Beobachtung gewonnen werden kann, sondern möglichst fern vom tatsächlich Sichtbaren erscheint. Der bewußt begabte Künstler erzeugt in der Anwendung der künstlerischen Mittel, wie z. B. des Lineaments, dieses ebenso hohe wie naturferne Idealbild. In dieser Hinsicht ist auch in der bildenden Kunst ähnlich wie in der Dichtung dieser Epoche eine Hypertrophie der Kunstmittel für den Erfolg entscheidend. Wie bereits Lomazzo den bildenden Künstler als geistig Schaffenden dem Dichter gleichsetzt, fordert er auch von ihm persönliche Erfindungskraft. Diese wird daher mit der höheren Einschätzung des Künstlers ebenso wie die formale Gestaltungskraft zum Zeichen des vorzüglichen Malers und Bildhauers. Die Bildkunst wird daher parallel zu den „vaghi concetti" der Dichtung zu außergewöhnlichen Leistungen in der Interpretation der Inhalte angeregt. Tatsächlich hat die Hypertrophie in dieser Hinsicht auch zum Bizarren geführt, wofür nachklassische Maler wie Bacchiacca und Arcimboldo Beispiele geliefert haben, die von ihren Auftraggebern verständnisvoll geschätzt wurden (Kat. I. 3, I. 4). Als Folge der Überbetonung der persönlichen Erfindungskraft ist das Streben nach dem Erstaunenerregenden zu verstehen, das ebenso wie in der Bildkunst auch in der Dichtkunst als erstrebenswertes Ziel erkannt wurde. In dieser Hinsicht zitiert Tasso bereits die ältere Meinung des Pontanus, was dann bei Marino überhaupt zum bestimmenden Kunstprinzip werden sollte. Die Bildkunst entspricht dieser Kunstabsicht, z. B. in den Dekorationen von Giulio Romano wie dem Fresko des Gigantensturzes im Palazzo del Tè (Abb. S. 37), aber auch in den weniger theatralischen Äußerungen wie z. B. den Figurengruppen Giambolognas, in denen die virtuose Kunst in der Darstellung bewegter Körper Bewunderung und Erstaunen hervorruft (Kat. VII. 2).

Es ist bekannt, daß die Kunstübung der Maler und Bildhauer der nachklassischen Zeit im 16. Jahrhundert von der folgenden Kunsttheorie verurteilt wurde. Dies gilt für die Künstler von Florenz, Rom und der Emilia, bezeichnenderweise nicht für die Venezianer. Bellori erklärt den Verfall durch den Verzicht auf das Naturstudium, durch die „maniera", die nicht auf die Nachahmungslehre, sondern allein sich auf die „pratica" stützt. Maniera und Pratica erscheinen hiemit als verwandte Begriffe; die Perfektion des Malers besteht in der reichhaltigen Erfindungskraft, der Erfahrung im Zeichnen und nicht zuletzt in der Leichtigkeit des Arbeitens selbst, der „facilità", die auch die Schnelligkeit in der Erledigung größerer Aufträge begründet. So entwirft bereits Vasari das Bild des Virtuosen und zugleich des eigentlichen Manieristen. Zweifellos kann man diese Bezeichnung gerade auf ihn im eigentlichen Sinn anwenden, ebenso auch auf die rasch arbeitenden Virtuosen der zweiten Hälfte des 16. Jahrhunderts, denn tatsächlich arbeiten Maler wie Vasari, Salviati oder die Zuccari mit einem Erfahrungsschatz, der es ihnen ermöglicht, ohne skrupulöses Durchdenken und Studieren der inhaltlichen Forderungen oder auch der künstlerisch neu zu gestaltenden Bildmotive ihre Kompositionen mit attraktiven Wendungen zur Zufriedenheit der gebildeten Auftraggeber auszustatten. Diese Dominanz des Bildungswissens in künstlerischer Motivik beim Maler wie beim Betrachter war es gerade, welche die Polemik der späteren Zeit entzündete: Die Manieristen hätten in vornehmlicher Berufung auf das Ingenium sich auf die Leistungen der bedeutenden Vorbilder verlassen und daher in ihrer Kunst nur Bastarde hervorgebracht, da sie der Verpflichtung zum eigenen intensiven Studium des Naturvorbildes, worauf die ideale Kunstübung aufbauen soll, nicht nachgekommen wären.

Die Meinung Belloris, der die Kunstprinzipien, die nach Raffaels Tod bzw. nach 1530 Geltung erlangt hatten, als Beispiele eines Irrweges und Verfalls bezeichnete, hat die Betrachtung der Werke dieser Zeit über mehr als drei Jahrhunderte bestimmt. Von diesem Urteil her ist auch die bis heute übliche vereinheitlichende Zusammenfassung aller in dieser Zeit entstandenen Bildschöpfungen unter dem Begriff des Manierismus zu verstehen, der als eine bestimmte und eigenständige Kunstepoche bezeichnet wird. Es ist zweifellos in der erreichten Auffassung des selbständigen Kunstschaffens im Künstler wie im Auftraggeber und Betrachter der Ansatz zu einem intellektuellen Erfassen des Kunstwerkes gegeben, womit allerdings der eigentliche Kunstgenuß dem Verständigen, sozusagen einer geistigen Elite, vorbehalten wird. Doch ist bei dieser neugewonnenen Einstellung wie auch bei der damit erreichten Freiheit in Invention und Formgebung der Zusammenhang mit der klassischen Renaissance nicht abgerissen. Es gilt dies nicht nur für Venedig, wo das Kontinuum der Bildgestaltung ungebrochen bis zum Jahrhundertende aufrecht bleibt, sondern auch außerhalb dieser Hochburg der Renaissancekunst, wofür Lomazzos theoretische Schriften deutlich Zeugnis geben. Das Bewußtsein, in den „Klassikern" gültige Vorbilder anzuerkennen und damit deren Nachfolge anzutreten, dürfte wohl den meisten der bedeutenden Maler und Bildhauer ebenso wie dem Theoretiker eigen gewesen sein.

Als Gesamtheit von klassischem und nachklassischem Schaffen präsentiert sich die italienische Renaissancekunst auch den außeritalienischen Künstlern in ihrem Streben, sich deren Errungenschaften nun selbst anzueignen. Der herrschenden Meinung im internationalen Humanismus von der unbedingten Vorbildhaftigkeit der antiken Literatur entsprach die auch uneingeschränkte Hochschätzung der antiken Bildkunst. So ist es verständlich, wenn Karel van Mander den Vorsprung der italienischen Künstler damit erklärt, daß sie ja die vorbildhaften Denkmäler des Altertums im eigenen Land hätten, um ihr Kunstverständnis daran zu schulen. Die Nordländer sollten daher von ihnen lernen, die Studienreise nach Italien wäre daher geradezu notwendig. Mit der Antikenverehrung verbindet sich allerdings ein besonderes Interesse an dem wissenschaftlichen Aspekt des Kunstschaffens, wie er in Italien seit dem Quattrocento in Theorie wie auch in der Praxis, wenn man etwa an Albertis und Leonardos Ideen denkt, gesehen wurde. Die Lehre von der Perspektive und diejenige von der richtigen Proportion des menschlichen Körpers haben einige der bedeutendsten der nordischen Maler intensiv beschäftigt. In dieser Hinsicht war bereits im 15. Jahrhundert Michael Pacher ein Italianist, und bei Dürer ist die Verbindung zur italienischen Kunst und Kunsttheorie durchaus beispielgebend. Mit seinem Werk beginnt das fruchtbare Zusammenwirken der nordischen, deutschen und niederländischen Kunst mit der italienischen, welches das ganze Jahrhundert charakterisiert und auch darüber hinaus die weitere Kunstentwicklung bestimmt hat. Dürers direkter Einfluß ist nicht nur bei den deutschen Malern, sondern ebenso bei den Niederländern festzustellen, was vor allem in seinem graphischen Werk begründet liegt. Besonders Lucas van Leyden, aber auch Jan Gossaert arbeiteten unter dem Eindruck der Dürerschen Gestaltungsweise. Man möchte fast annehmen, daß die Ideen der Renaissancekunst durch sein Werk ebenso verbreitet wurden wie durch die Stiche Marcantonio Raimondis, durch welche die Expansion der Kunst Raffaels erfolgt ist. Die Studienfahrten der Niederländer begannen kurz nach Dürers Italienreisen. Gossaert war der erste, der im Jahr 1508 nach Rom kam und eine Anzahl von Zeichnungen nach antiken Werken nach Hause brachte. Offensichtlich waren seine Studien vornehmlich von humanistischen Interessen gelenkt. Für seinen Auftraggeber, Philipp von Burgund, schuf er in diesem humanistisch gefärbten Sinn die ersten Bilder mythologischen Inhaltes, in denen er seine Antikenstudien zur Anwendung bringen konnte, eindeutig als Renaissancekunst gedachte Werke, die er in der virtuosen niederländischen Technik ausführte. Gerade dies verhinderte den nach klassischer Auffassung geforderten Ausgleich von Idee und Nachahmung, die in der deskriptiven Genauigkeit in der Wiedergabe des Beobachteten ein zu starkes Übergewicht erhielt. Diese Eigenheit, von Gossaert in einer Zeit, die in Italien noch durchaus der Hochklassik entsprach, überdeutlich und virtuos vorgeführt, blieb für die gesamte Malerei der niederländischen Romanisten, mit welcher Bezeichnung die nach dem italienischen Vorbild ausgerichteten Niederländer als eigene Gruppe hervorgehoben werden, weiterhin charakteristisch. Ohne zu bemerken, daß hier die Möglichkeit einer Diskrepanz mit dem erlauchten Vorbild bestehen könnte, hat Karel van Mander das Beharren der Niederländer auf ihrer traditionsreichen Malweise lobend hervorgehoben, da in dieser Hinsicht die Malerei durch das Studium der italienischen Meister nicht zu reformieren bzw. nicht zu ändern wäre. Das italienische Vorbild hingegen empfiehlt der Kunsttheoretiker zum Studium der idealen Konzepte der menschlichen Gestalt, der Erfassung der Bewegung der Affekte sowie der Kunst der Komposition im Historienbild. All dies verbindet die Kenntnis der griechischen Antike, deren Werke allerdings nur an Hand der diesbezüglichen Literatur, vor allem des Plinius, in der Vorstellung, nicht aber in der Anschauung, dem gebildeten Künstler zum gedanklichen Vorbild werden können. Ebenso wie Lomazzo unterscheidet Karel van Mander nicht die Vorbilder der eigentlichen Klassik von denen der Nachklassik: Raffael und Michelangelo werden ebenso genannt wie Parmigianino, Giambologna und Federico Zuccari sowie die großen Venezianer. Ähnlich breit gestreut sind auch die Anregungsquellen der Hauptmeister des Romanismus, Jan van Scorel (1495–1562) und Frans Floris (1520–1570), die in dieser Richtung den Ton angegeben haben. Van Scorel war zwischen den Jahren 1520 und 1524 in Italien, und zwar in Venedig und Rom.

Erinnerungen sowohl aus venezianischen wie aus römischen Studien sind in seinen persönlichen Stil eingegangen. Es ist verständlich, daß er Anregungen von den Berühmtheiten der Zeit seines Aufenthaltes in Italien empfangen hat, Anregungen von Raffael, Michelangelo, deren Werke er in Rom studiert hat, von Giorgione und Palma Vecchio, mit deren Schaffen er sich in Venedig auseinandergesetzt hat. Weiters hat er auch Mantegna, der zur Zeit der Klassik zu den größten Meistern gezählt wurde, wie z. B. Sannazzaro ausführt, mit Interesse studiert. Es ist aber nicht zu übersehen, daß in seinem späteren Werk die Gestaltungsweise von den Meistern von Fontainebleau, wohl am meisten von Rosso Fiorentino, berührt wurde, eine Anregung, die wohl durch graphische Blätter vermittelt worden ist. Hatte schon seine Interpretation der Werke der italienischen Klassiker auf Grund seiner niederländischen Schulung und seines persönlichen Temperamentes nichts weniger als wirklich klassische Lösungen hervorgebracht, so zeigt sich in der späteren Schaffenszeit eine Bestätigung seines persönlichen Ausdruckswillens in der Verarbeitung der genannten Anregungen der in Frankreich arbeitenden nachklassischen italienischen Maler.

Betrachtet man die Malerei der Deutschen und Niederländer vom Gesichtspunkt des Zusammenhanges mit der Expansion italienischer Ideen der Renaissance, so steht in der ersten Hälfte des 16. Jahrhunderts zweifellos die Auseinandersetzung mit der Kunst Raffaels und dessen direkten Schülern und Nachfolgern an erster Stelle. Diese Auseinandersetzung erfolgte sowohl durch die Kenntnis der Werke Raffaels und Giulio Romanos als auch in besonderer Weise durch die Reproduktionsstiche des Marcanton. So hat Lucas van Leyden von dessen Blättern entscheidende Anregungen in seinem späteren Schaffen empfangen. Der Niederschlag, den die klassischen Ideen in seiner Kunst gefunden haben, ist allerdings durch seine persönliche Auffassung in unklassischer Weise gebrochen. Die Wiedergabe der sinnlichen Erscheinung der Motive und die Absicht, der Darstellung Unmittelbarkeit zu verleihen, begründet diese Veränderung des hohen Vorbildes. Ebenso waren Marcantons Stiche im Atelier Dürers vorhanden, wie in deren Umsetzung durch des Meisters Schüler, wie z. B. Sebald Beham, deutlich erkennbar wird. Auch hier wird zugunsten einer inhaltlichen Konkretisierung die allgemein gehaltene Idealtypik umgedeutet. Das Equilibrium von Naturbeobachtung und erschlossener Idee geht dabei hier ebenso verloren wie bei den Schöpfungen des holländischen Meisters, und es entstanden zwar ausdrucksvolle Werke, aber solche einer nachklassischen Kunst. Da die Anregung nicht nur durch die vorbildhafte Idealtypik, sondern auch durch den meist paganen Inhalt begründet war, ist es verständlich, daß die Inventionen Giulio Romanos fast denselben Dienst erfüllten wie Raffaels eigene Konzepte. In dieser Hinsicht mag ein Werk Erwähnung finden, in dem sich die Erfindungskunst Giulios direkt manifestierte: die malerische Ausstattung der Residenz in Landshut. Hier arbeiteten italienische Maler, die offenbar aus dem unmittelbaren Bereich von Giulios Ausstattungsunternehmen in Mantua stammten, zusammen mit deutschen und niederländischen Malern, wie Hans Bocksberger, Ludwig Reffinger und Hermannus Posthumus. Die Malereien zeigen sowohl die Abhängigkeit von den Fresken in Mantua als auch die Vereinfachung des

Vorbildes in einem wesentlich naiveren, narrativen Stil. So charakteristisch diese Ausstattungsmalereien als Phänomen der Expansion einer Gestaltungsweise der Raffaelnachfolge auch waren, sie haben keine weitergehende Wirkung ausgeübt.

Völlig anders ist die Bedeutung eines Importstücks von Raffaels Monumentalkunst in den Niederlanden. Mit der Sendung der Kartons der „Apostelfolge'', die in Brüssel im Atelier des Pieter van Aelst ausgeführt wurden, war das Vorbild des hohen Stils für die niederländische Tapisserie, die ja als die eigentliche Monumentalmalerei der Niederlande bezeichnet werden kann, für Generationen von Malern, die im großen Historienbild tätig waren, gegeben. Richtung und überzeugende Anregung für die Gestaltung der menschlichen Figur und der ausgewogenen Monumentalkomposition in der idealen Auffassung des Themas waren damit für die empfänglichen, in diesem Sinn modernen Maler erschlossen, gleich, ob sie persönliche Erfahrungen auf einer Studienreise in Italien gesammelt hatten oder nur an Hand dieser Werke Raffaels, die in Brüssel verblieben waren, ihren künstlerischen Bildungshorizont erweitert haben. So geht die Komposition im hohen Stil in den Tapisserieentwürfen des Bernard van Orley (um 1492–1542) zweifellos auf das Studium der Apostelkartons zurück und ebenso beweist Pieter Coecke van Aelst (1502–1550) Kenntnis dieser Werke. Da er während seiner Studien in Italien auch Anregungen von Perino del Vaga und Giulio Romano empfangen hat, ist seine reichere Kompositionsart bereits dem Geschmack einer etwas jüngeren Generation verpflichtet. Als der treueste Anhänger von Raffaels idealen Konzepten arbeitete Michiel Coxie in seinem langen Leben (1499–1592) bis zum Jahrhundertende immer wieder erneut an der Variation der Idealtypik des hohen Vorbildes (vgl. Kat. VII.8). Wenngleich er ebenso wie die anderen Maler des monumentalen Tapisserieentwurfes die Darstellungen durch in genauer Naturbeobachtung gezeichnete Einzelheiten, die oft mehr als nur den Charakter eines akzidentellen Beiwerkes haben und in der Bildwirkung stark mitsprechen, erweiterte, blieb er im wesentlichen dem von ihm verehrten Vorbild treu. Sein Werk kann daher als Beispiel dafür gesehen werden, daß für die niederländische Malerei das eigentlich klassische Vorbild während des 16. Jahrhunderts immer in hoher Achtung verblieben ist.

Es besteht kein Zweifel, daß die genannte Nachfolge, um nicht zu sagen Nachahmung Raffaels die Grundlage der niederländischen Monumentalmalerei im hohen Stil gebildet hat. Ebenso klar ist allerdings auch, daß die Übernahme vorbildhafter Lösungen in der Komposition und vor allem in den exemplarischen Figuren eine Unterordnung der eigenen Erfindungskraft bedeuteten. Nun warnt z. B. Lomazzo vor dieser Praktik, die als charakteristisches Merkmal der „maniera'' angesehen werden kann: mit vollendeter Technik das zu übernehmen, was ein anderer von Grund auf durchstudiert und als Kunstwerk erfunden hat. Schließlich finden wir ja gerade hier die von Bellori abgelehnte Maniera, die nur auf der technischen Fertigkeit beruht. Die Maler, die in der Wirkung der Expansion von Raffaels Kunst standen, zeigen allerdings so viel von persönlicher bzw. niederländischer Eigenart, daß ihre Werke nicht als ausgesprochene Produkte eines Manierismus bezeichnet werden können. Deutlicher wird das Phänomen der Übernahme von Gedanken und

Motiven, als das Vorbild der Konzepte Michelangelos stärker die niederländischen Italienfahrer bestimmt. Maerten van Heemskerck (1498 bis 1574), Schüler des Jan van Scorel, war 1532–1536 in Rom. Er kannte somit die Decke der Sixtina und die Skulpturen Michelangelos, was auf seine Malerei einen außerordentlichen Eindruck gemacht hat (vgl. Kat. I. 30). Das Gewaltige in der Idealtypik des florentinischen Meisters wurde geradezu zum Grundprinzip seiner Konzepte in der Darstellung der menschlichen Figur. Dem starken Temperament des Künstlers entsprechend wurden die Affekte in der dynamischen Bewegtheit der Gestalten ausgedrückt. Der charakteristische nordische Expressionismus bedient sich somit der erlernten italienischen Gestaltungsmöglichkeiten. Der Passus aus van Manders Lehrgedicht „kräftige Männer sollen gewaltige Bewegungen haben" läßt sich auf diese Art des Gestaltens geradezu direkt anwenden. Heemskerck hat – wie die überlieferten Skizzen zeigen – in Rom viel nach römischen Skulpturen gezeichnet. In seinen späteren Werken sind diese Erfahrungen in eben derselben Weise der dynamischen Interpretation unterworfen worden. Als Bildungsgut sind diese einzelnen Anregungen zwar zu erkennen, zu einer der Klassik angenäherten Auffassung aber haben sie nicht geführt.

Die höhere Einschätzung des bildenden Künstlers, der nun nicht mehr als Handwerker eingestuft wird, ist als das äußere Ergebnis des inneren Verstehens des Kunstschaffens zu sehen, des Verstehens des Vorganges der Formschöpfung und damit des gesteigerten Bewußtseins dieser besonderen Fähigkeit. Der Forderung nach dem Verständnis des eigentlichen Wesens der Kunst entspricht nun auch die Forderung der intellektuellen Bildung des Künstlers selbst. Italien hat auch hierin das Vorbild gezeigt, dem die nordischen Nationen gefolgt sind. Bildung ist den modernen Künstlern daher meist in hohem Grad eigen, angefangen mit Dürer, der auch in dieser Hinsicht als Beispiel für die nächsten Generationen gelten kann. Bildung besaßen Scorel und Heemskerck, ebenso die in den südlichen Niederlanden tätigen Maler wie Lambert Lombard und Frans Floris (vgl. Kat. VI. 1). Diese Bildung der angesehenen Maler ist nicht nur in literarischer Hinsicht zu verstehen, worüber die genannten Maler verfügten, sondern auch in künstlerischer. Der Künstler erfährt bei seinem erweiterten Studium, worunter vor allem die Italienreise zu verstehen ist, eine große Zahl von Anregungen, aus denen er wählen soll, um seinen persönlichen Stil zu bestimmen. Die Breite der künstlerischen Bildung dürfte wohl auch der Grund für die führende Stellung gewesen sein, die Floris in der niederländischen Malerei eingenommen hat. Das Interesse an dem vorbildhaften Altertum hat bereits Lambert Lombard, der über namhafte archäologische Kenntnisse verfügte, bei ihm geweckt, als er noch sein Schüler war. Die zahlreichen Studienblätter, die er nach römischen Skulpturen gezeichnet hat, beweisen seine Kenntnis in dieser Hinsicht. In seinen durchaus persönlich geformten Stil flossen weiterhin die Anregungen der vor allem in Rom studierten Werke von Michelangelo, Raffael und Polidoro da Caravaggio ein. Auch dürfte er Kenntnis von den Fresken von Perino del Vaga in Genua und denjenigen von Giulio Romano in Mantua besessen haben. Sein Temperament, das eine deutliche, manchmal überdeutliche Akzentuierung in der Mitteilung der Bildinhalte forderte, verhinderte den klassischen Ausgleich der Bildlösungen.

Er ist in seiner späteren Zeit daher auch auf Anregungen der sogenannten toskanisch-römischen Manieristen eingegangen, wie dies für seine Folge der Taten des Herkules festgestellt wurde. Schließlich läßt sich in seinen späteren Werken auch die Kenntnis der Maler von Fontainebleau erkennen, deren Ideen der Eleganz der menschlichen Figur seinen Absichten der inhaltlichen Interpretation in speziellen Fällen entsprochen haben dürfte. Mit dieser Auseinandersetzung mit den aus dem emilianischen Bereich stammenden Ausdrucksformen, die vom Prinzip der Grazia bestimmt waren, hat Floris einem fruchtbaren Zweig der niederländischen Malerei in der zweiten Hälfte des 16. Jahrhunderts den Weg gewiesen. Die Intensität in der Interpretation des Inhaltes verbindet Floris' Schaffen zwar mit der niederländischen Tradition, aber er hat den traditionsreichen einheimischen Kolorismus nicht weitergeführt, sondern sich in der Farbgebung einer deutlichen Zurückhaltung befleißigt. Allerdings hat er die malerische Bildeinheit, die er durch differenzierte Farbabstufungen erreichte, nicht vernachlässigt, was auf seine Kenntnis venezianischer Malerei deutlich hinweist. Die Wirkung der Kunst des Floris war bedeutend, vor allem sind seine Ideen von seinen zahlreichen Schülern, wie z. B. von Anthonie van Blocklandt, der in einer italienischen Studienreise auch Anregungen von Parmigianino empfangen hat, weiterentwickelt worden. Crispin van den Broeck hat seinen persönlichen Stil durch Anregungen von venezianischer Malerei, besonders von Tintoretto, ausgebildet sowie auch Anregungen von den toskanischen Manieristen aufgenommen und auch die Kenntnis der Meister von Fontainebleau verwertet. Eine breite Wirkung hat die venezianische Malerei, wenn man von dem frühen Beispiel bei Scorel absieht, erst nach der Mitte des Jahrhunderts auf die niederländischen Meister ausgeübt. Beispiele für diese bedeutenden Anregungen bieten die Werke des Dirck Barends aus Amsterdam und des Marten de Vos in Antwerpen. Bei beiden Künstlern ist andererseits die Wirkung der Kunst des Floris spürbar, in besonderer Weise hat Barends auch die Kompositionen von Pieter Aertsen studiert, die ihrerseits durch Anregungen von Floris bestimmt wurden. Marten de Vos, der in seiner Frühzeit kurz nach seiner Italienreise deutlich den Eindruck der Werke des frühen Tintoretto zeigt, hat außer von dem auch weiterhin immer wieder feststellbaren Venezianismus auch von Raffael Motive übernommen und später sich auch mit der Kunst der toskanischen Manieristen auseinandergesetzt. Bezeichnend für seine persönliche Auffassung ist jedoch die starke Bindung an die einheimische Tradition, die im Spätwerk geradezu archaistische Rückgriffe entstehen ließ, wie dies z. B. in der nach der Bildvorstellung des 15. Jahrhunderts entwickelten Komposition des Gemäldes „Der hl. Lucas malt die Madonna" deutlich zu sehen ist. Der Maler, der nach dem Tode von Floris das angesehenste Atelier in Antwerpen leitete, hat demnach an der archaistischen Rückbesinnung der Malerei auf die fast ein Jahrhundert zurückliegende Blütezeit der einheimischen Kunst teilgenommen, die parallel dazu in Deutschland die eigenartige Dürerrenaissance entstehen ließ. Neben Marten de Vos haben auch Frans Pourbus der Ältere, ein Schüler des Floris, und Jakob de Backer eine klassische Neigung vertreten, die bei diesem durch den Einfluß des Federico Zuccari, der selbst die Niederlande bereist hatte, in einer bestimmten

Weise zu einem Manierismus römischer Prägung gebrochen wurde (vgl. Kat. VII.32). Der Einfluß der beiden Zuccari auf die Niederländer war gerade auf die Maler der jüngeren Generation bedeutend. Die in ihrem Stil erreichte Verschmelzung von Anregungen der vorbildhaften Meister wie Raffael, Michelangelo, Correggio, Parmigianino, Salviati und Vasari empfahl die Nachahmung. Daneben hat in der Spätzeit des Jahrhunderts auch Jacopo Zucchi eine nicht zu übersehende Wirkung ausgeübt (vgl. Kat. I.26). Häufig war bereits auf die Anregung eines extremen Formalismus durch die Maler von Fontainebleau hinzuweisen, der auch das Spätwerk des Jan Massys und später die Malerei des Ambrosius Francken, der selbst an diesem Ort tätig war, bestimmte.

Überblickt man die Entwicklung der Ideen der Romanisten, so wird deutlich, daß nach der Mitte des Jahrhunderts das Kunstprinzip der Grazia immer stärker an Wirkung gewinnt. Die Gestaltung des idealeleganten Menschen ist dadurch bestimmt, und außerdem ermöglicht die damit verbundene extreme Formbildung, wie z. B. die Bevorzugung der gelängten Proportion, eine bestimmte Interpretation des Inhaltes. Die Verbindung eines extremen Formalismus mit der speziellen Aussage, so z. B. die extrem gestreckte Proportion mit der Interpretation des Sinnlichen und bis zum Lasziven Gehenden, erscheint allerdings als eine Kunstübung, die nur auf besonderes Kunstverständnis berechnet ist. Es ist daher verständlich, daß diese hochentwickelte Kunst vor allem an den Fürstenhöfen geübt wurde, da man vom Cortegiano die nötige Bildung in dieser Hinsicht erwarten und ihm auch entsprechendes Vergnügen bereiten konnte. Die Ausdrucksqualitäten des extremen Formalismus ebenso wie dessen spezielle Interpretation des Inhalts charakterisieren die Hofkunst von Fontainebleau. Der Ausgangspunkt der bedeutendsten Meister ist zwar unterschiedlich; Rosso ging von einer expressiven Steigerung des florentinischen Disegno aus, Primaticcio war Schüler von Giulio Romano, kannte aber genauestens die elegante Formensprache Parmigianinos, den Lomazzo den Meister der „grazia e leggiadria" genannt hat; die grundsätzliche Haltung des verfeinerten, eleganten Formalismus ist aber den beiden Hauptmeistern gemeinsam. Primaticcio hat auf die französische Hofkunst einen entscheidenden Einfluß ausgeübt. Daher wird man auch in den Werken der Bildhauer, wie z. B. des Jean Goujon, ein ähnliches Denken antreffen, das ebenfalls dem Prinzip der Grazia entspricht (vgl. Kat. III.5, 6). Wenngleich dieses Gestaltungsprinzip von italienischen Meistern zuerst verwirklicht wurde, so ist dem eleganten Formenkanon später von Franzosen und nicht minder von Niederländern gefolgt worden. Einige Niederländer haben in Italien selbst eine nicht geringe Bedeutung erlangt, wie Stradanus in Florenz und Denys Calvaert in Bologna (Kat. II.4). Letzterer hat seinen Stil unter dem Einfluß von Vasari und Salviati in Rom ausgebildet und sich nach seiner Übersiedlung nach Bologna auch mit der emilianischen Malerei auseinandergesetzt. Bezeichnend ist es, daß besonders sein maltechnisches Können, offenbar das Ergebnis seiner niederländischen Schulung, ihn zu einem bedeutenden Lehrer befähigte. Einige der bedeutendsten Maler des bolognesischen Barock waren ursprünglich seine Schüler, wie Albani, Domenichino und vor allem Reni, der ihm auch weiterhin, obwohl er sich der Schule der Carracci angeschlossen hatte, volle Anerkennung gezollt hat.

Die aus dem genannten Prinzip entwickelte Kunstsprache hatte somit den Charakter des Internationalen erreicht, wie dies auch der Thematik dieser humanistisch bestimmten, literarischen Bildung entsprach. Die höfische Kunstpflege in München und Prag bietet dafür ebenso charakteristische Beispiele wie die Tätigkeit der am Ende des Jahrhunderts wirkenden Maler in Utrecht und Haarlem, die sich bezeichnenderweise zu Akademien zusammengeschlossen haben. So erklärt sich die innere Verwandtschaft der herrschenden Kunstprinzipien beim frühen Abraham Bloemaert und bei Joachim Wtewael in Utrecht, bei Cornelis Cornelisz. in Haarlem und bei Bartholomäus Spranger (1546–1611), dem führenden Hofmaler Kaiser Rudolfs II., wie auch bei dem Südniederländer Jodocus a Winghe (1544–1603), der ebenfalls in Italien von den toskanisch-römischen Manieristen wie auch von den Meistern von Fontainebleau und von Spranger Anregungen aufgenommen hat. Die Maler des kaiserlichen Hofes mögen als überaus charakteristische Beispiele speziell angeführt werden: Spranger, der seine Italienstudienreise als ausgebildeter Maler unternahm, suchte gerade diejenigen Orte auf, die ihm die Anregungen der verfeinerten und eleganten Formkunst bieten konnten. Im Jahr 1565 war er in Paris, als Primaticcio dort noch tätig war. Seine erste längere Station während der Reise durch Italien machte er in Parma, wo er Gelegenheit fand, seinen Stil am Studium der Werke Parmigianinos noch weiter in der angestrebten Richtung zu vervollkommnen. Schließlich arbeitete er zwischen 1567 und 1575 in Rom unter der Ägide des Federico Zuccari. Auch hier hielt er den persönlichen Kontakt mit dem emilianischen Maler Bertoja (vgl. Kat. VII.32), was ihn wiederum in der angestrebten Richtung bestärkte. Als Spranger im Jahr 1575 kaiserlicher Hofmaler wurde, war seine persönliche Gestaltungsweise bereits völlig ausgeprägt. Das elegante Schönheitsideal der Grazia bestimmte seine Malerei, Parmigianinos Vorbild wurde auch hier zum Leitbild des höfischen Geschmacks (Kat. I.33). Es ist nicht uninteressant, daß in seiner Malerei dieses Kunstprinzip auch noch auf Grund eines anderen Vorbildes verwirklicht wurde: Spranger hat besonders elegante Gestalten offenbar nach Zeichnungen, die er von Giambolognas Serpentinatafiguren gemacht hatte, geformt. Eine außerordentliche Wirkung erreichte Sprangers Ausdrucksweise durch die Verbreitung seiner Ideen in der Graphik des Hendrik Goltzius (1558–1617). Die Arbeiten dieses Künstlers stellen in ihrer Vielseitigkeit geradezu eine Zusammenfassung der Gestaltungsweise dar, die die internationale Kunstsprache in der zweiten Hälfte des 16. Jahrhunderts charakterisiert. In seinen Frühwerken ist noch die Nachwirkung der Kunst des Floris und Blocklandt zu erkennen. Ab den achtziger Jahren schloß er sich dann ganz dem Vorbild Sprangers an. Auf diese Weise vermittelte er dessen Ideen an die Holländer, wie etwa Cornelis van Haarlem, Bloemaert und Wtewael. 1591 reiste Goltzius nach Rom, wo er die Werke von Raffael, Polidoro und Michelangelo studierte und vor allem nach den Antiken zeichnete – Blätter, die er nach seiner Rückkehr nach Haarlem in virtuos gearbeiteten Stichen publizierte. In seinem Spätwerk machen sich sowohl eine Wendung zum klassischen Geschmack wie auch eine Neigung zu venezianischer Kunst geltend, ohne daß die Wirkung des Sprangerschen Schönheitsideales vollständig zurückgetreten wäre. Es ist für die Auffassung von Goltzius bezeichnend, daß er während seiner ganzen Schaffenszeit, insbesondere aber im Spätwerk, seinen Blick auch auf die einheimische Tradition gerichtet hat und daher Variationen nach Lucas van Leyden und Dürer schuf und ebenso als Meister der scharfen Beobachtungsgabe hervortrat.

Auch die Bildhauerkunst folgt in dieser Zeit den bereits internationalen Gestaltungsprinzipien. Ihr Hauptvertreter Giambologna, ein Niederländer von Geburt, arbeitete in Florenz, wo er bedeutende niederländische Bildhauer ausbildete, auf deren Stil er nachhaltigen Einfluß ausübte. Zu diesen gehörte unter anderen auch Adriaen de Vries, der später ebenfalls am kaiserlichen Hof eine persönliche Variation des internationalen Stiles der Grazia entwickelt hat (vgl. Kat. VII. 16). Das Erbe der niederländischen Kunst, die Beobachtungsgabe der Erscheinungswelt und die daraus folgende Umsetzung der empfundenen Realität der primär wahrnehmbaren dringlichen Oberfläche in malerische Werte sind auch diesen späteren Meistern des 16. Jahrhunderts nicht verlorengegangen. Der extreme Formalismus verbindet sich in ihrem Werk mit einer spürbaren sensualistischen Gegenwärtigkeit, die den Bildern, die meist mythologischer Thematik gewidmet sind, eine eigenartig dualistische Wirkung verleiht – ein Charakter, der gerade der rudolfinischen Hofkunst eigen ist. Nicht nur den Gemälden Sprangers und der von ihm beeinflußten und mitstrebenden deutschen Maler Hans von Aachen und Joseph Heintz, auch den Schöpfungen Adriaen de Vries' ist dieser Zug von sensualistischer Gegenwärtigkeit eigen (vgl. Kat. III. 23–25). Es scheint, daß in dem Spannungsverhältnis von verfeinertem und wohl auch überspitztem Formalismus und einem manchmal bis zur wissenschaftlichen Genauigkeit gesteigerten Natursinn ein besonderes ästhetisches Vergnügen erlebt wurde. Ist doch auch in den Erzeugnissen des Kunstgewerbes an diesem Hof Schönformigkeit mit bizarrer Kombination von „arteficiale" und „naturale" – dies insbesondere bei süddeutschen Goldschmieden – ein Zeugnis für diesen Geschmack. Demnach mag man sich nicht wundern, daß die Maniera, wie Bellori sagt, auf einer „fantastica idea" beruht. Trotz des von ihm ausdrücklich formulierten Verdammungsurteils ist diese „fantastica idea" auch in den Jahrhunderten der Barockkunst, die wohl von anderen Grundsätzen ihren Ausgangspunkt genommen hat, wo ein bewußt subjektives Kunstprinzip den Geschmack bestimmt hat, immer wieder verwirklicht worden.

Martin Warnke

Der Kopf in der Hand

In dem berühmten Selbstbildnis des Parmigianino vom Jahre 1524 (Kat. I. 5) läßt der Rundspiegel, dessen Verzerrungsleistungen das Gemälde getreu übertragen will, zwei Elemente stabil: den Kopf und die Hand. Während Fenster und Türen des Hintergrundraumes durch die Verzerrungen ihre Identität verlieren, wird die Hand durch die elegante Dehnung und durch ihre in die Rahmenmulde eingeschmiegte Länge erst eigentlich bedeutsam. Die lässige Lagerung der Hand bildet eine abschirmende Schranke, hinter der der Kopf umso sicherer an der vom Kragen bis zum Scheitel markierten Achse entlang aufragen kann.

Während also ringsum alles zerdehnt, verzerrt, destabilisiert ist, wissen sich Kopf und Hand des Künstlers in einer sicheren Position. Das gemeinsame Inkarnat verstärkt die unmittelbare Wechselbeziehung zwischen Hand und Kopf; sie sind die einzigen zuverlässigen Mittel, die dem Künstler in einer flüchtigen, ungreifbar gewordenen Umwelt zur Verfügung stehen.[1]

Von der Entwicklung des Bildnisses oder des Selbstbildnisses her gesehen, war der in eine Raumatmosphäre hineingesetzte Kopf nicht mehr etwas Neues.[2] Auch die Hand hatte sich nach niederländischen Vorgaben in Italien, etwa seit Lionardo, eingebürgert, und gerade um 1520 beginnt sie sowohl bei den Niederländern wie aber auch bei den Oberitalienern oft lebhaft aus den Bildnissen heraus zu gestikulieren. Während die innerbildliche Atmosphäre die Person auf ein charakteristisches Milieu hin relativiert, sucht die gestisch aktivierte Hand eine Gesprächsbeziehung zum Betrachter hin aufzubauen. Diese zwiefache Erweiterung des Bildnisses nach innen und nach außen ist eine der allgemeinen Voraussetzungen auch des Selbstbildnisses von Parmigianino. Anders jedoch als in den üblichen gestisch akzentuierten Bildnissen sucht die Hand bei Parmigianino gerade nicht den Kontakt zum Betrachter, sondern wendet sich nach innen und hat eher eine abschirmende als eine vermittelnde Funktion. Indem die Hand introvertiert bleibt und auch durch den aufleuchtenden Daumen signalisiert, daß sie dem Kopf gegenüber aktivierbar ist, sind Hand und Kopf in diesem Bildnis exklusiv aufeinander fixiert.

Sucht man nach Gründen, die Parmigianino zu dieser ungewöhnlichen Montage seines Bildnisses veranlaßt haben könnten, so ergeben sich näherliegende und allgemeinere Motivgruppen, die zusammengenommen Einblicke in die geistige Welt des Manierismus bieten können.

Der Zwang aufzufallen

Ein naheliegendes Motiv ergibt sich aus dem zeitgenössischen Bericht des Giorgio Vasari, der diesem Bildnis des Parmigianino eine außergewöhnliche Aufmerksamkeit zuteil werden läßt: In der Erstauflage von 1550 berichtet er, daß Parmigianino, als er in seiner Heimatstadt von den

1 Meine Analyse hebt diesen Konnex hervor, weil er in der Literatur m. W. unerwähnt bleibt. Im übrigen sind wichtige Einsichten zu dem Bild erarbeitet bei S. J. Freedberg, Parmigianino, Cambridge/Mass. 1950, S. 104 ff, S. 201 f – M. Faggiolo dell'Arco, Il Parmigianino. Un saggio sull'ermetismo nel Cinquecento, Rom 1970, S. 31, der den Spiegeleinsatz alchemistisch deutet – G. Boehm, Bildnis und Individuum, München 1985, S. 240 ff

2 Dazu E. Panofsky, Early Netherlandish Painting, New York 1971, S. 316 f

Herrlichkeiten Roms hörte, Lust verspürt habe, dorthin zu reisen. Zu diesem Zweck habe er drei Bilder fertiggemacht. Das Selbstbildnis aber, das er als „Experiment" und als „Bizarrerie" gemalt hatte, habe er dem Papst Clemens VII. zugeschickt, woraufhin dieser ihn sogleich nach Rom rufen ließ. Das Bildnis sei dann vom Papst dem Dichter Pietro Aretino geschenkt worden, der es „wie eine Reliquie" zu Hause aufbewahrt habe. In der zweiten Auflage von 1568 differenziert Vasari diesen Bericht: Der Maler habe sich in einem halbrunden Barbierspiegel gesehen und sich aus „eigenem Antrieb" (per suo capriccio) entsprechend darstellen wollen. Da nun in einem solchen Spiegel alle Dinge, die ferner sind, verkleinert, alle Dinge, die nahe sind, aber vergrößert erscheinen, sei auch seine „zeichnende Hand" sehr schön zur Geltung gekommen. Dieses Bild habe er mit nach Rom genommen, einem Gönner gezeigt, der ihn deshalb sogleich dem Papst weiterempfahl.[3]

Diese Mitteilungen Vasaris besagen im Kern, daß es sich bei dem Selbstbildnis des Parmigianino um ein Bewerbungsstück gehandelt hat. „Unser vollkommener Maler", so heißt es 1548 in einem kunsttheoretischen Traktat, „soll vor allem seine Jugend damit verbringen, in die vornehmsten Gegenden der Welt zu reisen, und sich überall als Quell gediegener Tüchtigkeit erzeigen, indem er seine Bilder Fürsten und hohen Herren zum Geschenk macht."[4] Seit dem 15. Jahrhundert war es üblich, daß Künstler, um sich bei Hofe in Erinnerung oder in den Blick des Fürsten zu bringen, diesem aus freien Stücken Werke ihrer Hand dedizierten. Die Nachrichten über solche Geschenke gehören zu den frühesten Belegen für eine ganz aus eigenem Willen, ohne Auftrag geschaffene Kunst.[5] Als im 16. Jahrhundert allenthalben in Europa, in Rom, Florenz, Wien, Prag, Fontainebleau, Brüssel, London und Madrid, potente Höfe entstanden waren, deren Kunstkonsum kaum Grenzen kannte, wirkte sich dies auf die Strukturen der Kunstproduktion so aus, daß sich immer mehr Künstler aus den alten Zunftverbänden lösten, um an den Höfen die wohldotierten, zunft- und steuerfreien Posten zu erreichen. Eines der Mittel, sich dort bemerkbar zu machen, war die Dedikation eines Werkes an den Fürsten. Je enger die Zugänge zum Hof oder je stärker die Konkurrenz unter den Künstlern, umso größer die Neigung, durch etwas Außerordentliches, Bizarres oder Extravagantes aufzufallen. Vasari berichtet öfters darüber: Piero di Cosimo wollte durch seine phantastischen Meeresmonstren dem Giuliano de'Medici auffallen; von Parmigianino heißt es, daß er seine Bilder „zu seinem Vergnügen machte, um sie verschiedenen Herren und Freunden zu schenken". Viele Nachrichten über ein exzentrisches Gebaren der Künstler, das man gerne als Ausdruck eines Krisenbewußtseins im Zeitalter des Manierismus deutet[6], fallen unter diese Rubrik eines nervösen Wettlaufes um die fürstliche Gunst. Immer wieder wurde die alte Nachricht erörtert, daß Deinokrates, um die Aufmerksamkeit Alexanders zu erregen, sich als nackter Herkules dem Herrscher gezeigt habe, so daß dieser seine Stadtbauprojekte ansehen mußte. Nach Vasari verdankte Sodoma nicht nur seinem Ruf als guter Maler, sondern auch seinen persönlichen Tollheiten, daß Papst Leo X., „der Spaß an solch seltsamen und gedankenlosen Individuen hatte", ihn förderte und zum Ritter schlug. Van Mander berichtet von Gossaert, daß er Karl V. durch sein phantastisches Papierkostüm aufge-

3 Die Texte am bequemsten bei Faggiolo (cit. not. 1), S. 227

4 Paolo Pino, Dialogo di pittura, Mailand 1954, S. 73

5 Hierzu und zum Folgenden M. Warnke, Hofkünstler, Köln 1985, S. 124 ff

6 So z. B. R. und M. Wittkower, Künstler, Außenseiter der Gesellschaft, Stuttgart 1965, S. 90 ff

fallen sei. Die Regel aber war, daß die dedizierten Werke selbst etwas Auffälliges an sich haben mußten.

Bei Äußerungen über die Qualität gewidmeter Werke wird nicht selten auf die Originalität, die Eigentümlichkeit der „Hand'' hingewiesen. So empfiehlt sich Erhart Altdorfer 1550 brieflich an Herzog Johann Albrecht und übersendet „ein klein werk . . . mit meiner faust gemacht''; der Herzog Francesco Maria von Urbino bedankt sich 1595 bei Jacopo Palma für ein ihm übersandtes Bild mit einem Geldgeschenk, „weil dieses Werk sich ohne Weiteres zu erkennen gibt durch die Machart Eurer Hand''; als Scamozzi sich 1595 beim Herzog von Urbino um eine Stelle bewarb, schickte er ihm eine Zeichnung, weil sie besser als er selbst Zeugnis über ihn ablege; vielleicht wollte Ketel diesen Kult der Hand nur abwandeln, als er sich dadurch auffällig machte, daß er seine Bilder mit den Füßen und dem Mund malte.[7] Offenbar war es ein Kriterium der Güte, wenn ein Stück eine unverwechselbare „Hand'' verriet, jedenfalls mußte es sich, um ein bestimmtes Individuum zu empfehlen, von allem Üblichen und Gewohnten unterscheiden. Im päpstlichen Rom, wo keine Dynastie das Hofleben stabilisierte, war es besonders wichtig, daß die Werke der eigenen Hand bei den Richtigen Aufmerksamkeit erregten, um den Wichtigen weitergesagt zu werden. Das bizarre und extravagante Selbstbildnis des einundzwanzigjährigen Parmigianino ist ein früher Beleg dafür, daß auch in der Kunst ein allgemeiner Konkurrenzdruck den Anreiz zur Selbstinszenierung und Originalität erhöht, wenn nicht gar erzeugt hat.

Vergeistigung des Handwerks

Seit dem 15. Jahrhundert versuchten die Künstler, ihren Händen Fähigkeiten zuzuschreiben, die eigentlich der Seele oder dem Verstand zukamen. Schon Cennini widmete um 1405 der Hand des Malers eine besorgte Aufmerksamkeit: „Du solltest auch auf deine Hand achten und sie von allzu schwerer Arbeit verschonen, so . . . solltest du keine Eisenstangen schleppen . . . , denn solche Dinge sind der Hand schädlich und beschweren sie. Andererseits gibt es eine Ursache dafür, wenn die Hand allzu leicht wird, so daß sie einem Blatt ähnelt, das im Winde flattert, und die Ursache ist ein übermäßiger Genuß in Gesellschaft von Frauen.''[8] Hier schon deutet sich an, daß die Forderung nach allgemeiner Bildung für die Künstler auch deren Hand sozusagen feiner machen würde. Auch Albertis Forderung, der Maler solle nach Möglichkeit in allen Freien Künsten bewandert sein, ist dann von Lionardo zu dem Wunsch weitergedacht worden, daß die Hand durch Übung die Fähigkeit erreicht, die Gedanken des Kopfes aufzunehmen und umzusetzen, daß Kopf und Hand gleichsam kurzgeschlossen sein sollten.[9] Die Zerebralisierung der Hand oder die Vergeistigung der handwerklichen Arbeit war die Argumentationslinie, die die Künstler gegen die Einschränkungen, denen sie durch die städtischen Zunftordnungen ausgesetzt waren, aufgebaut hatten. Wenn es gelang, die künstlerische Tätigkeit als geistige Tätigkeit zu bestimmen, dann waren die Künstler von den zünftigen und subalternen gesellschaftlichen Zwängen freizustellen – wie es die Hofkünstler

7 Vgl. dazu W. Stechow, „Sonder Borstel oft Pinseel'', in: Album Amicorum J. G. van Geldern, Den Haag 1973, S. 31

8 Cennino Cennini, Il Libro dell'arte, Florenz 1943, cap. 29

9 The Literary Works of Leonardo da Vinci, Hrsg. J. P. Richter, London 1970, Bd. 1, S. 54

Abb. 1 Crispin de Passe d. J., Nulla dies sine linea, Kupferstich, um 1643

immer schon waren. Da schöne Hände und schlanke Finger, sofern sie keine Spuren von Arbeit trugen, ein Zeichen für edlen Rang bedeuteten[10], hat die Vergeistigung der Hand das Ziel einer Veredelung des Künstlerhandwerkes.

Die strengen Theoretiker freilich hatten mit diesen Ansprüchen durchaus ihre Schwierigkeiten. Denn es würde bedeutet haben, alte Denktraditionen aufzugeben, wenn man zugegeben hätte, daß Gedachtes und Imaginiertes wirklich werden könnten. Aufschlußreich ist in dieser Hinsicht, was Vasari von Michelangelo berichtet: „Er hatte eine so starke und vollkommene Vorstellungskraft, daß die Hand die großen und gewaltigen Konzepte gar nicht zum Ausdruck bringen konnte, so daß er die Werke öfters im Stich ließ und sie auch oft zerstörte''[11]; und Benedetto Varchi hat jene Sonettzeile des Michelangelo, wonach „die Hände dem Intellekt gehorchten'', zurückhaltend kommentiert, jedenfalls Zweifel belassen, ob der Intellekt so unmittelbar praktisch werden könne. Während Pino „die Fertigkeit und Sicherheit der Hand für ein Geschenk der Natur'' hielt, hat der Theoretiker Danti postuliert, daß „die Idee in vollkommene Harmonie gelangen möge mit den Händen des Künstlers und mit der Materie, in der diese Idee ausgedrückt werden soll''.[12]

Die Schwierigkeiten der Theorie, einer Hand geistige Fähigkeiten zuzubilligen, haben die Künstler selbst nicht daran hindern können, ihre Hände zu kultivieren. Als Raffael 1520 gestorben war, schrieb Dürer auf eine ihm von diesem zugeschickte Zeichnung, Raffael habe mit dieser Sendung ihm „seine Hand weisen wollen'', und zwei Jahre nach Entstehung von Parmigianinos Selbstbildnis hat Dürer, gewiß in Anklang an frühere humanistische Redewendungen, auf dem Bildnisstich von Melanchthon seine eigene Hand als eine „docta manus'', als eine „gelehrte Hand'' angepriesen und sich damit vielleicht die Doppelbedeutung von „doctus'' im Sinne von „gebildet'' oder „geschult'' zunutze gemacht.[13] Denkbar ist aber auch, daß Dürer hierbei eine italienische Redewendung meinte, wonach die nordländischen Künstler „das Hirn in den Händen'' hätten („hanno il cervello nelle mani'').[14] In diesem Sinne einer intelligenten Handhabung hat Philipp Galle 1582 auf der Beischrift zu seinem Bildnisstich für Hendrik Goltzius vom „gelehrten Stichel, der kunstfertigen Hand'' und von der „gesegneten Hand'' dieses Stechers gesprochen.[15] Bald schon wird man die zeichnende Hand als Abbreviatur für künstlerische Arbeit einsetzen, wenn man etwa in einem Emblem für Übungsfleiß die Empfehlung des Apelles: „Nulla dies sine linea'' (Kein Tag ohne einen Strich) illustrieren wollte (Abb. 1).[16]

Es entspricht durchaus den vielfältigen Verbindungen, welche die bildenden Künste im Manierismus mit anderen geistigen Gebieten eingingen, daß die neue Prominenz, welche die Künstlerhand gewonnen hatte, in andere Bereiche hineinwirkte. Der vom Hofe Kaiser Karls V. kommende, durchaus kunstsinnige Anatom Andreas Vesalius hatte schon als Student die Sehnen, die vom Arm in die Hand führten, freigelegt. In dem Bildnis des Vesalius, das Jan Stevensz von Kalkar für dessen „De humani corporis fabrica'' vom Jahre 1543 fertigte, erscheint der Anatom neben einem geöffneten Arm. Ein Zettel erklärt, was den Künstlern mindestens seit Lionardo geläufig war, daß es um „die Sehnen, welche die Finger bewegen'', geht (Abb. 2).[17] Mochte der Kult der Hand

10 Wittkower (cit. not. 6), S. 42

11 Vasari/Milanesi, Vite, Florenz 1906, S. 270

12 Varchis Ausführungen über das Sonett in: Scritti d'arte del Cinquecento, Hrsg. P. Barocchi, Mailand/Neapel, Bd. 2, S. 135f – Pino (cit. not. 4), S. 47, wobei interessant ist, daß Pino den Handstock beim Malen ablehnt; Vincenzo Danti, Il Libro del trattato delle perfette proporzioni (1567), in: Trattati d'arte del Cinquecento (Hrsg. P. Barocchi), Bd. 1, Bari 1960, S. 263

13 Zur „docta manus'' Dürers vgl. P.-K. Schuster, Individuelle Ewigkeit. Hoffnungen und Ansprüche im Bildnis der Lutherzeit, in: Biographie und Autobiographie in der Renaissance, Wiesbaden 1983, S. 137ff. – Vor Dürer findet sich der Ausdruck in einem Gedicht des Roberto Orsi auf den Miniator Giovanni da Fano, in dem es heißt: „doctas possidet ille manus''. Zitiert bei M. Baxandall, Giotto and the Orators, Oxford 1971, S. 94, Anm. 96; dort ist S. 124 auch auf die Doppelbedeutung von „doctus'' hingewiesen.

14 Als „proverbio'' zitiert bei A. F. Doni, Disegno, Venedig 1549, abgedruckt in: Scritti d'arte del Cinquecento (cit. not. 12), Bd. 1, S. 575. Daß damit ein „Wort des Michelangelo plagiiert'' sei, wie J. Schlosser, Die Kunstliteratur, Wien 1924, S. 216, meint, ist weder von diesem selbst, noch von P. Barocchi nachgewiesen.

15 F. W. Hollstein, Dutch and Flemish Etchings, Engravings and Woodcuts. Amsterdam, seit 1949, Bd. VIII, S. 49: „o erudita lima, o artifex manus,/Beata Gallione Goltzy manus''.

16 Zuerst wohl in dem Emblembuch von Gabriel Rollenhagen, Emblematarum centuria secunda, von 1613 in der Ausgabe von C.-P. Warncke, Dortmund 1983, S. 261. – Sie wurde von C. de Passe d. J. 1643 und 1654 wiederholt für die Mustersammlung „Della luce del depingere . . .'', vgl. J. Becker, in: Oud Holland 90/1976, S. 102

17 Hollstein (cit. not. 15), Bd. 4, S. 84. – Vgl. Leonardo da Vinci, Tagebücher und Aufzeichnungen, Hrsg. Theodor Lücke, Leipzig 1940, S. 33f

18 Vgl. zu dem ganzen Komplex W. S. Heckscher, Rembrandt's Anatomy of Dr. Nicolaas Tulp, New York 1958

unter den Künstlern zunächst noch magische oder religiöse Erinnerungen wachrufen, so mischten sich doch im Verlauf des 16. Jahrhunderts naturwissenschaftliche Gesichtspunkte ein, welche die Mechanik der Hand offenlegten (Abb. 3). Seit Vesalius war die Hand nicht mehr nur ein Gegenstand der Chiromantie, sondern ebenso ein Gegenstand der Chirurgie. Der Anatom Giulio Casserio wurde um 1600 mit seinen Instrumenten vor einer in einen Teller gelegten Hand so dargestellt wie ein Künstler mit seinem Stichel vor einer Kupferplatte (Abb. 4).[18] Den Künstlern konnte es recht sein, daß die Medizin ihnen bestätigte, wie nahe die künstlerische Tätigkeit einer wissenschaftlichen war.

Abb. 2 Jan Stevensz. von Kalkar, Bildnis des Andreas Vesalius, Kupferstich, 1543

Amplifikationstechnik

Von welchem Blickwinkel auch immer man die Kunstentwicklung im Verlauf des 16. Jahrhunderts ansieht – deutlich ist immer wieder ein Fortschritt im Technischen, im Können, in der Virtuosität. Es ist, als habe ein Aufputschmittel die Hand des Künstlers befähigt, die Werkzeuge lockerer, freier, schneller zu handhaben. Der Entwicklungsschub im technischen Vermögen hat nicht überall zu einer höheren Qualität und Solidität, wohl aber zu einer höheren Artifizialität und Mobilität der Produkte geführt. Vielleicht hat sich dieser Schub tatsächlich zuerst in jenem Grundlagenbereich ergeben, den die Theorien immer entschiedener in den Mittelpunkt ihres Interesses rücken: in der Zeichnung. Die Zeichnung wird zwar im Verlauf des Jahrhunderts durch die Theorie zu einem spirituellen Anliegen sublimiert, doch spiegelt diese Vergeistigung auch die Tatsache wider, daß sich die Fähigkeit, den Zeichenstift zu führen, zu einer neuen Stufe künstlerischer Aussage entwickelt hatte.

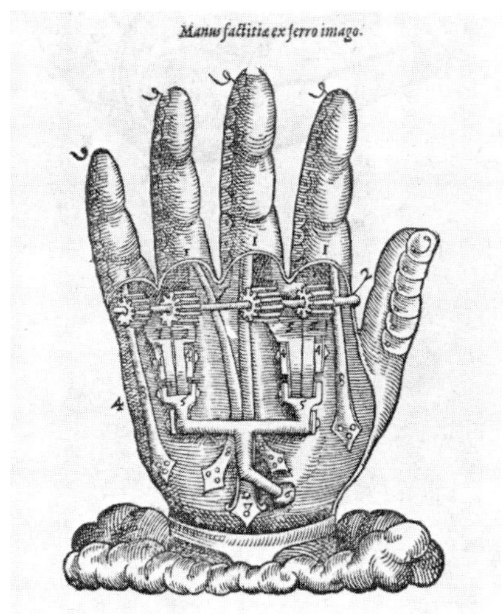

Abb. 3 Illustration aus P. Uffenbach, Thesaurus Chirurgiae, Frankfurt/Main 1610

Ob die neuen virtuosen Fähigkeiten der Hand durch neue ästhetische Ansprüche und Erwartungen des Publikums oder aber durch neue willentliche Vorstöße, neue Ausbildungs- und Übungsformen der Künstler bewirkt wurden, ob also der technische Fortschritt bedingend oder bedingt war, ist nicht so leicht anzugeben wie die Folgen, die sich für das Erscheinungsbild der Kunst der Epoche daraus ergeben.

Eine statistische Tatsache läßt sich einfach nachvollziehen: Während wir uns die erhaltenen Zeichnungsbestände aus dem Trecento und auch noch aus dem Quattrocento in einem Corpuswerk zusammengetragen vorstellen können, ist dies im 16. Jahrhundert schlechterdings nicht mehr möglich; hier füllen die Zeichnungen von Künstlern wie Raffael, Michelangelo, Lionardo, Dürer oder Heemskerck schon allein mehrere Bände, und im Verlauf des Jahrhunderts ist diese Produktion an Zeichnungen in allen Ländern und Werkstätten ins Uferlose gewachsen.

Auch qualitativ tritt für die Zeichnung ein neues Zeitalter ein. Man muß sich klarmachen, daß bis in das 15. Jahrhundert hinein die Zeichnung das Medium der Traditionssicherung gewesen ist. In den Werkstätten wurden Musterblätter oder Musterbücher bewahrt, die den Bestand des Anerkannten, Approbierten und Gültigen in Zeichnungen festhielten. Auch die Rolle der Objektsicherung, in der die Zeichnung Naturgegenstände oder antike Werke dem Formenvorrat der Werkstatt verfügbar hielt, weist seit dem 15. Jahrhundert der Zeichnung eine reproduktive,

Abb. 4 Anonym, Bildnis des Anatomikers Giulio Casserio (1561–1616), Kupferstich

normsichernde Funktion zu, die Originalität eher verhindern als fördern wollte. Erst allmählich wird das Zeichenblatt als ein Erinnerungsfeld für persönliche Erfahrungen und Ausdrucksmöglichkeiten entdeckt. Lionardo und Dürer, der als einer der ersten Zeichnungen signiert hat, haben in Zeichnungen ganz intime, autobiographische Erlebnisse wiedergegeben und damit die Zeichnung als ein innovatives Medium, das nicht mehr nur Traditionsbestände festhält, genutzt. Unter den theoretisierenden Künstlern hat Paolo Pino die Zeichnung der „inventio" zugeordnet und sie damit als ein Mittel der Neufindung, der Innovation und des Experimentes bestimmt.[19] Das Zeichnen war jetzt nicht mehr ein reproduktiver, Vorgaben und Normen bewahrender und einübender Akt, sondern dasjenige Medium, in dem „Erfindungen", Neuerungen, auch persönliche Einfälle, Beobachtungen und Ideen niedergelegt wurden. Entsprechend schnell, flüchtig, summarisch und virtuos kann jetzt der Zeichenstift verfahren: Beim Zeichnen konnte sich der Kopf unmittelbar der Hand anvertrauen.

Die Intelligenz, mit der die Hand geführt wurde, trat jetzt der Objektwelt nicht mehr nur nachahmend gegenüber, sondern auch schöpferisch, indem sie den Objekten neue Eigenschaften andichtete oder ansah und indem sie die Objektwelt zu dekorativen Mustern und Systemen umformte. Diese Möglichkeiten ergeben eines der auffälligsten und augenfälligsten Merkmale manieristischer Kunst: die Amplifikation, die Übersteigerung oder auch die Überforderung der gegebenen Tatbestände und Normen. In der bisherigen Kunst pflegte der Aufwand an künstlerischen Mitteln gerade so anspruchsvoll zu sein, wie es das Thema oder der Gegenstand erforderte. Die Lehre von der „proprietas", von der Angemessenheit, wonach alle Formelelemente der Historie dienstbar sein sollten, war seit Alberti kanonisch geworden. Wo man im Quattrocento einen Stoff- oder Gewandzipfel sich frei, ohne von einer Handlung motiviert zu sein, regen oder bewegen sieht, dort spricht man gerne mit Warburg von einer „Pathosformel", die den Kanon des Gegebenen, Geforderten und Angemessenen sprengt.[20] Denn im allgemeinen waren die künstlerischen Mittel so instrumentalisiert, daß ihnen kein Bewegungsraum außerhalb des Denk- und Ausdruckshorizontes der Historie mehr verblieb. Auch die im Quattrocento neu entwickelten Forderungen nach Antiken- und Naturnachahmung oder nach der Rekonstruktion des idealen Menschen mittels berechenbarer Proportionen bereicherten nur das Repertoire maßgeblicher, verpflichtender Normenvorgaben.

Im Manierismus dagegen sind alle Dinge ihrem Normaldasein entrissen. Antike und Natur sind nicht mehr ein absolutes Ziel der Nachahmung, auch leiten keine Proportions- und Maßschemata mehr die Darstellung der menschlichen Figur. Die Gestaltung der Menschen und Dinge sucht immer deren natürliche oder vorgegebene Seinsweise zu überschreiten. Was in Parmigianinos Selbstbildnis als eine zufällige Selbstinszenierung zum Zwecke eines höfischen Avancements erschien: das Verzerrte und Verzogene, das Angespannte und Gelängte, ist nur eine auffällige Ausprägung eines allgemeinen manieristischen Gestaltungsprinzips. Dieses überschreitet, wo immer es kann, die gewöhnlichen Maße; es steigert die menschliche Figur bis ins Hypertrophe und

19 Pino (cit. not. 4), S. 32, 42 f – Vgl. zur Gesamtentwicklung W. Koschatzky, Die Kunst der Zeichnung, München 1981, S. 28 ff – Berechtigte Einschränkungen bei A. Perrig, Michelangelo-Studien I, Frankfurt/M. 1976, S. 91, Anm. 18

20 Über Warburgs Pathosformel vgl. W. Hofmann, G. Syamken, M. Warnke, Die Menschenrechte des Auges. Über Aby Warburg, Frankfurt/M. 1980, S. 61 ff

Gigantische, es kann sie in Massenbildern oder Weltlandschaften bis ins Nichtige und Ameisenhafte verkleinern; es kann den Figuren durch eine affektierte Gestik eine überreizte Empfindungsskala abverlangen oder ihnen durch ausdruckslose Masse ein Aussehen dumpfer Brutalität und Gewaltsamkeit zulegen. Immer wieder treiben die Formen mit kalter Präzision und Konsequenz die Ausdruckswerte heraus, die einem normalen menschlichen Empfinden unerreichbar sind. Wollte man in der Formenwelt des Manierismus nach „Pathosformeln'' suchen, so hätte man Mühe, sie irgendwo *nicht* zu finden. Erstmals, so möchte man sagen, überziehen die Künstler das Konto, das ihnen der allgemeine Geschmack und das normale Empfinden einzuräumen pflegt.

Was diese Technik der Amplifikation, der ständigen Erweiterung und Übertreibung, des ständigen Überdehnens und Verzierens, des Erstarren- und Zerfließenlassens, möglich oder notwendig macht, vermögen wir heute weniger sicher zu sagen als noch vor wenigen Jahrzehnten. Zu Zeiten des Expressionismus, als man den Manierismus entdeckte, und in den fünfziger Jahren, als man das moderne Krisenbewußtsein in die manieristische Formenwelt hineinprojizierte, sah man einen geistesgeschichtlichen Hintergrund, der durch Reformation, durch die Entdeckungen und durch die ersten kapitalistischen Hochkonjunkturen und Börsenzusammenbrüche gleichsam in eine Gewitterstimmung geraten war, die auch die Künstler mitgerissen hätte. Dieser Bedingungszusammenhang würde voraussetzen, daß wir die manieristische Formenwelt psychisch belasten dürfen; daß wir sie als Ausdruck einer seelischen Befindlichkeit künstlerischer Subjekte ansehen können, in die zugleich etwas von der objektiven Zeitstimmung eingegangen sein müßte. Eine solche Voraussetzung läßt sich vielleicht für den späten Michelangelo annehmen, auf den manche Aspekte jener amplifizierenden Tendenzen zurückgehen. Nicht jedoch möchte man sie generell für die Nachfolger oder Zeitgenossen gelten lassen, für Giulio Romano etwa, für Rosso, Vasari, Bronzino oder Tintoretto, für Heemskerck, Gossaert oder Goltzius, die allesamt als Virtuosen, Alleskönner und allmächtige Organisatoren zu sehr beansprucht waren, als daß sie sich qualvollen Zeitdiagnosen hätten aussetzen können. Wahrscheinlicher ist, daß die Formen der manieristischen Kunst nicht aus dunklen Seelenkratern der Brust, sondern aus einem hellen Bewußtsein des Kopfes in gut trainierte Hände eingeflossen sind.

Wie immer man sich die intellektuelle Aufladung der Hand im Manierismus zu erklären hat – die Folgen dieses Vorganges sind unübersehbar. Für die Kunst ergab sich ein überschüssiges, die vorgegebenen Funktionen überspielendes ästhetisches Moment, das sich eines Tages verselbständigen und absolut setzen konnte. Für die Künstler ergab sich ein nobilitierender Effekt, der ihre handwerkliche Tätigkeit zu einer geistigen umdefinierte.[21] Für die Entwicklung der Gesellschaft aber ergab sich die Vorformulierung eines Arbeitsbegriffes, der Hand- und Kopfarbeit versöhnt haben will. Anders als die Sozialgeschichte, die Hand- und Kopfarbeit immer nur arbeitsteilig auseinandertreibt, hat die Kunstgeschichte eine bedeutende Masse von Produkten aufzuweisen, an denen man sehen kann, daß Hand und Kopf glücklich zusammenwirken könnten.

21 Daß dieses Argument durch tatsächliche, zunehmende Adelsverleihungen an Künstler gestützt wurde, habe ich in meinem Buch über die Hofkünstler (cit. not. 5), S. 202 ff, ausgeführt.

Horst Bredekamp

Traumbilder von Marcantonio Raimondi bis Giorgio Ghisi

Abb. 1 Albrecht Dürer, Traumgesicht, 1525, Aquarell, Wien, Kunsthistorisches Museum

Abb. 2 Bildnismedaille des Girolamo Cardano

In der Nacht auf Donnerstag nach Pfingsten des Jahres 1525 sah sich Dürer als Zeuge einer wie ein himmlisches Bombardement hereinbrechenden Sintflut (Abb. 1): „Im Schlaf habe ich dieses Gesicht gesehen, wie viele, große Wasser vom Himmel fielen. Und das erste traf das Erdreich ungefähr vier Meilen von mir mit einer solchen Grausamkeit und einem übergroßen Rauschen und Zerspritzen und ertränkte das ganze Land. Darüber erschrak ich so schwer, daß ich daran erwachte, ehe dann die anderen Wasser fielen. Und die Wasser, die dann fielen, die waren fast ebenso groß und fielen teils näher, teils weiter entfernt, und sie kamen von so hoch oben herab, daß sie wie in Gedanken langsam fielen. Aber als das erste Wasser, das das Erdreich traf, schier herankam, da fiel es mit einer solchen Geschwindigkeit und einem solchen Wind und Brausen, daß ich derart erschrak, als ich erwachte, daß ich am ganzen Körper zitterte und lange nicht zu mir selbst kam. Aber als ich am Morgen aufstand, malte ich hier oben, wie ichs gesehen habe. Gott wende alle Dinge zum besten."[1] Das zugehörige Aquarell zeigt den Aufprall der ersten von insgesamt vierzehn gigantischen Wassersäulen, die mit der Wucht ungeheurer Explosionen die Erde erschüttern und deren Oberfläche ertränken werden; noch im Auszittern des erwachenden Körpers verspürt Dürer die elementare Macht dieser fallenden Wassermassen.

Seine apokalyptische Vision der Sintflut nimmt eine Sonderstellung in der Geschichte des Traumes ein[2], weil sie ein individuelles Traumgesicht bezeugt, das sich weit entfernt hat von den geläufigen Standards mitteilungswerter Traumbilder. Zwar hat Dürers Erscheinung eine objektive Vorgeschichte in den Bauernkriegen und den mit diesem Ereignis verbundenen Sintflutängsten von 1524, und Dürers Nachsatz weist aus, daß er seine Vision durchaus in die prophetische Tradition von Träumen einreihte[3], aber das Besondere seines Gesichtes bleibt die schriftliche und bildliche Entlastung von einem zunächst unmittelbar persönlichen Alptraum.

Dürers Aufzeichnung gehört zu den frühen Höhepunkten eines neuen Interesses an Träumen. Im Zuge der Wiedergewinnung der grundlegenden antiken Schriften von Synesius und Artemidoros stiegen persönliche, und vor allem profane Träume im 16. Jahrhundert zu bevorzugten Erkenntnisquellen auf. Einen nicht weniger paradigmatischen Stellenwert wie Dürer nimmt für die zweite Jahrhunderthälfte der Universalgelehrte Girolamo Cardano ein, der im Jahre 1562 eine umfangreiche Systematik der Traumdeutung vorlegte und einen seiner Träume auf der Rückseite seiner Bildnismedaille über der Inschrift TRAUM (ONEIPON) abbilden ließ (Abb. 2). In seiner Vision, einer großen Menschenschar, die sich im Vordergrund auf einen Baum mit Weinranken zubewegt, während sich in hügeliger Landschaft rechts ein Mann und ein Junge einer Hütte nähern, erkannte er sein Leben in Kurzform – ein wohl einzigartiger Fall, daß ein Schlüsseltraum den Dargestellten als dessen Kehrseite charakterisieren sollte.[4]

1 Übertragen nach der Transkription von Dürers Text bei F. Winkler, Die Zeichnungen Albrecht Dürers, Bde. 1–4, Berlin 1936–39, hier: Bd. 4, Nr. 944, S. 103f – Vgl. M. Zehnpfennig, „Traum" und „Vision" in Darstellungen des 16. und 17. Jahrhunderts, phil. Diss., Tübingen 1979, S. 15f

2 Das Fehlen einer durchaus möglichen historischen Sicht ist beschrieben durch P. Burke, Für eine Geschichte des Traumes, in: Freibeuter 27/1986, S. 50–65; darin Dürers Traum, S. 54f

3 A. Warburg, Heidnisch-antike Weissagung in Wort und Bild zu Luthers Zeiten, in: ders., Gesammelte Schriften, Nendeln/Liechtenstein 1969, S. 487–558, hier 507ff – Zum Nachsatz: A. Rosenthal, Dürer's Dream of 1525, in: Burlington Magazine 69/1936, S. 95

4 A. L. Browne, Religious Dreams and their interpretation in ome thinkers of the seventeenth century, phil. Diss., Ms. Mskpt., London 1975, S. 86ff

Der Flut an Publikationen zur Traumdeutung[5] antwortete eine große Zahl gemalter Träume, die Motive der mythologisch, alttestamentlich oder durch antike Berichte überlieferten Träume durchaus eigenwillig nutzten. Dürers weiteres Traumbild, der Holzschnitt „Traum des Doktors'', Michelangelos „Traum''-Zeichnung, Taddeo Zuccaros Fresko „Haus des Schlafes'' für das Zimmer der Morgenröte im Palazzo Farnese von Caprarola und Giovan Battista Naldinis „Traum''-Gemälde für das Studiolo des Francesco I. de'Medici bilden nur einen Bruchteil herausragender Traumbilder des 16. Jahrhunderts.[6]

Als Produkte von Träumen erschienen auch visionierte oder tatsächlich gebaute Gärten. So mußte sich Bernard Palissy (vgl. Kat. I. 20) im Vorwort seines „irdischen Paradieses'' gewisser „Ignoranten'' erwehren, die behaupten würden, „daß der Entwurf dieses Gartens nur ein Traum sei, und sie würden ihn vielleicht dem Traum des Poliphil vergleichen''.[7] Die Kritiker hatten insofern recht, als Francesco Colonnas berühmte „Hypnerotomachia Poliphili'' („Liebeskampftraum des Poliphil'') eine nicht zu unterschätzende Wirkung auf die Gartenkunst des Manierismus ausübte.[8] Von Colonnas Traumroman besonders inspiriert ist der zwischen 1550 und 1580 errichtete Garten von Bomarzo, der sein gesamtes Areal als Traumgesicht ausgibt: Am schiefen Haus des alten Garteneinganges ließ der Erbauer in einer Variation von Aristoteles' Spruch über die Erkenntniskraft der Träume als Motto einmeißeln: SCHLAFEND WIRD DER GEIST FOLGLICH KLÜGER (ANIMUS QUIESCENDO FIT PRUDENTIOR ERGO).[9] Aus den schiefgestellten, die Koordinatensysteme des Wachzustandes verwirrenden Fenstern fiel der Blick auf eine in tiefem Schlaf verfangene Frauengestalt, die in ihrer inneren Versunkenheit das unantastbar kostbare Reich des Traumes vorführte (Abb. 3).

Abb. 3 Schlafende in Vicino Orsinis „Sacro Bosco'' zu Bomarzo

Die schlafende Riesin war von benachbarten Brunnen umgeben, und der gesamte Garten konnte im Sommer von einem Stausee aus die Illusion erzeugen, er wäre vollständig unter Wasser gesetzt. Bei aller Individualität von Dürers Traumbild, das den gemalten Träumen des 20. Jahrhunderts näher steht als jede andere Darstellung des 16. Jahrhunderts, stellt die Wasserfülle auch unabhängig von den erwähnten Sintflutprophezeiungen ein überpersönliches Element dar. Während das Wasser in Dürers Vision die Erde überschwemmt, ersetzt es in Bomarzo die feste Oberfläche von innen her zugunsten der Illusion eines schwimmenden Areals.[10] Diese Dominanz des Wassers kommt nicht von ungefähr. Nicht alle Traumbilder weisen das Wassermotiv auf, und zum Beispiel im Studiolo des Francesco I. de'Medici sind die Träume wegen ihrer Flüchtigkeit dem Element Luft zugeordnet, aber eine nicht unbedeutende Gruppe thematisiert das nasse Element mit innerer Berechtigung. Da dem Wasser die Eigenschaft unerschöpflicher Bildproduktion zuerkannt wurde, hatte es eine elementare Affinität zu Phantasiebildern aller Art.[11] Diese Vorstellung verband sich mit der physiologischen Lehre, daß die Bilder der Träume durch das flüssige Element in Form von Dämpfen bewirkt werden, die aus dem nassen, empfindsamen Herzen in das trockene und kalte Gehirn aufsteigen. Dort würden sie die Kräfte der Sinnesorgane betäuben, wodurch sich der Schlaf einstelle, der die im Herzen eingeprägten Bilder der Vergangenheit erkennen lasse. In einem

5 Ausführliche Zusammenstellung bei F. Gandolfo, Il „dolce tempo''. Mistica, Ermetismo e Sogno nel Cinquecento, Rom 1978

6 Vgl. Zehnpfennig (cit. not. 1) und Gandolfo (cit. not. 5), passim

7 Bernard Palissy, Recepte vértable, in: ders., Oeuvres, Genf 1969, S. 11–158, hier: 12: „Je say qu'aucuns ignorans, ennemis de vertu et calomniateur diront que le dessein de ce jardin est un songe seulement, et le voudront peut estre comparer au songe de Polyphile.''

8 Der Überblick über den Einfluß von Colonnas Traumroman durch E. Kretzulesco-Quaranta, Les jardins du songe. „Poliphile'' et la Mystique de la Renaissance, Paris 1976, ist in seiner emphatischen Anlage überzogen. Einen klareren Begriff erhält man bei K. Woodbridge, Princely Gardens. The origins and developement of the French formal style, Hudson 1986, S. 23–29.

9 H. Bredekamp/W. Janzer, Vicino Orsini und der Heilige Wald von Bomarzo. Ein Fürst als Künstler und Anarchist, 2 Bde., Worms 1985, hier: Bd. 1, S. 94 ff

10 Ebda., S. 56 ff und die verstreuten Bemerkungen zur ozeanischen Orke, die auf dem Grund einer Talsohle das Maul aufreißt, zum Barkenbrunnen, der auf dem Felsen wie auf einer Woge schwimmt, zur Erdgöttin Ceres, die von Wasserwesen umgeben ist, zum Riesendelphin, der aus dem Erdreich wie aus einer Flut hochschnappt und zur weiblichen Gestalt mit zwei Fischschwänzen, die selbst auf einem hochgelegenen Platz ozeanisches Wasser reklamiert.

11 Z. B. Jacopo Sannazaro, Arcadia, 8, 29–31 – vgl. T. Comito, Beauty Bare: Speaking Waters and Fountains in Renaissance Literature, in: E. B. MacDougall, Fons Sapientiae. Renaissance Garden Fountains, Dumbarton Oaks 1978, S. 15–58 – Vgl. allg.: G. Bachelard, L'eau et les rêves. Essai sur l'imaginatiom de la matière, Paris 1942

Abb. 4 Marcantonio Raimondi, Der Traum Raffaels, Kupferstich, 1506–08

„Traktat über die Träume'' (1575) für den Herzog von Mantua tritt das trübe Flußwasser als Gleichnis der Dunkelheit der Träume auf: In der tieferen Schlafphase „drängen sich die Bilder auf, aber weil sie noch in den Fetzen jener Dämpfe schwimmen, fast wie in trüben Gewässern, erscheinen sie konfus und undeutlich . . . Um über die Träume, die in unserer Seele Wurzeln geschlagen haben, zu sprechen, muß man wissen, daß das ganze Herz bemalt ist von all den Sachen, die man in der Vergangenheit je gefühlt hat. Es behält alles für eine gewisse Zeit, aber mit der Zeit verändert sich diese Malerei. Dies kommt davon, daß das Fleisch des Herzens, das all diese Bilder spirituellerweise wie ein Spiegel aufnimmt, sich allmählich verändert wie das Wasser der Flüsse in der Nacht.''[12] Ob als Erzeuger oder Produkt von Träumen, ob in Form stiller oder bewegter Gewässer, ob als universale Sintflut oder Regenbogen, als Himmelskatastrophe oder Zeichen kosmischer Versöhnung trat Wasser in allen Bewegungs- und Aggregatformen in Traumdarstellungen auf. Ins Bild gesetzt, konnten die Wasser der Träume begrifflichem Denken zugeführt werden, ohne ihre Unergründlichkeit zu verlieren.

Nachtgewässer

Zwei Stiche des 16. Jahrhunderts wurden lange Zeit unter demselben Titel geführt: „Traum Raphaels''. Anlaß und Auftraggeber, Vorlage und Inhalt beider Blätter sind rätselhaft geblieben, und diese Ungewißheit konnte sich beruhigen im Bewußtsein der Unerklärbarkeit gemalter Träume schlechthin. Tatsächlich ist der Traumcharakter des ersten der beiden „Träume Raphaels'', ein Stich Marcantonio Raimondis von ca. 1506–1508, dem das Kunststück gelingt, die Monstren des Hieronymus Bosch mit der Welt Giorgiones zu verbinden, schwerlich zu bestreiten (Kat. VII. 29, Abb. 4).[13] Die spiegelbildlich getreue Haltung der beiden Schlafenden im Vordergrund läßt darauf schließen, daß hier nur *eine* Person gemeint ist, die sich im Schlaf als Träumende begegnet. Die Erträumung des Träumens gehörte seit jeher zu den aussagekräftigsten Motiven des Traumes selbst[14], sodaß für die Verdoppelung der Schläferin nicht notwendig ein bestimmtes Ereignis wie der Traum Hekubas zugrunde liegen muß.[15] Knapp zehn Jahre vor Raimondis Traumbild hatte Francesco Colonnas „Hypnerotomachia Poliphili'' als ein verdoppelter, erträumter Traum schon im Titel verkündet, daß DAS MENSCHLICHE LEBEN NICHTS ALS EIN TRAUM IST (HUMANA OMNIA NON NISI SOMNIUM ESSE).[16]

Die im Hintergrund von Raimondis Stich aus dem Dunkel der Traumnacht aufblitzenden Motive sind bislang rätselhaft geblieben[17], aber in der unteren Bildzone wird zumindest deutlich, daß zwischen den Wassern des Mittelgrundes und den beiden spiegelbildlich wiederholten Frauen eine Beziehung besteht: Offenbar hervorgerufen durch den Schlaf, entsteigen dem Wasser boschverwandte Ungeheuer in Richtung der beiden Ruhenden. Die narzißhafte Spiegelung des Selbst, der die Frau im Schlaf unterworfen ist, findet ein schreckliches Echo in den Tieren, die der Oberfläche des Flusses als Seelenwesen entsteigen: Im Schlaf gebiert das Wasser Ungeheuer.

12 Benedetto Dottori, Trattato de sogni secondo l'opinione d'Aristotile, Padua 1575: „Ma poi che il calor interno per il ritorno, & crescimento dil sangue, raddoppiato il uigore, questi impedimenti, ch'eran' fra uia, uien' rissoluendo, & consumando, alhor l'imagini commincian'à farsi inanti, & perche ne fragmenti de quei uapori, quasi in aqua torbida nuotano tutta uia, n'appariscon confuse, & indistinte'' (S. 10 rf); „Hor de que sogni, che ne nostri animi, han'fitte le lor radici à fauellare cominciando, si dee sapere, che tutto che il cuore sia l'adietro habbiam'sentite, & ne faccia per certo tempo dolce conserua, non dimeno queste dipinture à lungo andare uengono a corrompersi, & à guastarsi, ciò aduiene, perche la carne, di che il core è formato, che tutte queste figure a guisa di specchio riceue spiritualmente, come l'aqua ne fiumi di notte si ua cambiando'' (S. 10 rf).

13 Ausst.-Kat. The Genius of Venice 1500–1600 (Hrsg.: J. Martineau/C. Hope), London 1983, Nr. P 15, S. 318 f

14 Synesius, De insomniis, 154 – Vgl. E. Hoffmann/H. Rickert (Hrsg.), das Traumbuch des Synesius von Kyrene, Tübingen 1926, S. 29. Diese Stelle ist besonders bedeutsam auch für Cardano: vgl. A. L. Browne, 16th. century beliefs on dreams, with special reference to Girolamo Cardano's Somniorum Synesiorum libri 4, phil. M., M. Mskpt., London 1971, S. 21.

15 G. F. Hartlaub, Giorgione im graphischen Nachbild, in: Pantheon 18/1960, S. 76–80, hier: S. 79

16 Francesco Colonna, Hypnerotomachia Poliphili, Venedig 1499, hier zit. nach der Ausgabe von G. Pozzi/L. A. Ciapponi, 2 Bde., Padua 1980; hier: Bd. 1, S. VII

17 Die ausführlichste Analyse bei Gandolfo (cit. not. 5), S. 82 ff

Auf dem nach 1540 gemalten Traumbild Battista Dossis haben diese Traummonstren eine Schläferin bereits erreicht (Kat. I. 17, Abb. 5). In der rechten Bildhälfte ist sie von einem Hahn, dem Kulttier der Insel der Träume, und der Nachteule umgeben, während der Schlafgott Somnus einen mit einem Schwamm versehenen Zweig über ihren Körper hält.[18] Dieses Motiv spielt auf das fünfte Buch in Vergils „Aeneis'' an, in dem der Schlafgott Tautropfen der beiden Unterweltflüsse Lethe und Styx mit einem Zweig auffängt und über Aeneas' Steuermann Palinurus ausschlägt, um einen widerstandslosen Schlaf zu gewährleisten.[19]

Abb. 5 Battista Dossi, Der Traum, nach 1540, Dresden, Staatliche Kunstsammlungen, Gemäldegalerie Alter Meister

Auf die Traumbilder von Raimondi und Dossi bezog sich schließlich Giorgio Ghisis im Jahre 1561 gestochener, ebenfalls „Traum Raphaels'' genannter Stich (Kat. VII. 28, Abb. 6). Die nächtliche Stimmung der linken Bildhälfte und die aus dem Fluß drängenden Wesen legen auch hier nahe, von einem gemalten Traum zu sprechen. Der Hinweis auf Raffael war durch eine in der zweiten Fassung des Blattes links eingelassene Schrifttafel provoziert: VON RAPHAEL AUS URBINO ERFUNDEN (RAPHAELUS URBINATIS INVENTUM).[20] Zuschreibung und Traumcharakter wurden in jüngerer Zeit jedoch bestritten. Das stärkste Argument schien darin zu liegen, daß der am Felsen auf einem abgestorbenen Baumstamm lehnende Mann keinenfalls schläft, sondern hilfesuchend zu jener Frau zu blicken scheint, die am gegenüberliegenden Ufer des Flusses inmitten eines exotischen Waldes heraneilt.[21]

Abb. 6 Giorgio Ghisi, Isis/Aurora vor Somnus, Kupferstich, 1561

Gegen Deutungen, die sich in unterschiedlichen Titeln wie „Der Traum'', „Melancholie'', „Melancholie Michelangelos'', „Versuchung des Heiligen Antonius'', „Allegorie des Lebens'' und eben „Traum Raphaels'' niederschlugen[22], hat sich unter Hinweis auf die inschriftlichen Zitate der zweiten Fassung des Blattes die These durchgesetzt, hier sei Aeneas' Hadesfahrt aus Vergils Epos illustriert.[23] Dennoch blieb bei genauerer Überprüfung ein weiter Abstand zum Vergilschen Geschehen. Ein nochmaliger Durchgang durch sämtliche Bildmotive erkannte in den Monstern der linken Bildhälfte mitsamt der spiralförmig aufsteigenden, dämonischen Lichterscheinung ein Kaleidoskop traditioneller Versuchungen eines gestrandeten Menschen, denen die „Standhaftigkeit'' in Form der kämpferischen Frau von rechts entgegentritt. Daß die Erlösung gewiß sei, werde deutlich an der aufgehenden Sonne und dem Regenbogen, der von ferne her die Versöhnung zwischen Gott und Mensch anzeige.[24]

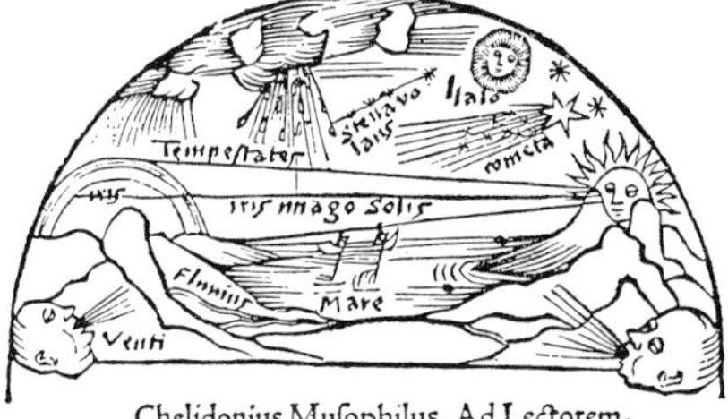

Meteorologia Aristotelis. Eleganti
Iacobi Fabri Stapulensis Paraphrasi explanata.
Cõmentarioq; Ioannis Coclæi Norici declarata
ad fœlices in philosophiæ studiis successus
Calcographiæ iamprimũ demandata.

Chelidonius Musophilus. Ad Lectorem.

Abb. 7 Die Entstehung des Regenbogens, Titelholzschnitt aus Jacobus Fabrus Stapulensis, Totius naturalis philosophiae. . . , 1512

Regenbögen

In seiner geradezu kosmischen Ausdehnung spielt dieser Regenbogen tatsächlich ohne Frage auf den neuen Bund am Ende der Sintflut an (1. Mose 9, 12–17), aber er tritt hier mit zusätzlichem Sinn auf, der den bisherigen Deutungsrahmen geradezu umkehrt. Ghisi reflektiert zunächst die zeitgenössische Theorie über die Entstehung von Regenbögen, wie sie in einem der einschlägigen zeitgenössischen Bücher formuliert war.[25] Die Titelvignette mit ihrer schematischen Darstellung der Entstehung des Regenbogens wirkt der Anordnung des Stiches nicht unähnlich (Abb. 7); als hätte Ghisi einen Standort hinter den links sich

18 Vgl. Gandolfo (cit. not. 5), S. 182 ff

19 Vergil, Aeneis, 5,854–856

20 Die verschiedenen Fassungen mit den unterschiedlichen Inschriften zusammengestellt in: Ausst.-Kat. Engravings of Giorgio Ghisi (Hrsg.: S. Boorsch/M./R. E. Lewis), New York 1985, S. 114 f

21 Zuletzt ebenda, S. 117

22 Zsfg. bei G. Albricci, Il „Sogno di Raffaello'' di Giorgio Ghisi, in: Arte cristiana 71/1983, S. 215–222, hier: S. 217 – Der Titel „Allegorie des Lebens'' in: Boorsch (cit. not. 20)

23 Robert Kleins Deutung wurde überliefert durch H. Zerner, Ghisi et la gravure maniériste à Mantoue, in: L'oeil 88/1962, S. 26–32, 76

24 Albricci (cit. not. 22), S. 218 f

25 Jacques Lefèvre d'Étables (= Jacobus Fabrus Stapulensis), Totius naturalis philosophiae Aristotelis paraphrases per Jacobum Fabrum Stapulensem recognitae iam . . . et scholijs doctissimis viri Iudoci Clichtovei illustratae, 1512 (weitere Ausgaben 1501, 1540) – Vgl. C. B. Boyer, The rainbow from Myth to Mathematics, New York/London 1959, S. 145 ff

auftürmenden Bergen des Holzschnittes eingenommen, fällt der Blick vorbei an Bergen und Flüssen über eine weite, mit einem breiten Strom und einem See erfüllte Ebene gegen die aufgehende Sonne, in deren Nähe das hintere Ende des Regenbogens gezogen ist. In der Zone des Unwetters sind alle Erscheinungen des Holzschnittes versammelt: neben dem Mond die wie an einer Schnur aufgereihten „stellae volantes" sowie Fixsterne, ein Komet sowie ein blasender Windgott. Offenbar also hat Ghisi die zeitgenössische Regenbogentheorie genutzt, um die Sintflutgeschichte aus ihrem alttestamentlichen Rahmen zu lösen, ohne ihr damit den exemplarischen Rang zu nehmen.

Der Regenbogen trennt vom Hintergrund her die dunkle und die lichte Seite des Stiches: links mit dem scheinbar in einem Unterweltsgefilde gestrandeten alten Mann und rechts mit der jüngeren, inmitten einer paradiesischen Landschaft bewaffnet auftretenden Frau. Als Verkörperung von „Ruhm", „Standhaftigkeit" oder „Vernunft" galt sie bislang als Retterin des scheinbar schiffbrüchigen Mannes.[26] Einer solchen Lesart aber widerspricht schon die Körperhaltung beider Gestalten. Die Göttin schreitet mit gesenkter Lanze voran. Ihr rechter Arm ist zu einer Geste der Begrüßung erhoben, die der Mann gemäß der zeitgenössischen Gebärdensprache gelassen wiederholt.[27] Diese eigenartige Form der gegenseitigen Zuwendung läßt als ausgeschlossen erscheinen, daß in der Person des Mannes der durch Versuchungen gepeinigte Mensch einer Erlösung harrt.[28]

Vielmehr macht ein Vergleich mit Dossis Nachtbild deutlich, daß hier nicht ein Mensch, sondern Somnus, der Nachtgott des Schlafes, gemeint ist. Wie auf dem Gemälde erscheint auf halber Höhe des Felsens sein Eulenattribut, und rechts vor ihm ist auch der heilige Hahn der Insel der Träume repräsentiert. Von den versammelten Nachtwesen könnten zumindest die Kentauren im Bildmittelgrund und auf der Waldlichtung im Rücken des Mannes sowie das Skelett und die Skylla im linken Vordergrund entsprechend auf jene öde Nachtregion aus Vergils Unterwelt verweisen, die unter anderem den Schlaf als „Bruder des Todes" mitsamt den falschen Träumen beherbergt. Der karge, sich oben in die dantische Hölle in Form eines Amphitheaters öffnende Felsen[29] unterstreicht die Aura des Leblosen dieser Unterweltbezirke, und gegenüber der vergilschen Vorlage ist die Todesstimmung noch durch den abgestorbenen Baum verstärkt, auf den sich der Alte stützt.[30] Der Nachen im Flußwasser wäre im Sinne einer vergilschen Lesart auf den wasserziehenden Kahn Charons zu beziehen, der in den zeitgenössischen Träumen eine nachweisbare Rolle spielt[31], würde nicht das bei Vergil beschriebene Gefährt im Gegensatz zum hier abgebildeten Schiff aus geflochtenen und genähten Binsen bestehen; die aufgebrochenen Planken belegen zudem einen wirklichen Schiffbruch. Die ruinöse Gestalt des Bootes läßt vielmehr Ovids nicht minder berühmte Darstellung des Schlafgottes anklingen. Im elften Buch der „Metamorphosen" ist beschrieben, wie die Götterbotin Iris den Schlafgott aufsucht, um ihn dazu zu bewegen, der Alkyone den Schiffbruch ihres Mannes im Traum zu offenbaren. Um zu Somnus zu gelangen, schlägt Iris zunächst einen riesigen Regenbogen vom Himmel zur Erde.[32] Im Reich des Schlafgottes mit einem vom Fluß des Vergessens umspülten Felsen muß die

26 Boorsch (cit. not. 20), S. 217 f

27 M. Baxandall, Painting and experience in fifteenth century Italy, Oxford/London/New York 1974, S. 68

28 Albricci (cit. not. 22), passim

29 Ebenda, S. 218

30 Vergil, Aeneis, 6,265–296. Die Verse 282–286 nennen eine schattenspendende Ulme, an der falsche Träume hängen.

31 Ebenda, 6,414. Vgl. Burke (cit. not. 2), S. 35, Anm. 10 zum Auftreten des Charon-Nachens im Traum Cellinis und bei Cardano

32 Ovid, Met., 11,590

Götterbotin die Traumbilder verscheuchen, um den Schlafgott zu bewegen, sich mühselig zu erheben:

Als nun dort eintrat und die sperrenden Träume die Jungfrau
Drängte hinweg mit der Hand, da ward von dem Glanz des Gewandes
Hell das geweihte Haus, und der Gott, der die sinkenden Augen
Kaum schwerfällig erhob und immer wieder zurücksank
Und mit dem nickenden Kinn sich zum öfteren oben die Brust schlug,
Raffte sich endlich empor aus sich, und gestützt mit dem Arme
Fragt' er, warum sie genaht; denn er kannte sie.[33]

Abb. 8 Francesco Primaticco, Iris vor Somnus, Zeichnung, um 1540, Florenz, Uffizien, Gabinetto dei Disegni e delle Stampe

Ghisis Stich zeigt in getreuer Umsetzung, wie Iris auf dem Regenbogen niedergefahren ist, wie sie in einer glücklichen Mischung aus Abwehr und Willkommen die Hand erhebt zur Bannung der Traummonster und zur Begrüßung des Somnus, wie der Schein ihres Kleides, sich auf dem Felsen spiegelnd, die Umgebung des Schlafgottes erhellt und wie dieser sich mühsam in eine noch schlaftrunkene, vom Arm gestützte Körperhaltung aufgerafft hat, wie er die ihm bekannte Göttin begrüßt und diese ihm mit geöffnetem Mund antwortet:

Schlaf, du sanftester Gott, du Ruhe der Wesen, der Seele
Frieden, o Schlaf, der Sorge du bannst und ermüdete Glieder
Nach dem beschwerlichen Dienst neu labst und stärkest zur Arbeit,
Heiße der wahren Gestalt Nachahmer, die gaukelnden Träume,
Unter des Königs Bild hingehn zur herculischen Trachin
Und der Alcyone nahn und den Schiffbruch zeigen im Abbild.[34]

Die ehrfurchtsvolle Anrede der Iris löst Somnus und den wohligen Schlaf aus seiner grausigen Umgebung mit den schwarzen Träumen. Nach diesem einleitenden Hymnus nennt Iris den in dunkle Verse gekleideten Auftrag: Somnus solle seinem Sohn Morpheus auftragen, der Alkyone den Tod ihres Mannes und den Schiffbruch anzuzeigen, von dem es unter anderem geheißen hatte:

Schon sind die Pflöcke gelöst, und beraubt des bedeckenden Wachses
Klafft der Spalt und vergönnt Eingang den todbringenden Wassern . . .
Krachend zerbricht vom Stoß des wildstürmenden Wirbels der Mastbaum,
Krachend das Steuer sodann.[35]

Mit seinen geborstenen Planken, seinem geknickten Mast, dem geborstenen Steuer und dem abtreibenden Ruder erscheint das zerschlagene Schiff zwischen den beiden Göttern als Verbildlichung jener Botschaft, die Iris dem Somnus verkündet.

In einer vermutlich zwischen 1542 und 1545 ausgeführten Dekoration für das Vestibül der Porte Dorée in Fontainebleau hatte bereits Francesco Primaticcio den Besuch von Iris bei Somnus illustriert (Abb. 8). Bei Primaticcio hat die heraneilende Iris den am Boden ruhenden Schlafgott bereits erreicht, während dessen Söhne zurückweichen: Das Monstrum am linken Bildrand zeigt eine Ausformung des Wandlungskünstlers Ikelos, während der menschenähnliche Satyr Morpheus darstellt. Die noch in tiefem Schlaf befindliche Gestalt im Vordergrund rechts zeigt allerdings nicht den dritten Somnus-Sohn Phantasos, sondern, durch die auslaufende Vase charakterisiert, den Lethe-Fluß des Vergessens.[36] Das Reich des Somnus ist auch bei Primaticcio durch eine Eule bezeichnet, wäh-

33 Ebenda, 11,616–622. Hier und in den folgenden Zitaten nach der Übers. von M. Vosseler

34 Ebenda, 11,623–628

35 Ebenda, 11,514 f; 551 f

36 Zehnpfennig (cit. not. 1), S.100. Bei ihr firmiert die Szene noch in der üblichen Fehldeutung als „Juno bei Somnus"; Korrektur durch Gandolfo (cit. not. 5), S. 171

Abb. 9 Leone Leoni, Bronzemedaille auf Ippolita Gonzaga, 1551, London, Victoria and Albert Museum

rend als Gefährt der Iris kein Regenbogen, sondern ein Himmelswagen erscheint, gezogen aber vom Pfau Junos, dessen Federrad die Farben des Regenbogens aufscheinen läßt.[37] In entsprechender Zuordnung erscheint auch bei Ghisi im Rücken der Iris ein Pfau.

Im Gegensatz zu Primaticcio repräsentiert Ghisi in getreuerer Anlehnung an Ovid sämtliche Söhne des Somnus. Der bei Primaticcio den Morpheus darstellende Satyr erscheint in seinem Stich im Rücken des Schlafgottes; ihm ist der Flügeldämon am Rande der Lichtung auf Grund seiner menschenähnlichen Gestalt zugesellt. Ikelos, der sich im Traum in Wildtiere, Vögel, Schlangen und Mischmonstren verwandeln kann, wäre entsprechend in den Raubtieren vor und hinter Somnus und in der Schlange, den Drachen und Wassertieren verkörpert, und Phantasos, dessen Medium in Steinen, Holz und Wasser besteht, kann mit dem bewegten Wasser und dessen Wesen und dem zerborstenen Schiff identifiziert werden.[38] Damit würde verständlich, warum der ruhige, Schlaf und Traum ermöglichende Lethe-Fluß in Ghisis Stich eine unruhige Form zeigt und warum Ghisi hier von den tiefgründig ruhigen Nachtflüssen der Traumbilder Raimondis und Dossis abweicht. Phantasos erläutert bereits mit seiner Traumgestalt das schreckliche Ereignis, das Morpheus später der Alkyone zu überbringen hat.

Morgenröte

Da Iris die Träume verscheuchen wird, um zu Somnus zu gelangen, wird sie damit auch ihre eigene schreckliche Botschaft überwinden. Diesen Prozeß einer Art Selbstheilung hat Ghisi durch eine Metamorphose der Iris verstärkt. Ihre Erscheinung ist Leone Leonis Medaille der hymnisch verehrten Ippolita Gonzaga von 1551 entnommen (Abb. 9). Neben der formalen Ähnlichkeit in Gestalt, Schrittfolge und Gewand wird eine Beziehung zu dieser Fürstentochter umso wahrscheinlicher, als Ghisi die Plattform der Göttin mit dem Motto ihres Vaters Ferrante versehen hat: WEICHE DEN ÜBELN NICHT (TU NE CEDE MALIS).[39] Angesichts des Schiffbruchtraumes, den Iris zu überbringen hat, wäre bei diesen „Übeln" an den Tod von Ippolitas erstem Mann im Jahre 1551 zu denken. Tatsächlich spielt die Medaille Leonis auf dieses Unglück und dessen Überwindung an. Darauf ist die junge Fürstentochter als im Himmel, auf der Erde und in der Unterwelt herrschende Diana gefeiert: IHRE MACHT IST ÜBERALL GLEICH (PAR. UBIQ. POTESTAS).[40] Im Zuge ihrer umfassenden Geltung hatte sie Leoni auf der linken Hälfte seiner Medaille als Proserpina gezeigt, die Pluton im Reich der Unterwelt trotzt, um anzuzeigen, daß sie stark sei auch gegenüber dem Tod, der ihr den Ehemann geraubt hatte.[41]

Der Stich erweist sich als eine zweite Würdigung Ippolitas vor dem Hintergrund desselben Ereignisses. Ghisi behält die Herrschaft über die drei Reiche bei, wechselt aber die zugehörigen Göttinnen: Anstelle von Proserpina besiegt Iris, die mit ihrer Botschaft einen engeren Bezug zum Unglücksfall der Ippolita Gonzaga und dessen Überwindung bieten konnte, die Schrecken der Unterwelt. Ippolitas Regentschaft über das irdische Reich, bei Leoni in Gestalt der Waldherrin Diana bezeichnet, ver-

37 Beispiele einer ausdrücklichen Repräsentation der Iris durch den Regenbogen, wie zum Beispiel der Budapester Fassung des Iris-Somnus-Themas durch Giulio Carpioni, bei Zehnpfennig (cit. not. 1), S. 100

38 Ovid, Met., 11,633–644

39 Vergil, Aen., 6, 95 – Vgl. Boorsch (cit. not. 20), S. 118

40 Diese überzeugende Ableitung bei B. Disertori, Fra incisori antichi e stampe rare. Il Sogno di Raffaello ossia la vita del saggio, in: Emporium 64/1962, S. 258–265, hier: 264f – Zur Medaille vgl. Ausst.-Kat. Splendours of the Gonzaga (Hrsg.: D. Chambers/J. Martineau), London 1981/82, Nr. 148, S. 182

41 Ebenda

wandelt Ghisi sodann in die Herrschaft der Venus über ihr irdisches Gartenparadies; seine Göttin hält zwar noch die Lanze der Diana, wird aber nicht durch Jagdhunde, sondern durch den venerischen Hasen und durch die zum klassischen Gefolge der Liebesgöttin gehörenden Eroten begleitet.

Die entscheidende, dem Stich Ghisis die eigentliche Brisanz gebende Veränderung aber gebührt dem Himmelsreich. Die himmlische Geltung der Fürstentochter hatte Leoni durch Luna in Form des Mondes inmitten der Sterne über Diana bezeichnet; bei Ghisi aber wird Ippolita als Aurora repräsentiert, die nach dem Sieg über die Nacht den Tag über den Himmel zieht. Diese Wendung konzentriert sich im Hahn, der sich rechts vor dem Schlafgott flügelschlagend aufrichtet, um der Morgengöttin das Signal zur Vertreibung der Nacht zu geben.[42] Ovid hatte die Nachtstille des Somnus-Reiches damit charakterisiert, daß dort „kein wachhaltender Hahn mit des kammigen Hauptes Schrei Aurora heraufruft"[43]; hier aber platzt der Morgenschrei des heiligen Traumtieres, dessen Schweigen die Dunkelheit eigentlich zu bewahren hätte, in die Nachtwelt. Er hat offenbar reagiert auf den „Glanz des Gewandes" der Iris, der „das geweihte Haus erhellte"[44]. Zunächst fehlgeleitet durch eine mit der Morgendämmerung nicht notwendig zusammenhängende Lichterscheinung, wird der Wächter der Träume zu deren Todesboten. Die Traumgesichte attackieren daher nicht etwa, wie durchwegs bis in jüngste Publikationen behauptet wurde[45], den gelassen am Felsen lehnenden Alten, sondern den Hahn am Fuße des Felsens. Konzentrisch auf den Verräter ausgerichtet, laufen, schwimmen und schlängeln sie auf den Herold ihres Todes zu oder nehmen ihm gegenüber, wie die Leoparden links, Drohgebärden ein. Am weitesten vorgedrungen ist die Schlange, die ihre Giftstrahlen gegen den krähenden Hahn zischt, während allein der durch einen Lichtstreifen bereits abgetrennte Kentaur in verzweifelter Fluchtbewegung zu entkommen sucht. Trotz aller Bedrängnis ist der Hahn nicht ausgeliefert; er wird unterstützt durch den Eroten, der aus dem Baumwipfel bereits den Pfeil auf das Meerungeheuer angelegt hat. Der Hahn kräht vordergründig wegen des Lichtglanzes des Gewandes der Iris; hintergründig aber entspricht die aufgehende Sonne dem Licht, das durch die Iris in die Welt des Somnus fällt. Da sich die Strahlen der Iris auf natürliche Weise mit dem Lichtschein der Aurora verbinden, zeigt der Hahn nicht nur eine fiktive, sondern eine tatsächliche Morgenröte an, womit die venerische Iris mit Aurora auf geradezu rationalistische Weise zusammenfällt. Diese Metamorphose ist weniger willkürlich als Leonis Verbindung von Diana und Proserpina, da sich Iris und Aurora in der dargestellten Handlung gleichen: Wie Iris die Träume besiegen muß, um zu Somnus vorzudringen, so muß Aurora die Gesichte der Nacht aus dem Feld schlagen.[46]

Ghisis Charakterisierung der Ippolita Gonzaga als alptraumverscheuchende, dreigestaltige Iris/Venus/Aurora besticht durch die Verwendung der Sonnenstrahlen und des Regenbogens als Metaphern des Kampfes gegen die Ungeheuer der Nacht. Als Bote und Zeuge verspricht der Regenbogen das Gartenparadies des lichten Tages, während durch ihn zugleich die voraufgegangene Nacht als Zeit der Sintflut verabschiedet wird. Der Konflikt spielt sich demnach ab auch zwischen dem monstergebärenden Pfuhl im Vordergrund, der niederfallenden Regenwand

42 Ovid, Met., 11, 597

43 Ebenda, 11, 597 f

44 Ebenda, 11,617 f

45 Albricci (cit. not. 22), S. 218 – Boorsch (cit. not. 20), S. 115

46 Im Sinne dieser Parallele hatte Primaticcio die Vertreibung der Träume durch Aurora dem Besuch der Iris bei Somnus in einer zweiten Darstellung beigesellt (Gandolfo, cit. not. 5, S. 164 ff), während Ghisi beide Göttinnen zu einer Person und einer Handlung verschmilzt. Ghisi hat damit das Kunststück geleistet, Primaticcos und Dossis jeweils zusammengehörige Gemälde der Iris bzw. der Nacht (Kat. I. 17) und der Aurora zu vereinen.

hinter dem Felsen und den vom Abyssus her abfallenden Flüssen im Nachtreich und dem Regenbogen auf der Sonnenseite. Der Regenbogen hilft somit in atmosphärischer Korrespondenz zum Konflikt des Vordergrundes, die Wasser der Unterwelt, die jeden Traum zu einem inneren Diluvium machen können, zu besiegen. Und durch den Regenbogen erhält schließlich Ippolita Gonzaga als Aurora geradezu heilsgeschichtliche Züge: Mit ihr, so wäre die panegyrische Seite von Ghisis Stich zu lesen, vertreibt eine neue Epoche universalen Friedens die Nacht der Unwetter und Gesichte.

Daß dieser Kampf zwischen Tag und Nacht auch ein Konflikt zwischen Gut und Böse ist, suggerieren auch die Texte zu Füßen der scheinbaren Kontrahenten. Die dem Somnus in der zweiten Stichfassung beigegebene Schrifttafel aus der Aeneis: (HIER) SITZT UND WIRD EWIG SITZEN DER UNGLÜCKSELIGE (SEDET AETERNUM / QUE SEDEBIT INFOELIX)[47], unterstreicht in ihrer Eindeutigkeit das WEICHE DEN ÜBELN NICHT unter dem Fuß der Göttin. Möglicherweise hat Ghisi seinem Blatt diese Texte beigegeben, um den Bezug zu Ippolita Gonzaga durch Verwendung des Mottos ihres Vaters zu stärken und Ippolita selbst als aurorahafte Überwinderin der Schrecken der Nacht und der furchtbaren Botschaft, die Iris zu überbringen hat, zu betonen.

Zur eigentlichen Qualität von Ghisis Stich gehört aber, daß er in der klaren Scheidung in Positiv und Negativ nicht aufgeht. Die inschriftlichen Texte werden der sublimeren Argumentation der Form nicht gerecht; sie gehen an dem spannungsvollen Verhältnis zwischen Somnus und Iris/Aurora ebenso vorbei wie an der zwiespältigen Rolle der Iris, die eine schreckliche Botschaft mit sich führt, um diese für sich zu überwinden. Vor allem aber die Erscheinung des Somnus widerlegt den ihm beigegebenen vergilschen Text. In getreuer Umsetzung von Ovids „Metamorphosen'' läßt Ghisi gemäß der Hochschätzung, mit der die Götterbotin dem Schlafgott dort begegnet, auch seine Iris/Aurora mit ehrfurchtsvoll ernster Körpersprache auftreten. Somnus selbst ist tiefsinnig und komtemplativ in der Pose eines Philosophen aus Raffaels „Schule von Athen'' inszeniert, und möglicherweise spielt die inschriftliche Zuordnung der Vorlage des Stiches auf dieses Zitat an.[48] Seine melancholische Philosophenhaltung, unterstützt durch die über seinem Hinterkopf fliegende Fledermaus aus Dürers Melancholie-Stich, weist aus, daß seine Welt der Schattengebilde zwar erschreckend ist und bekämpft werden muß, daß ihr aber als Kehrseite aller Existenz nicht weniger Wahrheit innewohnt als dem lichten Tag. Sein dem Moses Michelangelos nachempfundener Griff in den Bart gehört zu den klassischen Topoi des seherischen Prophetentums und der Anspannung im Moment der Erkenntnis göttlicher Wahrheit.[49] Diese nach innen gestaute psychische Spannung entäußert sich als „Pathosformel'' in dem an sich grundlos auffliegenden Überhang, dem die Draperiestrudel der schreitenden Göttin korrespondieren. Auch im Griff in den Bart zeigt sich die Suche nach Erkenntnis als innere Bedrängung, die dem Brüten des in sich verspannten Melancholikers entspricht.[50] In einem tieferen Sinn aufklärerisch wirkt Ghisis Fassung des Ovidschen Somnus-Mythos somit dadurch, daß er dem Schlafgott selbst zwar den Stand des Unglückes, aber auch der philosophischen Wahrheitssuche zuerkennt.

47 Vergil, Aen., 6, 617f

48 Albricci (cit. not. 22), S. 219

49 H. W. Janson, The right arm of Michelangelos „Moses'', in: Festschrift M. Middeldorf (Hrsg.: A. Kosegarten/P. Tigler), Berlin 1968, S. 241–247

50 Zur Erweiterung des Bartgreifens als Gestus ehrfurchtsvollen Erschreckens in die Körpersprache der Melancholie vgl. Ch. Schoel-Glass, Aspekte der Antikenrezeption in Frankreich und Flandern im 15. Jahrhundert: Die Illustrationen der Epistre Othea von Christine de Pizan, phil. Diss., Ms. Mskpt., Hamburg 1986

Ghisis Stich schließt eine Reihe wassererfüllter Traumdarstellungen ab, die das Interesse des Manierismus für alles Obskure und Tiefgründige bestätigen, ohne damit in eine antirationale Esoterik zu verflachen. Vielmehr liegt ihre Rationalität gerade darin, daß sie vermeiden, vor der nächtlichen Kehrseite durch Verdrängung zu kapitulieren. Der eingangs erwähnte Girolamo Cardano, der als ein unerbittlicher Analytiker von den Abgründen in seiner eigenen Existenz auf die gesellschaftliche und die äußere Natur zu schließen vermochte[51], formulierte im Jahr nach Ghisis Stich: „Wir sehen im Sonnenlicht nicht besser als im Schatten, sondern schlechter."[52]

51 Vgl. zu Cardanos Erkenntnismethode zuletzt W. Kutschmann, Der Naturwissenschaftler und sein Körper, Frankfurt/Main 1986, S. 336 ff

52 „Neque enim magis in luce solis quam in umbra videmus, sed deterius" (Somniorum Synesiorum, 1,1).

Maria Gazetti

Lascivia oder das Ende Arkadiens

Einleitung

Mit dem Ausstellungsthema „Mars und Venus" ist auch das Spiel um die Überwältigung des anderen Geschlechts verbunden. Während hier zumeist die Venus siegt, findet in zahlreichen Dichtungen und Kunstwerken des Manierismus ein Sieg aus männlicher Perspektive statt, ohne daß der Geschlechterkonflikt damit einseitig gelöst wäre. 1516 erscheint Ariosts Epos *Orlando Furioso* (1532 Neufassung), 1573 wird das Schäferspiel *Aminta* von Torquato Tasso vor dem Este-Herzog Alfonso II. von Ferrara aufgeführt, zwischen 1570 und 1575 fällt die Vorbereitung von Torquato Tassos *La Gerusalemme Liberata,* alles Werke, die in ihrem Feld das Thema von Liebe und Gewalt verdichten. In den siebziger Jahren des 16. Jahrhunderts entstehen auch die gigantischen Figuren von Bomarzo und die Arbeit am „Roland", einer Gruppe an der Vicino Orsini, Herzog von Bomarzo, Gewalt und Lust in befremdender Weise vereint (vgl. Kat. VIII. 11). All diese Werke verbindet der Topos, daß körperliche Gewalt in Liebesdingen unter Umständen berechtigt sei. Ovid hatte in der *ars amatoria* das Motto vorgegeben:

> Wer erst Küsse sich nahm und nun / sich das übrige nicht nimmt, / Der hat verdient, daß er auch, was ihm gegeben verliert. / Wieviel fehlt denn noch nach dem / Kuß zur Fülle der Wünsche? / Nein, das nenn ich nicht schlau! / Tölpische Blödigkeit ists. / Nenn es Gewalt, wenn Du willst, / denn Gewalt freut gerade die Mädchen.[1]

Ein solcher Angriff, im folgenden „assalto" genannt, wird hier als ein natürlicher Vorgang ausgegeben, den zu unterlassen töricht sei, weil die Frauen den Gefallen an der Liebe nicht ausdrücken würden: Zur Liebeserfüllung stehe dem Manne eine *ars majeutica* zu. Er, einem mächtigen Naturtrieb folgend, repräsentiere das Stürmische und Aggressive, das ihm gestatte, in der Liebeskunst zu siegen. Schon Aristoteles hatte im ersten Buch der Physikvorlesung Sexualität und Liebe als eine Urbewegung erklärt, die auf dem Zueinanderstreben von Gegensätzen beruht: „Die Materie sehnt sich nach der Form, wie das Weibliche nach dem Männlichen und das Häßliche nach dem Schönen."[2] Sexualität wird hier als eine Urbewegung verstanden, in der Gegensätze im vitalen Verhältnis zueinander stehen und Anorganisches durch Lebendiges wahrgenommen wird. Der Mythos des Freien Arkadien, der das Natürlich-Ländliche als eine Gegenwelt zur verfeinerten Gesellschaft des Hofes preist, unterstreicht eine solcherart „natürliche" Ausübung der Liebe und der Sexualität.[3] Dort, im mythischen Land der Idylle, sei keine Zurückhaltung am Platz. Aber die Ausübung der freien Sexualität bringt auch die Frage nach dem organischen Naturverständnis von Kraft und Macht mit sich.

Veranstaltet das 15. und 16. Jahrhundert mit seinen Projektionen auf einen ursprünglichen, „unzivilisierten" Bereich eine Feier der Gewalt und Naturgebundenheit? Wird hiermit dem „assalto" eine Art von Naturrecht eingeräumt?

1 Ovid, Ars 1, 670–674

2 Aristoteles, Physik 1, 9, 192 a

3 Dazu H. Petriconi, Die verlorenen Paradiese, in: Metamorphosen der Träume, Frankfurt/Main 1971, S. 13–52

Der „assalto", seine Abwehr und Vertreibung

In dem seinerzeit viel gelesenen *Orlando Furioso* sind in den Haupthandlungsstrang – Kampf der Christen gegen die Sarazenen – die weitgespannten Beschreibungen der Abenteuer von Ritterhelden/innen eingeflochten, die, auf der Suche nach Ruhm und privatem Glück, außerhalb der geregelten Gesellschaft die Wälder als die Orte unbegrenzter Möglichkeiten durchschweifen.[4] Dort, auf finsteren Wegen, wird auch die rastlos fliehende Angelika gesucht, die schöne Königin von Cathay, die Orlando liebt und die ihm als Lohn großer Taten versprochen worden war. Er sucht sie überall – ihr Fluchtweg ist im voraus von seiner Verfolgung vorgezeichnet:[5]

> Bis sie zuletzt ein hold Gebüsch gefunden, / dem sanfter Wind stets kühle Luft bewahrt. / Zwei klare Bäche, die es rings umwunden, / Erhalten den Rasen frisch und zart; / und ihre Flut, die sich an kleinen Kieseln / melodisch bricht, ergötzt durch lindes Rieseln. (I, 35)

Angelika, die Schutz vor der Sonne und vor den Blicken sucht, ist im Schatten eines Busches eingeschlafen. Vom Geräusch eines herannahenden Richters erweckt, hört sie den ebenso in sie verliebten Sacripante, den König von Circassia, der sich darüber beklagt, daß Angelika ihm entschwunden sei. Sie beschließt, sich ihm zu zeigen, in der Hoffnung, mit ihm in den Orient zurückzukehren: „Und aus dem dunklen Dickicht tretend / zeigt sie ihre Schönheit plötzlich / wie oft Diana oder wie Cythere, die aus den Grotten und Wäldern erscheinen." (I, 52) Von diesem unverhofften Glück und vom Begehren überwältigt, genießt er schon den Entwurf seines „dolce assalto":

> Ich will die frische Morgenrose pflücken, / Denn durch Verzug verliert sie ihre Zeit. / Ich weiß, daß keine Sache mehr Entzücken, / Noch größre Lust, den Frauen ja verleiht; / Obwohl sie oft durch Zürnen uns berücken, / Auch wohl durch Tränen oft und Traurigkeit. Kein Zornigthun, kein Sträuben soll mich schrecken: / Ich will den Plan entwerfen und vollstrecken."[6]

Aber zu früh. Der zufällig hinzugekommene Ritter Rinaldo verwickelt ihn in ein Duell, sodaß Angelika unbemerkt beiden entwischen kann. Im 8. Gesang hat sie auf einem Pferd das Meer überquert und steht in einer feindseligen Landschaft. Übergesetzt wie Europa nach dem Raub, verzweifelt und über ihr Schicksal klagend wie Ariadne[7], wird sie von einem alten Eremiten entdeckt, der sich ihr anzüglich nähert und sie betäubt:

> Rücklings im Sande liegt sie, ohne Leben, / Dem räuberischen Alten Preis gegeben. / Und er umarmt und drückt sie nach Behagen / Küßt bald den Mund und bald den Busen ihr. / Die Schöne schläft und kann's ihm nicht versagen, / und Niemand sieht's im öden Felsrevier. Allein sein Roß stürzt hin im ersten Jagen, / die schwache Kraft entspricht nicht der Begier. / Ihm will das Alter kein Geschick mehr gönnen; / Je mehr er's treibt, je minder wird er's können.

Im 10. und 11. Gesang ist Angelika als Gefangene der Seeräuber auf der Insel Ebuda nackt an einen Stein gefesselt. Ihr Körper soll den Hunger der Orca, eines besonders abscheulichen Seemonsters, stillen. Ruggero, der gerade auf dem geflügelten Pferd, dem Hyppogriphen, vorbeifliegt, nimmt eine überraschende Landung vor, kämpft zwischen Klippen und Meereswogen mit dem Ungeheuer, setzt den Ring ein, der beide unsichtbar macht, und fliegt mit Angelika fort. Es folgt ein langer Flug-

4 Alle Zitate nach der Übersetzung von J. D. Gries (L. Ariost, Rasender Roland, Leipzig 1851). Zur literarhistorischen Funktion des Waldes siehe Dieter Kremers, Der rasende Roland des Ludovico Ariost. Aufbau und Weltbild, Stuttgart 1973

5 Flucht und Jagd sind eng verbunden. „So wie der Jäger den Hasen immer jagt/ und ihn nicht mehr beachtet, hat er ihn gefangen/ und immer hinter dem ist, der flieht" (Ariost 10, 7). Der Vergleich hat Tradition, siehe auch Horaz, Sat. 1, 2, 105–106, und Ovid, Met. 1, 533-534: „So wie im weiten Gefilde ein gallischer Hund einen Hasen/ Sieht: er rast auf die Beute, der andere rennt um sein Leben"

6 In I, 42 vergleicht Ariost die Jungfrau mit der Rose, welche nur vor dem Pflücken begehrenswert sei. Bei Poliziano steht sie als Beispiel für die Kürze der Jugend, Ballate 3, 21–26. Zu Rose als Zeichen der Liebe siehe auch E. Wind, Heidnische Mysterien in der Renaissance, Frankfurt/Main 1981, S. 169, Anm. 13

7 Vgl. Polizianos Verse über Europas Raub, Stanze I, CVI, 1–2, und Ovid, Met. II, 865–875

über wunderbare Landschaften bis zu einem erfrischenden Hain, wo sie sich ausruhen wollen. Erst jetzt stehen sie vor der tatsächlichen Gefahr.[8] Ruggeros Augen sind dem Anblick ihrer nackten Schönheit ausgeliefert, sein Begehren wächst:

> Er steigt vom Pferd und kann sich kaum enthalten / Ein andres zu besteigen; doch er fand, / daß ihn der unbequeme Panzer hemmte und dem Verlangen sich entgegen stemmte. / . . . / Wie kann Vernunft den guten Rüd'ger zähmen, / sich mit Angelica'n der Lust zu weihn, / mit ihr, der holden, die er im bequemen / einsamen Busch hat, nackt und ganz allein?

Jedoch, Angelika entschwindet ihm mit seinem Ring, wie zuvor schon dem Seemonster.

Angriffe von Satyren als Zwang zur „necessitas"

In Torquato Tassos lyrischem Schäferspiel *Aminta*[9] wird eine andere Version der Abwehr vorgeführt. Die Nymphe Silvia, keusche Anhängerin der Diana, steht für jene Frauen, die sich angeblich nur zieren, weil sie die Liebeswonnen noch nicht erfahren haben. Sie weist stetig die Liebesgaben des halb menschlichen und halb göttlichen Wesens Aminta und eines Satyrs zurück, die sie unterschiedlich aufdringlich begehren. Der Ort der Handlung liegt im fernen, sagenhaften Arkadien. Die Landschaft ist mit einer Quelle versehen, mit Wäldern und Felsen – ein *locus amoenus* und eine undurchdringliche „selva" zugleich. Silvia wird von der älteren Nymphe Daphne vorgeworfen, sie stelle sich mit ihrer Weigerung gegen das Naturgesetz, das überall zur Vereinigung hinstrebe. Im Namen dessen will endlich der Satyr, der seine Kraft und Männlichkeit gegen die verkünstelte Erscheinung des Hofes stellt, auf das zurückgreifen, womit ihn die Natur zur Rettung ausgestattet hat:

> Brauch ein jeder / die Waffen, welche ihm Natur gegeben / zu seinem Heil: / . . . / des Weibes sind die Schönheit und die Anmut. / Und ich, warum nutz ich nicht die Gewalt / zu meinem Heile, wo mich die Natur / Zum Rauben und Gewaltantun begabt hat? / Ich werd erzwingen, rauben, was mir diese / Undankbar weigert als der Liebe Lohn / . . . / Kommt sie nicht los, bevor ich nicht aus Rache / in ihrem Blute meine Waffen färbe. (Akt 2, Szene 1)

Die Strategie der Gewalt und des Raubes, um aus natürlichem Trieb zur Liebeserfüllung zu gelangen, will der ältere Tirsi dem ebenso verzweifelten Aminta nahelegen: „Was wagst Du denn nicht, gegen ihren Willen / Zu nehmen, was zuerst sie mag betrüben, / Am Ende aber ihr wird lieb und süß sein / Daß Du's genommen."

Bei Torquato Tasso spitzen sich die Geschehnisse zu, die Gegensätze werden gesteigert, dramatisch, schrill, bis zur spannungsgeladenen Lust an rein überrhetorischen, concettistischen Erregungszuständen.[10] Im dritten Akt, Szene 1, wird von Silvia besonders drastisch berichtet, wie sie nackt vom Satyr an einen Baum gefesselt wird.

> Da sahen wir an einem Baum gebunden / das junge Mädchen nackt, wie es geboren, / und Strick, sie festzubinden, war ihr Haar: / Ihr eignes Haar, geknüpft in tausend Knoten, / War um den Baum gewickelt; und ihr Gürtel / der schöne Schutz des jungfräulichen Schoßes, / war Werkzeug dieser Schändung, denn die Hände, / die schnürt' er fest an diesen rauhen Stamm; / Ja auch der Baum selbst hatte wider sie / Bande geliehen: aus Zweigen jung und biegsam / schlug eine Fessel sich um einen jeden / der zarten Füße. Stirn an Stirn mit ihr / sahn wir einen gemeinen Satyr, der/ Mit ihrer Feßlung grade fertig wurde.

8 Von Ovid inspiriert (Perseus befreit Andromeda, Met. IV, 665–752). Über die Ariost-Illustrationen vgl. G. Rouchès, L'interprètation du „Roland Furieux" et de la „Jèrusalem délivrée" dans les arts plastiques, in: Etudes Italiennes II/1920, S. 129–140 – R. W. Lee, Ariostos's „Roger and Angelica" in 16th century art: some facts and hypotheses, in: Festschrift M. Meiss, New York 1977, S. 302–319 – Das Pferd ist ein platonisches Symbol für libido in Phaidros, 253 D. Der Hyppogriph ist in der Renaissance Gegenpart des klassischen Pegasus

9 Alle Zitate aus: Torquato Tasso, Aminta. Ein Schäferspiel, übersetzt von O. v. Taube, Bremen 1968

10 Wie „modern" die formalen Manierismen Tassos sind, betonte schon G. René Hocke, Manierismus in der Literatur, Hamburg 1959, S. 157–160

Dem Satyr kommt in dieser Szene nur die Rolle eines Vollstreckers zu, während die Natur selbst ihm beizustehen und sich an der Weigerung Silvias zu rächen scheint. Mit diesem Bild konfrontiert wird Aminta jedoch aus dem potentiellen Angreifer zum Retter und Erlöser Silvias (vgl. Kat. V.45).

Die mythologische Besetzung von Tassos Figuren deckt sich bei Ariost erst auf einer zweiten Ebene auf. Sacripante, vom Liebesverlangen überfallen, ist wie ein Satyr, der die gerade erwachte Angelika, sozusagen „sub tegmine fagi“ [11] überrascht. Der Eremit ähnelt einer Silenfigur. Er erinnert zugleich an jenen Bacchus, der die klagende Ariadne auf der Insel besucht. Der ursprünglichen Inspiration nach bewegt sich auch Angelika in dem Bereich des Mythologischen. Während die in sie verliebten Männer wie unbefriedigte Satyre sinnlos durch die Gegend streifen, so ist sie eine Nymphe, eines jener zahlreichen Naturwesen, die, wie bei Ovid nachzulesen ist, überrascht werden, fliehen, sich entziehen oder die Liebe mit Göttern eingehen.[12] Das Motiv des Fliehens ist konstitutiv für Angelika, sie flieht, aber auch auf der Flucht ist Angst bei ihr nicht vorherrschend. Sie ist von Sexualität nicht unberührt, die Unerreichbarkeit hat nichts mit höfischer Idealisierung zu tun, sie bleibt die spukhafte Erscheinung eines sichtbaren Schönen, an dem sich Sehnsucht wieder anzündet, ein Symbol für *varium et mutabile,* Nihil Firmum.[13] Wie Angelika dem „assalto“ entkommt, ergibt einen weiteren mythologischen Bezug: Im ersten Gesang schlief sie an einer Quelle, Huius geni loci, an einem *locus amoenus*[14], und als sie sich Sacripante zeigt, wird sie mit Diana oder Citerea verglichen.[15]

Bildliche Umsetzungen zeigen, wie ein mythologischer Rückgriff auf antike Darstellungen von Nymphen und Satyren eine für diese literarischen „Situationen“ interessante Verschiebung mit sich bringt. Die Renaissance greift auf das Bild der Nymphe als Urbild der mit Natur in Einklang lebenden Wesen zurück, um jetzt vor allem sowohl ihre Unnahbarkeit als auch ihre Sexualität zu betonen.[16] Am Ursprung dieses Prozesses steht Francesco Colonnas 1499 bei A. Manuzio in Venedig erschienene *Hypnerotomachia Poliphili,* Liebeskampftraum des Poliphil. Dargestellt und beschrieben werden die Irrwege des Poliphil zu seiner Geliebten Polia.[17] Die Illustration der Szene im 2. Kapitel, Abschnitt 7 (Abb. 1), zeigt auf einem Brunnenrelief eine unter einem Baum schlafende Nymphe und vor ihr einen sichtbar erregten Satyr. Dargestellt wird der angedeutete Moment der Überraschung und das Innehalten einer Überwältigung, denn dieser Satyr schützt und bedient die Nymphe.[18] Er hält die abgerissene Schnur eines am Baum gebundenen Vorhangs hoch, mit einer Hand rüttelt und senkt er ungeduldig die reich belaubten Zweige herab. Sein Körper ist jetzt der Spender jener Schatten, die einst den Schlaf der Liegenden schützten. Der Text beschreibt, wie die Nymphe in einem *locus amoenus* liegt und wie aus ihren Brüsten ein warmer und ein kalter Wasserstrahl fließt, die sich in einem Bach vereinen und den Garten bewässern. Unter dem Sockel weist die Inschrift *Gebärerin aller Dinge* auf die Venus von Praxiteles, ein weiterer Beweis, daß die Renaissance Nymphendarstellungen mit Venusbildern verbindet, nach Lukrez wiederum eine Natur- und Liebesgöttin zugleich. Diese Schlafende vereint Natur, Fruchtbarkeit, Sexualität und wird zugleich zu einer

Abb. 1 Schlafende Nymphe und Satyr, Holzschnitt aus Francesco Colonnas „Hypnerotomachia Poliphili“, Venedig 1499

11 Die Schattenspendende Buche ist Vergils Attribut der Hirtenidylle: Vergil, Ecl. 1,1 – Sannazaro, Arc. 1, 4

12 Ovid, Met. I, 192; II, 15–16; III, 363

13 Dazu R. M. Durling, The Figure of the Poet in Renaissance Epic, Cambridge 1965

14 Attribut der Nymphen, vgl. R. E. Curtius, Europäische Literatur und lateinisches Mittelalter, Bern 1949, S. 192 ff

15 Auf das Spiel der Blicke ist ebenso zu achten. Bei Sacripante hat sie sich dem Auge des Anderen bloßgestellt. Nackt vor Ruggero, entkommt sie ihm durch Unsichtbarkeit. Vor dem Eremiten schläft sie, kann gesehen werden, sieht selbst nicht. Das Erblicken entzündet Begehren: Als Salmacis bei Ovid, Met. 4, 316, den Knaben Hermaphroditus sieht, heißt es: „Ein Blick, und sie will ihn besitzen.“ In der Episode von Apoll und Daphne (1, 470 f) wehen der Daphne, Symbol des Fliehens schlechthin, die Gewänder vom Leibe. Je mehr sie sich entzieht, desto weiter lösen sich Haarlocken und Gewänder, desto mehr auch muß sie sich der Entblößung preisgeben, worauf Apollos Seufzer folgt: „O muß er/ Wirklich mit Sehn sich begnügen?“ Angelika setzt gegen das Erblicktwerden, das sie bedrohen könnte, ihre eigene Blickvariante als Mittel zur Flucht. Über das „Sehen“ die anregende Studie von J. Manthey, Wenn Blicke zeugen könnten, München 1983

16 Dazu E. B. MacDougall, The Sleeping Nymph. Origins of a Humanist Fountain Type, in: Art Bullettin LVII/1975, S. 357–365

17 Siehe H. Bredekamp, Mythos und Widerspruch, in: Ausst.-Kat. Natur und Antike in der Renaissance, Frankfurt/Main 1985, S. 130–172, besonders: Der „Traum vom Liebeskampf“ als Tor zur Antike, S. 139–153

18 Die Beschreibung Colonnas ist eindeutig. Trotzdem ist längere Zeit der Forschung die Dienerrolle entgangen. Noch MacDougall (cit. not. 16), S. 361, hat sie anders interpretiert – Vgl. H. Bredekamp/W. Janzer, Vicino Orsini und der Heilige Wald von Bomarzo. Ein Fürst als Künstler und Anarchist, 2 Bde., Worms 1985, S. 177 – Dazu auch D. Blume, Beseelte Natur und ländliche Idylle, in: Ausst.-Kat. Natur und Antike (cit. not. 17), S. 173–197, Anm. 31

Abb. 2 Christoforo Foppa, genannt Caradosso (?), Martelli-Spiegel, London, Victoria and Albert Museum

unantastbaren göttlichen Erscheinung. Um so gegensätzlicher und betonter bewirken demzufolge die Merkmale des Satyrs das mythologische Bild des Begehrens schlechthin (Kat. V. 75,76).[19] Mischwesen und Ziege zugleich, immer mit erigiertem Glied, zeugt er für Triebhaftigkeit und ist in der Renaissance, verbunden mit der Idee der Naturhaftigkeit, sowohl Symbol der Sehnsucht nach der unbeherrschten Natur als auch Ursprung eines Kultivierungsprozesses, der naturgesetzlich abgeleitet wird.[20] Bild der natürlichen Ungebundenheit, sich herumtreibend in den Wäldern und Hainen, außerhalb eines sozialen Gefüges, steht er schon in der Antike für die unersättliche Lust nach den Nymphen, verkörpert er eine sich wiederholende, nicht reflektierte Triebhaftigkeit. Er ist der Inbegriff des „assalto'' schlechthin, dessen mythologische, aus der Natur abgeleitete Rechtfertigung ganz besonders eine Bronze-Plakette, Martelli-Spiegel genannt (Abb. 2), erläutert. Eine Nymphe, mit sinnlich anmutender, leicht gebeugter Haltung preßt Milch aus ihrer Brust in ein Gefäß (Rhyton), während ein alter Satyr, ein Silen, einen Henkelbecher erwartungsvoll hinhält. Ihre Hand faßt den eigenen Busen, auf den sie blickt, neugierig, in sich selbst versunken und unbeschwert. Diese in einem Halbkreis eingeschlossene Geste zeugt von einer fein anziehenden Erotik. Der Silen schaut bittend auf sie, mit der linken Hand macht er das für Sexualität stehende Corna-Zeichen. Am unteren Rand ist eine Inschrifttafel mit den Sätzen: „Natura fovet, quae necessitas urget'', die Natur spendet, was die Notwendigkeit fordert. Oben, als Aufhängerverzierung, ein Medusenkopf. *Natura,* die Nymphe, ist das Weibliche, das spendet, die *necessitas* ist dem Manne zugeordnet. Die Natur spendet und genügt sich selbst, der Satyr, den Naturgesetzen seiner Männlichkeit unterworfen, steht für Triebhaftigkeit, die, nach außen gerichtet, fordert, nimmt und sich nur mit dem Anderen erfüllt. Die Lust nach den Früchten der Natur im üppigen Arkadien ordnet also dem Manne offensive Bewegung zu. Aus der *necessitas,* jenem organischen Verlangen nach Erfüllung, ergibt sich die naturregelhafte Rechtfertigung des „assalto''. Der Rückgriff auf jene ungebundene Naturvorstellung der Liebesfreiheit scheint somit die *necessitas* zu betonen, unterstreicht aber zugleich, ganz deutlich am Beispiel der Hypnerotomachia, die autonome, göttliche Naturverbundenheit, die der Mann selbst in die Frau als Naturwesen und Göttin projizierte, ohne sie der Sexualität zu berauben. Es entsteht hiermit ein Bild von anziehender, autarker weiblicher Ausstrahlung, das zwar alle Eigenschaften und Sehnsüchte vereint, der *necessitas* des Mannes jedoch entgegentritt.

Das freie Spiel der Lust

Noch, sei es bei Ariost, Tasso oder in der Hypnerotomachia, gewährt Natur den Frauen einen „wunderbaren Schutz''. Schon im Scheitern des „assalto'' ist angelegt, daß einer Vollstreckung des Angriffs etwas im Wege steht. Gegen den Anspruch auf natürliche Erfüllung männlicher Triebe handelt Angelika durch wiederholtes Fliehen, Sich-Entziehen und weitere Strategien. Sie läßt sich gleichsam nicht „pflücken''. Angelika repräsentiert nicht primär das Bild der keusch verfolgten Jungfrau[21], sie

19 Dazu ausführlich D. Blume (cit. not. 18), S. 173–197

20 Vgl. D. Blume (cit. not. 18) – Bildliche Darstellungen von ungleichen Paaren wie Satyr und Venus, Satyr und weiblichen Figuren sind als Inbild jenes unaufgelösten Spiels organischer Gegensätze zu verstehen, nach dem Sexualität verstanden wurde.

21 Zu dem Typus der verfolgten Unschuld, ausgehend vom englischen Roman des 18. Jahrhunderts, siehe M. Praz, Liebe, Tod und Teufel, 2 Bde., München 1970, S. 96–111

erweckt stets Liebeswünsche, bringt die Sehnsüchte immer wieder zum Aufflammen, aber sie läßt sich nicht nehmen. Wenn sie sich allerdings eines Tages den Liebeswonnen mit dem von ihr gewählten Schäfer Medor hingibt, so wird arkadische Vorstellung Wirklichkeit, die die Umgebung bis zu den Inschriften auf den Steinen kündet, – ein vorgeführtes Liebesglück, das Orlando in die Raserei stürzt. Das Fliehen entpuppt sich als aktiver Entzug, den eine Figur wie Silvia auf die Spitze treibt. Von Angelika heißt es: „Wie eine, die die ganze Welt verachtet/ und auch nicht Einen ihrer würdig achtet" (I,49). Silvia wertet sogar eine vollzogene Gewalt ab, wenn sie erklärt: „Er kann nicht mein sein, wenn ich ihn nicht will!/ Und wär er mein auch, würd ich nicht die Seine" (Akt 2, Szene 1). Die Weigerung Silvias beruht sogar ferner auf einem Versuch Amintas, ihr durch List und Betrug einen Liebeskuß zu rauben. Im Gegensatz zu ihren Vorläuferinnen, Andromeda, Angelika und Olympia, ihrem keuschen Gegenpart im Orlando Furioso, ist die nackt an den Baum gefesselte Silvia über ihre Nacktheit eher wütend als beschämt, fast lustvoll hält sich ihr Körper an dem Baum. Sie folgt nicht dem Gesetz der Ehre (bzw. Sitte)[22] und kennt keine Pflicht ihrem Erlöser gegenüber. Die Rettung ist für sie kein Grund, Aminta dankbar zu sein, wenn Dankbarkeit im Sinne Ovids sich auf den Umstand gründet, daß erst Liebe, die sich besiegen läßt, das freie Spiel der Lust ermöglicht.

Der eingangs zitierte Satz des Aristoteles, das Weibliche sehne sich nach dem Männlichen wie Materie nach Form, so daß hier „Materie" und „Weiblich" auf einer Stufe stehen[23], widerspricht in seiner isolierten Zuspitzung eigentlich dem aristotelischen System. Aristotelisch, d. h. organisch-gegensätzlich gelesen wären Subjekt und Objekt umzutauschen: „Die Form sehnt sich nach der Materie, wie das Männliche nach dem Weiblichen." Form als höhere Entwicklung, als Kulturisierung, Materie als Unkultur verstanden.[24] So sehnt sich das 16. Jahrhundert nach der nichtzivilisierten Kultur, das Männliche nach dem Weiblichen, nach Natur. In den angeführten Beispielen ist es eigentlich die männliche *necessitas,* die sich nach dem Weiblichen sehnt. Ariost und Tasso bedenken in ihrer Dichtung dennoch gerade die Komplikationen, die sich daraus ergeben, daß das andere Wesen seine eigene Vorstellung von Glück verfolgt. Denn Angelika und Silvia, zur Flucht entschlossen und gezwungen, beziehen sich auf das Prinzip, das ebenso in der Hypnerotomachia formuliert war: *Trahit sua quemque Voluptas,* jeder treibt es nach *seiner* Lust[25], also nach der Lust der Frau und des Mannes, Lust als Spiel der freien Wünsche – und nicht der Kräfte. Erst zwangfrei gilt: „Erlaubt sei, was gefällt" (Tassos Spruch aus Aminta für das goldene Zeitalter: „S'ei piace, ei lice"). Auch die schöne Schäferin Marcela, der vorgeworfen wird, alle Liebhaber zurückgewiesen zu haben und der Don Quijote die Liebesfreiheit des Goldenen Zeitalters preist, rechtfertigt sich mit der Erkenntnis, daß die eigentliche Liebesfreiheit darin bestehe, daß die um ihrer Schönheit willen Geliebte sich dem Liebenden entziehen könne.

Jedoch es bleiben Bilder des Mannes, aus welchen Projektionen sichtbar wurden, an denen Begehren, Natursehnsucht und ganzheitliche Bildvorstellungen scheitern, denn die unmittelbare Befriedigung leidet unter allumfassenden Wunschvorstellungen.[26]

Abb. 3 Schlafende Nymphe (Angelika) in Vicino Orsinis „Sacro Bosco" zu Bomarzo

22 Das Goldene Zeitalter war schön, schreibt Tasso, weil gerade nicht das leere Wort Ehre, sondern das Naturgesetz „erlaubt ist, was gefällt" herrschte.

23 Im folgenden zitiert nach E. Wind (cit. not. 6), S. 161, Anm. 27, der mit Bezug auf das Aristoteles-Zitat darauf hinweist, daß Giordano Bruno sich eine ironische Disgression erlaubt über die aristotelische Gleichsetzung von *materia e femina,* mit Einleitung des Bibelzitats *Et os vulvae numquam dicit: sufficit* (Aus Spr. XXX, 16) und mit der Bemerkung: „materia recipiendis formis numquam expletur" (De la causa, principio et uno, IV)

24 G. Werner, Der Sacro Bosco des Vicino Orsini. Garten der Lust und Garten der Macht, aufgezeigt an ausgewählten Beispielen, Magisterarbeit, Ms. Mskpt., Hamburg 1986, S. 20, Anm. 12., unterstützt und belegt weiter die These, daß im 15. Jahrhundert eine Auseinandersetzung geführt wird zwischen mystisch-anymistischer Naturauffassung und sich abzeichnender Naturbeherrschung. Vgl. Blume (cit. not. 18), S. 173 und 191 f

25 F. Colonna, Hypnerotomachia Poliphili, Hrsg. G. Pozzi/L. A. Ciapponi, 2 Bde., Padua 1980, Bd. I, S. 208

26 Diese Venus/Nymphen lassen Frauenbilder entstehen, die eine übermächtige irdische Körperlichkeit in sich vereinen, sexuell und göttlich zugleich. Dazu gehört die in den Stein gemeißelte schlafende Riesin von Bomarzo, sie stellt Angelika in der Pose einer Nymphe dar. Im Gegensatz zu den vorigen Darstellungen, wird sie mit geöffneten Beinen gezeigt, stellt Wollust zur Schau, ist herausfordernd und läßt den Betrachter wie gefangen und von ihr gebannt (Abb. 3). Die Beziehungen zwischen dieser Figur und Ariosts Angelika haben M. J. Darnall/M. S. Weil, Il Sacro Bosco di Bomarzo. Its 16th-Century Literary and Antiquarian Context, in: Journal of Garden History, Bd. 4, Nr. 1/1984, und H. Bredekamp, Vicino Orsini, a. a. O., S. 177, festgestellt.

Abb. 4 Agostino Carracci, Satyr entdeckt Schlafende, aus den „lascivie", Kupferstich

„Lascivia" oder das Ende Arkadiens

Der Stich *Venus und Satyr* (Abb. 4), aus der Serie *Lascivie* von Agostino Carracci (ca. 1590–1595) liest sich wie ein Kommentar zum Holzschnitt der Hypnerotomachia[27]: Ein Satyr entdeckt eine Schlafende. Sie hat sich zu Füßen eines belaubten Busches hingelegt. Ihr Körper schmiegt sich an den konkaven, muschelähnlichen Platz zwischen Erde und Baumwurzeln – im Hintergrund die Welt der Städte. Das ausgebreitete Tuch, auf dem sie liegt, verdeckt nicht mehr ihren Schoß wie in der Hypnerotomachia. Der Satyr deutet mit dem Zeigefinger an, daß man sie nicht wecken solle. Er will ihren Schlaf schützen – nichts von sichtbarer Erregung seinerseits, eher schelmische Freude über die Überraschung und dementsprechend unverhofftes Glück. Das Moment des Dienenden wird abgelöst von der selbstbezogenen Befriedigung des onanierenden Satyrs (Abb. 5), als stünde auch er vor der Venus Praxiteles', die so schön war, daß alle Männer vor ihr masturbierten.[28] In der geheimnisvollen Stille, in die er forschend und dann wie ergeben eingedrungen war, drängt sich ihm jetzt das Bedürfnis auf. Während in Abb. 4 die Pose der Frau von den überlieferten Nymphendarstellungen abweicht, ist hier wieder die Venus-Nymphe mit den überschlagenen Beinen und dem den Kopf stützenden Arm gegeben. Eine Schlüsselposition kommt der dritten Szene zu (Kat. V. 45), in der die am Baum gefesselte Frau von einem Satyr gezügelt wird. Am unteren Teil des Baumstamms, mit schlangenähnlichen Windungen, sind die Widderhörner angebunden, Corna-Zeichen zugleich. Die Schlaufen des Seiles, die der geißelnde Satyr in der Hand hält, bilden abstrakt die Windungen der Widderhörner nach. Mit der rechten Hand schwingt er den Rest jener Schnur in der Luft, die einst, wie in der Hypnerotomachia, friedlich den schützenden Vorhang am Baum festhielt. Ein zweiter Satyr im Hintergrund, dem Walde zugeordnet, vom Ereignis durch einen fließenden Bach getrennt, scheint diesen lustvollen Gewalttreiber eher erfolglos züchtigen zu wollen.

Der Baum ist isoliert in den Vordergrund gerückt, als stünde er nicht mehr in Arkadien. Noch sind die Symbole des *locus amoenus* vorhanden, aber hier kämpfen zwei Prinzipien gegeneinander: Jener Satyr, der aus dem Wald tritt, verteidigt (mit Keule?) ein arkadisches Prinzip, das der andere, im Stich als Eifersüchtiger bezeichnet, der seine geliebte Frau einschüchtern will, zerstört.[29] Der Täter bindet das Opfer an sich und an den Baum, und damit ist bereits der Anspruch auf mythische Unbekümmertheit freier sexueller Befriedigung überholt. Keine bukolische Idylle mehr wird dargestellt. Was hier geschieht, ist vielschichtig. Wie bei der Tasso-Szene, von der dieser Stich vermutlich inspiriert ist, gehen Baum und Frau eine Einheit ein. Ihr hoch angewinkelt rechtes Bein erweckt die Assoziation an eine fast kopulierende Umschließung des Baumstammes; der an den Ast gefesselte Arm ist so lose gebunden, daß er sich lasziv anzuschmiegen scheint. Diese Merkmale und das dem Baum zugehörige sexuelle Attribut (Hörner), sprechen dafür, daß hier die vereint auftretende Naturgebundenheit und Sexualität der einzuschüchternden Frau eine Bedrohung darstellen, die es zu bändigen gilt. Der

27 Wegen des gemeinsamen sexuellen Kontextes als Serie gesehen. Dazu D. De Grazia-Bohlin, Prints and Related drawings by the Carracci Family, Washington 1979, S. 289–308 – Bartsch XVIII, 128, 131, 133, 134, 136 – Siehe auch H. Zerner, L'Estampe èrotique au temps de Titien, in: Tiziano e Venezia, Convegno internationale di studi, Venezia 1976, S. 85–90

28 Vgl. Bredekamp (cit. not. 18), Bd. II, S. 144, Anm. 67

29 De Grazia-Bohlin (cit. not. 27), S. 300: „in margine: Il Satiro geloso battendo intimorisce la sua amata/ Donna per non tradirlo."

30 Über das Sinnbild des Vogels im Käfig in der christlichen Ikonographie siehe O. Hjort, L'Oiseau dans la cage: exemples médiévaux à Rome, In: Cahiers archéologiques 18/1968, S. 21–31 – Das Bild ist bis in die Emblematik des 16. und 17. Jahrhunderts zu verfolgen. In Christa Schlumbohms Aufsatz: Rabelais' „Isle Sonate" und das Sinnbild des Vogels im Käfig. Christliche Bildvorstellungen im Dienste antiklerikaler Polemik, in: Natura Loquax. Naturkunde und allegorische Naturdeutung vom Mittelalter bis zur früheren Neuzeit, hrsg. von W. Harms/H. Reinitzer, Frankfurt/Main 1981, S. 205–233, Anm. 12, findet sich der Hinweis: Nicolaus Taurellus bildet Vögel im Käfig, aufgehängt am Fensterbogen mit dem Motto CAPTO REPLET ATRIA CANTU, als Zeichen für Wohlergehen („Emblemata Physico-Ethica, hoc est Naturae Morum moderatricis picta praecepta (. . .)", Nürnberg 1595). Für das Bild des Vogels im Käfig, der nicht hinausfliegen will, (CARCER VOLUNTARIUS / SERVA SED SECURA) siehe M. Praz, Studi sul concettismo, Firenze 1946, S. 154

31 Ein Beispiel dafür ist Armida aus *La Gerusalemme Liberata*, deren Erscheinung die christlichen Krieger zwar bannt, als Stehende ist sie jedoch angreifbarer. Der Blick des Heeres „dringt in die verborgenen Geheimnisse", einmal eingedrungen macht er sich im Gesehenen breit: „Hier nimmt er sich Baum, hier betrachtet er so viele Wunder/ . . . / Danach erzählt er sie der Begierde und beschreibt von ihr/ wodurch die Flammen des Begehrens noch mehr aufflammen." (Ü. d. A.) – Vgl. not. 15

32 Freie Liebe und der Orgasmus als Zentralthema ist dann nur in halbmenschlichen Sphären möglich – neben der Liebesgöttin entsteht das Bild der Satyressa, Projektion und Spiegelung männlicher Geilheit (Riccio, Abb. 7; Raimondi, Kat. V. 43)

33 H. Bredekamp (cit. not. 18), S. 139

Täter muß trennen: das Göttliche vom Naturverbundenem, das Unantastbare von Sexualität. Die Frau soll zum sexuell verfügbaren Naturwesen zurückkehren, dessen der Mann, der nach Kultur strebt, und den es nach Natur verlangt, sich nach dem „Naturgesetz'' bedienen kann, sowie es eben in Abb. 6 geschieht: kein *locus amoenus,* kein Vorhang mehr, sondern nur der mächtige Baumstamm. Die Liebe findet auf dem Sockel statt, auf einem Kissen, der Satyr ist schon kein überraschendes Mischwesen mehr, er wird bald sein Stück Frau/Natur besitzen, in einer Umgebung, die eher spröde als geheimnisvoll wirkt. Die Verfügbarkeit soll ein Attribut des Besitzes werden, der als solcher auch in Innenräume versetzt wird. Dort kann der Satyr, im nächsten Stich als Zimmermann bezeichnet (Kat. V.44), abschätzen, ob sie seinen Ansprüchen genügt: Frau als das andere Naturwesen, das es auszuloten gilt. Keine Angst mehr vor der „vagina dentata'', sondern es wird getestet. Die bestehenden Gegensätze der Hypnerotomachia sind schon längst gebrochen, die Erscheinung bannt nicht, sie gehört nicht in den Bereich irdischer Himmelssphären, sie wurde zur Natur zurückgeführt, auf dem Weg eines Prozesses männlicher Eroberung des Wilden. Er bemißt Höhe der Erregung und Tiefe der Geheimnisse. Dieser Rolle fühlt sich der nun mit Lendenschurz zivilisierte Satyr gewachsen, er wird auf seine glücksspendende Triebhaftigkeit stolz sein. Sie zeigt auf die eigene Laszivität (die Katze), willigt kokett seiner forschenden Überprüfung und ihrer Rolle ein, das angewinkelte linke Bein scheint neckisch zu fordern. Sie hat so viel Willenskraft wie der Vogel im Käfig am Fenster, der, trotz geöffneter Tür, aus Gewohnheit nicht hinausfliegt und in seinem Käfig singt.[30]

Abb. 5 Agostino Carracci, Schlafende Nymphe mit onanierendem Satyr, aus den „lascivie'', Kupferstich

Abb. 6 Agostino Carracci, Satyr und Nymphe beim Geschlechtsakt, aus den „lascivie'', Kupferstich

Der gefesselte Satyr

Vor jenen Frauenbildern, die durch Entzug ihren freien Willen auf das Nehmen verkörperten, war zumindest die Selbstverständlichkeit einer Erfüllung des „assalto'' gebrochen. Auch das *Liegen,* als aktive Ansprache über der ganzen Körperfläche verteilt, erweist sich, der kargen Punktualität eines *Stehenden* gegenübergestellt, als ein Positivum/Aktivum[31] – Horizontale gegen die repressive Aneignung der Vertikale (vgl. Abb. 7). Vor diesen Scheideweg gestellt waren die „Angreifer'' bei Ariost und Tasso, rückblickend eher „Zuschauer'' einer staunenden, leerausgegangenen Begierde und Neugierde.[32] Die Aufforderung Tirsis: „Was wagst Du denn nicht, gegen ihren Willen zu nehmen'', bedeutet nicht als „Extrem konventionsfreier Liebe'' das Modell „eines sinnlichen Aufstandes'' gegen die Hofgesellschaft zur Propagierung von Vitalität[33], sondern den Ausdruck eines Unvermögens. Die Klage des Satyrs (2. Akt, 1. Szene) ist zwar auch eine Erinnerung an die Vitalität und rohe Kraft, vielmehr jedoch ein Epilog auf die eigene Ohnmacht. Sich in der gespürten Kraft der Naturbestimmung verwirklichen zu können und sich als reflektierend Unzeitgemäßer, der scheitert, zu erfahren, dies sind die Antipoden, die die Poetik dieser Satyrfigur in Aminta ausmachen. Wie ein hoffnungsloser Versuch der Selbstüberzeugung wirkt seine Frage: „Welchen Widerstand mit dem Körper oder Armen/ kann ein so sanftes Mädchen leisten/ gegen mich, so kräftig und schnell?'' Dieser Satyr ist

Abb. 7 Andrea Riccio, Satyrpaar, Écouen, Musée National de la Renaissance

Abb. 8 Andrea Riccio, Gefesselter Satyr (Marsyas?), Bologna, Museo Civico Medievale

Abb. 9 Roland in Vicino Orsinis „Sacro Bosco" zu Bomarzo

eher eine Warnung für Aminta, und er ist auch derjenige, der ihn vertreibt. Auch Tirsi will ihn schließlich mit einem Schoß voller Steine verjagen. Er verkörpert das Monopol auf Naturkraft, aber auch den Übertrag der Mythologie auf den Menschen, d. h. auf Aminta, der für die Kultur steht.

Und wo bleibt die berühmte, freie, lustvolle, spielerische Satyrkraft, der Projektionswunsch von Natursehnsüchten verkünstelter Hofgesellschaften? Sie wird bald im Auftrag der Instrumentalisierung von Natur durch Kultur gebändigt, so wie sie gebändigt ist in den kleinen Bronzefiguren des *gefesselten Satyrs* (Abb. 8). Wenn Ariost und Tasso Naturbestreben zur Auslebung der Triebe samt ihrer Schattenseite vorführen, wenn Naturkraft sich schließlich eher des Mannes bedient, dann hat der sensible Vicino Orsini mit seiner befremdenden Überwältigungsszene (Abb. 9) diesen Zwiespalt und die Gebrochenheit des lüsternen Satyrs, der er auch gerne sein möchte[34], auf beunruhigende Weise dargestellt. Hier geht es nicht mehr um ein Spiel oder um eine Überwältigung zwischen Paaren. Das Kraftprotzen, die „Potenzlust", wovon er immer wieder in seinen Briefen berichtet, findet den Ausweg eines einmaligen Ausdrucks von Brutalität: Und beide finden ihre Essenz allein in der künstlerischen Formulierung. Dann wäre Vicino Orsini hiermit die künstlerische Umsetzung seiner selbst als eines gebrochenen Satyrs gelungen; er hätte das Ziel seiner Geilheit auseinandergerissen mit der Kraft eines Rolands, der zehn Mann auf einen Schlag umbringt und den die Liebe zum Wahn führt.[35]

34 Brief von Mitte April 1574, Bredekamp (cit. not. 18), Anhang I, S. 29f, Z. 1–27

35 Daß hier nicht ein Waldbruder, sondern eine Amazonin gemeint ist, beweist Bredekamp (cit. not. 18), S. 135–140. Für die Beziehungen zu Marcantonio Raimondi und den „Sonetti lussuriosi" von Aretino siehe G. Werner (cit. not. 24), S. 83–85

Elisabeth Scheicher

Höfische Feste

Das höfische Fest der Spätrenaissance gewann im Laufe der letzten Jahrzehnte immer mehr an Bedeutung[1], wobei für ein solches Interesse nicht nur die jetzt allgemein ablesbare Akzentuierung kulturgeschichtlicher Zusammenhänge maßgeblich ist, sondern vielmehr die Erkenntnis, daß hier alle Kräfte der Bildenden und Darstellenden Kunst, der Dichtung und der Musik in Höchstleistungen präsent waren und daher eine Darstellung der Epoche kaum auf das Phänomen Fest wird verzichten können.

Die Triumphbögen, Bilder, Skulpturen, Dekorationen, Requisiten und Kostüme sind, mit geringen Ausnahmen, verloren, die von ihnen bewirkte Veränderung der Realität, die unter dem Prätext des Außergewöhnlichen und Unwiederholbaren formulierten Ideen und Bilder hinterließen aber vielfältige Spuren, u. a. auch in jenen Werken, die auf dem Weg einer mehr oder weniger zufälligen Selektion auf uns gekommen sind.

So wie jedes Kunstwerk in seinem historischen Kontext eine bestimmte Funktion zu erfüllen hatte, war auch das Gesamtkunstwerk Fest niemals selbstzweckhaft, sondern stets und in erster Linie ein Vermittler politischer Aussagen im Namen eines Fürstenhauses oder aber, wie im Fall der feierlichen Einzüge, einer machtvollen Stadt und ihrer Bürgerschaft. Transportiert wurden die Botschaften einer vielschichtigen Propaganda auf dem Weg komplexer inhaltlicher Programme meist im Gewand der Allegorie, welche, aus den Quellen der Vergangenheit im weitesten Sinn schöpfend, im Laufe des 16. Jahrhunderts immer mehr an die humanistische Bildung der Zuschauer appellieren sollte. Umgekehrt aber wurde der intellektuelle Gehalt eines Programmes, die Kenntnis der antiken Autoren und daraus resultierend die „leichte Hand" im Umgang mit Mythologie und Geschichte zum Gradmesser für das Gelingen eines Festes und damit auch für das Ansehen seiner Veranstalter.

Ein Fest, das meist vor den Augen einer ganzen Stadt abrollte und zu dem tausende Gäste von weither angereist kamen, war zu keiner Zeit nur ein elitäres Vergnügen, sondern immer auch mit Spektakel, Akrobaten und karnevalistischen Späßen verbunden. Der Anteil des Volkstümlichen am höfischen Fest differiert von Land zu Land, manchmal auch von Stadt zu Stadt. Es ist wichtig festzuhalten, daß, wie das Beispiel von Florenz zeigt, das eine – ein humanistisch gebildetes Programm – das andere – volkstümliche Späße – nicht verdrängt oder gar ausschließt, sondern im Gegenteil bereichert und wechselseitig beeinflußt.

Eine Geschichte des europäischen Festes im 16. Jahrhundert, seiner territorialen und dynastischen Eigenheiten, wurde bis heute noch nicht geschrieben. Einem solchen Unternehmen war sicher der Umstand hinderlich, daß die Realien nicht erhalten sind und die meist im Auftrag des Gastgebers post festum erschienenen Beschreibungen nicht für jedes Land und mit der gleichen Aufmerksamkeit wissenschaftlich bearbeitet worden sind. In auffälliger Weise vernachlässigt sind dabei

1 Les Fêtes de la Rénaissance (Ed. CNRS par Jean Jacquot), 3 Bde., Paris 1955, 1960, 1975 – Eine kritische Abhandlung der Literatur zum Thema bei: A. M. Lecoq, „La Città festeggiante"– Les Fêtes publiques au XVe et XVIe siècle, in: Revue de l'Art 31/1976, S. 83ff

die Feste der habsburgischen Erblande[2] im Unterschied zu denen Englands, Frankreichs oder Italiens, die zwar nicht lückenlos, so aber doch gut publiziert und kommentiert sind.

Der Beginn dieser Darstellung wird aus mehreren Gründen in das 4. Jahrzehnt des 16. Jahrhunderts verlegt, als Karl V., in Bologna eben zum Kaiser gekrönt, in Erfüllung seines Amtes unermüdlich und bis zur physischen Erschöpfung die weit auseinander liegenden Territorien seines riesigen Reiches besuchte und dabei allein neunmal nach Deutschland und sechsmal nach Spanien zog, viermal Frankreich durchquerte und siebenmal in Italien war. Den auf seiner Reiseroute liegenden Höfen und Städten war der Besuch des Kaisers ein Anlaß für aufwendige Festlichkeiten, wie sie Europa bisher noch nicht erlebt hatte. Für die Städte lag der Akzent auf dem feierlichen Einzug, der „Joyeuse Entrée'', bei der die Selbstdarstellung des Gemeinwesens in Form von Festzugsarchitekturen, Tapisserien, gemalten oder lebenden Bildern mit Rezitationen und nicht zuletzt durch Abordnungen der Bürgerschaft selbst der Repräsentation des meist mit einem Gefolge von mehreren hundert Personen einziehenden Fürsten einander gegenübertrat.

Der finanzielle Aufwand war für die Städte groß, doch bereits im späten Mittelalter wurde für solche Investitionen eine Art Umwegrentabilität in Betracht gezogen: Der durch einen gelungenen Empfang gut gestimmte Fürst sollte sich nicht nur mit Privilegien bedanken, es wurde auch erwartet, daß der Absatz spezifischer lokaler Erzeugnisse durch die Mundpropaganda der fremden Gäste einen länger dauernden Aufschwung verzeichnen konnte. Nicht zuletzt aus solchen scheinbar trivialen Gründen waren die Städte bemüht, ihre Einzüge durch die Beschäftigung hervorragender Künstler, Architekten, Maler, Bildhauer, aber auch gelehrter Programmerfinder, Dichter und Musiker und zum guten Ende auch Chronisten, stets auf dem Stande der Zeit zu halten, um so den weltläufigen und gebildeten Gast zufriedenzustellen.

Die dabei eingeschlagenen Wege, vor allem die lokalen Unterschiede, bedingt durch die Intensität der Auseinandersetzung mit dem antiken Erbe auf der Basis eigener Traditionen, sollen im folgenden am Beispiel der drei Schauplätze Bologna, München und Paris gezeigt werden.

Unter den vielfältigen, anläßlich der Krönung Karls V. stattfindenden Festlichkeiten war der Einzug des Kaisers in der zum Kirchenstaat gehörigen Stadt Bologna im Jahre 1529 das mit höchstem Einsatz an Mitteln und künstlerischem Aufwand gestaltete Ereignis.[3] Das Grundkonzept des Einzugs beruhte auf der Apotheose durch Allusion, d. h. einer Erhöhung des Fürsten durch die Herstellung sichtbarer Bezüge und Anspielungen auf berühmte historische Persönlichkeiten, eine Konstellation, die, wenn auch in anderen Formen, von Kaiser Maximilian I., dem Großvater Karls V., bereits mehrfach abgehandelt worden war. So stellten an der Porta San Felice in Bologna Medaillons mit den Porträts Caesars, Vespasians, Trajans und des Scipio Africanus den Bezug zu großen Feldherrn und Amtsvorgängern als Römische Kaiser dar. Die folgenden Bogen, nach den Regeln der Antike in dorischem Stil, trugen Darstellungen der Gloria und der Victoria, diesmal in Verbindung mit den großen christlichen Amtsvorgängern Konstantin und Karl d. Großen, während

2 Eine Ausnahme ist K. Vocelka, Habsburgische Hochzeiten 1550–1600, Wien 1976, wo Feste zum Anlaß „Hochzeit'' zusammenfassend überblickt werden.

3 J. Jacquot, Panoramas des Fêtes et Ceremonies du Règne, in: Les Fêtes de la Rènaissance (cit. not. 1), Bd. 2, S. 418ff – Bonner Mitchell, Italian Civic Pageantry in the High Renaissance. A description Bibliography of Triumphal Entries and selected other Festivals for State Occasions, Bibliotheca di Bibliografia Italiana LXXIX, Firenze 1979, S. 19ff

Porträts Kaiser Sigismunds, unter dessen Regierung Johannes Hus verurteilt worden war, und Ferdinands von Aragon, der die Araber aus Andalusien vertrieben hatte, den Sieg des Christentums über die Häresie versinnbildlichten. Gleichfalls an der Porta San Felice illustrierten Gemälde mit der Darstellung von Triumphen antiker Götter über die Elemente die Herrschaft des Kaisers über den Kosmos.

An der Ausführung der Festzugsarchitektur waren zahlreiche Künstler aus Rom und Florenz beteiligt. Einer von ihnen war der damals 19jährige Giorgio Vasari[4], dessen Entwürfe für die Hochzeit des Francesco Medici 1565 zu den einprägsamsten Zeugnissen der Festzugskunst zählen. Aus den Künstlerviten Vasaris, der einer solchen Mitarbeit eines Malers oder Bildhauers große Bedeutung beimaß, geht hervor, daß in Italien einzelne Künstler, wie z. B. Baccio de Montelupo, quasi als Spezialisten für allegorische Figuren, von Stadt zu Stadt wanderten und daher der noch im Mittelalter gepflegte genuine Lokalcharakter durch eine Angleichung der Dekoration verloren ging.

Kaiser Karl V. und seine Begleitung zogen in Bologna wie auch in den anderen Städten, gerüstet in Prunkharnische (vgl. Kat. II. 23), die Soldaten mit Lorbeerzweigen in den Händen, ein. Das augenscheinliche Vorbild waren die Triumphzüge der antiken Imperatoren, die, vor allem in Italien, über eine das ganze Mittelalter hindurch nicht abreißende Tradition verfügten.

Neben einem solchen durch den Hinweis auf große Vorbilder eindeutig artikulierten Vergangenheitsbezug bestanden auch in Italien seit dem 15. Jahrhundert andere Formen der Festzugskonzeption, wobei vor allem unter dem Einfluß von Francesco Petrarca „Trionfi", Wagenzüge mit allegorischen und mythologischen Figuren, Rang und Anspruch des einziehenden Fürsten sichtbar vor Augen führten. Welche Rolle bei der Planung solcher Triumphzüge berühmte Werke der bildenden Kunst, wie z. B. Andrea Mantegnas „Triumph Caesars" oder die von Kaiser Maximilian in Auftrag gegebene Holzschnittfolge seines Triumphzuges, spielten, läßt sich heute kaum mehr rekonstruieren – Wechselbeziehungen sind aber wohl nicht auszuschließen.

Wenige Monate nach der Krönung in Bologna besuchte Karl V. im Juni 1530, auf dem Weg zum Reichstag in Augsburg, in Begleitung eines großen Gefolges München.[5] Die Stadt bereitete dem Kaiser einen Empfang, der weniger durch sein humanistisch gelehrtes Programm, als durch die Farbigkeit der Darbietungen charakterisiert ist. Neben verschiedenen Szenen, in denen Handwerker ihre Fertigkeiten zeigten, waren lebende Bilder errichtet, an deren Drastik der Kaiser und insbesondere der gebildete päpstliche Legat Campeggi, sichtlich Anstoß genommen haben. So war aus der im 15. Jahrhundert so beliebten Serie der „Heldenhaften Frauen" die Geschichte der Esther sowie der Tomiris, mit dem bluttriefenden Haupt des Cyrus, entnommen, während die Tugend der Gerechtigkeit des Herrschers an einem Richter vorgeführt wurde, der von einem Stuhl – überzogen mit der Haut seines vorher gemarterten ungerechten Vorgängers – aus Recht sprach.

Daß auch in München die Unsicherheit im Umgang mit allegorischen Themen bald überwunden war, beweist die Hochzeit Herzog Wilhelms V. mit Prinzessin Renata v. Lothringen im Jahr 1568, die vor allem

4 A. Chastel, Les Entrées de Charles Quint en Italie, in: Les Fêtes de la Rénaissance (cit. not. 1), Bd. 1, S. 198 ff

5 E. Straub, Repraesentatio Maiestatis oder churbayerische Freudenfeste, Miscellanea Bavaria Monacensia 14/1969, S. 147 ff

durch die Musik Orlando di Lassos, die Theateraufführungen wie auch die Programme für Turniere und Mummereien berühmt werden sollte.[6]

Anderen Traditionen als das Volksfest von München oder der Einzug in Bologna waren um diese Zeit die „Joyeuses Entrées" verpflichtet, die die Städte Frankreichs für ihre Fürsten, aber auch für hohe durchreisende Gäste aufboten: 1539/40 durchquerte Karl V., von Spanien kommend, auf dem Weg nach den Niederlanden Frankreich und vollzog am 1. Jänner 1540 seinen Einzug in Paris (Kat. IV. 57), wo bereits seit dem Herbst des Vorjahres Künstler von Rang, darunter Jean Cousin d. Ä. und Girolamo della Robbia, an der Festzugsarchitektur arbeiteten. Das besondere Verhältnis zu Frankreich – 1538 schlossen Karl V. und König Franz I. den allerdings nur kurzlebigen Frieden von Nizza – begründete von vornherein ein über den repräsentativen Anlaß hinausgehendes, politisch aussagekräftiges Programm. Sein Leitmotiv – Concordia und Pax – war auf zwei Bühnen an der Porte Baudoyer und am Carrefour de la Vannerie mittels Wappen, Emblemen und Figurenszenen, überfrachtet mit wechselvollen Bezügen, dargeboten.[7]

Ungeachtet der humanistischen Gelehrtheit der Anspielungen und den nach antikem Regelmaß errichteten Triumphbögen war die mittelalterliche Tradition in Paris noch stärker präsent als anderswo: So stand z. B. der Tempel des Janus in einem gotischen „hortus conclusus" mit dem bekannten Brunnen im Zentrum, und lebende Bilder nahmen auf religiöse Themen Bezug. Bei einem abendlichen Bankett erhielt der Kaiser als Geschenk der Stadt einen Herkules aus Silber (mit den beiden Säulen und seiner Devise „plus oultre").

Ein spätes Echo auf den Aufenthalt Karls V., mehr aber noch auf die Einschätzung seines universalen Kaisertums, spiegelt der Einzug Karls IX. von Frankreich nach seiner Hochzeit mit Erzherzogin Elisabeth im Jahr 1571.[8] Damals wurden für den französischen König, in etwas abgewandelter Form und mit seiner eigenen Devise, die bekannten Doppelsäulen errichtet, und die Stadt Paris überreichte ihm einen vergoldeten Herkules postiert auf dem Säulenpaar Kaiser Karls V.

Das von seinen Zeitgenossen wohl am meisten gerühmte Ereignis dieser Art fand im Schloß von Binche statt, wo Erzherzogin Maria (vgl. Kat. I. 15), Statthalterin der Niederlande, im August 1549 anläßlich des Besuches Karls V., ihres kaiserlichen Bruders, zu einem sich über mehrere Tage erstreckenden Fest einlud, bei dem unter anderem Königin Eleonore von Frankreich und der spätere König Philipp II. anwesend waren.[9] Die verschiedenen Programmpunkte mit Turnieren, zu Fuß und zu Pferd, Banketten, Tanz und Mummerei entsprachen der spätestens seit dem 15. Jahrhundert dokumentierten Konzeption, die sublim verfeinerte künstlerische Gestaltung machte das Fest von Binche aber erst zu dem Ereignis, das von Brantôme sogar noch über die Hoffeste des französischen Königshauses gestellt wurde. Gegenstand des besonderen Lobes war vor allem das „Abenteuer des finsteren Schlosses", ein Turnier, dem eine komplizierte Handlung zugrunde gelegt war: Ein Ritter sollte mit Hilfe eines wundertätigen Schwertes, das es nach mannigfachen Abenteuern erst zu erobern galt, das Schloß von dem bösen Zauberer Norabroch befreien. Die Stationen der Handlung und ihre Requisiten, die von Wasser umgebene Insel, das Horn, das der Ritter erschallen

6 H. Leuchtmann (Hrsg.), Die Münchner Fürstenhochzeit von 1568. Massimo Troiano Dialoge, München–Salzburg 1980

7 J. Jacquot (cit. not. 3), S. 437

8 F. A. Yates, Astraea – The Imperial Theme in the 16th Century, London 1975, S. 121 ff, S. 138

9 Des Allerdurchleuchtigsten grossmechtigen keyser Carols des Fünfften . . . Ankunft gen Bintz, in: C. Ruexner (Hrsg.), Thurnier Buch, Frankfurt 1566

lassen mußte, um von einem Zwerg übergesetzt zu werden, und nicht zuletzt das in einer Säule steckende magische Schwert, sind der mittelalterlichen Literatur entnommen, die besondere Wirkung auf die Zuschauer und die beteiligten Ritter bestand in Binche aber in der theatralischen Umsetzung der bekannten Themen und ihrer Verquickung mit einem Turnier, wobei zum Erfolg sicher auch die Bühneneffekte, wie dunkle Wolken, Blitz und Donner, beigetragen haben.

Nach einem Morgenmahl, bei dem die fürstlichen Gäste von Jungfrauen, die kostbar als „Diana und ihr Gefolge" kostümiert waren, bedient wurden, folgte am letzten Tag ein Roßturnier, bei dem der Kaiser und seine beiden Schwestern von einer Tribüne aus zusahen. Den Abschluß bildete ein „gar köstlich Panckett", für das ein Saal im Schloß, nach dem Vorbild der Feste des burgundischen Hofes, zugerichtet war: An der Wand floß aus künstlichen Brunnen „mit korallenen Zinggen" wohlriechendes Wasser, die Decke war ein gemalter Himmel mit leuchtenden Sternen. Aus einem aufziehenden Gewitter strömte unter Blitz und Donner Regen – ein „gar köstlich wohlschmeckendes Wasser von Coriander und Zucker" – herab, während sich eine Tafel herunter senkte, auf deren Schüsseln verschiedene Speisen aufgetragen waren. Da standen Bäume aus Konfekt und Zucker, von denen aus lebende Vögel in den Saal flogen usw.

Solche Erinnerungen an die burgundischen Feste[10], vor allem an das Fasanenfest in Lille 1453 und die Hochzeit Herzog Karls des Kühnen mit Margaretha von York in Brügge 1468, unterhielten, allerdings in trivialisierter Form, noch bis ins späte 16. Jahrhundert hinein die Gäste habsburgischer Hoffeste. So führte Erzherzog Ferdinand II. bei der Münchner Hochzeit 1568 seinen Zwerg mit sich, der bei passender Gelegenheit einer Pastete entsprang und dabei in das Horn blies.

Als höfisches Fest auf österreichischem Boden nimmt das Wiener Turnier, das der spätere Kaiser Maximilian II. zu Ehren seines Vaters Kaiser Ferdinands I. vom 24. Mai bis 24. Juni 1560 veranstaltete, einen hervorragenden Rang ein.[11] Seine Besonderheit lag in der Vielzahl und der Verschiedenartigkeit der ritterlichen Turniere, wie überhaupt die Hervorhebung des sportlichen Akzentes ein wesentliches Merkmal der Feste der habsburgischen Höfe ist.

Turniere fanden zu Wasser und zu Lande statt, es gab Seeschlachten auf der Donau, an denen mehrere Galeeren beteiligt waren, Fußturniere, Plankenstechen und Freiturniere sowie als Gruppenkampf am Ende ein Scharmützel. Die Ritter erschienen dabei kostümiert, und es wurde unter Zugrundelegung von Handlungsabläufen gekämpft, im Laufe derer auch der Kampfeswille gegen den türkischen Erbfeind lautstark verkündet wurde. Das „Abenteuer des finsteren Schlosses" von Binche war noch nicht vergessen, die Erstürmung der Stadt aus Holz und Leinen an der Donau war aber eher ein Kriegsspiel als ein literarisch differenziertes Handlungsturnier.

Ganz anders waren die Akzente des gleichzeitigen Hoffestes in Frankreich gesetzt: Im August 1563 wurde der damals 13jährige König Karl IX. von Frankreich in Rouen für volljährig erklärt, und bald danach beschloß seine Mutter, Königin Katharina, mit dem ganzen Hof eine Reise[12] durch die Provinzen zu unternehmen, um sich von der kompli-

10 H. Beaune und J. d. Abeaumont, Mémoires d'Olivier de la Marche, Maitre d'Hôtel et Capitaine des Gardes de Charles le Téméraire, publ. puor la Soc. de Histoire de France, Paris 1888, Bd. 3, S. 101 ff und S. 340 ff – Bd. 4, S. 95 ff

11 Francolin Burgunder, Wahrhaffte Beschreibung aller Kurtzweil und Ritterspil ..., Frankfurt 1561

12 V. E. Graham, The Royal Tour of France by Charles IX. and Catherine de Medici, Festivals and Entries, Toronto 1979

zierten politischen Situation angesichts der religiösen Auseinandersetzungen ein Bild zu machen, wohl aber auch, um durch das persönliche Erscheinen des jungen Königs die zerstrittenen Parteien wieder zu einigen. Ein Mittel dieser politischen Strategie waren höfische Feste, die, unter Beteiligung der hervorragendsten Künstler, Dichter, Musiker, Maler und Bildhauer, an den wichtigsten Stationen der Reise gefeiert wurden. Im Unterschied zum Wiener Turnier hat sich hier auch eine Reihe von künstlerischen Zeugnissen erhalten, mit deren Hilfe es möglich ist, einen Eindruck von den differenzierten und aufwendigen Spektakeln zu gewinnen. Das Fest von Fontainebleau am Höhepunkt des Karnevals im Februar 1564 an drei hintereinanderfolgenden Tagen zelebriert, stand am Anfang der Reihe. Ungeachtet des Umstandes, daß allein die Hofgesellschaft, zu der dann noch die Gesandten und deren Gefolge kamen, 2000 Personen umfaßte, war hier der Charakter intimer als in Wien oder in Florenz. Sicher von Bedeutung war dabei, daß die Turniere zugunsten einer literarisch vielfältigen Rahmenhandlung, vorgetragen in Versen – meist von Ronsard –, zurückgedrängt wurden. Ein Höhepunkt des Festes fand am Rosenmontag statt, als das große Wasserparkett im Park in die Handlung eines Turniers einbezogen wurde. Auf einer Insel war eine Burg aufgebaut, in der zwei Jungfrauen von einem Tyrannen gefangen gehalten wurden. Die Aufgabe der Ritter war es, über eine Brücke die Burg zu erstürmen und die Unschuldigen zu befreien. Bevor aber das eigentliche Turnier begonnen hatte, ergötzte sich die Hofgesellschaft an einem neuartigen Spektakel auf dem Wasser, bei dem Jünglinge, verkleidet als Sirenen, Gesänge zur Leier nach Versen Ronsards zu Ehren des Königs vortrugen und Gott Neptun auf einem von Seepferden gezogenen Wagen einher fuhr. Diese sehr differenzierte, mehr auf dem Wege des gesprochenen oder gesungenen Wortes vorgetragene Form fürstlicher Selbstdarstellung sollte auch bei den folgenden Festen des Hauses Valois dominieren. Das Thema des Spiels auf dem Wasser wurde schon ein knappes Jahr später bei dem Fest von Bayonne aufgenommen, das, politisch von großer Bedeutung, anläßlich eines Treffens des französischen Hofes mit der spanischen Königin Elisabeth, vor allem aber mit dem Herzog von Alba, abgehalten wurde. Auf einer Insel fand in einem achteckigen Saal ein Bankett statt, Schäfer führten am Ufer Tänze auf, und die Gäste konnten sich an den Darbietungen von Maskierten in Booten erfreuen. Auch dort stand die Erstürmung eines verzauberten Schlosses im Mittelpunkt eines Handlungsturniers, bei einem Fußturnier waren die Ritter als Briten und Iren kostümiert, zu einer anderen Maskerade wieder erschienen sie als Trojaner, Amazonen, Mohren oder Schotten. Wie auch in Fontainebleau traten Katholiken und Protestanten gemeinsam auf – anders als bei der der unseligen Bartholomäusnacht vorangehenden Hochzeit von Heinrich IV. und Margarethe von Valois 1572, wo den Protestanten ausgerechnet die Rolle der Türken zugeteilt war, fehlt hier noch jede religionsspezifische Kostümierung.

Ein Hoffest in Fontainebleau ist auf einer Antoine Caron zugeschriebenen Zeichnung aus den National Galleries of Scotland festgehalten (Kat. IV. 51), die, zu einer Serie von fünf anderen Blättern gehörig, in den frühen siebziger Jahren des 16. Jahrhunderts entstanden ist. Gleichsam als eine Reinterpretation der Geschehnisse aus der Erinnerung, dienten diese Zeichnungen als Vorlagen für eine Tapisserienfolge (Florenz, Uffizien), die, 1582/83 ausgeführt[13], der Einzigartigkeit der Hoffeste des Hauses Valois ein Denkmal setzen sollte. Als Ausdruck einer Personalisierung der Geschehnisse und im Sinne der politischen Zielsetzung dieser Dokumentation wurden im Vordergrund die Figuren damals noch lebender Persönlichkeiten aus dem französischen Königshaus von der Hand des Niederländers Lucas de Heere hinzugefügt. Im Fall von Fontainebleau ist es König Henry III., zum Zeitpunkt des Festes noch Herzog von Anjou, und seine Gemahlin Louise v. Vaudemont, beide nach Porträtaufnahmen, die auch als Vorlage der Wiener Bildnisse (vgl. Kat. II. 7) dienten.[14]

Während man bei den höfischen Festen der sechziger Jahre in Frankreich meist noch auf den bewegten Wagenzug als Vermittler eines mythologisch-allegorischen Figurenprogrammes verzichtete, wurde in Florenz gleichsam das absolute Meisterwerk dieser Sparte realisiert; Anlaß dafür war die im Winter 1565/66 abgehaltene Hochzeit Großherzog Francescos mit Erzherzogin Johanna, einer Tochter Kaiser Ferdinands I.[15] Die damit in Zusammenhang stehenden Feierlichkeiten erstreckten sich gleich über mehrere Monate, vom 16. Dezember, dem Tag des Einzugs der Braut, bis zum 26. Februar des folgenden Jahres, als zum Abschluß des Karnevals auf der Piazza Santa Croce eine Bufolata, d. i. eine Art Gruppenspiel in verschiedenen Masken zu Pferd und zu Fuß, stattfand. Dazwischen lag die Trauungszeremonie selbst am 18. Dezember, die Aufführung der Komödie „La Cofanaria" von Francesco d'Ambra am Christtag, der allegorische Umzug unter dem Titel „Triumph der Träume" am 2. Februar, die Erstürmung einer Burg mit 300 Rittern auf der Piazza Santa Maria Novella am 17. Februar sowie, als besonderer Glanzpunkt, die „Genealogia degli Dei", ein Festzug, am 21. Februar. Die Fiktion dieses auf 21 Wagen mit mehreren hundert Mitwirkenden sich entfaltenden Riesenspektakels war die Anwesenheit der Götter des Olymp bei der Hochzeit der Medici in Florenz (Abb. 1 und 2). Das Programm für den Festzug stammte von Vincenzo Borghini, die Entwürfe der Wagen und Kostüme für die Genealogia und die Bufolata von verschiedenen Künstlern unter der Oberaufsicht Giorgio Vasaris.

Das Programm des Festzuges ging von Boccaccios „Genealogia deorum" aus, stellte dieses Grundkonzept aber in ein komplexes Netz von wechselvollen Beziehungen, als deren sichtbare Verkörperung zahlreiche Figuren aus antiken und zeitgenössischen Quellen aufgeboten waren. Borghini bediente sich auch der Vorlage älterer Festzüge[16], und wie fast immer bei den Florentiner Festen, spielte das Vorbild des volkstümlichen Karnevals herein. Politischer Anspruch und fürstliche Repräsentation waren auch hier wesentliche Faktoren, sie äußerten sich aber nicht in plakativ vordergründigen Überhöhungen lebender Fürsten oder deren Herkunft, sondern einzig und allein durch das in dem Programm artikulierte Privileg der Bildung. Der Rang des Hauses Medici innerhalb der europäischen Dynastien wurde so anhand einer Fülle von Wissen von der Antike bis zur Gegenwart dargeboten, die anwesenden Mitglieder der Familie gleichsam als Herrscher in einem Reich humanistischer Gelehrsamkeit gesehen.

Diese in Florenz definierte Form der Umsetzung politischer Reprä-

Abb. 1 Giorgio Vasari, Skizze für das Kostüm einer Muse, 1566, Florenz, Biblioteca Nazionale

Abb. 2 Giorgio Vasari, Skizze für den Wagen des Bacchus, 1566, Florenz, Biblioteca Nazionale

13 F. A. Yates, The Valois Tapestries, London 1959

14 Kat. Portraitgalerie zur Geschichte Österreichs von 1400–1800, Wien 1976, Nr. 159, 195

15 A. M. Nagler, Theatre Festivals of the Medici 1539–1637, New Haven – London 1964, S. 13 ff – Ausst.-Kat. Firenze e la Toscana nell'Europa del Cinquecento. Il Potere e lo Spazio La Scena del Principe, Florenz 1980, S. 307 ff

16 R. A. Scorza, Vincenzo Borghini and Invenzione. The Florentine Apparato of 1565, in: Journal of the Warburg and Courtauld Institute 44/1981, S. 57 ff

sentation und fürstlicher Selbstdarstellung konnte in der weiteren Geschichte des europäischen Festwesens nicht ohne Wirkung bleiben, wobei insbesondere die großen Feste der habsburgischen Höfe nicht ohne dieses Vorbild denkbar wären.

Das bedeutendste Ereignis seiner Art in Wien bildete in der zweiten Hälfte des Jahrhunderts die Hochzeit Erzherzog Karls von Innerösterreich mit Herzogin Maria von Bayern im August 1571 (Kat. V. 14).[17] Veranstalter war der Bruder des Bräutigams und gleichzeitig ein Bruder der Florentiner Braut, Kaiser Maximilian II., und als Gäste erschienen neben den bayerischen Verwandten Gesandtschaften aus Spanien, Deutschland und Italien. Als Chronist des sich über 14 Tage erstreckenden Ereignisses fungierte der Pritschenmeister Heinrich Wirrich, ein Stegreifdichter, Festordner und Spaßmacher, der in dieser Funktion schon bei der Münchner Hochzeit Herzog Wilhelms V. mit Herzogin Renata von Lothringen tätig gewesen war. Nach dem feierlichen Einzug der Braut am 22. August und der Trauungszeremonie, die der Erzbischof von Salzburg, Johann Jakob von Kuen-Belasy, in der Augustinerkirche zelebriert hatte, war im oberen Saal der Burg die kaiserliche Tafel gedeckt, wozu dann noch 15 „herrentafeln'' im Garten am Tummelplatz und 20 „frawenzimmertafeln'' in einem mit Tapisserien geschmückten „langen Saal'' kamen.

Das vor allem wegen der dafür erhaltenen Entwürfe bedeutendste Spektakel der Wiener Hochzeit war der Aufzug zum Ringelrennen am 28. August, für den der Hofmaler Kaiser Maximilians II., Giuseppe Arcimboldo, Programm und Kostüme entwarf. Über die dabei verfolgten Intentionen unterrichtet ein von dem Humanisten Giovanni Fonteo abgefaßtes Lobgedicht, mit dessen Hilfe und basierend auf der Beschreibung Wirrichs der Ablauf des Festes rekonstruiert werden kann.[18] Eine sehr wertvolle Hilfe dabei bildeten die schon von seinem Biographen G. P. Lomazzo hochgelobten Entwürfe Arcimboldos (Idea del Tempio della Pittura, Milano 1590, Kap. 38) in einem Konvolut in Florenz (Gabinetto dei Disegni), worin auch Vorschläge für einen Turnieraufzug im Jahre 1570, anläßlich der Vermählung der Erzherzogin Anna mit König Philipp II. in Prag, enthalten sind.[19] Während das Prager Programm Arcimboldos von den Zeitgenossen noch wegen mancher Mängel kritisiert worden war, stand das Konzept für die Wiener Hochzeit in jeder Hinsicht auf der Höhe seiner Zeit. Zugrunde gelegt ist ein Streit von Juno und Europa, in deren Gefolgschaft die Götter des Olymp, die Erdteile, Tugenden und freien Künste, die Jahreszeiten und Planeten, die Flüsse und die Metalle, als Personifikationen der die Welt beherrschenden Kräfte aufziehen. Den Anfang des Einzugs macht Juno, als Patronin der Hochzeiten – von Pfauen gezogen auf einem Wagen stehend –, begleitet von den Königen der Erdteile Afrika, Asien und Amerika. Ihr folgen Iris auf einer Wolke, Europa auf dem Stier, Diana in Begleitung eines Einhorns usw. Auf die Wagen mit den Jahreszeiten kommt die „Hispanische Rott'', angeführt vom Westwind Zephyr. Das Spanien zugeordnete Metall Gold liegt in den Händen des soeben von dort zurückgekehrten Thronfolgers Rudolf. Die letzte Formation ist, folgend auf den „frantzösischen Hauffen'', die „deutsche Rott'', angeführt von Kaiser Maximilian II. selbst im Kostüm des Winters.

17 Vocelka (cit. not. 2), S. 71 ff

18 ÖNB, Cod. 10206, abgedr. bei Vocelka (cit. not. 2), S. 168 ff – Th. Dacosta Kaufmann, Arcimboldos Imperial Allegories, G. B. Fonteo and the Interpretation of Arcimboldos Painting, in: Ztschrft. f. Kunstgesch. 39/1976, S. 275 ff – ders., L'Ecole de Prague. La Peinture à la Cour de Rudolphe II, Paris 1985, S. 210 ff

19 A. Beyer, Arcimboldo Figurinen. Kostüme und Entwürfe für höfische Feste, Frankfurt 1983

Was bedeutet nun diese scheinbar nicht herausragende Maskierung des Kaisers? Einen wesentlichen Beitrag zur Klärung dieser Frage bietet ein 1569 dem Kaiser gewidmetes Gedicht Fonteos, in dem er eine Deutung der offenkundig schon dem Zeitgenossen schwer verständlichen allegorischen Gemälde Arcimboldos (Kat. I. 3, I. 4) liefert.[20] Fonteo folgend, sind die Bilder kaiserliche Metamorphosen, Allegorien des harmonischen Gleichgewichts, das in dem vom Kaiser beherrschten Universum regiert. Diese Harmonie wurde nicht zuletzt durch die weitblickende Heiratspolitik der Habsburger bewirkt, wodurch Friede und Wohlstand erhalten bleiben konnten. Über eine solche, eher allgemeine Sinngebung hinaus finden sich in den Bildern noch eindeutig formulierte Hinweise auf das Kaiserhaus: So ist auf dem Strohmantel des Winters deutlich ein M für Maximilian ablesbar, darüber findet sich das Feuereisen des Ordens vom Goldenen Vlies. Der Winter war nun nach der römischen Zeitrechnung das „Caput anni"[21], und der im Februar 1558 zum Römischen König gewählte Maximilian im Wechselspiel der Kräfte der Natur daher ein Primus inter pares. In diesem Sinn ist auch die den Eingeweihten sicher verständliche Maskierung des Kaisers zu sehen.

1576 starb Kaiser Maximilian II., sein Sohn und Nachfolger Rudolf II. verlegte seine Residenz nach Prag, und innerhalb des heutigen Österreich wurde Innsbruck als Residenzstadt Erzherzog Ferdinands II. zum zentralen Schauplatz größerer höfischer Feste. Dabei stand der Anlaß oft in keinem Verhältnis zum ideellen und materiellen Aufwand der Inszenierung: So wurde im Februar 1580 die Vermählung der beiden Höflinge Johann v. Kolowrat und Katharina v. Payrsberg, vor allem vom Standpunkt des Konzeptes her, zu einem der bedeutendsten Feste dieser Zeit (Kat. V. 12). Das Programm der Handlungsturniere entwarf der Erzherzog selbst, ein diesbezüglicher Vermerk findet sich auf der Aquarellfolge, in der der Innsbrucker Hofmaler Sigmund Elsässer[22] im Auftrag Ferdinands die Aufzüge, versehen mit schriftlichen Erläuterungen des Konzeptes, festhielt.

Wie die Wiener Hochzeit begannen die Festlichkeiten, zu denen sehr hochrangige Gäste, wie z. B. Ottheinrich v. Braunschweig, erschienen waren, mit einem Ringelrennen in fünf Aufzügen, für dessen Durchführung der Erzherzog 37 Artikel erlassen hatte. Den „Venturiern", die aufgefordert wurden, in „Maschgera" zu erscheinen, wurden dafür zwei „Däncke" in Aussicht gestellt, wovon einer der besten Invention, d. h. dem besten Konzept, galt, der andere der gelungensten Maske. Nach unterschiedlich herkömmlichen Maskengruppen, wie die Wilden Männer als Symbole der feindlichen Mächte – Standardfiguren zumindest seit dem 15. Jahrhundert –, stellte der dritte Aufzug den eigentlichen Höhepunkt dar. Konzeptiv der Wiener Hochzeit von 1571 folgend, handelte es sich hier um ein kosmologisches Programm, in dem u. a. die Jahreszeiten und die Elemente in einem vielfigurigen Wagenzug auftraten, der im Erscheinen des Erzherzogs als Jupiter in einem goldenen Wagen gipfelte. Deutliche Bezüge zu den großen Vorbildern, u. a. in Florenz, zeigte der fünfte Aufzug, als dessen Hauptperson Graf Wilhelm v. Zimmern, ein hervorragender Sammler und Bibliophile, auftrat. Unter dem Prätext des Besuches von Aeneas und seinen Mitstreitern in Innsbruck wurden hier ein großes Schiff auf Rädern mit feuerspeienden

20 Th. Dacosta Kaufmann (cit. not. 18)

21 F. Klauner, Die Gemäldegalerie des Kunsthistorischen Museums in Wien, Salzburg 1978, S. 245

22 E. Scheicher, Ein Fest am Hofe Erzherzog Ferdinands, in: Jahrbuch der kunsthistorischen Sammlungen in Wien, NF 77/1981, S. 129 ff

Ungeheuern, ein Berg – Synonym der Strophadischen Insel – und als Abschluß eine Barke als Vehikel der Venus aufgeboten. Origineller und mehr dem Bereich der Literatur als der herkömmlichen Tradition der Festprogramme zurechenbar waren die „Klagen'', eine Folge von 13 Zweikämpfen, denen die Fiktion eines Kampfes der Religionen, Völker und Berufsstände zugrundegelegt war. Nach dem Vorbild der Horatier und Curatier, stellvertretend einer für alle, wurden hier Grundsatzfragen diskutiert, über die am Ende die Maestri de Campo ein Urteil sprachen. Angesichts der religiösen und politischen Gegensätze in Europa fiel ihr Spruch ziemlich liberal aus, immer wurde jedem der Kontrahenten recht gegeben.

Eines der letzten großen Feste in Innsbruck war die zweite Hochzeit Erzherzog Ferdinands mit Anna Katharina Gonzaga im Jahre 1582.[23] Auch hier fanden wieder, durch eine Aquarellfolge gut dokumentiert, Turnierumzüge in Masken statt, und ein fingierter Artilleriekampf am Innufer gipfelte in einem Feuerwerk, bei dem allein 2600 Raketen, 600 Pechkugeln und 110 Feuerkugeln verschossen wurden. Die zweite Ehe Erzherzog Ferdinands blieb ohne die erhofften männlichen Nachkommen, dessen ungeachtet wurden auch die Geburten der Töchter, ihrem fürstlichen Rang entsprechend, mit großem Aufwand begangen: Zur Taufe seiner zweiten Tochter Maria am 17. Juni 1584 verfaßte der Erzherzog selbst ein Theaterstück unter dem Titel „Speculum Vitae Humanae, Auff Teutsch ein Spiegel des Menschlichen Lebens genandt'', das zu den frühesten Belegen deutschsprachiger Komödie zählen sollte. Die damit deutliche Akzentverschiebung vom allegorischen Aufzug, unter Beteiligung des gesamten Hofes, zum Schauspielertheater als Schwerpunkt ist durchaus nicht singulär. So richtete Vasari in Florenz schon nach 1565 im Salone dei Cinquecento ein Theater ein, Buontalenti erbaute in den achtziger Jahren ein zweites in den Uffizien, ein drittes Theater fand sich in der Dogana.[24]

Auch die Unterhaltungen bei den Banketten etc. wurden zunehmend von Bühneneffekten stimuliert: So war bei der Vermählung der Maria Medici mit König Heinrich IV., 1600 in Florenz, unter Regie des Theateringenieurs Buontalenti die Tafel mit beweglichen Spiegeln dekoriert, die den Gästen die überraschendsten Ausblicke vergönnten, und am Ende erschienen auf einem Regenbogen vom Himmel zwei Wagen, in denen Sänger Lobgedichte auf die Königin vortrugen, eine Szene, die später von Rubens in dem Zyklus „Das Leben der Maria Medici'' (Paris, Louvre) aufgenommen wurde.

Auch in den Boboligärten wurde Theater gespielt, und Roßballette, u. a. auf der Piazza Santa Croce, ersetzten mit der Zeit die höfischen Turniere. Am Arno fanden großartige Schauspiele mythologischen Inhalts, wie z. B. ein Zug der Argonauten mit zahlreichen Schiffen und ein Feuerwerk, das die Hofgesellschaft vom Ufer aus betrachtete, statt.[25]

Ein Chronist dieser Florentiner Ereignisse war im zweiten Jahrzehnt des 17. Jahrhunderts der Lothringer Jacques Callot (vgl. Kat. IV. 52, IV. 54); vom Standpunkt einer Geschichte des europäischen Festes aber scheint mit diesen Florentiner Inszenierungen des 17. Jahrhunderts die Grenze der Spätrenaissance längst überschritten. Für das Fest des Barock, dessen Früchte vor allem im Bereich der Musik liegen, werden andere Gesichtspunkte zu gelten haben.

23 Vocelka (cit. not. 2), S. 112 ff

24 L. Zorzi, Il Teatro Mediceo degli Uffizi e il Teatrino detto della Dogana, in: Ausst.-Kat. Firenze e la Toscana 1980 (cit. not. 15)

25 A. M. Nagler (cit. not. 15), S. 128, 133 – Ausst.-Kat. Firenze e la Toscana 1980 (cit. not. 15), S. 399

Wolfgang Drechsler

Die Romantik des Geschmacklosen

Zur Faszination des Objekts

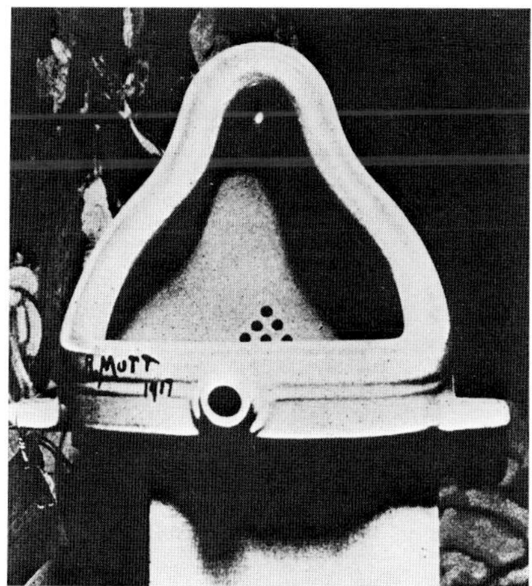

Abb. 1 Marcel Duchamp, Fountain, 1917, Foto von Alfred Stieglitz nach dem verlorenen Original

Neue Phänomene verlangen neue Begriffe. Die kunstgeschichtliche Literatur kennt dafür Beispiele zur Genüge. Die Künstler des 20. Jahrhunderts waren anscheinend besonders erfindungsreich, jedenfalls gibt es für ihr Schaffen fast unzählige Begriffe. Oft haben sie ihr Tun selbst mit einer Etikette versehen, um es so leichter von dem der Kollegen, von dem es gar nicht so verschieden sein mußte, abzuheben. Der Ismus als Trademark ist ein Charakteristikum der Moderne.

Zahlreiche Künstler des 20. Jahrhunderts – quer durch viele Ismen – haben auch Gebilde geschaffen, die mit den herkömmlichen Gattungsbegriffen – Graphik, Malerei, Skulptur – tatsächlich nicht mehr zur Gänze in Einklang gebracht werden konnten. Sie haben sich mit „kunstfremden" Realobjekten auseinandergesetzt. „Dieses zu Zeiten stärker anschwellende, dann wieder geringere Interesse an der außerkünstlerischen Dingwelt mag im Ansatz oder im Resultat von Fall zu Fall verschieden sein. Gemeinsam ist all diesen Beschäftigungen, daß Bestandteile unserer dinglichen Umwelt direkt ins künstlerische Werk einbezogen und nicht nur dargestellt werden wie in der bisherigen Kunst."[1] Dies erkennend, fand es Willy Rotzler gerechtfertigt, von einer selbständigen „Objektkunst" zu sprechen. Ihren Beginn setzte er an im ersten Jahrzehnt unseres Jahrhunderts mit den Collagen der Kubisten und vor allem mit den Ready-mades von Marcel Duchamp.

„Schon 1913 hatte ich die glückliche Idee, das Rad eines Fahrrades auf einen Küchenschemel zu montieren und es drehend zu beobachten."[2] Mit diesen Worten beschrieb Marcel Duchamp die Geburtsstunde der Ready-mades. Laut dem 1938 von André Breton herausgegebenen „Dictionnaire abrégé du Surréalisme" sind Ready-mades alltägliche Gegenstände, die durch den einfachen Auswahlakt des Künstlers die Würde eines Kunstwerkes erhalten. Beim „Roue de Bicyclette" wurde die Auswahl zweier alltäglicher Gegenstände noch durch deren Kombination ergänzt. Ein Jahr später erwählte Duchamp mit dem „Flaschentrockner" das erste echte Ready-made (Kat. XIV. 6). In der Folge kamen so noch einige weitere alltägliche Gegenstände zu Kunstwürden. So auch eine Pissoirmuschel (Abb. 1), die Duchamp, um 90° gedreht, datiert und signiert mit dem Pseudonym R. Mutt sowie versehen mit dem Titel „Fountain", 1917 zu einer Ausstellung in New York eingesandt hat. Einige weitere Ready-mades sind: „In Advance of the Broken Arm" (1915) – eine Schneeschaufel –, „Travellers Folding Item" (1916) – der schwarze Überzug einer Schreibmaschine der Marke „Underwood" –, „Paris Air" (1919) – ein Glaskolben, angeblich gefüllt mit Pariser Luft – und aus demselben Jahr „L.H.O.O.Q." – eine Reproduktion von Leonardos „Mona Lisa", die Duchamp durch Hinzufügung eines Schnurr- und Kinnbartes „korrigierte" (vgl. Kat. XIV. 18).

Unmittelbar hatte Duchamps „glückliche Idee" wenig Breitenwirkung. Abgesehen von einer Ausstellung 1916, bei der er zwei Ready-

1 Willy Rotzler, Objektkunst, Von Duchamp bis zur Gegenwart, Köln 1975, S. 9

2 Zit. nach: Hans Richter, Dada. Kunst und Antikunst, Köln 1964, 3. Aufl. 1973, S. 93

Abb. 2 Exposition Surréaliste d' Objets, 1936, Paris, Galerie Charles Ratton

mades so beim Eingang plazierte, daß niemand davon Notiz nahm – angeblich zur Freude Duchamps[3] –, und dem erwähnten „Urinoir", das allerdings dann nicht in der Ausstellung zur Aufstellung gekommen ist, was wiederum nur durch eine im kleinen Kreis verbreitete Protestschrift bekannt wurde[4], fand die erste Präsentation der Ready-mades erst 1930 in Paris statt.[5] Ab diesem Zeitpunkt war der eine oder andere dieser alltäglichen Gegenstände fast stets Bestandteil von Surrealismus- oder Objektkunst-Ausstellungen, und die Frage nach dem Sinn und der Bedeutung der Ready-mades wurde Gegenstand zahlreicher kunsttheoretischer Untersuchungen.[6] Auch das Schaffen vieler Künstler wurde durch Duchamps Werk maßgeblich bestimmt. Mit ihrer gewollten Offenheit gegenüber jeder Interpretation, die noch durch Duchamps eigene Aussagen unterstützt wurde – „Das Kuriose an den Ready-mades ist, daß ich nie fähig gewesen bin, zu einer Definition oder Erklärung zu gelangen, die mich völlig befriedigt"[7] –, waren diese alltäglichen Dinge idealer Ausgangspunkt für eigene Überlegungen.

Besonders die Surrealisten waren von diesen Arbeiten begeistert, kamen sie doch ihrem eigenen Streben nach dem Geheimnisvollen im Banalen, dem Absurden im Alltäglichen, nach der Poesie von unten und deren Möglichkeiten phantasievoller Interpretation entgegen. Für André Breton war Duchamp „der intelligenteste und (für viele) lästigste Mann der ersten Hälfte des 20. Jahrhunderts".[8] Tatsächlich mußten die Ready-mades, vor allem in ihrer reinen Form, noch als Steigerung von Lautréamonts Satz – „schön wie die zufällige Begegnung einer Nähmaschine und eines Regenschirms auf einem Seziertisch" – erscheinen. Auf diesen aus den „Chants de Maldoror" stammenden Vergleich des von den Surrealisten für ihre Bestrebungen wiederentdeckten französischen Schriftstellers des 19. Jahrhunderts berief sich auch Max Ernst, als er auf der Suche nach der originalen Form eines surrealistischen Gegenstandes die Technik der Collage als „Verbindung zweier unverbindbarer Wirklichkeiten auf einer Ebene, die ihnen offensichtlich nicht entspricht", beschrieb.[9]

Die Vorliebe der Surrealisten für interpretierbare Objekte fand ihren Höhepunkt in der „Exposition Surréaliste d'Objets" (vgl. Abb. 2), die 1936 beziehungsvollerweise in den Räumen des Experten für außereuropäische Kunst, Charles Ratton, stattgefunden hat und deren Exponate und Einteilung Marcel Jean, Mitarbeiter dieser Präsentation, später so beschrieb: „ ‚Natürliche Gegenstände': Achate und Kristalle mit fossilen Höhlungen, mimosenartige Sumpfpflanzen und fleischfressende Pflanzen; ein (ausgestopfter) Ameisenbär, ein riesiges Öpyornis-Ei. ‚Natürliche interpretierte Gegenstände': ‚Affe im Farn' zum Beispiel, wie man ihn bei Blumenhändlern findet. ‚Natürliche einzugliedernde Gegenstände': Muscheln und Kiesel, die Max Ernst in Skulpturen und Gegenstände einsetzte. ‚Verwirrte Gegenstände': schrecklich entstellte Utensilien, wie man sie 1902 in den Ruinen auf St. Pierre-de-la-Martinique nach dem Ausbruch des Mont Pelé gefunden hatte. ‚Objets trouvés': ‚Alles Treibgut in Reichweite unserer Hände muß als Niederschlag unserer Wünsche gelten', sagte Breton im Vorwort des Ausstellungskataloges." Weiters: „ ‚Interpretierte Objets trouvés': Wurzeln, abgeschliffene Kiesel und andere Gebilde wurden so gezeigt und aufgestellt, daß sie einen Sinn

3 Vgl. Calvin Tomkins, The Bride and the Bachelors, New York 1965, S. 40

4 The Richard Mutt Case, in: The Blind Man, Nr. 2, New York, Mai 1917

5 La Peinture au défi, Galerie Goemans, Paris 1930

6 Vgl. Wolfgang Drechsler, Zu den „Ready-mades" von Marcel Duchamp, in: Wiener Jahrbuch für Kunstgeschichte, XXXIV/1981, S. 147–160

7 Zit. nach: Serge Staufer, Marcel Duchamp. Ready-made, 180 Aussprüche aus Interviews mit Marcel Duchamp, Zürich 1973, S. 50

8 André Breton, Dictionnaire abrégé du Surréalisme, Paris 1938. Zit. nach: Marcel Jean, Geschichte des Surrealismus, Paris 1959, Köln 1961, S. 282

9 Zit. nach Jean (cit. not. 8), S. 230

erhielten, eine verborgene Botschaft offenbarten. ‚Amerikanische Gegenstände': Objekte der Eskimos und Hopi, aus Mexiko und Peru, und ‚ozeanische': aus der Meerenge der Torrèsstraße, Neu-Guinea, Neu-Mecklenburg, Neu-Pommern, von den Neuen Hebriden, den Loyality-Inseln. ‚Ready-mades' von Duchamp: der ‚Flaschenständer' und ‚Why not sneeze?'. ‚Mathematische Gegenstände' (die Sensation der Ausstellung): Konstruktionen für den Schulgebrauch, die geometrische Formeln im Raum konkretisieren, wie die ‚Oberfläche mit einer konstanten negativen Krümmung nach Enneper, von einer Pseudo-Kugel abgeleitet' ", usw. An originalen „Surrealistischen Gegenständen" werden unter anderem erwähnt: „von Hans Arp ‚Felleisen des Schiffbrüchigen': nutzlose Holzstückchen wie unentbehrliche Werkzeuge auf einem Brett befestigt; eine Skulptur aus Zeitungspapier: ‚Versehrt und staatenlos'. Kugelgelenke von Bellmer. Gedicht-Gegenstände von Breton (Abb. 3). ‚Aphrodisiakumjacke' von Dali, mit über vierzig gefüllten Pfefferminzglasröhrchen verziert." – „Das Bild von Magritte ‚Das ist ein Stück Käse' stellt wirklich ein Stück Käse dar. Unter den Einsendungen Man Rays waren ‚Der Redner' –, ein riesiger, aus einem schwarzen Brett ausgeschnittener Mund, und ‚Was uns allen fehlt', eine Tonpfeife, aus der eine irisierende Glaskugel aufstieg. Ein Gegenstand von Mirô, der damals die unglaublichsten Dinge fabrizierte, wie den ausgestopften Papagei neben einer Pendeluhr und einer Landkarte auf einem ausgehöhlten Holzblock, in dem ein Puppenbein war." [10]

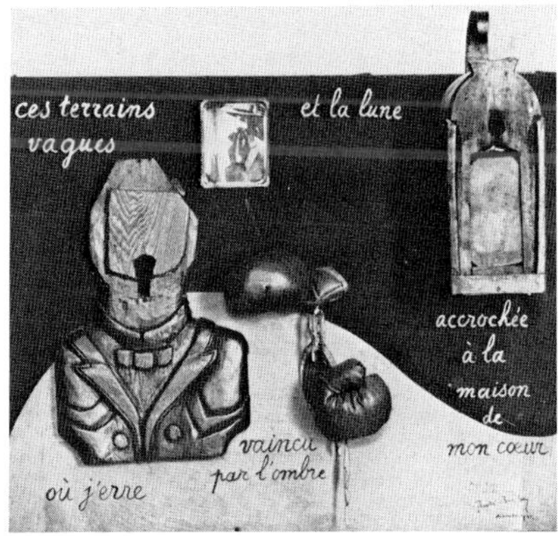

Abb. 3 André Breton, Objet-poème, 1941, New York, Museum of Modern Art

Diese ordnende, kategorisierende Aufzählung mit ihren die interpretatorische Richtung nahelegenden Erläuterungen erinnert an das Inventar einer Kunst- und Wunderkammer. Diese verstärkt ab der zweiten Hälfte des 16. Jahrhunderts bis weit ins 17. Jahrhundert vor allem im deutschsprachigen Raum entstandenen fürstlichen Privatsammlungen waren eine der wesentlichsten Vorstufen unserer heutigen Museen und zugleich deren – vorweggenommene – „Überwindung". Hier wurde alles zusammengetragen, was kostbar oder außergewöhnlich war. So beherbergte die „große Kunstkammer" der Ambraser Sammlung des Erzherzogs Ferdinand von Tirol neben der „Saliera" von Benvenuto Cellini, neben kostbar gefaßten Bechern und von höchster Handwerkskunst und Erfindungsreichtum zeugenden Automaten auch vielerlei Kuriosa: „ein Scheit Holz, das zu Stein geworden war, als es ein ungläubiger Bauersmann am Tag eines Heiligen unter gröblichen Reden spalten wollte, ein Stück von einem Strick, daran sich Judas erhängte". Weiters erwähnt Julius von Schlosser[11], einem alten Inventar von 1596 folgend, einen „Zapfen von den Zedern des Libanon, die zum Bau des Salomonischen Tempels dienten, ein Hirschgeweih, das an einem Judenhaus angebracht, an einem Karfreitag Blut geschwitzt hat, und andere solcher kurioser Profanreliquien mehr, die die Denkweise selbst dieser humanistisch gebildeten, aber doch voll von Wunder- und Aberglauben steckenden Zeit kennzeichnen" (vgl. Kat. VIII. 66).

Die Inventare der Zeitgenossen zeigen aber auch die Versuche, Ordnung in diese Vielfalt zu bringen. So waren die Bestände der Ambraser Kunstkammer auf achtzehn Schränke verteilt. Die Klassifizierung erfolgte in erster Linie auf Grund des Materials, in zweiter nach dem Gesichtspunkt der Technik. Der erste Kasten enthielt „eine große Reihe künstlich

10 Ebenda, S. 247 ff

11 Julius von Schlosser, Kunst- und Wunderkammern der Spätrenaissance. Ein Beitrag zur Geschichte des Sammelwesens, Leipzig 1908. 2., durchgesehene und vermehrte Ausgabe, Braunschweig 1978, S. 45–118

Abb. 4 Benvenuto Cellini, Saliera für Franz I. von Frankreich, 1540–45, Wien, Kunsthistorisches Museum

geschnittener, in Gold gefaßter und emaillierter Kristallgefäße, darunter mehrere als phantastische Tiergestalten, Drachen u. dgl. gebildet, wie man das besonders liebte'', weiters eine Anzahl kostbarer Gefäße aus Halbedelstein sowie ,,das Angebinde, das König Karl IX. von Frankreich Erzherzog Ferdinand verehrte, als ihn dieser bei seiner Vermählung per procuram mit der Kaisertochter Elisabeth 1570 zu Speyer vertrat''. Neben der berühmten Saliera Cellinis (Abb. 4) und kostbaren mit Gold und Edelsteinen geschmückten Kannen und Bechern war Teil dieses Geschenkes ,,auch der Bär als Flintenstütze ,aus lauter Pisam, inwendig ganz golden, mit Diamant, Rubin und Perl verziert'. Er gehört zu jenen Nippes, die, mit wohlriechender Masse überzogen, schon im Mittelalter an den Höfen beliebt waren.''

Im zweiten Kasten waren Gold- und Silberschmiedearbeiten, im dritten die einzigartige Sammlung von sogenannten Handsteinen (vgl. Kat. VIII. 75), besonders schön geformte Erzproben, die, meist sehr reich ausgeschmückt und mit figürlichen Szenen versehen, von den Bergknappen dem Landesvater verehrt wurden. Durch die Kombination von ,,Naturalia'' und ,,Arteficialia'', von Naturprodukt und künstlerischer Ausgestaltung, sind sie besonders bezeichnend für den Charakter der Kunstkammern jener Zeit. Der vierte Kasten enthielt eine Sammlung seltener und wertvoller Musikinstrumente, der fünfte die technischen Geräte: Uhren, astronomische, optische, mathematische Instrumente, aber auch die sehr beliebten Automaten wie das Trompetenwerk mit Musikerfigürchen (vgl. Kat. VIII. 39).

Im sechsten Schrank befanden sich nur Dinge aus Stein, das reichte von kleinen Bildwerken aus Alabaster über Serpentinschalen und Mosaiken bis zu Petrefakten von Tieren und Pflanzen sowie kuriosen, rohen und unverarbeiteten Mineralien. In den weiteren Kästen waren die Eisenwaren – kunstvolle Schlösser, aber auch Werkzeug –, die Arbeiten auf Pergament und Papier – Miniaturhandschriften, die Klebebände der Kupferstichsammlung –, außereuropäische Erzeugnisse wie Mosaiken aus Kolibrifedern, Elfenbeinarbeiten. Den schon erwähnten Kuriosa war ebenfalls ein eigener Kasten gewidmet. Dann folgten die Sammlungen von Geräten und Gefäßen aus Alabaster, von Glassachen, besonders venezianischer Herkunft. Der zwölfte Kasten enthielt Arbeiten aus Korallen, der dreizehnte die nicht unbedeutende Sammlung kleiner Bronzebildwerke, sowohl aus der Antike wie auch zeitgenössische. Dann ging es weiter mit Keramik, mit der Münzsammlung, der auch sonstige Kleinobjekte wie Anhänger, Medaillen, Emailgegenstände und die beliebten mikrotechnischen Spielereien – wie ein geschnitzter Kirschenkern – zugeordnet waren. Auf die Sammlung altertümlicher und seltener Waffen folgte der bezeichnenderweise so genannte ,,Variokasten''. Neben ethnographischen Raritäten waren hier alte Spielkarten und sonstiges Spielzeug untergebracht: ,,Dinge, die ganz mit dem, was man heute als ,Jux' bezeichnen würde, übereinstimmen. Als Vexierspiel, Kästchen mit hervorschnellenden Schlangen (auf dem Deckel als ,ain herrlich schen kunststuckh' bezeichnet), . . . , eine Schachtel mit allerlei Gewürm und Geziefer, die, wenn sie in die Hand genommen wird, durch die Erschütterung Bewegung und phantastisches Leben in jenem etwas gräulichen Inhalt vortäuscht.''

Im letzten Kasten befanden sich die Bildwerke aus Holz, in weiteren Schubladen und Truhen Landkarten, Schriftmusterbücher und vor allem die umfangreiche Porträtsammlung. „Zum Schlusse ist noch die ganz dem Zeitgeschmack entsprechende Ausstaffierung der Kunstkammer durch Naturwunder aller Art zu erwähnen. An den Wänden, von den Decken hingen in bunter Mischung allerhand ausgestopfte Schlangen, Krokodile, Vögel, seltsame Geweihe, ‚Mißgeburten', Knochen vorweltlicher Tiere (im Inventar natürlich als Riesengebein bezeichnet), die Wehr eines Sägehais usw."

„Naturalia" und „Arteficialia" sowie die mannigfachen Verbindungen von Naturprodukten mit von Menschenhand Geschaffenem waren bei der „Exposition Surréaliste d'Objets" genauso anzutreffen wie in der beschriebenen Kunst- und Wunderkammer. Hier wie dort gab es seltsam geformte Mineralien, technische Instrumente, fremdartige (ausgestopfte) Tiere, Alraunen, außereuropäische Exponate und dazwischen – als gleichberechtigte Partner dargeboten – „Kunstwerke" im engeren Sinn. So offensichtlich diese Entsprechung ist, so sehr erstaunt es, daß sich in der sehr umfangreichen Primär- und Sekundärliteratur über den Surrealismus kein einziger Hinweis auf die Kunstkammern als möglicher Anknüpfungspunkt finden läßt. Dies erstaunt umso mehr, als gerade die surrealistischen Künstler ansonst auf viele historische Quellen und mögliche – oft nur gewünschte – Entsprechungen verwiesen haben. In „Minotaure"[12] (Kat. XIV.22) gab es Artikel über Tintoretto, Urs Graf, Uccello, die Präraffaeliten (von Dalí), auch eine Abbildung der „Medusa" von Rubens, ethnographische Untersuchungen; der Text „Les Mystères de la Forêt" von Max Ernst war mit einem Baumalphabet (1835) von J. Midolle illustriert. Doch selbst der Beitrag von Benjamin Péret „Au Paradis des Fantômes" (über Automaten und Roboter) und die Fotos von Brassai (Mineralien, Korallen etc.) und Ubac (Rüstungen) können nicht als Beweis dafür angesehen werden, daß den Surrealisten Existenz, Inhalt und Aufbau einer Kunst- und Wunderkammer bekannt war. Gerade diese Dinge waren schon längst auch an anderen Orten zu entdecken gewesen.

Die Kenntnis der „Raritätenkabinette" ist aber auch nicht auszuschließen. Zumindest Max Ernst hätte während seiner kunsthistorischen Studien auf das erwähnte, einige Jahre zuvor erschienene Buch von Julius von Schlosser stoßen können, auch ein Besuch von Schloß Ambras wäre möglich gewesen. 1921 verbrachten Ernst, Hans Arp und Tristan Tzara ihre Ferien in Tarrenz bei Imst, wo sie auch André Breton – auf seinem Weg nach Wien zu Sigmund Freud – besuchte. Ein Jahr später kam auch Paul Eluard, der sein gemeinsam mit Max Ernst verfaßtes Buch „Les Malheurs des Immortels" sogar in Innsbruck drucken ließ.[13]

Selbst wenn man die augenfällige Analogie auf eine zufällige, den Surrealisten unbewußte Wesensverwandtschaft zurückführen will, muß nach den möglichen Ursachen dafür gefragt werden. Aus Schlossers Schilderung läßt sich nicht nur der Bestand und dessen Ordnung innerhalb der Kunstkammer erschließen, es ergeben sich auch Rückschlüsse auf die Beweggründe, die zur Schaffung einer solchen Sammlung geführt haben. Gemeinsam ist all den auf den ersten Blick so wahllos ver-

12 Von 1933 bis 1939 erschienen von dieser von Alfred Skira in Paris herausgegebenen Zeitschrift insgesamt 13 Nummern.

13 Vgl. Das Fenster, Heft 4/1968, S. 258–261 (kommentarloser Abdruck des Manifests „Dada in Tirol – Dada au grand air") und Heft 5/1969, S. 369–371 (Gertrud Spat, Die Dadaisten in Tirol)

sammelten Objekten von divergierendem Charakter und unterschiedlichster Herkunft ihre Besonderheit. Im Sinne des „homo universalis'' ist das herausragende oder auch nur selten erreichbare Naturprodukt genauso unterhaltsam, hilfreich und lehrsam wie die artifiziellen Schöpfungen von Menschenhand, seien es nun technische Instrumente, raffiniertes Spielzeug, prunkvolles Tafelgeschirr oder – erst in späteren Zeiten herausgehobene – „wahre'' Kunstwerke. Die Kategorie des „Ingeniums'' umfaßt den „Ingenieur'' ebenso wie den Künstler und den Bastler.

Zum Reiz des Seltenen und Seltsamen, zum vom noch vorherrschenden Wunder- und Aberglauben bestimmten Hang zum Abstrusen und Geheimnisvollen und zur Freude an handwerklicher Raffinesse gesellte sich zunehmend ein wissenschaftlich orientiertes Interesse, das sich einerseits in der Aufnahme von technischen Instrumenten, andererseits in der ordnenden Verwahrung und Inventarisierung äußert.

Die Verwissenschaftlichung mit ihrem Drang nach Spezialisierung bedeutete aber auch in den folgenden Jahrhunderten das weitgehende Ende der Kunst- und Wunderkammern. Viele Bestände wurden anderen Spezialsammlungen eingegliedert. Manches Unklassifizierbare verschwand in den Depots, zurück blieb meist – wenn überhaupt – ein auf das Kuriose und Abstruse beschränkter Rest, dem der wissensdurstige Zeitgenosse wenig Interesse entgegenbringen konnte und wollte. Der Freude am Bizarren, der Erbauung an ungewohntem Nebeneinander wurde die Belehrung vorgezogen. (Erst in den letzten Jahrzehnten kam es zu einer teilweisen Rekonstruktion der Kunstkammern, allerdings kaum aus einer wiedererwachten Freude am Wunderbaren, sondern eher erneut aus wissenschaftlichem Interesse, das sich aber nunmehr weniger an den Objekten, als vielmehr am Wunsch nach historischer Wahrheit orientierte.)

Ein wesentliches Bestreben der Surrealisten war es, den falschen Fortschrittsglauben zu beseitigen, die Herrschaft der Logik zu durchbrechen und den platten Rationalismus in Frage zu stellen. Unter Hinweis auf die Arbeiten Sigmund Freuds forderte André Breton im 1924 erschienen „Manifeste du Surréalisme'' eine verstärkte Beachtung des Traums. „Ich glaube an die künftige Auflösung dieser beiden, scheinbar so gegensätzlichen Zustände von Traum und Wirklichkeit in einer Art absoluter, in einer, wenn man so will, Über-Wirklichkeit.'' Etwas weiter heißt es: „Für dieses Mal war es meine Absicht, dem ‚Haß auf das Wunderbare', der bei gewissen Menschen herrscht, und der Lächerlichkeit, der sie es preisgeben wollen, den Prozeß zu machen. Ein für allemal: Das Wunderbare ist immer schön, gleich welches Wunderbare ist schön, es ist sogar nur das Wunderbare schön.'' [14]

Das Wunderbare kann auch im Unscheinbarsten enthalten sein, es muß nur gefunden und interpretiert werden. In jedem beliebigen Ding steckt potentiell ein besonderes Ding. Von dieser Philosophie der Objets trouvés kündete bereits der „Flaschentrockner'' (Kat. XIV. 6) Marcel Duchamps, aber auch Alfred Kubins einige Jahre zuvor formulierte Erkenntnis – „Einer überraschenden Art des Staunens wurde ich fähig. Herausgerissen aus dem Zusammenhang mit den anderen Dingen gewann jeder Gegenstand eine neue Bedeutung'' [15] – wies schon in diese Richtung. Wieviel erstaunlicher mußte es noch sein, den heraus-

14 Zit. nach: Patrick Waldberg, Der Surrealismus, Köln 1965, 3. verbesserte Auflage 1975, S. 94

15 Alfred Kubin, Die andere Seite, geschrieben 1907, Erstveröffentlichung 1909, Neuauflage München 1962, S. 103

gerissenen Gegenstand mit anderen herausgelösten Dingen in Beziehung zu setzen. Den Objektkombinationen – einmal als Prinzip erkannt – waren, wie die zahlreichen Beispiele der Surrealisten gezeigt haben, durch die Phantasie kaum Grenzen gesetzt (vgl. Kat. XIV. 8–21, XIV. 23).

Waren die Kunst- und Wunderkammerstücke durch sich selbst Wunder, unerklärliche oder durch hohe Handwerkskunst bestimmte, so wurden dies die Objets trouvés und Objektkombinationen der Surrealisten erst durch ihre Interpretation. Selbst die Geschichten vom zum Stein gewordenen Holzscheit, vom blutschwitzenden Geweih wurden von ihren Erzählern – ähnlich dem Glauben an die Kraft und Echtheit vieler Reliquien – als wahr befunden. Die Kraft der Imagination, der die Surrealisten mit Vorliebe huldigten, wurde Jahrzehnte später – und mit betonten Verweisen sowohl auf den Reliquienkult wie auch auf die Kunst- und Wunderkammern – von Daniel Spoerri in seinen „Musées sentimentals'' wiederbelebt. So konnte 1979 im „Musée sentimental de Cologne''[16] eine alte Bettwärmpfanne als diejenige ausgewiesen werden, die Casanova bei seinem (nicht belegten) Abenteuer mit Maria Ursula Columba von Groote, geb. zum Pütz, in Köln benutzt haben soll.[17] Die Absicht war nun aber nicht mehr, der Welt neue Wunder vorzuführen, nicht nur den solange unbeachteten Dingen eine neue Dimension zu gewinnen, sondern auch die Ansprüche der katalogisierenden Wissenschaft ironisch zu beleuchten. Mit Spoerri und einigen seiner Mitstreiter aus der Gruppe der „Nouveaux Réalistes'' – etwa Arman, Martial Raysse – erreichte zu Beginn der sechziger Jahre die sogenannte „Objektkunst'' bereits eine neue Phase. Unter Berufung auf das Manifest ihres Theoretikers Pierre Restany – „Die Neuen Realisten betrachten die Welt als Bild, als das große grundlegende Werk, dessen Fragmente von universeller Bedeutung sie sich aneignen''[18] – konnte jeder Gegenstand, sogar der alltäglichste, auch ohne wunderbare Interpretation und ohne kunstvolle, geheimnisvolle Kombination zu Kunstwürden gelangen. Die Ansammlung von Gegenständen aus dem Besitz von Ben Vautier, die Arman zum „Portrait robot de Ben'', zum Steckbrief seines Künstlerfreundes, in einem Kasten vereinigt hat, dienen, so obskur sie im einzelnen sein mögen, vor allem der nüchternen Identifizierung (Kat. XVII. 6). Von Wunderbarem, Außergewöhnlichem ist kaum etwas zu spüren. Weder die Dinge sind sich fremd, noch ist es ihnen der Kasten, in dem sie zusammengeführt worden sind (Kat. XVII. 1, XVII. 8, XVII. 13, XVII. 15).

Die Geschichten, die die Dinge der „Nouveaux Réalistes'' erzählen, sind oft banal, meist jedoch persönlich, kaum jedoch – nicht zuletzt deshalb bezeichnete Restany die Gruppe als Realisten – unglaubwürdig. In seinem Buch „Topographie anécdotée du Hasard'' entwickelt Spoerri anhand von 80 gewöhnlichen Gegenständen, die sich zufällig auf dem Tisch seines Zimmers in Paris angesammelt haben, eine Art Selbstbiographie jener Jahre. „Sherlock Holmes mag ähnlich vorgegangen sein, wenn er anhand eines einzigen Gegenstandes die Umstände eines Verbrechens aufzudecken versuchte, oder jene Archäologen, die noch nach Jahrhunderten in Pompeji – dem berühmtesten Fallenobjekt der Geschichte – eine ganze Epoche rekonstruieren konnten''[19], stellte Spoerri selbst erklärend fest.

16 Le Musée sentimental de Cologne. Entwurf zu einem Lexikon von Reliquien und Relikten aus zwei Jahrtausenden „Köln Incognito'' nach einer Idee von Daniel Spoerri, Kunstverein Köln 1979

17 Auf eine mögliche historische Quelle dieser Ironie – Luthers Pseudo-Reliquien – hat bereits Werner Hofmann hingewiesen (Ausst.-Kat. Luther und die Folgen für die Kunst, Hamburg–München 1983, S. 45f).

18 Pierre Restany, A Quarante Degrées au-dessus de dada. 2. Manifest des „Nouveau Réalisme'', 1961 (wieder abgedruckt in: Restany, Les Nouveaux Réalistes, Paris 1968, S. 41)

19 Daniel Spoerri, Anekdoten zu einer Topographie des Zufalls, Neuwied und Berlin 1968 (deutsche, von Dieter Rot erweiterte Version der von Emmet Williams erweiterten amerikanischen Version, New York 1966, der französischen Originalversion, Paris 1962), S. 5

Abb. 5 Exposition Surréaliste d' Objets, 1936, Paris, Galerie Charles Ratton

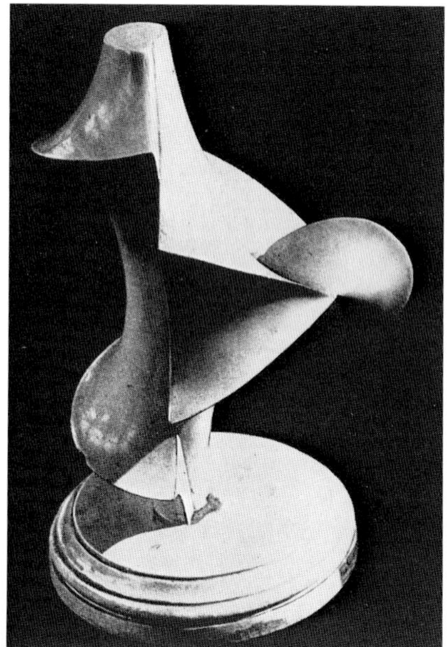

Abb. 6 Geometrisches Modell aus dem Institute Henri Poincaré, fotografiert von Man Ray

Für die Neuen Realisten bleiben die Dinge die Dinge, die sie waren. Sie können aber – so oft bei Spoerri – eine Geschichte bekommen, eine tatsächliche oder auch nur mögliche. Sie können auch wörtlich genommen werden – „Verballhornen'': ein Kuhhorn montiert auf einen Metallball (Kat. XV. 22). Diese trotz aller Phantasie vorherrschende Nüchternheit ist ein wesentlicher Unterschied zu den Objekten der Dadaisten und Surrealisten, die, wie schon Bertolt Brecht erkannte, „Verfremdungseffekte extremster Art (benutzten). Ihre Gegenstände kehren aus der Verfremdung nicht wieder zurück.''[20] Und selbst der permanente Skeptiker, Verweigerer, Verschweiger und Verschleierer Marcel Duchamp bekannte einmal: „Stets spielt Magie hinein, die Verfremdung des Gegenstandes erzeugt immer einen rätselhaften Zauber.''[21] Auch darauf könnte Restanys Satz aus dem erwähnten Manifest des Nouveau Réalisme bezogen werden: „Mit der neuen Betrachtungsweise der Welt bekommen viele Dinge einen neuen Sinn, angefangen von den Ready-mades eines Marcel Duchamp.''[22]

Duchamp zog sich Ende 1912 von der Malerei zurück und arbeitete bis Mai 1914 als Bibliotheksgehilfe an der Bibliothèque Sainte-Geneviève in Paris. Seine späteren Äußerungen legen nahe, daß er sich damals vor allem mit dem Studium von mathematischen Büchern, Traktaten über die Perspektive und naturwissenschaftlichen Untersuchungen beschäftigt hat.[23] Herbert Molderings verweist besonders auf die Schriften des französischen Mathematikers und Physikers Henri Poincaré, dessen „grundsätzlicher Zweifel an der Möglichkeit objektiver, wissenschaftlicher Erkenntnis'' „zum Mittelpunkt der neuen Kunst Duchamps'' wurde.[24] Poincarés These war: „Alles, was nicht Gedanke ist, ist das reine Nichts.''[25] Nicht die Dinge selbst seien wahr und begreifbar, sondern nur unsere Vorstellung von diesen Dingen. Die Dinge wären somit durch Gedanken zu verändern. Darauf könnte sich Duchamp auch bei seiner Verteidigung der Pissoirmuschel, dem „Fountain'' (Abb. 1), bezogen haben: „Ob Mr. Mutt den Springbrunnen mit eigenen Händen gemacht hat oder nicht, ist nicht von Bedeutung. Er wählte ihn aus. Er nahm also einen gewöhnlichen Gebrauchsartikel, stellte ihn so, daß seine nützliche Erscheinung unter einem neuen Titel oder Gesichtspunkt verschwand – er schuf einen neuen Gedanken für diesen Gegenstand.''[26]

Ob diese mögliche direkte Beziehung den Gestaltern der „Exposition Surréaliste d'Objets'', als sie zwei Ready-mades mitten unter den „mathematischen Gegenständen'' (Abb. 5) präsentierten, bekannt war, ist mehr als unsicher. Wahrscheinlicher ist, daß ihnen die geometrischen Konstruktionen, die – laut Marcel Jean – von Max Ernst im Institute Henri Poincaré entdeckt und von Man Ray, der auch Aufnahmen davon für die Zeitschrift „Cahiers d'Art'' angefertigt hat (Abb. 6), für die Ausstellung ausgewählt worden sind, genauso seltsam und wunderbar erschienen sind wie die auch nach Jahren noch geheimnisvollen Gebilde Duchamps. Die weiteren Nachbarn in der Vitrine – außereuropäische Erzeugnisse, Naturalien, verformte Fundstücke, aber auch original surrealistische Objekte wie die „Le Déjeuner en Fourrure'' (Abb. 7) betitelte, pelzüberzogene Teetasse von Meret Oppenheim – würden dies unterstreichen.

20 Bertolt Brecht, Schriften zum Theater, Gesammelte Werke Bd. 15, Frankfurt am Main 1967, S. 364

21 Zit. bei H. Th. Fleming, Immer spielt Magie hinein. Interview mit Marcel Duchamp, in: Die Welt, 18. 10. 1965, S. 7

22 Restany (cit. not. 18)

23 Über die möglichen Bücher vgl. Jean Clair im Ausst.-Kat. Marcel Duchamp, Bd. III, Paris 1977, S. 124 ff

24 Herbert Molderings, Marcel Duchamp. Parawissenschaft, das Ephemere und der Skeptizismus, Frankfurt/Paris 1983, S. 35

25 Ebenda, S. 36

26 Duchamp (cit. not. 4)

Duchamp selbst dürfte weniger an Wunderbarem, Geheimnisvollem interessiert gewesen sein, vielmehr wollte er – eben auf seine Weise – den Dingen auf den Grund gehen. Das „Fahrrad-Rad", das sich tatsächlich bewegen läßt, kann viel besser als jedes Bild Bewegung veranschaulichen; der phallusähnliche „Flaschentrockner", auf dessen Stachel im Normalfall die Flaschenhälse gestülpt werden, erscheint als zufällige Andeutung des Geschlechtsakts, um dessen abstrakt malerische Umsetzung Duchamp sich schon bei seinem Bild „Übergang von der Jungfrau zur Neuvermählten" bemüht hatte. Bei vielen Arbeiten Duchamps ist die Verbindung von technischem Interesse und dem an Erotik auffallend.[27] So auch beim Titelblatt der den surrealistischen Objekten gewidmeten Sondernummer der „Cahiers d'Art", den „Cœurs volants", zwei ineinander leicht verschobene Herzen, deren leuchtendes Rot und Blau sie bei längerer Betrachtung vibrierend erscheinen läßt: einerseits eine bewußte optische Spielerei – wie auch seine Rotoreliefs –, vielleicht auch, wie Marcel Jean nahelegt, ein ironischer Kommentar zu Leonardos Satz: „Etwas kann mit Kontrastfarben gemalt sein und doch durch das Relief wie ein Wunder erscheinen"[28], vielleicht aber auch unbewußt die Form einer Vagina.

Jahre nach dem Ende des Surrealismus, als Duchamp noch weniger Werke als bis dato schon der Öffentlichkeit überantwortete und im geheimen an seinem letzten, erst nach seinem Tod bekannt gewordenen Werk arbeitete, schuf er auch vier Objekte aus galvanisiertem Gips, die wie Körperabformungen wirken. Erschließbar sind die Objekte nur über den Umweg ihres Negativs, sie beziehen sich aber jeweils auf Teile des weiblichen Geschlechts. Molderings bemerkt in diesem Zusammenhang: „Der Zwang, eine Obsession sichtbar zu machen und gleichzeitig als Geheimnis zu hüten, führt beim sexuellen Fetischobjekt oft zu einer komplizierten widersprüchlichen Natur. Das Objekt wird quasi nur im Negativ, als Abwesenheit vorgeführt. Es sind oft Hüllen, Futterale, die verschleiern, was die Obsession umkreist, oder es sind Objekte, deren Bedeutung vor allem darin besteht, daß sie die Aufmerksamkeit auf das lenken, was ihnen fehlt. Nur durch eine Phantasie, die vervollständigt, die das nicht Sichtbare ergänzt, kommt das eigentlich Gemeinte in den Sinn."[29]

Gegenüber dieser privaten, verschleiernden Sexualität bei Duchamp forderte Salvador Dalí 1930 direkter „die Herstellung von Gegenständen erotischer Art, mit anderen Worten, von Gegenständen, die mit indirekten Mitteln geschlechtlich erregen".[30] So gab es von ihm Objektkombinationen, in die kleine pornographische, auf dem Flohmarkt erworbene Figurengruppen integriert waren (Abb. 8), und in der Ausstellung bei Ratton die „Aphrodisiakumjacke". Bereits die Kunst- und Wunderkammern beherbergten solche Schätze, denen anregende Wirkung zugeschrieben wurde. Rhinozeroshörner, die bei einigen Objekten verwendet wurden, zeugten nicht nur von der Seltenheit und Kraft dieser Tiere, sondern diese Kraft sollte sich auch zwischen den Lenden ihrer Besitzer entfalten. Die Bezoare, unansehnliche, rundliche Haarsteine aus den Mägen verschiedenster Säugetiere (Kat. VIII. 72), wurden sicherlich nicht ihres Aussehens wegen kostbar gefaßt und veredelt. Sie wurden auch noch von der frühneuzeitlichen Medizin als Heilmittel gegen ver-

Abb. 7 Meret Oppenheim, Le déjeuner en fourrure, 1936, New York, Museum of Modern Art

Abb. 8 Salvador Dalí, Ein Tablett mit Objekten, 1936, ehem. Paris, Charles Ratton

27 In einem Gespräch hat mich Werner Hofmann auf mögliche, nicht nur formale Beziehungen zwischen Flaschentrockner und Eiffelturm hingewiesen. Das Wahrzeichen von Paris, Inbegriff der technischen Leistungsfähigkeit, könnte von Duchamp auch zum Symbol der „Stadt der Liebe" „umgesehen" worden sein. Ein weiterer Bezug zum Eiffelturm ergibt sich, bedenkt man dessen häufiges Vorkommen in der Malerei jener Jahre (besonders bei Robert Delaunay) und Duchamps gerade in jenen Jahren einsetzende Ablehnung dieser „handwerklichen" Tätigkeit.

28 Jean (cit. not. 8), S. 254

29 Molderings (cit. not. 24), S. 63

30 Zit. nach Jean (cit. not. 8), S. 227

Abb. 9 Jasper Johns, Glühbirne, Bronze, 1960, New York, Leo Castelli

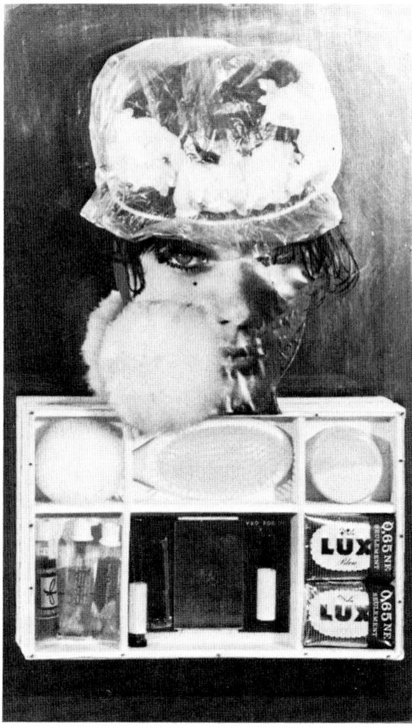

Abb. 10 Martial Raysse, France Mirroir, 1962, Wien, Museum Moderner Kunst, Leihgabe Sammlung Hahn

schiedene Krankheiten, besonders gegen die Melancholie im Herzen, verwendet.

Der Hang zum Außergewöhnlichen, Unerklärbaren, Wunderbaren ist dem Menschen seit jeher eigen. Nur die Formen der Befriedigung desselben haben sich im Laufe der Jahrhunderte, wenn auch nicht fundamental, geändert. Das Kostbare – und dies ist nicht nur auf das Materielle zu beschränken, vielmehr wird es oft nur ein subjektives Empfinden sein – wurde geschätzt, gesucht, gesammelt und gehortet. Die einfachste Form dieses Sammeltriebes, zugleich die irrationalste und somit auch phantasievollste, läßt sich leicht bei jedem Kind beobachten: Jedes Ding – und sei es das banalste – kann, sofern nur sein Besitzer oder auch nur ein Betrachter daran glaubt, mit besonderer Bedeutung ausgestattet werden. Und etwas von diesem Wunderbaren scheint auch vom Objekt auf dessen Besitzer überzugehen. Der weite Bereich der Fetische, der Glücksbringer, die auch heute noch allem Rationalismus zum Trotz gekauft, geschenkt und verwendet werden, ist hier ebenso zu erwähnen wie die Gier nach Besitztümern, die weit über die tatsächlichen Bedürfnisse hinaus hauptsächlich als Statussymbole dienen.

Wenn auch scheinbar Technik- und Wissenschaftsgläubigkeit seit dem Zeitalter der Aufklärung vorherrschen, das Irrationale und Phantastische weitgehend aus dem allgemeinen Leben verdrängt und nur mehr bei Außenseitern – und zu diesen werden auch die Künstler gezählt – toleriert werden, fand die tatsächliche Veränderung fast nur in der äußeren Form statt. Zwischen Schmucknarben oder Tätowierungen und den Auswüchsen der Schönheitschirurgie, zwischen der Anziehung einer Kunst- und Wunderkammer und der eines Panoptikums, das selbst wiederum durch die heutige mediale Unterhaltung verdrängt wurde, besteht kein wesentlicher Unterschied. Und Shakespeares „Sommernachtstraum", selbst Füsslis danach gemalte Phantasien werden durch die heutigen technischen Möglichkeiten bereits von jedem zweitklassigen Fantasy-Film hinsichtlich der Realität der Imagination übertroffen.

Das Außergewöhnliche und das Wunderbare wurden weder verdrängt noch überwunden. Die Sucht des Menschen nach Sonderbarem, ja Abstrusem wurde aber weitgehend in geordnete Bahnen gelenkt und so einer kommerziellen Nutzung zugeführt. Angesichts der von der Spielzeugindustrie angebotenen und in fast jedem Kinderzimmer zu findenden Monster und Ungeheuer wundert es nicht, daß die einstigen Haarmenschen, Riesen und Zwerge, die Teufel im Glas und andere Kuriosa (Kat. VIII. 67), die einst wichtiger Bestand einer Kunst- und Wunderkammer waren, viel von ihrer Faszination, von ihrer Besonderheit eingebüßt haben. Darauf haben auch die Künstler reagiert. Immer mehr haben sie, besonders die Vertreter des „Nouveau Réalisme" und der „Pop Art" in den sechziger Jahren, aus dem Trivialen ihre Anregungen bezogen und so die Kaufhausästhetik in die Museen übertragen. Claes Oldenburgs zu Monumentalskulpturen aufgeblasene „Hamburger" und „Wäscheklammern", Andy Warhols „Suppendosen" und „Brilloschachteln", Jasper Johns in Bronze gegossene „Glühbirne" (Abb. 9) – eine mögliche Entsprechung zu den Naturabgüssen in den Kunstkammern (vgl. Kat. VIII. 65) –, die Assemblagen aus Warenhausartikeln von Martial Raysse (Abb. 10), sie alle zeigen auf, daß potentiell jeder Gegenstand, wird er nur richtig betrachtet, beachtenswert und damit auch des Sammelns wert ist. Claes Oldenburg hat dies mit seinem „Mouse-Museum" (Abb. 11) exemplarisch vorgeführt. Eine Ansammlung von Trivialitäten – vom Feuerzeug in Form der Freiheitsstatue über Plastikimitationen gefüllter Eisbecher bis zum künstlichen Gebiß – wurde von ihm in einem eigenen, im Grundriß der Kopfform der Mickey Mouse nachempfundenen „Gebäude" als Gesamtkunstwerk präsentiert.

Die Anregungen, die die Künstler des 20. Jahrhunderts aus dem Trivialbereich bezogen haben, sind zahlreich und dürfen, will man der heutigen Kunst gerecht werden, nicht übersehen werden. Versandhauskataloge, die Angebote der Warenhäuser, Comics, Werbung sind heute ebenso Studienobjekte und Fundstätten wie die in den Museen verwahrten Kunstwerke früherer Epochen. Bekannte doch schon 1913 – im Jahr der „glücklichen Idee" Marcel Duchamps – der österreichische Literat Max Brod: „Sie sind so eindeutig, so vollkommen, so häßlich . . . die schönen Bilder. Aber Wonnen eines triebhaften Ballets, die unwirkliche, unausschöpfliche Natur selbst, das Chaos und urzeitliche Zeremonien lese ich aus Annoncenklischees, Reklamebildern, Briefmarken, Klebebogen, aus Kulissen für Kindertheater, Abziehbildern, Vignetten; mich entzückt die Romantik des Geschmacklosen."[31]

Abb. 11 Claes Oldenburg, Mouse Museum, 1965–77, Wien, Museum Moderner Kunst, Leihgabe Sammlung Ludwig, Aachen

31 Max Brod, Über die Schönheit häßlicher Bilder, Wien-Hamburg 1967 (Erstausgabe 1913), S. 10

Peter Haiko und Mara Reissberger

„Komplexität und Widerspruch" – Zum Prinzip der Ambivalenz in der manieristischen Architektur

„Ich ziehe eine Haltung, die sich auch vor dem Vermessenen nicht scheut, einem Kult des ‚Reinen' vor; ich mag eine teilweise kompromißlerische Architektur mehr als eine ‚puristische' . . . eine vieldeutige mehr als eine ‚artikulierte' . . . eine in sich widersprüchliche und zweideutige mehr als eine direkte und klare." Ja sogar „eine vermurkste Lebendigkeit" ist besser denn „eine langweilige Einheitlichkeit" – so Robert Venturi 1966 in dem als „Ein behutsames Manifest" untertitelten Einleitungskapitel „Für eine beziehungsreiche Architektur!" Kann es da wundern, daß „Komplexität und Widerspruch", „Mehrdeutigkeit", „Das Phänomen eines ‚Sowohl-als-auch' in der Architektur", „Elemente mit doppelter Funktion" als Überschriften der weiteren Kapitel folgen – und: Kann es da wundern, daß Robert Venturi unausgesprochen wesentliche, von der kunstwissenschaftlichen Forschung erarbeitete Stilcharakteristika manieristischer Kunst allgemein sowie manieristischer Architektur im speziellen einer neuen, besseren, beziehungsreicheren Architektur dienstbar machen will, ja dienstbar machen muß. Geht es doch wie in jeder manieristischen Strömung darum, die verpflichtende Norm der Klassik, im konkreten Falle jene der klassischen Moderne, zu durchbrechen. Denn: „Die Architekten können es sich nicht länger mehr leisten, durch die puritanisch-moralische Geste der orthodoxen modernen Architektur eingeschüchtert zu werden."[1]

Nur „in Verhältnissen voll Einfachheit und Geordnetsein" hätte – so Venturi – Le Corbusiers Streben nach den großen ursprünglichen Formen, die „bestimmt und ohne alle Vieldeutigkeit" sind, seine Berechtigung. In Zeiten großer Umwälzungen, und die Gegenwart stellt sich für ihn als eine solche dar, erweist sich „dieser Rationalismus . . . als unangemessen. Dann muß aus den Gegensätzen heraus ein neues Gleichgewicht geschaffen werden". Auffällig, wie stark Venturis Einschätzung seiner Zeit, wo alle „Probleme an Zahl, Kompliziertheit und Schwierigkeit zunehmen", mit jener des Manierismus des 16. Jahrhunderts bei Max Dvořák konform geht.[2]

Als eine der wesentlichsten Wurzeln für die Abwendung Michelangelos von der Kunst der Renaissance in der letzten Periode seines Lebens macht Dvořák das für Michelangelo Nichtbefriedigende der „naiven, antik fröhlichen Weltbejahung der Renaissance" verantwortlich. Nach Dvořák löst sich Michelangelo von der Kunst der Renaissance, die auf „Nachahmung und formaler Idealisierung der Natur" beruht, und ersetzt deren „Objektivierung des Weltbildes" durch eine künstlerische Auffassung, die „psychische Emotionen und Erlebnisse höher stellt als die Übereinstimmung mit der sinnlichen Wahrnehmung".[3] In der Formulierung eines zeitgenössischen Architekten lautet dies dann so: „Architektur ist elementar, sinnlich, primitiv, brutal, schrecklich, gewaltig, herrschend. Sie ist aber auch Verkörperung subtilster Emotionen, sensitive Aufzeichnung feinster Erregungen, Materialisation des Spirituellen."[4]

1 Robert Venturi, Komplexität und Widerspruch in der Architektur, hrsg. v. Heinrich Klotz, Braunschweig 1978 (Bauwelt-Fundamente, 50), S. 23f. Erstausgabe durch das Museum of Modern Art, New York 1966

2 Ebenda, S. 25

3 Max Dvořák, Über Greco und den Manierismus, in: ders., Kunstgeschichte als Geistesgeschichte. Studien zur abendländischen Kunstentwicklung, München 1924, S. 266f

4 Hans Hollein, in: Ausst.-Kat. Hans Hollein. Walter Pichler. Architektur. Work in Progress, Galerie St. Stephan, Wien 1963, o. p.

Abkehr von der Nachahmung und formalen Idealisierung der Natur, also Ablösung des Naturalismus durch den Anaturalismus, übertragen auf die Architektur der Gegenwart bedeutet: „Die Gestalt eines Bauwerkes entwickelt sich nicht aus den materiellen Bedingungen eines Zwecks. Ein Bauwerk soll nicht seine Benützungsart zeigen, ist nicht Expression von Struktur und Konstruktion, ist nicht Umhüllung oder Zuflucht. Ein Bauwerk ist es selbst."[5] Wiedereingeholt werden soll hier der vermeintlich verlorengegangene Kunstanspruch der Architektur, primär Gültigkeit haben soll wieder der Kunst- und Kultwert von Architektur. Das „naturalistische" Eingehen auf Konstruktion und Funktion allein genügt nicht, ebensowenig wie das der Moderne immer vorgeworfene alleinige Resultieren der Form aus eben der Konstruktion und Funktion. Auf den naturalistischen Abbildcharakter der Architektur wird mit dem anaturalistischen Sinn-(Ausdrucks-)Charakter von Architektur geantwortet.

Abb. 1 Giulio Romano, Palazzo del Tè, Mantua, ab 1524

Die Manieristen verlegen ihren „‚Blickpunkt' nach innen . . . sie beobachten nicht mehr mit dem leiblichen Auge, sondern mit einem ‚seelischen' Auge. Das betrachtende Subjekt wird in einem doppelten Sinne Subjekt. Es nimmt aus seiner subjektiven Blicksituation nicht optisch-physikalisch Objektives auf, sondern ‚subjektiv' Gesehenes, Erschautes, ‚Imaginiertes'."[6] Gerade das daraus resultierende Primat der Wiedergabe der „inneren" Welt und ihrer Emotionen gegenüber der Nachbildung der „äußeren" Welt ist dem Manierismus seit dem Beginn seiner wissenschaftlichen Aufarbeitung attestiert worden. In den Forschungen Ernst Gombrichs zum Palazzo del Tè wird – der Tradition von Ernst Kris folgend – psychische Befindlichkeit als konstituierendes Element des künstlerischen Gestaltungsprinzips im Manierismus erkannt. „Die gedrückten, überdimensionierten Formen", „die hängenden Schlußsteine, die im Hof des Palazzo del Tè zu fallen drohen" – sie sind für Gombrich künstlerische Umsetzung von „Beklemmungen", sind architekturgewordene „Angsterlebnisse" Giulios.[7] Die künstlerische Reproduktion der damokleischen Bedrohung, das „Festhalten" der „fallenden" Form und damit das Bannen des Verfalls kann aber auch – so sei ergänzt – gedeutet werden als Versuch einer Bewältigung von Angst. So gesehen, definiert sich die gestörte Form – auch – als Ausdruck einer spielerischen Störung der Form (Abb. 1).

Die gestörte Form trägt die ungestörte Form in sich, der negative Affekt birgt die Existenz der positiven Regung: Diese simultane Präsenz von einander entgegengesetzten Tendenzen beziehungsweise Gefühlen, diese äußere (Gestalt-) und innere (Trieb-)Dualität – zum Grundsatz erhoben – macht das Wesen manieristischer Architektur aus. Der Ambivalenzkonflikt wird in ihr nicht aufgelöst, nicht beigelegt, sondern im Gegenteil „ausgetragen", als notwendig, weil schöpferisch wirksam. Manierismus „ist im Prinzip seiner Struktur dualistisch . . . Er arbeitet mit einem offenen Gegensatz zwischen den verschiedenen Teilen und Schichten der Gebilde; Dissonanzen werden zugelassen und gesucht; ein innerer Zwiespalt, ein sich gegenseitig in Spannung setzen der verschiedenen Sphären . . . sind für ihn kennzeichnend".[8]

Für das Manieristische, seine Komplexität und Widersprüchlichkeit besonders wichtig ist ein Szenarium: das Szenarium der Phantasie. Phantasie verweist notwendig auf den Gegensatz zwischen Imagination

5 Ebenda

6 Gustav René Hocke, Die Welt als Labyrinth. Manier und Manie in der europäischen Kunst, Hamburg 1957, S. 31

7 Ernst Gombrich, Zum Werke Giulio Romanos II, in: Jb. d. kunsthist. Sammlungen, N. F. IX/1935, S. 127 ff

8 Hans Sedlmayr, Die Architektur Borrominis, Berlin 1930, S. 153

Abb. 2 Schiefes Haus, Bomarzo, ab 1571

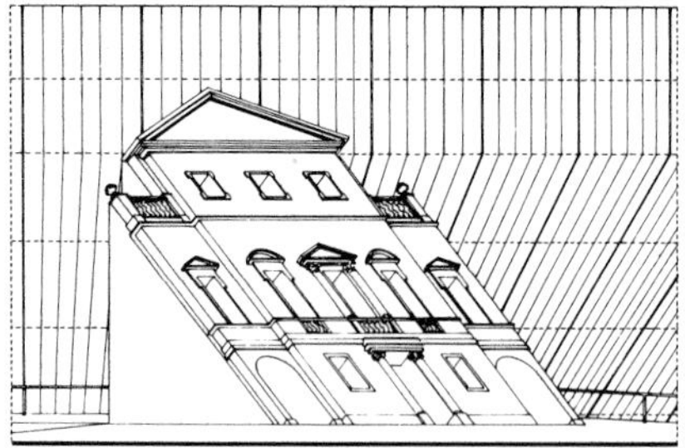
Abb. 3 James Stirling, Stadtzentrum von Derby, Projekt, 1970, Besitz des Architekten

Abb. 4 Karyatidherme, oberitalienisch, 2. Hälfte 16. Jahrhundert, Mailand, Ambrosiana

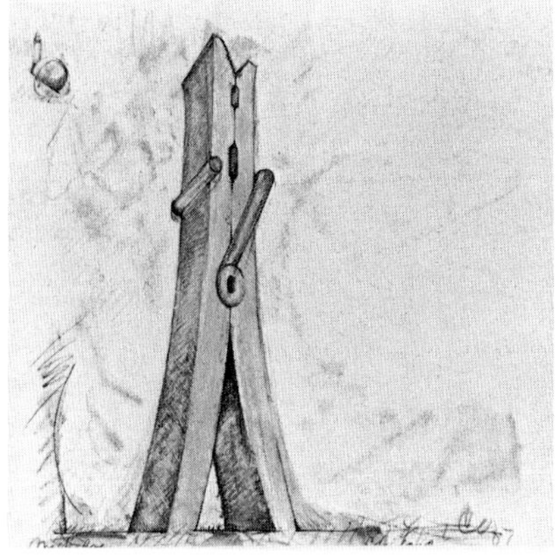
Abb. 5 Claes Oldenburg, Wäscheklammer, 1967, Des Moines Art Center, Iowa

und Realität, sie definiert sich als rein illusorische Produktion, die einer korrekten Vorstellung vom Realen nicht standhielte. Weitgehend frei von der Realitätsprüfung dem Lustprinzip unterworfen, ist in der Phantasie all das möglich, was die Realität versagt. Diese Abkehr von der Außenwelt beinhaltet auch die Aufgabe von logischen Ordnungskategorien.

Phantasien setzen sich nicht in Realität um, denn sie selbst sind schon vorgestellte Wunscherfüllung. Architektur-Phantasien, gleichsam Tagträume und somit bewußte Phantasien von Architekten, treten dann auf, wenn sich unter der die Wunscherfüllung versagenden Einwirkung der Architektur-Realität ein Zustand mangelnder Befriedigung einstellt. Es entstehen Entwürfe, abgehoben von der äußeren Wirklichkeit. Im Suchen nach neuen architektonischen Bezugssystemen drückt sich der Wunsch aus, die eigene Existenz innerhalb einer sinngebenden neuen Ordnung von autonomer Logik auszuleben, zu begreifen.

Da in der Phantasie die Kontrollinstanz Realitätsprüfung fast ganz ausgeschaltet ist, kann es auch keine Regelverletzungen geben. In der sozialen Realität durch Tradition festgeschriebene Ordnungs-(Gestaltungs-)Prinzipien haben keine verbindliche Gültigkeit, alles erscheint machbar, selbst wenn es in der materiellen Realität nicht durchführbar ist. Einzelne „Bausteine'', Reste erfahrener Architektur, finden freilich Verwendung beim Bau der phantasierten Luftschlösser. Insgesamt aber sind diese Luftschlösser „ungehemmte'' Phantasien von Architektur; eingefangen in die bildlich-manifeste Architekturdarstellung passieren sie dann allerdings die Instanz künstlerischer „Fassung''.

Nur in und mit der Phantasie kann eine Architektur jenseits aller Architekturnormen entstehen: kann sie, geschaffen vor dem Hintergrund der (Weltraum-)Technik das Styling einer (Mond-)Rakete zeigen, wie bei Peter Cook, zur „Walking City'' der Gruppe Archigram werden oder aber, getragen von einem spezifischen Natur-Mystizismus, die Gestalt organischer beziehungsweise kristalliner Strukturen annehmen – so bei Finsterlin, Scharoun beziehungsweise Hablik.

Phantasie „rüttelt'' an den Fundamenten der Architektur. Schiefe Häuser sind das Ergebnis: in Bomarzo aus dem 16. Jahrhundert (Abb. 2), wie in Stirlings Entwurf für Derby von 1970 (Abb. 3). Phantasie „ver-rückt'' eine klassische Säule, um der manieristischen „Verrücktheit'' einer Karyatidherme Platz zu machen (Abb. 4). Teile von Architektur löst sie aber auch ganz aus dem architektonischen Verband und – verabsolutiert diese: Eine dorische Säule wandelt sich zum bewohnbaren Loos'schen Wolkenkratzer – ein Bau-Glied zum selbständigen Architektur-Körper. Auch ein Rocaille-Ornament wächst und emanzipiert sich – etwa zu einer Garten-Architektur bei Meissonnier oder Delajoue. Aus der Kleinform wird die Großform, aus dem subordinierten Detail das subordinierende Ganze. Phantasie schafft damit eine „ver-kehrte'' Pars-pro-toto-Architektur(-Welt).

Aufhebung von gültigen Relationen und festgeschriebenen Funktionen bedeutet des weiteren: Ein Ventilator ist durchaus denkbar als Riesenmonument, eine Zündkerze als „high-rise-building''; das Gebäude für die Chicago Tribune kann als Wäscheklammer imaginiert werden (Abb. 5). Die von der Phantasie aufgezeigten Möglichkeiten bis hin zu „Alles kann Architektur sein''[9] bzw. „Architektur kann alles sein''

9 Vgl. Hans Hollein, Alles ist Architektur, in: Bau 1–2/1968

machen sich Künstler zunutze, um bewußt gegen Konventionen anzugehen. Ein Eisenbahntransportwaggon wird zu einer die Landschaft beherrschenden, das Bildfeld füllenden Großform; eine Faust oder ein Penis als neuer Wolkenkratzer gegen Himmel gestreckt (Abb. 6).

Die Maß(stab)losigkeit der Form ist ein manieristisches Signum der Maß(stab)losigkeit künstlerischer Phantasie, welche Mannigfaltigkeit garantiert und Omnipotenzwünsche befriedigt. Indem Boullée seine mächtige Architektur an unverhältnismäßig verkleinerten Figürchen mißt, hält er nicht nur die Monumentalität seiner Architektur fest, sondern steigert diese sogar zu einer Art Hyper-Monumentalität. Oder anders: Indem Philip Johnson sich in die liliputhafte Architektur seines Gartenpavillons stellt, wirkt er größer, ja erreicht er gleichsam Über-Maß (Abb. 7). Aus dieser gesuchten Gegensätzlichkeit wird zum einen für das Objekt Architektur, zum anderen für das Subjekt Architekt eine geradezu „phantastische" (phallische) Dimension einholbar.

In besonderem Maße „entzündet" sich Phantasie freilich an den klassischen Säulenordnungen, also – bezeichnenderweise – an durch Tradition kanonisierten Vorbildern. Nirgendwo sonst reiben sich die Manieristen – gerade in Kenntnis der verpflichtenden Ordo – so sehr wie am Architektur-Glied Säule. Vor allem die von Vitruv ausgehende Vorstellung, die Säule besäße menschliche Proportionen und Charaktere, beflügelt den klassischen Manierismus, insbesondere jenen nördlich der Alpen. Die Insistenz, mit der dieser Analogie nachgegangen wird, läßt fast vermuten, daß die Beschäftigung mit der Säule gleichsam als Beschäftigung mit dem eigenen Sein angesehen wird. Vornehmlich Karyatiden und Termen werden zum bevorzugten „Spielfeld" der nordischen Phantasie des 16. Jahrhunderts.

Wie keine andere Formgelegenheit trägt die Säule sozusagen den manieristischen Angelpunkt in sich, um die Welt der Klassik aus den Angeln zu heben. Ersetzt man den Säulenschaft durch eine figurale Stütze, erhält man *die* manieristische Spannung schlechthin, nämlich jene zwischen Naturform und Kunstform, sichtbar werdend als Divergenz zwischen menschlichem Körper und architektonischem Gebälk.

In der Karyatidherme findet sich die Spannung zwischen Naturform und Kunstform gleichsam kontaminiert. Aus menschlichem Oberkörper und architektonischem Schaft, aus organischer und tektonischer Form wird hier ein Zwitterwesen gebildet, wie es sich die manieristische Phantasie nicht phantasievoller wünschen kann: Es ist Karyatide und Stütze zugleich; Gegenständliches und Abstraktes, Belebtes und Unbelebtes, Bewegtes und Unbewegtes, ja Freisein und Gebundensein koexistieren in ihm. Entgegengesetztes verdichtet sich zu manieristischer Ambivalenz. Lebendiger könnte man sich eine Figur nicht vorstellen, als jene des Feisten bei Dietterlin, und doch – unter seiner Schürze beginnt der steinerne Schaft. Freilich: Der Schaft kann sich verlebendigen, „aus gewundenen Schwänzen oder einem Baumstamm bestehen", die Figur ihrerseits geometrisiert werden, bis hin daß „Kopf und Brust nur noch aus Kapitell und Würfel gebildet sind".[10] Zwischen all diesen divergierenden Möglichkeiten findet die manieristische Karyatidherme (fast) jede nur phantasierbare schöpferische Ausdrucksform (Abb. 8).

An die Stelle der menschlichen Figur tritt bei den Termen Boillots

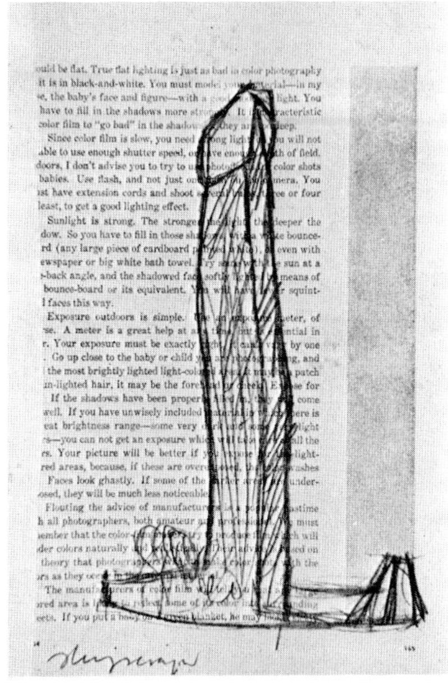

Abb. 6 Hans Hollein, „Skyscraper", 1958, Besitz des Architekten

Abb. 7 Philip Johnson in seinem Gartenpavillon

Abb. 8 Gabriel Krammer, „Architectura", 1600

10 Erik Forssman, Säule und Ornament. Studien zum Problem des Manierismus in den nordischen Säulenbüchern und Vorlageblättern des 16. und 17. Jahrhunderts, Stockholm 1956 (Acta Universitatis Stockholmiensis, Stockholm Studies in History of Art, I), S. 141

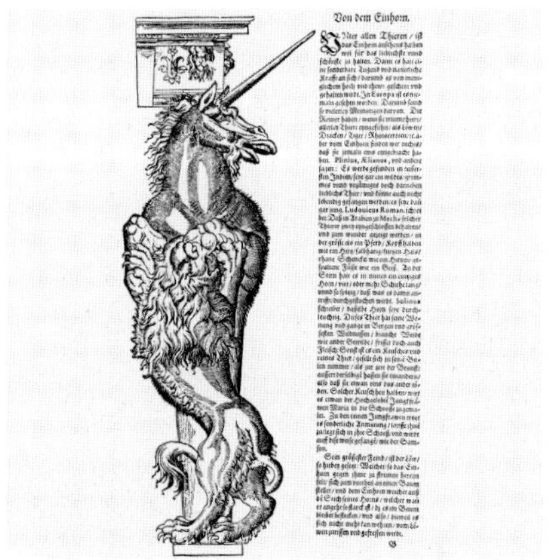
Von dem Einhorn.

Abb. 9 Joseph Boillot, „New Termis Buch'', 1604

Abb. 10 Hans Hollein, Verkehrsbüro, 1976 bis 1978

Abb. 11 Hans Hollein, Strada Novissima, Biennale Venedig, 1980

sogar die Tiergestalt. Dabei besteht die einzelne Terme nicht aus einem Tier allein, sondern oft auch aus dessen feindlichem Gegenpart; etwa dem Einhorn und dem Löwen, die sich als Kontrahenten gegenseitig bekämpfen (Abb. 9). Ist die Terme an sich schon *das* Sinn-Bild manieristischer Ambivalenz, hier ist sie noch mehr: nämlich – im wahrsten Sinne des Wortes – Austragungsort des manieristischen Ambivalenz-Konfliktes; eine Kampfstätte letztlich für und gegen alles – wo ehemals der Hort von Ruhe und Harmonie der klassischen (Säulen-)Ordnung war.

Auf ihrer Suche nach den vermeintlich verlorenen architektonischen Werten betritt auch die sogenannte Postmoderne dieses Terrain, gerüstet mit der nach ihrer Meinung von der Moderne aus den Augen verlorenen Phantasie. Das neue Interesse konzentriert sich dabei allerdings auf den Archetypus Säule selbst, nicht auf deren Filiationen wie Karyatiden und Termen. Die Säule wird zum „Spielball'' der postmodernen Phantasie, zum Spielball, dessen Funktion des „Anspielens'' für jeden Architekturbetrachter deutlich werden soll. Die ehemals streng definierte Form ist nun frei für jede Ver-Wandlung, die ehemals abgezirkelt ausgewogenen Proportionen sind offen für jede Ab-Änderung. Es kann – so bei Hans Hollein – aus dem traditionellen Säulenfragment eine neue Säulenganzheit entstehen (Abb. 10), die klassische Steinsäule zu einer künstlichen und sogar – natürlichen Baumsäule werden; es kann aber auch die von Loos zum selbständigen Architektur-Körper gewandelte Riesensäule sich rückverwandeln in ein Bau-Glied reduzierter Größe, wieder integrierbar in ein neuentstehendes System. Durch die technischen Möglichkeiten an sich schon von der historischen Funktion des Tragens entlastet, eignet sich die Säule nun besonders dafür, von der Phantasie jeden Tragens entbunden zu werden: Oben verkürzt oder unten abgeschnitten – die ursprüngliche Gesetzlichkeit der Säule ist außer Kraft gesetzt (Abb. 11).

Gespielt wird in der postmodernen Architektur also mit der Ver-Wandlung der Säule (fast) bis hin zu deren Zer-Störung. Reste der traditionellen ungestörten Form müssen freilich vorhanden, Erinnerungsmomente an sie gewahrt bleiben, sonst fehlt der gestörten postmodernen Form ihr Bezug, das, worauf sie „anspielt''. Man befreit die Säule – und damit sich selbst – aus der Gebundenheit einer verpflichtenden Vergangenheit, um sie – und sich – doch wiederum dieser Vergangenheit zu verpflichten, dies aber eben mit ironisch-kritischer Distanz. Die Auseinandersetzung mit der Säule wird so zum Gradmesser der Künstler-Ich-Bildung, die Intellektualität des Formendiskurses zum Seismographen des Künstler-Intellekts. Die Wiedereinführung der Säule generell wird der „Postmoderne'' zum Zeichen der gewünschten Reanimation von Sinnlichkeit in der Architektur. Der „leibhaftigen'' Ver-Sinnlichung im klassischen Manierismus steht nun freilich eine – anscheinend – sublimierte Ver-Sinnlichung gegenüber.

Architektur-Phantasien als vorgestellte Wunscherfüllung – gebaute Architektur kann in gewachsene Natur übergehen, Anorganisches sich in Organisches verwandeln. Drei in Nancy aufbewahrte Ölgemälde halten eine solche Metamorphose fest (Abb. 12). Aus fragmentiert-ruinösen, „vergehenden'' Architektur-Gliedern dringt üppig-frische, sprießende Vegetation. Natur, aus der Objektwelt des Manierismus weitgehend „ausgetrieben'', hier „treibt sie aus'': In der (Architektur-)Phantasie wird dem Trieb in Gestalt einer (Natur-)Metapher zu seinem Ausdruck verholfen. Die der Architektur zugeordneten, aus ihr hervorgehenden plastischen Figuren(-gruppen) geben sich aktiv-bewegt, manche agieren aggressiv-lustvoll; im Verhältnis zu den Staffagefigürchen im Vordergrund zudem überlebensgroß und übermächtig, verkörpern sie „Lebenskraft'' und evozieren damit die Vorstellung von Triebhaftigkeit. Trieb(hafte) Wünsche kommen hier als Triebkräfte der Phantasie ins Bild.

Nilsons Radierung „Neues Caffehaus'' (Abb. 13) stellt eine strengkonturierte, einfach-strukturierte Architektur dar, die von einem weichgeschwungenen, naturhaften Rocaille-Ornament – „die Hausfassade . . . weitgehend bedeckend, nur noch Löcher für Türe und Fenster aussparend'' – überblendet wird.[11] Blick und Zugang auf die Öffnungen des Hauses sind demnach freigegeben – das Kaffeehaus als Ort der Gastlichkeit ist einladend geöffnet. Freilich: Haus als Sinnbild des weiblichen Körpers verstanden, Rocaille als hymenales – hier zerstörtes – Gebilde gedeutet, rückt den Bildgegenstand aus der allgemeinen Symbolik des Eintretens ins Weibliche im Sinne von Geborgenheit und Geborgensein deutlich in den Bereich genitaler Weiblichkeit, einer Weiblichkeit, die sich leicht und viel preisgibt. Ein so geöffnetes Haus ist ein „öffentliches'' Haus, eine viel und leicht begehbare Stätte der Lust. Im „neuen'' Kaffeehaus fungiert die Frau nicht bloß als Trankspenderin, sondern als Dienerin sexueller Lüste, gemäß der Bildunterschrift: „Es ist die Red bei diesem Weib vom Mißbrauch, nicht vom Zeitvertreib''. Die Rocaille hebt hier also die Phantasie der direkten Wunscherfüllung hervor – Ambivalenz wird sichtbar zwischen den beiden Polen von Triebbefriedigung und deren Sublimierung in der Form.

Phantasieproduktion ist in manieristischen Strömungen gleichsam zum Legitimationsprinzip erhoben. Wenn Vredeman de Vries zum Thema „Terme'' nahezu achtzig verschiedene Varianten schafft, Wenzel Jamnitzer aus fünf geometrischen Grundkörpern nicht weniger als hundertvierzig weitere Körpermotive gestaltet (Abb. 14) oder Rob Krier eine morphologische Sammlung von Fassaden in neun Teilen vorlegt, von denen jeder wieder neun abgewandelte Vorschläge enthält, so belegt dies, wie sehr das manieristische Künstlerstreben bestimmt wird vom Bedürfnis nach unerschöpflicher Phantasieäußerung, von der unermüdlichen Suche nach Vielfalt und Reichtum der Formensprache. Jede Formgelegenheit verfolgt man möglichst bis zur letzten Variationsmöglichkeit. Keine Lösung gleicht der anderen, ja – keine Lösung darf der anderen gleichen.

Produktion von Phantasie wird zur verpflichtenden Norm – unter bestimmten Umständen kann sie ihre potentiell entlastende, befreiende Funktion verlieren. Dies besonders dann, wenn der jeweilige Manierismus zur verbindlich anerkannten Kunstströmung geworden ist; wenn – wie Boillot schon 1604 erkennt – die Marktmechanismen derart sind, daß alles „umb der Newheit willen besser wuerde abgehn und auffgenommen werden''.[12] Dann wandelt sich das an sich Befreiende zum Zwanghaften – alles muß ein Einfall sein. Der Wunsch nach Entlastung von äußerer Realität pervertiert zum Zwang zur permanenten Innovation. Das dynamische Modell des Kreativen verkommt zum notorischen Zwang zur Originalität. So verliert die Phantasie des (Bau-)Künstlers auch

Abb. 12 Architektur-Phantasie, 17. Jahrhundert, Nancy, Musée des Beaux-Arts

Abb. 13 Johann Esaias Nilson, „Neues Caffehaus'', vor 1756

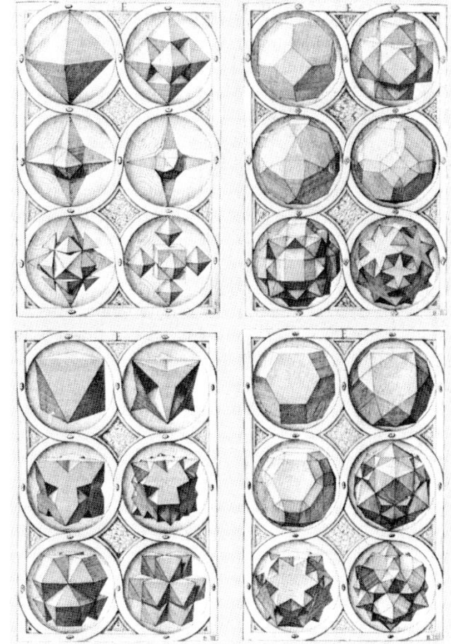

Abb. 14 Wenzel Jamnitzer, „Perspectiva Corporum Regularium'', 1568

11 Hermann Bauer, Rocaille. Zur Herkunft und zum Wesen eines Ornament-Motivs, Berlin 1962 (Neue Münchner Beiträge zur Kunstgeschichte, 4), S. 61

12 Joseph Boillot, New Termis Buch/Von allerley grossen vierfuessigen Thieren zugerichtet/ . . . o. O. 1604, Vorrede

für den Rezipienten den Charakter des Lustvollen, geht der eigentliche Genuß als Befreiung von Spannungen verloren.

Die Gratwanderung des Manierismus zwischen extremen Gegensätzen, das dieser Kunst immanente Eintauchen in das Unbewußte bei weitgehendem Ausschalten der Realität, der Rückzug aus dieser Realität in eine phantastische Welt des Irrealen und Irrationalen – dies scheint viele manieristische Kunstprodukte in den Grenzbereich zwischen Genialität und Wahnsinn zu rücken, scheinbar bestätigt durch die Schicksale von Künstlern wie Paul Goesch oder vielleicht auch Monsù Desiderio. Aber natürlich: Der Künstler besitzt – im Gegensatz zum Kranken – als wesentliche psychische Eigenschaft, einen „leichten Zugang" zum Unbewußten, „ohne von diesem überwältigt zu werden".[13] Was für den Kranken schicksalsmäßige „Entfremdung (von) der Wahrnehmungswelt", unentrinnbares Zurückgeworfensein auf sich selbst bedeutet, ist beim Künstler dagegen ein „Akt, der auf Erkenntnis und Entschluß beruht".[14]

An sich ist jede künstlerische Äußerung Ausdruck der Phantasie des Künstlers. Freilich: In klassischen Perioden durchläuft sie immer jene Kontrollinstanzen, welche die Verpflichtung auf die jeweilig normativen Vorschriften garantieren, in manieristischen Phasen hingegen bleibt sie vergleichsweise „unbehelligt", die Instanzen sind „durchlässiger". Die so dem manieristischen Künstler ermöglichte Regression im Dienste des Ich entlastet nun aber auch den Kunstbetrachter, findet dieser doch seine Tagträume im Produkt der künstlerischen Phantasie, im Kunstwerk, auratisch überhöht befriedigt. Als ästhetisches Vergnügen sublimiert kann der Rezipient frei von individuellen Schuldgefühlen seine Tagträume als im Kunstwerk eingelöst genießen.

Abb. 15 Jean-Jacques Lequeu, „Nach Süden gelegener Kuhstall auf einer frischen Wiese", Paris, Bibliothèque Nationale

Manieristische Architektur versucht oft jenen Grad von Autonomie, welcher die anderen Sparten der bildenden Kunst kennzeichnet, zu erreichen. Dem Postulat: „Ein Bauwerk ist es selbst" entspricht dann die Feststellung: „Architektur ist zwecklos". In und mit einer solchen Architektur verwirklicht sich der Architekt als Individuum, denn: „Form in der Architektur ist vom Einzelnen bestimmte, gebaute Form." Als Resultat dieser künstlerischen Formfindung entsteht „reine, absolute Architektur", die – erst gebaut – schon „Verwendung finden" wird.[15]

Diese Tendenz zur reinen, absoluten Architektur erklärt auch die Autonomisierung der Architekturzeichnung und die immer wieder zu beobachtende – programmatisch beabsichtigte – Nicht-Umsetzung eines Architektur-Konzepts in eine Architektur-Realität: Die gezeichnete, gemalte oder als Modell gestaltete Architekturphantasie steht eben der gebauten gleich-wertig gegenüber beziehungsweise der Entwurf ist oftmals bereits das intendierte, sich selbst legitimierende Endprodukt. Es „wird die ‚Idee' von der Ausführung getrennt und für selbständig erklärt".[16] Dies gilt etwa für die „Autonome Architektur" der französischen Revolutionsklassizisten (Abb. 15), wie auch für „Psycho-Architekturen"[17] eines Raimund Abraham.

Der Subjektivität des manieristischen Künstlers entspricht die Subjektivität seiner Darstellungsweise; diese wiederum spricht den Betrachter in dessen Subjektivität an. Die Radikalisierung der Perspektive bei Vredeman und zweihundert Jahre später die Negierung der vereinheitli-

13 Harald Leupold-Löwenthal, Psychoanalytische Bemerkungen zur Trivialliteratur, in: Convegno „Freud e la psicoanalisi" Rom 1972, Rom 1973 (Enciclopedia '73), S. 191

14 Hans Prinzhorn, Bildnerei der Geisteskranken. Ein Beitrag zur Psychologie und Psychopathologie der Gestaltung, Berlin - Heidelberg - New York 1968 (Reprint), S. 347

15 Hollein (cit. not. 4)

16 Werner Hofmann, „Manier" und „Stil" in der Kunst des 20. Jahrhunderts, in : ders., Bruchlinien. Aufsätze zur Kunst des 19. Jahrhunderts, München 1979, S. 247

17 Revision der Moderne. Postmoderne Architektur 1960–1980, hrsg. v. Heinrich Klotz, München 1984, S. 16

chenden Perspektive bei Piranesi[18] stört beziehungsweise zerstört die in der Renaissance gefundene Objektivierung einer künstlerischen Darstellung der realen Welt. Der Betrachter verliert – im wahrsten Sinne des Wortes – seinen Standpunkt; er kann keine „richtige", das heißt objektive Position und Distanz gewinnen, Relationen zwischen seiner eigenen Realität und der innerbildlichen Realität geraten ihm durcheinander. Daraus resultiert Verunsicherung, aber auch – Attraktion. Neugierige Involviertheit löst interesseloses Wohlgefallen ab.

Der Manierismus benützt die in der Perspektive enthaltene Dualität, nämlich „als Befestigung und Systematisierung der Außenwelt, wie als Erweiterung der Ichsphäre" begriffen werden zu können.[19] Signifikanterweise macht er daraus die Ambivalenz von objektiver Erfaßbarkeit und subjektiver Erfahrbarkeit der Welt. In seiner Serie „Scenographiae" forciert Vredeman die Perspektive zur Steigerung der Subjektivität (Abb. 16). Streng axial-symmetrisch zu denkende Architekturen suggerieren die Annahme eines Standpunktes in der Mittelachse, jedoch: Der Künstler wählt den Augenpunkt für den Betrachter exzentrisch und unterstreicht damit, daß es ihm nicht so sehr um die Wiedergabe der objektiven Gesetzlichkeiten der Architektur geht, denn um den subjektiven Eindruck eines gerade eintretenden Betrachters.

Subjektiviert Vredeman die Sicht des Betrachters auf eine Objektwelt, die im wesentlichen perspektivisch „stimmt", so geht Piranesi in seiner „Carceri"-Serie noch weiter: Die Objektwelt selbst ist hier nicht mehr perspektivisch-logisch organisiert (Abb. 17). Die bildliche Suggestion einer Möglichkeit des Unmöglichen wird zur suggestiven „Rekonstruktion" eines Tagtraums im Ich des Betrachters. Diese Desorganisation der Darstellung als Gestaltungsprinzip gibt dem Betrachter die Möglichkeit, das Dargestellte als Traumgesicht mit all der ihm vertrauten Desorganisation und Alogik zu akzeptieren.[20]

Jene im 16. Jahrhundert angelegte Subjektivierung des Betrachterblicks wandelt sich im 20. Jahrhundert zur Subjektivierung des betrachteten Objekts. Die von der „Postmoderne" bevorzugte Architekturdarstellung mit Hilfe der Axonometrie schaltet das betrachtende Individuum mit seinem subjektiven Betrachterstandpunkt aus. Indem die Axonometrie nicht zeigt, wie sich die Dinge im Auge abbilden, sondern wie sie sind[21], negiert sie das betrachtende Individuum und macht die Darstellung selbst zum Subjekt. Damit auf größtmögliche Objektivierung der sichtbaren Welt ausgerichtet, bedeutet Axonometrie zugleich auch größtmögliche Autonomisierung der dargestellten Architektur: Diese macht sich unabhängig vom Betrachter, entzieht sich ihm; er kann sie nur nehmen, wie sie ist, und nicht, wie sie für ihn sein soll (Abb. 18).

Jede manieristische Strömung definiert sich durch ihre bewußt eingeschobene Distanz zu einer als klassisch empfundenen vorangegangenen Epoche, ja diese Distanz ist gleichsam unabdingbare Voraussetzung. Andererseits wieder: Erst durch den Rückverweis auf das Klassische kann sich der Stil als ein manieristischer definieren, da nur das Vorhandensein einer Regel die Verletzung dieser Regel ermöglicht.

Für die „Postmoderne" ist nun diese Klassik fast nie die Klassik der Moderne. Denn: Ihre angstbesetzte Abwehr einer als rigid und doktrinär erlebten Moderne läßt einen wie immer gearteten Rekurs auf diese

Abb. 16 Hans Vredeman de Vries, „Scenographiae", 1560

Abb. 17 Giovanni Battista Piranesi, „Carceri", II. Fassung 1760

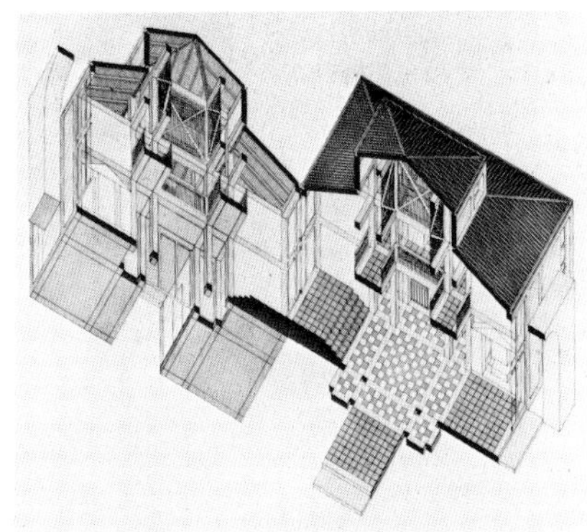

Abb. 18 Bruno Reichlin und Fabio Reinhart, Casa Tonini, 1972–74, Axonometrie, Frankfurt, Deutsches Architekturmuseum

18 Siehe dazu Bruno Reudenbach, G. B. Piranesi – Architektur als Bild. Der Wandel in der Architekturauffassung des achtzehnten Jahrhunderts, München 1979, S. 47

19 Erwin Panofsky, Die Perspektive als „symbolische Form", in: ders., Aufsätze zu Grundfragen der Kunstwissenschaft, Berlin 1974², S. 123

20 Siehe dazu Norbert Miller, Archäologie des Traums. Versuch über Giovanni Battista Piranesi, Frankfurt-Berlin-Wien 1981, S. 97 ff

21 Vgl. dazu: Die Architekturzeichnung. Vom barocken Idealplan zur Axonometrie, München 1986, S. 182

Abb. 19 Coop Himmelblau, Merz Schule, Stuttgart, Projekt, ab 1981

Abb. 20 Frank Gehry, Gehry House, Santa Monica, Kalifornien, 1977–79

Abb. 21 Hubert Robert, La Grande Galerie du Louvre, „Projekt" und „Ruine", um 1798/99, Paris, Louvre

Moderne höchstens in Art einer „hommage" zu, also in der Ambivalenz von Heroisierung einer verpflichtenden Tradition bei gleichzeitig demontierender Aneignung des Heroisierten. So muß die „Postmoderne" auf eine frühere Vergangenheit zurückgehen. Sie bindet sich an die magisch beschworene Vergangenheit – ohne sich an sie binden zu wollen. Dazu macht sie sich die Ironie dienstbar, denn diese vermag „das Gegenteil von dem, was man . . . mitzuteilen beabsichtigt, auszusagen" und zugleich zu verstehen geben, „man meine selbst das Gegenteil seiner Aussage".[22] Das Ironiekonzept scheint alles möglich zu machen. Aber: Das ironische Zitat bleibt trotz aller Ironie ein Zitat der Historie und stellt so eine Auseinandersetzung mit dieser dar. Aus dem Zitieren als Legitimationsprinzip im Historismus ist nun ein Zitat geworden, dessen Legitimationsprinzip die Ironie ist. Die Ironie hat gleichsam das manieristische Wollen der „Postmoderne" zu garantieren.

Störung und Zerstörung der Form, bisher immer wieder zu beobachtende Charakteristika manieristischer Architektur, können zu *dem* künstlerischen Gestaltungsprinzip schlechthin werden, zum Beispiel bei Frank Gehry oder der Gruppe Coop Himmelblau. Letztere erreicht die Signifikanz ihrer Architektur, indem etwa „zwei ganz normale Baukörper, nur ein wenig verdreht, verkippt, zerbrochen und falsch aufeinandergesetzt" werden.[23] Störung der Form ist hier – fast anarchische – Zerstörung einer von konventionellen Vorstellungen bestimmten Erwartungshaltung (Abb. 19).

Gestörtes–Nichtgestörtes, Provisorisches–Fertiges, diesem Aufeinanderprallen von spannungsreichen Gegensätzen ordnet Frank Gehry bei seinem Wohnhaus in Santa Monica alles unter (Abb. 20). Einen bestehenden Bau von zirka 1920 ummantelt der Architekt mit einem Zubau: Unfertig-chaotisch wirkend kontrastiert diese neue Hülle zum in sich ruhenden, behutsam bewahrten alten Kern; die Wahl von gewöhnlichen, „zufälligen" Materialien verstärkt zudem den Eindruck des Provisorischen. Gehry bringt damit die Dimension der Zeit in seine Architektur ein, und dies in mehrfacher Weise. Abgesehen von der Dualität Vergangenes–Zeitgenössisches spielt hier Zeit auch im Sinne von Momenthaftigkeit eine Rolle. Festgehalten ist ja ein bestimmter Zeitpunkt im architektonischen Entstehungsprozeß: Die Hülle definiert sich als „Non-finito"-Architektur und damit als „architecture in progress"; sie gemahnt vielleicht aber auch an Vollendetes, das erschüttert, ruinös geworden ist. Die Gestörtheit der Hülle enthielte dann ihrerseits Ambivalenz.

Ruinöse Architektur ist eine in besonderem Maße auf Wirkung ausgerichtete Architektur. Sie vernachlässigt eindeutig den funktionalen Zweckcharakter von Architektur zugunsten einer auf den Rezipienten bezogenen Wirkungsmächtigkeit.[24] Ruinen „erregen Vorstellungen und Empfindungen, welche die Gebäude selbst, wenn sie noch vollständig vorhanden wären, nicht hervorbringen würden".[25] Indem Hubert Robert die Louvre-Galerie als intakten Bau wie auch als Ruine darstellt und beide Bilder zusammen dem Publikum präsentiert (Abb. 21), versucht er, den vollen Stimmungsgehalt seines Vorschlages für den Umbau auszuloten und den Betrachter für sein Projekt einzunehmen. Dies entsprechend dem Diktum Diderots: „Man muß einen Palast ein-

22 Sigmund Freud, Der Witz und seine Beziehung zum Unbewußten, in: ders., Psychologische Schriften, Frankfurt 1970² (Sigmund Freud Studienausgabe, IV), S. 163

23 Coop Himmelblau. Offene Architektur – Wohnanlage Wien 2, Kat. d. Ausst. München 1986, o. p.

24 Reudenbach (cit. not. 18), S. 87f

25 C. C. L. Hirschfeld, Theorie der Gartenkunst, zit. nach Reudenbach (cit. not. 18), S. 92

stürzen lassen, um aus ihm einen Gegenstand von Interesse zu machen."[26] Die Wirkung des Ruinösen dient Robert dazu, die Wertschätzung des Projektierten aufzubauen. Darüber hinaus: Indem er die Zerstörung vorwegnimmt, schließt er sie gleichsam auch aus. Mit diesem sozusagen magischen Gestus trachtet der Künstler, die mögliche Ablehnung seines Entwurfs abzuwehren beziehungsweise den Verfall des denkbar Gebauten aufzuheben.

Das Ruinöse als Element der Wertsteigerung macht sich in warenästhetischer Weise die amerikanische Architektengruppe *SITE* bei der Gestaltung von Bauten der Warenhausgruppe *BEST* zunutze. Stereotypen Verkaufshallen werden Fassaden vorgeblendet, die das Thema der Ruine variieren: Bei der „Indeterminate Facade'' bröckeln Ziegelmauerteile ab, beim „Notch Project'' wird eine Gebäudeecke herausgebrochen (Abb. 22). Das Ruinöse individualisiert das Intakte und – es erregt die besondere Aufmerksamkeit des potentiellen Käufers, fesselt ihn an die „heile Welt'' des Konsums. Reduziert im wesentlichen auf kulissenhafte Schauseiten, verkommt die Störung der Form zu einer gaghaften Verfremdung, zum sich oberflächlich wandelnden Verpackungsmerkmal einer konstant bleibenden Box.

Generell: Den Manierismus fasziniert folgende der Ruine immanente Dialektik. Die sie zum Ausdruck bringende Vergänglichkeit des Schönen bringt nicht eine Entwertung des Schönen mit sich, sondern ganz im Gegenteil eine Wertsteigerung. Der Vergänglichkeitswert ist ein Seltenheitswert in der Zeit, und gerade die Beschränkung in der Möglichkeit des Genusses erhöht die Kostbarkeit desselben.[27] In der künstlichen Ruine soll nun gleichsam die wertsteigernde Zeitlichkeit für alle Ewigkeit eingefroren werden. Der jedem innewohnende Wunsch nach Unsterblichkeit wird in der Ruine scheinhaft Realität. Und dies, obwohl der Ruine an sich durch die in ihr manifeste Zerstörung in der Zeit Vergänglichkeit anhaftet. Ambivalenz von zerstörter Unzerstörbarkeit und unzerstörbarer Zerstörtheit zeichnet so die künstliche Ruine aus.

Die Ruine, einerseits ein Memento mori, wird andererseits – vor allem als künstliche Ruine – architekturgewordene Einlösung der Unsterblichkeitsphantasie des Betrachters. Legt sie doch gleichsam Zeugnis ab vom Tod des anderen und dient so dem Rezipienten als Zeichen des eigenen Überlebens. Die Faszination der Ruine als Ausdruck der Endlichkeit alles Irdischen entspringt der Sehnsucht nach Unendlichkeit des Lebens, nach Unsterblichkeit. Das Ambivalente in der Ruine entspricht der ambivalenten Einstellung zum Tod: Er macht Angst, aber er macht auch neugierig.[28]

Den Zusammenhang von Ruine und Tod thematisiert schon der klassische Manierismus: Vredeman setzt in seinem „Theatrum Vitae humanae'' die fünf Säulenordnungen den fünf Lebensaltern des Menschen gleich; zudem fügt er auf einem sechsten Blatt als weitere Ordnung die „Ruyne'' an und mit ihr als letzten Abschnitt das Sterben, den Tod (Abb. 23). Den klassischen Säulenordnungen stellt er also das zutiefst manieristische Sinn-Bild für Störung und Zerstörung gleichberechtigt an die Seite: Das Ruinöse wird zu *dem* dem Manierismus eigenen Ordnungsprinzip erhoben; der Tod – wohl angstbesetzt – wird doch als akzeptierte Erfahrungsdimension ins Leben geholt.

Abb. 22 SITE, „Notch Project'', Sacramento, Kalifornien, 1977

Abb. 23 Hans Vredeman de Vries, „Theatrum Vitae humanae'', 1577

26 D. Diderot, Salons, zit. nach Reudenbach (cit. not. 18), S. 92

27 Sigmund Freud, Vergänglichkeit, in: ders., Bildende Kunst und Literatur, Frankfurt 1969[4] (Sigmund Freud Studienausgabe, X) S. 225

28 Hocke (cit. not. 6), S. 65

Begleitet auf der Suche nach Wegen durch das berechenbar-unberechenbare Labyrinth des Manierismus hat uns Univ.-Doz. Dr. Harald Leupold-Löwenthal. Dafür gilt ihm unser besonderer Dank.

Antoine Caron, Triumph des Frühlings, um 1580 (Kat. I. 6)

Französisch, nach 1582,
Herzog François von Aleçon und Anjou
(Kat. II. 6)

Giuseppe Arcimboldo, Der Sommer, 1563 (Kat. I. 3)

Bernard Palissy (?), Schüssel mit Naturabgüssen, 2. Hälfte 16. Jahrhundert (Kat. VIII. 45)

Giuseppe Arcimboldo, Das Feuer, 1566 (Kat. I. 4)

Augusburg (?), Kabinettschrank mit Intarsien, 3. Drittel 16. Jahrhundert (Kat. I. 8)

Giorgio Vasari, Blatt aus dem „Libro" (Kat. VII. 27)

Prager Hofwerkstätte, Kabinettschrank Rudolfs II. (Kat. V. 67)

Hans III. Jordaens, Ein Kunst- und Raritätenkabinett, um 1630 (Kat. VIII. 1)

Georg Hainz, Kunstkammerschrank, 1666 (Kat. VIII. 2)

Lorenzo Lotto, Schlafender Apoll mit Musen, vor 1550 (Kat. V. 1)

Paolo Fiammingo, Das Goldene Zeitalter, um 1585 (Kat. III. 11)

Battista Dossi, Der Traum, nach 1540 (Kat. I. 17)

Nicolo dell'Abbate, Die Auffindung Mosis, nach 1552 (Kat. I. 32)

Umkreis des François Bunel, Dame bei ihrer Toilette, 1585–95 (Kat. V. 3)

Jeremias Metzker, Tischuhr, 1564 (Kat. V. 61)

Bartholomäus Strobel, Das Gastmahl des Herodes, um 1620 (Kat. V. 6)

Girolamo de Virchi, Cister für Erzherzog Ferdinand von Tirol, 1574

Französisch, 16. Jahrhundert, Ceres und Vulkan (Kat. III. 9)

Bartholomäus Spranger,
Herkules, Dejanira und der tote Kentaur Nessos, ca. 1581 (Kat. III. 7)

Hans von Aachen, Bacchus, Ceres und Cupido, um 1600 (Kat. III. 25)

Joseph Heintz d. Ä., Diana und Aktaeon, 1590–1600 (Kat. III. 23)

Schule von Fontainebleau, 16. Jahrhundert,
Pallas Athene (Venus Victrix?) (Kat. III. 10)

Anton Pfeffenhauser, Ein Harnisch der Flechtbandgarnitur, 1571
(Kat. II. 24)

Filippo Negroli, Medusenschild Kaiser Karls V., um 1541 (Kat. I. 18)

Frans Floris, Das Jüngste Gericht, 1565 (Kat. VI. 1)

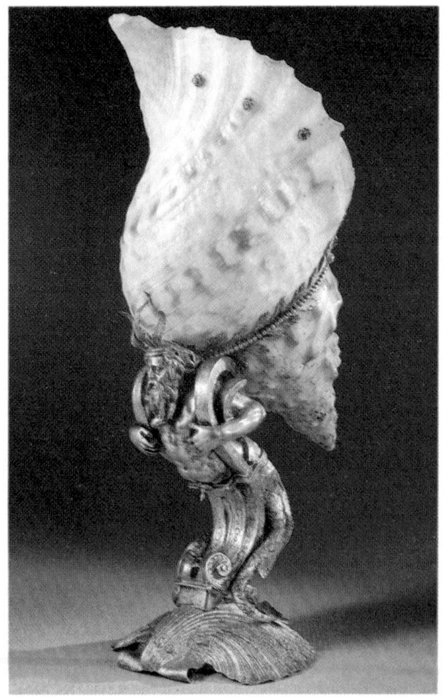

Augsburg, 1567, Muschelgerät aus Ambras (Kat. VIII. 37)

Maerten van Heemskerck, Die Aufrichtung der ehernen Schlange, 1549 (Kat. I. 30)

Christoph Gandtner, Scherzgefäß in Gestalt des Tantalus, nach 1567 (Kat. VIII. 40)

Paul Moreelse, Herzog Christian d. J. von Braunschweig, 1619 (Kat. II. 2)

Umkreis des Dosso Dossi, Mann mit Papagei, 1548–52 (Kat. I. 36)

Francesco Mazzola, genannt Parmigianino, Selbstbildnis aus dem Konvexspiegel, Frühwerk (1523/24) (Kat. I. 5)

Französische Gobelinmanufaktur nach Wandmalereien und Stukkaturen von Rosso Fiorentino, Tod des Adonis, 1541–50 (Kat. I. 1)

Adonis, Detail aus Kat. I. 1

Französische Gobelinmanufaktur nach Wandmalereien und Stukkaturen von Rosso Fiorentino, Die Einheit des Staates, 1541–50 (Kat. I. 2)

König Franz I. von Frankreich, Detail aus Kat. I. 2

Georg Hoefnagel, Groteskenblatt mit Fledermaus, 1595 (Kat. VIII. 20 B)

Concz Welcz, Handstein mit Darstellung der Caritas, Mitte 16. Jahrhundert (Kat. VIII. 75)

Giovanni Castrucci, Landschaft mit Obelisk, „Pietre Dure", 1607–11 (Kat. VIII. 10)

Mailand, 2. Hälfte 16. Jahrhundert, Diana als Mohrin (Kat. V. 63)

Alessandro Masnago, Raub der Europa, 2. Hälfte 16. Jahrhundert (Kat. V. 65)

Melchior Mair, Diana auf dem Kentauren, 1600–10 (Kat. I. 11)

Antik, gefaßt in Prag um 1600, Onyxschale (Kat. VIII. 58)

Giulio Romano, Entwurf für eine „Tazza", nach 1524 (Kat. V. 22)

Süddeutsch, um 1600, Elephantenuhr (Kat. VIII. 38)

Peter Paul Rubens, Das Haupt der Medusa, 1617/18 (Kat. I. 23)

I Der bannende Blick

Der bannende Blick der Gorgo ist der Blick einer Gebannten, die sich in der Sekunde ihrer Enthauptung den Schrecken zufügte, den ihr starres Auge später jenen widerfahren ließ, die ihm ungeschützt gegenübertraten (Kat. I. 12, I. 18, I. 23).

Die Hochrenaissance kennt Grenzerfahrungen nicht, in denen Leben und Tod zu ein und derselben Grimasse gerinnen. Deshalb ist auch wohl das Gorgoneion kein Thema geworden. Wenn das Kunstwollen sich des Lebens in der Kraft seines Selbstbewußtseins bemächtigt und dieses zum Ideal steigert, bedeutet das Dazwischentreten einer tödlichen Macht einen Mißklang, der besser vermieden wird.

Der bannende Blick gehört nicht nur zu den Merkmalen manieristischer Porträtkunst, er erinnert an den schöpferischen „Primärakt", an die magische Urhandlung, welche den fernen Ursprung der künstlerischen Tätigkeit begründete. Schon in der Handfläche, die der Höhlenbewohner einem weichen Grund aufdrückte, verfuhr dieser Zugriff zuallererst isolierend. Ein Stück Wirklichkeit wurde mimetisch aus- und zugleich eingegrenzt. Eine solche isolierende Bannung nahm noch der junge Parmigianino an sich selber vor (Kat. I. 5). Sein gewölbtes Rundbild gleicht dem Medusenschild (Kat. I. 18, I. 19). Wer es anblickt, gerät in den Sog einer ungewöhnlichen Selbstanalyse, denn der Dargestellte hält seinem Spiegelbild nicht nur stand, er zwingt ihm die Verzerrung, welche der Bannkreis des Konvexspiegels hervorruft, im Gemälde als bleibende Gestalt auf. Alle physiognomischen Maßbeziehungen und das dreidimensionale Gefüge von Kopf, Körper und Hand geraten ins Schwanken. Mit sich selbst experimentierend, entdeckte der Maler Ungewißheitsrelationen, welche die Lehrbücher der Anatomie und der Perspektive in Frage stellen und jede Norm und einsinnige „Richtigkeit" relativieren. Parmigianinos gemalte Hand spottet nicht nur dem verläßlichen Handabklatsch des Höhlenmenschen: Dem objektiv Richtigen tritt das objektiv Falsche des Zerrbildes entgegen. Die Laune erfindet nichts, sie bedient sich eines wissenschaftlich-physikalischen Alibis.

Als schmerzhafte, in einen Bannkreis versetzte Fratze begegnet die Verzerrung im erstarrten Blick-Schrei der Medusa. In diesem Antlitz wird nicht ein Kunstgriff erprobt (wie bei Parmigianino), hier geht es um die Übergänge vom Schönen ins Grauenhafte. Überdies gehört Medusa der mythischen Zwischenzone an, in der die menschlichen Züge ein Bündnis mit dem Tierischen eingehen. Die drei Merkmale des manieristischen „Kunstwollens" sind damit benannt: die isolierende, bisweilen abtötende Bannung, die willkürliche Verzerrung und die transitorische Gestaltverflechtung. Die Maske und ihre Steigerung in der Groteske sind die vordringlichsten Verkörperungen dieses Gestaltungsverfahrens, das sich im übertragenen Sinne des gorgonischen Apotropeion zweifach bedient: Der Künstler weiß sich mit bannender Macht ausgestattet und unterwirft zugleich seine Einbildungskraft immer neuen Schreckköpfen (Kat. I. 14, I. 22).

Von seinem Leib abgetrennt, verbindet sich der Kopf der Medusa mit den ihm entquellenden Schlangen zu einer bizarren „Kompositschönheit", die der ganzheitlichen Ästhetik zuwiderläuft, indes ein experimentierender, für Grenzüberschreitungen empfänglicher Geschmack sie zu schätzen vermag. Der Todesaugenblick scheint der Gorgo gesteigerte Lebenskraft zu gewähren. Das Schlangenhaar verselbständigt sich, die subhumane Vitalität wird zum Gleichnis der entfesselten Triebe, deren „Häßlichkeit'' fortan zur maskenhaft erstarrten Schönheit einen provozierenden Gegenreiz bildet. Dieses Gegeneinander ist aber zugleich ein subtiles Ineinander von Mensch und Tier. Dem Kunstmittel der Verflechtung beider kommt insofern symptomatische Bedeutung zu, als es das Ende einer Ästhetik anzeigt, deren Mittel- und Höhepunkt die in sich ruhende schöne Menschengestalt darstellt. Diese Insel der Ausgewogenheit erweist sich nun als durchlässig nicht nur gegenüber der Schmerzgrimasse – in den Kompositköpfen Arcimboldos wird sie zum Tummelplatz von allem, was da kreucht und fleucht (Kat. I. 3, I. 4). Das Humane zieht sich in die Elemente und Geschöpfe und Gebilde der Natur zurück. Oder es nimmt zu seiner Selbstbestätigung kosmische „Gleichnisse'' zu Hilfe: In „Sol'' und „Luna'' finden wir das Männliche und das Weibliche mit Planetenmasken ausgestattet, die ihre Geschlechtspotenzen enthüllten (Kat. I. 9, I. 10). Anders gesagt: Hatte die menschliche Gestalt in der Formensprache des Humanismus den Grad ihres Selbstbewußtseins in ihrer gestalthaften Eindeutigkeit zu erkennen gegeben, so öffnet sich jetzt diese exklusive Würdezone und zieht die Vielfalt von Fauna und Flora in freier Mischung an sich. Manche dieser anschaulichen Gleichnisse mögen für das Ineinander von Bewußtem und Unbewußtem stehen, vielleicht auch für die Tiernatur des Menschen, die zu erkennen eine Inschrift auf einem französischen Aktaeon-Stich aufzutragen scheint: DOMINUM COGNOSCITE VESTRUM (Kat. V. 10).

In den Kompositschönheiten begegnen einander auch die beiden Pole des dualistisch geprägten Kunstverstandes, das „Natürliche'' und das „Künstliche'' – die auf das winzige Detail konzentrierte bannende Naturnachahmung und deren oft labyrinthische Summe in der Kunsterfindung. Das zeigen die Intarsien eines Kabinettschrankes (Kat. I. 8) oder ein als Naturaliensammlung getarntes kaiserliches Schreibzeug (Kat. I. 35). Das beweisen die Fundstücke (Kat. VIII. 66) und die Naturabgüsse (Kat. VIII. 65). Immer geht die Vereinzelung, die das Objekt gleichsam aufspießt, in die Verflechtung über, welche jedoch nie zum „unisono'' wird, sondern mixtum compositum bleibt, aus dem sich die Teile wieder herauslösen lassen.

Verträgt die menschliche Gestalt einen geometrischen Raster (Kat. VII. 51), so entzieht sich Medusas Attribut, das Reptil, ordnenden Achsen. Von keinem Rückgrat gefestigt, ist es ganz gleitende Verfügbarkeit. Auf den Menschen bezogen, drückt sich darin der Gegensatz von Bindung und Freiheit, Selbstbeschränkung und Ausschweifung aus. Dahinter steht die eben angesprochene Polarität: Vereinzelung vs. Verflechtung. Diese morphologischen Schwerpunkte scheinen geeignet, die Rolle der Künste im Spannungsfeld von Individuum und Gesellschaft zu beleuchten. Die Frage lautet: Wie weit reicht die introspektive Selbstbestimmung des Individuums, und wo beginnt mit dem gesellschaftlichen Ehrgeiz die Strategie aus kollektiven Zwängen, Spielregeln und Verabredungen? Oder: Wann wird der bannende Blick von der Stilisierung domestiziert? Zwei Bilder geben dazu stichwortartig Auskunft: Dossis „Traum'' (Kat. I. 17) und Carons „Frühling'' (Kat. I. 6). Im „Traum'' verzichtet das Individuum auf das Bewußtsein als Instrument der Selbstbestimmung. Passiv riskiert die Frau die Überwältigung durch das Nachtgetier. Vielerlei Mischwesen sind aufgeboten, um die Anarchie der Triebmächte zu veranschaulichen, welche auch in Medusas Schlangenhaar ihre Begierden züngeln ließen. Zum ersten Mal ist in diesem Gemälde der Traum, von den quälenden Angst- und Strafvisionen der christlichen Ikonographie (vgl. Kat. I.30) entlastet, als Instrument der Selbstbefragung bildwürdig geworden.

Überläßt Dossi dem Unbewußten und seinen Promiskuitäten die Szene, so setzt Carons Utopie auf ein hierarchisches Zeremoniell, das die Empfindungen, Wünsche und Träume in die Konventionen nobler Spielfiguren kleidet. Treibt Dossi das Bildgeschehen in die Wucherungen und Verflechtungen des Traumes, wo alles mit allem in Nachbarschaft geraten kann, so hebt Caron die menschlichen Beziehungen in eine symmetrisch geregelte Pantomime der Triebbeherrschung und -stilisierung, welche – außer mythologischen – keine Fehltritte duldet.

Aus diesem Vergleich erhellt sich der Ursprung zweier Stränge der europäischen Kunst, welche sich beide dem Manierismus verdanken. Dossi steht hier für die notwendig regelsprengende Triebbefragung, die über Füssli (Kat. XI.3–13), Goya und Delacroix (Kat. XI.20) zu den Traumprotokollen der Surrealisten führt, Caron für die auf das Herrscheridol ausgerichteten Symbole der Machtkunst, die ihre repräsentativen Ordnungsmuster über die Wünsche von Eros und Gewalt, von Venus und Mars legt. Dieser Dualismus findet im 16. Jahrhundert seinen Niederschlag in zwei gegensätzlich strukturierten Hofkünsten: in Prag und in Fontainebleau. Kaiser Rudolf II. nimmt sich die Freiheit, seine Künstler das Abseitige, Bizarre und letztlich Unentwirrbare durchwandern zu lassen, in Transitorien und Ambivalenzen auch der Erotik einzudringen, die sich der eindeutigen Grenzziehung verweigern. Dieser Kosmos des Absonderlichen ist das Gegenteil der strengen, von Verhaltens- und Schönheitsregeln geprägten Staatskunst des französischen Hofes, die um die Zentralfigur des Herrschers kreist.

Von diesem Gegensatz sind auch die unterschiedlichen Deutungen von Medusa, Venus und Mars betroffen. Die Zeichnung „Mars und Venus, von Putten entkleidet" (Kat. I.28) nimmt Bezug auf die Heirat Franz'I. mit Eleonore von Österreich (1529). Geradezu als Synthese aller uns hier beschäftigenden Ambivalenzen kann ein (leider nicht ausleihfähiges) Miniaturporträt des Königs gelten (Paris, Bibl. Nat., Est. Na 255 rés.). Franz I. trägt den Helm der Pallas Athene und auf der Brust ein mächtiges Gorgoneion. Er ist, wie Wind erkannt hat, als Androgyn gebildet. Darauf spielt auch der beigefügte Achtzeiler an, der von „La France" fordert, den die Natur übertreffenden Herrscher und in seiner Gestalt Minerva, Mars, Diana, Amor und Merkur zu verehren. Auch Rudolf II. beschäftigt seine Künstler mit Medusa, Venus und Mars (Kat. I.33), aber in diesen Allegorien findet keine Proklamation seiner auf Überlegenheit gründenden Herrschaftansprüche statt. Die Kunst, die er sammelt und in Auftrag gibt, ist als Ganzes der Nacht- und Triebseite zugewandt, die Dossi in seinem „Traum" vorführt. WH

NACH ROSSO FIORENTINO (1494–1540)

1 Farbabbildung S. 130

Tod des Adonis 1541–1550

Tapisserie aus Wolle, Seide, Gold und Silber (8 Fäden pro cm); 330 × 640 cm
Wien, Kunsthistorisches Museum, Sammlung für Plastik und Kunstgewerbe
Inv. Nr. CV/2

Die sechs Wiener Fontainebleau-Tapisserien geben ein authentisches Bild einiger an der Südwand gelegener, aus Stuck und Fresken zusammengesetzter Dekorationsfelder der Galerie Franz' I. (insgesamt sind es vierzehn). Die Galerie selbst, in den Jahren 1534–1537 im Auftrag des französischen Königs Franz I. unter der Leitung des Rosso Fiorentino konzipiert und ausgestattet, stellt ein aufwendiges und kompliziertes monarchisch-mythologisches Bildprogramm dar. Die Teppiche wurden nach dem Tod Rossos, gewissermaßen als „bewegliche Version" der Galerie, in Fontainebleau hergestellt.

Die Vorlage für den „Tod des Adonis" befindet sich im östlichen Teil der Galerie, direkt neben dem hervorgehobenen Mittelsegment mit der von Primaticcio gemalten Danaë. Der Teppich gibt eine Fülle von Einzelmotiven wieder: Das rechteckige Mittelfeld mit dem „Tod des Adonis" wird an den Seiten von zwei Flachreliefs flankiert, die, wie Loevgren (1951) erkannt hat, auf der einen Seite die Göttin Kybele in ihrem von zwei Löwen gezogenen Wagen zeigen und auf der anderen, rechten Seite die grausamen, aus blutigen Tieropfern und Selbstverstümmelungen bestehenden Rituale ihrer Anhänger. Der Zusammenhang mit dem Mittelbild wurde wahrscheinlich dadurch angeregt, daß Ovid (Met. X, 504–740) in die Erzählung von der Liebe der Venus zu Adonis und von dessen tragischem Tod die der Verwandlung von Atalante und Hippomene in die Löwen der Kybele einschiebt – der einzige Zusammenhang zwischen dem Adonis-Thema und den Kybele-Darstellungen, außer der thematischen Nähe der beiden Göttinnen (die versklavende, auch die niederen menschlichen Triebe ansprechende Leidenschaft im Zeichen der archaischen Fruchtbarkeitsgöttin Kybele, auf der anderen Seite die eher spirituelle „göttliche" Liebe der Venus).

Ovid erzählt, wie Venus selbst zum Opfer der verletzenden Pfeile ihres Sohnes Amor wird. Völlig der Schönheit Adonis' verfallen, „kümmert sie sich selbst um den Himmel nicht mehr" und führt mit ihm ein ungebundenes Leben auf Bergen herumstreifend und jagend in den Wäldern – ganz „nach Dianas Art" (hier zeigt die Adonis-Geschichte unverkennbare Parallelen zur Biographie Franz' I., dessen Vorliebe für ein unprätentiöses Jagdleben ihn auch veranlaßte, gerade Fontainebleau – ein Jagdschloß inmitten ausgedehnter Wälder – zu seinem bevorzugten Aufenthaltsort zu machen). Trotz ihrer Warnung, Adonis möge sich vor den wilden Tieren in acht nehmen, wird dieser schließlich das Opfer eines wilden Ebers. Das Fresko und damit auch die Tapisserie geben den Moment wieder, in dem Venus sich in ihrem von Tauben gezogenen Wagen mit der verzweifelten Gebärde der Libyschen Sybille Michelangelos dem toten Geliebten nähert. Hinter und neben ihr sitzen der Liebesgott Amor, Fortuna (mit ihrem Rad) und die „Tribulatio" mit dem Hammer (bei Ripa eine Anspielung auf die „dunklen Gedanken, die, Hammerschlägen gleich, Herz und Seele quälen"). Geflügelte weibliche Genien und Putti halten den Leichnam, ein weiterer Putto fliegt mit der Purpur-Robe durch die Luft. Als Quelle für die ungewöhnliche Szene gibt Panofsky (1958) das seit dem Ende des 15. Jahrhunderts auch in Frankreich zugängliche „Adonidos Epitaphios" des Bion von Smyrna an. Der völlig in Trauer aufgelöste weibliche Genius links ist eine der im Gedicht erwähnten trauernden Oreaden, das prunkvolle Möbel, auf das Adonis gebettet wird, hat dort seinen möglichen Ursprung. Das Gedicht hat dazu angeregt, das mythologische Drama zur Entkleidungsszene umzuinterpretieren, ein Bildkonzept, mit dem Rosso ebenfalls auf seine ein paar Jahre früher entstandene berühmte Zeichnung (vgl. Kat. I. 28) anspielt. Die Haupthandlung ist mit einer kleinen, querrechteckigen Darstellung eines Trauerzuges von Amoretten unterlegt. Die michelangelesken gemalten Rahmenfiguren, die z. T., wie Caroll (1966) andeutet, auf das „Jüngste Gericht" der Sixtina zurückgehen, dessen mit dem 26. 9. 1534 fertiggestellte Entwürfe Rosso wahrscheinlich gekannt hat, spielen auf die Kehrseite der Liebe, auf unselige Leidenschaften an. Die Verbindung von Liebe und Tod ist, wie Wind (1981, S. 177ff) gezeigt hat, ein häufig auftauchendes Thema der Renaissance. Von einer Göttin oder einem Gott geliebt zu werden, bedeutet für den Menschen oft den Tod (siehe Semele, Kat. V. 55), der allerdings dann oft im übertragenen Sinne die Unsterblichkeit bedeutet, die Teilhabe an der ewigen Seligkeit.

Panofskys Deutung, der das Sujet als Anspielung auf den plötzlichen Tod des Dauphin am 10. 8. 1536 interpretiert, wird durch den Umstand widerlegt, daß das Feld bereits zu einem viel früheren Zeitpunkt fertiggestellt war.

Literatur: Revue de l'art 16/17, 1972 – Ausst.-Kat. Fontainebleau 1972, Nr. 445 EH

NACH ROSSO FIORENTINO (1494–1540)

2 Farbabbildung S. 131

Die Einheit des Staates 1541–1550

Tapisserie aus Wolle, Seide, Gold und Silber (8 Fäden pro cm); 330 × 620 cm
Wien, Kunsthistorisches Museum, Sammlung für Plastik und Kunstgewerbe
Inv. Nr. CV/6

Die auf diesem Teppich wiedergegebene „Travée" schmückt als mittleres Feld die Südwand im westlichen Teil der Galerie Franz' I. Das rechteckige Mittelbild stellt einen idealisierten, einem römischen Feldherren angenäherten Franz I. in einer Gruppe sich ihm unterwürfig zuwendender Menschen dar, in seiner linken Hand das Symbol der Eintracht, ein Granatapfel. Die Szene wird ergänzt durch zwei flankierende, diesmal gemalte rundovale Darstellungen. Sie variieren in allegorisch-überhöhter Weise die Idee der Eintracht und des Miteinander: auf der linken Seite die Freundschaftsgeste der Umarmung, ein Zuhilfekommen angesichts dessen, daß der rechte Mann gefesselt zu sein scheint (eine Darstellung, die Panofsky noch als Allegorie der Zwietracht, als Kampf gelesen hat), rechts das gemeinsame in-einem-Boot-Sitzen (bzw. -Stehen). Die Darstellungen sind von einem aufwendigen ornamentalen Rahmen umgeben (in der Vorlage als fast vollplastisch ausgeführte Stukkaturen) mit Fruchtgehängen, Löwenmasken, Putten und „Ignudi". Das Mittelfeld wird von einem Salamander, dem Emblem Franz' I., gekrönt. In den kleinen Kartuschen oberhalb der rundovalen Bildfelder war ursprünglich das königliche „F" eingewebt – im Besitz der Habsburger verwandelte sich dieses zu Ehren Josephs I. in ein „I".

Panofsky (1958) hat die zentral in die Bildmitte gesetzte, dem Betrachter zugewandte Figur – unter Hinweis auf eine den Vercingetorix darstellende Radierung Fantuzzis (Zerner 1972, A. F. 29) – als Franz I. identifiziert, der sich hier als „Rex Gallorum" präsentiert, als „neuer Vercingetorix". Diese Deutung würde auch die kleine längsrechteckige Szene am unteren Bildrand erklären, in der eine in einer Säulenhalle sitzende Herrscherfigur von einem aufgeregten Boten aufgesucht wird: Cäsar, der soeben die Kriegserklärung der unter Vercingetorix geeinten Gallier erhalten hat – das zweite Pferd wäre eine Anspielung auf den bevorstehenden Aufbruch.

Literatur: Revue de l'art 16/17, 1972 – Ausst.-Kat. Fontainebleau 1972, Kat. Nr. 448 EH

I. 3

GIUSEPPE ARCIMBOLDO (1527–1593)

3 Farbabbildung S. 114
Der Sommer 1563

Bezeichnet: GIUSEPPE ARCIMBOLDO F, 1563 – AESTAS
Öl auf Lindenholz; 67 × 50,8 cm
Wien, Kunsthistorisches Museum, Gemäldegalerie
Inv. Nr. 1589

Giuseppe Arcimboldo konzipiert Aestas als männliche Figur, von der allerdings nur der Kopf und ein Teil des Oberkörpers in Profilstellung sichtbar werden. Die ausschließlich aus den Erträgen des Sommers zusammengesetzte Allegorie illustriert den Reichtum dieser Jahreszeit: Verschiedene Obst-, Gemüse- und Getreidesorten bilden Körper und Gewand des Mannes, der zugleich als Symbol für die intensive Beziehung zwischen dem Menschen einerseits und den Früchten, aus denen sich das anthropomorphe Gebilde zusammensetzt, andererseits steht. Die abgebildeten Früchte ernähren den Menschen, er jedoch ist es, der sie kultiviert.

Das Bild gehörte vermutlich zu einem Zyklus von Jahreszeitendarstellungen, der möglicherweise zusammen mit einer Serie der Vier Elemente Kaiser Maximilian II. am Neujahrstag 1569 als Geschenk überreicht wurde. Winter (Wien, Kunsthistorisches Museum, Inv. Nr. 1590) und Frühling (Madrid, Real Academia de Bellas Artes) haben sich erhalten, während sich die Allegorie des Herbstes nur noch anhand eines zweiten Jahreszeiten-Zyklus Arcimboldos, der für Kurfürst August von Sachsen bestimmt war und heute vollzählig im Louvre aufbewahrt wird, rekonstruieren läßt.

Obwohl die Darstellung der verschiedenen Saisonen in Form von menschlichen Köpfen keine Erfindung Arcimboldos ist, gilt dies für seine künstlerische Lösung sehr wohl. Die zeitgenössische Bezeichnung für diesen ausgesprochen manieristischen Kunstgriff, „grilli", hat die Kunstwissenschaft lange Zeit dazu verleitet, in erster Linie das Groteske und Komische darin zu sehen. Anhand einiger Texte des Humanisten Giovanni Baptista Fonteo, der gemeinsam mit Arcimboldo am Wiener Hof tätig war, bewies Dacosta Kaufmann jedoch die tiefe allegorische Bedeutung der Jahreszeitenbilder. Fonteo spricht in einem Maximilian II. gewidmeten Gedicht von „Caesares tabellas", imperialen Bildideen, die „Concettismo" in höchster Form verwirklichten. Die Jahreszeiten, die auch in allegorischer Hinsicht in engster Verbindung mit den Elementen stehen, sind Sinnbild für die Allmacht des Kaisers, der, einem komplizierten System von Analogien zufolge, Mikrokosmos und Makrokosmos gleichermaßen beherrsche und daher nicht nur über die Menschen, sondern auch über die Natur in ihrer elementaren Form sowie in ihrer zeitgebundenen Erscheinung gebiete.

Literatur: Dacosta Kaufmann 1976, S. 275–296 – Dacosta Kaufmann 1985, S. 210, Nr. 2–1 MK

I. 4

GIUSEPPE ARCIMBOLDO (1527–1593)

4 Farbabbildung S. 115
Das Feuer 1566

Bezeichnet: Josephus Archimboldus Mlnensis.F – IGNIS 1566
Öl auf Lindenholz; 66,5 × 51 cm
Wien, Kunsthistorisches Museum, Gemäldegalerie
Inv. Nr. 1585

Fonteo spricht in seinem Kaiser Maximilian II. zum Neujahrstag 1569 gewidmeten Gedicht von der Harmonie und Abhängigkeit, die zwischen Elementen und Jahreszeiten bestünde, wobei sich immer paarweise Analogien erkennen ließen. Demzufolge bilden Sommer und Feuer eine Einheit, da beide die Eigenschaften „heiß und trocken" besitzen. Tatsächlich präsentiert sich Ignis spiegelverkehrt zu Aestas: Die in strenger Profilansicht gegebene Büste blickt nach links und nimmt dadurch auf das farbenprächtige Gegenüber Bezug.

Das Element Feuer setzt sich aus brennenden Holzscheiten, Wachsstock, Kerze, Docht, Öllampe, Feuereisen und -steinen zusammen, aber auch aus Pistole, Kanone und Mörser. Noch offensichtlicher als in der Allegorie des Sommers wird die Abhängigkeit von Naturkräften und menschlichen Errungenschaften voneinander demonstriert. Zudem liegt eine feine Doppeldeutigkeit und Ironie über der Darstellung, da „Feuer" nicht nur im wörtlichen, sondern auch im übertragenen Sinn – in Form der Schußwaffen – interpretiert wird.

Arcimboldo hat dem Bild aber auch noch andere Inhalte einverleibt. Die prächtige Kette aus Feuersteinen und -eisen, die Ignis um den Hals trägt, ist mit dem Orden des Goldenen Vlieses geschmückt, und ein Medaillon mit dem habsburgischen Doppeladler ziert die wehrhafte Brust. Dies hat dazu geführt, in Ignis ein Porträt Maximilians II. zu sehen, allerdings wiederum eher im Sinn einer belustigenden Kuriosität, denn als ernstzunehmendes Bildnis. Dacosta Kaufmann widerspricht dem aufs Entschiedenste; ihm zufolge seien alle vier Elemente – Erde, Wasser, Feuer, Luft – mit gewissen Anspielungen auf das Haus Habsburg versehen, ohne daß damit die Bildnisse von bestimmten Herrschern gemeint seien. Vielmehr werde die Allmacht Habsburgs schlechthin demonstriert. Gerade Ignis scheint darüber hinaus auch konkrete politische Hinweise zu enthalten, so die den Rumpf konstituierenden Waffen, die als Hinweis auf die ständig drohende Türkengefahr und die Bereitschaft des Kaisers, ihr zu begegnen, verstanden werden können.

Literatur: Ausst.-Kat. Curiositäten 1978, S. 26f – Dacosta Kaufmann 1976, S. 275–296 – Dacosta Kaufmann 1985, S. 212, Nr. 2–5 MK

FRANCESCO MAZZOLA genannt PARMIGIANINO (1503–1540)

5 Farbabbildung S. 129
Selbstbildnis aus dem Konvexspiegel
Frühwerk

Öl auf Pappelholz; Durchmesser 24,4 cm
Wien, Kunsthistorisches Museum, Gemäldegalerie
Inv. Nr. 329

Die Provenienz des Bildes läßt sich lückenlos bis zur Entstehung zurückverfolgen. Parmigianino hat das Bild im Jahr 1523/24 Papst Clemens VII. als Geschenk überreicht, der es später Pietro Aretino schenkte. Aus dessen Nachlaß kam es in den Besitz des Kristallschneiders Valerio Belli, nach dessen Tod in den seines Sohnes Elia. 1560 gelangte es zu Alessandro Vittoria, der es in seinem Testament Kaiser Rudolf II. vermachte. In den kaiserlichen Sammlungen war das Bild zuerst in der Wiener Schatzkammer, seit 1777 in der Gemäldegalerie ausgestellt.

Das Bild ist von Vasari genau beschrieben, der auch die Schicksale des Werkes bis zum Besitz Vittorias erwähnt. Er berichtet, der Maler wäre von seinem Spiegelbild in Benützung eines Barbierspiegels zu dem Selbstporträt angeregt worden, offensichtlich nicht ohne Wirkung der hier auftretenden Verzerrungen, die die konvexe Fläche gegenüber einem normalen Spiegel hervorruft. Das Werk erscheint Vasari als virtuoses „capriccio" des höchsten Lobes wert. Schätzenswert ist in der Meinung des Kunstschriftstellers die genaue Beobachtung aller Einzelheiten, die Lebenswahrheit durch die Beherrschung der Wiedergabe aller Oberflächenreize. Außerdem übt die Anmut des Gesichtes „più tosto d'angelo" an sich bereits die stärkste Attraktion aus. Vasari übersah nicht die Eigenart der räumlichen Verzerrung und beschrieb daher auch die im Vordergrund dominierende übergroße Hand. Das Konzept des Bildes weicht von der herkömmlichen Art des Porträts allerdings stark ab. Die übertriebene Raumsuggestion wirkt fremdartig, obwohl die Einzelheiten des Porträts selbst mit genauer Beobachtung gestaltet sind. Es ist zu beachten, daß der Raum zwar in perspektivisch ermeßbarer Tiefe, sogar mit einer übersteigerten Fluchtwirkung gegeben ist, durch die Randverzerrung aber der Eindruck des Schwankenden und Unstabilen erzeugt wird. Der Kopf des Porträtierten bildet allein eine festgefügte Mitte, während die übergroße Hand durch die Spiegelkrümmung den Ausdruck einer weich linear schwingenden Eleganz erhält. Die virtuose Behandlung der Oberfläche in der Differenzierung der Halbschattentöne zeigt wohl deutlich die Anregung durch Correggios Malweise. Die Hand des Künstlers erscheint somit als der zweite Ausdrucksträger des Inhaltes der Darstellung. Vasari hat keine Deutung des eigenartigen Charakters dieses Porträts gegeben. Diese ist somit der Phantasie des Betrachters überlassen, etwa die mögliche Deutung der Rundung des Bildträgers, einer Fragmentierung einer Kugelkalotte, als Hinweis auf die kosmische Gesamtheit, in dem die instabile Existenz des Porträtierten eingeschlossen ist, etc. Von dem Zeitgenossen wurde das immerhin eigenartige Konzept dieses Selbstporträts nicht als eine Absage an die Kunstprinzipien der Renaissancemeister gesehen, sondern, wie aus Vasaris Bericht hervorgeht, als Demonstration der höchsten künstlerischen Fähigkeit.

Literatur: Freedberg 1950, S. 201/202 – Vasari/Milanesi 1880, Bd. 5, S. 221–222 GH

ANTOINE CARON (um 1527–1599)

6 Farbabbildung S. 113
Triumph des Frühlings um 1580

Öl auf Leinwand; 80 x 117,5 cm
Privatsammlung

Dieses Gemälde Carons ist ein sowohl in künstlerischer als auch historischer Hinsicht zentrales Dokument der königlichen Hofhaltung in Fontainebleau zur Zeit Heinrichs III. von Frankreich. Es ist Teil eines Jahreszeitenzyklus, von dem noch der „Triumph des Sommers" (Privatsammlung, New York) und der „Triumph des Winters" (Privatsammlung, Paris) erhalten sind, die jedoch beide in einem anderen Format (ca. 104 x 180 cm) ausgeführt wurden. Dies ließ Lebel (1940) vermuten, daß es sich bei vorliegendem Stück nur um eine kleinere eigenhändige Wiederholung des originalen „Triumph des Frühlings" handeln könnte. Die Provenienz des Bildes ist bis ins Jahr 1607 zurückzuverfolgen.

In seinen Vier Jahreszeiten gibt Caron die idealisierende Verflechtung mythologischen und politisch-allegorischen Denkens am königlichen Hof in Form von inszenierten „trionfi" wieder. Nach der künstlerischen Gestaltung der Hochzeit der Marguerite de Valois mit Heinrich von Navarra (dem späteren König Heinrich IV.) 1572 und des Einzuges Heinrichs III. 1573 in Paris verfügte Caron über dramaturgische Erfahrung im Inszenieren festlicher Anlässe, als er um 1580 den Zyklus der Jahreszeiten entwarf (vgl. Kat. IV. 51). Alle drei erhaltenen Gemälde zeigen im unmittelbaren Vordergrund einen Zug von Gottheiten, Tiergestalten und einen Triumphwagen mit der allegorischen Figur der jeweiligen Jahreszeit. Den Hintergrund bildet jeweils ein von höfischen Figuren bevölkertes und von phantastischen architektonischen Kulissen gegliedertes Gewässer, das Ehrmann im „Triumph des Winters" mit dem Schloßteich von Fontainebleau identifiziert hat. In unserem Bild wird der von rechts nach links ziehende „trionfo" vom flötenspielenden Pan angeführt, der zusammen mit einem Satyr den von Musikanten besetzten Lustpavillon betritt. Ihm folgen Cephir, Flora und allegorische, mit Füllhörnern ausgestattete Figuren sowie zwei Putti mit blumengeschmückten Prunkstangen. Von oben streut ein fliegender Putto Blüten auf die Gruppe. Der Personifikation des Frühlings selbst sind die vor dem Wagen tänzelnden Gruppen der drei Grazien und der die erwachende Liebe verkörpernden Götter Mars und Venus zugeordnet. Letztere sind mit ihren Attributen (Rüstung; Muschel als Zeichen der Schaumgeburt) ausgestattet – von rechts oben zielt der fliegende Amor auf das Paar. Zwei Schwäne ziehen schließlich den Triumphwagen mit der blumengeschmückten Allegorie des Frühlings. (In den anderen beiden Bildern der Serie sind dem Sommer u. a. Diana, Ceres und zwei Adler, dem Winter u. a. Apollo, Merkur, Athene und vier Reiher zugeteilt.) Von einer im Teich stehenden bühnenartigen Plattform im Hintergrund beobachten zwei Liebespaare den auf einem Brettersteg voranschreitenden allegorischen Umzug, hinter einer Balustrade befindet sich die übrige höfische Gesellschaft. Der in der Mitte unter einem Triumphbogen stehende Edelmann könnte mit König Heinrich III. (vgl. Kat. II. 7) zu identifizieren sein. Daraus und aus Carons dramaturgischer Tätigkeit ergibt sich die Vermutung, daß der Jahreszeiten-Zyklus tatsächlich inszenierte Feste des Hofes in Fontainebleau zeigt. Der weiche, fließende Figurenstil und die weiträumige Konzeption der Bilder zeigen die Beziehung zu Nicolo dell'Abbate, der zusammen mit Caron als Hofmaler bei Primaticcio ausgebildet wurde.

Literatur: Lebel 1940, S. 27–30 – Ehrmann 1955, S. 14, Taf. III – Ausst.-Kat. Fontainebleau 1972, S. 30 ff – Ehrmann 1986, S. 109 MB

I. 7

SPANIEN, KATALONIEN (?)
2. VIERTEL 16. JAHRHUNDERT

7
Vargueno

Massives Nußholz mit Intarsien aus Bein, Knochenmehl und hellem Holz;
61,5 × 98,5 × 45 cm
Wien, Österreichisches Museum für Angewandte Kunst
Inv. Nr. H 2044

Tragbare Schreibkästen, wie sie in Spanien seit dem Beginn des 16. Jahrhunderts bekannt sind, vereinen in sich mehrere Funktionen. Die eine ist die eines Transportbehälters, so wie spätmittelalterliche Truhen (erkenntlich an den seitlich angebrachten Griffen), die andere ist die eines Gebrauchsmöbels, sofort verwendbar nach dem Herunterklappen der Schreibfläche, welche die kleinen Laden mit Dokumenten und Schreibutensilien verschließt.

Die Einlegearbeiten verraten einerseits Einfluß der Renaissanceornamentik Italiens – jenem Land, in dem die Einlegearbeit sowohl im Möbelbau als auch im Steinschnitt schon im 15. Jahrhundert eine Hochblüte erlebte –, andererseits eine starke volkstümliche Note, vor allem in den geometrischen Ornamenten auf der Innenseite und der flächenfüllenden Aneinandersetzung von Motiven.

Schreibtruhen dieser Art begründeten im europäischen Möbelbau folgender Jahrhunderte den Typus des noch heute bekannten „Sekretärs" sowie des Tabernakelschranks, der auch zur Aufbewahrung von Kostbarkeiten und Geheimnissen dient.

Literatur: Windisch-Graetz 1983, Abb. 145 f — JW

AUGSBURG (?)
3. DRITTEL 16. JAHRHUNDERT

8 Farbabbildung S. 115
Kabinettschrank

Korpus aus Nußholz, Furnier aus Nuß- und Obsthölzern, z. T. grün gefärbt und angesengt; 77 × 120 × 45,5 cm
Wien, Österreichisches Museum für Angewandte Kunst
Inv. Nr. H 218

Während sich die architektonische Gestaltung des europäischen Möbels schon in der 1. Hälfte des 16. Jahrhunderts durchsetzen konnte, bildete der sogenannte „Kabinettschrank" in seiner „Buntheit" eine Ausnahme. Schon die transportablen Varguenos waren nicht nur Schreibtruhen, sondern auch Behälter für Kostbares und Kurioses. Deren einfache Form und reiche, vollflächige Ornamentierung war wohl das Vorbild für die im süddeutschen Raum – hier wieder vor allem in Augsburg – hergestellten Kabinettschränke (vgl. Kat. I. 7). Diese waren auf das engste mit den höfischen Kunst- und Wunderkammern verbunden und spiegeln daher in ihrer Ausführung die dort gezeigte Exotik, Bravour und Antichità wider. Aufbewahrtes und Behältnis werden so zu einem Gesamtkunstwerk vereint. Mag technisch der Einfluß italienischer Tischler von Bedeutung sein, so finden sich Rollwerkornamentik und Ruinenlandschaften, deren starke perspektivische Wirkung zum besonderen Reiz dieser Schränke beiträgt, vor allem in deutschen Vorlagewerken für Kunsthandwerker.

Besonders nahe zu diesem Kabinettschrank steht ein von Lorenz Stoer (tätig 1555–ca. 1620) 1567 veröffentlichtes Vorlagebuch mit dem bezeichnenden Titel: „Geometria e Perspectiva. Hierjinn etliche Zerbrochne Gebew/den Schrejner jn eingelegter/Arbait dienstlich/auch vil andern Liebhabern Zu sonder gefallen geordnet und gestelt. . ." (vgl. Kat. VII. 49).

Literatur: Windisch-Graetz 1983, Abb. 322 ff — JW

JOHANN GREGOR VAN DER SCHARDT
(um 1530 – um 1581)

Zwei Bronzefiguren
vermutlich Teile eines Tischbrunnens

Die beiden Figuren des Sol und der Luna dokumentieren die hohe Bedeutung, die man im 16. Jahrhundert den Sternbildern und -zeichen zumaß, wofür beispielsweise auch die zahlreichen Jahreszeitenzyklen (vgl. Kat. I. 3) stehen. W. Halsema-Kubes hat für unsere Statuetten die Vermutung ausgesprochen, daß sie Teile eines Tischbrunnens mit einer astrologischen Ikonographie gewesen

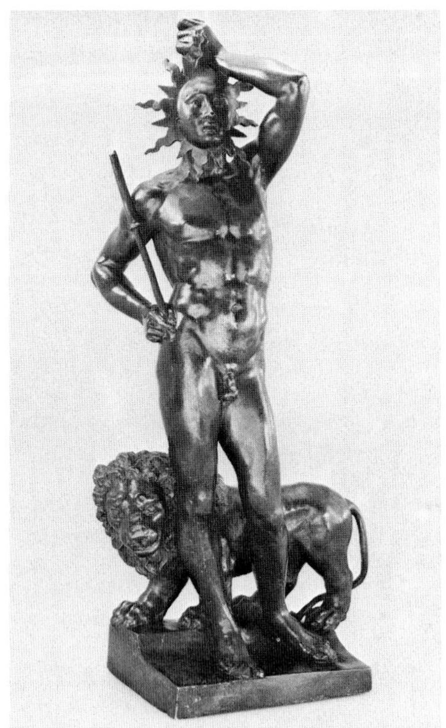

I. 9

sein könnten: Solche Tischbrunnen waren im 16. Jahrhundert durchaus in Gebrauch (z. B. entwarf Wenzel Jamnitzer Ensembles dieser Art) und dienten den edelsten Tafeln als besonders reiche und ausgefallene Festdekoration. Aus den Röhren an den Köpfen unserer Figuren strömte Wasser – im vollständigen Brunnen standen sich die Tag und Nacht symbolisierenden Gottheiten vermutlich direkt gegenüber. Die genaue Gestalt des Tafelaufsatzes (vielleicht kreisförmig?) bleibt jedoch im Dunkeln.

9
Sol

Bronze; Höhe 45,7 cm
Amsterdam, Rijksmuseum, Afdeling Beeldhouwkunst
Inv. Nr. R. B. K. 1977–24

Sol, dem romanisierten griechischen Sonnengott Helios, war nach Tacitus schon im antiken Rom zusammen mit Luna ein eigener Tempel mit Standbildern geweiht. Im 16. Jahrhundert nimmt der Gott nun die Gestalt eines klassischen Aktes an, dem sein Attribut – die Sonnenscheibe – vor das Antlitz geblendet ist. Hinter ihm steht zum Zeichen seiner Verbindung mit dem Monat August dessen Sternzeichen, der Löwe. Die frontale Ausrichtung der in leichtem Kontrapost gegebenen Figur läßt die Bezugnahme auf ein räumliches und inhaltliches Gegenüber glaubhaft erscheinen. Die Zuschreibung an den niederländischen Plastiker van der Schardt erfolgte durch Anthony Radcliffe.

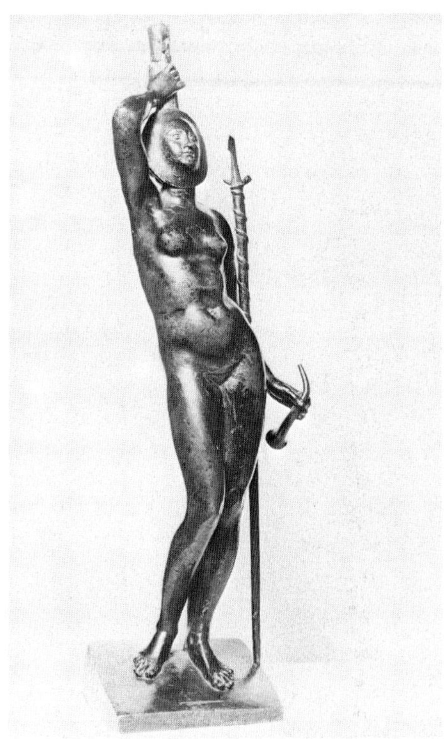

I. 10

10
Luna

Bronzevollguß; Höhe 51 cm
Wien, Kunsthistorisches Museum,
Sammlung für Plastik und Kunstgewerbe
Inv. Nr. 5511

Das volle Rund der Mondscheibe, die sonst als schmale Sichel die Stirn der Diana (sie entspricht der griechischen Selene) ziert, verlegt den Schwerpunkt auf ihre Bedeutung als Beherrscherin des nächtlichen Gestirns. Dennoch behält sie ihre Jagdattribute, den Speer und das Horn. Der elegante Kontrapost der Figur zeigt verblüffende Entsprechung zur Haltung des Sol und legt trotz des Größenunterschiedes zwischen den Gottheiten eine formale wie inhaltliche Beziehung nahe.

W. Halsema-Kubes verweist auf ein im rechten Unterschenkel der Jagdgöttin befindliches Loch, das, in Entsprechung zu Sol, die Anbringung ihres Sternzeichens, des Krebses, gestattet hätte, und auf die in beiden Fällen als Kugelsegment ausgebildeten Standflächen der Figuren.

Anthony Radcliffe reiht die Luna in das Werk des van der Schardt ein, dessen italienische Studienreise nach Rom, Florenz, Bologna und Venedig seine stilistische Nähe zu Cattaneo erklärt.

Literatur: Ausst.-Kat. Master Bronzes 1986, S. 282 – Planiscig 1924, Nr. 163 MB/SS

MELCHIOR MAIR (um 1565 – um 1613)

11 Farbabbildung S. 134
Diana auf dem Kentauren um 1600–1610

Automat; Silber, teilweise vergoldet, edelsteinbesetzt, Sockel aus Ebenholz, Räderwerk aus Eisen; Höhe 39,5 cm
Wien, Kunsthistorisches Museum,
Sammlung für Plastik und Kunstgewerbe
Inv. Nr. 1166

In diesem überaus kostbar ausgeführten Trinkspiel verbindet sich die naive Lust am beweglichen Kunstobjekt mit aufwendigstem Handwerk und einem mythologischen Thema. Der von Helmut Seling dem Augsburger Goldschmied Melchior Mair zugeschriebene Automat fährt, in Gang gesetzt, über die festliche Tafel, wobei die auf dem Kentauren zur Jagd reitende Diana ihren Kopf bewegt, der Kentaur mit den Augen rollt und einen Pfeil abschießt, während der Hund zur Rechten der Gruppe das Maul aufreißt und jener zur Linken den Kopf bewegt. Wer vom Pfeil des Kentauren getroffen wurde, mußte „einer bestimmten Trinkordnung Genüge tun" (Seling). Ein Zifferblatt auf der Brust des Pferdemenschen zeigt die verfließenden Stunden an (I–XII und 13–24), eines am Sockel der Gruppe den Schlag derselben.

Die Vermischung des Weidmännischen, der Mythologie, der Trinkfreude und der Begeisterung für Mechanik ist charakteristisch für die Bräuche am Hofe Kaiser Rudolfs II. in Prag, aus dessen Sammlungen das Objekt stammt (1631 nach Wien überführt; 1750 im Schatzkammerinventar genannt). Solche Trinkspiele und Automaten entsprachen einer Mode der höfischen Tafeldekoration um 1600 und wurden ausschließlich von den Augsburger Goldschmieden hergestellt. Dabei gab stets die Jagdgöttin Diana das mythologische Leitmotiv ab, das in Abwandlungen (z. B. Diana auf dem Hirschen) auf fast allen dieser Trinkspiele, von denen ca. 30 Exemplare bekannt sind, erscheint.

Literatur: Seling 1980; Bd. I, S. 89, 226, Taf. VIII; Bd. III, S. 123 (Nr. 1131 b) – Kat. Wien 1966; Bd. II, Nr. 368 – Hermack 1978; S. 109, Abb. 179 MB

BENVENUTO CELLINI (1500–1571)

12
Modell für das Medusenhaupt der Perseusgruppe in Florenz

Bronze; Höhe 13,8 cm
London, The Trustees of the Victoria and Albert Museum
Inv. Nr. A 14-1964

Die neben Michelangelos David wohl berühmteste Monumentalskulptur des 16. Jahrhunderts ist Cellinis Bronzegruppe

I. 12 a

des Perseus mit dem Haupt der Medusa (Abb. I. 12 a), die seit 1554 in der Florentiner Loggia dei Lanzi steht. Sie führt auf exemplarische Weise die Verknüpfung des Medusenmythos mit einer politischen Bedeutung vor, die auf der Identifikation eines Herrschers mit Perseus, dem Bezwinger des Grauenhaften, beruht. Als Benvenuto Cellini 1545 vom französischen Hof in seine Heimat Florenz zurückkehrte, erhielt er gleich bei seinem Antrittsbesuch bei Cosimo II. Medici nach einer langen Unterredung den Auftrag für diese Skulptur von staatspolitischem Rang. Cellini selbst erzählt, „daß er von mir, als erste Arbeit, einen Perseus begehre; ein solches Bildnis habe er sich schon lange gewünscht". Das monumentale Werk sollte unter der östlichsten Arkade der Loggia, gleichsam als Antwort auf die in der Westarkade aufgestellte Judith des Donatello, einen angemessenen Platz finden. An diesem Ort nahm der Perseus auch direkten Kontakt mit dem nur wenige Meter entfernt, am Eingang in den Palazzo Publico situierten David Michelangelos auf und stellte sich selbstbewußt ihm zur Seite. Die politische Bedeutung der Perseusgruppe bezog sich ebenso wie jene der Judith Donatellos auf die Mediceer. War dieses Werk, wie eine Inschrift verrät, von den reichen Kaufleuten dem Freiheitssinn und der Tapferkeit der Florentiner Bürger gewidmet, so verglich sich im Falle des Perseus der Fürst selbst mit dem mythischen Helden. Darauf weist, wie John Pope-Hennessy gezeigt hat, auch eine Medaille auf Alessandro Medici hin, deren Rückseite den über das Meer schreitenden Perseus darstellt. Als monu-

I. 12

mentale Gruppe und als fürstliche Stiftung am Hauptplatz der Stadt disponiert, mußte Cellinis Skulptur als magische Präsenz des absoluten Herrschers gelesen werden. Zeitgenössische Dichter priesen das komplex strukturierte Bildwerk, in dessen Sockel ein Relief die Befreiung der Andromeda und darüber vier Figuren zeigt (Jupiter, Minerva, Merkur und Danaë mit Perseus als Kind), als Idealfigur, die in Umkehrung der bisherigen Verhältnisse als Kunstwerk zum Vorbild der Natur geworden sei.

Der Entstehungsprozeß der Perseusgruppe war von Verstimmungen und Intrigen geprägt (Cellini beschwert sich besonders über die Kabalen des Bandinelli, vgl. Kat. VII. 21), und zog sich wohl nicht zuletzt deshalb über eine Zeitspanne von neun Jahren hin. Im Laufe dieser Zeit schuf Cellini eine Reihe von kleineren Modellen, von denen noch zwei im Museo Nazionale zu Florenz erhalten sind und verschiedene Stadien und Techniken der Entwicklung dokumentieren. Als man 1964 unseren bronzenen Medusenkopf erwarb, ordnete ihn John Pope-Hennessy zwischen den Stadien des bronzenen Modells im Bargello und der endgültigen Fassung der Skulptur ein. Cellinis für den Bildhauer des 16. Jahrhunderts ungewöhnliche Praxis, Zwischenstadien der Ausführung in Bronze gießen zu lassen, ermöglichte ihm eine exakte Vorausberechnung der Wirkung des Endproduktes. In diesem Sinne diente der nur 13,8 cm hohe Kopf als eine Art Ausdrucksstudie, in der Cellini den „evil, languid character'' (Pope-Hennessy) der Schlangenhäuptigen darstellen wollte. Einzelne Motive antizipieren dabei die endgültige Lösung. Das Stück wird auch wegen der Nachlaßnotiz „una testa di Medusa, di bronzo'' als authentisches Werk Cellinis betrachtet.

Literatur: Pope-Hennessy 1985, S. 163–186 – Pope-Hennessy 1965, S. 5–9 – Braunfels 1961 MB

I. 12

I. 13

RÖMISCHE KOPIE NACH EINEM GRIECHISCHEN ORIGINAL DES 5. JAHRHUNDERTS V. CHR.

13
Medusa Rondanini

Gipsabguß vom Original der Münchner Glyptothek (Silvano Bertolin)

Die berühmte Medusa Rondanini, von der Ernst Buschor vermutet hatte, sie sei eine Kopie des Gorgoneions am Schild der von Phidias geschaffenen Athena-Parthenos-Statue, erlangte vor allem durch Goethe eine Bedeutung, die über die engen Grenzen der Archäologie hinausweist. Als der Dichter 1786 in Rom gegenüber dem Palazzo Rondanini beim Maler Tischbein Quartier bezog, erkannte er durch seine Besuche der Rondaninischen Antikensammlung die dort aufbewahrte Medusenmaske als einen Höhepunkt der antiken Skulptur und knüpfte fortan eine enge innere Beziehung zum Mythos der schlangenhaarigen Gorgonentochter. Erst 1811 gelang es dem bayerischen Kronprinzen Ludwig durch seinen Agenten Johann Martin Wagner, das große Werk für die Münchner Sammlung zu erwerben. Goethes Wunsch, nicht nur als Erinnerung an die römische Zeit einen Abguß der Rondanini zu besitzen, taucht immer wieder in seiner Korrespondenz auf – schließlich nimmt das mythische Ungeheuer mit den menschlichen Zügen in beiden Teilen des Faust (Kat. XI. 20) eine unsterbliche literarische Gestalt an. Inhaltlich geht es dabei vor allem um die unentwirrbare Durchdringung von Magie, Eros, Schrecken und Strafe, für die das Bild der gefallenen Tochter des Phorkys steht. Anders als in der Renaissance stellte man in der Antike die Medusa (den Quellen entsprechend) geflügelt und das Grauenhafte vor allem durch eine Fratze mit weit aufgerissenen Augen und Mund dar, aus dem die Zunge der von Perseus Getöteten hing. Die großartige Leistung des Phidias war es nun, der Fratze menschliche Züge zu verleihen, ja sie nachgerade als schöne, von einem furchtbaren Unglück getroffene junge Frau darzustellen. Gerade diese erhabene und gleichzeitig tragische Schönheit pries Goethe, der für Gretchen ein der Medusa analoges Schicksal entwarf. Der klassisch-schöne Medusentypus des Phidias mit den zwei Schlangen, deren Schwänze unterm Kinn zusammengebunden sind und deren Köpfe aus dem sonst natürlichen Haar ragen, wird im Manierismus des 16. Jahrhunderts dämonisiert und der Schwerpunkt der Wiedergabe auf das Grausige und doch Faszinierende des Schlangenhaares gelegt. Erst im 19. Jahrhundert knüpft Khnopff (Kat. XIII. 21) wieder an diese klassische Form der Medusendarstellung an.

Literatur: Buschor 1958 – Enciclopedia dell'Arte antica, Bd. II, S. 982–985 MB

I. 14

ALFONSO ALBERGHETTI
(tätig in Venedig um 1559–1585)

14
Türknopf in Gestalt eines Medusenkopfes

Bronze mit schwarzer Lackpatina;
Höhe 17,5 cm
Budapest, Museum der Bildenden Künste
Inv. Nr. 5375

Die Darstellung des Medusenhauptes kennt im 16. Jahrhundert viele und sehr verschiedene Erscheinungsformen, die sich jedoch alle von der magisch-apotropäischen Wirkung des entsetzlichen schlangenumringten Gorgonenkopfes aus der antiken Legende (vgl. Kat. I. 13) herleiten. Dem Bannen und versteinernden Abwehren kommt in erster Linie auf repräsentativen (Kat. I. 18) und auf mehr tafelbildartigen Schilden (z. B. bei Caravaggio, Abb. I. 23a) eine besonders sinnfällige Funktion zu, die ja in Perseus, der den Schlangenkopf auf seinen Schild heftete, ein mythologisches Vorbild hatte.

Alberghetti entwarf den stilisierten Medusenkopf aus Bronze als Türknauf, der, am Hauseingang angebracht, Unwillkommenes abwehren sollte. Auch aufwendig geformte Türklopfer (Kat. VIII. 42) konnten diesen Zweck erfüllen. Ein besonderer Sinn kann darin gesehen werden, daß Alberghettis Türknöpfe in Medusengestalt an den geistigen Bastionen der Bibliotheca Marciana und der Scuola di San Rocco in Venedig angebracht waren, was den in den Gebäuden Arbeitenden auf metaphorische Weise einen Abglanz der mythischen Tugenden des Perseus verlieh. 1559 schuf Alberghetti auch den ebenfalls mit Medusenhäuptern versehenen Bronzebrunnen im Dogenpalast.

Literatur: Kat. Budapest 1975, Bd. I, Nr. 212 MB

LEONE LEONI (1509–1590)

15
Porträtbüste der Maria von Ungarn
1505–1558

Bronze; Höhe 67,5 cm
Wien, Kunsthistorisches Museum, Sammlung für Plastik und Kunstgewerbe
Inv. Nr. 5496

Die Büste der Maria von Ungarn, Schwester Karls V. und Gemahlin des in der Schlacht bei Mohács 1526 gefallenen Ludwig II., dürfte wohl auf Vermittlung Karls bei Leone Leoni in Auftrag gegeben worden sein (vgl. Kat. I. 16). Als Statthalterin der Niederlande ist sie in gewisser Hinsicht als Personifikation weiblicher Macht ein Pendant zur Porträtbüste Karls V. Die Büste gelangte ebenso wie die Karls V. in den Besitz Kardinal Granvellas und wurde nach dessen Tod von Rudolf II. erworben.

Maria von Ungarn ist als Matrone in Witwentracht mit Haube und Schleier wiedergegeben. Das Postament trägt ein Medaillon mit der Inschrift: D MAR/ HVNG./ REG.

Die Glätte der Bearbeitung wie die Überhöhung der dargestellten Person durch mythologische Anspielungen – den Sockel zieren Sirenen als Todesdämonen, die ebenfalls Witwenschleier tragen – zeigen manieristische Züge.

Die Büste des Kunsthistorischen Museums ist eine Replik der Originalbüste im Prado, die sich durch einen reicher gearbeiteten Sockel unterscheidet. Die Entstehung des Wiener Exemplares dürfte auf Grund eines Briefes an Kardinal Granvella, in dem sie Erwähnung findet, vor 1555 anzunehmen sein.

Literatur: Plon 1887, S. 291 – Planiscig 1924, Nr. 225 SS

I. 15

I. 16

KOPIE DES 17. JAHRHUNDERTS
NACH LEONE LEONI (1509–1590)

16
Porträtbüste Kaiser Karls V.

Bronze; lebensgroß
Güssing, Burgstiftung Batthyány

Diese Kopie der Bronzebüste Karls V. (1500–1558) zeigt den größten abendländischen Herrscher des 16. Jahrhunderts zum Zeitpunkt seiner höchsten Machtfülle als spanischen König und römisch-deutschen Kaiser. Der Prunkharnisch ist jener, den er 1547 in der Schlacht bei Mühlberg, die u. a. zur Gefangennahme des sächsischen Kurfürsten geführt hatte, trug. Leone Leoni, der seit einem gemeinsamen Aufenthalt mit Karl V. 1549 in Brüssel beste Beziehungen zum Fürsten unterhielt, genoß auch als Münzmeister von Mailand höchste Anerkennung und rechnet sowohl als Medailleur wie auch als Monumentalbildhauer zu den bedeutendsten Erscheinungen des 16. Jahrhunderts. Der enge Kontakt zu Karl sicherte ihm zahlreiche repräsentative Porträtaufträge, darunter auch jene berühmte Bronzefigur in Madrid, in der der Kaiser als lebensgroßer Akt mit einer abnehmbaren Rüstung dargestellt wird. Die Quellen legen nahe, daß es sich bei unserer Komposition um jene ebenfalls lebensgroße Büste Karls handelt, die Leoni nach seinem ersten Zusammentreffen mit dem Kaiser in Brüssel 1549 angefertigt und 1555 dem Kardinal Granvella verkauft hatte. Nach dem Tode des Kardinals erwarb Rudolf II. das Bildwerk.

Im Gegensatz zu seinem Großneffen Rudolf und auch seinem Großvater Maximilian I. widmete sich Karl V., dessen berühmteste Porträtaufträge an Tizian ergingen, nicht im Sinne eines systematischen Sammlers den Künsten, sondern hatte „kraft eines erstaunlichen treffsicheren Urteils das Gute erkannt und das Beste gewählt" (Lhotsky). Man erklärte diese Distanz des Kaisers zum Sammlertum trotz seiner ungebrochenen Beziehung zum höfischen Prunk aus den andauernden politischen Verwicklungen, in denen er sich von einer mittelalterlichen, dem Humanismus entgegengesetzten Vorstellung vom übernationalen Souverän leiten ließ. Karl V. war zudem der exponierteste Gegner der Reformation und in nationalstaatlicher Hinsicht besonders in Streitigkeiten mit Frankreich verwickelt, dessen König Franz I. er im Zuge der italienischen Kriege gefangennahm. 1527 plünderten seine Truppen Rom (Sacco di Roma), 1530 wurde er in Bologna von Papst Clemens VII. zum Kaiser gekrönt.

Die Büste Leonis entstand zwischen den für Karl V. einschneidenden Ereignissen des Augsburger Reichstages (1547) und der deutschen „Fürstenrevolution" von 1552.

Literatur: Plon 1887, S. 290 – Planiscig 1924, Nr. 222 – Ausst.-Kat. Karl V. 1958, Nr. 63 (jeweils für die Originalfassung) MB

BATTISTA DOSSI (gest. 1548)

17 Farbabbildung S. 119
Der Traum nach 1540

Leinwand; 82 × 150 cm
Dresden, Staatliche Kunstsammlungen, Gemäldegalerie Alter Meister
Inv. Nr. 131

Somnus, die Personifikation des Schlafs, versenkt die im Vordergrund liegende Frau mit seinem in das Wasser Lethes, des Flusses des Vergessens, getauchten Wedel in tiefen Schlummer. Auf einem Felsstück neben ihm sitzt sein Attribut, die Eule: In dieses Nachttier hatte er sich einmal verwandelt, um sogar über Jupiter seine bewußtseinnehmende Macht auszuüben. Um die Schlafende erscheinen die phantastischen Ausgeburten ihrer Träume; in der Ferne geht eine Stadt in Flammen auf, ihr greller, im Wasser eines Sees sich widerspiegelnder Schein erleuchtet die Vollmondnacht. Vielleicht ist hier an eine falsch überlieferte Statius-Stelle (Thebais 134f) gedacht, in der die Mischung von Flammen und Flüssen, von wahren und falschen Gesichtern im Traum beschrieben ist. Rechts am Bildrand sieht man einen Hahn, das Tier, das laut Lukian (Verae historiae 2,32ff) auf der Insel der Träume besonders verehrt wird.

Guy de Tervarent hat nachgewiesen, welche antiken literarischen Quellen in Dossis Traumbild verarbeitet sein könnten. Die brennende Stadt, die gespenstischen Wesen – in auffälligem Kontrast zur klassischen Liegefigur – sind dagegen eindeutig von – seit dem frühen 16. Jahrhundert in italienischen Sammlungen nachweisbaren – Werken des niederländischen Malers Hieronymus Bosch inspiriert. Ihre Bilderfindungen waren in der Kunst des Cinquecento beliebt, in Mittelitalien – wie Raffaels „Hl. Michael" im Louvre zeigt – ebenso wie in der venezianischen Malerei (vgl. Giulio Campagnolas Stich von 1508 oder Girolamo Savoldos „Versuchung des hl. Antonius" in San Diego). Im Rahmen dieser italienischen Bosch-Rezeption steht Dossis Gemälde thematisch und motivisch am nächsten ein Stich Marcantonio Raimondis, der sogenannte „Traum Raffaels" (Kat. VII. 29).

Das Gemälde stammt aus dem Kastell der Herzöge von Ferrara und entstand wahrscheinlich im Auftrag Ercoles II. von Este wie sein vermutliches Pendant (ebenfalls in Dresden), in dem dargestellt ist, wie eine Hore, eine Stundengöttin, die Rosse Apolls im Morgengrauen aus dem Stall zum bereitstehenden Wagen des Sonnengottes führt. Im allegorischen Zyklus der Tageszeiten, dem beide Bilder wohl angehörten, wird die Beunruhigung des Traumes wieder aufgehoben: Das Licht des Tages verscheucht die nächtlichen Gesichter.

Literatur: Tervarent 1944, S. 290ff – Gibbons 1968, Nr. 92 – Slatkes 1975, S. 335ff HA

FILIPPO NEGROLI (erwähnt 1531–1553)

18 Farbabbildung S. 125
Medusenschild Karls V.
Mailand um 1541

Eisen getrieben und dunkel brüniert, den Charakter von Bronzeguß imitierend, die Binnenzeichnung und die Musterstreifen in Goldtauschierung
Wien, Kunsthistorisches Museum, Waffensammlung
Inv. Nr. A 693a

Wie man aus einer auf dem Schild befindlichen Inschrift C(arolo) V IM(peratori) S(emper) A(ugusto) D(ivo) F(erdinandus) D(ad) AL(geriam) P(rofecto) F(ratri) V(ictori) D(edicat) ersehen kann, wurde Kaiser Karl V. anläßlich seines Unternehmens gegen Chaireddin Barbarossa in Algerien von seinem Bruder Ferdinand ein antikisierender Helm und ein Prunkschild geschenkt. Die Sturmhaube und der Schild all' antica, die klassische Ausrüstung des spanischen Infanteristen, wurden in Mailand von den Brüdern Filippo und Francesco Negroli hergestellt. Die beiden Prunkwaffen sind voller großartiger Anspielungen. Mit dem Helm und der Rüstung verwandelt sich Karl V. in einen Heros der Antike. Der Helm, dem offenen römischen Helm der cassia nachgebildet, stellt das Haupt des nemeischen Löwen dar. Durch den Helm wird Karl V. zum neuen Herkules, mit dem er sich durch seinen Wahlspruch PLVS VLTRA besonders verbunden fühlte. Auf dem Kamm des Helmes kämpfen Tritonen und Nereiden, wodurch auf die Überfahrt nach Algier angespielt wird. Die Helmglocke wird durch geflügelte Meerweibchen geschmückt, die mit ihren Attributen Sieg und Ruhm symbolisieren.

Der Schild, in dessen Mitte das Haupt der Gorgo prangt, stellt für seinen Träger die Beziehung zu Perseus her. Wie Perseus soll er seine Gegner durch den Blick der schlangengekrönten Gorgo versteinern.

Auf die Gleichsetzung Karls V. mit Perseus verweist auch die griechische Inschrift ΠΡΟΣ ΤΑ ΑΣΤΡΑ ΔΙΑ ΤΑΥΤΑ (durch diese, nämlich Sieg und Ruhm, zu den Sternen). Durch den Sieg von Algier gelangt Karl V. zu den Sternen, genauso wie Perseus, der durch seine Heldentaten in den Himmel, als Sternzeichen, erhoben wird.

Aber diese Beziehung zu Perseus ist nicht die einzige, die der Schild bietet. Hier offenbart sich der typisch manieristische Zug, daß auf dem Schild zahlreiche Interpretationsschichten ineinander verwoben wurden, daß in den Anspielungen immer ein gewisser enzyklopädischer Zug zu finden ist. Der Schild mit dem Gorgonenhaupt ist der der Pallas Athene, der Tochter des Zeus, der Göttin der Weisheit. Karl V. wird durch den Schild gleichsam zur Pallas Athene oder zumindest zu ihrem besonderen Schützling.

Der äußere Rand des Schildes ist durch einen Fries von Meerwesen gebildet, die erneut auf die Überfahrt nach Algier verweisen.

Diese vier Gruppen von reitenden, kämpfenden bzw. musizierenden Tritonen und Nereiden (nach Stichvorlagen von Andrea Mantegna) erfüllen aber noch eine andere Aufgabe. Durch sie wird auf den Schild angespielt, den Thetis ihrem Sohn Achilles von Hephaistos, nach dem Tod des Patroklos, anfertigen läßt. Durch diese subtile Anspielung wird Karl V. nicht nur zum zweiten Achill, sondern der Schild ist auch das Werk des Gottes der Schmiede (vgl. Kat. I. 31), also ein unübertreffbares, weil göttliches Kunstwerk. Diese Form der doppelten Anspielung findet sich nochmals. Zwischen dem Meerwesenfries finden sich in Rundmedaillons die Köpfe der vier römischen Afrikahelden Scipio, Caesar, Augustus und Claudius.

In Vergils Beschreibung des Schildes, den Aeneas von seiner Mutter Venus bekommt, sind Szenen aus der Geschichte Roms dargestellt, wie auch hier die vier Eroberer Afrikas. Somit wäre Karl V. auch der zweite Aeneas, der Stammvater der Römer.

Die Rundmedaillons mit antiken Büsten und Umschriften SCIPIO AEMIL. APHRICANVS/D(ivus) IVLIVS A. CAE. IM(perator). P(ontifex) M(aximus) / D(ivus) AVGVSTVS CAE(sar) IMP(erator) / TI(berius) CLAVDIVS CAE(sar) AVG(ustus) IMP(erator) verweisen auf die vier römischen Eroberer Afrikas. Scipio eroberte Karthago (die Provinz Afrika),

Caesar Ägypten, Augustus führte einen Feldzug gegen Äthiopien, und Claudius eroberte Mauretanien. Karl V. soll bei seinem Feldzug gegen Afrika zum großen Afrikahelden, zum Nachfolger der römischen Eroberer werden. Diese vier römischen Feldherren sind aber nicht nur die Eroberer Afrikas, sie sind auch die Eroberer Westeuropas. Scipio eroberte Spanien, Caesar Gallien (Frankreich), Augustus Germanien (Teile Deutschlands und Österreichs), Claudius Britannien (England). Karl V. ist also auch der legitime Nachfolger einer Herrschaft in Westeuropa.

In beide Reihen paßt Augustus nicht wirklich hinein, denn sowohl seinem Feldzug gegen Äthiopien als auch seiner Eroberung Germaniens waren nur Teilerfolge beschieden. Das spielt für das manieristische Denken keine so große Rolle. Augustus ist der erste römische Kaiser und mußte sich daher unter der Gruppe von Personen befinden, als deren Nachfolger sich Karl V., der römische Kaiser deutscher Nation, sah.

Den inneren Fries schmücken Beutestücke, zwischen denen vier weitere Heroen angeordnet sind. Drei, Judith, David und Samson, sind biblischen Ursprungs, der vierte, Herkules, der griechische Halbgott, ist als leidender Held die antike Gegenfigur zu Christus. Herkules bildet dabei fast ein Symbol der Durchmischung antiken und christlich-biblischen Gedankengutes, wie sie für den Manierismus so bezeichnend ist. Die Friesteile aus Beutestücken und Figuren haben allegorische Bedeutung. Der oberste symbolisiert mit Gefangenen und Trophäen den Krieg, der zweite mit der Victoria, die die Schildinschrift trägt VICTOR DO, den Sieg.

Auf den mit Trommeln und Kanone geschmückten Friesteil des Ruhms tragen zwei Genien auf dem Buch die Inschrift CAROLO, VIMSA D und FE.D.ALP.FVD. die, wie schon eingangs erklärt, die Widmung an Karl V. enthält.

Der letzte Fries, der des Friedens, ist durch die Objekte des Festes, Prunkgeschirr und Musikinstrumente, gekennzeichnet. Ihn beherrscht ein Genius, der einen Palmenzweig und eine Tuba zur Verkündigung des freudigen Ereignisses trägt. (Durch den Krieg erringt er Sieg und Ruhm und den zu feiernden Frieden.)

Zusammenfassend läßt sich sagen, daß durch das Programm der Prunkrüstung Karl V. nicht nur zum Eroberer Algiers gemacht wird, sondern daß er als Nachfolger der antiken Helden und römischer Kaiser auch der legitime Erbe der antiken Weltherrschaft ist.

Literatur: Sacken 1859, Bd. 1, S. 29, Taf. 14, 15 – Boeheim 1889, S. 395–399 – Boeheim 1894, Bd. 1, S. 13, Taf. 22 – Groß 1923, S. 123–131 – Thomas/Gamber 1958, S. 765 – Ausst.-Kat. Karl V. 1958 – Thomas/Gamber/Schedelmann 1963, Taf. 28 – Boccia/Coelho 1967, S. 334f, Abb. 285 – Klauner 1978, S. 165 MP

I. 19

JÖRG SIGMAN (um 1527 – um 1601)

19
Medusenschild
Augsburg 1552

Eisen, getrieben, blank
London, The Trustees of the Victoria and Albert Museum
Inv. Nr. 3660–1855

Der Augsburger Goldschmied Jörg Sigman dürfte bei der Anfertigung des Rundschildes für einen unbekannten Auftraggeber vom Wiener Medusenschild (Kat. I. 17) des Mailänder Plattners Filippo Negroli angeregt worden sein. Wie der 1541 entstandene Wiener Schild wird der Londoner Schild vom Medusenhaupt im Mittelmedaillon beherrscht. Der Gorgonenkopf umgibt die Signatur des Meisters GEORGIVS SIGMAN AVRIFEX AVGVSTE HOC OPVS PERFECIT ANNO DOMINI MDLII MENSE AVGVST DIE XXVII (Jörg Sigman, Goldschmied von Augsburg, vollendete dieses Werk im Jahre 1552, August, 27).

Das Mittelmedaillon ist von zwei konzentrischen Kreisen umgeben, auf denen der Triumph der Stadt Rom dargestellt ist.

Der innere Kreisring enthält sieben Lorbeerkränze, die die Stadt Rom für besondere Heldentaten verliehen bekommen hat. In jedem Lorbeerkranz befindet sich eine Inschrift, die die Auszeichnung näher bezeichnet. TRVMPHALIS (des Triumphes), OVALIS (der Huldigung), MVRALIS (der Mauernstürmung), OBSIDIONALIS (für Belagerung), NAVALIS (für Seesieg), VALLARIS (für Schanzeneinnahme), CIVICA (für Bürgerrettung). Zwischen dem mittleren Ring und dem äußersten Kreisring erklärt eine Inschrift das Programm der darüberliegenden, sich im äußeren Ring befindenden Darstellung: ROMAE AETERNAE.MARTI VICTORI.VIRTVS AVG.PAX PERPETVA.HONOS IOVI VLTORI (dem ewigen Rom, Mars dem Sieger, Augusteische Tugend, ewiger Friede, Ehre, Jupiter dem Rächer).

Die infolge des Fehlens einer klaren szenischen Gliederung etwas verworren wirkende Darstellung bezieht sich in ihrem Figurenrepertoire weitgehend auf Stiche aus Enea Vicos „Le imagini degli' imperatori'', Rom 1548. Wie bei einem manieristischen Kunstwerk letzten Endes nicht anders zu erwarten, liegt dieser scheinbar so verworrenen Figurenansammlung ein ausgefeiltes Programm zugrunde, das sich sogar weitgehend auflösen läßt. Jedem der in der Umschrift angegebenen sechs Begriffe entspricht eine Figurengruppe im Fries.

Im Zentrum des Frieses sitzt eine weibliche Verkörperung des ewigen Rom, dem ja der gesamte Schild gewidmet ist. Roma hält in der einen Hand ein Zepter, in der anderen ein Schwert, womit ihre beiden Funktionen zu regieren und zu erobern charakterisiert sind. Links hält Romulus einen Stab, der in einem Blitz endet, wodurch entweder auf die besondere Kraft des Gründers Roms angespielt wird, oder auf den Umstand, daß er bei einem Unwetter zu den Göttern entrückt wird. Unter ihm wird sein Bruder Remus von der Wölfin gesäugt. Zur Rechten Remus' bringt ein Adler das Blitzbündel der Stadtgöttin. Darunter lagert ein Flußgott, wahrscheinlich der Tiber, daneben Trophäen und gefesselte Gefangene. Rechts anschließend folgt die Darstellung des MARTI VICTORI, des siegreichen Mars.

Im Zentrum eine stehende, nackte Figur, in ihrer Rechten ein klassischer Helm, in der linken Hand Waffentrophäen. Links davon ein Trophäon, ein Siegesmal aus Beutewaffen, und darunter zwei gefesselte Gefangene. Die Trophäen werden von zwei geflügelten Victorien gehalten.

Die VIRTVS AVG(usta), die augustinische Tugend, findet sich in einer bekleideten, aufrecht stehenden, weiblichen Gestalt, die in der Rechten ein Schwert und in der Linken ein Zepter trägt. An sie schließen eine von einer Schlange umwundene Palme (vielleicht eine Anspielung auf Ägypten), Anker und Schiffstrophäen (eventuell die Schlacht von Actium), drei kämpfende, nackte Männer (Anspielung an barbarische Stämme), eine Palme und eine weitere Galeere an. Abgeschlossen wird dieser Friesabschnitt durch einen römischen Kaiser mit dem Füllhorn, der an einem Altar opfert.

Die Pax Perpetua, die Gegenfigur zur Roma, sitzt wie diese. In der linken Hand trägt sie ein Füllhorn, in der rechten eine Fackel, mit der sie einen aus Waffen und Rüstungen gebildeten Haufen anzündet. Links von der Verkörperung des ewigen Friedens befindet sich der doppelköpfige Gott Janus. Im Falle des Friedens wurden in Rom die Tore seines Tempels geschlossen, daher hält er den Schlüssel der Verkörperung des Friedens hin.

Links an Janus befindet sich eine Gruppe aus drei Personen, die nur teilweise auflösbar ist. Es ist nicht ganz klar, ob man sie zur Pax Perpetua oder zur Verkörperung der Ehre, zur Honos, rechnen kann.

Die sitzende bewaffnete Figur, mit einer kleinen geflügelten Victorie auf der Hand, kann man vielleicht als die römischen Krieger deuten, die durch den Sieg die Ehre erringen. In der gleichen Weise konnte sich auch die zweite Kriegerfigur erschließen. Völlig unklar bleibt jedoch die nackte Figur, die an eine Palme gebunden ist. Umgeben ist diese Gruppe im Hintergrund von Trophäen des Seekrieges und des Landkrieges. Honos, die Ehre, ist als halbnackte, weibliche Figur dargestellt. Sie steht aufrecht und stützt sich mit ihrer rechten Hand auf ein Zepter, in der linken hält sie ein Füllhorn.

An die Figur der Ehre schließt die Gruppe des rächenden Jupiter an, der, umgeben von seinem Adler, auf ein Zepter gestützt, das Blitzbündel gegen die Titanen schüttelt, die aneinandergefesselt zu Boden stürzen.

Das ewige Rom, das durch sieben Lorbeerkränze besonders ausgezeichnet ist, erringt mit der Hilfe des siegreichen Mars, der Augustinischen Tugenden, der durch römische Siege errungenen Ehre (Honos) sowie des rächenden Zeus, der sein Blitzbündel schickt, den ewigen Frieden (Pax Perpetua) erringt.

Literatur: Kat. Madrid 1898, Taf. 55f – Boeheim 1891, S. 121–203 – Grancsay 1928, S. 198–200 – Hayward 1956/58, S. 21–42 – Thomas/Gamber/Schedelmann 1963, Taf. 34 – Ausst.-Kat. Welt im Umbruch 1980, S. 511 ff MP

SCHULE DES BERNARD PALISSY
(Frankreich, Saintes?,
2. Hälfte 16. Jahrhundert)

20
Ovale Platte

Glasierte Fayence mit Reliefdekor „La Fécondité" (Die Fruchtbarkeit)
Écouen, Musée de la Renaissance
Château d'Écouen
Inv. Nr. CL 13204

Bernard Palissy (um 1500–1590) erlernte das Handwerk eines Glasmalers und kam so zur Beschäftigung mit Bleiglasuren über dünnwandigen Fayencen. Die Erzielung feinster Farbtöne mit möglichster Naturtreue brachten ihm und seinen „rustiques figurales" nicht nur höchsten Ruhm ein, sondern schon zu Lebzeiten zahlreiche Nachahmer und Fälscher.

Palissy schuf aber nicht nur Arbeiten mit Naturnachbildungen, sondern auch noch Prunkkeramiken mit antikisierenden Themen. Technisch – Reliefdekor und Farbgebung – sind seine Arbeiten von den alpenländischen Hafnerarbeiten abzuleiten, wo auch Themen wie irdische und himmlische Liebe, Fruchtbarkeit, Gerechtigkeit und ähnliche Darstellungen verbreitet waren. Als Vorbilder hiefür dienten meist Holzschnitte süddeutscher Künstler.

Andererseits stand die französische Keramik unter starkem Eindruck italienischer Arbeiten und Limousiner Emails, auf welche Tellerform und Komposition zurückzuführen sind.

Gerade in dieser Platte kommt die Aufnahme und feine Vermengung von Einflüssen zweier Kulturräume im französischen Kunsthandwerk zum Ende des 16. Jahrhunderts gut zum Ausdruck. Von ihr existieren mehrere Exemplare.

Literatur: Ballot 1924, Abb. 33 – Kris 1926 JW

I. 20

I. 21

ITALIEN, 17. JAHRHUNDERT

21
„Don Quichote"

Öl auf Holz; 45 × 60 cm
Privatsammlung Basel/Schweiz

Der durch eine stimmungsvoll beleuchtete Landschaft ziehende Ritter, von zwei marschierenden Knappen flankiert, trägt seinen Namen „Don Quichote" vermutlich zu Unrecht. Nur seine traurige Erscheinung gemahnt an den idealistischen Edlen von La Mancha, dessen hehre Ideen weder von der Welt noch von seinem schlauen Gefährten Sancho Pansa ernstgenommen wurden. Letzterer fehlt auf dieser Darstellung: Keiner der beiden einhergehenden Gefolgsleute kann als Sancho Pansa bezeichnet werden, dessen Charakter und Aussehen in diametralem Gegensatz zu den seelischen und körperlichen Eigenschaften seines Herrn stehen. Das Fußvolk auf unserem Bild gleicht dem Berittenen, dessen Krönlein der einzige Hinweis auf seine soziale Höherstellung ist.

Die vornehmlich der Landwirtschaft und dem Fischfang entnommenen Utensilien werden ungeachtet ihrer realen Größenverhältnisse kombiniert. Auffällig im Vergleich zu Arcimboldos Kompositionen ist die Tatsache, daß nicht die Gegenstände sich subtil einem höheren Prinzip (dem Darstellungsinhalt) unterordnen, sondern daß umgekehrt die additive Verknüpfung der Objekte das Aussehen der Figuren bestimmt. Dadurch wird die lächerliche Stückhaftigkeit der Protagonisten betont.

Die Darstellung, vor allem der Ritter und sein vorderer Knappe, knüpft an späte Bildideen Arcimboldos bzw. seiner Schule wie die heute verlorenen Gemälde „Koch" und „Mundschenk" an. In solchen Bilderfindungen nimmt das Komische gegenüber verschlüsselten allegorischen Inhalten überhand, und zweifellos ist auch unser Gemälde als Spottbild zu verstehen, das seine Ironie allerdings vermutlich gegen die Vertreter niederer Gesellschaftsschichten richtet.

Literatur: Dacosta Kaufmann 1985, S. 210–217; vgl. Nr. 2–15 u. 2–16; (mit weiteren Literaturangaben) MK

I. 22

TOBIAS STIMMER (1539–1584)

22
Spottbild auf den Papst 1568

Holzschnitt mit Typendruck; 38 × 24,3 cm
Unten: Gedicht von Johann Fischart
Braunschweig, Herzog Anton Ulrich-Museum

Tobias Stimmer präsentiert hier seine – und zugleich die protestantische – Version des todbringenden Gorgonenhauptes, das abzuschlagen ihm möglicherweise als ein ebensolches Verdienst erschien wie die mythologische Großtat des Perseus. Die Aufschrift über der Rahmenkartusche spricht von einem seltsamen Meerwunder, das an den Strand Amerikas gespült worden sei und nun von den Jesuiten verbreitet werde (eine Anspielung auf die Jesuitenmission in der Neuen Welt), das Spottgedicht unterhalb der Darstellung bezeichnet das Medusenhaupt einleitend auch als babylonische Hure, die „die Könige äff und geck, die armen aber poch und schreck". In der nächsten Spalte wird es deutlicher und weist ausdrücklich darauf hin, daß es der „beschreyte Schalck von Rom" sei, der hier aus verschiedenen Utensilien katholischer Religionsausübung zu einem wenig ansprechenden Ganzen zusammengefügt ist.

Der Papst ist nichts anderes als ein Konglomerat toter, wertloser Gegenstände. Als Tiara fungiert eine Glocke, die mit Kreuzesnägeln und Pilgermuscheln, Weihwasserwedeln, brennenden Kerzen und Öllampen, einer Heiligenfigur und einem Rosenkranz geschmückt ist. Darunter lugt das aus einem Fisch, einem Kelch mit Hostie, einer Patene, einem Krug und einem Bündel päpstlicher Bullen mit Siegel gebildete Gesicht hervor. Ein prachtvoller Kodex mit päpstlichem Wappen leitet zum Gewand über, das im wesentlichen aus Fischen und einem prunkvollen Zaumzeug besteht, an dem eine Monstranz angebracht ist. Ergänzt wird diese substanzlose Groteske durch einen singenden Esel mit Brille, eine Gans mit Rosenkranz, ein Schwein mit Birett und einem Wolf mit Mitra, der ein Lamm gerissen hat. Das Spottgedicht schließt mit den Worten: „Wohl dem der sich darnach nit hält/und dem solch stickwerck nit gefelt."

Das mehrfach aufgelegte Spottblatt variiert die Errungenschaften des Mailänder Malers Giuseppe Arcimboldo (vgl. Kat. I. 3, I. 4), wenngleich unklar bleibt, ob ein direkter Einfluß des Prager Hofkünstlers auf Stimmer angenommen werden kann. Anders als Arcimboldos tiefgründige und komplizierte Allegorien ist Stimmers von beißendem Spott gekennzeichnete Satire auf den Papst eine unmißverständliche Botschaft.

Literatur: Ausst.-Kat. Stimmer 1984, S. 258f, Nr. 152 – Ausst.-Kat. Luther 1983, S. 165, Nr. 37 MK

I. 23a

PETER PAUL RUBENS (1577–1640)

23 Farbabbildung S. 136
Das Haupt der Medusa um 1617/18

Öl auf Leinwand; 68,5 × 118 cm
Wien, Kunsthistorisches Museum, Gemäldegalerie
Inv. Nr. 3834

Rubens' Interpretation des grausigen Medusenhauptes, dessen Anblick den Betrachter versteinert, führt die manieristischen Medusendarstellungen, auf deren unmittelbarer Kenntnis sie beruht, entscheidend weiter und deutet die zeichenhafte, emblematische Auffassung des 16. Jahrhunderts in Richtung eines belehrenden Detailrealismus um.

Ovid berichtet vom „schönste(n) / Mädchen, das eifersüchtig gar viele Bewerber umdrängten. / Aber das allerschönste an ihr, das waren die Haare / welche sie hatte (. . .) / Doch ward sie vom Herrscher des Meeres entehrt in Minervas / Tempel, so heißt es; es wandte zur Seite sich Jupiters Tochter, / sich mit der Aegis das keusche Gesicht überdeckend. / Zur Strafe wandelte sie die Haare der Gorgo in häßliche Schlangen'' (Met. IV, 794–801). Dem Tugendhelden Perseus schließlich gelang es, dem am Fuße des Atlas hausenden Ungeheuer den Kopf abzuschlagen, indem er ihrem tödlichen Blick durch Spiegelung in seinem bronzenen Schild entging. An den Schild geheftet, diente ihm die grause Trophäe später (in Umkehrung ihrer Wirkung) als unbesiegbare Waffe gegen seine Feinde. Genau dieses (manieristische) Spiegelmotiv und die Identifikationsmöglichkeit mit Perseus waren die Gründe für die häufige Darstellung des Medusenhauptes auf Schilden (Kat. I. 18), die so ihren Träger mit klassischen Tugenden verbanden: Auch Rubens' Lehrer Otto van Veen bediente sich in der Herrscherdarstellung dieses Motivs (Kat. IV. 3). Eine Anregung zur Darstellung des Gorgonenhauptes, das neuerdings in die Jahre 1617/18 datiert wird, könnte Rubens durch eine vermutlich im Jahr 1600 in Florenz erfolgte Begegnung mit dem berühmten hölzernen Rundschild empfangen haben, den der für den Flamen auch sonst vorbildliche Caravaggio 1595–1600 mit einem extrem realistisch ausgeführten Medusenhaupt versehen hatte (Abb. I. 23a). Vorher war es aber Leonardo, der in seiner Jugend auf einem ebenfalls runden Holzschild ein Medusenhaupt darstellte und damit alle späteren Versionen des Themas entscheidend geprägt haben dürfte. Vasari beschreibt das heute verlorene Bild ausführlich, auch die Quellen des 16. Jahrhunderts bezeugen seine Existenz – bezeichnenderweise in der mediceischen Sammlung, die Rubens gewiß kannte und die Caravaggios Medusa noch heute beinhaltet. Quellen berichten auch von der damals herrschenden Auffassung, daß die bannende Macht des Florentiner Großherzogs durch seinen Besitz des Bildes auf eine symbolische Weise dargestellt würde.

Diese auf die unmittelbare Wirkung des Grausigen berechnete Funktion der Medusendarstellung im 16. Jahrhundert scheint im (rechteckigen!) Gemälde Rubens' zugunsten einer narrativen, humanistisch-belehrenden Haltung überwunden zu sein. Der „in bildungsgeschichtlicher Hinsicht (. . .) bedeutendste Romanist überhaupt'' (G. Heinz) zeigt den Augenblick unmittelbar nach der Enthauptung. Der Schlangenkopf ist auf einen der Felsen des Atlas gefallen, aus dem Stumpf des Halses strömt Blut, das sich sofort in rasch wachsende Schlangen verwandelt, ein Vorgang, den Rubens mit ungeheurer Präzision schildert. Den Schlangenreichtum Libyens erklärte Ovid (Met. IV, 619) aus diesem Blutzauber. In größter Variationsbreite und Phantastik sind nun alle möglichen Erscheinungsformen der Ringeltiere dargestellt, deren Autorschaft jedoch wie jene der Landschaft des öfteren anderen Händen zugeschrieben wird (Frans Snyders, Paul de Vos). Das Antlitz der Medusa – beängstigend unmittelbar in Augenhöhe des Betrachters dargestellt – ist fahl und blutentleert, der Blick gebrochen. Rubens legt das Darstellungsgewicht weniger auf die ihm geläufige Symbolik des Gorgonenhauptes als vielmehr auf eine exakte Quellenwiedergabe, was bereits dem barocken Bildprinzip von Belehrung durch Überzeugung entspricht. Das Bild ist erst seit 1718 in der kaiserlichen Sammlung nachgewiesen und stammt vermutlich aus der Auktion der Bestände des Herzogs von Buckingham 1648 in Antwerpen. Repliken und Kopien befinden sich in Dresden und Brünn.

Literatur: Ausst.-Kat. Rubens 1977, S. 11–29 und Kat. Nr. 23 – Heikamp 1966, S. 62 ff – Kat. Wien 1973, S. 147
MB

PIERRE BIARD d. J. (um 1592–1661)

24
Allegorie auf die Skulptur 1627

Radierung; 35 × 52 cm
Bezeichnet: Petrus Biard fecit 1627
Inschrift: Giaceuasi l'antica alta scoltura (. . .) Et elia viuera chiara, immortale.
Hamburger Kunsthalle, Kupferstichkabinett
Inv. Nr. 18481

Zwei unterschiedlichste Gruppen sind hier gegeneinander angetreten. Auf der linken Seite, vor einer grauen Wand, die den Blick in die dahinterliegende Landschaft versperrt, sammeln sich skurrile Schreckgestalten, angeführt von zwei schlangenhaarigen, medusenhaften Frauen, Allegorien der Invidia, gefolgt von der tubenblasenden Allegorie der Verleumdung. Eine eselsköpfige Gestalt, der leibhaftig gewordene Traum Zettels aus Shakespeares „Mittsommernachtstraum", und eine dunkelhäutige Groteske, deren gewundene Schlangenbeine an Cesare Ripas Furor-Ikonographie erinnern, schließen den Horrorzug ab. Der Gruppe zugeordnet ist eine düstere weibliche Chimäre. Auf der rechten Seite des Blattes versammeln sich unter einem Triumphbogen die Allegorien Italiens und Roms, die Göttin des Meeres, vor der auf dem Boden, mit dem Füllhorn im Schoß, die Allegorie der Abundantia kniet. Im verschatteten Hintergrund steht eine geflügelte Melancholia. Zweimal hat sich der Bildhauer Biard in diesem „Festzug" porträtiert. Einmal als Jüngling in den Armen Ceres' vor der Priapos-Herme und als andächtig Versunkener vor der Statue der Venus, die triumphierend ihr Attribut, das flammende Herz, den Unterweltgestalten entgegen hält. Sie meint jene antike Skulptur, von der der Text spricht, die begraben war in Vergessenheit, bis ihr göttliche Hilfe zuteil wurde und sie wieder auf ihrem Thron aufrichtete, sodaß sie erneut gegen die Natur konkurrieren konnte. Umgeben von den unsterblichen Göttinnengestalten wird die Skulptur Garant ewig wirkenden, menschlichen Kunstschaffens, denn der Künstler ist zurückgekehrt zu den Ursprüngen idealer Schönheit, zur Antike. Die Idealität überdauert die abstrusen Phantasien vergangener Epochen, die nur mehr mit Neid erkennen müssen: ore figurat.

Der Inschrifttafel zufolge ist das Blatt adressiert an M. le comte de Moret.

Literatur: Robert/Dumesnil, S. 98 ff — GW

I. 24

I. 25

PIERRE MILLAN (erwähnt 1542–1556)
UND RENÉ BOYVIN (um 1525 – um 1610)

25
Die Nymphe von Fontainebleau

Kupferstich; 31,8 × 50,8 cm
Bezeichnet: Cum privilegio Regis; Rous. Floren. Inuen – O Phidias (. . .) inchoatam reliquit
Paris, Bibliothèque Nationale, Cabinet des Estampes

Der von Pierre Millan begonnene und von René Boyvin vollendete Stich gibt exakt den ornamentalen Rahmen wieder, der die von Primaticcio gemalte Danaë in der Galerie Franz' I. umfaßt, nur ist diese durch eine im Schilf liegende Quellnymphe, die sich mit ihrem linken Arm auf eine Wasser spendende Urne stützt und der sich ein Jagdhund vorsichtig nähert, ersetzt. Das Sujet spielt wahrscheinlich auf eine der Gründungslegenden von Fontainebleau an: Auf einer Jagdpartie entdeckt der Hund „Bliaud" eine Quelle, die schließlich nach ihm benannt wird: „Fontaine-bliaud". Die Herkunft und die ursprüngliche Autorschaft des Sujets waren schon immer umstritten. Die Unterschrift weist auf Rosso hin – dieser hatte 1540 Selbstmord begangen, woraufhin Primaticcio sein Nachfolger wurde.

Im Gegensatz zu Fantuzzis Radierungen der ornamentalen Rahmung, die die Ornamente eher im Sinne reiner Aufrisse wiedergeben, versucht der Stich die Plastizität der früchtetragenden weiblichen Hermen und der auf dem unteren Rand musizierenden und singenden Putten wiederzugeben. Helle Lichtreflexe und dunkle Schattenzonen unterstreichen die Körperlichkeit der Stukkaturen wie auch der Nymphe. Oben über der Kartusche wieder der königliche Salamander, rechts und links von ihm sind zwei kleine runde Bildfelder mit Darstellungen von Mond und Sonne (Diana und Apoll?).

Literatur: Bardon 1963, S. 13 ff – Zerner 1969, P.M. 7 – Ausst.-Kat. Fontainebleau 1972, Nr. 423 — EH

I. 26

JACOPO ZUCCHI (1541–1590)

26

Projekt eines Brunnens 1587–1590

Feder, braune Tinte, laviert (über Kreidezeichnung); 45,7 × 33,4 cm
Paris, Louvre, Cabinet des Dessins
Inv. Nr. 4553

Das Blatt fügt sich stilistisch in das zeichnerische Œuvre J. Zucchis und ist mit großer Sicherheit ein Projekt für Ferdinand I. Medici und seine Umbauten der Villa Medici in Rom. Ferdinand I. war als Kardinal in Rom, legte aber 1587 seine kirchlichen Ämter nieder, um nach dem Tod seines Bruders Franz I. die Erbfolge der Familie zu sichern.

Das phantastisch und unausführbar wirkende Projekt gibt mehrere Szenen aus Ovids Metamorphosen wieder: Zuoberst vollzieht sich die Geburt des Pegasus aus dem enthaupteten Leib der Medusa (Ovid, Met. IV, 785). Unter dem scheinbar fließenden Sand der den Brunnen bekrönenden Landschaft steht vor dem zentralen Sockel Perseus in der charakteristischen Drehung der „figura serpentinata", mit dem Haupt der Medusa, deren Blutstropfen entweder Schlangen erzeugen (Ovid, Met. IV. 618) oder Korallen im Wasser, mit denen die Nymphen spielerisch hantieren (Ovid, Met. IV, 745). Pillsbury erkennt in dem sich zu Stein wandelnden Wesen unter Perseus den Atlas, der die Freundschaft des Helden ausschlug und deshalb zum nordafrikanischen Gebirge verwandelt wurde. Eigenartig sind in diesem Zusammenhang allerdings die Schlangen in den Händen der Figur und der Löwe zu ihren Füßen. Es erscheint auch nach der Haartracht wahrscheinlicher, daß es sich um eine Frau handelt – nämlich Gaia, die Erde, auf der die Blutstropfen aus dem Haupt der Medusa zu Schlangen werden und die von vielen wilden Tieren umgeben sein kann. Die Brunnenwanne erinnert an das realisierte Projekt eines Neptunbrunnens von Giambologna am Hauptplatz von Bologna. Unter der Wanne breitet sich ein von Meerwesen und Muscheln bevölkerter Strand aus, nach Ovid (Met. IV, 619) Libyens Küste.

Literatur: Monbeig/Goguel 1972, S. 223–225 – Pillsbury 1974, S. 21–24, Abb. 22 – Voss 1913, S. 154 ff – Ausst.-Kat. Seizième Siècle 1965, S. 105, Nr. 254 BB

IPPOLITO ANDREASI (um 1548–1608)

27

Ostwand der Sala di Psiche des Palazzo del Tè zu Mantua

Tuschezeichnung, grau laviert;
37,5 × 51,5 cm
Düsseldorf, Kunstmuseum, Kupferstichkabinett
Inv. Nr. FP 10928

Andreasi wurde von Jacopo Strada in den sechziger Jahren beauftragt, die Fassade und das Interieur des Palazzo del Tè nachzuzeichnen. Da Strada die Blätter bis zu seinem Tode besaß, wurde er von Verheyen auch als Autor angenommen. Erst durch Harprath, der Beweise für bereits vorangegangene Studien Andreasis erbrachte, kam es 1984 zur endgültigen Zuschreibung an den Künstler aus Mantua, dessen technisches Können weit über seine Imagination geschätzt wurde. Die Ostwand der Sala di Psiche hat, wie die Nordwand, nichts mit dem Psychethema zu tun, fügt sich aber in eine Ikonographie von Raumzonen, die Hartt entschlüsselt und auf die Privatsymbolik der Gonzagas bezogen hat. Polyphem thront über dem Kamin auf einem gemalten Felsen und blickt eifersüchtig auf die Nereide Galatae, deren Geliebter Acis auf den bedrohlichen Lauscher deutet, dessen Steinwurf ihn töten und, in einen Flußgott verwandelt, wiedererstehen lassen wird. Die Anspielung auf die Symbolik des Wassers fügt sich in die Privatikonographie der Gonzagas. Die Liebschaft Jupiters mit der Mutter Alexanders des Großen, Olympia, der er sich in Gestalt einer riesigen Schlange nähert (links), unterscheidet sich in Andreasis Zeichnung vom Original. Die Szene ist eine ikonographische Rarität und kann daher nur im Zusammenhang mit der Zone, in der sich in der Sala die Psiche die Liebe der Götter zu den Sterblichen in Variationen zeigt, erklärt werden.

Das Besteigen der dädalischen Kuh durch Pasiphae, um dem göttlichen Stier zu Diensten zu sein, wurde von Panofsky in bezug auf den „Ovid Moralisé" als eine Personifikation der menschlichen Seele durch die Gattin des Minos gedeutet. Da sich der Psychesaal den Wohnräumen des Federigo Gonzaga eingliedert, ist der Anteil an privater Ikonographie schon dadurch gesichert. Die neoplatonische Deutung einer „ascensio" ist trotz Verheyens Ansicht, Federigo sei nicht für komplizierte Konzepte gewesen (im Gegensatz zu seiner Mutter Isabella d'Este), nicht abzustreiten, da die Identifikation des Herzogs mit den Göttern und deren Liebschaften nicht ausgeklammert wird.

Literatur: Hartt 1958, S. 135/136 – Harprath 1984, S. 3ff – Verheyen I, 1972, S. 33ff BB

I. 27

NACH ROSSO FIORENTINO (1494–1540)

28
Die Grazien entkleiden Mars und Venus

Feder und hellblaue Tusche;
13,5 × 10,5 cm
Stempel der Sammlungen Flury-Herard
und Marquis C. de Vallori
Berlin, SMPK, Kunstbibliothek
Inv. Nr. Hdz. 3392

Die Zeichnung ist wahrscheinlich eine zeitgenössische Kopie des Blattes, mit dem sich Rosso 1529 durch die Vermittlung Aretinos bei Franz I. eingeführt hat. Adhemar (1954) und Knecht (1982) haben darauf hingewiesen, daß sich Aretino 1529 in Venedig dem Humanistenkreis um den französischen Botschafter Lazare de Baif angeschlossen hat in der Hoffnung, Franz I. als Mäzen zu gewinnen. Aretino war es wahrscheinlich auch, der Rosso zu der Bilderfindung anregte: eine Allegorie auf den Frieden von Cambrai und die bevorstehende Vermählung Franz' I. mit der Schwester Karls V., Eleonore von Österreich.

Die Szene zeigt, wie Mars und Venus von einem geflügelten Amor und drei Grazien entkleidet werden. Venus (= Eleonore) scheint zwar das Ende des gebündelten Baldachins zu halten, doch hat die Geste ihrer Hand dabei etwas Lockendes. Der leicht verkrampft wirkende Mars hat seine Waffen, Schild und Helm abgelegt (eine Anspielung darauf, daß Franz I. sich mit seiner Unterzeichnung des „Damenfriedens" von Cambrai dazu bereit erklärt hat, seine kriegerischen Ambitionen in Italien aufzugeben). Das Bett im Hintergrund deutet an, daß er dabei ist, sich friedlicheren Freuden hinzugeben. Am oberen Bildrand wird ein Abschnitt des Tierkreises sichtbar:

I. 28

als Hinweis auf den Tag, an dem Franz I. den Friedensvertrag unterzeichnet hat, den 20. Oktober 1529 – kurz vor dem Übergang des Tierkreiszeichens Waage in das des Skorpion.

Bei der Betrachtung des Tierkreises wird auch deutlich, daß die Zeichnung nicht der Originalentwurf Rossos sein kann. Die Darstellung ist seitenverkehrt, sie gibt, wie auch die Version des Louvre (vgl. Ausst.-Kat. Fontainebleau, 1972, Nr. 204), den damals weit verbreiteten Stich Caraglios wieder (B. XV, S. 87, Nr. 51, auch dem Boyvin zugeschrieben). Im Zodiak, wenn er wie üblich im umgekehrten Uhrzeigersinn gelesen wird, müßte das Zeichen Waage vor dem Skorpion auftauchen.

Das Thema zählt zu einem der beliebtesten im 16. Jahrhundert, und es ist in zahllosen Stichen, vor allem aus dem Umkreis der Schule von Fontainebleau, Gemälden und im kunstgewerblichen Bereich reproduziert worden (vgl. Thirion 1971, S. 41 f).

Literatur: Berckenhagen 1970, S. 10 EH

FRANÇOIS ANGUIER (1604–1669)

29
Entwurf für einen Statuensockel oder einen Kaminaufsatz

Feder in Braun, hellblau laviert;
16,4 × 23,4 cm
Berlin, SMPK, Kunstbibliothek
Inv. Nr. Hdz. 3393

In einer alten Montierung des Kunstgewerbemuseums fand die reiche antikisierende Entwurfszeichnung ihren Platz neben dem bedeutenden Blatt Rossos. Berckenhagen vermutet hinter diesem plastischen Dekorationsentwurf eine Inspiration durch den Romaufenthalt des Bildhauers, den er vor 1643 zusammen mit Nicolas Poussin absolviert hatte. Anguier war an der dekorativen Ausstattung des Louvre beteiligt und entwarf neben solchen üppig aus Trophäen und Früchtegehängen komponierten Aufsätzen auch Grabmonumente in verschiedenen Pariser Kirchen.

Literatur: Berckenhagen 1970, S. 73 MB

MAERTEN VAN HEEMSKERCK
(1498–1574)

30 Farbabbildung S. 127
Die Aufrichtung der ehernen Schlange
1549

Öl auf Leinwand (von Holz übertragen), Grisaillemalerei; 100 × 66 cm
Bezeichnet: MARTINUS HEEMSKERCK inventor 1549
Amsterdam, Privatbesitz

Das Bild zeigt die Bestrafung der Israeliten, die sich auf dem Weg aus Ägypten in der Wüste, getrieben von Hunger und Durst, gegen Gott und Moses auflehnen. Nach Numeri 21, 6–9 sendet der erzürnte Jahwe „Feuerschlangen'' herab, die das Volk peinigen. Auf die Fürsprache Mosis befiehlt Gott diesem, eine eherne Schlange an einer Stange zu befestigen, bei deren Anblick die von den Untieren Gebissenen überleben. Heemskerck zeigt in dramatisierender Raffung der biblischen Erzählung gleichzeitig die Marter des Volkes, die Aufrichtung der ehernen Schlange und die Erlösung durch deren Anblick. Den Vordergrund nehmen in komplizierten Körperstellungen gegebene Akte ein, die mit den Schlangen ringen. Auch den im Buch Numeri geschilderten bloßen Anblick des von Moses errichteten Mals dramatisiert der Niederländer durch die Darstellung einer regelrechten Adoration der Schlange durch den neben dem Pfahl stehenden Israeliten. Rechts davon Moses und Aaron. Die gesamte Szene wird von einer Gebirgskulisse hinterfangen.

Ursprünglich bildete diese Komposition, die später von Holz auf Leinwand übertragen wurde und eine deutliche Trennlinie entlang der Mittelachse aufweist, die Außenseiten der Flügel eines Altartriptychons unbekannter Bestimmung (heute in Leningrad, Eremitage), dessen Mittelbild die Kreuzigung Christi zeigte. Da die Aufrichtung der ehernen Schlange seit jeher als alttestamentarische Präfiguration des Kreuzestodes Christi verstanden wurde (vgl. Joh 3, 14–15), wird Heemskercks Zusammenstellung besonders sinnfällig.

Das Bild besaß vor seiner Trennung vom Triptychon ebenso wie dieses einen nach oben hin doppelt geschweiften Abschluß, dem später die zum hochformatigen Rechteck fehlenden Teile angestückt wurden. Vorbilder für die Figuren mag man in jenen der Ehernen Schlange Michelangelos an der Decke der Sixtina erblicken, die Heemskerck, ein Schüler Jan van Scorels, während seines römischen Aufenthaltes (1532–37) studiert hatte.

Literatur: Grosshans 1980, Kat. 68, S. 189 (mit älterer Lit.) – Ausst.-Kat. Beeldenstorm 1986, Nr. 138 MB

PIER FRANCESCO MORAZZONE
(MAZZUCCHELLI) (1573–1626)

31
Die Schmiede des Vulkan um 1616

Öl auf Leinwand; 82 x 98,5 cm
Budapest, Museum der Bildenden Künste
Inv. Nr. 57.20

Das seit der Renaissance – wegen des männlichen Bezuges auf die kriegerischen Tätigkeiten – beliebte Thema aus Vergils Aeneis (VIII, 424–453) wird von Morazzone in eine eigenartige Architektur versetzt, die sich aus dem Ort der Anbringung erklärt: Es handelt sich um die eigenhändige Kopie eines Kaminfreskos für das Haus des Künstlers in Morazzone. Ein michelangelesker Vulkan, in gedrehter Haltung auf die Krücke gestützt, beherrscht den Vordergrund, der von zwei bewegten Putti mit Wappen (möglicherweise die des Künstlers, der von den savoyischen Königen mit einem Orden geehrt wurde) abgeschlossen wird. Dieser Vulkan könnte als männliche Idealgestalt eine Identifikation des Künstlers selbst mit einschließen. Von der Realität entfernter und daher auch hinter den architektonischen Rahmen versetzt, vollführen die Zyklopen – die Gehilfen des Waffenschmieds der griechischen Götter – die literarisch beschriebenen Tätigkeiten. Eine Frau, die von links hinten zwischen einer gemalten Konsole und einem Zyklopen herausblickt, bleibt rätselhaft: Ist es Venus, die Gattin Vulkans, oder eine Person aus dem Kreise des Künstlers? Die dramatische Lichtführung und darauf abgestimmtes subtiles Kolorit, wie die Vereinigung römisch-manieristischer Elemente mit der oberitalienischen Vorliebe für naturalistische Details (Werkzeuge, Waffen), kennzeichnen diesen Meister lombardischer Prägung.

Literatur: Ausst.-Kat. Manierizmus 1961, S. 22 – Haraszti-Takács 1968, S. 23 – Haraszti-Takács 1958, S. 155 ff BB

I. 31

NICOLO DELL'ABBATE (um 1509–1571)

32 Farbabbildung S. 119
Die Auffindung Mosis aus der französichen Zeit, ab 1552

Öl auf Leinwand; 82,5 × 83 cm
Paris, Musée du Louvre
Inv. Nr. R.F. 3937

Neben dem zweiten großfigurigen Bild des Louvre, Scipios Enthaltsamkeit, zeigt auch dieses Werk Abbates den Einfluß Primaticcios; ein zyklischer Zusammenhang ist allerdings nicht beweisbar. Die Frauenfiguren beider Gemälde zeigen große Ähnlichkeiten, allerdings bleibt in „Scipios Enthaltsamkeit" die Szene auf eine reliefhafte Vordergrundsbühne beschränkt, während in der „Auffindung Mosis" hinter dieser Bildschicht ein Sprung zum Hintergrund entsteht, der nur durch den Fluß und die Szene der Auffindung durch die Dienerin unterbrochen wird. In der letzten Bildschicht befindet sich eine geometrisch wirkende Stadt, die für Abbates Stil untypisch ist und daher einem Dekorationsmaler zugeschrieben wurde. Mehrere Szenen sind simultan dargestellt: Links hebt die Dienerin das Körbchen mit dem Kind aus dem Fluß, um es im Vordergrund der Pharaonentochter zu Füßen zu legen. Bei genauerer Betrachtung ist auch die Aussetzung des Moses hinter der Brücke zu sehen. Die Figurengruppe um die Pharaonentochter in ihrer Dichte, ihrer dramatischen Gestik und gedrehten, gelängten Körperlichkeit entspricht dem Spätstil des bolognesischen Meisters. Auch in der Gestaltung der Gewänder und des Himmels zeigt sich sein charakteristischer, offener Pinselduktus.

Literatur: Ausst.-Kat. Fontainebleau 1972, Nr. 3 – Ausst.-Kat. Fontainebleau 1952, S. 24 – Ausst.-Kat. Abbate 1969 (Sylvie M. Beguin) BB

BARTHOLOMÄUS SPRANGER (1546–1611)

33
Mars, Venus und Amor um 1595

Öl auf Leinwand; 163 × 105 cm
Graz, Alte Galerie am Landesmuseum Joanneum
Inv. Nr. 67

Das dem Grazer Museum 1872 von Kaiser Franz Joseph I. geschenkte Bild hat die erstmals bei Homer (Odyssee 8, 266–366) erwähnte Liebesbeziehung zwischen Mars (Ares) und Venus (Aphrodite) zum Thema. Die Szene spielt in einem durch Draperie und Säule nur dürftig charakterisierten Innenraum. Mars hat sich auf einer Liegestatt niedergelassen und umfängt leicht zurückgelehnt die stehende Göttin, die Blick und Geste des Geliebten erwidert. Amor, der stets unbändige Sohn der beiden, hat auf dem Helm seines Vaters Platz genommen und spannt mit verträumter Miene einen Pfeil in seinen Bogen. Das Geschehen scheint zudem einen stillen Beobachter gefunden zu haben: die Fratze auf dem Schild des Kriegsgottes verfolgt mit listiger Miene das Treiben des göttlichen Paares.

Mars und Venus, die Urbilder männlicher Kraft und weiblicher Schönheit, verkörpern die vollkommene Harmonie der beiden Gegensatzpaare Krieg und Liebe (concordia discors). Zugleich aber wird in der Verhaltenheit der Gesten, im unschlüssigen Blick speziell des Mars und der erstaunlichen Teilnahmslosigkeit des kleinen Amor auch etwas von der discordia concors spürbar, der Wandelbarkeit und Uneinheitlichkeit des menschlichen Wesens, die diese Harmonie immer wieder gefährdet und die gerade für Kaiser Rudolf II., den mutmaßlichen Auftraggeber dieses Bildes, von großer Bedeutung gewesen sein muß. Dennoch wurde die relativ leicht verständliche Thematik von Mars und Venus – als Repräsentanten der (durch die Kriegskünste erlangten) Staatsmacht und der Schönheit – am Prager Hof nur selten als Bildvorlage gewählt, oder sie wurde wie in unserem Fall durch zusätzliche Aussagen bereichert. Die Gruppe der beiden Götter, die in manieristischer Verschränkung ihrer Körper auch formal zur Einheit geworden ist, offenbart bei näherem Hinsehen eine fühlbare Dominanz der Venus, deren sanfter aber entschlossener Blick in deutlichem Gegensatz zu der unschlüssigen Miene des Mannes steht.

Sowohl die Gesichtstypen als auch die Bewegungsmotive und die schwere Körperlichkeit der Figuren werden mit Adriaen de Vries in Verbindung gebracht. Spranger behält jedoch seine malerische Luminosität und eine durchaus poetische Behandlung des gewählten Themas bei, dessen Vielschichtigkeit gewiß in der Geisteswelt seines Auftraggebers begründet liegt.

Literatur: Oberhuber 1958, S. 63f und S. 220, Nr. 5 (mit älterer Literatur) – Schnackenburg 1970, S. 150 und Anm. 19 – Dacosta Kaufmann 1985, S. 304f, Nr. 20–57 MK

I. 33

I. 34

GIAMBOLOGNA-WERKSTATT

34
Fliegender Merkur Entwurf 1563–64

Bronzestatuette, brauner Lack, hellbraune Patina; Höhe 58,7 cm
Wien, Kunsthistorisches Museum, Sammlung für Plastik und Kunstgewerbe
Inv. Nr. 5817

Merkur wird in dieser Bronzestatuette „fliegend" dargestellt; die schlanke, nackte Jünglingsfigur ist mit den Attributen des Petasos (Flügelhut) und dem Caduceus (Heroldsstab) ausgestattet. Dem nach oben ausgestreckten Zeigefinger der rechten Hand Merkurs folgt sein Blick – beide verweisen auf die höhere Sphäre Jupiters, dessen Ratschlüsse der Götterbote zu verkünden hat. Nur der linke der geflügelten Füße berührt leicht den Sockel der Statuette, um die physische Schwerelosigkeit des Fliegens auszudrücken. In einer monumentalen Fassung der Komposition (1580; Florenz, Bargello) ist dieses Motiv durch Hinzufügung eines Zephirkopfes, auf dessen Hauch Merkur schwebt, unterstrichen. Als Quelle dafür kommt Homers Odyssee (V, 43–46) in Betracht: „Der rüstige Argosbesieger eilte sofort, und band sich unter die Füße die schönen goldenen ambrosischen Sohlen, womit er über die Wasser und das unendliche Land im Hauche des Windes einherschwebt".

Nach Keutner entstammt das Figurenmotiv des fliegenden Merkurs dem Revers einer Silbermedaille Leone Leonis auf Kaiser Maximilian II. (um 1551), auf der dem Götterboten das Motto QVO.ME/FATA.VOCANT (wohin mich das Schicksal ruft) beigegeben ist. Diese Medaille soll Giambologna vorgelegen haben, als er 1563–64 einen Entwurf für die von Bischof Donata Cesi, dem päpstlichen Gouverneur in Bologna, geplante (allerdings nie ausgeführte) Merkurstatue für die dortige Universität anfertigte. Der Fingergestus Merkurs gälte in diesem Zusammenhang dem göttlichen Ursprung aller Weisheit. Als Großherzog Cosimo I. Medici 1565 bei Giambologna ein Geschenk für Kaiser Maximilian II. in Auftrag gab, fand eine kleinere Ausführung des Entwurfes Verwendung und den Weg in die kaiserlichen Sammlungen nach Wien (Inv. Nr. 5898; erste Erwähnung im Inventar Rudolfs II.). Ob diese Fassung, das Vorbild der hier gezeigten Werkstattwiederholung, mit dem Geschenk an den Kaiser identisch ist, bleibt umstritten.

Eleganz, Leichtigkeit und Glätte der Lösung des formal und technisch schwierigen Problems der Darstellung einer „fliegenden" Figur trugen zum großen Erfolg dieser in mehreren eigenhändigen Varianten und späteren Repliken existierenden Bronze Giambolognas bei; sie war sowohl für die monumentale Ausführung (Florenz) als auch als Sammlungsobjekt (Wien, Neapel, Paris) geeignet. Die Allansichtigkeit der Statuette und die scheinbare, spielerisch wirkende Durchbrechung statischer Gesetze weisen den fliegenden Merkur als „manieristische Figur par excellence" (Leithe-Jasper) aus.

Literatur: Ausst.-Kat. Giambologna 1978, Nr. 35a – Ausst.-Kat. Götter und Römer 1985 – Ausst.-Kat. Italienische Kleinplastiken 1976, Nr. 83 MB

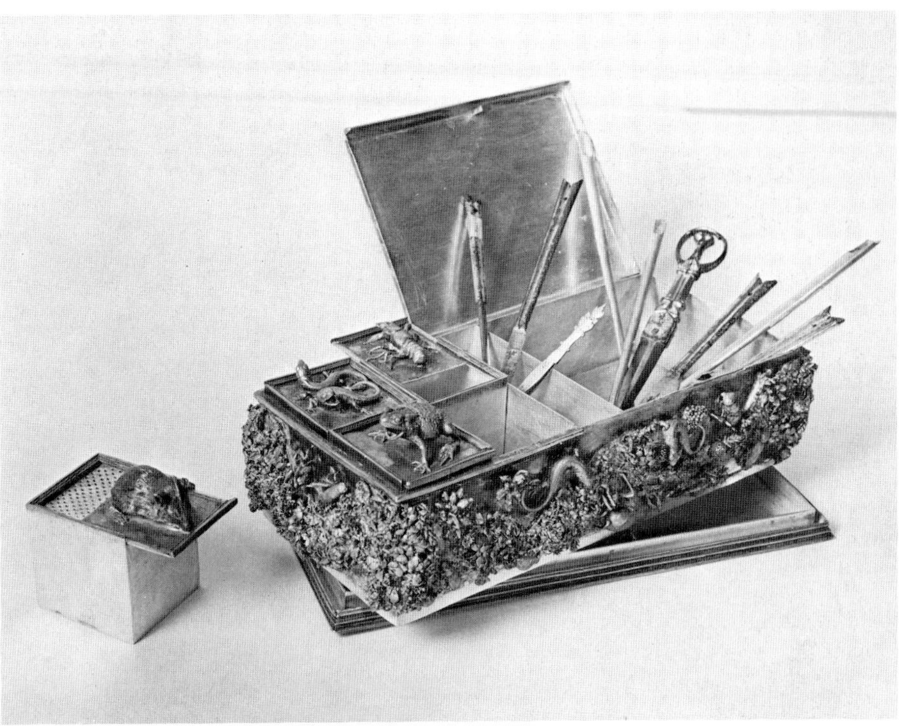

I. 35

WENZEL JAMNITZER (1508–1585)

35
Silbernes Schreibzeugkästchen mit Schreibgerät um 1560–70

Silber, gegossen; 6 x 22,7 x 10,2 cm
Wien, Kunsthistorisches Museum, Sammlung für Plastik und Kunstgewerbe
Inv. Nr. 1155–1164

Das allgemein als eigenhändiges Werk Wenzel Jamnitzers anerkannte silberne Schreibzeugkästchen ist vermutlich im direkten Auftrag Erzherzog Ferdinands von Tirol, des im 16. Jahrhundert wohl bedeutendsten Sammlers von „Kunststücken", entstanden. Damit bezeugt es einen für die mitteleuropäischen Höfe dieser Zeit sehr charakteristischen Geschmack, der Freude fand am Verbinden des Abseitigen mit dem Preziösen.

Konzipiert als Gebrauchsgegenstand für den fürstlichen Schreibtisch, enthüllt sich in der Kassette jedoch eine weit über funktionale Gesichtspunkte hinausgehende komplexe Schachtelstruktur: Die auf zehn quadratischen Feldern des Deckels sitzenden Naturabgüsse (vgl. Kat. VIII. 65) verdecken jeweils andersgestaltige Hohlräume, in denen Federn, Messer, Scheren, Pinzetten und anderes Schreibgerät aufbewahrt werden. Die Seitenflächen des Kästchens sind überwuchert von Blattwerk, in dem sich Eidechsen, Spinnen, Grillen und andere Insekten tummeln. Dieses möglichst vielfältige und im Detail genau der Natur nachgebildete skulpturale Formengeflecht verkörpert jedoch in der Gesamtheit der Komposition höchste Künstlichkeit. Der Gedanke, in wertvollem Material ausgeführte Abgüsse von Tieren, deren Berührung in der Realität Ekel verursachen würde, auf Gebrauchsgegenstände zu applizieren, ist ein Charakteristikum des nördlichen Kunsthandwerks seit der Mitte des 16. Jahrhunderts. In verschiedenen Techniken ausgeführt, fand diese Idee besonders in Frankreich (vgl. Palissy, Kat. VIII. 45) und in Nürnberg, dessen bedeutendster Goldschmied Wenzel Jamnitzer war, Verbreitung. In der Lust am Detail und dem Auskosten der vielfältigen Verschachtelungen manifestiert sich nicht nur manieristischer Sammlergeist, sondern auch eine der Nachahmung verpflichtete Wissenschaftlichkeit, welche die Natur selbst noch durch Präzision der Ausführung und durch eine komplexe Vielgestalt übertreffen will.

Literatur: Ausst.-Kat. Jamnitzer 1985, Nr. 21 – Leithe-Jasper/Distelberger 1982, S. 96f – Kris 1926, S. 155 MB

UMKREIS DES DOSSO DOSSI –
(früher Nicolo dell'Abbate zugeschrieben)

36 Farbabbildung S. 128
Mann mit Papagei um 1548–1552

Öl auf Leinwand; 125 ×109 cm
Wien, Kunsthistorisches Museum,
Gemäldegalerie
Inv. Nr. 6114

Farbigkeit – vor allem die starken Kontraste – und die Pinselführung dieses attraktiven Porträts entsprechen nicht dem Stil des bolognesischen Malers. Die Glanzlichter und warm timbrierten Farbakkorde Abbates fehlen, und der Papagei wie auch der Landschaftsausschnitt im Fenster links oben lassen die abstrakteren Formen der labilen Gebilde des Künstlers vermissen. Rosenauer-Neubauer schreibt dieses und das Porträt der Galerie Nazionale im Palazzo Barberini in Rom, das denselben Mann etwas jünger vorführt, der Dosso-Dossi-Nachfolge zu. Dafür spricht die asketische Farbgebung der einfachen Tracht dieses Aristokraten in Kontrast zu den leuchtenden Farben des Papageis wie auch der melancholische Ausdruck. Die nicht identifizierte Persönlichkeit von raffinierter Eleganz steht neben einer Kartusche, die möglicherweise Aufschlüsse über ihre Herkunft enthält, vor einem Parabet. Der Granatapfel in der Linken ist das Symbol für Eintracht und inneren Reichtum, der Papagei möglicherweise ein Zeichen für Beredsamkeit, was die Annahme, es handle sich um einen Dichter, unterstützen könnte.

Literatur: Rosenauer-Neubauer 1964 – Ausst.-Kat. Abbate 1969, S. 77 BB

I. 37

ANDREA SOLARIO (1470–1524)

37
Salome mit dem Haupt Johannes des Täufers nach 1510

Holz; 58,5 × 57,5 cm
Wien, Kunsthistorisches Museum,
Gemäldegalerie
Inv. Nr. 898

Der Maler bedient sich der in Oberitalien seit dem späten 15. Jahrhundert verwendeten, von Sixten Ringbom als „dramatic close-up" bezeichneten Darstellungsart. Die Raumangabe ist auf den schräggestellten Tisch vor schwarzem Hintergrund beschränkt, der Bildausschnitt knapp gefaßt, die Figuren teilweise stark fragmentiert. Die Szene wird dem Betrachter so in unmittelbare Nähe gebracht, ihre Präsenz durch die genaue Zeichnung des reichen Gewandes der Salome und die starke Illusionswirkung der Schale und der im Licht aufblitzenden, von links aggressiv ins Bild eindringenden, tödlichen Schwertschneide unterstrichen. Die Handlung scheint stillzustehen: Der Henker hält den Kopf des hl. Johannes noch etwas über der Schale, die Salome bald ergreifen wird. Vor allem der Kontrast der verschiedenen Physiognomien – im Leonardo-Umkreis, dem Solario angehört, ein beliebtes Thema – führt zur Intensität der Mitteilung: links der kraftvolle Kopf des Henkers und neben dem toten Haupt des Heiligen das zarte Mädchen.

Das Haupt des Täufers über der Schale mit hohem Fuß, genau in der Mitte des Bildes, erinnert an die seit dem Mittelalter beliebten „Johannesschüsseln", in denen dieses Motiv alleiniger Darstellungsgegenstand ist. Solario selbst hat 1507 ein solches – mehrmals wiederholtes und kopiertes – Bild gemalt (heute im Louvre), in dem der hl. Johannes dieselben Gesichtszüge besitzt wie im Wiener Gemälde. In diesem wird also ein zur Kontemplation anregendes Andachtsbild durch die Hinzufügung der Prinzessin und des Henkers (in anderen Varianten Solarios ist nur sein Arm im Bild zu sehen) zu einer Historie erweitert.

Die Beliebtheit der „Salome" in der Malerei der lombardischen Leonardo-Nachfolge – neben Solario auch bei Cesare da Sesto und Bernardino Luini – liegt aber wohl nicht allein an diesem religiösen Gehalt. In der Kunst der Renaissance erhielt die Konfrontation der jungen und schönen Tochter der Herodias mit dem auf ihre Bitte getöteten heiligen Mann oft eine erotische Nebenbedeutung, als Beispiel der „Weibermacht" oder, wie Erwin Panofsky schon für Tizians „Salome" der Galleria Doria in Rom (um 1510) nachgewiesen hat, jener Liebesbeziehung, die in der Literatur im 19. Jahrhundert, etwa bei Oscar Wilde thematisiert werden sollte (vgl. Beardsley, Kat. XII. 11).

Literatur: Cogliati Arano 1965, S. 43, 85 – Kat. Wien 1960, S. 113, Nr. 662 – Panofsky 1969, S. 42 ff HA

II Triumph des Herrschers

Wenn die Möglichkeitsform zu den typischen manieristischen Verhaltensweisen zählt, wenn folglich Ambivalenzen auch die künstlerischen Gestaltungsabsichten kennzeichnen, dann ist die doppelte Moral, die Machiavelli dem Herrscher zubilligt, eine Folge eben dieser Einstellung. Sie ist freilich älteren Ursprungs und hat ihre Wurzeln in der Einsicht, daß das Leben ein Schauspiel ist, „in dem die einen vor den anderen in Masken auftreten und ihre Rolle spielen''. Das sagt Erasmus von Rotterdam in seinem „Lob der Torheit'' (1511), diesem Handbuch der skeptisch-distanzierten Weltbetrachtung. Dort wird auch zynisch die Verstellung als höchste Weisheit gepriesen und der Kluge ob seiner Doppelzüngigkeit gerühmt. Die Klugen, das sind selbstverständlich die Herrschenden. Machiavellis „Il Principe'' entstand 1513, erschien aber erst 1532. Der Autor bedient sich der Metapher des mythologischen Zwitters, die seit eh und je für das Rätsel der Doppelnatur herangezogen wurde. Der Fürst müsse sich darauf verstehen, als Tier *und* als Mensch zu handeln. Deshalb sei dem weisen Kentauren Chiron die Unterrichtung junger Fürsten anvertraut worden. Halb Mensch, halb Tier, habe sich der Herrscher des einen wie des anderen zu bedienen, denn beide sind aufeinander angewiesen. Machiavelli geht noch weiter, er differenziert zwischen Tier und Tier: Der Fürst soll die Natur des Fuchses und des Löwen wählen. Er muß „Fuchs sein, um die Schlingen zu wittern, und Löwe, um die Wölfe zu schrecken. Wer nur Löwe sein will, versteht seine Sache schlecht.'' Der Herrscher ist also ein Kompositgeschöpf, auf dessen Vielgestalt die Worte passen, die Shakespeare seinem Puck in den Mund legt:

> Nun jag ich euch und führ euch kreuz und quer,
> Durch Dorn, durch Busch, durch Sumpf, durch Wald.
> Mal bin ich Pferd, mal Eber, Hund und Bär,
> Erschein als Werwolf und als Feuer gar.

Wie Erasmus plädiert Machiavelli für den ständigen Rollentausch, für Maskenwechsel und Positionsverschleierung. Dieses Spiel wird auf der Ebene der Bildsatire mit drastischen Mitteln aufgedeckt: Das Oberhaupt der katholischen Kirche tritt als Papstesel auf (Holzschnitt, 1523), desgleichen führt ein katholisches Flugblatt den Reformator als Verstellkünstler vor (Martin Luther Siebenkopff, 1529). Sieht man von der Satire ab, fällt es schwer, für die Verwandlungskünste, die Puck und Zettel vorführen, analoge Situationen in der bildenden Kunst anzuführen, denn hier geht es um Erhöhung des Dargestellten, um die Eingrenzung seiner Erscheinung in Würdeformeln. Wer nicht darauf verfällt, in Arcimboldos Köpfen – ähnlich Stimmers Papst-Satire (Kat. I. 22) – Anspielungen auf das Herrscher-Ego zu sehen, muß verschiedene Darstellungsbereiche konfrontieren, um der doppelten Herrschermoral auf die Spur zu kommen.

„Der Manierismus ist versteckt'', behauptet Pinder in seiner berühmten Skizze „Zur Physiognomik des Manierismus'', um unmittelbar danach die Geheimnisse dieses Verstecks ans Licht zu holen. Er entdeckt gezügelte Bewegungsfreiheit, gezüchtete Strenge: „Ein Eindruck unheimlicher, gespenstischer Vornehmheit wird im Bildnis gewonnen, der Ausdruck einer aristokratischen Kaste.'' Das ist den höfischen Bildnissen anzumerken, gepaart freilich mit einer fragenden, prüfenden

Ungewißheit (Kat. II. 5, II. 6, II. 7). Diese Gestalten haben nicht mehr die Gelassenheit, die „sprezzatura'', die Castiglione dem Höfling empfahl und für die sich das Wort „Nonchalance'' als beste Umschreibung empfiehlt. Pinder sah nur Masken, keine Gesichter – aber eben diese Masken verraten das Gesicht, dem sie sich nur scheinbar substituieren.

Die Vornehmheit der Machtmenschen errichtet sich ihre undurchdringliche Schutzzone im Panzer, im Harnisch, im Schild und in der Sturmhaube – kurz: in der Rüstung und deren Attributen, die ihre Träger – selbst Kinder – zum Zwitter erstarren läßt, halb Geschöpf, halb Kunstwerke. Hier schlägt die abweisende Würde in das Pathos einer gravitätischen Marionette um, gerät die Freilebendigkeit des Körpers unter das Formdiktat der Plattnerkunst (Kat. II. 25).

In diesen Zierformen triumphiert die Verhüllung, die das Merkmal jeder Verdrängungsästhetik ist, und es überrascht nicht, daß sich der andere Pol des fürstlichen Rollenspiels, der Macht- und Unterwerfungsinstinkt, in antiken Allesbesiegern wie dem Herkules darstellt. An deren furchtgebietende Nacktheit delegiert der vornehme Fürst die Imponiergesten der physischen Kraft (Kat. II. 13, II. 14, II. 15). In diesen Hünen wird, zum ersten Mal in der Neuzeit, ein männlicher Urtrieb säkularisiert und in die Aura des mythischen Übermenschen entrückt. Zugleich erfreut sich die Herrscherlaune an harmlosen Riesen und macht sie, wie auch die Zwerge, zu ihren Hausgenossen (Kat. II. 8). Solche Schaustellungen der Muskelkraft nimmt unser heutiges Auge als Konflikte wahr, in denen die rohe Kraft den Sieg davonträgt. Dennoch macht es einen Unterschied aus, ob Kain seinen Bruder (Kat. IV. 21) oder Herkules den Cacus (Kat. II. 9) erschlägt.

Der antike Held frevelt nicht, seine Taten sind Prüfungen. Im Zweikampf mit Cacus, so sah man es im 16. Jahrhundert, siegt das Gute über das Böse. Dennoch kommt auch hier, wie Bernhard Heitmann erkannt hat, Ambivalenz zum Zuge. Täter und Opfer werden zum kunstvollen Wechselspiel der Kräfte verbunden: „Die Wiederholung gleichartiger Bewegungsmotive in fast spiegelgleicher Gegenüberstellung bei Held und Unhold, bei Sieger und Besiegtem, macht die Gruppe zu einem Bravourstück manieristischer Gestaltung'' (Jahrbuch des Museums für Kunst und Gewerbe, Hamburg, II/1983, S. 11). Im Helden steckt auch sein Widersacher. WH

II. 1

JACQUIO PONCE (tätig 1535–1570)

1
Grabplatte des Andre Blondel de Rocquencourt ca. 1560–1570

Flachrelief, Bronze; 60 × 174,5 × 6 cm
Paris, Musée du Louvre, Departement des Sculptures
Inv. Nr. N. 15094

Die Reliefplatte ist das Einzige, was sich von dem – bis zur französischen Revolution in einer Pariser Kirche aufgestellten – Grabmal des Andre Blondel (gest. 1558) erhalten hat. Blondel war „Controleur general des Finances" am Hof Heinrichs II., wurde von Diana von Poitier protegiert und pflegte als gebildeter Höfling freundschaftlichen Umgang mit Ronsard.

Wappenschild, Schwert und Helm zu Blondels Füßen weisen auf den gesellschaftlichen Rang des Dargestellten hin, dessen muskulöser Körper in schlichter antikischer Nacktheit, nur spärlich in ein Tuch gehüllt, dem Blick des Betrachters preisgegeben ist. Er scheint zu schlafen, der Kopf ist auf ein Kissen gebettet und wird durch den linken Arm gestützt, die rechte Hand hält ein paar Mohnpflanzen (als Symbol des Schlafgottes Hypnos). Aber es ist der tiefe Schlaf des Todes: Der liegende Blondel ist in der Pose eines stehenden antiken Todesgenius dargestellt, der sich mit gekreuzten Beinen auf eine (hier weggelassene) umgestürzte Fackel stützt (ein entsprechendes antikes Vorbild z. B. bei Hartmann 1969, Abb. 2).

Aber die Übertragung des Standmotivs auf eine Liegefigur bleibt bei dieser dem Jacquio Ponce zugeschriebenen Grabplatte problematisch. Die plastisch durchmodellierte, wie angespannt wirkende Muskulatur und die Ponderation des Körpers passen nicht zu dem Motiv einer Liegefigur – ein Problem, das in der Tradition der französischen „gisants" oft auftaucht.

Literatur: Beaulieu 1978, Nr. 40 EH

PAUL MOREELSE (1571–1638)

2 Farbabbildung S. 128
Herzog Christian d. J. von Braunschweig
1619

Öl auf Leinwand; 126,3 x 87,7 cm
Bezeichnet: Moreelse fe: 1619 – Christianus episcopus Halberstadiensis dux Bruns: et lunenb:
Braunschweig, Herzog Anton Ulrich-Museum
Inv. Nr. N. 649

Christian d. J. (1599–1626) war der dritte Sohn von Herzog Heinrich Julius von Braunschweig und – hierauf verweist die Inschrift – Administrator des Bistums Halberstadt.

Moreelse porträtierte ihn in einem eingeschwärzten Harnisch, mit gemäßigtmodischem Gansbauch und darüber liegender roter Schärpe, seinem Stand und in bezug auf seine kriegerischen Taten getreu als Ritter. Die moderne Feuerwaffe in seiner rechten Hand – eine Radschloßpistole niederländischer Bauart – macht jedoch deutlich, daß mit der Kennzeichnung nur mehr ein Ehrentitel gemeint ist, die Kriegsführung sich aber zu dieser Zeit schon nicht mehr nur der Schutz- und Trutzwaffen bediente. Die zerzausten Haare, der dünne Zierzopf, der entschlossene Zug um die aufeinandergepreßten Lippen und die angespannte Körperhaltung fangen mit bildnerischen Mitteln jene Charakteristika ein, die dem Herzog den Titel „der tolle Halberstädter" einbrachten. Hinterfangen ist die Gestalt von hart gesetzten Farbkontrasten, die so flächig gehalten sind, daß keine räumliche Tiefe entsteht, die Figur aber dadurch in den unmittelbaren Bildvordergrund gerückt wird. Durch die stumpfe Struktur der Stoffe und Farben wirkt die mit Lichtreflexen versehene Rüstung beinahe vollplastisch. Mit diesen Mitteln erreicht Moreelse, der den Herzog während seiner Dienstzeit am Hof der Oranier 1619 malte, daß trotz der jungenhaften Erscheinung Christian d. J. von Braunschweig als Söldnerführer mit der gewünschten Autorität versehen wurde.

Literatur: Ausst.-Kat. Wittelsbach 1980, Kat. Nr. 568 (mit differenzierten Angaben zur Person und weiterer Literatur) – Kat. Braunschweig 1969, Nr. 649 GW

GIOVAN GEROLAMO SAVOLDO
(um 1485–nach 1548)

3
Sogenanntes Porträt des Gaston de Foix
um 1530

Öl auf Leinwand; 91 × 123 cm
Bezeichnet: opera de jovani jeronimo de bressa di salvoldi
Paris, Musée du Louvre
Inv. Nr. 659

In „Dialoge della pittura" (1548) berichtet Paolo Pino von einem Bild Giorgiones, das den Vorrang der Malerei gegenüber der Skulptur demonstrieren sollte: Ein heiliger Georg war durch die Reflektion in zwei Spiegeln und in einer Wasserfläche auf einen Blick von allen Seiten – auf eine dem Bildhauer unmögliche Weise – zu sehen (vgl. ed. P. Barocchi, I trattati d'arte del Cinquecento fra manierismo e controriforma, Bari 1960, Bd. I, S. 131). Die später von Vasari (Vasari/Milanesi IV, S. 98) verändert übernommene Idee dieses Gemäldes bezieht sich zweifellos auf die Diskussionen über den „paragone", den Wettstreit der bildenden Künste, in Florenz im fünften Jahrzehnt des Cinquecento und soll die neue venezianische als ebenso theoretisch legitimiert wie die mittelitalienische Kunst ausweisen. Daß diese kunsttheoretische Bilderfindung aber ihre Voraussetzungen in der malerischen Praxis besitzt, zeigt dieses – trotz der Signatur bezeichnenderweise früher oft Giorgione zugeschriebene – Bildnis von Pinos Lehrer Savoldo. Der porträtierte Krieger in Halbfigur – seine traditionelle Identifizierung mit dem 1512 in der Schlacht von Ravenna getöteten französischen Feldherrn Gaston de Foix, Herzog von Nemours, verbietet sich schon aus chronologischen Gründen – lehnt mit dem rechten Arm auf einem Tisch im Vordergrund, das Gesicht dem Betrachter zugewendet und weist mit der linken Hand nach hinten. Hier wirft ein bildparalleler Spiegel (nicht immer ganz scharf) seine Rückenansicht mit verlorenem Profil zurück, einen weiteren Ausschnitt sieht man im linken, schräg aufgestellten Spiegel.

Literatur: Gilbert 1955, S. 181, 321 ff – Boschetto 1963, Tav. 30 – Ruckelshausen 1975, S. 103 f – Wazbinski 1978, S. 141 ff HA

II. 3

DENYS CALVART (CALVAERT)
genannt DIONISIO FIAMMINGO
(1540–1619)

4
Sauls Bekehrung um 1570

Öl auf Leinwand; 152 × 142,8 cm
Budapest, Museum der Bildenden Künste
Inv. Nr. 1266

Die Apostelgeschichte berichtet von Saulus, der im Namen der Hohenpriester die Anhänger des christlichen Glaubens blutig verfolgte. Als er auf einem Ritt nach Damaskus, wo er neue Greueltaten begehen wollte, in die Nähe der Stadt kam, „umleuchtete ihn plötzlich ein Licht vom Himmel; und er fiel auf die Erde und hörte eine Stimme, die sprach zu ihm: Saul, Saul, was verfolgst du mich? Er aber sprach: Herr, wer bist du? Der Herr sprach: Ich bin Jesus, den du verfolgst!" (Apg 9, 3–5). Dieses Ereignis, das die Bekehrung des Saulus zum Paulus zur Folge hatte, ist in unserem Bild auf eine dramatische Weise geschildert. Saulus, prunkvoll in eine römische Rüstung und einen edlen Umhang gewandet, kniet mit seinem linken Bein am Boden und stützt sich mit der linken Hand auf einer Terrainstufe ab. Seine Rechte weist emphatisch zur Gotteserscheinung, die als lichterfüllte Öffnung im Wolkenhimmel gegeben ist. Wie in Cambiasos Bild „Diana und Callisto" (Kat. V. 4) wird auch hier versucht, möglichst viel des Geschehens formatfüllend in einem Quadrat und ganz in der vordersten Bildebene wiederzugeben. Links das unbändig gewordene Pferd des Gestürzten, rechts noch ein Krieger, der den himmlischen Eingriff mit seinem Schild vergeblich zu verhindern sucht. Nicht nur wegen des warmtonigen Kolorits und der für manieristische Begriffe ziemlich weichen Oberflächenbehandlung ist das Bild mit Abbates Paulussturz in der Wiener Galerie verglichen worden. Calvart, einem Schüler des Bolognesen Sabbatini, wird die das Pferd irreal übersteigernde Lösung des später nach Fontainebleau berufenen Malers wohl bekannt gewesen sein.

Literatur: Ausst.-Kat. Manierizmus 1961, Nr. 66 – Kat. Budapest 1967, S. 113 – Haraszti-Takács 1968, Nr. 27 MB

II. 4

II. 6

ALONSO SÁNCHEZ COELLO
(1531/32–1588)

5
Don Carlos 1564

Öl auf Leinwand (links beschnitten);
186 × 82,5 cm
Bezeichnet: A. Sánchez F. 1564
Wien, Kunsthistorisches Museum,
Gemäldegalerie
Inv. Nr. 3235

Als „Werbeporträt" um die Hand der Tochter Kaiser Maximilians II., Anna, ist dieses im Juni oder Juli 1564 fertiggestellte ganzfigurige Bildnis vom Grafen Dietrichstein nach Wien gesandt worden. Derselbe berichtete dazu über die auf dem Porträt nicht sichtbaren körperlichen Mißbildungen (schwache rechte Körperseite mit verkürztem Bein, ständig offener Mund, Höcker, nicht so offene Augen und nicht so volles Gesicht) des für seine Grausamkeit und Heftigkeit berüchtigten Sohnes Philipps II. von Spanien. Das frühe Ende dieses körperlich und geistig labilen, erblich Belasteten trat wohl nicht so ein, wie Schiller es in seinem Drama inszenierte, sondern durch einen körperlichen und psychischen Zusammenbruch nach dem Ausschluß von der Thronfolge und der Heerführung in den Niederlanden, in Gefangenschaft im väterlichen Schloß. Don Carlos ist in der spanischen Tracht der Mode der sechziger Jahre (Wams mit Goldborten, weite versteifte Hose, Stehkragen und kurzer Mantel) idealisiert dargestellt. Nicht nur die Tatsache, daß das Gemälde beschnitten ist, sondern auch die an sich labile Komposition, in Form eines auf der Spitze stehenden Dreiecks, und die Farbgebung, wie das Helldunkel – beides der Plastizität nicht förderlich – zeigen das gestörte Gleichgewicht der meisten Hofporträts in der zweiten Hälfte des 16. Jahrhunderts. Der Künstler, ein Schüler des berühmten Bildnismalers A. Mor, genoß zwar nicht dessen Anerkennung , konnte sich aber in seiner Nachfolge am spanischen Hofe behaupten.

Literatur: Klauner 1961, S. 141/142 – Zimmermann 1909/1910, S. 153ff BB

FRANZÖSISCH, NACH 1582

6 Farbabbildung S. 113
Herzog François von Alençon und Anjou

Öl auf Leinwand; 197,5 × 105 cm
Wien, Kunsthistorisches Museum,
Gemäldegalerie
Inv. Nr. 8185

Sowohl eine P. Dumoûtier d. Ä. zugeschriebene Zeichnung (Paris, Bibl. Nat., Cabinet des Estampes) als auch ein 1582 in Antwerpen erstelltes Bildnis lassen eine Identifikation des Porträts als Herzog François von Alençon und Anjou (1555–1584) zu. Das Gemälde stammt von der gleichen Hand wie das Porträt Heinrichs III. (vgl. Kat. II. 7).

Bekleidet ist der Herzog mit einer spanischen Hose, wie sie, meist etwas länger, in den achtziger Jahren getragen wurde. Zu seiner Linken Insignien seines Kriegsherren-Standes; seine linke Hand ruht auf einer federgeschmückten Prunksturmhaube, zwischen Arm und Körper ragt der Knauf seines Schwerts hervor und neben ihm auf dem Boden steht der Schild. In der rechten Hand hält er den Stab, Insignie des Herrschers. Obwohl katholisch, unterstützte der Herzog die Malcontents, Adelige, die sich gegen die politische Unversöhnlichkeit der Katholiken den Protestanten annäherten. Der „Paix de Monsier", geschlossen mit Heinrich III. während des Edikts von Beaulieu 1576, sicherte dem Herzog die Apanage des Herzogtums Anjou.

Entgegen dem Willen der niederländischen Verbündeten wurde er 1580–1584 auf Veranlassung Wilhelms von Oranien Graf von Flandern, Herzog von Brabant und Landsherr von Antwerpen und Gent – Gebiete, die ab 1584 von Alessandro Farnese, Herzog von Parma, im Auftrag der spanischen Krone zurückerobert wurden (vgl. Kat. IV. 3). Nach einem versuchten Staatsstreich, in dem er 1583, von den Engländern heimlich unterstützt, sein burgundisch-niederländisches Erbe zurückerobern wollte, wurde er vertrieben und starb 1584. Sein Versuch einer Eheschließung mit Elisabeth I. von England (1582) muß trotz des Mißlingens verstanden werden als Ausdruck für ein allmählich gewachsenes, gesamteuropäisches, protestantisches Bündnis gegen die spanische Krone.

Literatur: Kat. Wien 1982, Nr. 160 GW

FRANZÖSISCH, UM 1585

7
König Heinrich III. von Frankreich

Öl auf Leinwand; 199 × 117 cm
Wien, Kunsthistorisches Museum,
Gemäldegalerie
Inv. Nr. 8184

Das Ganzfiguren-Porträt Heinrichs III. ist Teil eines Ehepaar-Pendant-Bildnisses mit seiner Gemahlin Louise von Vaudemont. Weder ist die Autorschaft, noch sind Studien zu dem Gemälde bekannt. Es könnte nach einem im Louvre befindlichen und F. Quesnel (1534 bis 1619) zugeschriebenen Brustbild erstellt worden sein.

II. 7

Die Kleidung Heinrichs III. (1551–1589) ist im Stil der zeitgenössischen französisch-niederländischen Mode gehalten, mit dem gepolsterten, spitzbäuchigen Wams (Ganshemd), einer zivilen Variante des Gansbauch-Harnischs. Er trägt die für ihn typische, deshalb nach ihm benannte Kopfbedeckung, den „bonnet Henri III.". Umhang und Bauch ziert das Kreuz des Saint-Esprit-Ordens, den er 1578 aus Prestige- und Sicherheitserwägungen gründete, da die durch Treueeid an ihn gebundenen Ordensritter ihm eine verläßliche politische Gefolgschaft sichern sollten.

Ab 1573 König, ist seine Politik geprägt durch eine unentschiedene Haltung gegenüber den Hugenotten, die aufgrund ihrer politischen Macht das Edikt von Beaulieu (1576) erzwingen konnten, das aber 1585 wieder aufgehoben wurde. Gleichzeitig war seine Stellung durch die Heilige Liga bedroht, die unter der Führung Heinrich von Guise zu einer militärischen Macht in Frankreich angewachsen war und den König während des Aufstands von Paris (1588) aus der Stadt vertrieb. Heinrich III. verbündete sich mit seinem protestantischen Bruder, dem Herzog von Navarra, zur Belagerung von Paris und ließ, um die Macht der Liga zu brechen, am 23. 11. 1588 Heinrich von Guise ermorden. Er selbst wurde am 1. 8. 1589 von dem Dominikanermönch Jacques Clément umgebracht.

Literatur: Kat. Wien 1982, Nr. 159 GW

DEUTSCH, ENDE 16. JAHRHUNDERT

8
Porträt eines Riesen

Öl auf Leinwand; 265 × 160 cm
Kunsthistorisches Museum,
Sammlungen Schloß Ambras
Inv. Nr. GG 8299

Die Dargestellten wurden, zuletzt von Luchner, mit dem Riesen Giovanni Bona und dem Hofzwergen Thomerle identifiziert, doch fehlen dafür alle Anhaltspunkte. In der Rüstkammer auf Schloß Ambras befindet sich auch heute noch der Harnisch Bonas, der Riese selbst war aber nicht am Innsbrucker Hof, sondern tritt vielmehr schon 1560 beim Wiener Turnier mit dem damals 8jährigen Erzherzog Rudolf im Hofstaat des späteren Kaisers Maximilian II. auf.

Erwähnt im Inventar der Ambraser Kunstkammer von 1621.

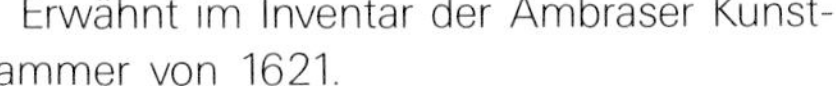

Literatur: Kat. Innsbruck 1977, Nr. 398 ES

II. 8

II. 9

ANTWERPEN, UM 1555/60

9
Herkules und Cacus

Weißer Marmor; Höhe 35,3 cm
Hamburg, Museum für Kunst und Gewerbe
Inv. Nr. 1983/30
Stiftung zur Förderung der Hamburgischen Kunstsammlungen 349

Als Herkules nach der Überwindung des Geryoneos, es ist die zehnte seiner Taten, die Rinderherde dieses Sohnes der Medusa den weiteren Weg durch Spanien, Gallien, Italien und Sizilien trieb, traf er auf dem Aventin in Rom den feuerspeienden Unhold Cacus. Dieser italienische Riese, Sohn des Vulkanus, hauste dort in einer Höhle und tötete vorbeiziehende Wanderer. Er stahl dem Herkules einen Teil der Rinder, indem er sie an ihren Schwänzen in seine Höhle zog. Die brüllenden Tiere verrieten den Dieb, den Herkules daraufhin erschlug.

Die Marmorgruppe des Museums für Kunst und Gewerbe stellt zwar die Protagonisten dieser Begebenheit dar, erzählt jedoch wenig vom Geschehen selbst. Auf den ersten Blick scheint nur die Endphase des Kampfes auf Leben und Tod, den zwei Männer miteinander ausfechten, gezeigt zu sein. Durch den seit der Antike tradierten Typus der Physiognomie jedoch und durch die ihm beigegebenen Attribute Löwenfell und Keule ist Herkules zu identifizieren. Daß der der Länge nach vor ihm hingestreckte Gegner der Rinderdieb Cacus ist, läßt sich aus der Darstellung schließen: Seit der Spätantike wurde der italienische Name Cacus irrtümlich als die latinisierte Form des griechischen Kakòs (= böse/schlecht) angesehen, sodaß die Figur des Cacus als Personifikation des Bösen im Gegensatz zum Guten in Gestalt des Herkules gestellt werden konnte. Damit wäre die Gruppe nicht die Darstellung einer Episode aus dem Zyklus der Herkules-Taten, sondern sie schildert in allegorischer Überhöhung den Triumph des Guten über das Böse.

Die in deutlicher Trennung voneinander gebildeten Figuren sind durch die Enge des Sockels, den sie bis zu den Rändern hin füllen, zusammengedrängt. Die Verbindung der Körper ist gleichzeitig das wichtigste Formdetail der Komposition: Der doppelte Griff des Herkules um das Bein Cacus. Aus den geschlossenen Armen des Herkules läuft so eine Linie über Bein und Torso des Cacus bis in dessen in Halbkreisen sich öffnende Arme. Diese effektvolle Konstruktion ergibt keine schlüssige Kampfhandlung; sie verdeutlicht in ihrer abfallenden Bewegung jedoch das Ergebnis des vorangegangenen Streites. Sie verbindet die triumphierende Kraft des Herkules mit der tödlichen Erschöpfung des Cacus. Das Kalkulierte, Ausgeklügelte, die Ausarbeitung auf den Effekt hin machen die Gruppe zu einem Paradigma manieristischer Plastik.

Literatur: Heitmann 1983, S. 7–16 – Ausst.-Kat. Beeldenstorm 1986, Nr. 361
BH

AGOSTINO ZOPPO (um 1520–1572)

10
Büste eines Edelmannes

Bronze; lebensgroß
Wien, Kunsthistorisches Museum, Sammlung für Plastik und Kunstgewerbe
Inv. Nr. 7572

Die von Leithe-Jasper dem Paduaner Agostino Zoppo zugeschriebene Büste ist die qualitätsvollste aus einer Gruppe von drei in Gußtechnik und Oberflächenbehandlung einander verwandten Männerbüsten (Inv. Nr. 7573, 7574).

Der Dargestellte, in modisch akzentuiertem Gewand und großzügig übergeworfenem Mantel gegeben, verrät in der leicht aus der Frontalität gedrehten, aufrechten Kopfhaltung, die ihre Stütze in der schmalen Krause findet, eine Grandezza, die wohl adeliger Herkunft ist. Die repräsentative Wirkung des Dargestellten, die sich einzig aus seiner von gemessener Eleganz geprägten Haltung ergibt, verführte dazu, in ihm Herzog Alfonso II. von Ferrara zu vermuten (Planiscig). Das Fehlen jedes die Position des Dargestellten erklärenden Attributes spricht jedoch gegen die Annahme, daß es sich um einen Fürsten handle.

Die Qualität der Ausführung liegt in der scharfen Zeichnung des edlen Profiles, die sich in eine ruhig geschlossene Gesamtform einfügt, ebenso wie in der offen gearbeiteten Oberfläche, deren malerische Valeurs der paduanischen Tradition entwachsen.

Literatur: Leithe-Jasper 1975 – Planiscig 1919, Nr. 211
SS

II. 10

II. 11

NICCOLÒ DELLA CASA
(tätig in Rom 1543–1547)
Nach Baccio Bandinelli (1493–1560)

11
Porträt Cosimo II. Medici 1544

Kupferstich; 42,2 × 29,2 cm
Bezeichnet: COSMVS / MEDICES / FLORENT / IAE DVX / .II. – BACIVS / BANDINEL / FLO.S / 1544 – N. D. LA / CASA. F.
Hamburger Kunsthalle, Kupferstichkabinett
Inv. Nr. 1°/18173

Cosimo II. Medici (1519–1574), seit 1537 Herzog von Florenz, trägt einen äußerst reich geschmückten, mehr an spätere französische (und an della Casas Kupferstichporträt König Heinrichs II.) als an zeitgenössische italienische Beispiele erinnernden Prunkharnisch „all'antica". Der „horror vacui" seines dekorativen und figuralen Zierats – mit Ornamentstichen vergleichbar – bestimmt die Gestaltung des Blattes im Ganzen. Die eine Hand lässig in die Hüfte gestützt, in der anderen ein Stab, folgt die Haltung Cosimos (seitenverkehrt) Pontormos wahrscheinlich den jungen Herzog darstellendem Bildnis der Sammlung Silbermann in New York. Die Natürlichkeit ist aber durch „panzerhafte Starre" (Pinder) ersetzt, der gerüstete Körper bildet ein komplexes, auf die anderen, vor dem dunklen Grund raumlos angeordneten Gegenstände übergreifendes Ornament. Dennoch bewahrt der Herzog in der freien Bewegung seiner Arme – antikisierend wird auf Armröhren verzichtet – und vor allem mit seinem erhobenen Haupt mit in die Ferne gerichtetem Blick die Dominanz über die Objekte, die seine fürstliche Macht inszenieren.

Das von Bandinelli, der zur gleichen Zeit mehrere Büsten des Herzogs schuf, entworfene, von della Casa gestochene Bildnis zählt zu den ersten Beispielen der sich erst allmählich herausbildenden Porträtikonographie der neuen mediceischen Herrscher von Florenz. Die Herkulesszenen auf den Beinschienen, die Inschrift auf dem Fell eines Löwen verweisen auf ein Leitmotiv der politischen Propaganda Cosimos II.: Seit seinem Regierungsantritt hatte dieser das alte republikanische Symbol des „Hercules Florentinus" auf sich selbst, den Tugendhelden als „Fürstenspiegel" verstehend, übertragen. Auf dem Harnisch oft vertreten, besonders eindrucksvoll als Knieschutz, ist der Steinbock, Cosimos persönliches Emblem. Durch diesen gemeinsamen Aszendenten betonte der Medici-Herzog seine Verbindung zu Augustus: Wie dieser Antonius und Cleopatra, hatte Cosimo in der Schlacht von Montemerlo an einem 1. August (1537) seine Gegner besiegt und damit wie sein antiker Vorgänger ein neues Goldenes Zeitalter des Friedens eingeleitet – darauf könnte auch das Liktorenbündel, Symbol für „justitia" und „concordia", für die durch den Fürsten garantierte staatliche Ordnung, hinweisen. Die Identifikation des Herzogs mit einer mythologischen Figur und einem römischen Kaiser ist hier noch Allusion, später wird Cosimo II. in allegorisierenden Porträtstatuen selbst als Orpheus, Apollo und Augustus dargestellt werden.

Literatur: Heikamp 1966, 191/11, S. 51 ff, v. a. S. 59 – Thomas 1960, S. 7 ff – Forster 1971, S. 65 ff, v. a. S. 78 – Richelson 1978 – Langedijk 1981, Nr. 76, S. 445
HA

JOST AMMAN (1539–1591)

12
Gaspard de Coligny 1573

Kupferstich; 13,6 × 27 cm
Bezeichnet: Effigies Gasparis de Coligni. D. de Castilione. Amiralis Franciae – Fecit Norimbergae Jost Amman Tigurinus 1573
Hamburger Kunsthalle, Kupferstichkabinett
Inv. Nr. 12507

Ausgestattet mit einer prunkvollen Rüstung, steht der Führer der Hugenotten in souveräner Pose in einem ovalen Bildrahmen, der wie ein Spiegel wirkt, da hinter ihm der Blick in eine Landschaft als sich spiegelnde Fensteraussicht freigegeben wird. In den Wolken schwebt eine Victoria, die den Ehrenkranz in der Hand hält. Außerhalb des Bildovals sind Allegorien angebracht, die die Tugenden und Leistungen Colignys (1519–1572) benennen sollen.

Links die Allegorie der FIDES, das strahlende Herz auf ihrer Brust mit den Initialen IH spezifiziert sie als CARITAS; Liebe und Glaube kennzeichnen den Admiral Frankreichs mit spezifisch christlichen Tugenden, der auf das Herz zeigende Finger der Caritas deutet die Qualitäten als aus-sich-selbst-wirkend an und somit als möglichst allgemeine Formel, die dem Umstand Rechnung trägt, daß Coligny 1557 zum Calvinismus übergetreten war. Auf der rechten Seite steht die modifizierte JUSTITIA, das Joch in der einen Hand, das ihr zugleich eine Konnotation als PATIENTIA gibt. Im Arm trägt sie ein Kind, das Attribut der CARITAS PROXIMI (Nächstenliebe). Geduld und Nächstenliebe krönen so die Gerechtigkeit. In dem reichen, floralen und mit abstrahiertem Rollwerk durchsetzten Ornament sind Arcimboldo-Zitate eingebunden, auch in den Gesichtern unterhalb der Sockel, auf denen die Allegorien stehen.

In der Kartusche unterhalb des Herrscherporträts sind Szenen aus der Bartholomäusnacht (24. 8. 1572) geschildert, jener Nacht, die den Tod für tausende Hugenotten bedeutete und in der Gaspard de Coligny vermutlich im Auftrage von Katharina de Medici umgebracht worden war.

Seit 1561 war seine Politik auf das Ziel eines antispanischen Bündnisses gerichtet, für das er auch den König von Frankreich, Karl IX., gewinnen wollte. Die Orientierung der Katharina de Medici zur katholisch-spanischen Partei führte 1562 zum Hugenottenkrieg, der vorerst 1570 mit dem Frieden von Saint-Germain zugunsten der Hugenotten beendet wurde, ein Ergebnis, das auf den politischen Einfluß Colignys zurückzuführen ist.

Literatur: Bartsch IX, 362, 17 II – Hollstein II, S. 9 – Becker 1854, S. 203
GW

II. 12

Il. 13

GIORGIO GHISI (1520–1582)

13
Herkules besiegt die Hydra
1588 oder früher

Kupferstich; 35,2 × 21,9 cm
Bezeichnet: I./B.B./IN./V. – G/EOR/GIVS/GHISI/MANT/VAB/F.
Hamburger Kunsthalle, Kupferstichkabinett
Inv. Nr. 1/726

Ghisi fertigte den Stich nach einer Zeichnung Giovanni Battista Bertanis an. Eine Vorstudie Bertanis zu der endgültigen Komposition befindet sich in der Sammlung der Rhode Island School of Design (Inv. 65.078). Der Stich war vorgesehen als Frontispiz für Bertanis Kommentar „Gli oscuri e dificili passi dell'opera ionica di Vitruvio'', herausgegeben 1558 von Venturio Ruffinello in Mantua und dem Kardinal Ercole Gonzaga (1505–1563) gewidmet. Der Stich war dem Buch als Einzelblatt beigelegt.

Die Figur des Herkules, die Verkörperung des Tugendhelden im 15. und 16. Jahrhundert, spielt in diesem Stich ganz offensichtlich auf seinen Namensvetter Ercole Gonzaga an. Das Wappen der Gonzaga unter einem Kardinalshut ist über dem Haupt des Helden angebracht. Der nackte Herkules mit seinem muskulös-knorpeligen Körper steht in Siegerpose über der erschlagenen Hydra. In der reichen Umrandung der Nische sind in den Ecken Kartuschen mit den Allegorien der vier Kardinaltugenden, Justitia, Caritas, Temperantia und Fortitudo angebracht. Sechs geflügelte Frauenfiguren, auf runden Tafeln schreibend, sowie Musikinstrumente, Bücherstapel und Armillarsphären sind ebenfalls in der Umrandung dargestellt. In Blickrichtung des Herkules und mit ihm kommunizierend steht ein bärtiger Mann und gießt aus einem Kasten eine Substanz in ein Feuer: Offenbar handelt es sich um eine alchemistische Handlung. Herkules gilt als Symbolfigur der Alchemisten, da er wie diese mittels seiner Tugend die größten Schwierigkeiten überwindet.

Die Umrandung der Nische erlangt ein selbständiges Eigenleben, die verschiedenen Realitätsebenen des Herkules in der Nische, des Alchemisten in der Umrandung und der in die Betrachterebene hinübergreifenden Hydra vermischen sich.

Literatur: Boorsch 1985, Nr. 24 – Massari, Nr. 212 – Bartsch XV, 44 – Ausst.-Kat. London 1981, Kat. Nr. 206
KO

HENDRIK GOLTZIUS (1558–1617)

14
Herkules Farnese ca. 1592

Kupferstich; 41,6 × 30 cm
Bezeichnet: HGoltzius sculpt. Cum privil. Sa.Cae.M. Herman Adolfz. excud. Haerlemen. (Vom Verleger mit dem Datum 1617 versehen) – Domito triformi (. . .) orbis Hercules.
Hamburger Kunsthalle, Kupferstichkabinett
Inv. Nr. 31151

Der „Herkules Farnese'' mit den drei von ihm geraubten Äpfeln der Hesperiden in seiner rechten Hand ist eine antike Kopie nach einem Original des Lysipp. Die Statue wurde zwischen 1540 und 1546 ohne Beine und linken Arm in den Caracalla-Thermen in Rom gefunden. Goltzius gibt den Zustand mit den Ergänzungen des Michelangelo-Schülers Guglielmo della Porta wieder.

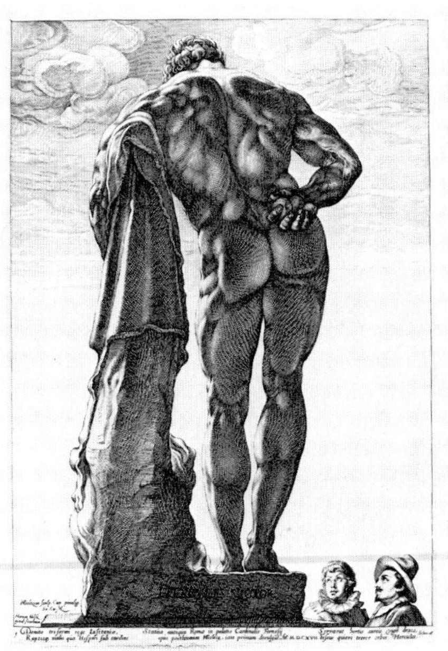

Il. 14

Das Blatt ist der erste von drei Stichen nach antiken Statuen Roms, die Goltzius wahrscheinlich kurz nach seiner Italienreise 1590/91 fertigstellte. Wenn es sich auch verglichen mit dem „großen Herkules'' eher um die schlichte Wiedergabe von Gesehenem handelt, so kann man hier doch immer noch von einer Inszenierung sprechen. Die extreme Untersicht, die Wolken am Himmel und das scharfe Gegenlicht lassen die Rückansicht dieser zu ihrer Zeit berühmten Antike zu einer monumentalen Darstellung des menschlichen Körpers werden. Der bewundernd aufschauende Blick des Betrachters ist dabei – gewissermaßen stellvertretend – durch die beiden bisher nicht überzeugend identifizierten Zuschauer vorweggenommen. Goltzius geht es auch hier wieder um den malerischen Eigenwert des Körpers; die Lichtverhältnisse dienen ihm dazu, die Muskulatur in ihrer plastischen Vielfalt herausarbeiten zu können.

Reznicek weist vier verwandte Zeichnungen nach. Drei (Reznicek 1961, Kat. 225 bis 227) zeigen die Statue in verschiedenen Ansichten, die vierte (ebd., Kat. 388) ist eine Einzelstudie der Köpfe der beiden Betrachter.

Literatur: Hollstein 145 – Strauss 1977, Nr. 312 – Mielke 1979, Nr. 24
EH

HENDRIK GOLTZIUS (1558–1617)

15
Der große Herkules 1589

Kupferstich; 56 ×40,4 cm
Bezeichnet: HGoltzius Jnuent et sculpt. A° 1589
Hamburger Kunsthalle, Kupferstichkabinett
Inv. Nr. 4394

Der sogenannte „Knollenstil" (vgl. auch Kat. II. 17) hat nach Reznicek (1961) in der künstlerischen Entwicklung von Goltzius vor allem die Bedeutung, daß dem geziert-bewegten, überlängten Menschentypus Sprangers eine neue Art der Körperwiedergabe entgegengesetzt wird. Mit diesem Blatt ist in mehrfacher Hinsicht etwas in Szene gesetzt: das handwerkliche Können des Stechers (in der virtuosen Handhabung des Grabstichels trotz des großen Formats), wie auch die – sich hier anscheinend in der Anzahl der Muskelpakete äußernde – Kraft des dargestellten Helden. Das vom äußeren Anschein her durchaus gerechtfertigte Selbstbewußtsein spiegelt sich jedoch weder in der Haltung noch im Gesichtsausdruck. Die gespreizte Pose des verunglückten Kontrapost verrät einen unsicheren Stand und der nachdenkliche Blick steht in der Tradition des „müden Herkules", dem die Erschöpfung nach getaner Arbeit anzumerken ist.

Einer der vielen Liebschaften Zeus' entsprossen, muß sich Herkules, von Juno eifersüchtig verfolgt, immer neuen Prüfungen und Abenteuern stellen. Rechts im Hintergrund sieht man ihn mit dem Riesen Antäus kämpfen, links mit dem in einen Stier verwandelten Flußgott Acheloos. Die Trophäe in der linken Hand des Helden ist das diesem entrissene Stierhorn – links im Hintergrund in den Händen der drei Najaden zum guten Ende in ein Füllhorn verwandelt.

Strauss (1977) sieht denn auch in diesem Blatt eine Anspielung auf die politische Situation der niederländischen Nordprovinzen in ihrem Kampf gegen Spanien am Ende der achtziger Jahre.

Literatur: Hollstein 143 – Strauss 1977, Nr. 283 – Mielke 1979, Nr. 6 EH

II. 15

II. 16

GIORGIO GHISI (1520–1582)

16
Ruhender Herkules 1567

Kupferstich; 26,8 × 39,4 cm
Bezeichnet: GEORG.GHISI.MANT.F / 1567 (2. Zustand)
Hamburger Kunsthalle, Kupferstichkabinett
Inv. Nr. 1/732 a

Der Stich gibt eine Figur wieder, die sich als Relief in einer Lunette der Sala degli Stucchi im Palazzo del Tè in Mantua befindet. Der Entwurf geht auf Giulio Romano zurück, eine Zeichnung wird im Musée des Beaux-Arts in Alençon (Inv. 865-1-18) aufbewahrt. Vielleicht hat Ghisi den Stich während seines Aufenthaltes im Norden angefertigt. Die Wasserzeichen des benutzten Papiers verweisen auf Frankreich oder die Niederlande.

Nordisch empfunden ist vor allem die Hintergrundlandschaft, die Ghisi der Herkules-Figur hinzugefügt hat und die zu seinen größten und anspruchsvollsten Landschaften zählt. Ruinöse Gebäude, Kirchen und Befestigungen bilden eine variationsreiche Zivilisationslandschaft, die allmählich über bebaute Felder in steinige Gebirgsketten übergeht. Das Wolkengebilde über der Stadt scheint von einer Explosion herzurühren, doch die Bedeutung dieses Details ist unklar. Die gesamte Landschaft wirkt wie ein Theaterprospekt, wobei die konstruierte Bühnenhaftigkeit der Szenerie durch den oberen Abschluß der Komposition mit einer Wolkenbank und der dunkleren Vordergrundbeleuchtung noch unterstrichen wird. Wie eine Statue ist Herkules in entspannt ruhender Pose auf den Erdboden gebettet, sein aufmerksamer Blick geht nach rechts aus der Komposition hinaus. Nur die aufgestellte Keule verhindert auf geschickte Weise ein Auseinanderfallen der Komposition, so daß das manieristische Prinzip, Spannungsbögen ins Leere laufen zu lassen, in dieser Konstruktion meisterhaft vorgeführt wird.

Literatur: Boorsch 1985, Nr. 41 – Bartsch XV, 56 – De Grazia 1985, S. 319 – Oberhuber 1966 KO

II. 17

UNBEKANNTER HOLZSCHNEIDER
Nach Hendrik Goltzius (1558–1617)

17
Herkules und Cacus 1588

Clair-obscur-Holzschnitt von 3 Platten;
41,2 × 33,3 cm
Bezeichnet: „A° 88 HGoltzius Inue"
Hamburger Kunsthalle, Kupferstichkabinett
Inv. Nr. 4444

Die schaurige Todes-Höhle, in der Herkules Cacus erschlägt, ist einer der Nebenschauplätze der Herkules-Legende. Als der Held dabei ist, die mühsam von Geryoneus zurückeroberten Rinder zu Eurystheus heimzutreiben, entführt Cacus acht der Tiere und schleift sie in seine Höhle am Aventin. Durch ihr Brüllen aufmerksam geworden, dringt Herkules von oben in die Höhle ein – der Eingang ist durch einen an einer Kette hängenden Felsblock versperrt – und tötet das Ungeheuer (vgl. Kat. II. 9).

Die Besonderheit, daß Herkules Cacus erschlägt – die Quellen sprechen davon, daß der feuerspeiende Unhold erwürgt wird – deutet darauf hin, daß Goltzius hier auf schon bestehende Vorbilder zurückgegriffen hat. Antal (1975) und Reznicek (1961) haben auf mögliche italienische Einflüsse, z. B. von Rosso, hingewiesen. Es liegt nahe, an dessen von Fantuzzi radierte Komposition „Herkules und Antäus" zu denken (B. XVI, S. 399, Nr. 59), ein Blatt, dessen Sujet Zerner neuerdings (im Fontainebleau-Katalog, Paris 1972, Kat. Nr. 322) als „Herkules erschlägt den Cacus" identifiziert. Die spezifische Haltung der Figur des Cacus geht bei Goltzius allerdings auf den „Torso Belvedere" zurück.

Auffallend ist auch die Nähe des Holzschnittes zum „Großen Herkules" (Kat. II. 15). Die Ähnlichkeit der Physiognomie und das in gleicher zerzauster Art und Weise hinten ausschwingende Löwenfell machen diesen wie jenen zu einer Art „Bettelherkules", der eine politisch gemeinte Anspielung an die niederländischen Freiheitskämpfer (niederländisch „Geuzen" aus frz. „gueux": Bettler) zumindest erwägenswert macht.

Literatur: Hollstein 373 – Strauss 1977, Nr. 403 – Mielke 1979, Nr. 5 EH

HANS SEUSENHOFER (Plattner)
(1470–1555)
LEONHARD MEURL (Ätzer)
(gest. 1547)

18
Geschlossener Helm des späteren Kaisers Ferdinand I.
Innsbruck 1526–1529

Blankes Eisen, Goldätzungen
Wien, Kunsthistorisches Museum, Waffensammlung
Inv. Nr. A 461

Der geschlossene Helm des späteren Kaisers Ferdinand I. (1503–1564), der sogenannte Fuchshelm, stellt den Rest eines verlorenen Feld- oder Turnierharnisches dar. Der Wiener Helm besitzt ein Visier in der Form einer Hunde- oder Wolfsschnauze. In der Wallace Collection in London befindet sich ein zum Wiener Helm gehörendes Wechselvisier in der Form einer Maske mit Menschengesicht. Solche Maskenvisiere waren in einer für Spiel und Feste äußerst aufgeschlossenen Zeit sehr beliebt. Sie gehören zu den phantasievollen Maskenhelmen und Kostümharnischen, die bei prunkvollen Festaufzügen getragen wurden. Diese Masken sollten vor allem interessant aussehen, obwohl ihnen eine symbolische Bedeutung meist nicht ganz abzusprechen ist. Bei einem Wolfskopf könnte man an das heilige Tier des Mars denken.

Leonhard Meurl schmückte den Helm mit vergoldeten Ätzungen aus Fabelwesen und Blattranken. Auf der rechten Seite des Kammes finden sich die Wappen von Ungarn, Böhmen, Österreich und Tirol, auf der linken Seite kämpfen wilde Männer. Im Nacken befindet sich die Meistermarke und der Bindenschild als Zeichen des Besitzers. Die Wappen legen eine Entstehungszeit zwischen 1526 und 1531 nahe. Ferdinand I. wurde 1526 mit dem Tod seines Schwagers Ludwig II., König von Ungarn und Böhmen. 1531 wurde er römischer König, dieses Wappen findet sich aber noch nicht auf dem Helm, also muß er vor 1531 entstanden sein. Wahrscheinlich war der Helm Teil einer Lieferung Hans Seusenhofers, die 1529, im Jahr der ersten Wiener Türkenbelagerung, nach Linz gesandt wurde.

II. 18

Literatur: Ausst.-Kat. Plattnerkunst 1954, Nr. 59, Taf. 51 – Norman 1972, S. 202, Taf. 54 – Thomas 1974, S. 189, Abb. 131 – Thomas/Gamber/Schedelmann 1974, S. 253 – Ausst.-Kat. Donauschule 1965, S. 192, tav. 34 MP

EMANUEL II. SADELER (Eisenschneider)
(gest. 1610)
ADAM VISCHER (Schäfter)
(nachweisbar bis 1610)

19
Musketengabel
München 1599

Eisen, Bein, Holz
Wien, Kunsthistorisches Museum, Waffensammlung
Inv. Nr. A 2252

Für den bayerischen Herzog und späteren Kurfürsten Maximilian I. wurde unser Stück als Teil einer Garnitur hergestellt, die sich heute bis auf die Wiener Musketengabel in der Real Armeria in Turin befindet. Zwei Fabelwesen mit Greifenköpfen und Schlangenleibern, die in einem mit Widderhörnern geschmückten Löwenkopf enden, bilden die Gabel.

Alle technischen Möglichkeiten der künstlerischen Verarbeitung sind erschöpft am geschnittenen, vergoldeten Eisen. Diese reiche Musketengabel ist das Werk des auch am Hof Rudolfs II. in Prag beschäftigten Eisenschneiders Emanuel II. Sadeler.

Den Stiel schuf der ebenfalls von Rudolf II. beschäftigte Schäfter Adam Vischer. Er ist durch fein gravierte Beineinlegearbeiten geschmückt. Eingefaßt von Rollwerk, sind in vier allegorischen Gestalten die Jahreszeiten dargestellt. Der Frühling wird als junges Mädchen mit einem Blumentopf in der Hand, wohl Flora, gezeigt, den Sommer symbolisiert ein gereifter Mann mit einem Ährenkranz im Haar und einem Getreidebündel im Arm. Wie der Frühling ist auch der Herbst durch eine Gottheit vertreten: Bacchus in Gestalt eines etwas verlebten Mannes verkostet im Glas das Produkt des Herbstes, den Wein. Zu seinen Füßen findet sich ein kleiner Faun. Der Winter ist ein in Pelze gehüllter Greis.

Literatur: Thomas/Gamber/Schedelmann 1974, S. 270f MP

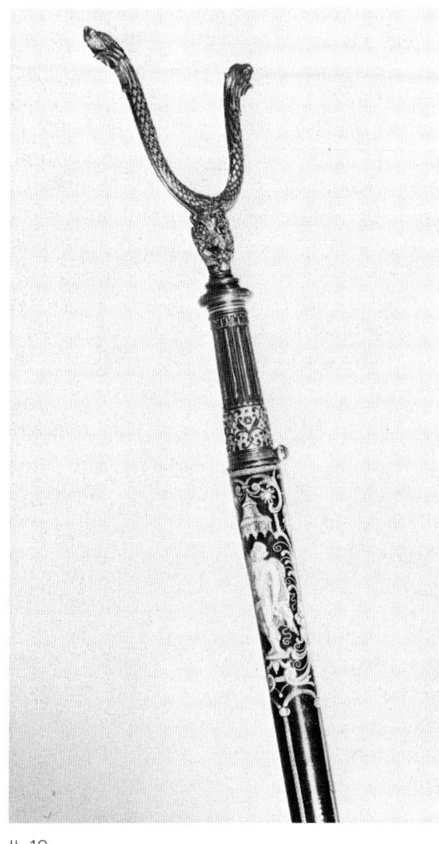

II. 19

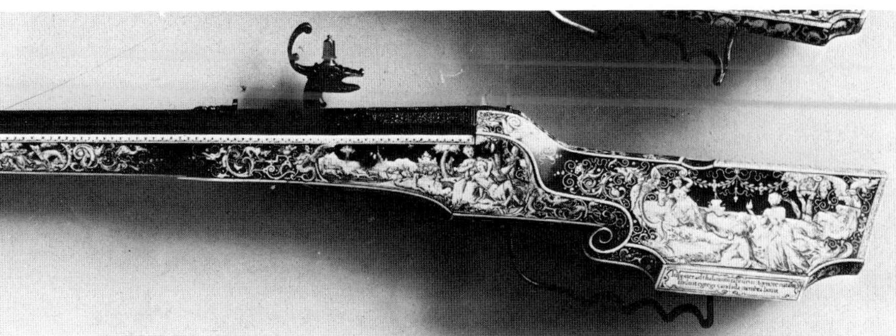

II. 20

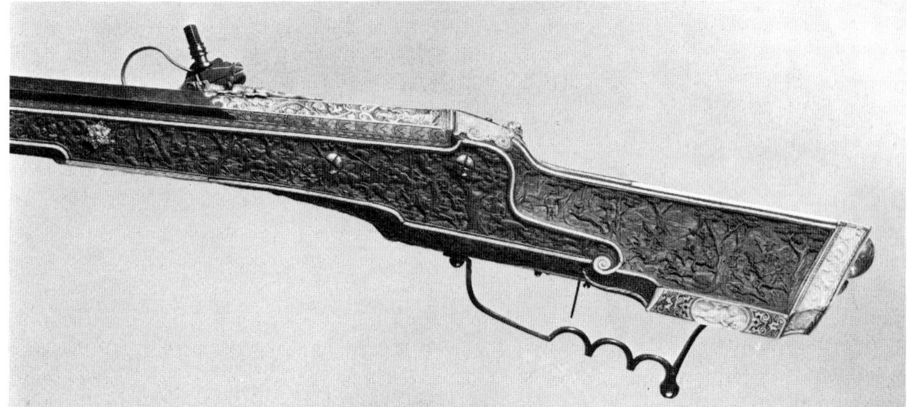

II. 21

DANIEL SADELER (gest. 1632)
HIERONYMUS BORSTORFFER (gest. 1637)

20
Radschloßbüchse
Prag

Wien, Kunsthistorisches Museum, Waffensammlung
Inv. Nr. D 92

Für die Eisenschnitte seiner Prunkgewehre verpflichtete Kaiser Rudolf II. den aus Antwerpen eingewanderten Künstler Daniel Sadeler, als Schäfter Hieronymus Borstorffer aus München. Unsere von Sadeler-Borstorffer geschaffene Büchse entspricht in ihrem genau durchdachten und ausgearbeiteten ikonographische Programm und in der Art ihres Dekors der Spätblüte des Manierismus in Prag.

Die mythologischen Szenen sind in Bein ausgeführt und einem gemeinsamen Thema, jenem der grausamen Venus, untergeordnet. In zwölf Einlagen werden unglückliche Liebesgeschichten aus Ovids Metamorphosen erzählt. Der Schlüssel zum gesamten ikonographischen Programm findet sich unterhalb des Schlosses in Gestalt des Hermes. Hermes hat bereits Argos getötet, womit Anfang und Ende der Geschichten angedeutet wird: Es wird die Geschichte von Io erzählt, der unglücklichen Geliebten des Zeus, die, in eine Kuh verwandelt, auf Heras Befehl von Argos bewacht wird. Hermes, der auf Wunsch seines Vaters Zeus befreien soll, erzählt dem 100-äugigen Argos die Geschichten der Metamorphosen, um ihn dann töten zu können. Die Geschichten gehen vom Raub der Europa bis zu Pan und Syrinx und umfassen zahlreiche, in Ovids Metamorphosen beschriebene unglückliche Liebende, unter anderen auch Kadmos und Harmonia, Narziss, Adonis und Euridike.

Literatur: Hayward 1968, S. 29 – Stöcklein 1922, S. 65 – Schedelmann 1972, S. 67 MP

PETER OPEL (erwähnt 1575–1596)

21
Radschloßbüchse
Regensburg 1590

Eisen, Eisen vergoldet, Holz, Elfenbein
Wien, Kunsthistorisches Museum, Waffensammlung
Inv. Nr. D 213

Nicht nur in den großen Zentren des Manierismus, wie Prag oder München, entstanden erstklassige Kunstwerke, auch kleinere Zentren waren im späten Manierismus an dieser Kunstblüte beteiligt. Im Unterschied zu der für den Prager Hof hergestellten Büchse von Sadeler-Borstorffer (Kat. II. 20), kommt es bei Opel nicht zur Aufhebung der Schwere und Wucht des Gewehres, zum in die Länge Ziehen der Form. Einen Unterschied kann man auch in der ikonographischen Ausgestaltung bemerken. Die Regensburger Büchse besitzt zwar eine Überfülle von Themen, aber man kann keinen unmittelbaren Zusammenhang zwischen den einzelnen Geschichten erkennen. Das Programm ist nicht so genau wie bei dem Prager Kunstwerk durchdacht. Auf dem Lauf befinden sich die allegorischen Gestalten der Fortitudo (Stärke) und Vanitas (Vergänglichkeit). Die vergoldete Schloßplatte zeigt den Selbstmord von Pyramos und Thisbe, der Kolbendeckel Leda mit dem Schwan. Es folgen Themen, die mit Diana im Zusammenhang stehen: Endymion, der schöne Hirte und Geliebte der Diana, und Aktäon, der seinen Frevel durch den Tod büßt. In einen Hirsch verwandelt, zerreißen ihn seine eigenen Hunde. An der Unterseite des Gewehrs finden sich weiters Venus mit Pfeil und Herz sowie der blinde Amor. Neben diesen mit der Liebe im Zusammenhang stehenden Szenen findet sich der das goldene Himmelgewölbe tragende Atlas auf der Kolbenplatte. Die beiden seitlichen Teile des Schaftes sind mit Jagdszenen geschmückt.

Literatur: Hayward 1968, S. 29 – Schedelmann 1972, S. 32 MP

II. 22

PRAG, 1610

22
Pulverflasche

Gold und Hinterglasemail
Wien, Kunsthistorisches Museum,
Waffensammlung (gewidmet 1949 von Clarice de Rothschild im Andenken an Dr. Alphonce de Rothschild)
Inv. Nr. D 2279

Ihrer Gesamterscheinung nach ist diese emaillierte Pulverflasche eine typische Ausformung jener Hofkunst des Spätmanierismus, die unter Kaiser Rudolf II., dem Schöpfer der Kunstkammer auf dem Hradschin, im ersten Jahrzehnt des 17. Jahrhunderts ihre bezeichnendste Ausprägung erfuhr. Die Kunst dieses späten Manierismus, zwischen 1590 und 1620, hat etwas von einer Treibhausblüte, eine faszinierende, schillernde, dekadente Schönheit an sich, für deren Ausdruck sich Email als Material besonders eignet. Die gesamte Fläche der Pulverflasche ist von einem Band und Flechtwerk in Gold-, Grün- und Blautönen überzogen. Im Zentrum ist eine Jagdgruppe dargestellt: Ein berittener Jäger sticht mit seinem Jagdschwert eine von Hunden gestellte Hirschkuh nieder. Der Hirsch kann entkommen. Hinter dem berittenen Jäger eilt ein mit einem langen Spieß bewaffneter Gehilfe heran.

Literatur: Grimschitz/Thomas 1959, Taf. 35 – Thomas/Gamber/Schedelmann 1974, S. 271 MP

WERKSTATT DES LUCIO PICCININO
(tätig um 1550–1589)

23
Halbharnisch und Rundschild vielleicht für Rudolf II.
Mailand, um 1575 (1580)

Eisen, in Strichen getrieben, auf grauem Grund goldtauschiert
Wien, Kunsthistorisches Museum,
Waffensammlung
Inv. Nr. A 1493

Dieser Halbharnisch mit konischer Sturmhaube und Rundschild folgt ganz der Tradition des spanischen Infanterieharnisches. Die Dekoration ist jedoch von spätmanieristischer Üppigkeit. Dem italienischen Geschmack des Manierismus um 1570 folgend, ist die gesamte Fläche, gleichsam unter dem Druck eines Horror Vacui, im Relief aufgelöst.

Der Künstler bedeckt die Rüstung völlig mit allegorisch-mythologischen Figuren und Szenen, die in Nischen oder Kartuschen gestellt sind. Die Kartuschen sind in Rollwerk gerahmt. Der verbleibende Platz wird mit Mustern von Gehängen, Früchten, Waffen und Maskarons aufgefüllt.

Das plastische Ideal des Halbharnisches ist durch Massigkeit und Breite gekennzeichnet. Die eckigen Beintaschen aus einem Stück am Halbharnisch sprechen für die Spätzeit nach 1570. Die Streifen von getriebener Dekoration sind so angeordnet wie die geätzten Streifen auf glatten Harnischen oder die gestickten Zierstreifen auf den Stoffkostümen dieser Zeit. Auf dem Bruststück enthält der Mittelstreifen zwei Putti, die eine Kartusche tragen, in der einem antikisierend gekleidetem Feldherrn eine Krone überreicht wird. Auf der Rückseite findet sich dieselbe Szene wieder, zusätzlich wird dort die Kaiserkrone übergeben.

II. 23

Rudolf II. wurde 1575 zum römischen König gewählt. Dieser Halbharnisch könnte zu diesem Zweck für ihn angefertigt worden sein, da auf der Brust der Erhalt der Königskrone und auf dem Rücken der zukünftige Erhalt der Kaiserkrone dargestellt sind.

Literatur: Thomas/Gamber 1958, S. 109 MP

ANTON PFEFFENHAUSER
(um 1525–1603)

24 Farbabbildung S. 124
Flechtband-Garnitur
Augsburg 1571

Wien, Kunsthistorisches Museum,
Waffensammlung
Inv. Nr. A 886d

Geburtstage, Krönungen, Ordensverleihungen oder Hochzeiten boten einem Herrscherhaus schon immer Gelegenheit, sich selbst darzustellen und zu verherrlichen. Im Rahmen des Festes sollten die Macht, der Reichtum und der Glanz des Fürstenhauses den Gästen vorgeführt werden. Das Fest war nicht ein reiner Zeitvertreib, es hatte eine herrschaftslegitimierende und staatstragende Funktion. Es diente zur Selbstdarstellung, und, wie Castiglione in seinem „Cortegiano" schreibt, ist der Hofmann vor allem auch Kriegsmann. Daher gehört das Turnier zum unverzichtbaren Bestandteil jedes Festes, auch noch im 16. Jahrhundert.

Anläßlich der Hochzeitsfeierlichkeit ihres Onkels Karl von der Steiermark mit Maria von Bayern erhielten die beiden älteren Söhne Kaiser Maximilians II., die Erzherzöge Rudolf und Ernst, eine Turniergarnitur. Diese des Ätzmusters wegen als Flechtband-Garnitur bezeichnete Harnischserie enthält die Ausrüstung zum Plankengestech, zum Fußturnier und zum Freiturnier. Der eine Halbharnisch der Brüder ist nach italienischem Typus asymmetrisch gebaut, der andere nach deutschem Muster symmetrisch. Die Harnische sind mit einem komplizierten, sich über die blanke Fläche ausbreitenden Muster aus verschlungenen Bändern und Hopfenblättern geschmückt. Hier zeigt sich die Vorliebe des Manierismus für die Variation, für die Möglichkeit zum Kombinieren von Teilen.

Das in Gold- und Schwarzätzung ausgeführte Flechtbandmuster kündigt das in seinen sich regelmäßig wiederholenden Motiven, Textilien oder Tapetenmustern vergleichbare Dekorationsschema des frühbarocken Prunkharnisches an.

Literatur: Thomas/Gamber/Schedelmann 1963, Taf. 52 – Thomas/Gamber/Schedelmann 1974, S. 265 – Thomas 1944, S. 278f MP

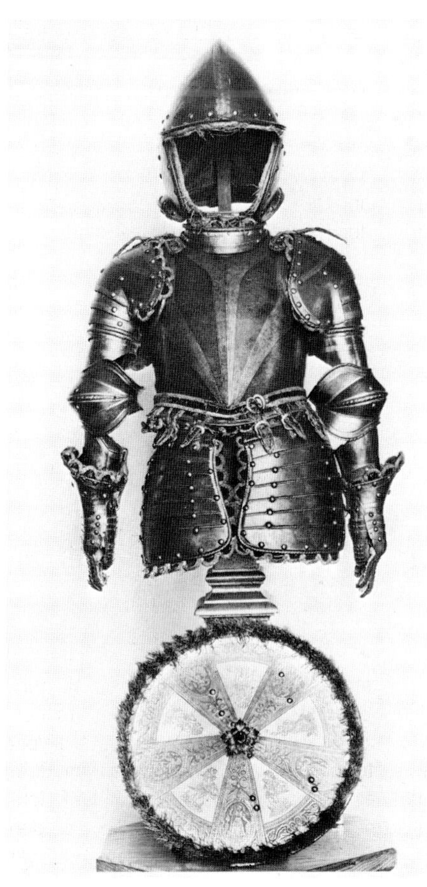

II. 25

ITALIENISCH, 1575

25
Knabenharnisch

Eisen, gebläut und vergoldet
Wien, Kunsthistorisches Museum, Waffensammlung
Inv. Nr. A 1526

Daß die gesellschaftliche Funktion den Harnisch des 16. Jahrhunderts primär vor seiner technischen, militärischen Funktion bestimmt, läßt sich am besten an den Knabenharnischen erkennen. Da man nicht annehmen kann, daß ein fünfjähriger Knabe in den Krieg zieht, wird hier offensichtlich, daß der Harnisch weit stärker ein Ausdruck einer Lebenshaltung, ein statusbestimmendes Symbol ist, als eine militärische Schutzwaffe. Dieser Kinderharnisch für einen etwa fünf Jahre alten Knaben dürfte in Italien um 1575 entstanden sein. Er besteht aus Capacete-Sturmhaube, geschobenen Kragen, Brust, breiten Beintaschen mit imitiertem Geschübe, Rücken, Fingerhandschuhen und einem dreiteiligen Armzeug mit asymmetrischen Schultern. Die asymmetrischen Schultern verraten, daß der Harnisch ein Teil einer kleinen Garnitur aus Reiterharnisch (Küriß) und Infanterie-Halbharnisch (Harnasch) ist.

Dieser Harnisch wurde von Maria Magdalena, Großherzogin der Toskana, 1628 ihrem Bruder Erzherzog Leopold V., dem Gubernator von Tirol und seiner Gattin Claudia de Medici anläßlich der Geburt ihres Sohnes Ferdinand Karl geschenkt. Die großherzogliche Schwester sandte den Harnisch bereits zehn Tage nach der Geburt aus ihrer Florentiner Rüstkammer als Taufgeschenk, um so die Rolle des Neugeborenen als zukünftigen Kriegsmann günstig zu bestimmen.

Literatur: Ausst.-Kat. Curiositäten 1978, S. 70 MP

III Triumph der Venus

Zu zeigen, was alles in der Malerei möglich sei – diese Absicht wird von Vasari, dem Manieristen, Michelangelo unterstellt (s.Einleitung VII) –, gehört nicht nur zu den Motiven, welche Stolz und Ehrgeiz der Künstler anfachen. Das Auftrumpfen des Könners zählt zu den stolzen Gewißheiten, mit denen das aus religiös-dogmatischer Bevormundung (und Betreuung) herausgetretene Individuum am Beginn der Neuzeit sein Selbstbewußtsein und dessen Risiken bestreitet. Die Kunst ist nur eine der vielen Potenzlegitimationen dieses neuen Bewußtseins und deshalb nicht zu trennen von dem Eigenwert, den fortan auch die gesellschaftlichen Beziehungen sowohl im öffentlichen wie im privaten Bereich beanspruchen. In beiden Fällen regiert Eros, woraus sich eine Fülle von künstlerischen Anlässen ergibt. An der Spitze stehen, von den Herrschern gerne als Deckfiguren genutzt, Mars und Venus (Kat. III. 4, III. 15).

Wir sehen das künstlerische Selbstbewußtsein mit dem sexuellen konvergieren. Die Freizügigkeit, so könnte man sagen, welche der Künstler seinem Gestaltungsakt gewinnt, springt auf den Geschlechtsakt und dessen Darstellung über. Entscheidend ist nicht, daß die Renaissance – in Italien früher als anderswo – die kreatürliche Nacktheit vom Stigma des Sündenfalls befreit und zum Brennpunkt erklärt, in dem die neue, ganz und gar im Körperlichen und Greifbaren wurzelnde Sinnlichkeit ihre Mitte hat – entscheidend ist, daß die nachklassischen Generationen, die Manieristen also, den Variationsspielraum ihres differenzierten Kunstvermögens auf das erotische Themenrepertoire übertragen und diesem immer neue „Möglichkeitsformen" abgewinnen. Damals begann, zwischen Spiel und Bemühen schwankend, die Phantasie sich der „Stellungen" zu bemächtigen, die den Verkehr zwischen Göttern und Göttinnen, Männern und Frauen beherrschen – ein Thema, mit dem später die Pornographen ihr Geschäft bestreiten sollten (Kat. V. 33–39).

Solche Schaustellungen haben etwas von den Musterbüchern, in denen man damals die verschiedenen menschlichen Fertigkeiten zu kodifizieren versuchte: Sie sind Anweisungen, ästhetische Verhaltensregeln, vergleichbar den Alphabetbüchern, den Perspektivtraktaten usw. Radikal „modern" scheinen uns diese Kopulationsmuster, weil sie den Weg vom Eros zum Sexus einschlagen, d. h. den Geschlechtsverkehr um seiner selbst willen demonstrieren. Insofern ist die „Liebe im goldenen Zeitalter" (Kat. III. 11) eine Ausnahme. In der Regel muß der ganze Olymp, müssen die Metamorphosen des Ovid herhalten, um die Fülle der Verwicklungen mythologisch zu begründen und zu nobilitieren, die sich im freien Spiel der Kräfte von Mann und Frau ereignen. Diese intrigen- und konfliktgeladene Partnerschaft wird in den Künsten souveräner gedeutet, als es den geltenden gesellschaftlichen Normen, Vorbehalten und Vorurteilen entsprach. Nicht nur das Christentum, auch die antike Anthropologie hatte zwischen Mann und Frau ein diskriminierendes Ranggefälle behauptet. Mit dem Makel der Unvollkommenheit behaftet, wurde die Frau zum passiven Gefäß stilisiert, dem sich der überlegene männliche Formwille aufprägt. So die aristotelische Sicht. Dazu kam, letztendlich reizvoller, die christliche Sündenfalltheologie. Bedenkt man diesen Rollenschematismus, so muß der Freiraum, den die dem „Triumph der Venus" dienenden Darstellungen betreten, aus zweierlei Gründen überraschen: einmal, weil darin Mann und Frau, wenngleich mythologisch drapiert, als komplementäre Kräfte angesehen werden, und weil ihr Wechselbezug nicht unter der Fatalität einer Verführung steht, sondern offensichtlich von der freien Entschlußkraft bestimmt wird. Sie entscheidet über Anziehung und Abstoßung.

Nichts wäre falscher, als diesen Szenen von Raub, Überfall und Verweigerung, Keuschheit und Wollust moderne Verhaltensmuster aufprägen bzw. entnehmen zu wollen. Eine Kunstepoche, der die großen Wunschgestalten des Eros zu Gebote stehen, bedarf nicht der Verkleidungen, Verdrängungen und Verschlüsselungen, mit der die Sexualität paktiert, um den Zivilisationsdruck abzuwehren. Nicht Psychologie ist gefragt, wenn wir die Beziehungen dieser Paare befragen, die einander befehden und fliehen, bespringen und rauben, sondern Einsicht in den Übermut der Sinneskraft, deren Spielbrett nun einmal hundert Figuren der Hingabe und der Verweigerung ermöglicht.

Nicht nur darin drückt sich die manieristische „désinvolture" aus. Der mehrmals angesprochene „Möglichkeitssinn" und der Geschmack an Verflechtungen führen dazu, daß die Grenzen zwischen dem Männlichen und dem Weiblichen ihre Schärfe verlieren und zu Transitorien genützt werden, auf deren Terrain der Androgyn zu Hause ist – keine Synthese aus Mann und Weib, sondern eine Kompositschönheit.

Die gelassene, in sich ruhende Schönheit ist nicht die Kennmarke der Epoche. Extrempositionen und Zweideutigkeiten sind es: Venus und Amor in nachdenklicher Komplizenschaft (Kat. V. 57), der verweiblichte Herkules (Kat. III. 22), die kokett-verschämte Bathseba (Kat. III. 24), die Venus-Astronomia (Kat. III. 2), in deren Haltung und Umriß wir Giambolognas „Apoll" wiedererkennen.

Nochmals: Das von Panofsky in die Diskussion eingeführte Wort des Giordano Bruno, „wonach allein der Künstler Urheber der Regeln sei, und wahre Regeln überhaupt nur insofern und nur in solcher Anzahl existieren, als es wahre Künstler gebe" (Idea, S. 38), rechtfertigt nicht nur die Ideenlehre, das „disegno interno" eines Lomazzo oder Zuccari, sondern auch die Regel-Spielräume der von Göttern und Heroen präfigurierten zwischenmenschlichen Beziehungen. Der „Triumph der Venus" ist in einer Epoche, die nach ihren äußersten Möglichkeiten tastet, nicht zu trennen von seinem Gegenteil, dem Elend der Venus. Dieses stellt etwa die Göttin Ops dar (Kat. III. 21): Sie ist eine Absage an den Kult des schönen Körpers, wie sie die Vanitas-Gestalten des späten Mittelalters nicht härter aussprachen, trägt aber etwas in sich, was jene in ihrer Befangenheit noch nicht kannten: das Nachdenken über sich selbst.

Zu den Grenzen, in die ein Venus-Kult vorstößt, den keine ideale Schönheitsregel beschränkt, gehört die Neger-Venus (Kat. III. 1). „Ich bin schwarz, aber schön", heißt es im Hohen Lied Salomonis. Der Reiz des Exotischen, den das Zeitalter der Entdeckungen hundertfach auskostete, wird hier mit einer Grazie verbunden, die vertraut und doch anders ist als etwa die langgliedrige Schönheit der Fontainebleau-Nymphen.

Dieser Raum ist als Gegenstück zum „Triumph des Herrschers" (II) gedacht. Kommt in ihm auch häufig der männliche „assalto" zu Wort, das energische Besitzergreifen, so ist der Grundton doch Reziprozität (Kat. III. 12), ein Geben und Nehmen, das die Unterdrückungsimpulse im Dialog verfeinert, im Spiel künstlerisch sublimiert. WH

Ill. 1

ITALIEN (?), 2. HÄLFTE 16. JAHRHUNDERT

1
Negervenus

Bronze, patiniert; Höhe 32,5 cm
Frankfurt am Main, Städtische Galerie Liebieghaus
Inv. Nr. 1568

Die Göttin der Liebe und Schönheit bietet, in leicht pointiertem Kontrapost gegeben, versunken in ihr Spiegelbild, in eleganter Ungezwungenheit dem Betrachter ihren idealen Körper. Die leichte axiale Drehung im Standmotiv zeigt die weiche Höhlung der hohen Taille, die Neigung des Kopfes betont die geschmeidige Länge des Halses, der den schmalen Schultern entwächst. Die träge Eleganz der weichen S-Kurve des Leibes findet Antwort im lässigen Gestus des linken Armes und erhält räumlichen Halt in der vorgestreckten Rechten, die den Spiegel hält.

Die Faszination für alles Außergewöhnliche, nicht der Norm Entsprechende ist hier mit der Sinnlichkeit des klassischen Venusmotives verschmolzen. Die Verbindung des Inbegriffes weiblicher Schönheit mit einem Exotismus, der durchaus nicht eindeutig positiv belegt ist – Neger wurden im 16. Jahrhundert nicht nur als exotische Wesen, sondern auch als Monster gesehen, wie man einer „Monstrorum Historia" des Ulisse Aldrovani entnehmen kann – birgt die Dialektik des manieristischen Geschmackes, der seine Lust in einer Gratwanderung zwischen Schönheit und Grauen findet. Die stilistische Einordnung des Werkes, das sowohl venezianische wie florentinische Stilmerkmale aufweist, stößt auf erhebliche Schwierigkeiten. Es wurden sowohl stilistische Parallelen zu Giambologna wie zu Danese Cattaneo gesehen, und man hat bereits erwogen, die Figur auf Grund der Kombination von venezianischen und florentinischen Elementen dem niederländischen Kunstkreis zuzuordnen.

Literatur: Ausst.-Kat. Master Bronzes 1986, S. 150 (zum Wiener Exemplar) SS

NACH GIAMBOLOGNA (1529–1608)

2
Die Astronomie oder Venus Urania

Bronze mit schwarzem Lack; Höhe 34,5 cm
Klosterneuburg, Stiftsmuseum
Chorherrenstift Klosterneuburg
Inv. Nr. KG 31

Urania, die Muse der Astronomie, wird in dieser sehr reduzierten Kopie der berühmten vergoldeten Originalstatuette Giambolognas (Wien, Kunsthistorisches Museum, Inv. Nr. P 5893) als tänzelnde und extrem gedrehte nackte Frauenfigur dargestellt. Sie verkörpert in der gegenläufigen Torsion der Beine, der Schultern und des Kopfes auf besonders deutliche Weise die „Figura serpentinata", das formale Leitmotiv der manieristischen Körperdarstellungen. Giambologna wird als einer der Erfinder dieses Figurentyps bezeichnet, durch seine im 16. Jahrhundert in ganz Europa verbreiteten Skulpturen (vgl. Kat. VII. 2) trug er wesentlich zu ihrer Durchsetzung bei. Unsere Allegorie der Astronomie, wohl auch wegen der Schönheit ihrer unbekleideten Gestalt schon seit 1750 (Nennung des Originals im Inventar der Wiener Schatzkammer) als „Venus Urania" bezeichnet, lehnt sich an ein geometrisch gebautes astronomisches Meßinstrument, das von einer Draperie umschlungen und dadurch etwas verunklärt wird. Dieses Instrument ruht auf einem Prisma, dem noch eine Armillarsphäre beigegeben ist.

In objektartigen, großen Astrolabien, die wie die allegorischen Bronzestatuetten beliebte Sammlungsstücke waren, läßt sich trotz der empirischen Orientierung des Zeitalters eine intensive Vorstellung von der Bedeutung der Sternenkonstellationen ablesen. Auch der reiche Kopfschmuck der Urania und die nur locker vor die Brust gehaltene Draperie zeigen, daß man durch die edle und erotisierte Figur die Würde und Anmut dieser hohen Wissenschaft darstellen wollte. Dem entspricht die häufige Darstellung von Jahreszeitenzyklen im 16. Jahrhundert und die Versinnbildlichung des Geschehens durch in den Bildern eingezeichnete Sternzeichen (z. B. in den Gemälden Antoine Carons, Kat. I. 6, und seinem Bild „Die Sterndeuter", um 1575).

Ill. 2

Literatur: Ausst.-Kat. Giambologna 1978, Nr. 12 und 12a – Dhanens 1956, S. 184 f MB

GIAMBOLOGNA-WERKSTATT

3
Nessos und Dejanira

Bronze, schwarzer Lack über rötlichem Firnis; Höhe 44,5 cm
Wien, Kunsthistorisches Museum, Sammlung für Plastik und Kunstgewerbe
Inv. Nr. 5770

Die habsburgischen Fürsten waren weitaus die eifrigsten Anhänger der Kunst Giambolognas, um den sich schon Ferdinand II. bemüht hatte. Das Inventar Rudolfs II. weist bereits 27 Werke des Künstlers auf. Drei davon sind wie folgt beschrieben: „Centaurus mit dem weiblin", „Item ein Centaurus von bronzo, welcher ein weiblin hinder sich fieret", „Ein Centaurus, welcher ein weiblin rubirt und empfiert, von bronzo". Eines dieser angeführten Werke muß identisch sein mit jener Gruppe der Wiener Sammlung (Inv. Nr. 5847), die die Signatur Giambolognas trägt.

III. 3

III. 4

Alle drei Exemplare dürften von Giambolognas Mitarbeiter Antonio Susini nach dem Original des Meisters, der den Prototypus dieser Raptusgruppe schuf, angefertigt worden sein.

Im Unterschied zum Original ist die nach oben schraubende Bewegung der Dejanira zurückgenommen und in eine mehr horizontale, halsbrecherische Torsion umgewandelt, die keinen Zweifel über die Schändlichkeit des von Nessos begangenen Raubes läßt (Ovid, Met. IX, vgl. Kat. III. 7). Der ungerührt von Dejaniras Sträuben vorwärtsstürmende Kentaur muß hart an Schulter und Brust zupacken, um die Königstochter, die sich nur noch mit dem linken Fuß auf dem Rücken des Entführers abstützt, halten zu können. Der sich heftig wehrende Körper der Geraubten, der durch sein drohendes Abrutschen die Dramatik des Geschehens steigert, scheint ganz dem von Leonardo aufgestellten Postulat folgen zu wollen, daß eine Figur umso bewegter sei, je weniger sie den Gesetzen des Gleichgewichtes folge.

Rudolfs bei seinen Zeitgenossen allgemein bekannte Vorliebe für den weiblichen Akt läßt seine Präferenz für das Werk Giambolognas, das häufig das Thema der mythologischen Raptusgruppe aufweist, nicht verwunderlich erscheinen. Gerade das Thema des Frauenraubes konnte die humanistische Bildung wie das Verlangen nach einer leicht erotischen Tendenz eines Kunstwerkes gleichermaßen befriedigen.

Literatur: Ausst.-Kat. Master Bronzes 1986, S. 206 – Ausst.-Kat. Giambologna 1978, S. 125 SS

FRANZÖSISCH, UM 1600

4
Mars und Venus

Bronze; Höhe 51 cm
Braunschweig, Herzog Anton Ulrich-Museum
Inv. Nr. Bro 352

Venus liegt hingebungsvoll in den Armen des leicht von ihr abgewandten, sinnenden Mars, dessen gelocktes Haupt ein prächtiger, mit einem Federbusch geschmückter Helm ziert. Die Göttin der Liebe, deren völlige Nacktheit von Armspange und Schleife um das Handgelenk pointiert wird, trägt ihr Haar in reiche Flechten gelegt. Beschrieben wird die Verführungsszene aus Homers Ilias (VIII, 266 ff). Das Sitzmotiv ist im Vergleich zu Sprangers sinnlicher Verstrickung (vgl. Kat. I. 33) von schlichter Eindeutigkeit. Hier ist nicht Venus die Dominierende, sondern Mars, dem sich die Göttin in völliger Gelöstheit ausliefert.

Die cellinesken Gesichtstypen mit der klassisch geraden Nase, die reiche Haartracht der Venus ebenso wie die Jugend des bartlosen Verführten, dessen reifes Mannesalter im niederländischen Kunstkreis üblicherweise durch seinen Bartschmuck dargestellt wird, rücken die Gruppe in den französischen Raum.

Für die der Schule von Fontainebleau eigene Kombination verschiedener Vorlagen spricht auch der Kontrast zwischen den idealen Gesichtstypen und einer überdeutlichen Schilderung einzelner Details.

Literatur: Bartsch XIII, 396, 52 SS

III. 5

III. 6

NACHFOLGER DES JEAN GOUJON
(um 1510 – um 1565)

5
Quellnymphe

Flachrelief, Kalkstein; 45,6 ×26 × 4 cm
Paris, Musée du Louvre
Inv. Nr. M.R. 1733

Die beiden Reliefs (siehe auch Kat. III. 6) gehören zu einer Folge von vier Tafeln gleicher Größe mit identischer Rahmung, deren Herkunft und ursprüngliche Funktion nicht bekannt sind. Kat. III. 5 zeigt eine nackte, sich in S-förmiger Standpose frontal dem Betrachter präsentierende Quellnymphe, die den Blick auf ihre erhobene rechte Hand mit Schilfstengeln und Netz gerichtet hat. Mit dem linken Arm hält sie ein großes Ruder, welches sie als eine der Gewässergottheiten ausweist, und weitere Schilfpflanzen. Sie hat ihren Fuß auf eine umgestürzte Urne gesetzt und zeigt sich damit als Spenderin des dort herausrinnenden Wassers. Ein kleiner Putto persifliert diese Geste.

Die elegante Überlängung des Körpers und die Gestaltung der Frisur zeigen den Einfluß von Jean Goujon. Doch neben dessen berühmten Nymphen für die „Fontaine des Innocents'' in Paris wirkt die Körperhaltung unstabil und die Aktion, der Blick auf die erhobene Rechte unmotiviert. Einige Holz-Repliken haben zu der Vermutung geführt, es handle sich bei den Louvre-Tafeln um Vorlagen für Möbeldekorationen bzw. um Kopien nach entsprechenden Graphiken (du Colombier 1949, S. 136).

Literatur: Beaulieu 1978, Nr. 151 EH

NACHFOLGER DES JEAN GOUJON
(um 1510 – um 1565)

6
Meernymphe

Flachrelief, Kalkstein; 45,6 × 26 × 4 cm
Paris, Musé du Louvre
Inv. Nr. N. 15173

Ähnlich bekränzt wie ihr Pendant, die Quellnymphe (Kat. III. 5), sitzt eine Meernymphe, eine Nereide, auf einem mit kleinen Kanonen bestückten und reichverzierten Schiff, das durch ein bewegtes Meer gleitet. Sie hält in der linken Hand eine Schwertlilie (?) und umfaßt mit dem anderen Arm eine Säule, auf der eine Kugel mit einer kleinen Figur, an der ein flatterndes Segel befestigt ist, zu erkennen sind.

Die Zugehörigkeit zu einer Serie von vier dekorativen, dem Wasser verbundenen weiblichen Figuren legt in diesem Fall eine allegorische Interpretation nicht unbedingt nahe. Dennoch kann ein emblematischer oder allegorischer Inhalt (als „Fortuna''-Darstellung oder Tugendallegorie) nicht ausgeschlossen werden.

Literatur: Beaulieu 1978, Nr. 153 EH

BARTHOLOMÄUS SPRANGER
(1546–1611)

7 Farbabbildung S. 122
Herkules, Dejanira und Nessos ca. 1581

Öl auf Leinwand; 112 × 82 cm
Wien, Kunsthistorisches Museum, Gemäldegalerie
Inv. Nr. 2613

Spranger variiert das im 16. Jahrhundert beliebte Thema von Herkules, Dejanira und Nessos mit atemberaubender Intensität. Der Kentaur Nessos, der versucht hatte, die ihren Gatten ins Exil begleitende Dejanira zu mißbrauchen, und dabei von Herkules erschossen wurde (Ovid, Met. IX, Apollodor 2,7, 5–8, Sophokles, Trachiniai), liegt tot im Vordergrund der Darstellung. Herkules, der seine wiedergewonnene Gattin besitzergreifend auf den Schoß gezogen hat, stemmt seinen Fuß gegen die Leiche, auf der auch Amor umherklettert. Das Paar ist in selbstvergessenem Triumph ganz auf sich selbst konzentriert, nimmt weder von dem Toten noch von dem umschleichenden Liebesgott Notiz. Nur das ausgestreckte linke Bein der Dejanira zielt in unbewußter Abwehr auf das Haupt des Kentauren, als wolle es den Unglücklichen nachdrücklich aus dem weiteren Schicksal der Liebenden verdrängen.

Aber das letzte Wort ist noch nicht gesprochen. Die leidenschaftliche Umarmung, das selbstgefällige Triumphieren des Paares erhält gerade durch die unübersehbare Präsenz des Toten einen bedrohlichen Unterton. Nessos ist nicht mehr aus dem Leben der beiden wegzudenken; das in sein Blut getauchte Hemd, das die getäuschte Dejanira ihrem Gatten senden wird, wird schließlich den Untergang des Helden herbeiführen.

Dieses Wechselspiel zwischen Liebe und Tod, ihre offensichtliche Abhängigkeit voneinander, macht Spranger auf drastische Weise deutlich. Die beinahe brutale Vitalität der Liebenden, ihre unmittelbare Sinnlichkeit, führt letztlich doch nur ins Verderben. Nicht umsonst ist der Bogen Amors der gleiche wie jener des Herkules. Die Liebe, die hier über den Tod zu triumphieren scheint, wird am Ende doch von ihm besiegt werden.

Das Bild stammt aus kaiserlichem Besitz. Es ist möglicherweise als eines von zehn „poetische Mittelstück'' bereits im Inventar von 1610–19 erwähnt, laut Diez scheint es im Inventar von 1747–48 auf.

Literatur: Diez 1909/10, S. 121 – Oberhuber 1958, S. 101 ff und 232, Nr. 54 – Dacosta Kaufmann 1985, S. 298, Nr. 20–36 MK

III. 8

NICOLO DELL'ABBATE (um 1509–1571)

8
Venus und Cupido (Eros und Psyche)
1552–1571

Öl auf Leinwand; 99,67 × 92,66 cm
Detroit Institute of Arts, Geschenk von Luigi Grassi
Inv. Nr. 65331

Für die Odysseusgalerie in Fontainebleau schuf Abbate diese Variante des Odysseus- und Penelopebildes von Primaticcio. Die Zusammenarbeit der beiden Künstler in Fontainebleau ist durch einen Brief von 1555 belegt. Durch das Fehlen der rechten Hälfte des Werks von Primaticcio wirkt Abbates Darstellung der beiden Liebesgötter persönlicher und sentimentbetonter. Es ist wohl anzunehmen, daß Abbate die bereits im vorgriechischen Mythos vorhandene Sakralgemeinschaft von Aphrodite und Eros meint (Eros dabei noch im Sinne Hesiods elternlos am Anfang der Dinge stehend) oder auch die spätere Deutung des Mythos, in der Eros der Sohn der Aphrodite und des Ares wird (im Römischen Venus und Mars mit dem Sohn Amor = Cupido), anspricht. Die Forschung lehnt für Abbates Bild die Bezeichnung Eros und Psyche ab, da sie eine spätere philosophische Allegorese unter dem Einfluß späthellenistischer Mysterien ist.

Eros wird von Hesiod als der Schönste unter den Unsterblichen bezeichnet: goldhaarig, goldgeflügelt und jugendlich. Abbate versteht es, das zeugende kosmische Urprinzip – verkörpert durch die beiden Götter – in einer besonders natürlich wirkenden, intimen Szene darzustellen, wobei seine Vorliebe für eine flüssige Öltechnik sowie seine Gestaltung des Inkarnats – wie mit Bienenwachs überzogener Alabaster, mit lebendigen roten Akzenten an Fingern und Wangen – diese Wirkung noch verstärkt. Die beiden obersten Liebesgötter scheinen in eine zärtliche Disputation verwickelt, was durch die Gestik und die einander zugewandten Blicke unterstützt wird.

Literatur: Ausst.-Kat. Fontainebleau 1972, Nr. 2 – Mc Allister Johnson 1966, S. 27 – Kat. Detroit 1971, S. 94 BB

FRANZÖSISCH, 16. JAHRHUNDERT

9 Farbabbildung S. 122
Ceres und Vulkan

Öl auf Holz; 60 × 43 cm
Privatsammlung Basel/Schweiz

Das Bild zeigt Ceres, die römische Göttin der Fruchtbarkeit und des Ackerbaus, und Vulkan, den Gott der Schmiede, in gegenseitiger Umarmung. Die Göttin sitzt mit abgespreizten Beinen auf einem etwa kniehohen runden Sockel (dem Amboßstock?), an dem ein Füllhorn lehnt und Werkzeuge des Vulkan befestigt sind. Im Hintergrund sind ein offenes Feuer unter einem Kamin und ein doppelter Blasebalg zu sehen.

Das Gemälde geht auf einen Stich Caraglios aus dessen Serie der „Götterlieben" nach Perino del Vaga zurück (Bartsch XV, S. 73, Nr. 13). Doch gegenüber der schmalen Bildbühne des Stichs, durch die Wand mit dem Kamin und dem riesigen Blasebalg nach hinten hin abgeschlossen, wird im Gemälde der Kamin über Eck gezeigt, wodurch sich der Raum in den Bildhintergrund hinein öffnet. Die Körper wiederum erscheinen im Vergleich zur Vorlage eigentümlich geglättet.

Für eine Begegnung Vulkans mit Ceres gibt es keine mythographischen Vorlagen. Roscher (1884ff) weist den naheliegenden Elemente-Bezug der beiden Götter, die Verbindung von Erde und Feuer (die Saat in der Erde braucht Wärme, um wachsen und reifen zu können), als nachantike Spekulation zurück. So gibt es im mittelalterlichen „Rosenroman" eine Stelle (de Lorris/de Meun 1979, 16005–16016), die auf eine Verbindung der personifizierten „Natur" mit der Schmiede anspielt: in der die Natur (sinngemäß wiedergegeben) in ihrer Schmiede hämmert und dort unablässig ihre „Einzelwesen" durch „neue Erzeugungen erneuert". Vielleicht hat sich Perino del Vaga – wie möglicherweise auch Primaticcio (dessen „Ceres" im „Salle de Bal" in Fontainebleau im Zusammenhang einer Schmiede dargestellt ist, abgebildet bei Dimier 1928, Pl. XI) – von dieser Textstelle anregen lassen.

Literatur: Bousquet 1963, S. 173 EH

FONTAINEBLEAU, 16. JAHRHUNDERT

10 Farbabbildung S. 124
Pallas Athene (?)

Öl auf Holz; 112 × 57 cm
Privatsammlung Basel/Schweiz

Die als Rückenakt gegebene Frauenfigur, die durch Lanze, Helm und Medusenschild als Pallas Athene (Minerva) ausgewiesen ist, steht vor einem rotbespannten Himmelbett, dessen Vorhänge einladend zurückgeschlagen sind. Mit koketter Drehung ihres kräftigen Oberkörpers, ihre weiblichen Reize auffällig in Szene gesetzt, wendet sich die Göttin dem Betrachter zu und blickt ihn herausfordernd an.

Die Darstellung orientiert sich offensichtlich an einer Zeichnung Rosso Fiorentinos (von Caraglio gestochen, Kat. V. 58), die dieser während seines Romaufenthaltes 1526 als Teil einer Serie von „Göttern in Nischen" schuf. Die ungewöhnliche Nacktheit der jungfräulichen Athene ist dort ebenso vorgebildet wie die drastische Fratze des Medusenhauptes auf der Aigis. Das Gemälde treibt jedoch die Rosso-Caragliosche Bilderfindung weiter voran. Die Schlangen, die im Stich noch unmittelbar aus dem Haar hervorgehen und auch im Bereich unterhalb des abgeschlagenen Hauptes eher Strähnen denn Reptilienkörpern ähneln, werden in unserem Bild zu zwei eigenständigen Tieren, die sich – an die Form des Merkurschen Caduceus erinnernd – senkrecht durch den Kopf winden.

Schon der Stich nach Rosso geht möglicherweise über eine simple Darstellung der Minerva hinaus und enthält eine Anspielung auf die sogenannte Venus Victrix, eine bereits in der Antike geläufige Fusion der Liebesgöttin mit Victoria, der Göttin des Sieges, die auch in der Renaissance bekannt war. Athene, Herrin des Krieges, wird also durch die Vorstellung des Sieges überhöht, die in ihrer Venus-Komponente enthalten ist.

Diese jungfräuliche Venus, die siegreiche und doch zugleich willfährige Kämpferin, lädt den Betrachter mit vieldeutigem Blick ein, an ihrem Triumph teilzuhaben.

Das Bild, das ursprünglich mit Bartholomäus Spranger in Zusammenhang gebracht wurde, ist im Prager Kunstkreis sowohl aus ikonographischen als auch stilistischen Gründen nicht denkbar. Die seltsame Schwere und Steifheit der Athene, deren in sich gedrehte Figur nicht zu wirklich raumgreifender Bewegung gelangt und diesbezüglich weit hinter Rossos Bilderfindung zurückbleibt, weist ebenso wie die kontrastreiche Modellierung auf einen italienischen Maler des frühen 16. Jahrhunderts hin. Auch der raffaelleske Kopf der Göttin und das quattrocenteske Haupt der Medusa scheinen das Bild in diesem Kunstkreis zu verankern. Dem steht jedoch der gerade für die Schule von Fontainebleau so charakteristische Bildaufbau gegenüber, der durch Details wie die Baldachinbordüre am oberen Rand des Gemäldes ergänzt wird.

Literatur: Wittkower 1938/39, S. 194–205 – Carroll 1976, Bd. II, S. 74 ff MK

PAOLO FIAMMINGO (1540–1596)
AGOSTINO CARRACCI (1557–1602)

11 Farbabbildung S. 118
Liebe im goldenen Zeitalter um 1585
(Aus einer Serie von vier Gemälden)

Öl auf Leinwand; 160 × 260 cm
Wien, Kunsthistorisches Museum, Gemäldegalerie
Inv. Nr. 2361

Das goldene Zeitalter ist in Anlehnung an die Literaten Vincenco Cartari und Petrus Apianus hier mit Sannazaros Vorstellungen von Arkadien verbunden. Das theoretische Interesse Agostino Carraccis ist überliefert und sichert neben dem Stil seiner Figuren seine Autorschaft, die Heinz erkannt hat. (Mahon beruft sich in seiner Zuschreibung an beide Künstler auf den Letztgenannten und auf Calvesi.) Trotz der für ihn zu diesem Thema gesicherten Stiche, paßt die Eigenart der Landschaft (reiches Kolorit und lockere Pinselführung) nicht in Carraccis malerisches Œuvre.

Daher hat sich 1956 Pallucchini für die Autorschaft Fiammingos ausgesprochen. Die Zusammenarbeit beider Künstler ist in die achtziger Jahre zu datieren. Zu einer der Frauengestalten der Serie von vier Ölbildern gibt es eine Vorzeichnung Agostinos in der Sammlung Ellesmere (siehe Ausst.-Kat. Carracci 1956, Disegni, Nr. 20), außerdem ist das besondere skulpturale Interesse bei allen Figuren in seinem Werk zu finden. Die beiden umschlungenen Paare im Vordergrund sind (rechts) von einer Raptusgruppe Giambolognas und (links) von einem Gemälde Veroneses übernommen. Sie wirken eher hölzern und trotz der vorgeführten Heftigkeit weniger unsittlich als die kleineren Paare im Mittelgrund rechts, die innigere Variationen der „Früchte der Liebe" vorführen. Das Gemälde ist thematisch eng mit „Reciproco Amore" (siehe Kat. III. 12) verbunden und daher als Folge der tanzenden und kosenden Paare in diesem Werk zu verstehen.

Literatur: Mahon 1957, S. 291 ff – Ausst.-Kat. Carracci 1956 – Mason Rinaldi 1978, S. 47 ff BB

AGOSTINO CARRACCI (1557–1602)

12
Reciproco Amore späte achtziger Jahre
(Aus einer Serie von vier Stichen)

Kupferstich; 22 × 30 cm
Hamburger Kunsthalle, Kupferstichkabinett
Inv. Nr. 1498

Der Stich ist als Werk Agostinos bereits durch Malvasia überliefert. Er unterscheidet sich in der Breitenausdehnung (schmäler) und der Gestaltung von Mittel- und Hintergrund von dem entsprechenden Gemälde im Wiener

Ill. 12

Kunsthistorischen Museum. Eine Inschrift unter dem gestochenen Werk gibt das Thema und seine literarische Herkunft von den Autoren V. Cartari, P. Apianus und Sannazaro preis. Die Kosenden und Tanzenden sind von drei Kinderpaaren begleitet: Im Mittelgrund kämpfen Eros und Anteros (die sophistische Dichotomie) um die Palme wie in dem Freskenzyklus der Carracci im Palazzo Farnese in Rom. Im rechten Vordergrund spielt ein Putto auf einer Harfe, links hält ein weiterer ein Spielzeug, das als Jocus beschrieben wird und das eine Abwandlung des antiken Schmetterlingsattributs des Cupido darstellt. „Reciproco Amore" ist wegen der Darstellung der im Kreise Tanzenden als „Goldenes Zeitalter" bezeichnet worden, da das Tanzmotiv auch in diesem Zusammenhang öfter vorkommt (z. B. in Vasaris Zeichnung des Goldenen Zeitalters, Kat. V. 21). „Reciproco Amore" zeigt jedoch bei Carracci die Phase der Annäherung, deren Folge die „Liebe im Goldenen Zeitalter" (Kat. III. 11) ist.

Literatur: Malvasia 1841, Pte. II, S. 78 – Kurz 1951, S. 221 ff – De Grazia-Bohlin 1979, S. 308 ff BB

PAOLO FIAMMINGO (PAUWELS FRANCK)
(1540–1596)

13
Diana auf der Jagd 1592/96

Öl auf Leinwand; 98 × 86 cm
Nancy, Musée des Beaux-Arts
Inv. Nr. LA 23836

Die Zuschreibung dieses Bildes an Fiammingo ist erst kürzlich durch Mason-Rinaldi erfolgt. Vorher wurden Jacopo Tintoretto, Nicolo dell' Abbate und Lambert Sustris als Autoren vermutet. Das Bild der Diana wurde in die zeitliche Nähe zweier Werke Fiammingos in der National Gallery in London und zweier Bilder der Privatsammlung von Castel Howard gerückt. Für die Zuschreibung spricht der italoflämische Charakter der Landschaft und die silhouettenhafte Gestaltung der bewegten Figuren des Mittelgrundes, ferner die Art der Blattgestaltung und der lockere Pinselduktus.

Die etwas schwerfällig wirkende Diana – allerdings in einer gelängten „proportione svelta" – zielt auf den Eber, der sich gleich ihr auf einem kulissenhaften Versatzstück einer Vordergrundsbühne befindet. Es ist nicht anzunehmen, daß es sich um den Kalydonischen Eber handelt, sondern um eine gewöhnliche Jagdszene, wie sie Ovid in den Metamorphosen (I,487) wiedergibt. Hinter den drei kulissenhaften Schichten des Vordergrunds, die von einer Holzbrücke und zartbeblätterten Bäumen aufgelockert werden, zeigt sich eine lichterfüllte gebirgige Landschaft mit einer Stadt an einem Fluß, die durch ihre hohen Türme und ruinenartigklassischen Gebäude italienisch wirkt.

Paolo Fiammingo zählt zu den sogenannten „Oltramontani", die in Italien eine neue Auffassung der Landschaftsmalerei entwickelten, welche auch die Carracci beeinflußte.

Literatur: Mason-Rinaldi 1978, S. 47 ff – Mason Rinaldi 1965, S. 95 ff

BB

JOSEPH HEINTZ (1564–1609)

14
Der Raub der Proserpina um 1595/1600

Öl auf Kupfer; 63 × 94 cm
Dresden, Staatliche Kunstsammlungen, Gemäldegalerie Alter Meister
Inv. Nr. 1971

Die als Nr. 914 im Prager Inventar von 1621 erwähnte Darstellung des Raubes der Proserpina, der Tochter der Ceres, durch Pluto, den Gott der Unterwelt (Homer, Hymnos an Demeter 1 ff; Ovid, Met. 5, 385 ff) ist neben „Diana und Aktaeon" (Kat. III. 23) die erfolgreichste Bilderfindung des Joseph Heintz. Auch hier prunkt Heintz mit seiner malerischen Virtuosität bei der Wiedergabe nackter Frauenkörper, die er zu zwei graziös bewegten Gruppen vor einer weiten Landschaft formiert. Anders als in dem eher idyllischen Diana-Aktaeon-Bild wird im Raub der Proserpina die Dramatik der Handlung zum den gesamten Bildaufbau bestimmenden Faktor. In ungezügeltem Galopp stürmen die Rosse Plutos über das aufgewühlte Firmament. Der Gott der Unterwelt hat seine kostbare Beute, die seine heftige Zuneigung gar nicht teilen will und hilfesuchend den Arm nach zwei verzweifelt gestikulierenden Gefährtinnen ausstreckt, bereits zu sich auf den Wagen gezerrt. Die übrigen Gespielinnen zeigen unterschiedliche Reaktionen: Manche von ihnen hat das unvermittelte Ereignis noch nicht aus ihrer selbstvergessenen Gelöstheit aufgeschreckt, andere beginnen eben zu begreifen, ohne jedoch eingreifen zu können. Keine verliert dabei aber ihre anmutige Haltung, die

III. 13

III. 14

sie zur Augenweide für den Betrachter macht.

Die schimmernde Glätte der von duftigen Draperien umfangenen Akte wird hier der vor Dynamik schier berstenden Manifestation bewußter männlicher Aktivität gegenübergestellt. Die feurigen Rosse sind nicht nur – wie oft betont – auf Rudolfs II. Vorliebe für nervige Pferde zurückzuführen, sondern stehen auch als Sinnbild für die ungebändigten Leidenschaften und Triebe, die den König der Unterwelt zu seiner verwegenen Tat hingerissen haben. Die Frau bleibt hier nicht Siegerin, sondern wird Opfer. Im immer aktuellen Sujet des Frauenraubes wird ein Gegenstück zum Thema des Aktaeon-Diana-Bildes geschaffen: Dem Triumph männlichen Intellekts und männlicher Kraft hier steht dort die subtile Grausamkeit des (göttlichen) Weibes gegenüber, deren alleiniger Anblick schon den Tod des Mannes besiegelt.

Von Zimmer und Neumann vor 1596 datiert, will Dacosta Kaufmann den Proserpinaraub erst nach 1598 entstanden wissen, analog dem Aktaeon-Bild, das, wie er ausführt, ebenfalls erst am Prager Hof, in Auseinandersetzung mit dem exklusiven Geschmack und den reichhaltigen Kunstsammlungen des Kaisers, erdacht worden sei.

Literatur: Zimmer 1971 – Dacosta Kaufmann 1985, S. 229, Nr. 7–12 MK

HENDRIK GOLTZIUS (1558–1617)
Nach Bartholomäus Spranger (1546–1611)

15
Mars und Venus auf dem Lager 1588

Kupferstich; 44,0 × 32,5 cm
Bezeichnet: B.Spranger Inuentor. HGoltzius Sculptor A° 1588. – Mundi oculus Phoebus (. . .) dies
Hamburger Kunsthalle, Kupferstichkabinett
Inv. Nr. 4448

„Phoebus, Auge der Welt, Licht der Welt, alles sieht er, der strahlenden Sonne ist nichts geheim und verborgen. Der Ehebruch des Mars mit der lockenden Cypris (= Venus), in Umschlingung mit der Gattin Vulkans, gibt solchen Worten Nachdruck mehr als genug. Nackt liegt jeder von beiden: nichts wird so verborgen, und die schwarze Nacht deckt es auch nicht so zu, daß es der Tag nicht doch zeigte und offenbarte." (Die Unterschrift in der Übersetzung von Mielke.)

In der Odyssee (VIII, 266–366) besingt Demodokos die Liebe von Ares und Aphrodite (= Mars und Venus), die sich heimlich in der Wohnung des Hephaistos (= Vulkan) treffen. Der Sonnengott entdeckt jedoch den Ehebruch und verrät ihn an den Betrogenen. Dieser trifft Vorsorgemaßnahmen und wird

Ill. 15

die beiden beim nächsten Mal in einem riesigen Netz fangen und den olympischen Göttern präsentieren. Die Darstellung zeigt die beiden Liebenden in labiler Position unter einem üppigen Baldachin. Drei Putti sind gerade dabei, ihn zu öffnen, um Licht auf die Bettstatt fallen zu lassen, ein vierter zupft am Laken. Am linken oberen Bildrand sieht man bereits Phoebus in seinem Sonnenwagen über den Himmel ziehen.

Alles kommt ans Licht: die moralisierende Unterschrift läßt das erotische Sujet zur Warnung vor der fleischlichen Sünde werden. Das, was hier sichtbar wird, sind jedoch letztlich zwei Akte in einer Liebesszene. Wie Gerszi (1972) beschreibt, war die Darstellung des weiblichen Aktes und damit auch des unbekleideten Paares zu dieser Zeit in den Niederlanden noch etwas Ungewöhnliches. Erst unter dem Einfluß Sprangers und der lasziv-erotischen „Götterlieben" der Italiener (besonders der Stichserien Caraglios und Bonasones) bürgerte sich dieser Bildtypus in den Niederlanden ein, wurde der „Liebes-Akt" – in mythologischer Verkleidung und allegorisch-moralisch verbrämt – darstellbar.

Literatur: Hollstein 321-II – Strauss 1977, Nr. 262 – Mielke 1979, Nr. 7 EH

JAN SAENREDAM (1565–1607)

16
Vertumnus erscheint Pomona als alte Frau
1605

Kupferstich; 47,9 × 35,3 cm
Bezeichnet: A. Bloemaert inue.
J. Saendredam sculp. et excu. A. 1605 – Inter Hamadryadas cultrix asperrima nymphas (. . .)
Hamburger Kunsthalle, Kupferstichkabinett
Inv. Nr. 1972/118

Der erläuternde, dem Blatt beigegebene Text verweist auf jene Episode in Ovids Metamorphosen (XIV, 623ff), in der die Geschichte von der Nymphe Pomona erzählt wird, die sich dem Liebeswerben Vertumnus' verweigert und sich erst, als dieser ihr in Gestalt einer alten Frau vom Schicksal der Iphis und des Anaxaretes berichtet, erweichen läßt.

So sitzt Pomona mit ernstem Gesicht, in der Hand die Sichel, die sie als Pflegerin des Gartens auszeichnet, und lauscht den Erzählungen der Alten, die auch von den Vorzügen Vertumnus' zu berichten weiß. Wie Antipoden sind im Bildhintergrund Schrecken (als mahnendes Standbild des Anaxaretes) und Verheißung (als ein sich umarmendes Liebespaar) als Rahmenhandlung einbezogen. Die beiden Frauen lagern im Schatten des Baumes, der bei Ovid Sinnbild der Ehe ist, wobei die Rebe zur Verschönerung des Stammes dient und dieser ihr als Stütze.

Im Gegensatz zu früheren bildnerischen Bearbeitungen dieses Themas entbehrt das Blatt Saenredams jeglicher Erotik und wird durch den (durch Lichtsetzung pointierten) Baum mit der darunterlehnenden Pomona zu einem auf die Ehe abzielenden Sittenbild. Damit einher geht, daß der Garten, weit mehr als bei Ovid beschrieben, Züge einer gebändigten, zur Verschönerung nutzbar gemachten Natur zeigt.

Literatur: Bartsch III, 228, 27 GW

Ill. 16

Ill. 17

JAN MULLER (1571–1628)
Nach Bartholomäus Spranger (1546–1611)

17
Bacchus und Ceres verlassen Venus
nach 1590

Kupferstich; 50,5 × 35,1 cm
Bezeichnet: (. . .) Sine Cerere et Baccho friget Venus (. . .)
Hamburger Kunsthalle, Kupferstichkabinett
Inv. Nr. 1971/119

In mythologischer Nacktheit, nur mit ein paar die Körperformen eher noch betonenden Fetzen bekleidet, schreiten Bacchus und Ceres in gespreizt-gezierter Haltung Hand in Hand und sich einverständig anblickend aus dem Bild. Im Hintergrund, unter einem improvisierten Baldachin, sieht man Venus und den kleinen Amor, wie sie versuchen, sich an einem Feuer zu wärmen.

Mielke hat die lateinische Unterschrift folgendermaßen übersetzt: „Ach Venus, was frierst Du am Körper, wenn das Feuer gelöscht ist? Was frieren Deine Glieder, kleiner Knabe? Natürlich, Bacchus und Ceres entfliehen, es kommt Kälte auf: wenn man Euch vertreibt, verschwindet die Liebesglut.'' Das Terenz-Sprichwort „Ohne Ceres und Bacchus friert Venus'' (Eunuchus IV,732) hat am Ende des 16. Jahrhunderts eine ganze Reihe von Bilderfindungen angeregt (vgl. Kat. III. 25). Spranger hat 1590 für Rudolf II. zwei Gemälde zu diesem Thema gemalt: das eine, heute im Kunsthistorischen Museum in Wien, gibt dieser Stich wieder (Dacosta Kaufmann 1985, 20–47); das zweite zeigt Venus, wie sie sich bei der Rückkehr von Ceres und Bacchus zu neuer Sinnlichkeit erwärmt.

Literatur: Bartsch III,288,74 – Hollstein 49 – Mielke 1979, Nr. 14 EH

JEAN MIGNON (tätig 1535–1555)

18
Ornament-Kartusche 1544

Radierung; 24,1 × 27,1 cm
Bezeichnet unten links: Mignon - 1544
Paris, Bibliothèque Nationale, Cabinet des Estampes
Inv. Nr. C 37004

Die Radierung zeigt in leicht veränderter Form die Stuck-Dekoration, die im Zimmer der „Duchesse d'Etampes'' in Fontainebleau die Fresken mit den Episoden aus der Alexander-Geschichte umgibt (vgl. Kat. VII. 22). Mignon diente als Vorlage für seine Radierung – übrigens eines zweier von ihm signierter Werke – eine heute im Louvre befindliche, dem Primaticcio oder einem seiner Gehilfen zugeschriebene Zeichnung.

Die Darstellung zeigt eine ovale, leere Mittelkartusche, flankiert von zwei weiblichen Aktfiguren und bekrönt von drei Putti. Diese sind umgeben von einer grotesken Dekoration aus Rollwerkornamenten, Fruchtgehängen, Satyrhermen, zwei Medusenschildern, Köpfen von Ziegenböcken und einer weiblichen Harpyie (unten in der Mitte). Im Gegensatz zur traditionellen Ornament-Groteske, die eher in die Fläche eingebunden ist, wirkt das Dekor hier fast animistisch belebt und aus dem Untergrund hervortretend. Die nahezu vollplastisch ausgeführten Figuren sind zwar einerseits dem architektonischen Ensemble unterworfen, sind an das Ornament angebunden (vgl. die Arme der Putti und der Harpyie), auf der anderen Seite jedoch sprengen sie durch ihren organisch-lebendigen Charakter den ornamentalen Gesamteindruck. Dies ist es, was die Originalität des auf Rosso zurückgehenden Ornaments in Fontainebleau ausmacht, der „Doppelsinn ihrer Funktion, daß nämlich einerseits alles an der Struktur des Ornaments beteiligt ist, andererseits alles der allgemeinen Bewegung unterworfen wird'' (Zerner 1969, S. 12).

Literatur: Zerner 1969, J. M. 7 – Ausst.-Kat. Fontainebleau 1972, Kat. Nr. 406 EH

Ill. 18

Ill. 19

CORNELIS BOS (gest. 1556)
Nach Michelangelo (1475–1564)

19
Leda mit dem Schwan

Kupferstich; 30,5 × 40,5 cm
Amsterdam, Rijksmuseum, Rijksprentenkabinett
Inv. Nr. Bl 2785

Von den zahlreichen Liebschaften des Zeus erfreute sich besonders jene mit Leda in der Renaissance größter Beliebtheit und wurde – in der Nachfolge der vorbildlichen Lösung Leonardos – überaus häufig bildlich dargestellt. Unser Stich dokumentiert – seitenverkehrt – das verlorene Leda-Bild Michelangelos, das durch eine Kopie aus dem Umkreis Rosso Fiorentinos (London, National Gallery) und den seitenrichtigen Stich Nicolas Beatrizets dem 16. Jahrhundert wohlbekannt war. Leda, Gattin des Spartanerkönigs Tyndareus und Mutter der Klytaimnestra, entzündete Zeus' Begierde durch ihre weithin gerühmte Schönheit. In Gestalt eines Schwanes zeugte er mit ihr Drillinge: Pollux blieb unsterblich, sein Bruder Kastor ebenso wie die Schwester Helena, deren Schicksal den Trojanischen Krieg auslöste, dem Irdischen verhaftet. Das Ei und die beiden dahinter gegebenen Kinder spielen auf die Vermischung des Menschlichen, Göttlichen und Tierischen an. Die Figur der Leda weist sich durch die kräftige Beinmuskulatur und den charakteristischen Bau des Oberkörpers eindeutig als michelangeleske Erfindung aus. Diese Merkmale griff 200 Jahre später Füssli in seiner Kopie nach Michelangelo auf (Kat. XI. 12).

Die Leda entstand 1530, für Herzog Alfonso I. d'Este bestimmt, doch durch unglückliche Umstände nie in seine Hand gelangt: Die Spur des Werkes verliert sich mit der Schenkung an Michelangelos Gehilfen Antonio Mini. Howard Hibbard hat gezeigt, daß die erotische Dimension dieses Bildes neben den optischen Reizen auch in der Tatsache liegt, daß die Figur jener der „Nacht'' von den Mediceergräbern gleicht und Michelangelo in Gedichten die Nacht als Reich der zeugenden Kräfte preist.

Literatur: Hibbard 1975, S. 223–226 MB

MARCANTONIO RAIMONDI
(1475/1480–1527/1534)

20
Das Urteil des Paris 1517–1520

Kupferstich; 29,2 × 43,3 cm
Bezeichnet: MAF / RAPI.VRBI. INVEN (. . .)
Hamburger Kunsthalle, Kupferstichkabinett
Inv. Nr. 246

Als motivische Vorlagen für den Stich gelten zwei im 16. Jahrhundert vielfach rezipierte Sarkophagreliefs, die sich heute in der Villa Medici und Villa Pamphili in Rom befinden.

Durch die konsequente Trennung der göttlichen, himmlischen Sphäre von der irdischen der Halbgötter erfährt das Paris-Urteil im Stich eine Interpretation, die mehr in der Tradition der Pastoraldichtung angelegt ist, als daß mit der folgenschweren Entscheidung der Auftakt zum Trojanischen Krieg benannt werden soll.

Mit Stab, Hund und phrygischer Mütze versehen, ist Paris eindeutig als Hirte gekennzeichnet, der inmitten einer Landschaft sitzt, die durch die Bepflanzung des Berges Ida mit einem Mischwald, den mit Blumen versehenen Grasboden und den Oreaden jene Topoi benennen, die in die Naturbeschreibungen Arkadiens eingegangen sind. An diesem befriedeten Ort treten die Göttinnen nicht mehr als Konkurrentinnen von Paris, sondern als Gefährtinnen und sind in ihrer Position und Bewegung zueinander sinnentsprechend den drei Grazien verwandt, womit ihre Nacktheit erklärt wäre. Paris fällt nicht ein Urteil zugunsten einer Göttin; der Sieg Aphrodites ist entindividualisiert, es ist der Sieg von Liebe und Schönheit. Entgegen der Mythologie wird, im Sinne einer eschatologischen Wende, das Goldene Zeitalter heraufbeschworen. Die Vergilsche Utopie der unendlichen Zirkulation der Weltzeiten verkörpert Helios/Apollon, der mit seinem Viergespann, umgeben von dem Zodiakus, über Victoria reitet, die den Siegeskranz über den Kopf der Liebesgöttin hält.

Wie wenig hier Zwietracht das Thema ist, beweisen die Flußgötter und die Nymphe; ist es doch Oinone, die Tochter des Flußgottes Kebren, die Gemahlin Paris', die nun entspannt dem sinnenfrohen Spiel des Urteilspruches beiwohnt.

Literatur: Oberhuber 1966 – Shoemaker/Broun 1981
GW

Ill. 20

RENÉ BOYVIN (um 1525 – um 1610)
Nach Rosso Fiorentino (1494–1540)

21
Die Göttin Ops

Kupferstich; 20,3 × 10,4 cm
Paris, Bibliothèque Nationale, Cabinet des Estampes
Inv. Nr. C 60413

Der Stich zeigt eine nackte alte Frau vor einer Rundnische, umgeben von einer Gruppe von Tieren: Hirsch, Löwe, Ziegenbock, Hahn und Bär. Die breitbeinig dastehende und mit ihren Ellbogen die Nische fast versperrende Alte drückt mit beiden Händen ihre Brüste – eine Fruchtbarkeit symbolisierende Geste, deren Sinn hier pervertiert ist.

Die Göttin Ops wurde in Rom als Verkörperung des reichen Erntesegens verehrt. In diesem Sinne ist sie in der von Rosso entworfenen und von Caraglio gestochenen Serie „Mythologische Götter und Göttinnen" wiedergegeben (Bartsch XV, S. 77, Nr. 25). Der Caraglio-Stich zeigt jedoch, ebenfalls vor einer Rundnische, in fast der gleichen Pose eine jugendlich-anmutige Frauengestalt inmitten des ganz ähnlich gestalteten Tierensembles (nur sieht man statt des Hahns hier noch Fuchs und Esel; die Anordnung ist nicht ganz identisch).

Der Bildtypus der „nackten Alten" ist in der nordischen Kunst des 16. Jahrhunderts als Zeichen der Vanitas Mundi kein Einzelfall (vgl. Ausst.-Kat. Natur und Antike 1986; Kat. Nr. 305 – mit einer ganz ähnlichen Kopfbedeckung – und Kat. Nr. 306). Die Göttin Ops legt eine dahingehende, ihre ursprüngliche Bedeutung pervertierende Auslegung zusätzlich nahe, da sie von alters her mit Saturn (Chronos) als dessen Gemahlin in Verbindung gebracht wurde – die Dezember-Feiern der antiken Saturnalien lagen dicht bei den Kultfeierlichkeiten zu Ehren der Göttin Ops.

Literatur: Kusenberg 1931, S. 161 EH

Ill. 21

BARTHOLOMÄUS SPRANGER
(1546–1611)

22
Herkules und Omphale um 1585

Öl auf Kupfer; 24 × 18 cm
Bezeichnet: BAR SPRANGERS ANT FESIT
Wien, Kunsthistorisches Museum, Gemäldegalerie
Inv. Nr. 1126

Die bei antiken Autoren in unterschiedlicher Länge angegebene Dienstzeit des Herkules bei Omphale (Sophokles, Trachiniai 252f: 1 Jahr; Apollodor, Bibliotheke 2,6,2: 3 Jahre) und die daraus resultierende Verweichlichung des Helden (Soph., Trach. 248ff, Apollod., Bibl.2,6,3, Diodor 4, 31, 5–8, Ovid, Heroiden, 9,55ff) sind Gegenstand der Darstellung. Spranger illustriert hier ein Beispiel für die sogenannte „Weibermacht". Der wuchtige Herkules sitzt in wenig ansprechender Pose, juwelengeschmückt und kostbar gekleidet, auf einem prunkvollen Möbelstück und spinnt, während Omphale mit seinen kriegerischen Attributen, Löwenfell und Keule, promeniert. Eine häßliche Alte erscheint halb verdeckt durch die von Amor emporgezogene Draperie und nimmt mit eindeutiger Mimik und Gestik auf das sonderbare Geschehen Bezug.

Amors spitzbübisches Schmunzeln sowie die gestikulierende Alte fordern den Betrachter auf, sich an dem Geschehen zu delektieren und die Perversion der geschlechtsspezifischen Verhaltensweisen mit entsprechendem Spott zu quittieren.

Tatsächlich steigert Spranger mit diesem Kunstgriff die intendierte Erotik des Bildes. Die malerische Virtuosität verstärkt den erotischen Reiz der Darstellung, die in erster Linie als dekorativ gegliederte Fläche aufgefaßt und von Licht und Farbe in maßgeblicher Weise bestimmt wird.

Das kleine Bild, das mit einer gleichformatigen Darstellung von Vulkan und Maia (Jupiter und Ceres) in Verbindung zu bringen ist, stammt aus den kaiserlichen Sammlungen und ist wahrscheinlich schon im Wiener Kunstkammer-Inventar von 1619 unter der Nummer 15 erwähnt. Oberhuber und Neumann datieren es noch in die zweite Hälfte der siebziger Jahre, also in Sprangers Wiener Periode, während die neuere Forschung eine Entstehungszeit um 1585 für wahrscheinlich hält, womit auch Rudolf II. mit weitgehender Sicherheit als Auftraggeber angenommen werden kann.

Literatur: Diez 1909/10, S. 117/118 – Oberhuber 1958, S. 87f und 233, Nr. 55 (mit weiteren Literaturangaben) – Neumann 1979, Nr. 160 – Dacosta Kaufmann 1985, S. 298, Nr. 20–36

MK

III. 22

JOSEPH HEINTZ (1564–1609)

23 Farbabbildung S. 123
Diana und Aktaeon ca. 1590/1600

Öl auf Kupfer; 40 × 49 cm
Wien, Kunsthistorisches Museum, Gemäldegalerie
Inv. Nr. 1195

Diese Darstellung von Aktaeon, der die Göttin Diana mit ihren Nymphen nackt beim Baden überraschte und dies durch seine Verwandlung in einen Hirsch, der von den eigenen Hunden zerrissen wurde, mit dem Leben bezahlen mußte (Ovid, Met. III, 155f), ist eine der am häufigsten kopierten Bilderfindungen Joseph Heintz'. Obwohl Heintz von Tizians Gemälde zu diesem Thema, das sich in den kaiserlichen Sammlungen befand, inspiriert worden sein könnte, bietet er doch eine höchst individuelle Lösung der mythologischen Vorlage.

Aktaeon ist zwar in die Bildmitte, nicht aber in den Mittelpunkt der Erzählung gerückt; diesen nehmen die vielfältig differenzierten Akte der Nymphen ein, an denen Heintz die Virtuosität seines malerischen Könnens in grandioser Manier unter Beweis stellt. Neben einer breiten Skala manieristischer Bewegungsmotive finden sich auch Figuren, die ein natürlicheres Bewegungsideal vortragen, was die Unmittelbarkeit und Intimität der dargestellten Szene erhöht. Nicht nur Aktaeon, auch der Betrachter selbst überrascht die Frauen bei ihrer alltäglichen Toilette. Durch zahlreiche Details verleiht Heintz den mythologischen Nymphen zeitgenössische Aktualität. So bedient sich das im Vordergrund sitzende blonde Mädchen eines hutähnlichen Objekts, das die Venezianerinnen des 16. Jahrhunderts zum Bleichen ihrer Haare benützten.

Die Unbarmherzigkeit der Göttin, die den zufälligen und unschuldigen Eindringling sogleich mit dem Tode bestraft, bildet den ebenso fatalen wie pikanten Gegensatz zur lieblichen Idylle, die sich dem Betrachter wie Aktaeon präsentiert. Aktaeon bezahlt diesen Anblick mit dem Leben – der Betrachter hingegen kann sich an der reichlich dargebotenen Frauenschönheit nach Belieben erfreuen, er kann die ganze Spannweite sinnlicher Erregung auskosten, die Erotik wie Tod gleichermaßen umfaßt.

Während das im Inventar von 1619 erwähnte Bild üblicherweise in die Mitte oder gar in die erste Hälfte der neunziger Jahre datiert wird, argumentierte Dacosta Kaufmann zuletzt für eine Entstehungszeit nach 1598, was sowohl stilistische Vergleiche als auch die erst ab diesem Zeitpunkt mögliche Auseinandersetzung mit Tizians „Aktaeon" nahelegen.

Literatur: Zimmer 1971, S. 94, A 16 – Dacosta Kaufmann 1985, S. 231, Nr. 7–20
MK

Ill. 24

HANS VON AACHEN (1552–1615)

24
Bathseba im Bade 1612–15

Öl auf Leinwand; 163 × 113 cm
Wien, Kunsthistorisches Museum, Gemäldegalerie
Inv. Nr. 1094

Das Sujet der Darstellung ist dem 2. Buch Samuel (11,2–3) entnommen und vereinigt mehrere Aspekte der Prager Malerei im allgemeinen und der Kunst des Hans von Aachen im besonderen. Die Geschichte von der schönen Frau des Hethiters Uriah, die von König David im Bade erspäht und daraufhin begehrt wurde, was zum traurigen Ende ihres Gatten führte, mag zwar als Illustration eines biblischen Geschehens der Gattung der religiösen Malerei zuzuordnen sein, doch ist das Thema – als Huldigung an weibliche Schönheit – eher im Sinne der antik-mythologischen Gemälde der Prager Schule aufgefaßt.

Die besonders in der venezianischen Malerei (Tizian) beheimatete Figur der Alten zeigt ebenso wie die liebevoll und detailliert geschilderten Utensilien der täglichen Toilette Hans von Aachens Hang zur Genremalerei, die in seinem Oeuvre einen wichtigen Platz einnimmt und mit verschiedenen realistischen Strömungen innerhalb der rudolfinischen Malerei Hand in Hand geht. Die Polarität zwischen dem „Concettismo" eines Spranger, Heintz oder auch des von Aachen einerseits und dem „Verismus" Saverys andererseits ist aber nicht nur kennzeichnend für die Spannweite kaiserlicher Interessen, sondern für die Ausdrucksmöglichkeiten des Manierismus schlechthin.

Es ist diese Wahlfreiheit der „Manier", die von Aachen in seinem Bathsebabild demonstriert. Dabei werden ideale Frauenschönheit und das teilweise banale Umfeld nicht als Gegensätze aufgefaßt, sondern ergänzen einander in wirkungsvoller Weise.

Diese Ambivalenz von trivialer Demonstration weiblicher Schönheit und moralisierender Allegorie ist mit viel Feingefühl auf den gehobenen Geschmack des Prager Hofes abgestimmt.

Das 1773 im Schatzkammerinventar erwähnte Bild wurde schon von Peltzer der letzten Schaffensperiode des Hans von Aachen zugeordnet. Dacosta Kaufmann präzisiert die mögliche Entstehungszeit auf die Jahre 1612–1615 und zieht auf Grund der perspektivischen Ungeschicklichkeiten an der Palastarchitektur eine Werkstattmitarbeit in Betracht.

Literatur: Peltzer 1911/12, S. 135f und 163, Nr. 56 – Kunoth-Leifels 1962, S. 45f – Dacosta Kaufmann 1985, S. 207, Nr. 1–81 MK

HANS VON AACHEN (1552–1615)

25 Farbabbildung S. 123
Bacchus, Ceres und Cupido um 1600

Öl auf Leinwand; 163 × 113 cm
Monogrammiert
Wien, Kunsthistorisches Museum, Gemäldegalerie
Inv. Nr. 1098

Das Bild, das vermutlich schon im Prager Inventar von 1621 unter Nr. 190 erwähnt ist, wird üblicherweise als Variation eines im Prager Künstlermilieu ungemein beliebten Terenzspruchs verstanden: „Sine Cerere et Libero (Baccho) friget Venus" (Eunuchus, IV, 732). Nur in einem Bild Bartholomäus Sprangers wird der Terenzspruch wirklich wortgetreu illustriert (Wien, Kunsthistorisches Museum, Inv. Nr. 2435): Bacchus und Ceres verlassen Venus, die sich vergeblich am Feuer hockend zu wärmen versucht (vgl. Kat. III. 17).

In diesem einträchtig davonziehenden Paar von Bacchus und Ceres kündigt sich das Thema unseres Bildes bereits an. In von Aachens Komposition fehlt Venus. Sie ist möglicherweise durch den als Cupido identifizierten Knaben links im Bild ersetzt. Die in der Prager Malerei üblicherweise der Liebesgöttin zugedachte Rolle der Verführerin fällt hier Ceres zu. Der durch die Lichtführung hervorgehobene prachtvolle Rückenakt wendet den Kopf von dem zärtlich werbenden Bacchus ab und blickt aus dem Bild. Die Eindringlichkeit, mit der dieser graziös gelängte, ebenso aufreizend wie unschuldig wirkende Akt an den Betrachter herangerückt wird, steigert die erotische Wirkung des Bildes auf atemberaubende Weise, was in einem gewissen Widerspruch zum allegorischen Inhalt der Darstellung steht.

Die Bedeutung des sogenannten Cupido will in diesem Zusammenhang nicht recht einleuchten.

Sollte er wirklich Cupido verkörpern, so findet hier ein eigenartiger Rollentausch statt. Nicht Ceres und Bacchus sind Zubringer der Liebe, wie der Terenzspruch nahelegt, sondern Amor wird zum Diener der beiden anderen Götter, die in einer faszinierenden Mischung von Unschuld und Erotik ihre ideelle wie körperliche Vereinigung anstreben. Dieses Oszillieren zwischen verschiedenen Deutungsmöglichkeiten macht unser Bild zu einem typischen Beispiel rudolfinischer Kunst, deren Vielschichtigkeit und Ambivalenz mit der Person des Kaisers in unmittelbarem Zusammenhang steht.

Literatur: Peltzer 1911/12, S. 135 und 163, Nr. 55 – Dacosta Kaufmann 1985, S. 194, Nr. 1–37 MK

IV Aufrührer und Gewalttäter

1545 schreibt Luther an Amsdorf: „Den Kaiser habe ich im Verdacht, daß er ein Schurke ist, und sein Bruder Ferdinand ist der übelste Taugenichts.'' Das Wort zielt auf Karl V. und Ferdinand I. von Österreich. Aus der Sicht der doppelten Moral, die Machiavelli dem Herrscher empfiehlt, beschreibt Luther bloß einen in der Sache begründeten Tatbestand. Bedenkt man jedoch, daß Karl V. sich als Schirmherr der katholischen Kirche feiern ließ und in dieser Eigenschaft sowohl über Luther die Reichsacht verhängte (Reichstag zu Worms, 1521) wie den Papst demütigte und die Hauptstadt der Christenheit plündern ließ (Sacco di Roma, 1527), dann wird die Doppelzüngigkeit erschreckend eindeutig: Sie ist nicht mehr die kunstvolle Signatur einer „Welt des Zweifels'' (Pinder), sondern ganz einfach das zynische Einbekenntnis, daß Machtpolitik jeden Schachzug rechtfertigt. Dieses Kalkül beherrscht die Bündnis- und Eroberungspolitik des Jahrhunderts. Der Kaiser, der den Papst herausfordert, Luther, der den Protest zum religiösen Bekenntnis erhebt und doch die aufbegehrenden Bauern im Stich läßt, Franz I., der bei den Türken und den Protestanten Unterstützung gegen Habsburg sucht und im opportunen Augenblick ein Edikt über die Austilgung der Lutheraner erläßt (1535), Heinrich VIII., der sich gegen Rom stellt, sich zum Oberhaupt der anglikanischen Kirche ernennt und den protestierenden Thomas More enthaupten läßt (1535) – sie alle und die italienischen Feudalherren, die untereinander in ständiger Fehde liegen, sind Aufrührer und zugleich gewalttätige Unterdrücker, wenn es um den Erhalt ihrer eigenen Macht geht: Täter und Opfer zugleich.

Es gehört nicht zu den Zielen dieser Ausstellung, eine historische Dokumentation der Unterdrückungen und Kollektivstrafen vorzulegen, die dem Jahrhundert der Bauernkriege, der Wiener Türkenbelagerung, der Plünderung Roms und der Pariser Bartholomäusnacht den blutigen Umriß der Gewalttätigkeit aufprägen. Einige dieser Ereignisse werden gleichwohl in Erinnerung gerufen (Kat. IV. 1, IV. 45, IV. 53, IV. 57, IV. 69). Wir begnügen uns damit, die künstlerischen Dimensionen der Machtkämpfe herauszugreifen, beginnend mit der Macht und endend mit der Ohnmacht. Am Anfang steht die Apotheose des Herrschers, am Ende der Sturz der Engel in die Verdammnis. Der Eintritt Heinrichs II. in die Unsterblichkeit (Kat. IV. 6) kommt seiner Vergöttlichung gleich. Umgekehrt sieht Parmigianino in der Auferstehung Christi (Kat. IV. 7) den Triumph einer Herrschergestalt. Ist der König ein Tugendheld, der die Laster überwindet, so siegt im Erlöser nicht nur die Erweckungskraft des Glaubens, sondern auch kämpferische Männlichkeit.

Antike Vorbilder werden als Exempla des Ausharrens auch in schwierigen oder aussichtslosen Situationen zitiert: Horatius Cocles, der Verteidiger Roms gegen die Etrusker (Kat. IV. 8), Kadmos, der Gründer Thebens, der für die Ermordung des von Ares (Mars) abstammenden Drachens acht Jahre büßen muß (Kat. IV. 12, IV. 13), die trojanischen Kämpfer (Kat. IV. 11), Amphiaraos, der seinen und den Untergang seiner Kampfgenossen voraussieht und den Zeus, um ihm diese Schande zu ersparen, in einen Erdspalt versinken läßt (Kat. IV. 10) – alle diese Helden sind Herausforderer, deren Schicksal der künstlerischen Phantasie den Vorwand für rasende und verzweifelte Gewaltorgien liefert.

Welchen Leidenschaften hier ein Ventil geboten wird, zeigen die

Allegorien der Laster, die in der christlichen Religion den Stempel niedriger Häßlichkeit trugen, jetzt aber zu Elementarkräften werden, in denen sich ein rebellierendes Selbstbewußtsein ankündigt. Der „Neid" (Kat. IV. 26) und der „Zorn" (Kat. IV. 27) sind deshalb insgeheim Partner des Prometheus (Kat. IV. 28). In seinen vier „Frevlern" (Kat. IV.22–25) gelingt es Goltzius, den Sturz, eine Extremsituation der physischen Hilflosigkeit, zur souveränen Gebärde umzuformen, in der letztlich das Kunstvermögen dem Menschen das Risiko seiner Autonomie zubilligt und ihn so von Strafe frei spricht. Spielbälle des Schicksals, werden diese Gestalten in der Arabeske aufgefangen und aufgehoben. Solche Strafbefreiung gewährt der Künstler auch den stürzenden Engeln (Kat. IV. 32): Ihre Ohnmacht ist seine Macht, er formt aus ihnen Körperornamente, welche nicht das Elend des Übermuts bloßstellen, sondern die Kreatur in der Verfügbarkeit zeigen, die sie dem Künstler, ihrem zweiten Schöpfer, verdankt (vgl. Kat. VII. 6). Wie der Kunstgedanke das Thema bevormundet, zeigt schon Raffaels Bethlehemitischer Kindermord (Kat. IV. 17), wo der Wettstreit mit Michelangelos Schlachtenkarton dazu führt, daß die Schergen nackt auftreten (Clark). Das Ergebnis ist wieder eine Kompositschönheit.

Der Aufrührer, der für die Religion einsteht, heißt Märtyrer. Manieristisch gedeutet, darf er sein Los in Schönheit vorführen (Kat. IV. 20) oder er wird in eine distanzierte Schauhandlung eingebunden, die ihn gleichermaßen zum Vorfall reduziert, wie sie ihn als Zentrum benötigt (Kat. IV. 19). Callot ist der Meister der relativierenden Optik. Keiner hat genauer auf das Elend des Krieges geblickt, keiner schärfer die Erniedrigung gezeichnet, die der Mensch seinesgleichen zufügt, und dennoch lesen wir diese Szenen nicht als Dokumente der Anklage, sie sind von der Fernsicht in Handlungsabläufe entrückt, die gleichsam mechanisch vor sich gehen und keine Teilnahme fordern. Erst die Nahsicht eines zeichnenden Reporters macht das Ereignis zum Paradigma: Das Foltergefängnis wird zur irdischen Hölle (Kat. IV. 15), der Kampf zweier Bettler zur Selbstverstümmelung von Opfern, die Täter sein möchten (Kat. IV. 14).

Drei Objektentwürfe eines unbekannten italienischen Stechers bringen die Drohgebärden des Machtwillens auf eine geometrische Formel (Kat. IV. 34). Sie ist doppeldeutig, denn diese imaginären Raumkörper könnten ebenso Verliese wie Festungen sein. Wir wissen nicht, welche Absichten ihr Erfinder verfolgte, aber was er anschaulich macht, trifft die Ästhetik des Manierismus in den Punkten, welche sich auf das Thema der Maskierung beziehen. Abschirmung ist die mildeste Umschreibung dessen, was hier unserem Blick entzogen wird. Das geometrische Kalkül dient aber zugleich der Bedrohung. Der Apparat scheint dem Menschen entzogen, er funktioniert offenbar selbsttätig. Das sind Vermutungen, keine Deutungen der Objekte, aber daß sie sich aufdrängen, hat mit deren ambivalenter Struktur zu tun: Vollkommene Artefakte, sind sie zugleich mit aggressiver Macht ausgestattet. Eine analoge Grenzsituation führt der formal und konstruktiv verschlüsselte Laternenschild vor (Kat. IV. 37), ein raffinierter Aberwitz, der sich in der Praxis als Selbstmordinstrument erwiesen haben dürfte. Der übergewappnete Angreifer geht sich selbst in die Falle, der Täter wird sein eigenes Opfer. WH

IV. 1

ADRIAEN DE VRIES (um 1545–1626)

1
Allegorie auf die Türkensiege Rudolfs II.

Bronzerelief; 71 × 88,5 cm
Bezeichnet: ADRIANUS FRIES HAGIESIS FECIT
Wien, Kunsthistorisches Museum, Sammlung für Plastik und Kunstgewerbe
Inv. Nr. 5474

Der wichtigste Schüler Giambolognas, Adriaen de Vries, war zunächst Hofbildhauer bei Karl Emanuel von Savoyen, bevor er 1601 zum Kammerskulpteur Rudolfs II. ernannt wurde. Vermutlich von Rudolf selbst inhaltlich konzipiert, versinnbildlicht das Relief unter Anwendung ikonographischer Schemata des Hans von Aachen hauptsächlich den kaiserlichen Sieg in der Schlacht bei Raab (1598). Links vorne nimmt die behelmte Pallas Athene der nunmehr befreiten Hungaria die Fesseln ab, während Victoria den türkischen Halbmond über ihrem Haupt entfernt und der in Gestalt eines römischen Imperators herantretende Rudolf ihr die Tiara als Erzsymbol des Christentums darbringt. Der als Aktfigur gegebene Herkules wohnt dieser Szene am linken Bildrand bei. Geographische Angaben werden vermittelt durch die mit Ähren ausgestattete Danubia und den mit einem Eber versehenen Flußgott der Save. Rechts ertrinken türkische Reiter in der Donau, in der Bildebene dahinter sind als Allegorie Siebenbürgens ein Turm (mit der Signatur Adriaen de Vries') und eine thronende Frauengestalt gegeben, die von einem Siegesengel mit Lorbeerkranz und Märtyrerpalme bedacht wird. Links davon der Böses symbolisierende Drache, der von Löwe und Adler, beides imperiale Wappentiere, angefallen wird. Dahinter Constantia mit der Säule und einem weiteren herrschaftlichen Adler, die von Victoria mit einem Friedenskranz gekrönt und von Fortuna (?) von ihren Fesseln befreit wird. Die befestigte und von Truppen umwogte Stadt im Hintergrund ist durch den über ihr fliegenden Raben als Raab ausgewiesen, welches die kaiserlichen Truppen befreiten. Folgt man ihnen nach rechts hin, so stößt man auf die an einen Baumstrunk gefesselte Discordia, die wie die daneben befindliche Hydra für die von den Türken gebrachten Übel steht und von heidnischen Fahnen sowie jenen der Abtrünnigen überragt wird. Im „Olymp" über dieser Szene verkündet Fama den Ruhm Rudolfs, der vom Monogramm und seinem Geburtsaszendenten, dem Steinbock, in der himmlischen Sphäre vertreten wird. Auch der Stern in der Mitte deutet auf den Kaiser hin, während Diana, deren Mondsichel von einer Assistenzfigur gerade verhüllt wird, auf den kaiserlichen Angriff, der bei Mondfinsternis stattfand, anspielt. Ganz links oben bezeugt Merkur, der gerade für Rudolf eine spezifische Bedeutung hat, das Geschehen.

Selbst der fließende Figurenstil vermag nicht mehr die Bildeinheit zu stiften, die durch die völlig schematische Komposition zugunsten der starken allegorischen Aussagekraft zersplittert ist.

Literatur: Larssen 1967, S. 39 ff – Ludwig 1978 – Bauer-Haupt 1976, Nr. 1982, Abb. 62 MB

WENZEL JAMNITZER (1508–1585)

2
Die Apotheose Maximilians II. 1571

Federzeichnung in Schwarzgrau, grüngrau laviert; 67,9 × 48,6 cm
Wien, Albertina
Inv. Nr. 14528

Kaiser Maximilian II. (1527–1576, Kaiser seit 1564) kniet auf der Kuppel eines Tabernakels mit der Aufschrift TEMPLUM PACIS, der auf ein Postament gehoben ist. Zwei über ihm schwebende Engel reichen Schwert und Schrift hinunter, über ihnen halten zwei weitere Geflügelte die Krone. Neben Maximilian II. stehen Justitia und Fides. Auf gleicher Ebene sind weitere Tugendallegorien auf der Exedra postiert. Am Fuße des Postaments sitzen die Allegorien „frid", „Weisheit" und „krig". Ihnen gegenüber befinden sich in den Nischen Reliefdarstellungen von Protagonisten aus dem Alten Testament. Außerhalb der Exedra, am Fuße der Treppe, kniet die Allegorie der Theologia, und rechts neben ihr ein alter Mann, dem die Beischrift zugeordnet ist: „bedeut aler Nationen des Kaisers leut, sondern Ungarn und Behem." Über der Apotheose thront Christus als Weltenrichter, umgeben von den Evangelistensymbolen. Unter ihm schwebt der Adler, Sinnbild kaiserlicher Macht.

Die Apotheose Maximilians II. ist ein Beispiel für die umfangreichen Arbeiten Jamnitzers, die die Glorifizierung des Hauses Habsburg zum Thema haben. Maximilian II. galt wegen seiner „Religionskonzession" (1568), in der er den protestantischen Ständen in den österreichischen Erblanden Zugeständnisse machte (unter der Bedingung, daß diese ihn im Kampf gegen die Türken unterstützen), als Vermittler in Religionsfragen und als Friedensstifter. Jamnitzers deutliche Ehrerweisung an den Kaiser zeigt zugleich auch seine eigene antipäpstliche protestantische Haltung.

Als Vorzeichnung diente dieses Blatt einer Radierung Jost Ammans, deren Datierung auf das Jahr 1571 rückschließend die Entstehungszeit der Zeichnung benennt. Amman füllte die weißen Kartuschen mit Inschriften und fügte weitere Allegorien hinzu.

Literatur: Benesch 1933, Nr. 502 – Ausst.-Kat. Jamnitzer 1985, Nr. 308 GW

IV. 2

IV. 3

GYSBERT VAN VEEN (1562–1628)

3
Alessandro Farnese, Herzog von Parma
um 1586

Kupferstich; 36,3 × 23,6 cm
Wien, Albertina
Inv. Nr. HB VIII, p. 129, Nr. 429

Gysbert van Veen stach das Blatt nach einem Entwurf seines Bruders Otto van Veen, der 1585 von Alessandro Farnese (1545–1592) als Statthalter der Niederlande (1578–1592) zum Hofmaler ernannt wurde. Dem Blatt ist ein Text beigefügt, der als Frage-und-Antwort-Dialog die Qualitäten des Herzogs als Führer von Parma anspricht und erklärende Kommentare zu dem Stich gibt. Im Unterschied zu dem Text betont der Stich weit mehr den Statthalter im Auftrag der spanischen Krone als den italienischen Herrscher.

Ausgestattet mit herkulischer Keule und Löwenfell, als „virtus generalis'' allegorisiert, durch das Rundschild mit aufgelegtem Gorgoneion nochmals als Kriegsherr idolisiert, steht Alessandro Farnese auf einem Weg, der das Blatt in zwei Bereiche teilt. Auf der rechten Seite dominiert der militärische Aspekt. Wörtlich genommen ist die apotropäische Wirkung des Gorgonenhauptes, dessen Blick den Gegner versteinert. Zerbrochen liegen die zu Stein gewordene Allegorie des Neids und die ruinösen Reste der Feinde zu Füßen Alessandros. Untrennbar ist das Lob auf die Feldherrenkunst des Herzogs verbunden mit seinem Kampf gegen die niederländischen Protestanten, weshalb einem der Niedergeworfenen eine kleine Madonnenstatue in die Hand gegeben wurde, ein Objekt des Bildersturms. Die Stadtvedute auf der Schleife, mit der die Herrschaftsembleme an der Palme unterlegt sind, deutet auf den möglichen Anlaß für den Stich: die Eroberung Antwerpens 1585, da mit diesem Sieg die Rückeroberung der südlichen Niederlande durch den Herzog von Parma ihren Abschluß gefunden hat.

Auf der linken Seite des Blattes führt der Weg steil nach oben zu zwei Tempeln, die nach Joannes Sambucus' Emblemata (S. 193) für „virtus'' und „honos'' stehen und deren beide Gebäude verbindende Tür, der Blattunterschrift zufolge, für den Statthalter der Niederlande offen steht, da er diese Qualitäten besitzt. Obgleich die Tempel Phantasiearchitektur sind, zeigen sie doch deutlich die Entwicklung des gegenreformatorischen Kirchenbaus durch die unverdeckt gestellte Basilika. Dem Herzog zur Seite steht die Religion, die ihm mit dem Kreuz den Weg weist.

Die Zweiteilung des Blattes und der Standort Alessandros, auf der Mitte zwischen absteigendem und aufsteigendem Weg, entsprechen dem Typus „Herkules am Scheideweg'', und obwohl das Blatt insgesamt als Tugendallegorie gewertet werden kann, bedient sich van Veen dieses Mittels, um betont auf die Verwerflichkeit des Protestantismus hinzuweisen. Der Statthalter bleibt davon unberührt, hält er doch ostentativ seine Keule in Richtung auf die Tempel und damit auf den einzuschlagenden Weg. Jener Weg, der stetig von der tiefer gelegenen Stadt angestiegen ist, deren auffälligstes Merkmal der monumentale Rundbau ist. Auch dieser ist Phantasie, aber er erinnert an die vorbildhaften Zentralbauten, die Grabeskirche in Jerusalem und S. Constanza in Rom, die Konstantin der Große hatte erbauen lassen und unter dessen Regentschaft (306–337) sich auch die Entwicklung des Christentums zur Staatsreligion angebahnt hatte.

Literatur: Kelly, S. 389–409 – Henkel/Schöne, vol. 1551 – Fülop-Miller 1947, S. 482 ff GW

ENEA VICO (1523–1567)

4
Giovanni de Medici

Kupferstich; 48,7 × 32,4 cm
Bezeichnet: COSMO FLOR. II. DVCI OPT INVICTISS IOHAN MED FILIO D – AENEAS VICVS PARMEN – GIOVANNI DE (M)EDICI. ILS.
Hamburger Kunsthalle, Kupferstichkabinett
Inv. Nr. 1/691

Die Büste zeigt ein posthumes Porträt des Giovanni de Medici, des Vaters Cosimos I. Der Großherzog hatte Enea Vico 1545 nach Florenz an den Medici-Hof berufen, da Vico besonders wegen seiner Porträtkunst und seinen antiquarischen Interessen geschätzt war. Deutlich werden diese beiden Vorzüge in der antikisierenden Büste des jung verstorbenen Medici, auch Giovanni delle Bande Nere (der Schwarzen Bande) genannt, der beim Einmarsch der kaiserlichen Truppen 1526 getötet worden war. In dem Porträt des Feldherrn werden die zeitgenössische Rüstung und der antike Überwurf miteinander kombiniert. Auch die Haltung in der Art eines römischen Imperators kontrastiert mit dem modernen, von Skepsis umschatteten Gesichtsausdruck eines im 16. Jahrhundert agierenden Menschen. Als Symbole seiner kriegerischen Tätigkeit befinden sich links der Büste eine Allegorie der Victoria und rechts der Kriegsgott Mars. Niedergezwungene Sklaven und eroberte Waffen liegen am Sockel des altarähnlichen Aufbaus. Geflügelte Frauenfiguren präsentieren das Wappen der Medici. Seltsam ist das Raumverständnis der Nische: Zwar wird durch die Schattengebung Räumlichkeit suggeriert, die Büste hat jedoch keine Standfläche und schwebt im bodenlosen Raum.

Literatur: Bartsch XV, 254 – Petrucci 1964, 53, S. 60 ff – Thieme/Becker, Bd. 34, S. 328 KO

IV. 4

IV. 5

AEGIDIUS SADELER (um 1570–1629)
Nach Hans von Aachen (1552–1615)

5
Porträt Rudolfs II. 1603

Kupferstich; 33,5 × 24,8 cm
Wien, Albertina
Inv. Nr. HB LXXVIII, 5, p. 33, Nr. 37

In der großen Spannweite zwischen allegorischem und naturalistischem Porträt, die durch Arcimboldos Vertumnus einerseits und Aachens mitunter intimen Studien des Kaisers andererseits markiert wird, nimmt Sadelers Stich nach einem verlorenen Gemälde Hans von Aachens eine zentrale Position ein, die dem Anspruch auf dynastische Repräsentation zugleich in besonderem Maße gerecht wird.

Dem kaum idealisierten Bildnis des Kaisers, das auch durch die prächtige Aufmachung Rudolfs nichts von seiner Lebensnähe verliert, steht die triumphal-heroische Auffassung des Bildganzen gegenüber. Das Porträtmedaillon ist in einen aufwendigen Rahmen eingelassen, der aktuelle politische Bezüge ebenso wie die zeitlose Gültigkeit der Kaiseridee versinnbildlicht. Während Minerva und Fortuna abundantia, ständige Begleiterinnen des Imperators, sein Bildnis flankieren, thront die Allegorie des Friedens – den Sieg (als Palmwedel) wohlweislich miteingeschlossen – darüber, an die den globalen Anspruch des Kaisertums unterstreichende Weltkugel gelehnt. Steinbock und Adler, Symbole höchster imperialer Ideen, sitzen ihr zur Seite. Der Steinbock, der als Tierkreiszeichen des Augustus für Rudolf von höchster Bedeutung war, zeigt zwischen seinen Hörnern einen Stern, der – der komplexen allegorischen Sprache rudolfinischer Ikonographie zufolge – als Hinweis auf die Türkenkriege verstanden werden muß.

Auf die Türkenkriege bezieht sich auch der gesamte untere Teil der Darstellung, wo die gefesselten Feinde über ihren zu Boden gestreckten Waffen und Fahnen kauern. Die in die Rahmenarchitektur eingelassene Kartusche zeigt die türkische Niederlage im Jahre 1598, auf die dieses Kaiserporträt in besonderer Weise Bezug nimmt. Denn Rudolf II. in seiner Funktion als Bezwinger der Osmanen ist es, der den umfassenden Machtanspruch des römischen Kaisertums in jeder Beziehung verwirklicht.

Literatur: An Der Heiden 1970, S. 197 f, Nr. 25a – Dacosta Kaufmann 1985, S. 195, Nr. 1–41 MK

IV. 6

RENÉ BOYVIN (um 1525 – um 1610)
Nach Rosso Fiorentino (1494–1540)

6
„L'ignorance chassée''

Kupferstich; 27,8 × 42 cm
Bezeichnet: Rous. Floren. Inuen. Renatus Fecit
Wien, Albertina
Inv. Nr. F I, 3, p. 7

Der Stich gibt seitenverkehrt das Mittelfresko der ersten westlichen „Travée'' der Südwand der Galerie Franz' I. in Fontainebleau wieder. Der wie ein römischer Krieger gekleidete Franz I. (im Unterschied zu der die gleiche Vorlage wiedergebenden Radierung Fantuzzis, Zerner 1972, A. F. 24, hier mit den Gesichtszügen Heinrichs II.) ist dabei, in den Tempel Jupiters einzutreten, in das „Ostium Iovis'', den Tempel der Unsterblichkeit. Der Herrscher trägt Buch und Schwert, zwei Attribute, die ihn sowohl als kunstliebenden Regenten in Friedenszeiten wie auch als kampfbereiten Herrscher im Kriegsfall ausweisen. Er läßt die mit Blindheit geschlagenen, aufgeschreckten und wie gehetzt herumirrenden Laster hinter sich, deren Hauptvertreter, ein fetter, androgyn anmutender Mann, schon bei Mantegna, in dessen Darstellung der virtus combusta (von Zoan Andrea gestochen, Bartsch XIII, S. 303, Nr. 16), als Hauptfeind der Tugend figuriert.

Sünde entsteht weniger durch das Böse in der Welt als vielmehr durch Unwissenheit. Dieser humanistische Gedanke, hier zur Herrscherallegorie erweitert, liegt der Bilderfindung zugrunde. Wahrscheinlich hat diese Konzeption den früheren Entwurf mit der Pandora abgelöst, die aus Neugierde die ihr anvertraute Schachtel mit den darin verschlossenen Übeln öffnet und damit diese über die Welt verstreut (abgeb. bei Kusenberg 1931, Pl. LXXVII). Im Gegensatz zu Fantuzzis nüchterner Wiedergabe der „Ignorance chassée'' steigert Boyvin mit Hilfe von Beleuchtungseffekten die Wirkung des Sujets. Das Innere des Tempels scheint von einer gleißenden Helligkeit erfüllt, die schlaglichtartig auch die verzweifelten „Unwissenden'' draußen erfaßt und deren expressive Gestik noch betont.

Literatur: Kusenberg 1931, S. 161 – Panofsky 1956, S. 34 ff EH

FRANCESCO MAZZOLA genannt PARMIGIANINO (1503–1540)

7
Die Auferstehung Christi nach 1527

Radierung und Kaltnadel; 20,7 × 13,5 cm
Hamburger Kunsthalle, Kupferstichkabinett
Inv. Nr. 1/891

Parmigianino begann sich erst nach 1527 in seiner Bologneser Zeit mit Druckgraphik zu beschäftigen, als die Zusammenarbeit mit Caraglio als Stecher seiner Werke in Rom durch den Sacco beendet worden war. Dabei griff er oftmals auch auf Zeichnungen als Vorlagen zurück, die aus einer früheren Schaffensperiode stammten. Die Figur des stehendes Wächters am rechten Bildrand ist beeinflußt von der Figur des hl. Georg in Correggios „Madonna des hl. Georg'' (um 1531).

Parmigianino läßt seinen Christus in einem vollkommen irrealen Raum aus geschlossenem Grab auferstehen. Die Lichtgloriole taucht die Umstehenden in eine aufgelöste Atmosphäre. Gleichzeitig verursacht seine Erscheinung eine Art Wirbelsturm, der die Gewänder und Haare in wildem Rhythmus flattern läßt. Licht und Luftbewegung sind hier die eigentlichen Mittel, um ein spannungsvolles und vollkommen überirdisch wirkendes Raumempfinden zu entwickeln.

Literatur: Bartsch XVI, 6 – Popham 1971, Bd. 1, S. 15 ff – Oberhuber 1966, Nr. 231 – Ausst.-Kat. Parmigianino 1963, Nr. 44 KO

IV. 7

HENDRIK GOLTZIUS (1558–1617)

8
Horatius Cocles 1586

Kupferstich; 35,7 × 23,5 cm
Bezeichnet: HG fe. – 2. – Solus in adversos (. . .) esse virum.
Berlin, SMPK, Kupferstichkabinett

Die historisch verbürgte Figur des Horatius Cocles tritt hier als zweiter der acht „Römischen Helden" auf, die Goltzius 1586 in einem aus zehn Blättern bestehenden Stichzyklus vorstellt. Horatius Cocles hatte den Befehl erhalten, den „pons sublicius", den Zugang zur Stadt Rom, zu verteidigen. Als nichts anderes mehr helfen wollte, stellte er sich schließlich auf dem jenseitigen Tiber-Ufer dem etruskischen Heer unter König Porsenna entgegen, um so seinen Landsleuten zu ermöglichen, hinter ihm die Brücke einzureißen und damit die Stadt Rom zu retten. Bei Polybius (VI, 55, 1–3) ist er den Heldentod gestorben und im Tiber ertrunken, Livius (2, 10, 2–13) dagegen läßt ihn das römische Ufer schließlich wieder erreichen und gerechten Lohn für seine Tapferkeit ernten.

Man hat den Eindruck, daß es Goltzius hier wenig um die Darstellung einer ruhmreichen Episode der römischen Geschichte geht. Sein Interesse scheint eher darin zu liegen, einen nur spärlich bekleideten, muskulösen männlichen Akt in demonstrativer Pose vorzustellen. Der historische Anlaß – rechts im Bildhintergrund in kleinstem Maßstab dargestellt – ist ihm zum kaum noch wahrnehmbaren Nebenschauplatz geraten.

Die nachträglich der Bildidee unterlegte lateinische Unterschrift des Haarlemer Humanisten Estius erhebt den historischen Vorwurf zum allgemeingültigen Tapferkeitsideal.

Literatur: Bartsch III, 34, 97 – Hollstein 163 – Strauss 1977, Nr. 232 EH

IV. 8

IV. 9

HENDRIK GOLTZIUS (1558–1617)

9
Marcus Valerius Corvinus 1586

Kupferstich; 35,5 × 23,3 cm
Bezeichnet: HG fecit – 6. –
Mangnanimo Corvine (. . .) facta Deos.
Berlin, SMPK, Kupferstichkabinett

Der als historische Person kaum noch greifbare Marcus Valerius erhielt den Beinamen „Corvinus'', weil die Legende erzählt, ein Rabe habe ihm einst in einem Zweikampf mit einem Gallier zum Sieg verholfen. Der Stich, ebenfalls aus dem Zyklus der „Römischen Helden'', zeigt das historische Vorbild von hinten – in einer Haltung, die den Verdacht erweckt, der Akteur habe den Auftritt eher seinen körperlichen Vorzügen als den vollbrachten Heldentaten zu verdanken.

Der wie eine zweite Haut am Körper eng anliegende Kampfanzug mit seinen kleinen Schleifchen betont die Körperformen. Jedes Muskelpaket scheint darstellungswürdig, und das gelungene Ganze ist noch kunstvoll, mit einer anmutigen Geste, drapiert. Goltzius' Serie der „Römischen Helden'' steht am Anfang einer stilistischen Entwicklung, die am Ende der achtziger Jahre im „Großen Herkules'' und in den manieristischen Akten nach Spranger und Cornelis van Haarlem ihre Höhepunkte hat – in Darstellungen menschlicher Körper, zu deren Charakterisierung mehr als einmal das Bild der „prall mit Nüssen gefüllten Säcke'' (Leonardo über aufgeblähte Muskulaturen) herangezogen wurde.

Bei der Darstellung des Hintergrund-Geschehens hat es sich der Künstler einfach gemacht: Marcus Valerius ist in Figur und Pose von Horatius Cocles (Kat. IV. 8) kaum zu unterscheiden.

Literatur: Bartsch III, 34, 101 – Hollstein 167 – Strauss 1977, Nr. 236 EH

IV. 10

DOMENICO RICOVERI DEL BARBIERE (um 1506–1565)

10
Amphiaraos

Kupferstich; 32,4 × 22,2 cm
Bezeichnet: DOMENICO DEL BARBIER – AMPHIARAO
Paris, École nationale supérieure des Beaux-Arts
Inv. Nr. 8

Amphiaraos, ein Seher, wird im unseligen Krieg der Brüder Eteokles und Polyneikes gezwungen, als einer der „Sieben'' gegen Theben zu ziehen. Als von seinen Gefährten einer nach dem andern fällt, Kapaneus gar durch den Blitz des Zeus getötet wird, wendet sich Amphiaraos angesichts seines Kampfgegners Periklymenos schließlich zur Flucht. Um dem Seher die Schande zu ersparen, mit dem Speer des Feindes im Rücken zu sterben, spaltet Zeus mit seinem Blitz die Erde, und diese verschlingt Amphiaraos samt Wagen und Pferden.

Die Darstellung, deren Erfindung Primaticcio, Rosso Fiorentino (Kusenberg 1931, S. 159) und auch Barbiere selbst (Zerner) zugeschrieben wurde, zeigt den Magier, gekrönt von einer flatternden, bewegten Draperie, in weitausgreifender, heldenhafter Pose dem von ihm selbst vorausgesehenen Tod entgegenfallend – mit der Lanze in seiner rechten Hand die Abwärtsbewegung noch akzentuierend. Pferde und Wagen sind bereits dabei, in dem von Rauchschwaden durchzogenen Abgrund zu verschwinden.

Literatur: Bartsch XVI, S. 358, Nr. 4 – Ausst.-Kat. Fontainebleau 1972, Nr. 335 – Zerner 1969, D. B. 6 EH

GIORGIO GHISI (1520–1582)

11
Der Fall Trojas und Aeneas' Flucht
nach 1543

Kupferstich; 39,0 × 50,3 cm
Bezeichnet: I.BA.MANTVANVS.IN. – GIOGIVS MANTVANUS (1. Zustand)
Hamburger Kunsthalle, Kupferstichkabinett
Inv. Nr. 2/721a

Ereignisse des Trojanischen Krieges sind die Motive zweier Stiche Ghisis, die er nach Vorlagen Giovanni Battista Scultoris anfertigte. Aufgrund unterschiedlicher Maße gehören „Trojas Fall'', „Simon verrät die Trojaner'' und Scultoris Stich „Seeschlacht zwischen Griechen und Trojanern'' dennoch nicht zu einer zusammenhängenden Serie.

Das Blatt ist durch eine senkrechte ereignislose Leerzone in zwei Hälften geteilt, in denen sich gleichzeitige, aber voneinander unabhängige Szenen abspielen. Die Hintergrundkulisse bildet das brennende Troja. Links haben griechische Kriegsschiffe angelegt, aus denen jeweils paarweise und in paralleler Bewegung Soldaten die Stadt stürmen. Der Torbogen der Stadtmauer ist durchbrochen, das Trojanische Pferd bereits eingezogen. Seltsamerweise scheinen die Reiter im Vordergrund auf jenem Wasser wandeln zu können, das ein verdeckt unter ihren Hufen liegender Flußgott aus einer Amphore entläßt. Im rechten Bildabschnitt ist Aeneas zu erkennen, der seinen Sohn Ascanius aus der brennenden Stadt trägt. Sein Vater Anchises mit den Penatenstatuen im Arm hält Aeneas an, auch ihn zu retten. In einer muschelartigen Wolke thronend, überwacht Venus, die Mutter des Aeneas, die Rettungsaktion. Amor liegt der mächtigen, muskulösen Frau zu Füßen. Die Wolke, in der beide schweben, hat organischen Charakter, umdrängt wie Gewürm das Paar und wird mit Anstrengung von Venus abgehalten, sich um sie zu schließen. Trotz der Fülle an Figuren und Geschehen, kontrastreicher Schattengebung und dichtester Gedrängtheit besteht durch die Parallelisierung der verschiedenen Aktionen doch noch eine gewisse übersichtliche Ordnung.

Literatur: Boorsch 1985, Nr. 8 – Massari 1980, Nr. 179 – Bartsch XV, 29 KO

HENDRIK GOLTZIUS (1558–1617)

12
Drei Zeichnungen aus dem Kadmos-Zyklus

12 A
Kadmos befragt das Orakel in Delphi
um 1590

Feder in Braun, braun laviert und mit Deckweiß gehöht; 16,8 × 25,3 cm
Hamburger Kunsthalle, Kupferstichkabinett
Inv. Nr. 1926/226

Die Zeichnung gehört zu einer Serie von Ovid-Illustrationen, die Goltzius – angeregt durch van Manders Beschäftigung mit den „Metamorphosen'' – kurz vor seiner Italienreise entworfen hat. Ovid (Met. III, 1–138) erzählt, wie Kadmos von seinem Vater Agenor

IV. 11

ausgeschickt wird, um Europa (eines der vielen Opfer der Liebesleidenschaft Zeus' und von diesem in der Gestalt eines weißen Stieres entführt) zu suchen. Auf seiner Irrfahrt in Delphi angelangt, befragt er dort das Orakel und erhält den Auftrag, einer geheimnisvollen Kuh zu folgen. An dem Ort, an dem sich diese schließlich niederlasse, möge er „Mauern bauen'', d. h. eine Stadt begründen: Theben.

Die Darstellung zeigt Kadmos, wie er in Delphi vor Apollo kniet und diesen um Rat bittet. Links im Hintergrund eröffnet sich der Ausblick auf eine gebirgige Landschaft. In der Ferne erkennt man Kadmos, wie er der Kuh folgt. Der Gott ist als antike Statue (ein etwas variierter „Apoll von Belvedere'') inmitten der Ruine eines runden Tempels dargestellt. Durch die Beleuchtungsverhältnisse und die kompositionelle Betonung der antiken Gottheit gewinnt Goltzius – gerade durch seine historisierende Interpretation – der Szene einen schaurigen Effekt ab: Das Standbild erscheint magisch belebt.

Literatur: Reznicek 1961, Kat. Nr. 101 EH

IV. 12 A

IV. 12 B

12 B
Die Gefährten des Kadmos werden vom Drachen überfallen um 1590

Feder in Braun, braun laviert und mit Weiß gehöht; 16,7 × 22,5 cm
Bezeichnet: HG
Hamburger Kunsthalle, Kupferstichkabinett
Inv. Nr. 1926/227

In einem Waldstück vor einer Quelle sieht man zwei Männer, die versuchen, einem schlangenartigen Drachen zu entkommen. Den einen beißt das Ungeheuer bereits in die Hüfte, während der zweite – mit einem Ausdruck des Entsetzens – noch nach vorne zu entkommen versucht. Die Krüge, mit denen sie Wasser holen wollten, liegen zerbrochen am Boden.

Als Kadmos an der Stelle, an der die Stadt Theben entstehen soll (zur Vorgeschichte vgl. Kat. IV. 12 A), ein Dankopfer darbringen will, schickt er seine Gefährten zur benachbarten Quelle, um Wasser zu holen. Diese wird jedoch von einem dem Ares (= Mars) geweihten Drachen bewacht, der die Männer auf grausame Weise umbringt. Im Gegensatz zu dem zwei Jahre früher entstandenen Stich gleichen Themas nach Cornelis van Haarlem (Kat. IV. 13) hält sich Goltzius sehr genau an die literarische Vorlage. Schon Ovid (Met. III, 42 ff) erwähnt die zerschlagenen Krüge, und der dort geschilderte Drache „schlingt sich in rollenden Windungen, bildet schuppige Ringe'' bevor er die Phönizier angreift.

Literatur: Reznicek 1961, Kat. Nr. 102 EH

12 C
Kadmos tötet den Drachen um 1590

Feder in Braun, gelbbraun laviert, rotes Inkarnat, weiß gehöht; 16,8 × 25,5 cm
Bezeichnet: HG
Hamburger Kunsthalle, Kupferstichkabinett
Inv. Nr. 1926/228

Die Darstellung zeigt den Moment, in dem Kadmos den Drachen tötet. Er bohrt ihm die Lanze in den Rachen und drückt mit der Spitze den Kopf gegen einen Baum. Die Szene spielt unter Bäumen vor einer Quelle, links im Vordergrund liegen die zwei perspektivisch verkürzt dargestellten Leichen seiner Gefährten, rechts davon die obere Hälfte eines Gerippes. Der Stein, auf dem Goltzius seine Signatur angebracht hat, soll wohl auf den Felsblock anspielen, mit dem Kadmos zuerst versucht hatte, den Drachen zu erschlagen.

Es ist auffallend, wie wenig die Zeichnungen das Entsetzen und die Angst wiedergeben, die die Schilderungen der Drachen-Szene bei Ovid vermitteln. Im Vergleich zu der populären Darstellung des brutalen Ungeheuers durch Cornelis van Haarlem wirken Goltzius' Entwürfe fast idyllisch. Während jedoch bei Cornelis die Figuren bei all ihrer

IV. 12 C

überwältigenden, raumgreifenden Körperlichkeit immer etwas Statisches behalten, bemüht sich Goltzius hier kurz vor seiner Italienreise vor allem um die Darstellung von Bewegung.

Goltzius hat seine Illustrationen zu Ovid erst 1615, also 25 Jahre später, herausgegeben – von einem anonymen Stecher bearbeitet.

Literatur: Reznicek 1961, Kat. Nr. 103 EH

IV. 13

IV. 14

HENDRIK GOLTZIUS (1558–1617)
Nach Cornelis van Haarlem (1562–1638)

13
Der Drache verschlingt die Gefährten des Kadmos 1588

Kupferstich; 24,9 × 31,8 cm
Bezeichnet: C C Pictor Inuent. HGoltzius sculpt. A° 1588 – Dirus Agenoridae (. . .) hoste
Hamburger Kunsthalle, Kupferstichkabinett
Inv. Nr. 4444

Zur Vorgeschichte siehe Kat. IV. 12. Der Stich zeigt, wie zwei Gefährten des Kadmos dem unmenschlichen Angriff des Ungeheuers zum Opfer fallen. Ein noch das Entsetzen spiegelnder, abgerissener Kopf beherrscht die Mitte des unteren Bildrandes, dem zweiten Opfer zerbeißt der Drache gerade mit einem einzigen Biß das Gesicht. Die Reste weiterer Tier- und Menschenleichen liegen überall auf dem Boden verstreut. Rechts im Hintergrund sieht man schließlich Kadmos, wie er dabei ist, seine Gefährten zu rächen. Cornelis van Haarlem schildert das Entsetzliche des Geschehens weniger durch eine detaillierte Wiedergabe der bei Ovid erzählten Handlung, als daß er das „Grauen" zum Bild werden läßt, es in einer sinnlich greifbaren Form darzustellen versucht. Die Krallen des Drachen graben sich mit ungeheurer Brutalität in die Hautoberfläche seines Opfers ein, und die schweren Körper der so merkwürdig verschmolzenen Männer und des fleischigen Drachen haben, ganz nah an den vorderen Bildrand gerückt, in ihrer Nähe zum Betrachter geradezu etwas Monumentales an sich. Cornelis van Haarlem wie auch Goltzius wurden durch van Mander zu ihren Ovid-Illustrationen angeregt, der gerade dieses Werk für geeignet hielt, die Phantasie der nüchternen Holländer zu beflügeln. Nach van Manders allegorischer Auslegung steht „die Ermordung der jungen Männer durch den Drachen" für die jugendlichen Träume, die schließlich von der Weisheit überwunden werden. Strauss sieht in dem blutigen Opfer-Thema eine zeitpolitische Anspielung auf die Situation der Niederlande in ihrem Kampf gegen Spanien.

Es haben sich drei dem Cornelis van Haarlem zugeschriebene Gemälde des gleichen Motivs erhalten (in Dresden, Wien und London). Der Stich gibt – seitenverkehrt – wahrscheinlich das Londoner Bild wieder.

Literatur: Strauss 1977, Nr. 261 – Mielke 1979, Kat. Nr. 9 – Bousquet 1985, S. 258 ff EH

JACQUES BELLANGE
(tätig um 1602–1624)

14
Zwei raufende Bettler

Radierung; 30,8 × 20,8 cm
Wien, Albertina
Inv. Nr. 1930/346

Das Sujet ist ein für die lothringische Hofkunst der Zeit um 1600 äußerst ungewöhnliches und für das gesamte 17. Jahrhundert wegweisendes. Genreszenen dieser Art sind vorher nur in den Niederlanden, besonders bei Bruegel, bekannt und treten auch dort nur als Teile größerer Kompositionen auf. Bellange scheint sich im Motiv mehr am oberitalienischen Bereich orientiert zu haben, der seine Radierungen in mehrfacher Hinsicht prägte (vgl. Kat. V. 23). 1530 hatte sich schon Coreggio in seinem vierteiligen „Amori di Giove"-Zyklus für Karl V. des Hundes im Vordergrund bedient und ihm im Ganymed-Bild (Wien, Kunsthistorisches Museum) eine andere Funktion zugemessen. In diesem Kunstkreis war die einzelfigurige Genreszene besonders bei Carracci schon gebräuchlich, inhaltlich jedoch legte erst Caravaggio für diesen Darstellungstypus den Grundstein. Bellange zeigt die derben Kämpfer jedoch nicht in der Absicht, deren soziales Elend anzuprangern – im Gegenteil: Zu höfischen Zerstreuungen zählte auch die Belustigung über eben dieses Elend. In diesem Sinne ist auch die Darstellung des Erbärmlichen auf die Schilderung der Fratze des Leierkastenspielers beschränkt. Alle anderen Motive – der wild gestikulierende zweite Bettler und der von hinten gesehene Hund – sind auf die für Bellange so charakteristische Weise in einem System flächenbildender dekorativer Linien und Schatten aufgelöst, das den Inhalt zum Beiwerk reduziert. Es geht nur um das allgemeine Capriccio der Wiedergabe eines animalischen Kampfes, der aber trotz seiner Drastik aus Heldenposen komponiert ist und in der glättenden Verflechtung aller Details eine höfisch anmutende Eleganz erzielt.

Literatur: Walch 1971, Nr. 18 MB

ITALIEN, 16. JAHRHUNDERT

15
Der Kerker

Kupferstich; 27,7 × 41,8 cm
Bezeichnet: IR – Reatus diverse, acriterq Julij Cesaris Imperatoris iustitia torquet (unten rechts ausgekratzte Inschrift)
Hamburger Kunsthalle, Kupferstichkabinett
Inv. Nr. 1/1975/162

Die Zuschreibung dieses Stiches ist nicht gesichert. Der Entwurf geht auf eine Zeichnung Giulio Romanos (Windsor Castle, Nr. 0483) zurück, die als Vorlage für eines der Medaillons in der Sala dei Venti im Palazzo del Tè verwendet wurde. Ausgeführt wurde die Freskierung von Rinaldo Mantovano 1542/43.

Die ikonographische Bestimmung der 16 Medaillons unter den zwölf Tierkreiszeichen an der Decke des Saales wurde von Gombrich erbracht. Es handelt sich um Darstellungen der verschiedenen Konstellationen unter einem Tierkreiszeichen und dessen Einflüsse auf das menschliche Schicksal. Ihnen liegt ein spätantiker Text des Firmicus Maternus, „Matheseos Libri VIIII", zugrunde, der im 16. Jahrhundert weite Verbreitung gefunden hatte.

Der Stich schildert das Schicksal der Unglücklichen, die unter dem Zeichen des Arcturus geboren werden: „Wenn nämlich das Zeichen (des Arcturus) absteigend ist, und wenn Saturnus mit Merkur und jeder Art von Strahlen vorhanden ist, werden Menschen geboren, die der Neid zu schweren Gewalttaten treibt und die in die öffentlichen Gefängnisse eingeliefert werden, gefesselt in Ketten, um dort unter erbärmlichen Qualen zu sterben" (VIII, 14, 1–2, zitiert nach Gombrich, S. 112). In reliefartiger Strenge werden verschiedene Foltergeräte vorgeführt, die den Opfern jegliche Bewegungsfreiheit nehmen. Sie spiegeln das Interesse der Zeit an sadistischen und gewalttätigen Szenen wider.

Literatur: Boorsch 1985, Nr. R8 – Massari 1980, Nr. 8 – Albricci 1976, Nr. 35 – Bartsch XV, 66 – Gombrich 1978, I, S. 109–118 KO

IV. 15

URS GRAF (um 1484 – um 1527)

16
Teufel und Landsknecht 1516

Federzeichnung; 29,6 × 21 cm
Basel, Öffentliche Kunstsammlung, Kupferstichkabinett
Inv. Nr. U. X. 71

Die mit Monogramm und Datum versehene Zeichnung persifliert ein Lieblingsthema des Künstlers, den kraftstrotzend-selbstbewußten Kriegsmann, Heros sowohl der Grafschen Ikonographie als auch des Grafschen Lebens.

IV. 16

Der prächtig gekleidete, mächtig gebaute deutsche Landsknecht, Erzfeind der eidgenössischen Söldner, wird von einem wahrhaft furchterregenden, mit Schweizer Dolch gegürteten Teufel „wie ein Marktkalb'' (Koegler) an einem Strick geführt. Zwar versucht der Gepeinigte zu fliehen, was der Teufel aber mit hämischem Grinsen und in den Weg gestelltem (auffällig beschuhtem) Fuß zu verhindern weiß.

Die im unteren Bildteil durch die überkreuzten Beine suggerierte Dynamik der Komposition löst sich im oberen Figurenbereich in ein seltsam starres Verharren, welches das Grausig-Groteske der dargestellten Situation unterstreicht und wohl auf die absurden Proportionen des Höllenuntiers zurückzuführen ist. Der Teufel erscheint als pervertierte Form des soldatischen Ideals, neben dem der Landsknecht, trotz hünenhaften Wuchses und protzig zur Schau gestellter Männlichkeit, schwach und hilflos wirkt.

Ob nur die Graf nachgesagte Hinterhältigkeit und Bösartigkeit seines Charakters für diesen Bildentwurf verantwortlich zeichnet, in dem der deutsche Rivale ein Opfer des – offenbar mit den Eidgenossen verbündeten – Teufels wird, oder ob hier eine allgemein verbreitete politische Meinung Gestalt annahm, bleibe dahingestellt.

Literatur: Koegler 1926, S. 49, Nr. 72 – Koegler 1947, S. 5, 23 MK

IV. 17

MARCANTONIO RAIMONDI
(1475/1480–1527/1534)

17
Der Bethlehemitische Kindermord
1513–1515

Kupferstich; 28,0 × 42,5 cm
Bezeichnet: MAF – RAPHA VRBI INVEN
Hamburger Kunsthalle, Kupferstichkabinett
Inv. Nr. 1917/308

Nackte Schergen greifen nach Kinderkörpern, die von hilflos fliehenden, sich aussichtslos wehrenden Müttern beschützt werden. Angetrieben vom Mut der Verzweiflung läuft eine Mutter, ihr Kind in den Armen tragend, in der Bildmitte. Sie bildet das Zentrum der Schlacht, und ihr fassungsloses, angsterstarrtes Gesicht ist die signifikante Maske für den Schrecken der Mütter. Die christliche Geschichte ist inszeniert als antike Tragödie vor einer bühnenhaften Kulisse, deren Mittelpunkt – in Anlehnung an den Codex Escurialensis – der römische Ponte Quatro Capi bildet.

Marcanton erstellte den Stich nach Vorzeichnungen von Raffael, dessen dramaturgische Verteilung der Personen im Bildraum er minutiös überträgt. Dies belegt die frühere Zeichnung des British Museum, auf der nicht nur die Mittelachse eingezeichnet ist, um die Position der isolierten Frau zu bestimmen, sondern auch die Stellungen der Füße zu den Bodenfliesen, die mit dem Stich übereinstimmen. Die spätere Zeichnung in Windsor ist teilweise eine Übertragung durch Pausung von dem Londoner Blatt, zeigt aber eine verfeinerte Modellierung der muskulösen Körper der drei männlichen Hauptakteure. Da die Zeichnungen in direktem Zusammenhang mit Raffaels Studien zum „Urteil des Salomon'' in der Stanza della Segnatura stehen, ist eine Datierung auf 1509 wahrscheinlich.

Literatur: Bartsch XIV, 21, 20B – Oberhuber 1966 – Oberhuber/Knab 1983 – Shoemaker/Broun 1981 GW

HENDRIK GOLTZIUS (1558–1617)

18
Der Bethlehemitische Kindermord

Kupferstich; 48,9 × 37,4 cm
Bezeichnet: C. Vischer Excudit
Hamburger Kunsthalle, Kupferstichkabinett
Inv. Nr. 4370

Die erst nach seinem Tod veröffentlichte Darstellung der Tötung der unschuldigen Kinder (Matthäus 2, 16–18) ist von Goltzius nie fertiggestellt worden. Als isolierte rechte Hälfte eines auf zwei Platten angelegten Stiches mit ihren drei unverbunden nebeneinander stehenden Handlungsgruppen scheint diese Komposition schon vom Ansatz her zu aufwendig und räumlich zu kompliziert gewesen zu sein. Im Vordergrund, in der Pose des „Herkules Farnese'', steht – auf einem Podest groß ins Bild gesetzt – Herodes, umgeben von einigen seiner Söldner. Links hält eine verzweifelte Mutter ihr totes Kind in den Armen. Im Hintergrund eine dramatisch-bewegte Gruppe mit den von Herodes beauftragten mordenden Söldnern, um ihre Kinder kämpfenden Müttern, toten Säuglingen und Trauernden.

„Seit'', wie Hirschmann 1919, S. 125 schreibt, „Raffael sich kein Gewissen daraus gemacht hatte, die Henkersknechte unmotiviert zu entblößen, war der Vorwurf gern zur Darstellung stark bewegter Akte und, damit Hand in Hand, höchster Affekte benutzt worden.'' Der entsprechende Stich von Marcantonio Raimondi (Kat. IV. 17) wurde – vor allem im 16. Jahrhundert – zum unerschöpflichen Ideenreservoir für die Künstler, sei es, daß sie wie z. B. Duvet versatzstück-

IV. 18

artig einzelne Motive daraus übernahmen oder wie in diesem Fall die Idee individuell variierten. Im Gegensatz zur verhältnismäßig flachen Bildbühne Raffaels, die die Handlung gewissermaßen noch vor der eigentlichen Bildtiefe ansiedelt, versucht Goltzius durch die beiden diagonal hintereinandergestaffelten Gruppen, die Lichtregie und den charakteristischen Zeigegestus größere Tiefenräumlichkeit zu erzielen. Baumgart (1944, S. 188) spricht im Zusammenhang der 1590 entstandenen Kindermord-Darstellung von Cornelis van Haarlem davon, daß verbunden mit einer diagonalen Tiefenführung des Blicks „ein sich durchdringendes und verzahnendes Bildornament (entsteht), das um einen fast leeren Hohlraum in der Mitte kreist".

Literatur: Hollstein 17 – Strauss 1977, Nr. 206 – Mielke 1979, Nr. 70 EH

IV. 19

JACQUES CALLOT (1592–1635)

19
Martyrium des heiligen Sebastian
1623–30

Radierung; 16,1 × 32,7 cm
Hamburger Kunsthalle, Kupferstichkabinett
Inv. Nr. 33011

Man neigt heute zur späten Datierung des Werkes und bringt den einheitlichen Bildraum mit dem niedrigen Horizont mit den Einflüssen der niederländischen Reise Callots (1627/28) in Zusammenhang (Ternois), und man sieht in der Zentralfigur im Mittelgrund mit der kreisförmigen Anordnung der Massen Vorstufe und Nähe zu den „Schrecken des Krieges" (Kat. IV. 55) (Knab nach Alexander Glikman). Alles deutet auf eine Summe von Callots Künstlertum. Zugleich werden die Besonderheiten seines Generationsstandes (Buytewech, van Scheyndel, Jan van de Velde, Lastman) erkennbar: Der Raum hat noch – ganz im Sinne der vorangegangenen Generation – etwas von einer geradezu körperlichen Substanz: Die natürliche Weite wird mühsam erarbeitet. Die Brüche werden zur Dramatik genutzt, indem die einsame Figur im Zentrum in nachmeßbare Nähe und fiebertraumhafte Ferne zugleich gestellt erscheint. Der Stupor ist absichtlich, die Not der noch nicht erreichten Gelassenheit in der niederländischen Raumgestaltung zur Tugend erhoben, denn anders lassen sich beispielsweise die Verzeichnungen in den flankierenden Architekturruinen nicht erklären.

Literatur: Meaume 1860, Nr. 137 – Nasse, Nr. 100 – Levertin 1911, S. 77f – Bruwaert 1912 – Plan 1914, Nr. 434 – Lieure 1969, Nr. 670 – Ternois 1962, I, S. 136, 153, 163 – Ternois 1962, II, S. 28 – Schröder 1971, S. 1384, 1496 – Russell 1975, Nr. 152 – Ballerini 1976, Nr. 168 GS

IV. 20

MARCANTONIO RAIMONDI
(1475/1480–1527/1534)

20
Das Martyrium des hl. Laurentius
1524/1526

Kupferstich; 43,8 × 58,0 cm
Bezeichnet: MAF
Hamburger Kunsthalle, Kupferstichkabinett
Inv. Nr. 197

Im Auftrag Clemens' VII. begann Marcanton vermutlich schon 1524 mit den Arbeiten an diesem Stich, mußte sie aber unterbrechen, nachdem er wegen der Veröffentlichung der Modi zu einer Gefängnisstrafe verurteilt worden war (1525), und setzte die Arbeit erst nach seiner Freilassung 1526 fort. Ursprünglich sollte Marcanton den Stich nach einer Vorgabe von Baccio Bandinelli anfertigen, wich aber in der Ausfertigung so sehr von der Vorzeichnung ab, daß Bandinelli einen Prozeß gegen Marcanton führte, der jedoch von Clemens VII. zugunsten Marcantons entschieden wurde. In der bisherigen Forschung wurde lediglich diese Veränderung konstatiert, ohne einen Hinweis auf mögliche andere Quellen, die in dem Stich bearbeitet sind, zu benennen.

Die veränderte Sitzhaltung des hl. Laurentius ist der konkreteste Hinweis darauf, daß Marcanton den Stich in Anlehnung an Baldasare Peruzzi konzipiert hat, der seit 1523 an der Ausstattung von Sta. Maria della Pace beteiligt war. Ein Entwurf des Gemäldes „Tempelgang Mariae" (Louvre, Cabinet des Dessins) zeigt in der Mitte des Blattes einen Bettler, der, aufgestützt auf seinen linken Arm, auf einer Stufe sitzt und die rechte Hand nach einem Almosen ausstreckt. Diese Körperhaltung ist es, die dem hl. Laurentius den Charakter einer überzeugenden Ungebrochenheit in seinem Glauben verleiht. Auch die übermäßige Bevölkerung der Szene und das episodenhafte Nebeneinander unterschiedlicher Aktionsgruppen könnten durch Peruzzis Gemälde beeinflußt sein.

Literatur: Bartsch XIV, 89 – Middeldorf 1932 – Oberhuber 1966 – Frommel 1967/68, S. 125 ff GW

JAN MULLER (1571–1628)
Nach Cornelis van Haarlem (1562–1638)

21
Kain erschlägt Abel

Kupferstich; 35,5 × 42,5 cm
Bezeichnet: Cor. Cornelij Harlemen inventor – Johan. Muller Sculptor – Harmannus Muller Amsterodamij. – Impius, ecce (. . .) madet
Hamburger Kunsthalle, Kupferstichkabinett
Inv. Nr. 4664

Cornelis nimmt das biblische Motiv des Brudermordes (Genesis 4, 8–16) zum Anlaß, um zwei Männerakte in unterschiedlichen Ansichten und Stellungen wiederzugeben. Die muskulösen, schweren Körper sind mit großer Plastizität dargestellt. Kain beugt sich über Abel und ist im Begriff, diesen mit seiner kurzen Keule zu erschlagen. Sein Bruder, in leichter Untersicht und perspektivisch sehr verkürzt am Boden liegend dargestellt, macht mit erstauntem Gesicht eine hilflose Geste, um den Schlag abzuwehren. Im Hintergrund der von Gott vertriebene Kain, der sich aufmacht ins Land Nod, östlich von Eden.

Die komplizierte, unnatürlich und gestellt wirkende Komposition macht den intellektuellen Charakter der Kunst des Cornelis van Haarlem deutlich. Kain – der erste „Frevler" – beugt sich von hinten über den Kopf seines Opfers (eine ungünstige Angriffsposition), um den Blick auf dessen zentral ins Bild gerückten, kunstvoll perspektivisch ausgebreiteten Körper nicht zu verstellen. Mit Blick

IV. 21

auf Michelangelos Jüngstes Gericht haben sich die niederländischen Manieristen immer wieder darum bemüht, den männlichen Akt in den verschiedensten Stellungen wiederzugeben, und die perspektivisch anspruchsvolle Sicht auf eine von vorn gesehene, im rechten Winkel zur Bildachse am Boden liegende Gestalt war ihnen stets eine neue Herausforderung (vgl. auch Kat. IV. 33).

Die Tatsache, daß beide Männer ihre linken Hände benutzen, hängt damit zusammen, daß der Stich von Jan Muller den zugrundeliegenden Entwurf spiegelbildlich wiedergibt.

Literatur: Bartsch III, 275, 29 – Hollstein 8 EH

HENDRIK GOLTZIUS (1558–1617)
Nach Cornelis van Haarlem (1562–1638)

22
Tantalus 1588

Kupferstich; Durchmesser 33,5 cm
Bezeichnet: C.C. Pictor Inue. HGoltzius Sculpt. A° 1588 – TANTALVS IN MEDYS (. . .) MALIS.
Hamburger Kunsthalle, Kupferstichkabinett
Inv. Nr. 4440

Tantalus ist der erste von vier „Frevlern" oder „Himmelsstürmern", die Goltzius 1588 nach Vorlagen des Cornelis van Haarlem sticht. Im Mittelpunkt der jeweils von einer moralisierenden lateinischen Umschrift gerahmten Darstellungen stehen vier im Fall begriffene Männerakte. Von ihrer Natur her fluguntauglich und jedes Haltes im Raum beraubt, sind sie dabei, der irdischen Schwerkraft zum Opfer zu fallen.

Tantalus, ein König aus Kleinasien, mißbraucht mehrfach das Vertrauen der Götter. Seinen größten Frevel jedoch begeht er damit, daß er, die Unfehlbarkeit und Allwissenheit der Olympier anzweifelnd, diesen eines Tages beim Festmahl das Fleisch des eigenen Sohnes vorsetzt. Er wird zur Strafe in die Unterwelt, an die „Stätte der Frevler", verbannt (Ovid, Met. IV. 456 f), zu Sisyphos, Tityus und Ixion (vgl. Kat. IV. 25). Tantalus muß hungern und dürsten, das Wasser, in dem er steht, weicht ständig vor ihm zurück, und die Trauben, die über ihm hängen, entschwinden bei jedem Zugriff in den Himmel.

Doch Cornelis stellt hier weder den Frevel noch die Strafe dar, einzig den „Sturz". Tantalus wird auf den Kopf gestellt, die Geste, mit der er schützend die Hand über diesen hält, unterstreicht das noch. Indem er die Autorität der Götter in Frage stellen und sich mit ihnen messen wollte, hat er versucht, das Verhältnis von Himmel und Erde, die hierarchischen Verhältnisse zwischen Göttern und Menschen, auf den Kopf zu stellen.

Literatur: Hollstein 306 – Oberhuber 1967, Nr. 305 – Strauss 1977, Nr. 257 EH

IV. 22

HENDRIK GOLTZIUS (1558–1617)
Nach Cornelis van Haarlem (1562–1638)

23
Ikarus 1588

Kupferstich; Durchmesser 33,5 cm
Bezeichnet: C.C. Inue. HG Sulp. – 2 – DVM SIBI (. . .) TENVISSE SIVE.
Hamburger Kunsthalle, Kupferstichkabinett
Inv. Nr. 4441

Ikarus ist der Sohn des legendären Architekten und Erfinders Dädalus, der auf der Insel Kreta das Labyrinth erbaute. Um von der Insel zu fliehen, stellte er für sich und seinen Sohn aus Federn, Leinen und Wachs Flügel her, um über das Meer hinüber zum Festland zu fliegen. Ikarus wird von Dädalus angewiesen, sich auf der mittleren Bahn zu halten, „damit nicht, wenn du zu tief fliegst, die Woge die Federn schwer mache oder, wenn du zu hoch emporsteigst, das Feuer sie versenge" (Ovid, Met. VIII, 204 ff) Einmal in der Luft, nähert er sich jedoch „vom Drang nach dem Himmel ergriffen" zu sehr der Sonne, seine Flügel schmelzen und er stürzt ins Meer.

Der Stich zeigt den Moment, in dem Ikarus bereits seine Flügel verloren hat. Noch hält er sich waagrecht in der Luft. Indem er sich mit der linken Hand an den Kopf faßt, schützt er seine auf die Sonne gerichteten Augen vor der Helligkeit, wie er ausdrückt, daß ihm in diesem Augenblick etwas bewußt wird (möglicherweise hat die Geste auch bei Tantalus diese Bedeutung). Ikarus erkennt, daß er sich zu sehr der Sonne genähert hat, er wollte höher hinaus, als es seine irdisch-menschlichen Kräfte zulassen.

Literatur: Hollstein 307[1] – Strauss 1977, Nr. 258 EH

IV. 23

IV. 24

IV. 25

HENDRIK GOLTZIUS (1558–1617)
Nach Cornelis van Haarlem (1562–1638)

24
Phaeton 1588

Kupferstich; Durchmesser 33,5 cm
Bezeichnet: C.C. Pictor Inue. – HG Sculp. – 3 – SIC PHAETONTAEVS (. . .) ILLA PROBIS
Hamburger Kunsthalle, Kupferstichkabinett
Inv. Nr. 4442

Der dritte von Goltzius' sogenannten „Himmelsstürmern" oder „Frevlern", Phaeton (Ovid, Met. I. 750–799 und II. 1–400), sucht seinen Vater, den Sonnengott, auf, um von diesem endlich die Bestätigung der versprochenen göttlichen Abkunft zu erhalten. Bereitwillig bekennt sich Phoebus zu ihm, und zum Beweis verspricht er, Phaeton einen beliebigen Wunsch zu erfüllen. Er schwört es „beim Styx", dem selbst für Götter furchterregenden Fluß der Unterwelt, und so kann er seinen Schwur selbst dann nicht brechen, als er erkennt, daß die Erfüllung seinem Sohn zum Verhängnis werden wird – als dieser, seine eigenen Kräfte überschätzend, darum bittet, den vierspännigen Wagen des Sonnengottes lenken zu dürfen. Aber das Gefährt gerät aus der Bahn. Die entfesselten Kräfte sind zu mächtig, und Phaeton verliert die Kontrolle über die Pferde. Um das Schlimmste zu verhindern, nämlich daß Himmel und Erde in Brand geraten, schleudert Zeus in letzter Minute seinen Blitz: Das gefährliche Gespann und der tote Phaeton stürzen zur Erde.

Cornelis zeigt – abweichend von der literarischen Vorlage – den Frevler noch sehr lebendig in freiem Fall über einer gebirgigen Flußlandschaft. Selbst in diesem Moment scheint er mit seinen weit ausgreifenden Händen noch Erde und Himmel umfassen zu wollen, scheint sein Verlangen ungebrochen nach oben, auf den Götterhimmel, gerichtet zu sein. Mit ihm fallen die Pferde und Teile des geborstenen Wagens vom Himmel. Unter ihm sieht man brennende Städte.

Das Blatt stellt den „Fall" dessen dar, der zu hoch hinaus will, der sich zuviel zutraut und dabei die eigenen Kräfte überschätzt. Zusammen mit der „Ikarus"-Thematik gehört Phaeton zu den beliebtesten allegorischen Bildern des 16. Jahrhunderts, die auch in der Emblemliteratur häufig auftauchen und vor „Vermessenheit" und dem Verlassen des „rechten", d. h. des bescheidenen Mittelweges warnen (vgl. Kat. VIII).

Literatur: Hollstein 308 – Strauss 1977, Nr. 259 – Mielke 1979, Kat. Nr. 8 EH

HENDRIK GOLTZIUS (1558–1617)
Nach Cornelis van Haarlem (1562–1638)

25
Ixion 1588

Kupferstich; Durchmesser 33,4 cm
Bezeichnet: C. Corneli Pictor Inue. HG Sulp. A° 1588 – 4 – EXEMPLO SIT (. . .) VANA IVVAT.
Hamburger Kunsthalle, Kupferstichkabinett
Inv. Nr. 4443

Dem König der Lapithen, Ixion, wurde von Jupiter die Ermordung des Schwiegervaters verziehen und er selbst darüber hinaus zur Göttertafel zugelassen. Nicht dieser erste Mord läßt ihn in den Augen der Olympier zum „Frevler" werden, sondern der Umstand, daß er sich dort Juno unsittlich zu nähern versucht. Anstelle der Göttin wird ihm jedoch ein Trugbild, eine Wolke untergeschoben (die Begegnung begründet das Geschlecht der Kentauren). Erst als Ixion damit prahlt, Juno verführt zu haben, stößt ihn Jupiter schließlich in den Tartarus hinab, wo er auf ein sich unablässig drehendes feuriges Rad geflochten wird.

Cornelis zeigt das feurige Rad nur noch klein im Hintergrund, wo Ixion sich anscheinend gerade davon befreit hat (sein Sprung ins Wasser spielt möglicherweise ebenfalls auf den „Fall" dessen an, der zu hochmütig ist, vgl. auch den ins Wasser stürzenden Mann bei Bruegel, Kat. V. 18. Der Frevel bedarf des äußeren Anstoßes nicht mehr: „Ixion dreht sich, verfolgt sich selbst und flieht vor sich" (Ovid, Met. IV, 461/62). Der Stich zeigt ihn sich verzweifelt vor einem durch Rauchwolken verdunkelten Himmel in der Luft drehend. Die irreale Beleuchtung und der Rauch setzen das Motiv des Feuerrades gewissermaßen atmosphärisch fort.

Literatur: Hollstein 309 – Strauss 1977, Nr. 260 EH

IV. 26

JACQUES DE GHEYN II (1565–1629)

26
Der Neid

Feder in brauner Tinte, grau laviert;
21,2 × 16,2 cm
Bezeichnet: D.Geyn.in
Hamburger Kunsthalle, Kupferstichkabinett
Inv. Nr. 52329

In einem Zyklus von neun Blättern entwarf de Gheyn eine in sich geschlossene allegorische Darstellung des Schicksals, die sich inhaltlich an die mittelalterliche Glücksrad-Vorstellung anlehnt. Nach einem Titelblatt, das die in den nachfolgenden Blättern vorgestellten acht Schicksalsallegorien um einen Globus gruppiert zeigt, entwickelt er den Lauf der Welt anhand von einander jeweils bedingenden Zuständen: Aus dem Glück (Blatt 1; vgl. auch Kat. IV. 33) entsteht Reichtum (Blatt 2), dieser führt zu Hochmut (Blatt 3), Neid (Blatt 4) und schließlich Krieg (Blatt 5). Der Krieg wiederum hinterläßt nur Armut (Blatt 6), die die Menschen zum Glauben (Blatt 7) führt. Erst jetzt kann der Friede (Blatt 8) einkehren, dessen Annehmlichkeiten jedoch unversehens wieder in die verwerflichen Zustände im Zeichen des Glücks (Blatt 1) umkippen können. Damit ist der Kreis des Gutes und Schlechtes bringenden Glücksrades geschlossen.

Unsere Zeichnung zeigt Invidia, den Neid, eine der auch in formaler Hinsicht (Schlangen) meistgebrauchten Allegorien des Manierismus (vgl. Kat. VII. 32). Eine häßliche, ausgezehrte Alte, deren Attribute der vertrockneten Brüste und des Schlangenhaares sie als Invidia ausweisen, schreitet in ein menschliches Herz beißend vor einem Hintergrund mit rauchenden Öfen und diskutierenden Passanten einher. Diese noch nicht eindeutig erklärten Meiler könnten für das Feuer, in dem sich der Neid selbst verzehrt, stehen. In stilistischer Hinsicht zeigt das Blatt den Meister auf der gleichen virtuosen Höhe, die der ihm nahestehende Goltzius (vgl. Kat. IV. 12) in seinen Zeichnungen erreicht hatte. Die Serie der Schicksalsallegorien wurde von Zacharias Dolendo in Kupfer gestochen.

Literatur: Van Regteren Altena 1983, Bd. II, Kat. II/180
MB

IV. 27

GIAN JACOPO CARAGLIO (um 1500–1565)

27
Furor ca. 1524/25

Kupferstich; 24,3 × 18,2 cm
Hamburger Kunsthalle, Kupferstichkabinett
Inv. Nr. 1/551a

Während seines römischen Aufenthaltes von 1524 bis 1527 hat Rosso Fiorentino eine Reihe von Zeichnungen angefertigt, die ausschließlich von Caraglio gestochen wurden. Vasari beschreibt in der Vita Caraglios den „Furor"-Stich: „Eine Figur mit hagerem Körper, die einen Totenkopf in den Händen hält und auf einem Drachen sitzt, während ein Schwan singt." (Vasari/Milanesi V, 434.) Hinzu kommen Schlangen, die aus dem dunklen Gestrüpp der kahlen Äste herauswachsen. Eine hat sich um den erhobenen Arm des Rasenden geschlungen – Parallelen zur Laokoon-Gruppe (vgl. Kat. VII. 12) sind offensichtlich. Diese römische Antike war für die Entwicklung des manieristischen Körperbildes, seine Torsionen und Verdrehungen, äußerst bedeutsam. Die sinnlose Raserei des Mannes mit dem gorgonenhaften Haupt wird musikalisch untermalt von dem Schwanengesang, vielleicht eine Anspielung auf das Schicksal des Kygnos, der in Trauer um seinen toten Freund und Verwandten Phaeton in Liebesraserei verfiel und von Zeus aus Mitleid in einen Schwan verwandelt wurde.

Die dunklen, irrationalen Momente der geistigen Krisenstimmung der Zeit finden in der Bizzarerie der Komposition ihren Ausdruck, nur wenige Jahre vor dem Sacco di Roma, der fürchterlichen Plünderung des „Nabels der Welt", die auch Rosso veranlaßte, Rom den Rücken zu kehren.

Literatur: Carroll 1976, Bd. 1, S. 79f KO

SEBASTIANO DE VALENTINIS
(nachweisbar in Udine 1540–1558)

28
Prometheus 1558

Kupferstich; 27 × 18,4 cm
Bezeichnet: Sebastiano d'Val Vt 1558
Hamburger Kunsthalle, Kupferstichkabinett
Inv. Nr. 1028

Das nach einer unbekannten Vorlage gestochene Blatt des Udinesers zeigt einen der mythischen Erzfrevler, Prometheus, an einen Felsen gekettet und den Martern, die ihm der von Zeus gesandte Adler zufügt, hilflos ausgeliefert. Prometheus, ein Bruder der Titanen Atlas, Menoitios und Epimetheus, kämpfte im Gegensatz zu diesen nicht mit Gewalt, sondern mit List und Schlauheit gegen Zeus. Aischylos beschreibt in seiner berühmten Tragödie das Leid des Frevlers, der den Zorn des Göttervaters erregt hatte, indem er ihn zunächst mit einem wertlosen Dankopfer und später durch die Entwendung des Feuers betrog, das er den Menschen überbrachte. Für diese List ward ihm sein sprechender Name („der Vorausdenkende") beschieden. Der ergrimmte Zeus jedoch fesselte ihn an den Felsen Kaukasus und hieß einen Adler, Prometheus allmorgendlich ein Stück seiner Leber auszuhacken. Ein ähnliches Schicksal widerfuhr Tityus, weshalb die häufigen Darstellungen beider Themen in der Renaissance des öfteren miteinander verwechselt werden. Michelangelo und Tizian prägten den für beide Frevler anwendbaren Typus des am Boden sich wälzenden kopfüber aus der Bildtiefe zum Betrachter vorstoßenden Aktes, auf dem der Adler die Folter exekutiert. Obwohl er zeitlich und räumlich den großen Meistern nahestand, bediente sich Valentinis jedoch einer anderen, noch nicht aufgefundenen

IV. 28

Vorlage. Olga Raggio hat hierzu die These ausgesprochen, daß sich Valentinis direkt und im Sinne einer eigenen Bilderfindung an den Texten Aischylos' und Ficinos inspiriert haben könnte.

Literatur: Raggio 1958, S. 44–62, bes. S. 57 MB

ANDREA ANDREANI (1540/46–1623)
Nach Jacopo Ligozzi (um 1547–1626)

29
Die gefesselte Tugend 1585

Clair-obscur-Holzschnitt; 48 × 32,6 cm
Bezeichnet: Francisco Medici Serenissimo Magno Ethrurie Duci Andreas Andreanus Incisit ac Dicavit / Jacobus Ligotius Veronensis invenit ac Pinxit – In Firenze 1585. Lettere Vocale figurate A. Amore. E. Errore. I. Ignoranza. O. Opinione. V. Virtù.
Hamburger Kunsthalle, Kupferstichkabinett
Inv. Nr. 1285

Dieser Clair-obscur-Holzschnitt Andreanis nach einem Entwurf Jacopo Ligozzis illustriert deutlich die enge Verwobenheit des Concettismo, des Erfindens ausgefallener Bildthemen, mit den auch politischen Anforderungen, die Hofkünstlern des 16. Jahrhunderts durch den „Zwang aufzufallen" (vgl. M. Warnke, S. 55ff) gestellt waren. Zunächst vermutet man hinter der Allegorie der gefesselten Tugend eine spezifisch manieristische Programmatik: Die subjektiven Qualitäten der Liebe, des menschlichen Irrtums, der Unwissenheit und der eigenen Meinung würden das klassisch-objektive Prinzip der Tugend gewaltsam unterjochen und so der immerwährenden Verwirrung und Vieldeutigkeit zum Durchbruch verhelfen. Durch die Inschriften ergeben sich jedoch wesentlich konkretere Bindeglieder zum historischen Geschehen. Das Blatt ist Francesco Medici gewidmet, der 1565 aus politischen Gründen Johanna von Österreich, die Schwester Kaiser Maximilians II., geheiratet hatte, trotzdem aber an der schimpflichen Beziehung zu seiner Mätresse, Bianca Capella, festhielt. Nachdem 1578 die fromme und eifersüchtige Johanna, die ihr eheliches Leid in Briefen des öfteren ihrem kaiserlichen Bruder geklagt hatte, gestorben war, machte der skrupellose Mediceer sofort Bianca zu ihrer Nachfolgerin als Großherzogin der Toskana.

Diesen Anlaß benützte nun in arglistiger Weise Ligozzi, um durch den Entwurf einer zynischen Allegorie die Gunst des Herzogs zu erwerben. In der zweiten Inschrift des Blattes rechts unten enthüllt sich, daß die einzelnen Figuren mit den fünf Vokalen bezeichnet sind: A (Amor, die Liebe), E (Error, der Irrtum), I (Ignorantia, die Unwissenheit), O (Opinio, die persönliche Meinung) und V (Virtù, die Tugend). Die fünf Vokale waren aber schon seit dem 14. Jahrhundert als kürzelhaftes Motto der Habsburger allgemein bekannt, womit diese Darstellung der Überwältigung der berechnenden „Tugend" (Bianca) durch die emotionalen „Laster" (Johanna) die Qualität einer bösartigen Verhöhnung des Schicksals Johannas gewinnt.

Der Entwurf Ligozzis wurde erst 1585, ein Jahr, nachdem Andreani nach Florenz gekommen war, in Holz geschnitten und in einem seitenverkehrten Nachstich 1646 als gleichermaßen politisch gemeinte Allegorie vom norddeutschen Maler Ludolph Büsinck dem hessischen Landgrafen gewidmet.

Literatur: Stechow 1967, S. 193–196 MB

IV. 29

IV. 30

NICOLAUS BEATRIZET (1507–1565)

30
Der Sturz des Phaeton

Kupferstich; 40,9 × 28,5 cm
Bezeichnet: MICH. ANG. INV. / N. BEATRZET. LOTAR. RESTITVIT – A. L. F.
Hamburger Kunsthalle, Kupferstichkabinett
Inv. Nr. 1/655

Stich nach einer Zeichnung Michelangelos, die dieser 1533 als Präsentzeichnung für Tommaso Cavalieri angefertigt hat. Es existieren drei Versionen dieser Komposition (London/British Museum, Venedig/Academia – diese Version stammt wahrscheinlich von Cavalieri selbst, vgl. Perrig 1967 – und in Windsor/Royal Library). Beatrizet benutzte als Vorlage die endgültige Version der Windsor-Zeichnung. Die Landschaft ist seine Hinzufügung.

Ovids Metamorphosen (II, 1–404) zufolge hatte Phaeton versucht, den Sonnenwagen seines Vaters Helion zu lenken. Er konnte zuletzt jedoch die Pferde nicht mehr kontrollieren und verbrannte mit dem Sonnenwagen die Erde, so daß Zeus einen Blitz auf ihn schleuderte und ihn vom Himmel in den Fluß Eridanus stürzen ließ. Seine klagenden Schwestern wurden in Pappeln verwandelt, sein Freund und Verwandter Kygnos in einen Schwan (vgl. Kat. IV. 27). Das Motiv des Sturzes ist im Manierismus sehr beliebt (vgl. Kat. IV. 22–25).

Literatur: Bartsch XV, 38 – Oberhuber 1966, Nr. 320
KO

HANS BOCK d. Ä. (um 1550 – um 1624)

31 A
Entwurf für die Hausfassade Theodor Zwingers I 1571

Federzeichnung mit schwarzer Tusche, grau laviert; 49,4 × 39,4 cm
Basel, Öffentliche Kunstsammlung, Kupferstichkabinett
Inv. Nr. U. IV. 65

1571 verfertigte Hans Bock für den Basler Arzt und Universitätsprofessor Theodor Zwinger einen ersten Entwurf für dessen Hausfassade. Der radikale Manierismus, den der Maler dabei vortrug, führte dazu, daß Zwinger einen zweiten Vorschlag forderte – und erhielt. Dennoch ist gerade der erste Entwurf Bocks bezeichnend für die naive Unbeschwertheit, mit der italienische Anregungen im bürgerlichen Basel den dortigen Erfordernissen angepaßt wurden.

Die Fassadenmalerei, eine im 16. Jahrhundert vergleichsweise junge Kunst, hatte in Basel bereits eine gewisse Tradition, so in Holbeins sogenanntem „Haus zum Tanz" aus der ersten Jahrhunderthälfte. Auf Holbeins stark mit Scheinarchitektur arbeitende Lösung greift Bock im ersten Entwurf für das Zwinger-Haus zurück, geht jedoch weit über den renaissancehaften Illusionismus des Vorbilds hinaus. Bock präsentiert eine asymmetrisch aufgerissene Fassade, die Serlios klassischer Forderung: „Soll eine Fassade gemalt werden, so sind Öffnungen, die Luft vortäuschen, nicht angemessen. Sie zerstören das Gebäude" völlig widerspricht. Über eine Flucht von Mauerfronten sieht der Betrachter in einen – durch einen Oculus nach oben hin geöffneten – Rundbau, eine Paraphrase des Pantheon, der den Blick auf den blitzbewehrten Jupiter freigibt. Nur schwer läßt sich erraten, wodurch das Auftauchen des Gottes motiviert ist. Die in unterschiedlichem Maßstab über die Fassade verteilten Putti und Karyathid-Hermen sowie die beiden allegorischen Figuren der Fortuna und Prudentia lassen keinen Zusammenhang mit ihm erkennen, und ganz beziehungslos wirkt das fette, hingeschlachtete Ungeheuer über dem Eingang. Auch die beiden Kartuschenbilder sind in sich geschlossene Darstellungen, deren Inhalt allerdings einen ersten Schluß über die Bedeutung des ergrimmten Jupiter zuläßt. Im linken Bild stürzt Ikarus (vgl. Kat. IV. 23) vor den Augen seines Vaters Daedalus zur Erde, rechts fällt Phaeton (vgl. Kat. IV. 24) von dem seinem Vater entliehenen Sonnenwagen. Zwei vermessene Helden müssen ihre Hybris, den verwegenen Wahn, es den Göttern gleichtun zu wollen, mit dem Leben bezahlen.

So ist das Fassadenprogramm Bocks letztlich ein Plädoyer für die (echt bürgerliche) Tugend des Maßhaltens (Prudentia), der man auch angesichts höchsten Glücks (Fortuna)

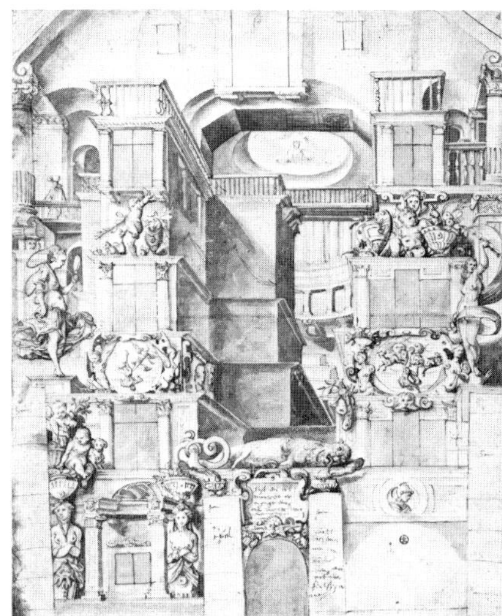

IV. 31 A

IV. 31 B

treu sein muß. Die bereits im Mittelalter beliebte Thematik (der vom Roß stürzende Hochmut; Salomon, Sprüche, 16, 18) wird hier ins Antikisch-Mythologische übersetzt. Allerdings fehlt offensichtlich gerade die Hauptperson des gesamten Fassadenkontexts – der vom Roß stürzende „Hochmut" eben. Daß das Programm ihn eigentlich inkludieren müßte, legt vor allem das erschlagene Ungeheuer nahe – es ist jene Chimaira, die der antike Held Bellorophon besiegt hatte, welcher danach, in maßloser Selbstüberschätzung, auf seinem geflügelten Pferd Pegasus zu den Göttern emporreiten wollte und von Zeus zur Erde zurückgeschleudert wurde (Ilias 6, 179 ff). Daß diese klassische Personifikation des vom Pferd fallenden Stolzes nur in subtilen Anspielungen in ein Konzept aufgenommen wurde, das sich eigentlich in allen Details auf sie bezieht, mag wohl der ausschlaggebende Grund für die Ablehnung des Entwurfs seitens des Auftraggebers gewesen sein. Mehr als jeder formale wird dieser inhaltliche Manierismus den Unwillen Zwingers erregt haben, gemäß dem Ausspruch seines Zeitgenossen Fischart: „Solch ding sint, wie man spricht, nur kitzlig, aber zur besserung nicht vil nützlich." MK

31 B
Entwurf für die Hausfassade Theodor Zwingers II 1572

Federzeichnung mit schwarzer Tusche, grau und braun laviert, rosa und gelb gehöht; 54,4 × 41,6 cm
Basel, Öffentliche Kunstsammlung, Kupferstichkabinett
Inv. Nr. U. IV. 92

Bocks zweiter Fassadenentwurf für das Haus Theodor Zwingers setzt die Radikalität seines ersten Vorschlags in eine gemäßigtere, aber auch eindeutigere Bildsprache um. Die primäre Aussage des Programms, die bestrafte Hybris, die zugleich für die Ermahnung zur Tugendhaftigkeit steht, wird im Mittelteil des Fassadenprospekts großartig inszeniert. Die Geschichte des Göttergünstlings Bellorophon, der durch seine Vermessenheit den Zorn des Zeus auf sich zog, wird in Form eines monumentalen Gemäldes erzählt, das in die zwar räumlich differenzierte, die Kühnheit des ersten Entwurfs aber weit hinter sich lassende Hausfassade eingelassen ist. Diese wird von mehreren Figurengruppen bevölkert, die die vorgegebene Thematik unterstreichen. Links unten ermahnt Daedalus seinen Sohn Ikarus, nicht zu nahe an die Sonne heranzufliegen, die rechts oben – als Helios – von Phaeton um den Sonnenwagen angefleht wird. Darunter schenkt Meleager seiner Geliebten Atalante in Gegenwart Cupidos den Kopf des kalydonischen Ebers, während links oben Marsyas seine Bestrafung durch den vor ihm stehenden Apollon erwartet. Einzig Herkules, der Tugendheld, enthält sich im linken mittleren Register des hochmütigen und lasterhaften Treibens. Er steht – als „Herkules am Scheidewege" – auf einem Sockel erhöht zwischen Tugend und Wollust und ist inmitten der Fülle von Helden, die zu hoch hinaus wollen, der einzige, der Maß zu halten versteht: Dies verbindet Virtus, für die er sich entscheiden wird, mit der Prudentia des ersten Entwurfs, während die wankelmütige Fortuna des früheren Blatts in der mit Weinglas und Laute bewaffneten Wollust ihre Schwester gefunden hat.

Die Fassadenentwürfe Bocks, die mit geradezu schulmeisterlich erhobenem Zeigefinger menschlichen Größenwahn anprangern wollen, sind ihrerseits ein Musterbeispiel für bürgerliche Hybris. Die großartigen antik-mythologischen Programme, deren voller Sinn nur dem humanistisch Gebildeten (der Elite der Bürger also) zugänglich war, ahmen die Bildersprache höfischer Kunst nach und hüllen damit das Bürgerhaus in einen Glanz, der sonst nur im adeligen Milieu seinen Platz hatte.

Literatur: Ausst.-Kat. Stimmer 1984, S. 35–82 – Ausst.-Kat. Stimmer 1984, S. 94, Nr. 14, S. 95, Nr. 16 MK

IV. 32

HANS BOCK d. Ä. (um 1550 – um 1624)

32
Engelssturz (?) 1582

Federzeichnung mit schwarzer Tusche, grau laviert; 69,1 × 46,4 cm
Basel, Öffentliche Kunstsammlung, Kupferstichkabinett
Inv. Nr. U. IV. 85

Das 1582 entstandene Blatt des Basler Malers Hans Bock variiert ein zentrales Thema seiner Kunst: den (durch Hochmut und Selbstüberschätzung herbeigeführten) Sturz. Von einer michelangelesk gestikulierenden Gottheit hinabgeschmettert taumelt eine Anzahl athletischer Gestalten in freiem Fall zu Boden. Den zahlreichen Figuren entspricht die Vielzahl variierter Posen, die die zur Erde geschleuderten Verdammten einnehmen. Die komplizierten Bewegungsmotive scheinen aus dem Bestreben heraus entstanden, alle möglichen Verrenkungen eines stürzenden Körpers durchzuspielen, die Lust an der variierten Form beherrscht den pyramidenförmigen Aufbau des Blattes.

Bezeichnenderweise ist die Ikonographie des Dargestellten nicht eindeutig zu klären. Höchstwahrscheinlich handelt es sich um einen Engelssturz, wenn auch Michael, der Bezwinger der bösen Geister, fehlt. Manches an den kraftvollen Männerakten erinnert zudem an die Gigantenpyramide, die in Bocks 1586 entstandenem Gemälde „Der Tag" den Hintergrund bestreitet. Die Komposition des Basler Blattes sowie seine drohende Wolkenfülle – welche die Giganten auf ihrem Weg zu den Göttern zu durchstoßen trachteten – legt eine gewisse Verbindung auch zu diesem Thema nahe.

Literatur: Ausst.-Kat. Stimmer 1984, S. 40, 511, Nr. 378 MK

JAN MULLER (1571–1628)
Nach Cornelis van Haarlem (1562–1638)

33
Das Glück 1590

Kupferstich von 2 Platten;
je 45,0 × 50,0 cm
Bezeichnet: Johannes Mullerus Aemsterod: sculpsit. Harman Muller ex (. . .)
Wien, Albertina
Inv. Nr. H I, 47, p. 36

Fortuna teilt ihre Gaben aus: Auf die einen regnen Geld, Ruhm und Ämter nieder, während die anderen leer ausgehen – auf der einen Seite der Kampf um das irdische Glück, dort Enttäuschung und Verzweiflung. Cornelis van Haarlem stellt verschiedene Formen des Umgangs mit dem Schicksal dar. Seine Personifikation des „Glücks" geht auf mehrere ikonographische Vorbilder zurück: die Göttin Tyche (später römisch „Fortuna"), die auf einer Kugel stehend und mit Füllhorn und Steuerruder ausgestattet die Unberechenbarkeit des Schicksals im Guten wie im Bösen verkörpert; die griechische Schicksalsgöttin Nemesis, oft als geflügelte nackte weibliche Figur dargestellt, die auf einer Kugel stehend durch die Lüfte fliegt und vor allem auch durch Dürers Kupferstich der „Nemesis" von 1501/02 in den Niederlanden bekannt wurde, und als drittes schließlich die neuzeitliche „Occasio". Diese personifiziert den „rechten Augenblick", an dem „das Glück" (von vorn) beim Schopf zu packen ist, will man es sich nicht – da hinten kahlgeschoren – entgehen lassen. Aber während im Mittelalter Fortuna Bestandteil eines göttlichen Heilsplanes war, auf den der Mensch keinen Einfluß hatte (dargestellt als Rad, das sich unablässig dreht und die Menschen nach oben mitschleift wie auch von dort wieder hinunterstürzen läßt), so wächst in der Renaissance die Überzeugung, daß der Mensch Einfluß auf sein Schicksal nehmen kann. Fortuna regiert zwar im 16. Jahrhundert noch die Welt, aber ihr Einfluß wird zusehends beherrschbarer: durch die Tugendstärke der humanistisch gebildeten Seele, die stoisch versucht, ihrer Affekte Herr zu werden, aber auch durch die Idee einer Beherrschbarkeit der Zeit.

Fortuna streut eher willenlos und mühsam im Wind die Balance haltend ihre Gaben aus, und doch scheinen die beiden Menschengruppen im Vordergrund – mehr oder weniger glücklich und in ihren Lebenskampf verstrickt – von ihrem blinden Tun abhängig. Einzig eine kleine Gruppe Besonnener im Hintergrund hält sich, in der eher kontemplativen Haltung des Zuschauers, aus dem Geschehen heraus. Der seinem Schicksal ausgelieferte, d. h. verstrickte Mensch ist bei Cornelis ein immer wiederkehrendes Thema. In dieser Allegorie führt er ein ganzes Panoptikum „affektierter", dramatisch bewegter Opfer vor: die Verzweifelten, in michelangelesker Pose dumpf brütend (die Frau im Vordergrund), Hadernde (der Mann mit dem durchlöcherten Geldsack) und zum Himmel Flehende. Aber es gibt auch diejenigen, die blindwütig um ihren irdischen Besitz kämpfen. In rücksichtsloser Gier steigen sie übereinander, und der Neid läßt sie, schon am Boden liegend (in der Opferpose des Abel, vgl. Kat. IV. 21), den Nebenbuhler zu Fall bringen (der in seiner stürzenden Haltung wiederum an die vier „Frevler" erinnert – Kat. IV. 22–25).

Literatur: Bartsch III, S. 277, 33 – Mielke 1979, Kat. Nr. 13 – Ausst.-Kat. Wort und Bild 1981, Kat. Nr. 3
EH

IV. 33

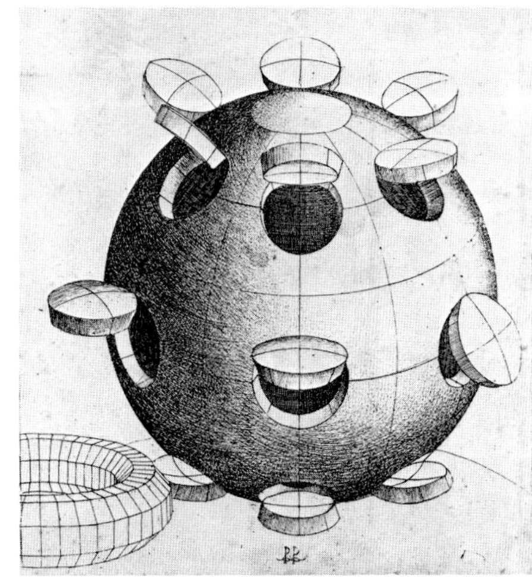
IV. 34 A

MONOGRAMMIST PP
(tätig Anfang 16. Jahrhundert in Oberitalien)

34 A
Geometrische Figuren
Mazzocchio und Kugel mit Öffnungen

Kupferstich; 24 × 21,5 cm
Inv. Nr. 77

34 B
Zwei Polyeder

Kupferstich; 17 × 33 cm
Inv. Nr. 76

Beide: Hamburger Kunsthalle, Kupferstichkabinett

Die Konstruktion stereometrischer Figuren auf einem zweidimensionalen Bildträger setzt zwei Faktoren voraus: Kenntnis geometrischen Zeichnens und der Perspektive. Der in rechteckige Flächen aufgelöste Reifen galt für die italienischen Künstler der Frührenaissance als Musterbeispiel einer abstrakten geometrischen Figur. Der „mazzocchio", in seiner ursprünglichen Form eine in Florenz übliche Kopfbedeckung, wurde von Paolo Uccello um die Mitte des 15. Jahrhunderts zu einem kristallinen Reifen abstrahiert und perspektivisch verkürzt auf ein Blatt Papier übertragen. Der Monogrammist PP wiederholt dieses Virtuosenstück als Beweis seiner eigenen perspektivischen Kenntnisse. Die anderen sphärischen Objekte gehen von der kugeligen Grundform aus und abstrahieren sie zu surreal wirkenden kristallinen Gebilden. Sie zeigen dabei gewisse formale Übereinstimmungen zu manchen von Leonardo stammenden Erfindungen für diverse Kriegsgeräte. Doch ein unmittelbarer Zweck für eine plastische oder architektonische Umsetzung läßt sich nicht nachweisen. Viel eher lassen sich diese Gebilde als bildlich umgesetzte Gedankenmodelle interpretieren, die von den eine rationale Ästhetik vertretenden Mathematiker-Philosophen ausgedacht und be-

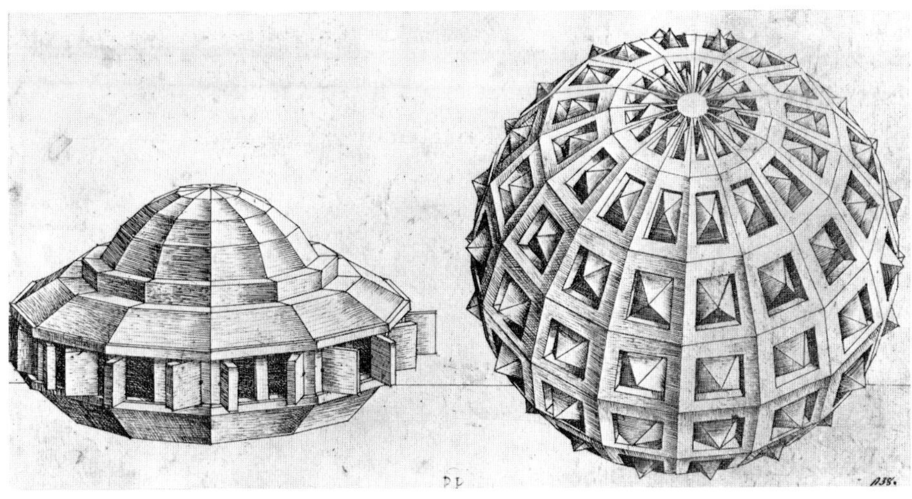

IV. 34 B

rechnet wurden und schließlich von den mit ihnen befreundeten Künstlern ausgeführt wurden. So stammt die aus 72 Flächen bestehende und mit Tetraedern besetzte abstrahierte Kugelkonstruktion aus dem Traktat „De divina proportione" des Mailänder Mathematikers Luca Pacioli (1497 fertiggestellt, 1509 gedruckt), dessen Illustrationen Leonardo da Vinci besorgte.

In der 2. Hälfte des 16. Jahrhunderts nehmen vor allem Hans Lencker und Wenzel Jamnitzer (Kat. VII. 42, VII. 47) diese Thematik wieder auf.

Literatur: Eimer 1956, S. 113–146, bes. S. 123–127 – Davis 1977, S. 107–118 RK

IV. 35

FRANCO-FLÄMISCH, UM 1550–1560

35

Rundschild (Satyrschild)

Blankes getriebenes Eisen, blanke gerillte Nieten, Schmuckränder
Wien, Kunsthistorisches Museum, Waffensammlung
Inv. Nr. A2316

Im Zentrum des Schildes befindet sich, umrahmt von Beschlagwerk, in einem Rundmedaillon der Kopf eines Faunes, des Symbols der freien Natur, der ungezügelten, derb sinnlichen Sexualität. Sein Haupt ist von Schlangen umgeben, die ihn in die Zunge beißen. Vier vom Mittelmedaillon ausgehende Mistelzweige teilen den Schild in vier Segmente, die von je einem Ovalmedaillon im Rahmenwerk beherrscht werden. Im obersten Medaillon ist Victoria, die Göttin des Sieges, umgeben von Beutewaffen dargestellt. Unter ihr ist links die Iustitia (die Gerechtigkeit) und rechts die Fortitudo (die Stärke) abgebildet. Im untersten Medaillon befindet sich der besiegte Mars, der sich, gestürzt und mit zerbrochenem Schwert, in einer hilflosen Position befindet. Der ganze Schild wird durch ein geätztes Knotenmuster eingefaßt. Zu interpretieren wäre der Schild vielleicht als der Sieg der Gerechtigkeit, der Stärke und der durch den Faun symbolisierten Sinnesfreuden über den Krieg.

Der Schild wurde 1961 aus dem Kunsthandel erworben und gehört zu einer Gruppe von Arbeiten für den Hof König Heinrichs II. von Frankreich (1519–1559), die zum Großteil nach Zeichnungen von Etienne Delaune (1518/19–1583) ausgeführt sind.

Literatur: Thomas 1960, S. 7–62 MP

JÖRG SIGMAN (um 1527 – um 1601)

36

Prunksturmhaube

Augsburg um 1555

Blankes getriebenes Eisen, gelbe Nieten
Wien, Kunsthistorisches Museum, Waffensammlung
Inv. Nr. 558

Das Generalthema dieser Sturmhaube ist Mars und Venus. Die beiden Götter, denen der Helm gewidmet ist, finden sich auf seinem Kamm. Eingefügt in ein dichtes manieristisches Ornament aus Blattwulsten und Rollwerk mit Bucranien, Faunen und Figuren sind Mars bzw. Venus in einem Mittelmedaillon dargestellt. Venus sitzt im Triumphwagen und hält einen Pfeil als Szepter in ihren Händen. Über dem Wagen schwebt Amor, der mit seinem Pfeil ein geflügeltes Herz durchbohrt hat. Neben Amor befindet sich das astrologische Zeichen für Venus. In den Rädern des Venus-Wagens, der von Tauben gezogen wird, finden sich die Sternzeichen Stier und Waage. Auf der anderen Seite des Kammes ist Mars auf ähnliche Weise dargestellt. Sein Triumphwagen ist mit Waffen, Pfeil und Bogen sowie Hellebarden, beladen. Mars sitzt mit weit ausgestreckten Armen, einen Kordelatsch und ein Schwert haltend. Sein Wagen wird von Füchsen gezogen, die vielleicht wegen ihrer roten Farbe eine besondere Beziehung zu Mars haben. Über den Füchsen schwebt das astrologische Zeichen des Kriegsgottes. In den Rädern seines Wagens finden sich die Sternzeichen Skorpion und Widder, deren Herr Mars ist.

Auf der Helmglocke ist, von gekerbten Rahmenleisten umgeben, auf der einen Seite der Kampf des Aeneas bei der Landnahme in Italien geschildert.

Auf der gegenüberliegenden Seite sieht man den Angriff der Camilla gegen die troianischen Krieger. Im Hintergrund Aeneas, der Mars ein Trophäum errichtet. Auf der Stirn sind Pyramos und Thisbe, die antiken Vorläufer von Romeo und Julia, dargestellt. In der Mitte der Sturmhaube steht ein schildhaltender Löwe, links davon erbittet Venus in der Schmiede des Vulkans von ihrem Ehemann die Waffen für ihren Sohn Aeneas.

Im Nacken befinden sich rechts der Raub der Europa und links Perseus und Medusa. Auf den Wangenklappen sind Reiterkämpfe dargestellt, die Szenen aus der Aeneis illustrieren, aber nicht näher identifizierbar sind.

Am Kragenrand und Schirm finden sich Rollwerk und Blütenranken mit eingefügten allegorischen Figuren.

Das Gesamtthema der Sturmhaube ist also Mars und Venus. Aeneas, der Held der beiden Medaillons, verkörpert die Verbindung zwischen Mars und Venus. Als Sohn der Venus besitzt er eine engst-mögliche Beziehung zur Göttin der Liebe, als der stärkste

Held der Troianer, neben Hektor, ist er einer der strahlendsten Repräsentanten der Welt des Mars. Der Sphäre der Venus räumlich zugeordnet ist das Medaillon, in dem er den Tod des Pallas rächt (hier schwingt natürlich das Vorbild aus der Ilias, die Rache des Achill für den Tod des Patrokles mit). Der Sphäre des Mars zugeordnet ist das andere Medaillon. Hier ist mit der Errichtung des Trophäums, das Aeneas dem Mars weiht, die Zuordnung zur Sphäre des Kriegsgottes ganz deutlich. Das bedeutet aber auch, daß Camilla, die jugendliche Kriegerin der Volsker, dem Mars zugeordnet ist. Das unterstreicht Vergil im 11. Buch auch, indem er Camilla mit den Amazonen vergleicht: „Mitten im Morden frohlockt, amazonenhaft kämpfend, entblößt die eine Brust, zum Kampf mit dem Köcher gewappnet, Camilla.'' Wie die Amazonenkönigin Penthisilea unterliegt Camilla letzten Endes doch den männlichen Kriegern (auch hier eine Anspielung auf die Ilias). Die zum Mars, zum Krieg gehörende Frau ist auf jeden Fall dem Tod geweiht. Auf der Seite der Venus ist auf der Stirn ihr Bittgang zu Vulkan um die Waffen für Aeneas dargestellt. Auf der Seite des Mars wird im Relief von Pyramos und Thisbe gezeigt, daß nicht nur die Frau des Mars dem frühzeitigen Tod geweiht ist, sondern auch die Frau der Venus, die Liebende.

Auf der Stirn schließlich sind die Geschichten kreuzweise angeordnet, obwohl bei beiden Themen die Verbindung zum Hauptthema noch vorhanden ist. Venus in der Schmiede des Vulkan befindet sich auf der Seite der Venus, da die Göttin im Relief selbst vorkommt, gehört aber als Waffenschmiedeszene eher der Sphäre des Mars an. Pyramos und Thisbe gehören als Liebesgeschichte sicherlich zur Sphäre der Venus, haben aber, da der Tod beider gewaltsam durch das Schwert erfolgt, eine Beziehung zu Mars. Bei den Szenen am Nacken erkennt man sehr gut die assoziative Denkweise des Manierismus.

Auch im Nacken folgt der Künstler der verschränkten Darstellungsweise. Der Raub der Europa ist als eine der zahllosen Liebschaften des Zeus der Venus zuzuordnen und befindet sich auf der Seite des Mars. Perseus, der die Medusa tötet, ist als antiker Heros aus der Sphäre des Mars und auf der Seite der Venus zu finden.

Literatur: Leitner 1866–1870, S. 17, Taf. 19 – Boeheim 1894 und 1898, Bd. 1, S. 11, Taf. 18/1 und Bd. 2, S. 7, Taf. 16 – Boeheim 1897, S. 203f – Thomas/Gamber/Schedelmann 1974, S. 257, Abb. 107, 108 – Thomas 1976–78, S. 262ff – Ausst.-Kat. Welt im Umbruch 1980, S. 511ff
MP

IV. 36

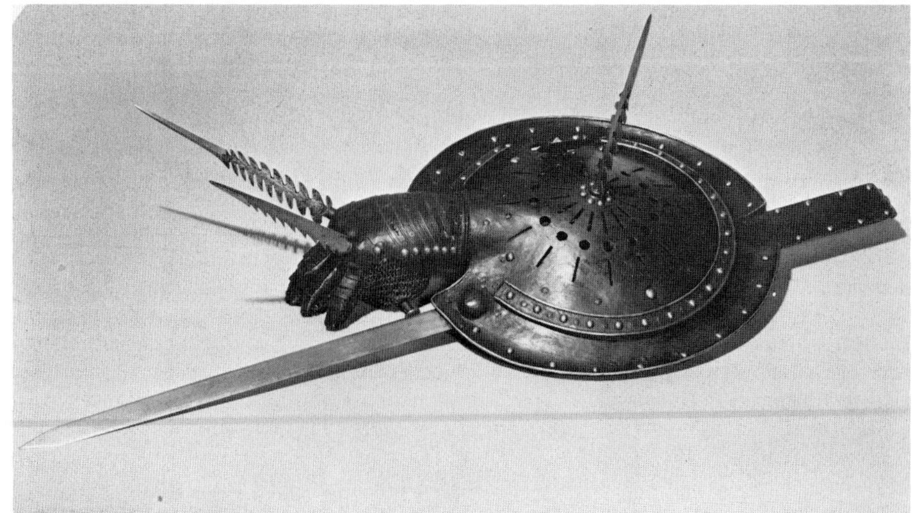

IV. 37

DEUTSCH, ANFANG 17. JAHRHUNDERT

37
Laternenschild

Eisen geschwärzt, Eisen verzinnt und vergoldet, roter Samt
Wien, Kunsthistorisches Museum, Waffensammlung
Inv. Nr. A 384

Der Manierismus hatte eine besondere Vorliebe für technische Inventionen möglichst ausgefallener Art. Alle diese Erfindungen gehören zu den höfisch verspielten Dingen, die man als Kuriosa in der Kunst- und Rüstkammer aufbewahrte, wobei die Phantastik des Produktes oft wichtiger war als seine Zweckmäßigkeit. Ein gutes Beispiel für diese Liebe zur technischen Spielerei ist der Laternenschild. Er ist eine besonders reichhaltige und besonders unsinnige Invention für nächtliche Kämpfe. An ihm zeigt sich auch die Freude des Manierismus am Enzyklopädischen. Der Hintergrund zum Laternenschild ist eine Änderung in den Fechtgewohnheiten des 16. Jahrhunderts. An die Stelle des primitiven Hiebfechtens mit dem Schwert trat das kompliziertere Stichfechten mit dem Degen, bei dem alle Paraden in der ersten Jahrhunderthälfte noch mit dem kleinen Rundschild des Infanteristen, in der zweiten Jahrhunderthälfte mit dem Linkshanddolch durchgeführt wurden. Die Linkshanddolche waren oft noch mit Vorrichtungen zum Klingenbrechen ausgestattet. Der Laternenschild ist der Versuch, alle diese Fechtwaffen in sich zu vereinigen. Er kombiniert den Rundschild und langen Handschuh mit dem Dolch. Die ausgefahrene lange Klinge sollte als Offensivwaffe dienen, ebenso wie die anschraubbaren Spitzen in der Schildmitte und am Knöchel, die außerdem als Klingenfänger gezackt waren.

Einen weiteren Klingenfänger zum Entwaffnen des Gegners stellen noch die freistehend angenieteten konzentrischen Streifen am Schild dar. Die dazu notwendige exakte Führung der schweren Waffe sollte durch eine ausklappbare Griffstütze ermöglicht werden. Besonders phantastisch und wirklichkeitsfremd ist die durch einen Springdeckel mit Zugsperre abgedeckte Laterne, welche mittels eines drehbaren Zylinders abzudunkeln, abzublenden und voll aufzublenden war. Die Öllampe im Innern sitzt in einer Kompaßaufhängung, um bei jeder Fechtbewegung in der Horizontalen zu bleiben. In der Praxis wäre sie wahrscheinlich schon beim dritten Fechttempo ausgegangen, wie wohl der ganze Schild für den Träger gefährlicher war als für einen potentiellen Gegner.

Literatur: Ausst.-Kat. Curiositäten 1978, S. 51 MP

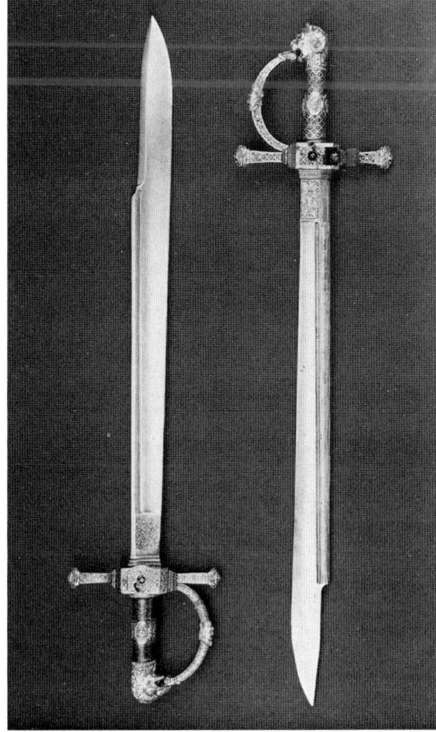

IV. 38

FRANZÖSISCH, UM 1555/1560

38
Pistolen-Coltellaggio

Eisen, Silber, vergoldeter Guß, Goldtauschierung, Samt
Wien, Kunsthistorisches Museum, Waffensammlung
(Gewidmet 1949 von Clarice de Rothschild im Andenken an Dr. Alphonse de Rothschild)
Inv. Nr. A 2248

Das 16. Jahrhundert, das im höfischen Bereich viel für antikisierende Bewaffnung übrig hatte, griff die Form des Coltellaggio, der schon im italienischen Quattrocento eine Modewaffe gewesen war, wieder auf. Man hielt große Messer, Coltellaggi, einschneidige Waffen mit etwas gebogener Klinge, irrtümlich für römisch und trug sie daher zu den phantastischen, antikisierenden Rüstungen alla romana. Neben ihrer Vorliebe für antikisierende Waffen faszinierte die Techniker und Fürsten des 16. Jahrhunderts die Verwendung von Radschlössern. Unter den frühen Radschloßwaffen gibt es eine große Reihe von kombinierten Waffen, Blank- und Stangenwaffen, Streitkolben und Äxte werden mit Radschloßpistolen kombiniert. Der praktische Wert dieser Einrichtungen dürfte nicht sehr groß gewesen sein, es war vor allem die Freude an der technischen Spielerei, ein typischer Zug des Manierismus, die zur Entstehung dieser Waffen geführt hat. Bei diesem Pistolen-Coltellaggio ist das Radschloß in einem kleinen achteckigen Kasten, am Schnittpunkt von Parierstange und Gefäß, untergebracht. Auf der einen Seite hat der Kasten eine runde Öffnung, durch die das Rad gespannt werden kann, daneben ist der Scharnierdeckel, hinter dem Hahn und Pfanne liegen. Auf der gegenüberliegenden Seite befindet sich der Abzug. Ein Druck mit dem Daumen konnte diese versteckte Pistole auslösen. Den Lauf bildet der Klingenrücken. Der Knauf und die Parierstangen enden in Adler- und Löwenköpfen. Die Reliefs der Silberbeschläge zeigen den unmittelbaren Einfluß des Etiènne Delaune, des Hofkünstlers Heinrichs II. von Frankreich. Tauschierungen schmücken die glatten Flächen des Griffes und den Ansatz der Klinge.

Literatur: Schedelmann 1972, S. 10, Abb. 17, 19 – Thomas/Gamber/Schedelmann 1963, Taf. 41, Thomas/Gamber/Schedelmann 1974, S. 257, Abb. 113 – Hayward 1962, S. 97 ff MP

AUGSBURG, UM 1540
Art des Desiderius Helmschmid (1513–1578)

39
Geschlossene Sturmhaube zur Algier-Garnitur

Blankes Eisen, gelbe Nieten, Goldätzung
Wien, Kunsthistorisches Museum, Waffensammlung
Inv. Nr. A 546

Diese kammlose Sturmhaube mit Sonnenschirm und Wangenklappen ist ein Beispiel für einen militärisch gebrauchten Helm. Sie gehört, wie man aus dem 1544 illustrierten Madrider Bildinventar, dem „inventario illuminado", entnehmen kann, als Teil zur Harnischgarnitur Kaiser Karls V., die er auf sei-

IV. 39

nem Feldzug gegen Algier 1541 getragen hat. Sie ist also das militärische Gegenstück zur Prunksturmhaube Filippo Negrolis und wurde zum selben Anlaß geschaffen wie der Medusenschild (Kat. I. 18). 1572 wurde sie von Philipp II., König von Spanien und Sohn Karls V., irrtümlich mit seinem eigenen Harnisch verbunden und an seinen Vetter Erzherzog Ferdinand II. von Tirol nach Ambras gesandt.

Der Helm der Algier-Garnitur besticht durch seine schlichte Eleganz. An der Helmglocke sind vergoldete, eingetiefte, großflächige Hopfenblätter ornamental verteilt. In diesen Blättern auf vergoldetem Punktgrund befinden sich bewaffnete Fabelwesen, Ranken und Grotesken. Unter dem aufklappbaren Gesichtsschutz besitzt die Sturmhaube einen abnehmbaren Bart sowie ein eingestecktes, goldgeätztes Gittervisier. Schmale, vergoldete Ätzstreifen mit Flechtband-Ranken oder Trophäenmustern fassen den Helm ein.

Literatur: de Don Juan 1889/1890, S. 246, Taf. 36 – Ausst.-Kat. Karl V. 1958, S. 48 – Thomas 1958, S. 21

MP

DEUTSCH, 1593

40
Pferdemaulkorb

Verzinntes Eisen, Messing
Wien, Kunsthistorisches Museum, Waffensammlung
Inv. Nr. A 1365

Neben seiner praktischen Funktion, die Pferde am Beißen zu hindern, hat der Pferdemaulkorb auch noch eine symbolische Funktion, die durch die Verzierung angegeben wird. Aus durchbrochenem Messing werden heraldische Tiere, Greifen, Löwen und der Doppeladler gebildet. Der Doppeladler und der Löwe stehen für Würden Kaiser Rudolfs II., der Doppeladler für das deutsche Kaisertum und der Löwe für die Krone Böhmens. Der in der Mitte des Beißkorbes sichtbare Salamander oder Schlangendrache hat magische Funktion, er sollte das Pferd feuriger, schneller werden lassen.

Literatur: Sälze 1965, S. 109

MP

IV. 40

WOLFGANG KEISER, MELCHIOR PFEIFER

41
Türken- und Mohrenmasken als Wechselvisiere

Prag 1557

Eisen, bemalt, Leder, Roßhaar
Wien, Kunsthistorisches Museum, Waffensammlung
Inv. Nr. B 62 und 69

Ritterpoesie, Ritterspiel und „Mummerey" wurden im 16. Jahrhundert zur modischen Haltung der traditionsbewußten Fürstenhöfe. Die Mummerey wurde im 16. Jahrhundert oft mit dem Turnier eng verquickt. Es gab Turniere in seltsamen Verkleidungen: als Mohren, Türken oder antike Helden.

In Prag wurde 1557 von Erzherzog Ferdinand II. (1529–1599) ein sogenanntes „Husarisches Turnir" abgehalten, wobei die eine Partei als christliche Ritter und Ungarn, die andere als Mohren und Türken vermummt war. Die ausgestellten Masken bildeten Wechselvisiere zu dem unter dem orientalischen Kostüm verborgenen Harnisch. Beide Serien von Masken umfaßten wahrscheinlich

IV. 41

24 Stück. Sie sind in der Form von Türken- oder Mohrengesichtern getrieben und naturalistisch mit Ölfarbe bemalt. Die Sehschlitze werden durch Augenbrauen kaschiert. Die Schnurrbärte bestehen aus in Lederstreifen eingeflochtenem Roßhaar und wurden über der Mundspalte aufgenietet. Sie sind vermutlich Arbeiten der Prager Hofplattner Wolfgang Keiser und Melchior Pfeffer. Der propagandistische Hintergrund dieser „Turnier-Mummereyn" war die Darstellung des Kampfes der christlichen Habsburger gegen den Islam in Osteuropa und Nordafrika. Diese Funktion ist aber nur eine in einem Bündel. Denn neben dieser offensichtlich politischen, propagandistischen Sphäre gibt es eine viel traditionellere, romantischere. Man darf nicht vergessen, daß die beiden bedeutendsten italienischen Epen des 16. Jahrhunderts Ariosts „Orlando furioso" und Tassos „Gerusalemme liberata" waren. Beide spielen in einer phantastischen Zeit: Ariosts Epos zur Zeit Karls des Großen, es beinhaltet so die ganze Skala von islamischen Helden. Tassos „Gerusalemme liberata" spielt zur Zeit der Kreuzzüge. In beiden Epen werden auch die islamischen Helden als herausragende Krieger geschildert, sodaß es nicht verwundern kann, daß man sich in einer höfischen Gesellschaft, in der man beide Werke sehr gut kannte, auch mit maurischen, orientalischen Helden identifizieren konnte und sich dementsprechend verkleidete.

Literatur: Ausst.-Kat. Curiositäten 1978, S. 18

MP

DEUTSCH, 1620

42
Trinksporen „für eilige Reiter"

Wien, Kunsthistorisches Museum, Waffensammlung
Inv. Nr. A 1356

Der Hang des Manierismus zu „Curiositäten" und zur Kombination aller nur denkbaren Dinge hat unter anderem auch die Trinksporen hervorgebracht, eine Kombination aus Schnapsflasche und Sporen, wobei die Funktion der Schnapsflasche sicherlich überwogen hat. Im Aussehen gleichen die Trinksporen Reitsporen, die in ihren dicken Hohlbügeln den Branntwein aufnehmen können. Die Sporenhälse samt den großen sternförmigen Sporenrädern sind abschraubar. So braucht der ermüdete und durchgefrorene Reiter, zumindest in der Theorie, seine Sporen nur abzunehmen, die Sporenräder abzuschrauben und sich am Schnaps laben.

Literatur: Ausst.-Kat. Curiositäten 1978, S. 69

MP

IV. 43

FILIPPO NEGROLI (erwähnt 1532–1553)

43
Halbharnisch alla Romana für Francesco Maria della Rovere-Montefeltre, Herzog von Urbino 1490–1538

Getriebenes Eisen und Ringelpanzer, dunkel brüniert, dunkle Nieten
Bezeichnet im Nacken: PHILIPPI. NIGROLI. IAC. F. I. MEDIOLANENSIS OPVS I. MDXXXII
Wien, Kunsthistorisches Museum, Waffensammlung
Inv. Nr. A 498

Die Nachbildung des antikisierenden Harnisches, die in der italienischen Renaissance ihren Anfang nimmt, ist nicht nur eine theatralische Verkleidung, sie entspricht einem neuen Menschenideal.

Für die Prinzen des 16. Jahrhunderts wurde es wichtig, antikisierende Rüstungen zu tragen, nicht nur um ihren Respekt gegenüber den Heroen der Antike auszudrücken, sondern vor allem um ihren Anspruch auf deren Nachfolge offenkundig zu machen. Der Prunkharnisch dient damit immer mehr Zwecken und Absichten, die über den rein militärischen Schutz weit hinausgehen. Er wird vor allem und immer ausschließlicher zum Festkleid, zum Schmuck und weiters zum Monument des Trägers, zum Sinngebilde aus literarischem, allegorischem und psychologischem Hintergrund.

Eines der ersten, den antiken Panzern sehr nahe kommendes Beispiel, ist unser Halbharnisch, den Filippo Negroli für Francesco Maria della Rovere schuf.

Die im Rumpfpanzer zu sehende Mischung aus römischen und orientalischen Einflüssen zeigt sich auch an der offenen Sturmhaube, die die Form eines Mohrenkopfes mit Löckchen und naturalistischen Ohren hat. Der mit dem Harnisch aufbewahrte Helm ist als solcher mit antiken Maskenhelmen vergleichbar.

Francesco Maria della Rovere, der Träger des Harnisches, erbte vom Bruder seiner Mutter Guidobaldo de Montefeltre das Herzogtum Urbino. Als Neffe des Papstes Julius II. tat er sich als Feldherr für den Kirchenstaat hervor. Als päpstlicher Heerführer eroberte er Bologna, Parma, Piacenza und Reggio. Er führte die päpstlichen Truppen der hl. Liga gegen Frankreich.

Literatur: Schrenck/Thomas 1981, Taf. 29 – Sacken 1859 und 1862, S. 22f, Taf. 21 – Boeheim 1894 und 1898, Band 1, S. 9, Taf. 14 – Luchner 1958, S. 93 – Hayward 1979/80, S. 155f – Thomas/Gamber 1958, S. 760ff – Boccia/Coelho 1967, S. 328 MP

MEISTER IO

44
Fußturnierharnisch
wahrscheinlich für Erzherzog Leopold V., Mailand 1600

Wien, Kunsthistorisches Museum, Waffensammlung
Inv. Nr. A 1529

Das höfische Fest, ein Instrument der Selbstdarstellung der aristokratischen Gesellschaft, war ein Schaugepränge pompösen Ausmaßes, in dem der einzelne Festteilnehmer als Individium seinen gesellschaftlichen Rang repräsentieren mußte. Für den weltlichen Fürsten bedeutete das den Dienst in der Welt des Mars, die Verpflichtung zum Turnier, das im ausgehenden 16. Jahrhundert zunehmend als Fußturnier abgehalten wurde. Gekleidet in einen Halbharnisch, bestehend aus geschlossenem Helm, Brust und Rücken, gut deckenden Schultern und Fingerhandschuhen, standen sich die Turnierer in Gruppen von sechs bis zwölf und mit langen Lanzen und Hiebschwertern bewaffnet gegenüber. Durch eine Barriere getrennt, wurde miteinander gefochten. Für die höchsten Kreise, denen der Träger dieses Harnisches sicherlich angehörte, mußte die Oberfläche eines solchen Sportgewandes entsprechend reich dekoriert sein.

Die Dekoration ist von spätmanieristischer Üppigkeit. Das fortlaufende Medaillonmuster, das den Harnisch bestimmt, ist ein Kennzeichen des beginnenden 17. Jahrhunderts. Die Idee, den Harnisch mit einem Netzmuster, einem regelmäßig wiederholten Motiv in unendlichem Rapport zu überziehen, muß um

IV. 44

1600 eine faszinierende Wirkung im mailändischen Bereich ausgeübt haben. Die Waffen bekommen durch diese Form der Dekoration einen textilen Charakter. Der Dekor besteht aus Vierpaßfeld in senkrechter Reihung – umrahmt von Blattranken. Die Füllung der Felder bilden einzelne Kriegerfiguren oder mythologische Gestalten in Ovalen, die an Bänderwerk aufgehängt schweben, sowie Waffentrophäen. Die Rahmen sind mit dichtem Rankenwerk in Gold- und Silbertauschierung gefüllt.

Literatur: Gamber 1958, S. 113 – Thomas/Gamber 1958, S. 138 – Thomas/Gamber/Schedelmann 1963, Taf. 57 MP

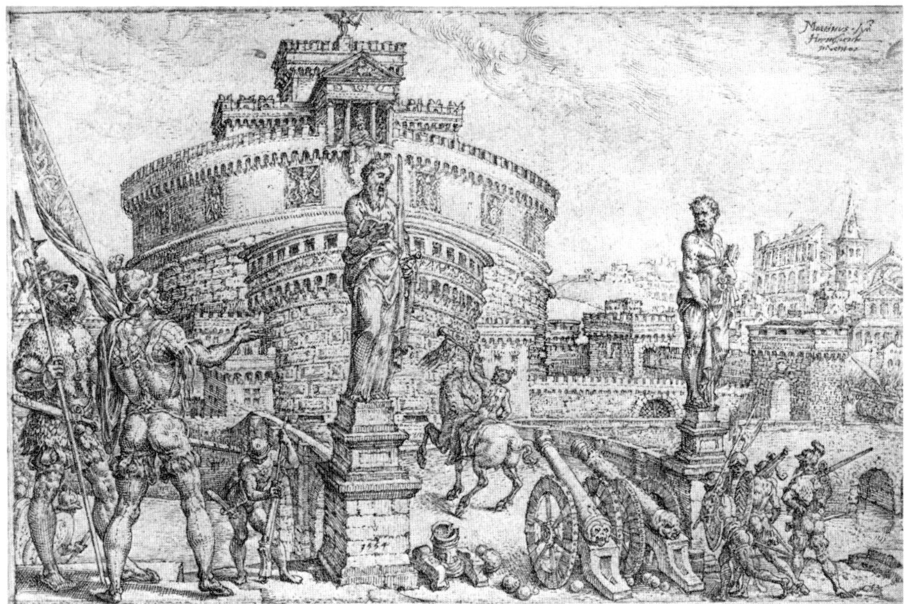

IV. 45

MAERTEN VAN HEEMSKERCK
(1498–1574)

45
Papst Clemens VIII., in der Engelsburg belagert 1554

Federzeichnung; 14,8 × 23,4 cm
Bezeichnet: Martinus fui' (?) Heemskaerk inventor
Hamburger Kunsthalle, Kupferstichkabinett
Inv. Nr. 22022

Die Federzeichnung Heemskercks aus dem Jahre 1554 ist eine Vorzeichnung zu dem Stich, den ein Jahr später Coornhert erstellte und der das vierte Blatt einer Serie über die militärischen Taten Karls V. ist; alle weiteren elf Blätter wurden jeweils von Heemskerck vorgezeichnet und von Coornhert gestochen.

Sehr bewußt zeigt das Blatt nicht den Grund, weshalb Clemens VIII. auf die Engelsburg geflüchtet ist. Mit dem Durchbruch spanisch-deutscher Landsknechte durch die Befestigungen an der Porta Cavallegieri und am Borgo S. Spirito am 6. 5. 1527 begann, was in die Geschichte als „Sacco di Roma" eingegangen ist, die Plünderung Roms durch eine Soldateska, vor der sich der Papst in das ehemalige Hadrian-Mausoleum retten mußte. Zwar distanzierte sich Karl V. von dem so verstandenen „göttlichen Strafgericht", benutzte den Papst aber als Geisel und wußte sich seiner Zwangslage, daß der Kirchenstaat den Siegern anheimzufallen schien, für seine eigenen politischen Zwecke zu bedienen: Er zwang den Papst zur Neutralität, was die Lösung seines Bündnisses mit Frankreich bedeutete.

Das Blatt ist ein Beispiel für Heemskercks freien Umgang in der Erzeugung räumlicher Tiefe, der willkürlich Proportionsgesetze aufzuheben scheint. Übergroß im Verhältnis zur Monumentalarchitektur erscheint der Papst in einem portikusähnlichem Fenster und schaut hinab zu den ihn bewachenden Söldnern. Diese wiederum erscheinen winzig gegenüber den wie Mahnmale aufgestellten Apostelfiguren Paulus und Petrus, deren Größe jedoch angesichts der beiden Soldaten links im Bild schrumpft.

Mehr noch als die der Festung vorgelagerten Kanonen scheinen die steinernen Personifikationen des ersten christlichen Theologen und des ersten Oberhauptes der Christenheit als tatsächliches, wenngleich moralisches Kampfmittel gemeint.

Literatur: Hollstein 216–227 – Grosshans 1980, S. 41 ff – Hook 1972, S. 157 ff
GW

IPPOLITO ANDREASI (um 1548–1608)

46
Vier Ansichten des Palazzo del Tè
1567/68

Nördliche Hofseite des Palazzo del Tè
braune Feder, grau laviert; 15,6 × 53,3 cm

Östliche Hofseite des Palazzo del Tè
braune Feder, grau laviert; 15,1 × 53,7 cm

Südliche Hofseite des Palazzo del Tè
braune Feder, grau laviert; 14 × 53,2 cm

Westliche Hofseite des Palazzo del Tè
braune Feder, grau laviert; 13,7 × 53,6 cm

Düsseldorf, Kunstmuseum
Inv. Nr. FP 10943, 10944, 10945, 10946

Wahrscheinlich im Auftrag Herzog Albrechts V. von Bayern war der Antiquar Jacopo Strada 1567/68 in Mantua; für ihn führte Ippolito Andreasi einen Grundriß, Aufrisse der Außen- und Hoffassaden und Zeichnungen nach den Innendekorationen des Palazzo del Tè aus (vgl. Kat. I. 27). Strada verfaßte eine Beschreibung des Palastes (heute in der Österreichischen Nationalbibliothek) und wollte in einer von ihm geplanten „Descrizione di tutta Italia" Zeichnungen seiner Fassaden veröffentlichen.

Andreasis Zeichnungen überliefern Giulio Romanos Architektur vor den eingreifenden Restaurierungen des 18. Jahrhunderts unter Paolo Pozzo. Über dem dorischen Gebälk befand sich um den ganzen Bau laufend ein heute nicht mehr erhaltenes, das Dach verdeckendes Attikageschoß. Die (in Andreasis Rissen durch Punkte bezeichnete) Stuckrustizierung der Portale und Fensterrahmungen war weniger stark bearbeitet, vermittelte so nicht den Eindruck grober Naturhaftigkeit, sondern lockerte das lineare Netz der Plattenquader durch ihre unterschiedliche Oberflächenwirkung auf. Durch spätere Veränderungen des Gebäudes kann eine Abweichung der Zeichnungen Andreasis von diesem nicht erklärt werden. Die Ansicht der nördlichen Hofseite zeigt zwar genau die leicht aus der Mittelachse verschobene Position des Portals (die Giulio vom bereits 1524/25 erbauten ersten Trakt übernehmen mußte), die in der Südfassade später wiederholt wurde, und die ungewöhnliche Gestaltung der schmalen Felder an den Seiten der Fassade (links ein kleines Portal, rechts ein Fenster, dessen rechte Laibung durch den Eckpilaster verdeckt wird), die zwei breiteren Travées rechts vom Portal sind aber im Gegensatz zum ausgeführten Bau – bei dem Giulio die Gliederung auf die vorgegebenen Fenster der „Sala dei Cavalli" abstimmte – verregelmäßigt. Egon Verheyen, der diese Zeichnungen zuerst veröffentlichte, sah deshalb in ihnen eine Kopie nach Giulios ursprünglichem Entwurf für den Palazzo del Tè von etwa 1527. Kurt Forster und Richard Tuttle denken dagegen an Zeichnungen nach dem realisierten Palast, die unkanonische Details ausgleichen wollen (zur Frage der Interpretation der Architektur des Palazzo del Tè vgl. auch den hier publizierten Aufsatz von E. H. Gombrich, Rückblick auf Giulio Romano).

Literatur: Verheyen 1967, S. 62 ff – Verheyen 1972, II, S. 73 ff – Verheyen 1977 – Forster/Tuttle 1971, S. 267 ff
HA

IV. 46

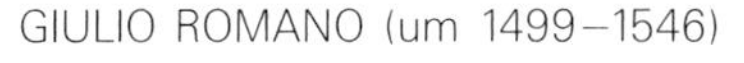

GIULIO ROMANO (um 1499–1546)

47
Entwurf für ein Stadttor
Dreißiger Jahre des 16. Jahrhunderts

Federzeichnung, laviert; 38,9 × 57,3 cm
Wien, Albertina
Inv. Nr. AZ. It. Unbek. 1286

Frederick Hartt identifizierte als erster dieses Blatt – dem ein weiteres, ein früheres Stadium der Planung zeigendes in der Albertina und eine Zeichnung in Stockholm an die Seite zu stellen sind – als einen (durch die Inschrift in die Regierungszeit Federigo Gonzagas als Herzog von Mantua, 1530/40, datierbaren) Entwurf für das Portal der ab etwa 1530 entstandenen Cittadella di Porto in Mantua, das erst in den vierziger Jahren in einer gänzlich anderen, eine Serlio-Illustration variierenden Form (mit Beteiligung Giulios?) ausgeführt wurde.

In Giulios Entwurf ist das Stadttor – wie bereits früher die Tore von Padua, etwa Falconettos Porta di San Giovanni (1528) – als römischer Triumphbogen gestaltet: eine große mittlere und zwei kleinere seitliche Öffnungen; Gliederung durch vier Halbsäulen, die über dem Mittelportal einen Dreiecksgiebel tragen; oberer Abschluß mit einem über dem mittleren Teil und den seitlichen Halbsäulen vorspringenden Attikageschoß. Die repräsentative Schauwand erhält durch die starke Rustizierung aber einen neuartigen, naturwüchsigen und massiven Charakter.

Das Bogenfeld über dem mittleren Portal ziert eine Darstellung der Muttergottes zwischen den Heiligen Barbara und Katharina; über den Seitenportalen befinden sich antikisierende Reliefs (Schwertweihe, Opferszene). Wie ein Schild hängt das Gonzagawappen vor dem Dreiecksgiebel.

Die Schatten und Oberflächenstruktur genau herausarbeitende Lavierung macht die subtilen Unterschiede des „non finito" – von der rohen Bossierung der Säulentrommeln (auch die Piedestale bleiben zum Teil unbearbeitet) bis zu den feiner bearbeiteten Quadern der Attika – und die differenzierte Schichtung des Fassadenreliefs anschaulich. Die Verwendung recht grober Rustika, die an kaiserzeitliche Bauten wie die Substruktionen des Claudianum in Rom erinnert, unterscheidet sich stark von anderen Werken Giulios, wie dem Palazzo del Tè, dessen nur wenig aufgerauhte (durch die Restaurierung des späten 18. Jahrhunderts stark vergröberte), durch breite Fugen getrennte flache Stuckplatten eher dekorativen Charakter besitzen. Dem antiken „exemplum" der Porta Maggiore in Rom folgend, verlangt ein wehrhaftes Stadttor einen anderen architektonischen Ausdruckswert als ein palastartiges Lusthaus; das zeigen auch Sanmichelis ebenfalls im vierten Jahrzehnt des 16. Jahrhunderts entstandene Stadttore von Verona.

IV. 47

Die in ihrer Vielfalt erkannte Antike legitimiert die „Häresien" der Architektur des Cinquecento. So kann auch das komprimierte dorische Gebälk ohne Fries – mit den Mutuli unmittelbar unter dem Gesims – vom römischen Vorbild der sogenannten Cripta Balbi abgeleitet werden, dem schon Raffael im Erdgeschoß des Palazzo dell'Aquila (und Giulio selbst in den Tympana über Ost- und Westeingang des Hofes des Palazzo del Tè) folgte.

Wie Serlio feststellt (vgl. Kat. IV. 48), ist die Rustika Metapher für die Natur, als Gegensatz zum Werk des Menschen. Dieses dominiert in Giulios Entwurf aber auch in der nur scheinbar ungeformten, bewußt künstlich eingesetzten Materie – nicht nur in der Nuancierung ihrer Bearbeitung, sondern auch in der komplexen Fassadenkomposition. Die bossierten Quader alternieren mit den fertig behauenen Werksteinen, ihre Abfolge ist in der großen und der kleinen Ordnung (Rahmung der Seitenportale, Pfeiler des Mittelportals) schachbrettartig gegeneinander versetzt. Die Rustika „fesselt" die Halbsäulen nicht an die Wand, sondern dient – wie in den anderen Bauten Giulios – mehr als die Oberflächenstruktur bereichernder Schmuck: Die Kunst siegt über die Natur.

Literatur: Gombrich 1935, S. 121 ff, v. a. S. 135 ff – Hartt 1958, S. 194 ff – Shearman 1967, I, S. 354 ff – Belluzzi 1976, 8–9, S. 96 ff HA

SEBASTIANO SERLIO (1475–1553/54)

48

Libro Extraordinario (. . .) nel quale si dimostrano trenta porte di opera Rustica mista con diversi ordini, & venti di opera dilicata di diverse specie con la scrittura davanti, che narra il tutto, Erstausgabe Lyon 1551

Aufgeschlagen: Dorisch-korinthisches Portal mit Rustika (Nr. XXIII)

Wien, Österreichische Nationalbibliothek
Inv. Nr. 72 P 21

Sebastiano Serlios „Libro extraordinario" zeigt beispielhaft die Dialektik zwischen klassischer Norm und Freiheit von der Regel – „licenza" –, die für die manieristischen Tendenzen der italienischen Architektur des 16. Jahrhunderts bestimmend ist, und hebt diese Spannung im Dekorativismus der Gestaltung wieder auf. Wie der Titel andeutet, war das Buch für Serlios ab 1537 erschienenen Architekturtraktat ursprünglich nicht vorgesehen gewesen (in späteren Ausgaben nimmt es manchmal die Stelle des nie veröffentlichten 6. Buches ein). Die ganzseitigen, genau kommentierten Illustrationen führen zunächst Portale „in Rustika, mit verschiedenen Ordnungen gemischt" vor. Ihr Kompositionsprinzip ist die „mistura", die Vermischung, von Motiven aus verschiedenen Säulenordnungen – nach Vitruv ein Verstoß gegen den „decor", die Angemessenheit der Baukunst (De architectura I, 5) – und von Säulenordnung und Rustika.

So nimmt das hier gezeigte Portal, wie Serlio schreibt, „teil am Dorischen und Korinthischen". Das Gebälk, mit blumengeschmücktem Fries, entspricht der korinthischen, die Doppelpilaster (ungewöhnlich mit zwei seitlichen triglyphartigen Schlitzen und einer mittleren Kannelüre verziert) der dorischen Ordnung. Sie tragen korinthische Konsolen, zwischen denen sich eine Metope, also ein Teil eines dorischen Gebälkes, befindet. Die Pilaster sind durch horizontale Rustikabänder an die Wand „gefesselt", Gebälk und Türsturz werden durch drei grob behauene Keilsteine durchbrochen (vielleicht sind auch der Abakus der Kapitelle und das Wandstück zwischen den beiden Pilastern unvollendet gedacht).

Die Verbindung von Säulenordnung und Rustika stellt für Serlio, wie er im Vierten Buch seines Traktates, mit Bezug auf das Schaffen Giulio Romanos, schreibt, den Gegensatz von Menschenwerk und Natur dar. Auch seine bizarren Inventionen im „Libro Extraordinario" können als Reflexionen über die Kunst verstanden werden. Die Konfrontation der Ordnung der Architektur mit der ungeformten Materie – freilich nur als künstlerischer Schein, die Rustika soll etwa in unserem Beispiel „delikat" ausgeführt sein – betont den Anspruch der Kunst, die Natur zu idealisieren, über ihr zu stehen, stellt diesen aber gleichzeitig auch spielerisch in Frage. Diese Thematik wird in den verschiedenen Portalentwürfen variiert, in Holz erinnern sie an die natürliche Entstehung der Kunst in der „Urhütte" (Nr. IX, XI) oder nehmen sogar „bestialische" Elemente – wie Tierköpfe geformte Steine, also zufällige „Kunststücke" der Natur – in sich auf (Nr. XXIX). Ihren geeigneten Platz konnten solche „capricci" wohl vor allem in Gartenarchitekturen finden.

Nach solcher „bizarria" bilden regelgerechte Portallösungen den Abschluß des Buches. Schon im Vorwort betont Serlio, auch

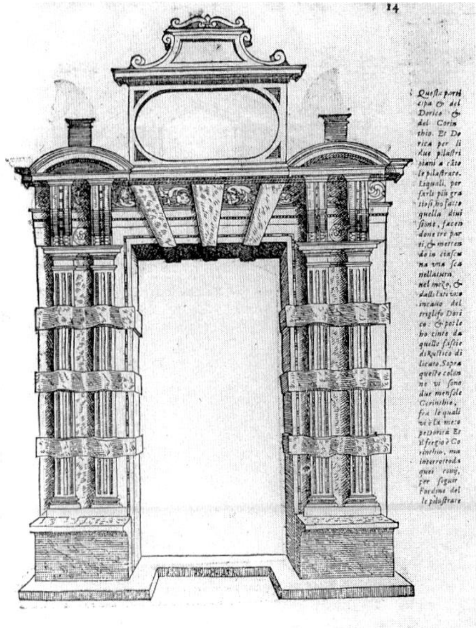

IV. 48

die „gestörten Formen" könnten immer auf die vollkommene, gute Form zurückgeführt werden. Nur innerhalb des Kanons kann der Künstler also seine Freiheit entfalten, „regola" und „licenza" sind komplementäre Größen (vgl. dazu in diesem Katalog auch den Aufsatz von Gombrich und die dort zitierten Serlio-Stellen).

In der Architektur der Länder nördlich der Alpen haben Serlios Illustrationen vor allem in den Säulenbüchern ihre größte Nachfolge erlebt.

Literatur: Bell Dinsmoor 1942, S. 55 ff, v. a. S. 75 ff – Tafuri 1968, S. 7 ff – Ackermann 1983, S. 15 ff – Tafuri 1985, S. 101 ff HA

HANS VREDEMAN DE VRIES (1527–1604)

49
Panoplia sev armamentarium (. . .) 1572

aus der 16teiligen Serie der Trophäenentwürfe, Kupferstiche;
ca. 18 × 25 cm
Hamburg, Museum für Kunst und Gewerbe
Inv. Nr. 1905/233

In „Panoplia", einer Ornamentstichserie mit einem Titel- und 16 Folgeblättern, die von Gerar de Jode gestochen wurde, zeigt Vredemann eine thematisch komplexe Akkumulation von nicht nur militärischen Gegenständen, die ohne Rücksicht auf ihre reale Funktion dem dekorativen Zweck untergeordnet werden. Neben Trophäen, Kanonen und Trommeln finden so auch landwirtschaftliche Geräte, Musikinstrumente sowie Maurer-, Schreiner- und Malutensilien Verwendung. Mielke weist ausdrücklich auf die Abhängigkeit dieser Erfindungen von Enea Vico hin, einem der wesentlichen oberitalienischen Ornamentstecher. Die militärischen Trophäen sind im Christian-Grab zu Roskilde vorgebildet, das Cornelis Floris (vgl. Kat. VIII. 80) 1568–75 errichtet hat. Besonders das Rollwerk, die manieristische Ornamentform schlechthin, wird in Vredemans Entwürfen auf exemplarische Weise durchgestaltet.

Literatur: Mielke 1967, Nr. XIX MB

IV. 50

RENÉ BOYVIN (um 1525 – um 1610)

50
Entwürfe für eine Groteskendekoration

Feder in Braun, auf bräunlichem Papier;
27 × 17 cm
Recto unten rechts Stempel der Sammlung André-Denis Berard/Berlin
Berlin, SMPK, Kunstbibliothek
Inv. Nr. 2217

Das Blatt zeigt recto zwei Entwürfe für Groteskendekorationen. Ganz nah an den linken Bildrand gerückt sieht man einen achtstufigen, von vier Schildkröten getragenen Aufsatz. Er besteht aus einem von zwei sitzenden Putten flankierten bauchigen Ziergefäß, einer Karyatide, Maskarons, einem Satyr, einer Art Laube mit einer Figur in einer Rundnische und zwei gekreuzten Löffeln. Rechts daneben, in größerem Maßstab und näher an den Betrachter herangerückt, sieht man ein Ensemble übereinandergehängter „Trophäen". Schilde, Köcher, Helm, Brustpanzer und verschiedene, an der Spitze jeweils phantasievoll ausgeformte Stich- und Stoßwaffen sind dekorativ übereinandergetürmt.

Wie Klemm (1979, S. 248) schreibt, kamen mit der Renaissance „das römische Ideal kriegerischer Virtus und noch mehr die Formen, in denen es sich einst niederschlug, zu neuer Geltung" –, eine Entwicklung, die sich darin äußerte, daß der römische „Triumphzug" und dessen Apparat (d. h. auch die Trophäen) zum festen Bestandteil des dekorativen Formenschatzes des 16. Jahrhunderts wurden. Antike Waffen gehörten zum Repertoire der Ornamentstiche und zogen von dort aus in die verschiedensten Bereiche dekorativer Gestaltung ein. Berckenhagen schreibt die Zeichnung René Boyvin zu, weil sich unter dessen gestochenen Blättern eine aus ganz ähnlichen Trophäengehängen bestehende Folge „boucliers torches & casques" (1575/76) befindet. Gemeinsames Vorbild ist die aus 16 Militärtrophäen bestehende Serie der „Trophäen" des Enea Vico (Bartsch XV, S. 353 ff; Nr. 434–449).

Literatur: Berckenhagen 1970, S. 32 f EH

ANTOINE CARON (um 1527–1599)

51
Wasserfest in Fontainebleau

Feder in schwarzer Tusche, laviert;
31,6 × 46,4 cm
Edinburgh, National Galleries of Scotland
Inv. Nr. D 767

Im Gegensatz zur allegorisch-mythologischen Überhöhung der Hoffeste von Fontainebleau, wie sie im „Triumph des Frühlings" (Kat. I. 6) gezeigt werden, dokumentiert Caron in der Edinburgher Zeichnung ein historisches, tatsächlich ausgetragenes Wasserfest. Die Numerierung am unteren Blattrand („2") indiziert die Zugehörigkeit zu einem Zyklus, dessen Umfang und Bestimmung jedoch bisher unbekannt geblieben sind. In die Regierungszeit Charles' IX. datierbar, bildeten diese Blätter eine Anregung für die erst unter Henri III. entstandenen berühmten „Tapisseries de Valois", einen sechsteiligen, heute in den Uffizien verwahrten Gobelinzyklus.

Die Perspektive, aus der man die Szene betrachtet, ist darauf berechnet, möglichst viel vom Geschehen zu zeigen. Auf einem von der umfangreichen höfischen Gesellschaft gerahmten rechteckigen Teich vollzieht sich eine „Seeschlacht" in römischer Kostümierung, in der „Krieger" in reich mit Schnitzornamenten, Früchtegehängen und Feldzeichen geschmückten Schiffen versuchen, eine von „Feinden" besetzte Insel zu erobern. Man bediente sich dabei nach historischen Vorbildern geschaffener Speere und Schilder, die dem theaterähnlichen Spiel größtmögliche Authentizität verleihen sollten. In solchen Spielen wurden die „Streitparteien" oft in Anspielung auf konkrete politische Verhältnisse von Darstellern verkörpert, die bestimmte Bevölkerungsgruppen repräsentierten. Der Vordergrund zeigt symbolisch für die gesamte höfische Gesellschaft stehende Betrachtergruppen. Wie im „Triumph des Frühlings" (Kat. I. 6) beobachtet hier ein edles Liebespaar das Treiben – neben ihm blicken zwei

IV. 51

Höflinge auf einem Baumstamm sitzend über den Teich.

Entgegen der Behauptung Mc Allister-Johnsons ist diese Ansicht mit Schloß Fontainebleau im Hintergrund nicht exakt mit jener in Übereinstimmung zu bringen, die Du Cerceau (vgl. Kat. IV. 68) 1560–70 von der Anlage gezeichnet hat (London, British Museum). Trotzdem wohnt dem Blatt ein hoher dokumentarischer Wert inne, der die aufwendige historisch-mythologische Repräsentation belegt, welcher sich der eleganteste aller Fürstenhöfe in kunstvoller Manier bediente.

Literatur: Ausst.-Kat. Fontainebleau 1972, Nr. 43 MB

JACQUES CALLOT (1592–1635)

52
Der Schönheitskrieg 1616

Radierung; 29,9 × 29,5 cm
Hamburger, Kunsthalle, Kupferstichkabinett
Inv. Nr. 33127

Anlaß war der Besuch des Herzogs von Urbino im Oktober 1616 in Florenz. Wie in den Gesamtansichten zum „Liebeskrieg" im Karneval desselben Jahres (Kat. IV. 54) fand auch dieses Fest des Mediceischen Hofes auf der Piazza Santa Croce statt. Die Sicht von Stecher und Betrachter ist die der Vogelperspektive. Zwei Szenen stehen im Konflikt miteinander, was in der älteren Folge noch nicht der Fall war: die Duellszene im Vordergrund und die geradezu ornamentale Choreographie innerhalb der Arena. Das hat zwei Gründe: Im „Liebeskrieg" folgt die Perspektive in starker Aufsicht einem einheitlichen Fluchtpunkt, und die Szenen sind in ihrer zweipoligen Dynamik paraphrasierend aufeinander bezogen; im „Schönheitskrieg" verläuft an der Rückwand der vorderen Tribüne ein Bruch in der perspektivischen Konstruktion, und die Szenen haben kaum noch etwas miteinander zu tun.

Vier Fahrzeuge ziehen im Triumph von links in die Arena ein: „Die Liebe", „Thetis", „Die Sonne" und „Der Parnaß". Das erste Fahrzeug, eine in Wolken gehüllte allegorische Konstruktion, ist wieder verschwunden –, es hat die Verwirrung in Infanterie und Reiterei verursacht. Ihm folgen die zwei nächsten Fahrzeuge (beide sind ganz zu sehen) und, noch fast verdeckt, der „Parnaß". Unvergeßlich für Teilnehmer des Festes wie für Betrachter des Blattes ist die ornamentale Figur der fliehenden Truppen zu Fuß und zu Pferde.

Literatur: Meaume 1860, Nr. 640 – Nasse, Nr. 32 – Bruwaert 1912, S. 69 – Plan 1914, Nr. 128 – Zahn 1923, S. 38 – Lieure 1969, Nr. 182 – Ternois 1962, I, S. 53f, 58, 189 – Ternois 1962, II, S. 12, 42 – Sadoul 1969, S. 68ff – Schröder 1971, S. 946, 952 – Russell 1975, Nr. 38 – Kahan 1976, S. 46ff – Ballerini 1976, S. 39f – Blumenthal 1980, Nr. 51 GS

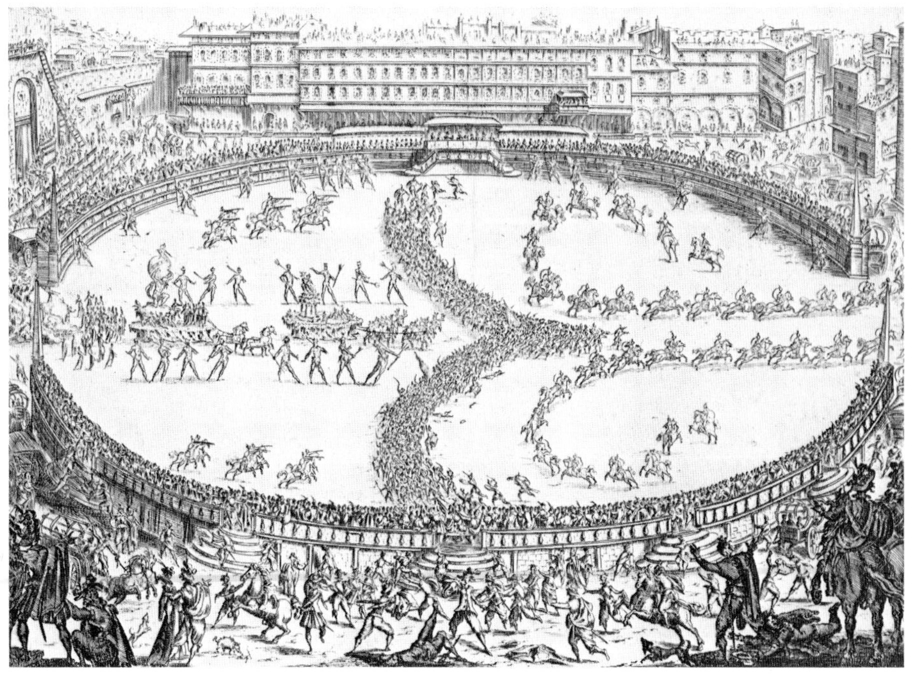

IV. 52

DOMENICO DE FRANCESCHI
(nachweisbar 1559–1564)

53
Die Armee der Türken vor Wien

Holzschnitt; 53,6 × 118,5 cm (Blatt)
Wien, Albertina
Inv. Nr. It HS, Bd. II, Bl. 39

1526 verlor Ferdinands Schwager, König Ludwig II. von Ungarn und Böhmen aus dem Haus der Jagellonen, sowohl die Schlacht von Mohać als auch sein Leben. Als Erben des ungarischen Throns traten die Habsburger die Nachfolge in Ungarn an und erbten so den Konflikt mit den Türken, der das ganze 16. Jahrhundert das Bewußtsein Europas, besonders das Mitteleuropas, beschäftigen sollte. Dieser Abwehrkampf der christlichen Habsburger gegen die angreifenden Osmanen fand natürlich auch seinen literarischen und bildlichen Niederschlag. Da großes Interesse vorhanden war, druckte man rasch auch illustrierte Türkenzeitungen mit Nachrichten zu einzelnen Ereignissen aus den Kämpfen mit den Türken. Für eine solche Türkenzeitung dürfte auch der Holzschnitt Domenico de Franceschis geschaffen worden sein. Er zeigt den Vormarsch der türkischen Armee auf Wien, das nach dem Fall Ungarns logisches Ziel war. 1529 brach Sultan Suleiman der Prächtige (vgl. Kat. IV. 69) mit 120.000

Mann und 300 Geschützen nach Wien auf. Begleitet wurde die Armee von 28.000 Kamelen. Der Kern dieser Armee war die Elitetruppe von 12.000 Janitscharen. Der Holzschnitt zeigt vom Anmarsch der türkischen Armee das, was man wußte, aber nicht die Realität, die man mit eigenen Augen beobachten konnte. Vorhut und Nachhut marschieren in der für die osmanische Armee typischen halbkreisförmigen Schlachtordnung. Hinter der Hauptmacht sieht man die gewaltige Artillerie, die die Türken vor Wien brachten. Suleiman der Große ist in der Mitte einer eigenartigen Truppenformation von Janitscharen zu sehen. Diese ist hufeisenförmig von Kavallerie umgeben, die die Hauptmacht der osmanischen Armee bildet. Eingefaßt wird das marschierende Heer von zwei geographischen Angaben, die die Szenerie für den Betrachter verständlich macht, rechts die Leitha, der österreichisch-ungarische Grenzfluß, und links die Stadt Wien, das Ziel der türkischen Armee. Wien ist durch den Stephansdom charakterisiert, dürfte jedoch 1529 ganz anders ausgesehen haben, als es auf dem Holzschnitt gezeigt wird. Am 15. Oktober 1529 brach Suleiman, von der jahreszeitlichen Witterung gezwungen, die Belagerung ab. Wien war gerettet.

Literatur: Clot 1983, S. 95 ff MP

JACQUES CALLOT (1592–1635)

54
Der Liebeskrieg

Die florentinische Tradition der turnierartigen Feste ist so alt wie ihre vor allem dort entwickelte antike Metaphorik (Warburg 1902 [1932], I, S. 112); sie hat bereits 1589 eine Verfeinerung erfahren, die international verbindlich wurde. Der hier geschilderte Minnekrieg in antikisch-allegorischem Gewande fand im Karneval des Jahres 1616 am Hofe Cosimos II. statt. Die Reportage aus der Vogelschau ist nicht neu (vgl. Blumenthal 1980, Nr. 15: Camillio Rinuccini 1608). Neu dagegen ist Callots Wiedergabe von Choreographie mit einem eigens dazu entwickelten Figurenstil, der bis ins 18. Jahrhundert nachwirkt. Vorbilder waren Poccetti und Zucchi und deren Fortentwicklung in der Graphik Agostino Carraccis (Blumenthal 1980, Nr. 4/5), wie sie Callot unmittelbar zugänglich war oder durch seine florentinischen Lehrer Buontalenti, Cantagallina und Parigi vermittelt wurde.

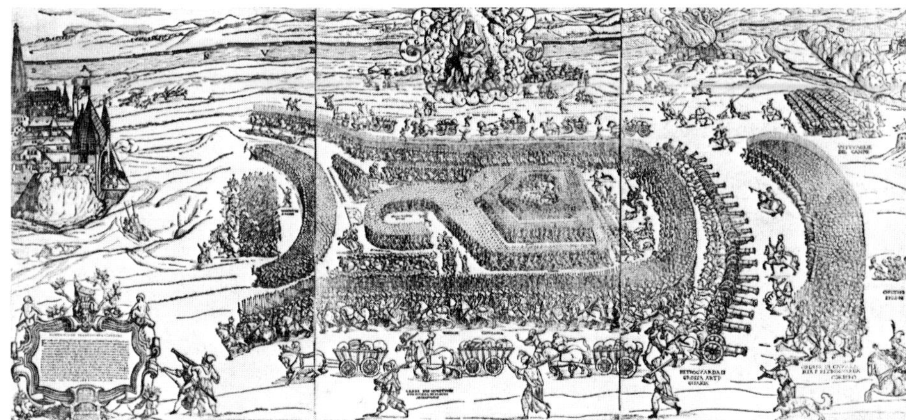

IV. 53

IV. 54 A

54 A
Aufmarsch und Triumph der Erdteile „Afrika" und „Asien" 1616

Radierung; 22,7 × 30,3 cm
Hamburger Kunsthalle, Kupferstichkabinett
Inv. Nr. 33125

Gegenüber der Höllendarstellung von 1612 (Kat. VI. 14) hat sich der Maßstab dramatisch verkleinert. Die Freiheit, die Callot damit gewann, gestattete eine spielerische Streuung, ohne daß die Einheit der Vision verloren ging. Das wird hier zunächst einmal mit marschierenden und reitenden Blöcken vorgeführt. Ihre Asymmetrien werden weniger wegen der runden Arena-Form ertragen als vielmehr wegen der unendlichen Verzahnungsmöglichkeiten von Figur zu Figur und von Gruppe zu Gruppe. Es ist kein Zufall, daß hier das Urmotiv Callots mit dem gepaarten Kontrapost zum ersten Male auftaucht (Posner 1977, S. 209 f).

54 B
Kampf der Infanterie 1616

Radierung; 22,7 × 32,3 cm
Hamburger Kunsthalle, Kupferstichkabinett
Inv. Nr. 33126

Das Gesetz, das Callot im maßstäblich untersetzten Figurenstil formuliert, wird in diesem Blatt auf die Spitze getrieben: Der jeweiligen Bewegung antwortet eine Gegenbewegung. Zu sehen ist reine Choreographie: Zwei Infanterie-Truppen durchdringen sich im Mittelfeld zu einem Quadrat, in dem gleichmäßig gekämpft wird – der Ernstfall oder doch wenigstens seine Nachahmung sähe kaum so homogen aus. Überdies entspricht die antikisierende Bewaffnung keineswegs der des 17. Jahrhunderts, wie man aus Callots Kriegsdarstellungen polemischer und beschreibender Art weiß. Darüber hinaus wird der Schild regelwidrig rechts getragen und das Schwert links; daß es sich nicht um ein graphisches Links-Rechts-Problem handelt, zeigt die „korrekte'' Haltung der Reiterei. Vielmehr spricht alles für eine allegorisierende Regie-Anweisung, wenn in einem Liebeskampf die Herzseite entblößt ist. Der Reiz des Blattes aber lebt nicht vom Konzept der damaligen Veranstalter. Was seine Wirkung nie verloren hat, ist der verblüffende Zusammenschluß einer unendlich variierten Form des Zwei- und Dreikampfes zu einem Netz von nicht mehr auflösbarer Struktur: Das Zentrum des Quadrates wirkt so abstrakt wie die ovalen Radierstudien Annibale Carraccis (De Grazia, Nr. 6).

Literatur: Meaume 1860, Nr. 633/634 – Nasse, Nr. 30 – Levertin 1911, S. 22 – Bruwaert 1912, S. 71 – Plan 1914, Nr. 21/22 – Lieure 1969, Nr. 170/171 – Ternois 1962, I, S. 53f – Ternois 1962, II, S. 41f – Knab 1968, Nr. 248/249 – Sadoul 1969, S. 67ff – Schröder 1971, S. 939, 942ff – Russell 1975. Nr. 50/51 – Kahan 1976, S. 28ff, 34ff – Ballerini 1976, Nr. 20/21, S. 35ff – Blumenthal 1980, Nr. 47 GS

IV. 54 B

JACQUES CALLOT (1592–1635)

55
Die (großen) Schrecken des Krieges 1633

55 A
Der Scheiterhaufen Blatt 13

Radierung; 8,2 × 18,7 cm
Inv. Nr. 33098

55 B
Das Rad Blatt 14

Radierung; 8,2 × 18,6 cm
Inv. Nr. 33099

Beide: Hamburger Kunsthalle, Kupferstichkabinett

IV. 55 A

IV. 55 B

Dargestellt sind zwei Hinrichtungsszenen nach dem Standgericht: Die Hingerichteten sind Soldaten. Was sie getan haben, geht aus Callots vorangegangenen Darstellungen eines Raubüberfalles, zweier Plünderungen und des Folterns und Vergewaltigens in einem Bauernhause hervor; die Delinquenten werden ergriffen (Blatt 9), am Wippgalgen gefoltert (10), erhängt (11), erschossen (12), verbrannt (13) und gerädert (14). Blatt 15 knüpft an Blatt 1 (Konskription) und 2 (Reiterschlacht) an: Auch die ehrlichen Soldaten siechen als Verwundete dahin; sie bleiben tot an den Heerstraßen liegen (Blatt 16), werden von Bauern aus dem Hinterhalt überfallen (17); und nur die Überlebenden kommen mit Sold und Ehre davon (18) – wer weiß, ob alle zu ihrer Zufriedenheit! Der dazugehörige Text von Michel de Marolles (1600–1683) stellt vor allem in den Hinrichtungsszenen Überlegungen zu Raison und Disziplin in den Vordergrund; sein zentraler Begriff ist das Recht, dem Geltung verschafft wird. Callot geht es um die „Misères'' und „Mal-Heurs'', wie es im Titel heißt. Alle sind davon betroffen: Der Soldat, ob ehrlich oder Verbrecher, der Reisende, der Bauer und dessen Familie.

Der Nachruhm dieser Folge beruht zunächst auf der „Anzüglichkeit'' (Dubos 1719) des Themas, aber in erster Linie auf Callots Fähigkeit, den Betrachter selbst auf kleinstem Raum davon zu überzeugen, daß die gezeichnete Molluske nicht nur sein Ebenbild ist, sondern auch ebenso lebendig ist. Diese Fähigkeit setzt sich – nach Vorgang des Martyriums des heiligen Sebastian (Kat. IV. 19) – besonders in den Hinrichtungsszenen durch; sie gestattet Mitleid wie im zeitgenössischen Drama (vgl. Ries 1981, S. 52f), ohne die Normen der Affektkontrolle zu verletzen (ebda S. 59f) und ohne irgend etwas von der tatsächlichen Brutalität zurücknehmen zu müssen: Hoffen wir nicht mit dem Delinquenten auf dem Scheiterhaufen, daß ihn der Scharfrichter vor dem Brennen würgt, und hoffen wir nicht mit dem Geräderten, der – nach den Gebärden des Priesters zu urteilen – noch lebt, daß er den nächsten Schlag des Scharfrichters nicht mehr überlebt?

Literatur: Meaume 1860, Nr. 576/577 – Nasse, Nr. 131 – Levertin 1911, S. 91ff – Bruwaert 1912, passim – Plan 1914, Nr. 815/816 – Lieure 1969, Nr. 1351/1352 – Klingender 1942, S. 206 – Ternois 1962, I, S. 196–199 – Ternois 1962, II, S. 130ff – Schmoll 1966, S. 91 – Knab 1968, Nr. 476/477 – Sadoul 1969, S. 297f – Schröder 1971, S. 1325, 1351ff – Russell 1975, Nr. 207/208 – Ballerini 1976, Nr. 268/269 – Wolfthal 1977, S. 222, 231 – Ries 1981, S. 43f und passim
GS

GIOVANNI BATTISTA D'ANGELI
auch ANGELO DEL MORO (um 1515–1573)

56
König Heinrich II. von Frankreich

Kupferstich; 33,6 × 23,3 cm
Wien, Albertina
Inv. Nr. HB 29 (1), Nr. 91, p. 63

Das ovale Porträtmedaillon Heinrichs II. (1519–1559) – er regierte 1547–1559 – führt den Herrscher im Profil, in Halbfigur und einer Rüstung „all' antica" vor. Er trägt ein Schwert und hebt ermahnend den Zeigefinger der linken Hand. Die das Medaillon umgebenden Figuren sind zwei geflügelte Genien, die einen Lorbeerkranz über die Krone halten, sowie zwei Atlanten und die Allegorien der Artes Mechanicae und der Artes Liberale. Die Bedeutung des Sohnes Franz' I. ist politisch für Frankreich nicht allzu ruhmreich: Zwar gewann er Tours, Metz und Calais, verlor aber Italien und schloß Frieden mit den protestantischen Fürsten. Interessant in Hinblick auf seine Persönlichkeit ist die Tatsache, daß seine Geliebte, Diana von Poitiers, zusammen mit einem Günstling (Connetable Anne de Montmorency) größtenteils die Regierungsgeschäfte führte und auch auf die Kunst einen großen Einfluß ausübte, woraus sich der „Dianenkult" entwickelte. Heinrich II. starb glücklos: auf einem Turnier anläßlich der Hochzeit seiner Tochter Elisabeth mit Philipp II. von Spanien.

Literatur: Pittaluga 1930, S. 290ff – Bartsch XVI, 112
BB

IV. 56

TADDEO ZUCCARI (1529–1566)

57
Einzug Kardinal Farneses, Franz' I. und Karls V. in Paris 1562/63

Federzeichnung, laviert; 31,3 × 44,5 cm
Wien, Albertina
Inv. Nr. 643

Die Zeichnung ist ein Entwurf für ein Fresko in der Farnese-Villa in Caprarola. 1562 erhielt Taddeo Zuccari den Auftrag, die Taten der einzelnen Familienmitglieder zu malen, um, in einem Akt von Selbstglorifizierung, das historische und politische Wirken der Familie zu verewigen. Der Einzug Kardinal Farneses mit dem Kaiser und dem Herrscher Frankreichs im Jahre 1540 steht im historischen Kontext der Calvinisten-Verfolgung in den Niederlanden. Für seinen Angriff auf Gent benutzte Karl V. die Route durch Frankreich mit dem Ziel, eine katholische Einheitsfront zu demonstrieren, ungeachtet der politischen Streitigkeiten zwischen dem Kaiser und Franz I.

Die Zeichnung der Albertina ist wohl die späteste Vorstudie für das Fresko, die Kreidequadrierung spricht für die Planung einer maßstabsvergrößerten Übertragung auf die Wand. Dennoch sind gegenüber der Malerei noch wesentliche Unterschiede festzustellen, die sich vermutlich daraus ergaben, daß in der Zeichnung die Position des Kardinals – nur schemenhaft angedeutet – neben Franz I. politisch eine Unmöglichkeit gewesen wäre, kompositorisch aber dem Kardinal ein Standort am Anfang des Zuges zugedacht werden sollte. Auf dem Fresko sind die Seiten der Herrscher vertauscht. Als päpstlicher Legat hatte Kardinal Farnese die Aufgabe, das kurzfristige Einvernehmen zwischen Karl V. und Franz I. zu nutzen für einen großangelegten Feldzug gegen alle Bedroher des Katholizismus, wozu auch die Türken und Heinrich VIII. gehörten.

Hervorgehoben wird die persönliche Bedeutung des Kardinals und seiner spezifisch päpstlichen Interessen durch den römischen Reiter im Bildvordergrund, der so akzentuiert gesetzt ist, daß die eigentliche, französische Ortsbestimmung daneben verblaßt.

Literatur: Stix/Fröhlich-Bum 1932, S. 34, Nr. 265 – Partridge 1978, S. 513ff
GW

IV. 57

IV. 58

NACH HENDRIK GOLTZIUS (1558–1617)

58
Der Standartenträger

Kupferstich; 21,3 × 13,4 cm (Blatt)
Bezeichnet: AVL excu – Signifer ingentes (. . .) fugiente fugit.
Hamburger Kunsthalle, Kupferstichkabinett
Inv. Nr. 55713

Auf einem schmalen Vordergrundstreifen „scharwenzelt" (wie es Hirschmann 1909, S. 98, ausdrückt) ein junger „Geck", ein riesiges Banner schwingend, am Betrachter vorbei. Seine Fahne, die zu halten er eigentlich kaum die Kraft haben dürfte, nimmt mit ihren Stoffmassen (deren sorgfältig gestochene differenzierte Innenstruktur ein Meisterwerk manieristischer Stecherkunst darstellt) fast die Hälfte des ganzen Blattes ein. Der junge Mann, fast ganz in ihrem Umriß aufgenommen, ist modisch-auffällig gekleidet. Das aufwendige Material, besonders des spitz in einer Art Beutel auslaufenden Obergewandes (des sogenannten „Ganshemdes"), ist in seiner stofflichen Erscheinung sorgfältig wiedergegeben, ebenso wie die Halskrause und die sorgsam geraffte Hose.

Das Blatt ist ein für diese Zeit typisches Beispiel eines sich mittels aufwendiger äußerer Attribute zur Schau stellenden Selbstbewußtseins. „Als Donnerträger schenke ich riesengroßen Mut und Beherztheit; wenn ich stehe, steht die Phalanx, wenn ich fliehe, flieht sie" (Unterschrift in der Übersetzung von Mielke). Der durch die Form der Kleidung betonte und überdimensional hervorgestreckte Oberkörper wirkt wie aufgesetzt und der komplizierte Kontrapost gibt der ganzen Haltung etwas Künstlerisches – weshalb Hirschmann denn auch in den ganzfigurigen Offiziersporträts „ins Modische übersetzte Römerhelden" sah (ebda).

Das im Original 1587 von Goltzius gestochene Blatt gehört zu einer Reihe von ganzfigurigen Offiziersporträts, die Goltzius seit 1582 gezeichnet und gestochen hat (vgl. Kat. IV. 8, 9).

Literatur: Hollstein 255 – Strauss 1977, Nr. 253 – Mielke 1979, Kat. Nr. 44 EH

HENDRIK GOLTZIUS (1558–1617)

59
Fähnrich 1585

Kupferstich; 21,4 × 15,3 cm
Bezeichnet: HGoltzius fecit A° 85
Hamburger Kunsthalle, Kupferstichkabinett
Inv. Nr. 27492

Im Unterschied zu den von Goltzius gestochenen „Offiziersporträts" (Kat. IV. 8, 9) ist dieser Stich als einziger der dort genannten Serie in das Jahr 1585 datiert. Goltzius hat auch hier einen Fahnenschwinger im Kontrapost dargestellt, doch diesmal dem Betrachter frontal zugewandt und im Vergleich zu dem zwei Jahre später entstandenen Beispiel um einiges kostbarer gekleidet: Er trägt einen mit Pelz und Federn besetzten Hut, eine Spitzenhalskrause und aufwendige Oberbekleidung, die mit ihrer sorgfältig gestochenen ornamentalen Musterung an die Rüstungen der damaligen Zeit erinnert (vor allem durch die charakteristische Form des Gansbauches, der vorne in scharfer Gradspitze zulaufenden Brust des Plattenharnisches). Das sich in der Pose ausdrückende Selbstbewußtsein des offensichtlich wohlhabenden und modebewußten Offiziers wird dabei noch von der riesigen, hinter dem Rücken des Dargestellten ein Eigenleben führenden Fahne unterstrichen, die dessen Umriß in elegantem Schwung zu unterstreichen scheint. Die Horizontlinie ist auch hier wieder extrem niedrig angesetzt, um im Verhältnis den Dargestellten umso größer auf dem schmalen Vordergrundstreifen in Positur setzen zu können. Im Mittelgrund sieht man einen Zug von mit Gewehren und Lanzen bewaffneten Soldaten vorüberziehen.

Literatur: Hollstein 252 – Strauss 1977, Nr. 215 EH

MATTHÄUS MERIAN d. Ä. (1593–1650)

60
Topographia Provinciarum Austriacorum
1649
Neugebäude

Kupferstich; 29,5 × 38,3 cm
Wien, Historisches Museum der Stadt Wien
Inv. Nr. 19026

IV. 59

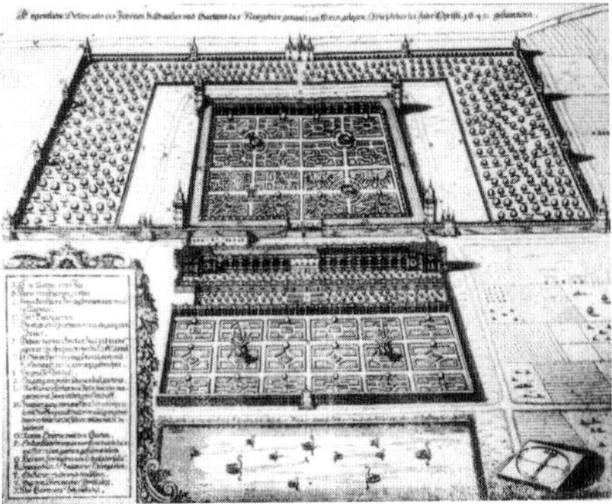

IV. 60

JOHANN ADAM DELSENBACH (1687–1765)
Nach einer Zeichnung von Joseph Emanuel Fischer von Erlach (1693–1742)

61
Prospecte und Abriße einiger Gebäude von Wien um 1715
Neugebäude

Kupferstich; 22,2 × 32,3 cm
Wien, Historisches Museum der Stadt Wien
Inv. Nr. 19028/2

In den sechziger Jahren des 16. Jahrhunderts faßte Kaiser Maximilian II. den Entschluß, östlich von Wien in der Nähe des kaiserlichen Sommersitzes in Kaiserebersdorf ein Lustschloß mit weitläufigen Gartenanlagen zu errichten. Wie aus den erhaltenen Korrespondenzen hervorgeht, ließ der Kaiser schon lange vor Baubeginn von seinen Gesandten in Italien Erkundigungen über Architekten, Maler und Bildhauer einholen. Er interessierte sich für die neuesten Architekturtraktate und -ansichten und gab den Ankauf zahlreicher antiker Statuen in Auftrag. Doch geben die Quellen, soweit sie bisher bekannt sind, keinen Aufschluß, welcher Architekt mit der Planung betraut wurde.

Nach einem Brief des Diplomaten Veit von Dornberg sollte Palladio, der wegen zahlreicher laufender Bauaufträge diese Aufgabe nicht zur Gänze übernehmen konnte, eine Skizze liefern. Ob dies tatsächlich geschehen ist, wissen wir nicht. Mit Sicherheit dürfen wir jedoch annehmen, daß der Einfluß des kaiserlichen Bauherrn auf die Planung aufgrund seines starken persönlichen Engagements sehr hoch zu veranschlagen ist. Eine nicht unwesentliche Rolle dürfte auch der kaiserliche Architekt und Antiquarius Jacopo Strada (Kat. I. 27 und IV. 46) gespielt haben, der wenig später in München den Bau des Antiquariums geplant und ausgeführt hat.

Aus dem Jahr 1568 sind die ersten Nachrichten über Bautätigkeiten beim Neugebäude überliefert. Die Stiche von Merian (1649) und Delsenbach (um 1715) lassen die Großzügigkeit der Konzeption noch erkennen. Heute sind die Gärten zerstört, und das Schloß, von dem es noch 1708 hieß, „es wäre, wo es ausgebauet oder nur im baulichen Wesen erhalten würde, eines der prächtigsten gebäue von Europa", diente zuletzt – stark verändert und reduziert – zu Lagerzwecken.

Das Herzstück der Gesamtanlage war der „große, schöne Lustgarten", ein annähernd quadratisches Geviert, das von Mauern mit Arkadengängen umgeben war mit vier mächtigen, mehrgeschossigen, sechseckigen Türmen in den Ecken, die mit Malereien und Stuck prunkvoll ausgestattet waren. Dieser innere Garten war von einem zweiten, dem sogenannten Baumgarten, umfaßt, der wiederum von einer Mauer umschlossen wurde, die mit Rundtürmen bewehrt war. In der Mitte der südlichen Umgrenzungsmauer lag das große Brunnenhaus, von dem über zahlreiche Kanäle das ganze Areal bewässert wurde. Auf der Nordseite des Schlosses senkte sich das Terrain in mehreren Terrassen ab bis zum großen Weiher, der ebenfalls der Lustbarkeit diente, wie man bei den von Delsenbach abgebildeten Barken noch sehen kann. Im „unteren blumen garten" standen „zwen künstliche Springbronen von weisen Marmor", wie es in der Beischrift des Merianstiches heißt. Sie waren Werke des niederländischen Bildhauers Alexander Colin. Der Entwurf eines der Brunnen befindet sich im Tiroler Landesmuseum Ferdinandeum, der zweite ist in Teilen in Schönbrunn erhalten.

Den Gärten, die auch in späteren Jahrhunderten noch Bewunderung erregten, galt zunächst das Hauptaugenmerk Kaiser Maximilians II.

An die Gartenanlage östlich anschließend lagen die Menagerie mit dem sogenannten Löwenhof und die Pferdestallungen. Hier befand sich der erste Tiergarten nördlich der Alpen, in dem exotische Tiere in großer Zahl

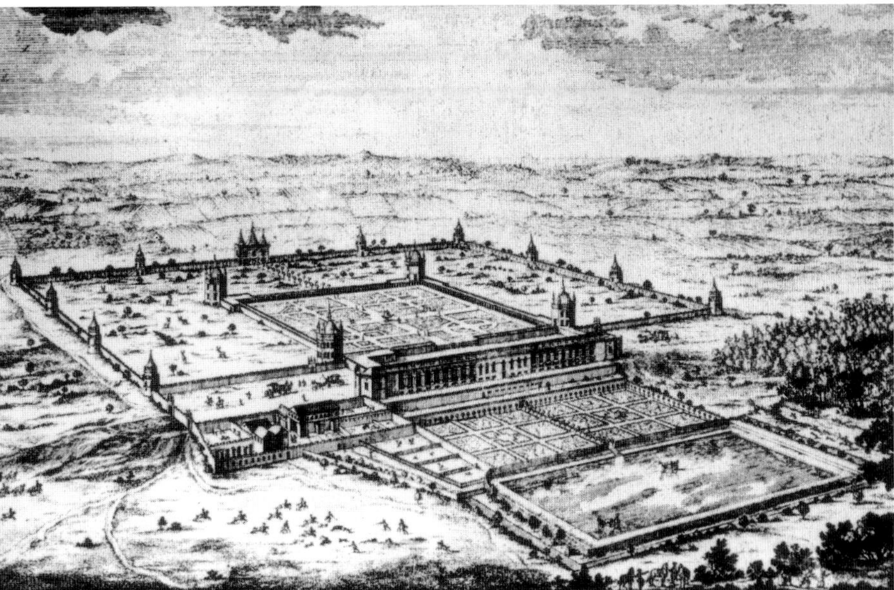

IV. 61

gehalten wurden. 1572 kam der erste Elefant, der nördlich der Alpen leben sollte, in die Gehege des Neugebäudes.

Über das eigentliche Schloß geben die schriftlichen Quellen wenig Auskunft, und auch die bildliche Überlieferung, soweit sie bisher bekannt ist, zeigt immer nur die Nordansicht mit den charakteristischen großen Galerien. Durch den frühen Tod Kaiser Maximilians II. – er starb 1576 in Regensburg – gerieten die Arbeiten bald ins Stocken. Das Hauptgebäude dürfte in seiner Außenerscheinung noch fertiggestellt worden sein, die Innenausstattung wurde jedoch nicht mehr in Angriff genommen. Maximilians Nachfolger, Rudolf II., verlor das Interesse an der Vollendung des kostspieligen Werks, nachdem er seine Residenz nach Prag verlegt hatte.

1745 ließ Maria Theresia noch einmal die Möglichkeiten zur Revitalisierung und Erweiterung des Neugebäudes und seiner Gärten überprüfen, doch wurde dieser Gedanke bald wieder fallen gelassen. Das endgültige Aus kam 1774 mit dem Plan, das Munitionsdepot im einstigen Lustschloß unterzubringen. Die noch verwendbaren Zierglieder der früher so prächtigen Architektur wurden zur weiteren Verwertung nach Schönbrunn transferiert (vgl. Kat. X. 27). In diesem Zustand wurde der Bau mit dem dazugehörigen Areal nach dem Ersten Weltkrieg von der Stadt Wien übernommen.

Literatur: Feuchtmüller 1976 EMH

DE RE MILITARI LIB. X. 239

Arabica machina ad expugnationem vrbium, magna & ingens, viris,pontibus,ſcalis,variiſque inſtrumentis bellicis referta.

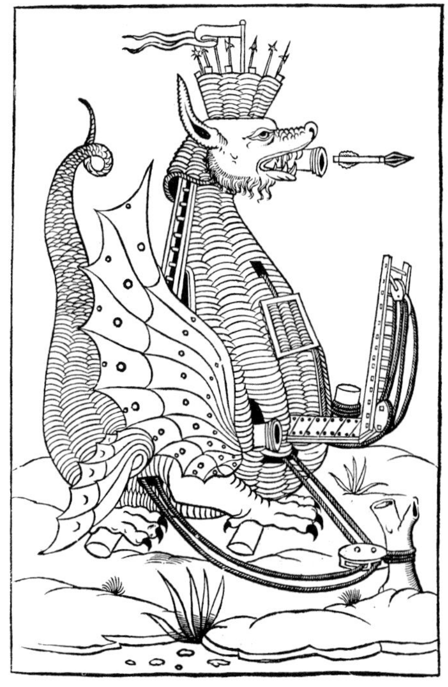

IV. 62

ROBERTUS VALTURIUS

62

De Re Militari Liber X Paris 1535

Wien, Österreichisches Museum für Angewandte Kunst
Inv. Nr. O II 13

Das 16. Jahrhundert hatte eine besondere Vorliebe für militärisch-technische Phantasien. Das zeigt sich nicht nur in den Entwürfen Leonardo da Vincis, sondern auch in der

Neuauflage von so alten Militärbüchern wie Robertus Valturius' „De Re Militaris", das schon 1455 geschrieben worden ist. Die dargestellten Maschinen zeigen die Freude an der technischen Invention, an der Erfindung, auch wenn sie zum größten Teil nicht auf ihre Tauglichkeit überprüft wurden, und ihr praktischer Wert überaus zweifelhaft ist. Die praktische Unbrauchbarkeit des geflügelten, drachenähnlichen Belagerungsturms wird durch seine Phantastik ausgeglichen. In seiner ausgefallenen Form versammelt er alle Elemente der Belagerungstechnik, wie Geschütze, Sturmleitern und Zugbrücken, und erhält dadurch Symbolcharakter. Zur Legende der Abbildung („Arabica machina as expugnationem urbium, magno, et ingens, viris, pontibus, scalis, variisque instrumentis bellicis referata"): Mit dem Begriff Arabica wurde keine Herkunftsbezeichnung gemeint, sondern ein Hinweis auf die Phantastik des imaginären Belagerungsgeräts.

Literatur: Kratzsch 1981, S. 54–60 – Kratzsch 1979, S. 30–38 – Meyer 1981, S. 74–78 MP

JOHANN RUDOLF FÄSCH (gest. 1749)

63
Kurtze jedoch grund- und deutliche Anfangs-Gründe zu der Fortification
Nürnberg 1725

Wien, Österreichische Nationalbibliothek
Inv. Nr. 255.861 – D. Fid (060/327)

Mit der zunehmenden Effizienz der Artillerie mußten sich auch die Befestigungsanlagen wesentlich verändern. Wie die Entwicklung der Artillerie verstärkte auch die neue kostspielige Festungsbaukunst die Tendenz zu zentralistischen Staaten. Der Festungsbau wurde eines der zentralen Gebiete der angewandten Mathematik und spiegelt als steingewordenes Symbol nicht nur die Macht des Bauherrn, sondern auch die zunehmende Bedeutung des Ingenieurwesens wider. Die fruchtbaren Anregungen der neuen Befestigungsmanier kamen im 16. Jahrhundert aus Italien. Italienische Ingenieure und Architekten beherrschten das Befestigungswesen, bis sie im 17. Jahrhundert durch die Holländer und später durch die Franzosen daraus verdrängt wurden. Die Formen der Festungen waren nicht nur durch die Möglichkeiten der potentiellen Feinde bestimmt, sondern spiegelten auch den Gedanken der idealen Stadt. Theoretische Werke wie das Rudolf Fäschs zeigen die rasante technische Entwicklung in der Militärarchitektur und dienten als Handbücher zur Verbreitung der neuen, modernen Formen.

Literatur: Ausst.-Kat. Architekt und Ingenieur 1984, S. 301 MP

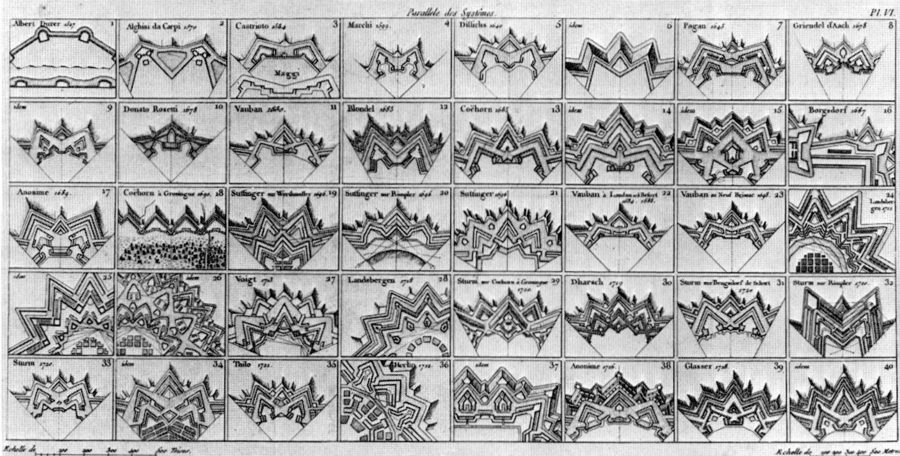

IV. 63

CHARLES FRANCOIS MANDAR
(1757–1830)

64
De l'Architecture des Forteresses
Paris 1801

Wolfenbüttel, Herzog August-Bibliothek
Inv. Nr. Jb 186

Das Buch C. F. Mandars repräsentiert das Ende einer Entwicklung. Als Professeur d'architecteur au l'École des Ponts et Chaussees gab er ein Fortifikationslehrbuch heraus. In einem historischen Überblick zeigt er in seinem Buch die Entstehung des Befestigungswesens seit Albrecht Dürer. In seinem Werk werden der Variationsreichtum und die phantastische Eleganz dieser Ergebnisse der Kriegskunst bewußt. Seine Neigung zu immer neuen Lösungen unter Ausschöpfung aller nur denkbaren Möglichkeiten macht aus dem Befestigungswesen ein wahres Produkt des Manierismus.

Literatur: Ausst.-Kat. Architekt und Ingenieur 1984, S. 320 MP

HANS UND PAUL VREDEMAN DE VRIES
(1527–1604 und 1567–1630?)

65
Architectura erstmals 1577 erschienen

Serie von 24 Kupferstichen; 33 × 24 cm
Wien, Österreichisches Museum für Angewandte Kunst
Inv. Nr. G II 25

Die 24 Blätter der „Architectura" sind im Sinne eines Lehrbuches der Darstellung der „Bavvng der Antiquen auss dem Vitruvius" gewidmet und stellen die fünf dort behandelten Säulenordnungen mitsamt Anwendungsbeispielen vor. Jede der Ordnungen („Tuscana", „Dorica", „Ionica", „Corinthia" und „Composita") wird in wiederum fünf Varianten gezeigt, denen „passende" Bauten zugeordnet sind: So können sie durchaus in profanen Gebäuden wie Befestigungsanlagen, Brücken, Packhäusern und Gefängnissen eingesetzt werden. Der manieristische Variations- und Kombinationsgeist, der sich besonders an solchen multifunktionalen, gleichzeitig aber die Autorität der Antike transportierenden Architekturelementen entzündete, fand in Vredemanns bedeutenden Entwürfen einen gültigen Ausdruck. Der spielerische Charakter, der in den früheren, eher bedrückenden Vorstellungen des Antwerpners fehlte, wird in der „Architectura" auch von den eingezeichneten Benützern getragen, die sich „groß und bedeutungsvoll" (Mielke) in den nicht weniger hehr anmutenden Bauten bewegen. Dieses „Säulenbuch" Vredemanns übte in zahlreichen Kopien und Nachahmungen eine bleibende Wirkung auf das Jahrhundert aus.

Literatur: Mielke 1967, Nr. XXII MB

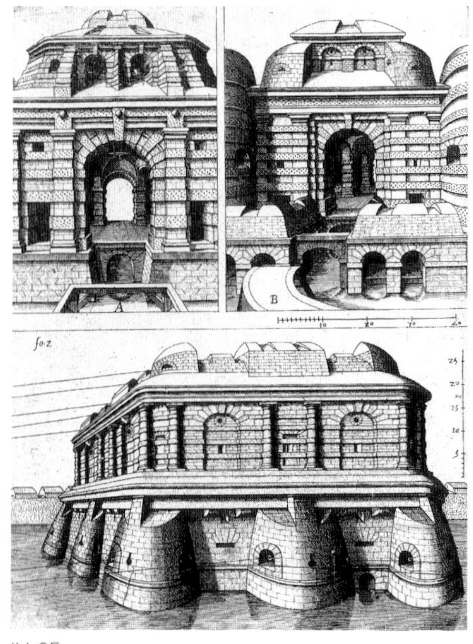

IV. 65

IV. 66

DEUTSCH, 16. JAHRHUNDERT

66
Miniaturkanone

Bronzeguß
Wien, Österreichisches Museum für Angewandte Kunst
Inv. Nr. GO 1793

Schießpulver läßt sich schon 1326/27 in Italien und England nachweisen, zur entscheidenden militärischen Bedeutung gelangte die Kanone aber erst im 16. Jahrhundert. Die europäischen Herrscher begannen mit dem systematischen Aufbau der Artillerie. Damit war die Zeit der uneinnehmbaren Burgen und Schlösser vorbei.

Nur noch starke Festungen, die mit zahlreichen Geschützen versehen waren, konnten sich gegen gegnerische Artillerie behaupten, und das verursachte Kosten, die sich nur wenige große Herren leisten konnten. Die Artillerie versetzte so der militärischen Stellung des Adels, der bisher auf seinen Burgen den meisten Belagerungen getrotzt hatte, den Todesstoß. Die Technisierung des Kriegswesens förderte entscheidend eine Entwicklung, die zum absoluten Staat, zur Herausbildung einer höfischen Gesellschaft führte, die ihrerseits den gesellschaftlichen Nährboden für den Manierismus bietet. Bei der Miniaturkanone, die sich am schweren Belagerungsgeschütz der zweiten Hälfte des 16. Jahrhunderts orientiert, dürfte es sich weniger um ein Geschützgießermodell handeln, als vielmehr um ein Spielzeug, vergleichbar einem Tischautomaten. Die Freude an der Miniaturisierung spielt hierbei eine entscheidende Rolle.

Literatur: Allmeyer-Beck 1974, S. 114f MP

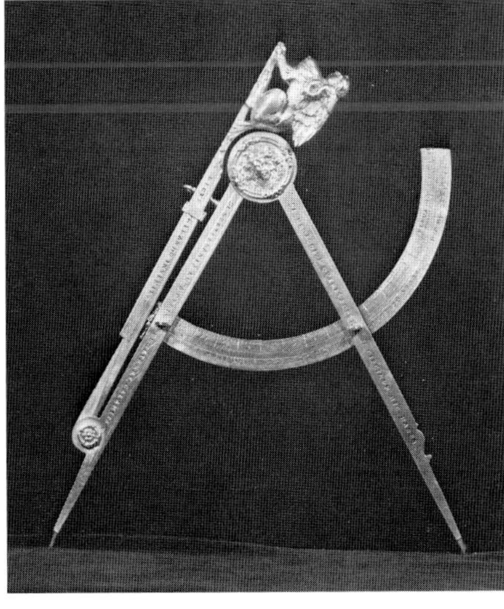

IV. 67

ANONYM

67
Büchsenmeisterzirkel

Verschiedene Metalle
Wien, Österreichisches Museum für Angewandte Kunst
Inv. Nr. Br. 1464

Wissenschaftliche und technische Instrumente gehören zur fürstlichen Kunstkammer der Renaissance. Sie repräsentieren als vom menschlichen Verstand ersonnene Hilfsmittel, als „Artificialien" (Kunstwerke), den Gegenpol zu den „Naturalien" (den unbearbeiteten Produkten der Natur).

Das 16. Jahrhundert ist auch das Zeitalter der beginnenden technischen Studien. Eines der ersten praktischen Anwendungsgebiete dieses Interesses an den Naturwissenschaften war die Ballistik. Der Italiener Niccolò Tartaglia veröffentlichte 1537 in Venedig eine Abhandlung über ballistische Probleme, die die Grundlage der wissenschaftlichen Ballistik wurde. Zur Anwendung der Ballistik benötigte man einen Quadranten. Etwa gleichzeitig (1540) erfand der Nürnberger Mathematiker Georg Hartmann den Kalibermaßstab, einen Metallstab, auf dem der Durchmesser der Geschützrohre (das Kaliber) in Pfund das Gewicht der Kugeln, bei Stein, Eisen und Blei umgerechnet werden konnte. Dadurch wurde das Abwiegen der Kugeln und der Pulvermenge erspart. Bei unserem Kombinationsgerät dürfte es sich um einen Büchsenmeisterzirkel handeln, der sowohl als Büchsenmeisterquadrant als auch als Kalibermaßstab zur Berechnung des Kugelgewichts verwendet werden konnte. Die verderbnisbringende Funktion der Artillerie ist durch die Sphinx und das Medusenhaupt auf dem „Universalgerät" angedeutet.

Literatur: Ausst.-Kat. Architekt und Ingenieur 1984, S. 125, 338 – Egg/Jobé/Lachouque 1971, S. 38 MP

JACQUES ANDROUET DU CERCEAU
(1510 – nach 1584)

68
Die vortrefflichsten Schlösser Frankreichs
(Le plus excellents bastiments de France)
Band II, 1579

Kupferstiche, gebunden
Wien, Österreichische Nationalbibliothek
Inv. Nr. 72 P 27

Jacques Androuet Du Cerceau, ein ausgebildeter Architekt, der sich jedoch ausschließlich der Zeichnung widmete, ist in erster Linie für seine Ansichten der vier wichtigsten französischen Königsschlösser im 16. Jahrhundert bekannt geworden. Diese Zeichnungen, von denen eine größere Anzahl im Londoner British Museum aufbewahrt wird, wurden für das Stichwerk in die Druckgraphik übertragen, wobei sich jedoch beträchtliche Unterschiede gegenüber den Vorlagen ergaben. Für die Baugeschichte der darin gezeigten

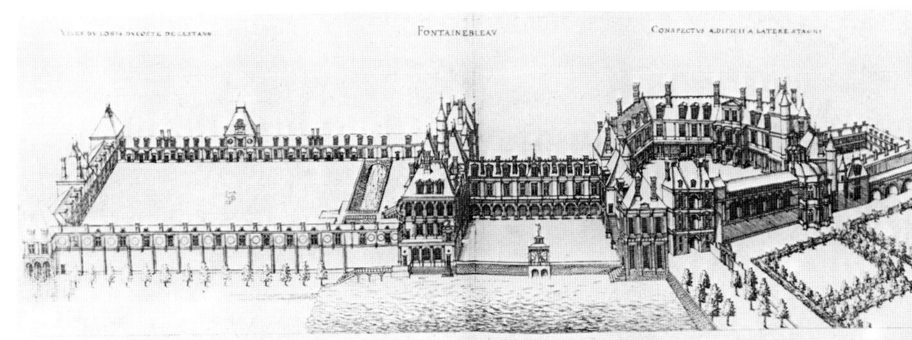

IV. 68

Schlösser Fontainebleau, Anet, Gaillon und Boulogne bleibt die Serie dennoch das wesentlichste historische Dokument. Zusammen mit der Zeichnung des Wasserfestes von der Hand Antoine Carons (Kat. IV. 51) bildet unsere Ansicht ein plastisch-vitales Zeugnis von der künstlerischen Gestalt, die sich der französische Absolutismus verliehen hat. Im Mitteltrakt ist auf unserem Stich die Galerie François' I. zu erkennen, die unter der Regentschaft ihres namengebenden Bauherrn von Rosso Fiorentino und dessen Werkstatt ausgestaltet wurde (vgl. Kat. I. 1, 2).

Literatur: Ausst.-Kat. Fontainebleau 1972, Nr. 109 MB

IV. 69

MARCANTONIO RAIMONDI
(1475/1480–1527/1534)

69
Suleiman

Kupferstich; 43,5 × 29,5 cm
London, British Museum, Prints and Drawings
Inv. Nr. 1859-8-6-307

Das in Europa durch die Türkenangst geprägte 16. Jahrhundert war andererseits das Goldene Zeitalter der Türkei. Diesen Höhepunkt der türkischen Kultur und des osmanischen Reiches kann man mit einer historischen Person verbinden, mit Suleiman den Prächtigen oder, wie ihn die Türken selbst nennen, Sultan Sulayman den Gesetzgeber. Suleiman wurde 1494 als Sohn Selims I., des Eroberers Ägyptens, geboren. Am 30. September 1520, wenige Stunden nach dem Tod seines Vaters, übernahm er die Macht. Obwohl vor allem auch kulturell interessiert, unternahm Suleiman in den 46 Jahren seiner Regierung nicht weniger als 13 Feldzüge, davon zehn in Europa, wo er geradezu zum Sinnbild des Eroberers schlechthin, zum Sinnbild des Krieges wurde. 1521, im Jahr nach seinem Regierungsantritt, führte er schon einen Balkanfeldzug und besetzte Belgrad. Den nächsten Schlag führte er gegen Rhodos, wo seit 1309 der Johanniterorden einen eigenen Ritterstaat besaß. Mit 300 Kriegsschiffen und 10.000 Mann griff er 1522 Rhodos an, das sich nach sechsmonatiger Belagerung ergeben mußte. Die Johanniter erhielten freien Abzug und fanden 1530 auf Malta einen Ersatz für die verlorene griechische Insel. 1526 marschierte Suleiman erneut gegen Ungarn, und es kam zu der schicksalhaften, die Geschichte Mitteleuropas so entscheidend beeinflussenden Schlacht von Mohács. Ludwig II., der junge ungarische König, fiel in der Schlacht, und der ungarische und böhmische Thron kam an die Habsburger. Da Suleiman den nationalungarischen Thronkandidaten Zapolya unterstützte, wandte er sich gegen Wien, die Hauptstadt des habsburgischen Kandidaten Ferdinand.

1529 drangen die Türken das erste Mal mit 120.000 Mann nach Wien vor, mußten sich jedoch erfolglos wieder zurückziehen. 1532 fiel Suleiman II. in die Steiermark ein. Die Habsburger verbündeten sich mit dem Genuesen Andrea Doria und konnten mit seiner Unterstützung Koron, Patras und Lepanto erobern. 1534 zog Suleiman in den Vorderen Orient und nahm Bagdad ein. Damit war er jetzt Herrscher über die gesamte arabische Welt.

In Mitteleuropa drang jedoch Ferdinand I. bis Buda vor und zwang so den Türkenfürsten zu einer Wiederaufnahme der Kämpfe in Zentraleuropa. Der Krieg zog sich über mehrere Jahre hin, ohne daß eine der beiden Seiten entscheidende Erfolge verzeichnen konnte. In der Folge kam es in Ungarn wieder zu Kämpfen gegen Ferdinand, wo er auch seinen letzten Feldzug führte. Bei der Belagerung von Szigetvár starb der große Kriegsherr Suleiman 76jährig. In der Geschichte des Osmanischen Reiches ist Suleiman aber nicht nur ein großer Eroberer, als weitblickender Gesetzgeber befaßte er sich vor allem auch mit der Organisation des Heeres, der Militärlehen, mit der Regelung des Grundbesitzes sowie mit dem Strafrecht. Eine bis heute sichtbare Bedeutung hatte Suleiman als Bauherr, war er doch für die Errichtung einiger der schönsten Moscheen Istanbuls verantwortlich.

Literatur: Clot 1983 – Lybyer 1913 MP

V Verwandlungen der Venus

Norbert Elias, der Verfasser des Standardwerkes „Über den Prozeß der Zivilisation" (2.A., Bern-München 1969), fand für sein Thema einen einleuchtenden Begriffsapparat; er spricht von Triebregelung und Selbstdisziplinierung der Affekte, von der Peinlichkeitsschwelle und der Schambelastung der Geschlechtlichkeit und sieht darin Symptome einer „soziogenen Angst", die sich aus Geboten und Verboten die Autorität eines Über-Ichs erfindet: „Die durch gesellschaftliche Sanktionen gestützten Verbote werden dem Individuum als Selbstzwänge angezüchtet" (I, S. 230–262). Diese Tabuisierungstendenz belegt Elias mit verschiedenen Textzitaten aus dem 16. Jahrhundert, zugleich hebt er den Mut der Humanisten, vor allem des Erasmus, hervor, die Dinge beim Namen zu nennen und die Geschlechtlichkeit vor der Schutzzone des Verschweigens zu bewahren.

Von den bildenden Künsten, mit denen der Soziologe sich nicht beschäftigt, werden diese Schlußfolgerungen bestätigt, zugleich aber erheblich relativiert, was wieder einmal zeigt, daß die Künste nicht einem allmächtigen „Zeitgeist" hörig sind, sondern mit ihren Wunschbildern und Ängsten künstlerische, also eigensinnige Thesen aufstellen, die sich manchmal mit den Problemen einer Epoche decken mögen, denen aber der rückblickende Betrachter die Autonomie anschaulicher Metaphern oder „symbolischer Formen" (Cassirer) zuerkennen sollte.

Dennoch zielen die „Verwandlungen der Venus", welche die Ausstellung auf den „Triumph" (Saal III) folgen läßt, nicht auf Distanzierung und Triebzurückhaltung, sondern verlaufen in der dialektischen Spannung von Natur und Zivilisation, natürlicher Triebhaftigkeit und kunstvoller Bändigung. Es gehört zu den reizvollsten Wagnissen der Manieristen, daß sie dieses Kräftepaar sowohl zur Verschränkung zu bringen wie bis zur Unvereinbarkeit zu steigern wußten. Was damit gemeint ist, zeigt der Vergleich der Verpuppungen eines 1562 in Paris erschienenen Bändchens über zeitgenössische Moden (Kat. V. 15) oder der Masken des René Boyvin (Kat. V. 17) mit der ostentativen Nacktheit (sprich: Schamlosigkeit) der Satyre und der Satyressen (Kat. V. 60, V. 74). Diese Gegenüberstellung führt vor Augen, daß das „Natürliche", wann immer es als solches proklamiert wird, mit der Unnaivität einer Forderung oder eines Wunschbildes auftritt, daß die Selbstverständlichkeit sich eben nicht von selbst versteht. (Hier sei dem Leser empfohlen, Kleists Aufsatz über das Marionettentheater nachzulesen.) Die Epoche, die sich in der natürlichen Triebhaftigkeit ein geschichtsloses irdisches Paradies (als Erlösung vom Zivilisationsdruck) erfinden wollte, brachte es nur zur Musterkarte der sexuellen Beziehungen, einmal mehr vorgeführt von den unsterblichen Göttern (Kat. V. 33–39), nachdem Giulio Romano bereits 1524 im profanen Zugriff „I modi" – den erotischen Stellungskrieg – auf einen Katalog gebracht hatte, der ihm freilich den Gunstentzug des Papstes eintrug. Was jedoch nicht auf päpstliche Bilderfeindlichkeit oder gar -abstinenz angesichts dieses Themenkomplexes schließen läßt.

Zu den Zeugnissen, in denen die Unvereinbarkeit von Natursehnsucht und Kultivierungsdrang anschaubar wird, zählt Lottos „Apoll", dieser köstliche Blick hinter die Kulissen der mythologischen Kulturideologie (Kat. V. 1). Apoll ist eingeschlafen, die Musen haben ihm ihre Wäsche zurückgelassen, sie tollen herum, seiner Autorität nicht achtend. Würde, das unerläßliche Attribut der Götter, ist hier nicht wahrzunehmen, Hierarchie hat abgedankt, und mit ihr ist die Männlichkeit auf die Rolle des Nachdenkens reduziert. In diesem Bild nehmen sich die mythologischen Gestalten heraus, anonym aufzutreten, aber indem sie ihrer traditionellen Rollenwürde entsagen, belasten sie das „Natürliche" mit einer Hypothek, die ihm recht eigentlich widerspricht: mit Verzicht.

Lotto bringt die Musen in den Genuß der Badefreuden, die in den betreffenden bürgerlichen Institutionen ohne „Triebzurückhaltung" vor sich gehen (Kat. V. 8). Doch in der öffentlichen Privatheit dieser Badehäuser tritt bereits die Nacktheit demonstrativ als Ideologie auf, die umso nachdrücklicher ihr Recht verlangt, als die gesellschaftlichen Konventionen sie mit den Verkleidungsritualen kontrastieren, in denen die Verdrängungsästhetik sich selbst mit immer neuen Kostümen, Attributen und Reizappellen überlistet (Kat. V. 12). Der Zivilisationsprozeß nimmt die Erotik in seine Strategien auf, er erfindet Hemmschwellen, die das Verlangen eher stimulieren, als daß sie es zügeln (Kat. V. 2). Elias' Wort von der „Selbstdisziplinierung der Affekte" gilt in diesem Zusammenhang nur, wenn man darin eine Doppelstrategie erkennt, die den Eros nicht unterdrücken, sondern in eine kostbare Fassung bringen möchte. Auch die religiösen Themen werden davon erfaßt und in mystische Ekstasen der preziösen, die Verweigerung einschließenden Hingabe entführt – einen solchen tour de force, den kein Zeitgeist forderte, ließ sich ein Künstler von geradezu manischer Extravaganz einfallen: Jacques Bellange (Kat. V. 23–28). In seinem Radierwerk wird das, was die Kunstgeschichte gerne „höfisch" nennt, auf eine Spitze getrieben, wo das Kostüm weder verhüllt noch die Entblößung suggeriert, sondern Körper umschreibt, in denen das Natürliche, Kreatürliche zum Kunstgebilde geworden ist. Die Topographie dieses Kunstgebildes „Frau" wurde von den Dichtern der „Blasons" mit der Ausführlichkeit einer (amourösen) anatomischen Bestandsaufnahme beschrieben.

Das Gegenteil davon, Geschöpfe, die sich ganz und gar naturwüchsig geben, sind die schlafenden oder tändelnden Faune und Nymphen, die Satyre und Satyressen, die zu Bacchanalen und schnellen Befriedigungsritualen zusammenfinden (Kat. V. 43–45, V. 71, 72). Was aus der Sicht der Triebregelung als Ausschweifung einzustufen ist, war in Gestalt von Tintenfässern und Schreibgeräten auch dem Nachdenkenden stets präsent: auf seinem Schreibtisch (Kat. V. 76). Diese Naturgeschöpfe sind Wunschfiguren, an die der Zivilisationsprozeß seine Triebenergien delegiert. Dort, in Wäldern und Grotten, dürfen Erregung und Ermattung ohne Vorbehalt dargestellt werden – im Bereich des Genrebildes sind nur die Präludien zugelassen (Kat. V. 2).

Aber auch Mythologie und Geschichte bieten vielerlei Motive der Versagung und Erfüllung (Kat. V. 28, V. 32). Jenseits der Paarungsmöglichkeiten stehen die großen Kultfiguren: Prudentia (Kat. V. 19), Venus (Kat. V. 57), Danaë (Kat. V. 56) und als Summe und Höhepunkt der Verwandlungen des Weiblichen: Minerva-Pallas Athene. Zeus hat sie „dadurch empfangen, daß er die schwangere Titanin Metis und mit ihr die Weisheit verschlang. Er gebiert aus sich heraus ein anderes Wesen, das wiederum androgyne Qualitäten besitzt – Athene ist Kriegerin und Göttin der Klugheit" (Orchard 1986, S. 77). WH

LORENZO LOTTO (um 1480–1556)

1 Farbabbildung S. 118
Schlafender Apoll mit Musen vor 1550

Öl auf Leinwand;
44,5 × 74 cm (rechts beschnitten)
Budapest, Museum der Bildenden Künste, Gemäldegalerie
Inv. Nr. 947

Lotto entwirft ein Gegen-Bild zu einer mythologischen Szene, die Mantegna und Raffael als die Verkörperung der Harmonievorstellung der Renaissance gestaltet hatten: Apollo und die Musen am Parnaß. Bei Lotto ist diese Harmonie gestört. Apollo ist eingeschlafen, den Kopf in die Hand gestützt wie eine Personifikation der „Acedia", des Lasters der Faulheit. Pfeil und Bogen hängen unbenutzt am Baum. Die Lyra ist dem Gott entsunken, und die Musen tanzen nicht mehr in geordnetem Reigen zu ihrer Musik – und symbolisieren so im neuplatonischen Verständnis die Bewegung der himmlischen Sphären. Links haben vier Musen nackt den Lorbeerhain verlassen und entfliehen in heftiger Bewegung in die weite Landschaft. Im jetzt fehlenden rechten Teil des Bildes sah man, Beschreibungen des noch ganz erhaltenen Bildes aus dem 17. Jahrhundert zufolge, die anderen fünf Musen entweichen. Die Mitte des Bildes, der Parnaß, ist also leer gelassen, nur die zurückgebliebenen Kleider und Attribute erinnern noch an die Musen (Bücher, eine Flöte, ein Globus sind gut zu erkennen), in der malerischen, Unbelebtes belebenden Faktur eine der intensivsten Partien des Werks.

Die Hüterinnen der Künste haben sich der „Voluptas" ergeben. Hier ist kein Ruhm mehr zu verkünden: die geflügelte „Fama" fliegt über dem schlafenden Apollo davon. Die scheinbare Idylle enthüllt eine pessimistische Weltsicht. Die Harmonie Apolls und der Musen – im 16. Jahrhundert ja auch ein Bild der politischen „concordia" – ist fragwürdig geworden. Die Ikonographie dieses Bildes, einer der wenigen Mythologien Lottos, ist einzigartig, ein Beispiel für die immer sehr persönliche Auseinandersetzung des Malers mit seinen Inhalten, welche von einer inneren Unruhe geprägt erscheint, die sich auch in der religiösen, mit evangelischen Strömungen sympathisierenden Haltung Lottos äußert.

Literatur: Pigler 1954, S. 165ff – Garas 1967, S. 52 u. Anm. 31 – Gentili 1980, S. 419ff HA

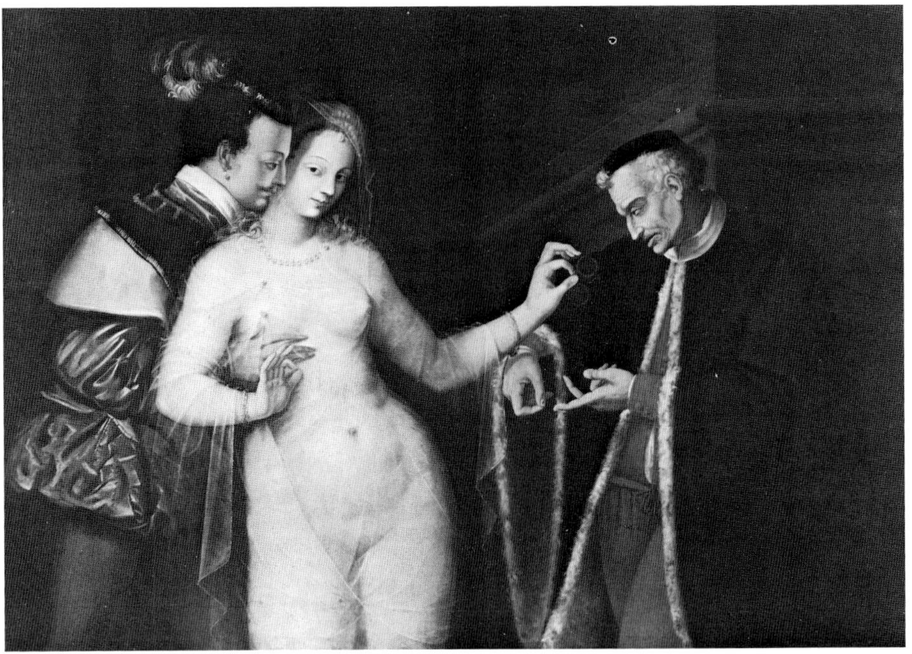

V. 2

UMKREIS DES FRANÇOIS BUNEL
(um 1522 – um 1595/99)

2
Die Frau zwischen den zwei Lebensaltern 1585–1595

Öl auf Leinwand; 117 × 170 cm
Rennes, Musée des Beaux-Arts
Inv. Nr. 803.1.1.

Das Gemälde zeigt auf einer schmalen, dunklen Bildbühne drei Personen. Eine junge Frau läßt sich von ihrem jugendlichen Liebhaber umarmen, während sie, mit Blick auf den Betrachter, dem älteren Mann rechts im Bild mit spitzen Fingern gerade noch seine Brillengläser hinhält. Die Szene, ein satirischer Kommentar auf die amourösen Ambitionen eines älteren Mannes, wurde wahrscheinlich durch Gastspiele italienischer Schauspieler inspiriert. (Die „Commedia dell'Arte" war besonders unter Henri III. in Frankreich sehr beliebt und charakteristische Szenen wurden öfter in Gemälden dargestellt.) In einer Pariser Privatsammlung existiert eine weitere Version, die 1579 unter Hinzufügung einer moralisierenden Unterschrift von dem Flamen Pieter Perret gestochen wurde (Hollstein XVII, Nr. 41). Dort trägt die junge Frau jedoch noch ein Kleid, und auch die anderen Kostüme sind weniger aufwendig. Das später entstandene, hier gezeigte Bild hat durch die Hinzufügung modischer Details, der das Zählen von Geld andeutenden Geste des „Alten" und dem – auch dem Betrachter – verführerisch entgegengehaltenen entblößten Frauenkörper, die Thematik satirisch zugespitzt: das Ganze ist in eine, den gleichfalls verführten Betrachter miteinbeziehende Viererkonstellation verwandelt.

Sterling (1955) hat das Bild zusammen mit einigen anderen Gemälden (darunter auch Kat. V. 3) dem Umkreis des François Bunel zugeschrieben.

Literatur: Ausst.-Kat. Maniérisme 1955, Nr. 33 – Ausst.-Kat. Fontainebleau 1972, Kat. Nr. 248 EH

UMKREIS DES FRANÇOIS BUNEL
(um 1522 – um 1595/99)

3 Farbabbildung S. 120
Dame bei ihrer Toilette 1585–1595

Öl auf Leinwand, 105 × 76 cm
Dijon, Musée des Beaux-Arts
Inv. Nr. CA 118

Die Darstellung spielt auf das Thema der „Toilette der Venus" an, ein Motiv, das oft, unter dem Vorwand vor Eitelkeit und damit zusammenhängenden Versuchungen zu warnen, die Gelegenheit bot, verführerisch entblößte weibliche Körper darzustellen. Eine junge Frau sitzt als Halbfigur vor ihrem Toilettentisch, den Oberkörper mit einem völlig durchsichtigen Kleidungsstück eher ent- als verhüllt, vor sich eine Dose mit kostbarem Schmuck, Rosenblüten und einen venezianischen Standspiegel. Mit der linken Hand greift sie sich an die Brust: möglicherweise, um mit dieser Geste auf ein an der Kette befindliches bedeutsames Medaillon anzuspielen. Wahrscheinlicher ist jedoch, daß diese, auch auf den anderen Versionen des Themas vorkommende, etwas schamhafte Geste von der mediceischen Venus oder einer anderen antiken „Venus pudica"–Darstellung generell für diesen Bildtypus übernommen und mit der Kette lediglich nachträglich motiviert wurde. Rechts im Hintergrund, in einem angrenzenden Raum, nimmt eine Dienerin gerade aus einer Truhe ein weiteres durchsichtiges Wäschestück heraus.

Nach Sterling (im Ausst.-Kat. Maniérisme 1955) hat François Clouet einen heute verloren gegangenen Prototyp dieses Bildes gemalt, der sicherlich auf venezianische Vorbilder zurückgeht. Eine nahezu identische Version, die jedoch aufgrund des stilistischen Befundes früher entstanden sein muß, befindet sich in Worcester (Lêvêque 1984, Abb. S. 154). Unser Bild schreibt Sterling zusammen mit einer Gruppe ähnlicher Darstellungen (auch Kat. V. 2) dem Umkreis des François Bunel zu und datiert sie in die Zeit von 1585–1595. Verschiedene Autoren haben versucht – mit jeweils anderer Datierung – in dem Bild Diane de Poitier oder Gabrielle d'Estrée zu erkennen. Keine der Identifizierungen erscheint bisher jedoch befriedigend.

Literatur: Ausst.-Kat. Maniérisme 1955, Nr. 34 – Ausst.-Kat. Fontainebleau 1972, Nr. 244 EH

LUCA CAMBIASO (1527–1585)

4
Diana und Callisto um 1570

Öl auf Leinwand; 146 × 150 cm
Kassel, Staatliche Kunstsammlungen
Inv. Nr. G. K. 948

V. 4

Der schlimme Ausgang der Liebesaffäre Jupiters mit der Nymphe Callisto ist in Ovids Metamorphosen (II, 460) beschrieben. Callisto (von griech. kalliste) bedeutet schön – und ob ihrer Schönheit hatte sie Diana (Artemis) Jungfräulichkeit gelobt und sich in den Kreis ihrer Nymphen begeben. Jupiter gewann sie allerdings mit einer List, und so ist in Cambiasos Bild der Augenblick der Entdeckung ihrer Schande durch Diana dargestellt. Das dem Betrachter in Verzweiflung zugewandte Gesicht der Nymphe, Amors Tränen und der unerbittliche Fingerzeig der Diana weisen bereits auf den Fortgang des Geschehens hin: Callisto wird verstoßen und schließlich von der eifersüchtigen Juno in eine Bärin verwandelt. Das Thema ist in mehreren Variationen von Luca Cambiaso gestaltet worden – der nächstliegende Vergleich ist das Bild in der Galleria Sabauda in Turin. Eine Zuschreibung an Primaticcio wurde fallengelassen. Im Inventar Rudolfs II. von 1621 taucht ein Bild mit dem Titel „Ein Bad mit Callisto" auf. Wenn es sich dabei um dieses Bild handelt, wäre das ein Hinweis dafür, daß Rudolf II. Bilder von Luca Cambiaso besaß und ihn schätzte – denn ein zweites Bild des Malers aus altem Bestand (die „Hl. Magdalena") befindet sich noch heute in Wien (Kunsthistorisches Museum, Inv. Nr. 1635).

Die eng gedrängten Figuren von intensiver Körperlichkeit sind in fast quadratischem Format in einer „Reliefebene" zusammengefaßt und zeigen die Neigung des genuesischen Malers zu ruhiger und ausdrucksvoller Monumentalität im Gegensatz zu subtiler Farbigkeit.

Literatur: Kat. Kassel 1980, S. 66/67 – Suida-Manning/Suida 1958, S. 155 BB

MATTHÄUS GUNDELACH (1566–1653/54)

5
Amor und Psyche 1613

Öl auf Kupfer; 33 × 45 cm
Bezeichnet: M/Gundelach/F./1613
Augsburg, Städtische Kunstsammlungen
Leihgabe der Bayerischen
Staatsgemäldesammlungen München
Inv. Nr. 2386

Das Gemälde entstand am Ende der Prager Zeit Gundelachs als Kammermaler am Hofe Kaiser Rudolfs II. Ihm liegt die Erzählung „Amor und Psyche" aus Apuleius' Metamorphosen, 11. Buch, zugrunde. Neidisch auf die Schönheit der Königstochter Psyche, befahl Venus ihrem Sohn Amor, sie in das häßlichste Geschöpf zu verwandeln, das er je finden könnte. Als er sie erblickte, verliebte er sich allerdings selbst in sie.

Gundelachs Gemälde vereinigt zwei Prinzipien der manieristischen Körpergestaltung, zum einen die Tendenz, die Körper zu fragmentieren und sie sich aus einzelnen autonom existierenden Gliedern zusammengesetzt zu denken, zum anderen das Prinzip, mehrere kompliziert ineinander verschränkte Körper zu einer übergreifenden Einheit zusammenzufassen. Unter Amors Fittichen ver-

V. 5

einigen sich die beiden Körper zu einer Gruppe, obwohl Amor nur eine untergeordnete, dunkle Folie für den Torso des Mädchens bildet. Allein ihr begehrenswerter Leib ist ins Licht getaucht, optisch durch Tücher und Schattenzonen abgetrennt von Amors Gliedmaßen und seinem Kopf.

Literatur: Kat. Augsburg 1984, S. 110 KO

BARTHOLOMÄUS STROBEL d. J. (1591–?)

6 Farbabbildung S. 121
Das Gastmahl des Herodes um 1620 (?)

Öl auf Leinwand; 95 × 73 cm
München, Bayerische Staatsgemäldesammlungen
Inv. Nr. 5120

Die bei Markus 6, 21–28 erzählte Geschichte von der Enthauptung Johannes des Täufers wird dem Künstler zum Anlaß für die Schilderung eines prächtigen Festbanketts. Herodes thront am Ende einer langen Tafel, durch einen prachtvollen Baldachin ausgezeichnet. Ihm zur Seite sitzt Herodias, daran anschließend eine Reihe prunkvoll gekleideter Gäste. Salome betritt von rechts her den Raum. Ihr jugendlich unbeschwertes Gesicht, das sie in belanglosem Gespräch ihrer Begleiterin zuwendet, verrät keinerlei Gemütsregung hinsichtlich des abgeschlagenen Hauptes, das sie auf einem goldenen Tablett mit sich trägt – weder Abscheu noch Freude oder Triumph. Ihre Gleichmut findet sich auch bei den meisten übrigen Teilnehmern des Gastmahls: Kaum jemand scheint von der verführerischen Prinzessin mit ihrer grausigen Beute Notiz zu nehmen. Nur ein Page riskiert einen scheelen Blick auf den noch im Tode hoheitsvoll wirkenden Kopf, und einige Musikanten blicken von oben beklommen auf die Szene. Durch den großen Bogen im Hintergrund wird der Blick auf einige Frauen gelenkt, die offenbar in einen Disput mit nur schemenhaft erkennbaren Soldaten verwickelt sind und möglicherweise als Anhänger des Täufers verstanden werden müssen.

Zur feinen Gesellschaft im Festsaal gehören sie jedenfalls nicht. Diese ist exemplarisches Spiegelbild einer höfischen Versammlung des ausgehenden nordischen Manierismus: Kleiderprunk und verfeinerte Umgangsformen prägen den Gesamteindruck.

Zweifellos werden sich die Auftraggeber dieses Gemäldes selbst darin erkannt haben, sei es, weil hier ein naturgetreues Abbild ihrer – idealen – Lebensweise gegeben wird, sei es, weil sie – in Form einer Porträtdarstellung – selbst darin auftauchen. Man hat etliche Bildnisse in der Münchner Tafel erkennen wollen, ohne sie jedoch wirklich identifizieren zu können. In jedem Fall aber ist das großartig inszenierte Bild eine Form höfischer Selbstdarstellung, die Ende des 16. und zu Beginn des 17. Jahrhunderts durchaus üblich war. Neben einem Stich Jan Mullers, der das Gastmahl des Belsazar zum Inhalt hat, ist vor allem ein monumentales Bild des Herodesgastmahls im Prado auch formal mit dem Münchner Gemälde in Zusammenhang zu bringen. Im Gegensatz zu der allegorisch beladenen – aber nicht wirklich deutbaren! – Darstellung im Prado brilliert das Münchner Bild durch eine trotz ablenkenden Beiwerks prägnante Erzählweise, die durch Licht- und Farbeffekte die nötige Stringenz erhält.

Das bereits vielen verschiedenen Künstlern – u. a. Valckenborch und Joos de Winghe – zugeordnete Bild wird heute versuchsweise, einem Vorschlag Neumanns folgend, in das Frühwerk des Bartholomäus Strobel gereiht und ist somit als später Nachklang der Prager Hofkunst zu verstehen, der es in seiner geheimnisvollen, subtil erotischen Ausstrahlung ebenso entspricht wie in seinem durch und durch höfischen Charakter.

Literatur: Seghers 1961, S. 125 ff – Neumann 1970, S. 142–170, bes. S. 155 ff – Kat. München 1983, S. 517 MK

ITALIEN, 17. JAHRHUNDERT (?)

7
Adam und Eva

Öl auf Leinwand; je 43 × 35,5 cm
Privatsammlung Basel/Schweiz

Adam und Eva sind als Gegensatzpaar konzipiert und stehen einander in Profilansicht gegenüber. Beider Köpfe sind aus den Körpern einander umwerbender Kinder gebildet – Augen und Haare jedoch bleiben als seltsam realistische Akzente innerhalb des abstrahierten Ganzen bewahrt. Auch der übrige Körper und das Gewand werden naturalistisch wie-

V. 7

dergegeben. Adam, in der legeren Freizeitkleidung eines Edelmannes, hält Buch und Schriftrolle in Händen, wobei er letztere gleichsam als Waffe drohend gegen Eva schwingt, die ihrerseits mit preziöser Gebärde den Apfel emporhält.

Die Entmythologisierung des allegorischen Exempels von männlichem Intellekt und weiblicher Verführungskunst wird in recht drastischer Weise vor Augen geführt. Nicht mehr Naturgewalten oder Gottheiten sind die Verkörperung höchster Ideen, sondern ein adeliges Paar mit wenig charmantem Äußeren, das auch durch die bemühte Anspielung auf seine Stammelternschaft nicht wesentlich an geistvoller Konzeption gewinnt. Während die räumlich gedrehte Figur des Adam eine gewisse Qualität nicht vermissen läßt, scheint der Maler bei Eva seine künstlerischen Intentionen mitunter vergessen zu haben. So ist die Frisur der Urmutter zum Teil aus derselben Substanz wie ihr Gesicht gebildet (aus einander liebkosenden Kindern) – ein Phänomen, das recht eigentümliche Schlüsse zuläßt.

Die beiden Bilder sind vermutlich einem italienischen Künstler zuzuschreiben und können frühestens im 17. Jahrhundert entstanden sein. Die Zahl 1578, die sich schemenhaft auf Adams auch sonst schwer zu entzifferndem Lesezeichen erkennen läßt, muß wohl eher als nachträgliche Hinzufügung denn als originale Bezeichnung gewertet weren.

Literatur: Geiger 1960, Abb. 87–88 – Kriegeskorte 1986, S. 80f MK

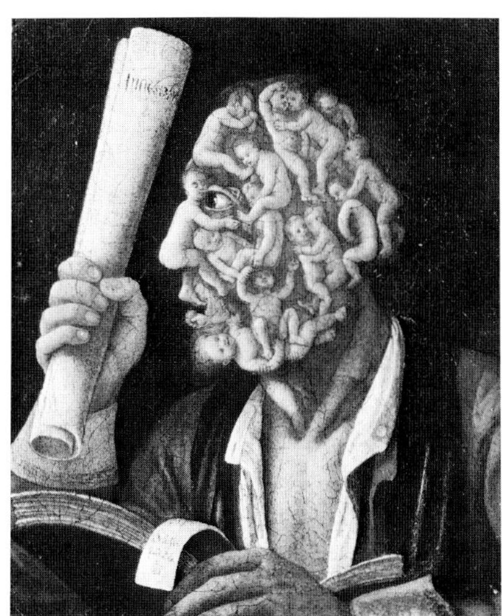

V. 7

V. 8

VIRGIL SOLIS (1514–1562)

8
Eine Badestube Mitte 16. Jahrhundert

Kupferstich; 33,6 × 25,5 cm
Bezeichnet: VS
Hamburger Kunsthalle, Kupferstichkabinett
Inv. Nr. 1/12344

Menschen unterschiedlichen Geschlechts und Alters bevölkern die Badestube, die durch Wasserbecken, Schwämme, Badetücher und Krug als solche kenntlich gemacht ist. Gemischte Badestuben waren seit dem Mittelalter ein Ort der Geselligkeit und von daher auch ein Ort der erotischen Annäherung. Unbefangen gibt sich ein Paar im Vordergrund den Liebesfreuden hin. Nur die über das Paar hinwegschreitende Frau nimmt Anstoß daran und deutet mißbilligend mit dem Zeigefinger auf sie.

Das sinnliche Treiben der beiden Paare in der rechten Bildhälfte war wohl der Anlaß gewesen, daß das Blatt in der Literatur häufig als „Wiedertäuferbad" bezeichnet wurde. Für eine solche Interpretation gibt es aber keinerlei Begründung, vielmehr handelt es sich um eine der durchaus üblichen Darstellungen von Badeszenen.

Vorlage für den Stich war eine Zeichnung von Aldegrever (nicht erhalten), auf den das Monogramm in der Kartusche an der Wand verweist.

Der Künstler nimmt die Badeszene als natürlichen Anlaß, den nackten menschlichen Körper in verschiedenen perspektivischen Verkürzungen und Posen darzustellen. Das gesamte Blatt wird beherrscht von einem Gewirr sich überschneidender Leiber, welches keine Haupthandlung oder Hauptperson hervortreten läßt.

Literatur: Ausst.-Kat. Aldegrever 1985, Nr. 52 – O'Dell-Franke 1977, Nr. f 71 (dort weitere Literatur) KO

V. 9

ANTONIO FANTUZZI (tätig 1537–1550)

9
Venus und Mars im Bade ca. 1543

Kupferstich, Radierung; 21,6 × 42,6 cm
Bezeichnet: AF
Paris, Bibliothèque Nationale, Cabinet des Estampes

Das Blatt ist nach einer Komposition Primaticcios gestochen (Zeichnung im Louvre/Paris). Die Bestimmung des Entwurfes ist nicht ganz gesichert, doch wird vermutet, daß er gemeinsam mit Kat. V. 59, 60 für das heute zerstörte Badezimmer in Fontainebleau vorgesehen war.

In einer Badewanne sitzt der jugendliche Mars, der seine Rüstung und Waffen abgelegt hat und sie von zwei Putten bewachen läßt. Venus ist gerade im Begriff, zu ihm ins Bad zu steigen, wobei er ihr mit einer sehr direkt zupackenden Geste behilflich ist. Sie bietet dem Betrachter einen schön geschwungenen Rückenakt. Ihre Haltung, besonders die gespreizten Beine und der gekrümmte Rücken, lassen an ein Blatt, um hundertachtzig Grad gedreht, aus den berühmten „Modi"-Stichen Marcantons denken, in denen der Geschlechtsakt in verschiedenen Varianten gezeigt wird (vgl. Abb. V. 9a). In der Graphik der Schule von Fontainebleau sind erotische Darstellungen dieser Art sehr beliebt, auch Szenen, in denen die Frau eine sexuell gleichberechtigte Rolle neben dem Manne spielt.

Literatur: Zerner 1969, A. F. 68 – Dunand 1977, S. 316f – Ausst.-Kat. Fontainebleau 1972, Nr. 325 – Lêvêque 1984, S. 93 KO

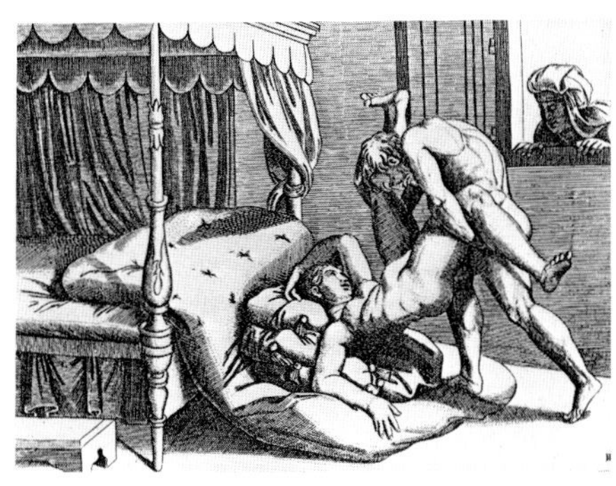

V. 9a

V. 10

JEAN MIGNON (tätig 1535–1555)
Nach Luca Penni (1500/1504–1556)

10
Diana und Aktaeon

Radierung; 42,7 × 57,6 cm
Bezeichnet: DOMINUM COGNOSCITE VESTRUM
Paris, Bibliothèque National, Cabinet des Estampes

Aktaeon durchstreift nach einer anstrengenden Jagdpartie das bewaldete Tal Gargaphië, in dessen hinterstem Winkel er nach Ovid (Met. III, 138 ff) unerwartet auf eine „natürliche" Grotte trifft. Der Ort ist der Diana heilig, und Aktaeon überrascht sie nichtsahnend mit einigen ihrer Nymphen beim Baden. Unerwartet dem Blick eines männlichen Eindringlings preisgegeben, bespritzt sie ihn unter Verwünschungen mit Wasser – in Ermangelung ihrer Pfeile, die sie vorher abgelegt hatte – und verwandelt ihn, angefangen bei seinem Kopf, langsam in einen Hirschen. Links im Hintergrund sieht man ihn noch auf zwei Beinen davoneilen, ein Stück weiter wird er bereits von seinen Jagdhunden zerrissen.

Die Radierung präsentiert das im 16. Jahrhundert sehr populäre Thema in einem aufwendigen ornamentalen Rahmen. Die Handlungsfolge wird entsprechend der Vorlage wiedergegeben, nur das szenische Umfeld ist frei interpretiert (der Landschaftshintergrund stammt wahrscheinlich von Mignon). Die „natürliche" Grotte Ovids verwandelt sich in ein höchst artifizielles viereckiges Brunnenbassin mit auf Delphinen reitenden Putten an den Ecken, umgeben von antiken Ruinen. Die Szenerie wirkt mondän und stilisiert. Selbst Aktaeon hat trotz des ihm drohenden Schicksals die Muße, seinen menschlichen (männlichen) Körper noch einmal in eleganter Pose zur Schau zu stellen.

Luca Penni, nach dessen Entwürfen Mignon fast ausschließlich radiert hat, ist von 1537 bis zur Mitte der vierziger Jahre in Fontainebleau beschäftigt gewesen. Der das Mittelbild umgebende Rahmen aus Rollwerk, Putten, Fruchtgehängen und Masken verrät den Einfluß Rossos. Das ornamentale Beiwerk scheint ein Eigenleben zu führen. Durch das Spannungsverhältnis von Rahmen und Bild-im-Bild entsteht dabei fast so etwas wie ein Trompe-l'œil-Effekt.

Literatur: Zerner 1969, J. M. 60 – Ausst.-Kat. Fontainebleau 1972, Nr. 418 EH

ANTONIO FANTUZZI (tätig 1537–1550)

11
Badende Nymphen 1543

Radierung; 26,3 × 19,2 cm
Bezeichnet: FR.PA / INN / AF / 1543
Hamburger Kunsthalle, Kupferstichkabinett
Inv. Nr. 1/1123

Diese Radierung nach einer Zeichnung Parmigianinos (Florenz, Uffizien, Inv. 751 E), wurde auch von Ugo da Capri als Chiaroscuro-Holzschnitt und von Andrea Schiavone als Radierung wiederholt. Die Zeichnung scheint auf Entwürfen zu „Diana und Aktaeon" zu basieren, die Parmigianino im Zusammenhang mit der Dekoration in Fontanello um 1524 angefertigt hat. Das Sujet ist jedoch unklar. Fantuzzi versucht, in seiner Radierung zumindest die Mittelfigur genauer zu definieren. Ihr ist über dem erhobenen Arm eine Mondsichel zugeordnet, die sie als Diana kennzeichnet. Eine weitere eigene Hinzufügung ist die Gruppe mit Zeus, Ganymed und Hera auf der Wolkenbank im oberen Halbrund. Die landschaftliche Ausgestaltung nimmt bei Fantuzzi eine hervorgehobene Stellung ein und verunklärt dadurch, ebenso wie die gleichmäßige, kontrastreiche Hell-Dunkel-Gestaltung, den schlängelnden Zug, der von der vorderen Nymphe mit dem Tuch ausgeht und über die leere Hinweisgeste der Mittelfigur im unbestimmten Hintergrund weiterschwingt.

Literatur: Zerner 1969, A. F. 59 – Bartsch XVI, 14 – Popham 1971, Nr. 74 – Ausst.-Kat. Parmigianino 1963, Nr. 71 KO

V. 11

SIGMUND ELSÄSSER
(tätig um 1579–1587)

12
Festzug

Zwei Aquarelle auf Papier;
59 × 36 cm und 43,5 × 33,7 cm
Kunsthistorisches Museum,
Sammlungen Schloß Ambras
Inv. Nr. P 5269

Am 15. Februar 1580 fand am Innsbrucker Hof die Hochzeit des Neffen der Philippine Welser, Johann v. Kolowrat, mit Katharina v. Payrsberg, einer der reichsten Erbinnen Tirols, statt.

A. Zum Ringelrennen am 14. Februar erschien Erzherzog Ferdinand als Jupiter in einem von Adlern gezogenen Wagen, darüber sein Wappen, in der oberen Randleiste Jupiter und Hermes bei Philemon und Baucis, die Götterversammlung und der Kampf der Götter und Giganten. Das Erscheinen des Erzherzogs stellt den Höhepunkt des dritten Aufzuges dar, in dem Himmel und Erde, Gestirne und Elemente, Jahreszeiten und Planeten in ihren zyklischen Zusammenhang auf Jupiter als die oberste Gottheit zurückgeführt werden.

B. Ceres, unter deren Regentschaft Manilius den August stellte, war das Symbol des Sommers, dargestellt von Jaroslaw Lipsteinsky, Freiherrn v. Kolowrat, einem Bruder des Bräutigams. Ihr Reittier, das Krokodil, nimmt auf eine Textstelle in Ovids Metamorphosen Bezug (V/446): Ceres trinkt auf der Suche nach Proserpina gierig ein Glas Wasser, ein Knabe, der sie deswegen verlacht, wird zur Strafe in eine Echse verwandelt.

Das Programm der allegorischen Turniere stammt von Erzherzog Ferdinand selbst, die jeweiligen Aufzüge wurden, mit dem Ziel einer späteren Drucklegung, von seinem Hofmaler Sigmund Elsässer im Aquarell festgehalten.

Die ursprünglich in zwei Bücher und eine Rolle geteilten 37 Aquarelle mit 18 erklärenden Textseiten sind im Inventar der Ambraser Kunstkammer von 1596 erwähnt.

Literatur: Scheicher 1981, S. 119–153 – Kat. Innsbruck 1977, Nr. 195 (mit weiteren Literaturangaben) ES

V. 12 A

V. 13

CHRISTOPH JAMNITZER (1563–1618)

13
Skizzenblatt mit Festzugsinventionen
um 1600

Feder in Braun; 22,4/23,1 × 62 cm
Köln, Wallraf-Richartz-Museum, Kupferstichkabinett
Inv. Nr. Z 1400

Christoph Jamnitzer, der vor allem als Entwerfer von Grotesken und Ornamenten („Neuw Grotesken Buch", Kat. VII. 48) eine dem 16. Jahrhundert adäquate Formensprache entwickelte, wandte seinen Sinn für Dekoratives und für elegante Inszenierungen auch auf Festinszenierungen an. Der heitere Charakter unserer „Festzugsinvention" wird auch getragen von einem leichten, schnell geführten Federstrich, der Pantalone, Tamburinspieler, kostümierte und akrobatisch sich gebärdende Figuren spontan aufs Blatt setzt. Rechts erkennt man „bewaffnete" Narren, über denen Tierchen mit Gegenständen des katholischen Ritus spielen. Günther Irmscher vermutet hinter diesen capricciohaften Details eine „antikatholische Parodie auf das Mönchsleben". Die Pantalone links antizipieren schon Callots „Zanni" (Kat. IX. 14), die auf eine ganz ähnliche Weise ihre tänzelnde Narretei vorführen.

Literatur: Ausst.-Kat. Jamnitzer 1985, Nr. 330 MB

V. 14

HEINRICH WIRRICH (gest. 1600)

14
Tierumzug 1571
Aus der Beschreibung der Hochzeit Erzherzog Karls mit Maria von Bayern

Holzschnitt
Wien, Österreichisches Museum für Angewandte Kunst
Inv. Nr. A II 27

Wirrichs Festbeschreibung ist dem Genre der dokumentarisch orientierten Berichterstattung über ein historisches Ereignis zuzurechnen. Sowohl die prachtvolle Inszenierung dieses Anlasses als auch der hohe Rang der Hochzeiter, deren Verbindung auch von politischen Absichten bestimmt war, verleihen dem Ereignis innerhalb der höfischen Feste des 16. Jahrhunderts eine besondere Bedeutung. Das erweist sich auch durch die Veranstaltung eines „Tierumzuges", der wohl eine außergewöhnlich starke Wirkung auf die Zuschauer gehabt haben muß.

Die künstlerische Hochwertigkeit solcher Festumzüge setzt sich aus der Vielfältigkeit der Inszenierung zusammen, die in sich politische Kalkulation, größte Prunkentfaltung und sportliche Betätigung in Form von Turnieren vereinigte. Erzherzog Karls Ehe mit Maria von Bayern entsprangen zwölf Kinder. Der älteste Sohn, Ferdinand, übernahm 1619 die Kaiserwürde des Heiligen Römischen Reiches von seinem Vetter Matthias. MB

FRANZÖSISCH, 1562

15
Receuil de la Diversité des Habits
Paris 1562

Hamburger Kunsthalle, Bibliothek
Inv. Nr. III. XVI Paris 1562

Zu den Verwandlungen der Venus zählt auch die Kostümierung, die sich im Zeitalter des Manierismus bis zur panzerhaften Vermummung steigern kann. Man beginnt Volkstrachten und deren regionale Varianten zu erforschen. Unser Buch will jedoch nicht nur Kleidungstypen an sich zeigen, sondern es illustriert mit seinen Holzschnitten ausdrücklich die „Diversité des Habits", die Mannigfaltigkeit der Gewänder. Dabei begnügt man sich nicht damit, diese Vielgestalt nur formal auszukosten, und fügt den Holzschnitt-Darstellungen noch erklärende Gedichte hinzu, deren spöttischer Tonfall wohl auch den Lebensweisen der Landbevölkerung gilt. Die „femme de bayonne" wird einmal in ihrem Alltags-„accoustrement" (Aufputz) gezeigt, das andere Mal aber in Festtracht, die zum sonntäglichen Meßbesuch getragen wird. Mit dem seltsamen Gehänge der Kopfbedeckung, dem starren Mantel und den beiden am Rücken herabhängenden Borten wirkt die in „grand devotion" befindliche Dame geradezu insektenhaft-dämonisch, ein Eindruck, der sich zusammen mit den ironischen Versen zu einer wahrhaft manieristischen Verbindung der Gegensatzpole von Empirie und Übertreibung vereinigt. MB

V. 15

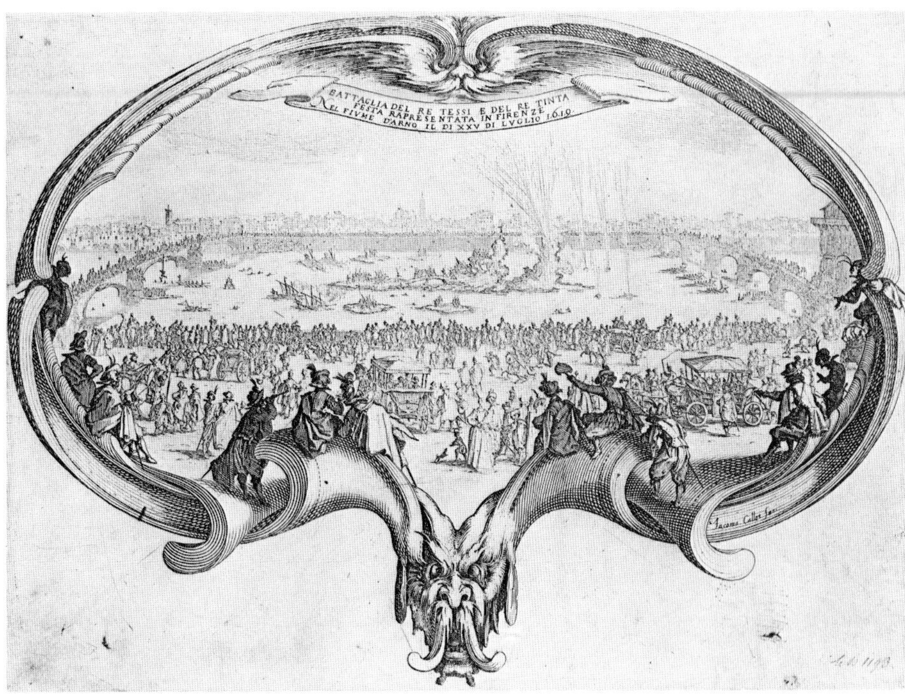

V. 16

JACQUES CALLOT (1592–1635)

16
Der Fächer 1619

Radierung; 22,7 × 30,3 cm
Hamburger Kunsthalle, Kupferstichkabinett
Inv. Nr. 33119

Dargestellt ist der theatralische Kampf zwischen den florentinischen Zünften der Weber und Färber im Juli 1619 auf dem Arno, jeweils unter ihren „Königen" „Tessi" und „Tinti". Die Vedute entfaltet sich zwischen dem Ponte della Trinità und dem Ponte alla Carraia, ohne die Wirkung von Mittelgrund und Vordergrund zu stören. Callots zeichnerischer Umgang mit der selektiven Wahrnehmung wagt sich in die Nahbildzone des Betrachters vor, den er durch chimärische Masken und volutenartige Ornamente zwingt, sich zwischen einer Nahsicht und einem Blick in den Bildraum zu entscheiden: Beides zugleich haben kann er nicht! Und dennoch findet keine gegenseitige Beeinträchtigung statt. Das Oval des Bildfeldes stimmt dafür viel zu gut mit der unbewußten Seherfahrung mit zwei Brennpunkten überein – man vergleiche das Bildfeld eines Blickes durch einen modernen Feldstecher –, und an den Achsenpunkten oben und seitlich gehen die Bildwelten ineinander über. So tritt bei Betrachtung des Rahmens das Innenbild wie ein diffuser Spiegel zurück, oder man vergißt über der Betrachtung der Bildwelt den Rahmen. Fiktion im eigenen Recht und vorgetäuschte Wirklichkeit durchkreuzen sich an den Voluten vorne und an der haarartigen Maske über der Inschrift: Die Standfläche der zuschauenden Massen geht unten ins Ornament über, ohne daß die dort „stehenden" Zuschauer wirklich stehen können, und die Barthaare der oberen Maske können zwischen Wolken und Strahlen alles bedeuten, was wir mit dem Himmel in Zusammenhang bringen möchten. Nicht zufällig „steht" vorne ein Zuschauer mit Fernrohr, wohl die älteste Darstellung des seit Galilei in Florenz gebräuchlichen Instruments.

Literatur: Meaume 1860, Nr. 617 – Nasse 1909, Nr. 54, S. 33 – Bruwaert 1912, S. 80, 192 – Plan 1914, Nr. 216 – Zahn 1923, S. 29 – Lieure 1969, Nr. 302 – Blunt 1953, S. 127 – Ternois 1962, I, S. 121, 149, 167, 169f – Ternois 1962, II, S. 56 – Schmoll 1966, S. 100 – Knab 1968, Nr. 331 – Schröder 1971, S. 1383, 1435ff – Russell 1975, Nr. 67 – Kahan 1976, S. 51ff GS

V. 15

RENÉ BOYVIN (um 1525 – um 1610)
Nach Rosso Fiorentino (1494–1540)

17
Masken ca. 1535

Zwei Kupferstiche
London, British Museum
Inv. Nr. 1913-1-31-7, 8

Die beiden Blätter zeigen bis zum Brustansatz zwei ins Profil gewendete, Masken tragende Köpfe, von denen einer durch Bart und Nasenform als Mann ausgewiesen ist. Die Kupferstiche gehören zu einer Serie von insgesamt 24 Masken (je zwölf männlichen und weiblichen, ursprünglich jeweils paarweise – zwei Männer oder zwei Frauen – und einander anblickend angeordnet), die Pierre Millan oder in seiner Nachfolge René Boyvin nach Entwürfen Rossos gestochen hat. Die Vorlagen sind wie die ganzfigurig, ansonsten aber ähnlich konzipierten und ausgeführten „Par-

V. 17

V. 17

zen'' für einen von Franz I. auf Schloß Fontainebleau veranstalteten Festumzug oder eine ,,Maskerade'' entstanden.

Die weibliche Figur zeigt auf ihrem Kopf ein aufwendiges Ensemble aus hochgesteckten Haaren, Versatzstücken von Rollwerk-Ornamentik, Bändern und einer Putto-Maske über der Stirn. Oben am Hinterkopf wird der dekorative Aufbau durch einen kleinen, hinten herunterhängenden Haar-Schwanz gekrönt. Das männliche Pendant trägt eine Art ,,Helm'' aus geflügelten Putten-Köpfen mit einem über den Kopf hinausragenden, mit Federbüscheln gezierten Löwen. Dieser wird von einem Putto geritten (oder gezähmt), der gerade sein Maul zu einem Brüllen zu öffnen scheint. Diese Dekoration wurde am Hinterkopf einfach mit einem Tuch verhängt – vielleicht weil sich kein würdiger Abschluß für die Rückseite mehr finden ließ.

Literatur: Linzeler 1932, Bd. 1, S. 179 ff – Shearman 1967, II, Abb. 86 EH

V. 18

PIETER VAN DER HEYDEN (geb. um 1530)
Nach P. Bruegel d. Ä. (um 1525–1569)

18
Superbia 1558

Kupferstich; 22,6 × 29,4 cm
Bezeichnet: Cock excud cum privileg 1558. P. brueghel Inuentor – SVPERBIA – NEMO SUPERBVS (. . .) AB ILLIS, Houerdije (. . .) versmaet
Hamburger Kunsthalle, Kupferstichkabinett
Inv. Nr. 4035 e

Bruegel hat seine ,,Superbia'' 1556–57 als Vorlage für die von dem Verleger Hieronymus Cock herausgegebene und von Pieter van der Heyden gestochene Kupferstichserie der ,,Sieben Todsünden'' entworfen. Der ,,Hochmut'' ist eine der Kardinalsünden und gemäß der zweisprachigen Unterschrift wird ,,der Hochmütige von Gott gehaßt, während Gott wiederum von den Hochmütigen geschmäht wird''. In der Mitte des Vordergrundes steht ,,Superbia'', eine sich selbstgefällig im Spiegel betrachtende, kostbar gekleidete Frauengestalt, daneben, ihr auch formal weitgehend angenähert, ein radschlagender Pfau als Sinnbild der Eitelkeit. Der Affe zwischen ihnen spielt als eine die menschlichen Tugenden persiflierende Gestalt ebenfalls auf negative menschliche Charaktereigenschaften an. Die Personifikation des Hochmuts ist umgeben von phantastischen Architekturen und einer Fülle von Einzelszenen, die satirisch überzogen und sinnbildhaft verfremdet das sündhafte, irdische Tun anschaulich illustrieren. Der Spiegel in der Hand der Hauptfigur, der Schild mit der Schere über ihrem Kopf, der wohl auf das Schneiderhandwerk hindeutet, der Barbierladen rechts und vor allem die in der Form von Pfauenfedern ausgebildeten Schwänze der Lebewesen im Vordergrund spielen auf Eitelkeit und Putzsucht an. Es sind kaum menschliche Wesen auszumachen: Im Mittelgrund eine ,,Eva'', umzingelt von Dämonen und einige kleine Männlein im Hintergrund. Sie sind durch ihre Nacktheit als ,,Sünder'' gekennzeichnet; einer ist gerade ins Wasser ,,gefallen'', andere betreten ein – zur Hölle führendes – riesiges, geöffnetes Maul.

Für Tolnay stellen Bruegels Entwürfe das ,,Reich der Torheit'' dar, sie veranschaulichen das ,,Uhrwerk des verkehrten Lebens''. Stridbeck (1956, S. 72 ff) dagegen betont ihren didaktisch-moralischen Charakter, er sieht in ihnen Lehrstücke.

Die Vorzeichnung befindet sich in der Pariser Fondation Custodia (Institut Néerlandais).

Literatur: Bastelaer 1908, Nr. 127 – Ausst.-Kat. Bruegel 1975, Nr. 65 (behandelt die Vorzeichnung) EH

GIORGIO VASARI (1511–1574)

19
Prudentia vor 1546

Feder und braune Tinte über schwarzer Kreide, lasiert, auf blauem Papier, mit weiß gehöht; 34,2 × 25,7 cm
Bezeichnet: PRVDE / TIA
Paris, Fondation Custodia
Inv. Nr. 7777

Die Zeichnung ist ein fein ausgeführtes „modello'', das im Zusammenhang mit den Fresken an der Decke des Refektoriums im Kloster von Monte Olivieto in Neapel steht, die Vasari und seine Gehilfen 1544–46 ausgeführt haben und die heute teilweise zerstört sind. Das Deckenprogramm beinhaltete Allegorien des Glaubens, der Religion und der Ewigkeit, die jeweils von acht Tugendallegorien, unter ihnen die Prudentia, umgeben waren.

Vasari stattet seine Allegorie der Klugheit, eine der vier Kardinaltugenden, mit den Attributen aus, die im Verlauf des 16. Jahrhunderts zu einem festen Kanon in der Prudentia-Darstellung geworden waren und endgültig von Cesare Ripa in seiner Iconologia (1593) festgeschrieben wurden: Spiegel, Januskopf und Schlange.

Galt der Spiegel in diesem Zusammenhang eigentlich als Symbol der Selbsterkenntnis und nachdenklichen Reflexion, wird er bei Vasari auf seinen profanen Zweck zurückgeführt: Die Frau schmückt ihr Haar, Kamm und Puderquaste liegen auf dem niedrigen Gesims. Darüber hinaus handelt es sich hier um einen Konvexspiegel, er gibt der Prudentia also ein Zerrbild ihrer selbst. Eine Maske ergänzt das Ensemble. Es ist denn auch eine Maske, die sie sich um den Hinterkopf gebunden hat, um den doppelköpfigen Janus zu imitieren. Um wieviel ernsthafter wirkt dagegen die Prudentia Raffaels in der Stanza della Segnatura, von der Vasari sich zu dem spiegelhaltenden Putto anregen ließ, der bei ihm allerdings als Herme mit dem Spiegel verwachsen ist. Noch deutlicher als das Vorbild Raffaels, für den Vasari sich zu diesem Zeitpunkt zu interessieren begann, ist jedoch Michelangelos Einfluß zu bemerken. Bis in den Faltenwurf des Gewandes hinein hat Vasari sich die Libysche Sibylle zum Vorbild genommen (Abb. V. 19a). Er ergänzt sie um das erotische Moment der entblößten Brust, die im besonderen Kontrast zu den männlich ausgeprägten Schultern und Armen steht. Die manieristische Vorliebe für androgyne Körperformungen ist hier deutlich zu beobachten.

Literatur: Kat. Paris 1983, Nr. 30 (dort weitere Literatur)
KO

V. 19

V. 19a

V. 20

GIORGIO VASARI (1511–1574)

20
Die Liebesjagd 1567

Feder, braune Tinte, laviert; 42 × 29 cm
Bezeichnet: Lascivia, Bacco, Legiardria, (D)esio, Otio, Linci, Sdegnio, Alterizza, Servitù, Chimera, Sguardo
Paris, Musée du Louvre, Cabinet des Dessins
Inv. Nr. 2169

Dieses bedeutende Blatt aus Vasaris „Libro dei Disegni" (vgl. Kat. VII. 27) ist durch einen Text aus „Lo Zibaldone di Giorgio Vasari" mit Francesco de Medici verbunden. Eine Kopie der Zeichnung wird im vasarianischen Archiv zu Arezzo aufbewahrt, auf der eine alte Inschrift die „Erfindung der Liebesjagd für unseren allervornehmsten Fürsten" bezeugt. Trotz kleiner Variationen ist eine Übereinstimmung mit V. Borghinis literarischer Beschreibung des Themas ersichtlich: „Ich würde die Liebesjagd folgenderweise darstellen: ich würde eine schöne Wiese machen, von Bergen und Wäldern umgeben. In ihrer Mitte würde eine schöne Hirschkuh sein, mit dem Antlitz eines Mädchens, sie bedeutet die so ersehnte und geliebte Schönheit, welche nicht nur flieht, sondern auch entschwebt . . ."

Das Hirschlein flieht vor den Jägern, die sich im Vordergrund und halbkreisförmig nach hinten angeordnet in Angreifer und Harrende teilen, wobei letztere, nach Borghini, darauf warten, daß ihnen von ersteren das schöne Tier zugetrieben wird. Die Nymphen, die um die Angebetete einen engeren Kreis bilden, sind mit ihren Hunden zur Verteidigung angetreten. Erkennbar ist auch der personifizierte Hochmut (Alterizza) mit dem Einhorn in der Mitte sowie einige genau bezeichnete Allegorien: Lascivia (Wollust), Bacchus, Desio (der Zorn) und vor allem Otio (der Müßiggang) mit dem Nashorn als Begleiter. Andere bei Borghini beschriebene Eigenschaften wie Pudicizia (Schamhaftigkeit) oder Sobrietà (die Nüchternheit) sind nicht in die gezeichnete Darstellung umgesetzt. Borghini berichtet ferner über den Himmel: „In der Luft würde ich in der Mitte des Himmels zur Zierde einen Engel machen, mit einem Spruchband, auf dem ein Motto geschrieben ist, . . ." Daneben sollten sich auch Pallas Athene und Vesta auf der rechten Seite um die Überwachung der jungfräulichen Nymphen bemühen und auf der linken Seite Venus und Amor um den wilden Kampf der Jäger. Dies fehlt auf Vasaris Blatt und somit ist anzunehmen, daß es unvollendet geblieben ist.

Literatur: Borghini 1912 – Monbeig-Goguel 1972, S. 175 – Barocchi 1964, S. 142 – Ausst.-Kat. Vasari 1964, S. 44 BB

GIORGIO VASARI (1511–1574)

21
Das goldene Zeitalter 1567

Feder, braune Tinte, auf getöntem Papier; 42 × 28,2 cm
Bezeichnet: O BEGL'ANNI DELL'ORO – NUNC FORMOSUSSIMUS ANNUS
Paris, Musée du Louvre, Cabinet des Dessins
Inv. Nr. 2170

Vasaris zarte Federzeichnung wurde vor dem 19. Jahrhundert auch Bronzino und A. Allori zugeschrieben. Eine Textstelle bei V. Borghini – Vasari gewidmet – gibt Aufschluß: „Für ein Bildchen (Das goldene Zeitalter). Er machte die Zeichnung am 25. September 1567 . . .'' Die Vorliebe des Meisters aus Arezzo für einen narrativen Stil wird offensichtlich, wenn man Borghinis genaue Beschreibung des Sujets – ein Text, auf dem diese Zeichnung basiert – verfolgt: „Ich hätte gerne, daß man das goldene Zeitalter folgenderweise malen würde, daß vorne eine schöne Wiese ist, durch die ein Fluß fließe mit dem Beginn eines Wäldchens und in der Ferne einige Hügel und ein Hügelchen mit Wäldern und Quellen . . ." Die Figuren im Vordergrund sollten junge Männer und Frauen sein, die sich auf der Wiese in verschiedenen Haltungen ergehen . . .''

Die Badenden, die Tanzenden, diverse Tiere, selbst die spärliche Kleidung und die Landschaftsausschnitte sind also literarisch vorgegeben. Das Spruchband, das ein Engel am Himmel über die Szene hält, verkündet: „O begl'anni dell'oro'', eine Zeile, die einem anläßlich der Hochzeit Cosimos I. Medici mit Eleonore von Toledo (1539) verfaßten Liedtext entnommen ist. Über dem Engel und einem halbkreisförmigen Strahlenkranz zeigt sich das Signum des Aries (Sternzeichen des Widders): „Hunc formossimus annus''; rechts Personifikationen des Sommers und des Herbstes, links Winter und Frühling.

Literatur: Monbeig-Goguel 1972, S. 175 – Barocchi 1964, S. 141 (hier ist der vollständige Text Borghinis zu finden) – Borghini 1912 – Berti 1967, S. 81 ff BB

V. 21

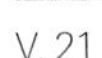

Die Komposition ist als politische Allegorie der guten Regierung unter den Medici zu interpretieren. Schon 1512, als die Medici wieder als Herrscherfamilie in Florenz einzogen, wurde die Metapher des Goldenen Zeitalters im propagandistischen Sinne verwendet: Man mußte die Florentiner überzeugen, daß die guten Zeiten Lorenzo il Magnificos (1449–1492) nach dem Interim Savonarolas auch unter den jetzigen Medici wiederkehren würden. Seitdem hatte sich das Verständnis dieses Begriffes in der Regierungszeit Cosimos I. in einem absolutistischen Sinne gewandelt. Nicht als offener Freiraum für die absolute Freiheit jedes einzelnen Menschen, losgelöst von Gesetzen und übergeordneten Zwängen, sollte das ideale Zeitalter aufgefaßt werden, sondern die Gleichheit galt nur für die Bürger von Florenz in ihrer Funktion als Untertanen einer absolutistisch agierenden Stadtregierung. Freiheit und Friede sind auf die private Sphäre beschränkt und erst durch die Abkehr vom öffentlichen Leben und politischer Betätigung ist privates Glück zu erlangen.

Als Kunstintendant des Medici-Hofes ab 1555 beteiligte sich also Vasari mit dieser kleinen Komposition an der Etablierung eines absolutistisch gefärbten Glorienscheins des Großfürstentums der Medici.

Literatur: Monbeig-Goguel 1972, Nr. 224 – Kat. Edinburgh 1978, S. 103 ff – Barocchi 1964, Nr. 92 – Puttfarken 1980 KO

GIULIO ROMANO (um 1499–1546)

22 Farbabbildung S. 135
Entwurf für eine Tazza

Federzeichnung, braune Tinte, laviert und weißgehöht; 21 × 18 cm
London, British Museum
Inv. Nr. 1878.–7–13–36

Neben seiner Tätigkeit als Maler und Architekt, die auch Entwürfe für Tapisserien und Festdekorationen umfaßte, zählte es zu den Aufgaben Giulio Romanos als Hofkünstler der Gonzaga in Mantua, Vorlagen für Silbergerät, wie diese mit im floralen Rankenwerk verschlungenen Tieren und einer Faunmaske in einer Muschel im mittleren Medaillon geschmückte „tazza" bereitzustellen. Viele solcher Zeichnungen Giulios oder seiner Werkstatt, in denen oft verschiedene Naturformen auf ungewöhnliche effektvolle Weise kombiniert werden, sind erhalten (etwa ein Salzgefäß als auf einer Schlange aufsitzende Muschel oder ein Flacon als doppelköpfige Ente).

Hartt datierte diese Zeichnungen in die Jahre nach Giulios Ankunft in Mantua (1524), jedoch vor den Beginn der Arbeiten am Palazzo del Tè (1526). Ihren Niederschlag fanden sie im reichen Tafelgeschirr, das in der Mitte des Freskos an der Südwand der „Sala di Psiche" dargestellt ist und das Vasari als Exempel des Erfindungsreichtums und der Kunstfertigkeit des Künstlers rühmte (Vasari/Milanesi V, S. 538). Allerdings belegen mehrere Briefe Giulios an seine Mäzene, daß er bis zu seinem Tod für die Gonzaga Entwürfe für Silbergeschirr lieferte; als Zeuge bei seinem Testament fungierte Giulios bevorzugter Silberschmied, Ettore Donati.

Literatur: Hartt 1958, S. 86ff, S. 293, Nr. 109 – Kat. London 1962, S. 77, Nr. 133 – Ausst.-Kat. Gonzaga 1981, S. 195ff HA

JACQUES BELLANGE (tätig 1602–1624)

Im druckgraphischen Werk Jacques Bellanges, dessen genaue Lebensdaten wie sein malerisches Œuvre noch immer in weitestgehendes Dunkel gehüllt bleiben, hat schon 1920 Max Dvořák eine visionäre Kraft erkannt, die „auf den Ausdruck der Schönheit der Seele" gerichtet sei und „den Begriff einer vollständigen Weltüberwindung durch die Empfindung " vermittle. Diese subjektive Prägung der Radierungen des lothringischen Hofmalers (tätig unter den Herzögen Karl III. und Heinrich II.) manifestiert sich in den hervorstechenden stilistischen Merkmalen der extremen Längung der Figuren, ihres augenfälligen geschlechtlichen Grenzgängertums und in den unerhört reichen, den Oberkörpern eng anliegenden und um die Beine weit ausladenden Drapierungen. Der fließende Schwung, in dem sich die eleganten Hofdamen, ausgegeben als „Marien am Grabe" (Kat. V. 25), um das in aufreizender Pose und Gewandung auf dem Christussarkophag sitzende Mädchen in Engelsgestalt bewegen, erscheint wie eine gespenstische, erotisch verbrämte Nachtszene – die „Marter der Heiligen Lucia" (Kat. V. 26) wie ein ekstatisches Bacchanal voller schwellender, bewegter Linien und bis ins allerletzte Detail ausgekosteter Gewandschlingen. Fahle Beleuchtung, der Kontrast zwischen weich modellierten Fleischpartien und kleinstteilig geknitterten Gewandfalten (Pietà, Kat. VI. 18) sowie exzessive Posen bewirken eine unwirkliche Atmosphäre und höchste Spiritualität der Darstellungen, die trotz ihrer erotischen Aufladung auch auf glaubwürdige Weise den tiefen geistigen Gehalt der Szenen versinnbildlichen. Die wichtigsten stilistischen Anregungen empfing Bellange von Rosso Fiorentino, dessen Figuren er weiterentwickelte, und von Hendrik Goltzius, von dem einzelne Kopf- und Gesichtstypen zu stammen scheinen. MB

V. 23

23
Verkündigung

Radierung; 34,9 × 32,2 cm
Wien, Albertina
Inv. Nr. 1930/312

In der Verkündigung legt Bellange das Gewicht der Darstellung auf den dramatischen Austausch von Gesten, der zwischen Maria und dem himmlischen Boten stattfindet. Der irdischen Sphäre, ausgewiesen durch Nähkorb und Stuhl mit Buch, gehört die sich scharf nach rechts wendende knieende Muttergottes an, während das himmlische Prinzip vom Engel repräsentiert wird, der auf einer Wolke in das intime Gemach der frommen Jungfrau eindringt. Ihn zeichnen eine äußerst kunstvolle Haartracht und ein seidenes Tuch aus, das elegant um den Leib geschlungen ist und den Oberkörper des mädchenhaften Gottesboten freiläßt. Die identisch sich wiederholenden Handgesten der beiden zarten Wesen zeigen, daß Maria den göttlichen Willen akzeptiert hat. So ist eine hingebungsvolle und berührende Verklammerung der beiden Heiligen erreicht.

Literatur: Walch 1971, Nr. 24 MB

24
Anbetung der Könige

Radierung; 60 × 43 cm
Hamburger Kunsthalle, Kupferstichkabinett
Inv. Nr. 18340

Die Exotik der Hl. Drei Könige und die bizarre Szenerie des antiken Spielortes forderten die intuitive Gestaltungskraft des Lothringers auf besondere Weise heraus. Um die Bildmitte, die von der Madonna mit Kind in Gloriole gebildet wird, gruppieren sich vorne kreisförmig die morgenländischen Könige mit ihrem wunderlichen Gefolge (Knabe mit Papagei), links und rechts ist die Massenszene von der Größe der Antike (kannelierte Säule) und dem Symbol ihres bevorstehenden Verfalls (fragmentierte, vom Torso vom Belvedere inspirierte Skulpturengruppen) gerahmt, dahinter ungedeutete Figurengruppen, die tanzend und am Boden lagernd dem heilsgeschichtlichen Ereignis beiwohnen. Wieder bestimmen einander aufgreifende und ein bewegtes Ganzes ergebende Wellenlinien die Komposition besonders der Figurenanhäufung in der Bildmitte, wo die Begegnung eines der Fürsten mit dem Christuskind stattfindet. Sowohl die Vielzahl der Figuren als auch das phantastisch anmutende Ambiente entfernen sich bewußt von der exakten Quellenwiedergabe.

Literatur: Walch 1971, Nr. 20 — MB

V. 24

V. 25

25
Die drei Marien am Grabe

Radierung; 44,5 × 29 cm
Wien, Albertina
Inv. Nr. 1930/323

Das wohl berühmteste Blatt des virtuosen Radierers zeigt exemplarisch die zutiefst manieristische Vermischung des spirituellen Erlebnisses mit den irdischen Qualitäten der körperlichen Schönheit und extravaganten Mode. In einem Ferne und unmittelbare Nähe gegeneinander ausspielenden Bildraum scheinen die in möglichst verschiedenen Ansichten vorgestellten Marienfiguren in einen spielerischen Disput mit dem nimbierten Engel verwickelt: „Fürchtet Euch nicht! Ich weiß, daß Ihr Jesus, den Gekreuzigten suchet. Er ist nicht hier; er ist auferstanden, wie er gesagt hat. Kommt her und sehet die Stätte, da er gelegen hat; und gehet eilend hin und sagt es seinen Jüngern, daß er auferstanden sei von den Toten" (Mt. 28, 5–6). Durch die Betonung dieses gestenförderlichen Gesprächsmotives erzielt Bellange trotz der hohen Künstlichkeit der Darstellung eine intensive Wiedergabe des geistigen Gehaltes.

Literatur: Walch 1971, Nr. 46 — MB

V. 26

26
Das Martyrium der heiligen Lucia

Radierung; 46 × 35 cm
Hamburger Kunsthalle, Kupferstichkabinett
Inv. Nr. 18343

In dieser von dekorativen Schlangenlinien förmlich überwucherten Radierung zeigt Bellange eine dramatische Begegnung christlichen Märtyrertums mit den blutrünstigen Verfolgungen zur Zeit Diokletians. Die Heilige, als weißer Lichtfleck in der Bildmitte gegeben, wollte weder ihrem Glauben abschwören noch konnte man sie – selbst durch den Einsatz zweier Zugochsen – ins Bordell verschleppen. Schließlich wurde sie durch einen Messerstich in den Hals getötet. Auf dieses zentrale Geschehen führt die für Bellange so charakteristische, nur von einem prachtvoll gekleideten römischen Offizier in Rückenansicht gebrochene Raumgasse zu; Lucia vermittelt durch ihren Blick in eine höhere Sphäre, die jedoch wieder nur von Heidnischem – rechts der Pöbel und links eine Dianenstatue – bevölkert ist. Die Dramatik der Handlung ergibt sich auch aus dem Kontrast der Sterbenden zum wogenden Volk, das ihren Tod fordert.

Literatur: Walch 1971, Nr. 16 MB

27
Diana und Orion

Radierung; 47,4 × 20,5 cm
Wien, Albertina
Inv. Nr. 1930/335

Mit dieser seltenen und noch immer nicht vollständig ausgedeuteten mythologischen Szene nimmt Bellange direkt Bezug auf ein Vorbild Luca Pennis (Kat. V. 47). Sehr verschiedenen, oft einander widersprechenden Quellen zufolge durchstreifte die in Liebe zu Orion entbrannte Diana auf gemeinsamer Jagd mit ihm die Wälder Kretas, wobei er sie auf den Schultern durch alle Widrigkeiten trug. Die exakte Quelle für diese bestimmte Szene bleibt im Dunkeln. Bellange zeigt nun in größter Verfeinerung der Vorlage Pennis vor allem eine formale Verschmelzung des glücklichen Paares: Orion blickt hingebungsvoll zur „liebenden Nymphe" empor, während diese in raffinierter Pose sich ihrer überlegenen Stellung erfreut, welche schließlich zum Tod des Riesen führen wird. In einer komplizierten Metapher fließen hier Aussagen zu Themen der Geschlechterbeziehung in mythologischer Verkleidung zu einer pessimistischen Deutung zusammen.

Literatur: Walch 1971, Nr. 10 MB

V. 27

V. 28

28
Tod der Porcia

Radierung; 24 × 18 cm
Hamburger Kunsthalle, Kupferstichkabinett
Inv. Nr. 18342

Bellange hatte den Tod der Porcia schon als Gemälde dargestellt – vermutlich gibt unser Blatt die Komposition dieses verlorenen Bildes wieder. Abermals ist das Thema einer Liebesgeschichte entnommen, in der der Held zugrunde geht. Die moralisierende Vorbildlichkeit des Geschehens wird durch den Hintergrund der römischen Geschichte erreicht, in der sich der Liebestod zuträgt. Porcia verschlang nach dem heroischen Tod ihres Gatten Marcus Junius Brutus glühende Kohlen, um auch ihrem Leben ein Ende zu bereiten. Das prunkvolle Kohlenbecken, der Trauergestus der edlen Dame und der behutsame Griff nach den todbringenden Feuerstücken zeigt das hohe Interesse, das man der mythologisch verbrämten Darstellung der Liebe, die zum unmittelbaren Tod führt, entgegenbrachte.

Literatur: Walch 1971, Nr. 6 MB

URS GRAF (um 1484 – um 1527)

29
Reisläufer und Dirne 1516

Federzeichnung; 28,7 × 20,9 cm
Basel, Öffentliche Kunstsammlung, Kupferstichkabinett
Inv. Nr. U. X. 72

Das Jahr 1516, das Urs Graf nach seiner Teilnahme an der für die Schweizer Söldner so vernichtenden Schlacht von Marignano wieder in Basel verbrachte, ist von einer starken erotischen Komponente im Œuvre des Künstlers geprägt. Allerdings wäre es ein Fehler, damit eine gefühlvollere Variante seiner Kunst zu erwarten. Die meist überaus protzigen Vertreter der Männlichkeit, die ihre agressiv-maskuline Großspurigkeit auch gegenüber der Damenwelt nicht abzulegen gedenken, werden mit durchaus ebenbürtigen weiblichen Gegenspielerinnen kombiniert, die nur selten den Eindruck femininer Empfindsamkeit erwecken. Auch im vorliegenden Blatt trifft ein schmuck herausgeputzter Athlet auf eine vergleichsweise schlichte, primär mit üppigen Körperformen ausgestattete Schöne, deren laszive Teilnahmslosigkeit die aggressive Vitalität des Mannes ergänzt.

Die Komposition unterstreicht das Verschmelzen der beiden gegensätzlichen Figuren und demonstriert zugleich eindrucksvoll des Künstlers Anschauungen über das Verhältnis von Mann und Frau. Während die stumpfe Dirne nicht viel mehr als eine begehrenswerte Ware ist, die ihren Preis wohl kennt und ihn mit deutlicher Geste einzufordern weiß, verkörpert der eitle Held zweifellos die Idealvorstellungen Urs Grafs. Mit seiner prachtvollen, federgeschmückten Kostümierung, die ihn als sogenannten „Reisläufer", als freien Söldner im Dienst einer ausländischen Macht, kennzeichnet, steht er für den ungebändigten, furchtlosen Abenteurer, der weder Tod und Teufel noch Gott fürchtet.

Das rauhe Milieu, dem die beiden Protagonisten angehören, hindert den oft recht drastischen Künstler hier nicht, die Zusammenkunft des malerischen Paares einfühlsam und mit bestechender Prägnanz zu schildern. Die ebenso sorgfältig wie virtuos gestaltete Figurengruppe fügt sich in eine großzügig gezeichnete Seelandschaft, die in verspielten Details anzügliche Hinweise auf das dargestellte Geschehen enthält. Die protzige Aufschrift „BERBE" auf dem Wams des Kriegers, von Koegler als Name der Dame gedeutet, wird von dieser mit den Worten „OWE BERB" am Saum ihres Ausschnitts erwidert: Es wird offengelassen, wer bei diesem exemplarischen Rendezvous letztlich der Geschröpfte ist.

Literatur: Koegler 1926, S. 44f, Nr. 61 – Koegler 1947, S. 18f MK

V. 29

URS GRAF (um 1484 – um 1527)

30
Narr und Dirne mit Kind 1523 (?)

Federzeichnung; 18,6 × 14,9 cm
Basel, Öffentliche Kunstsammlung, Kupferstichkabinett
Inv. Nr. U. X. 108

Die undatierte Zeichnung, die Koegler im Jahre 1523 entstanden wissen will, variiert das (bei Urs Graf selten idyllische) Thema des Stelldicheins. Eine junge Frau, ihr Kind im Arm, schreitet frontal auf den Betrachter zu. Sie wird von einem hüpfenden Narren begleitet, der seine Ungeduld in Hinblick auf das von ihm erwartete erotische Abenteuer nicht verbergen kann. Das dafür auserwählte lauschige Plätzchen ist bereits von seiner Geige okkupiert, während ein possierliches Hündchen dem Paar seine Aufwartung macht.

Die sittsam vor sich hinlächelnde junge

V. 30

Mutter, deren Anlaß zur Freude wohl kaum im bevorstehenden Vergnügen mit dem ungestümen Alten (eher noch in der dafür zu erwartenden Bezahlung) zu suchen sein wird, trägt neben ihrem prallgefüllten Geldbeutel auch einen reichbestückten Schlüsselbund, der ebenso wie das mitgebrachte Kind auf einen gewissen häuslichen Standard schließen läßt. Schlüsselbewehrte, finanzkräftige Damen spielen in den Zeichnungen des Künstlers häufig eine üblicherweise nur Dirnen zustehende Rolle, wobei die Frage offenbleibt, ob die unterschiedlich ausgestatteten Frauen in Grafs Œuvre tatsächlich auch unterschiedliche Bedeutung haben. Im Gegensatz zu seiner in Kriegsmann, Bürger, Kleriker und Narr aufgefächerten Männerwelt hat Graf vom weiblichen Geschlecht offenbar nur ein Bild. Die Frau ist bloßes Objekt männlicher Begierde, das sich bestenfalls zu geldgieriger Hinterlist aufschwingen kann, während wiederum die Kategorisierung des Mannes nicht selten von der Haltung abhängt, die er der weiblichen Verschlagenheit gegenüber einzunehmen vermag.

Der Narr unseres Blattes ist – wie nicht anders zu erwarten – offensichtlich der Dumme.

Literatur: Koegler 1926, S. 75, Nr. 115 – Koegler 1947, S. 31 MK

BARTHOLOMÄUS SPRANGER (1546–1611)

31

Merkur und Psyche ca. 1576/77

Rötel und weiße Deckfarbe auf rötlich grundiertem Papier, allseitig beschnitten; 18,1 × 14,4 cm
Hamburger Kunsthalle, Kupferstichkabinett
Inv. Nr. 22540

Es handelt sich um die Vorzeichnung zu dem Gemälde „Merkur bringt Psyche zu den Göttern" (Aufbewahrungsort unbekannt, ehemals Sammlung Gurlitt, München), das Spranger, dem Bericht van Manders zufolge, 1576/77 für Kaiser Rudolf II. gemalt hat. Die „Merkur und Psyche"-Gruppe ist gegenüber dem Gemälde in veränderter Haltung dargestellt.

Nach vielen Abenteuern wird die leidgeprüfte Psyche von Merkur ihrem Geliebten Amor zugeführt. Sehnsuchtsvoll streckt sie sich durch die gesamte Diagonale der Komposition dem göttlichen Licht entgegen. Im Fluge trägt Merkur sie auf seiner Hüfte, nur leicht umfängt seine Hand ihren Körper – sie droht jeden Moment hinabzugleiten. Ihre halb liegende Position ist eine ähnlich labile wie die der Europa auf dem Stier in dem Gemälde von Tizian (Boston, Abb. V. 31a). Doch Psyche droht im Bannkreis des Göttlichen keine Gefahr. Der Zugriff Merkurs ist kein tragender, stützender, wie derjenige Merkurs in der Skulptur des Adriaen de Vries. Beide Künstler interessiert in der formal ähnlichen Komposition die nach oben gespannte Bewegung im freien Flug. Die erdverbundene Schwere der Sterblichen kann aufgehoben werden durch die Flugkunst des Gottes in die Schwerelosigkeit der Götterwelt. Die in einer komplizierten Haltung hintereinander gestaffelten Beine der beiden Figuren weisen symbolhaft auf die erhoffte Wiedervereinigung Psyches mit dem göttlichen Gatten (vgl. Kat. V. 33–41).

Literatur: Kat. Hamburg 1969, Nr. 56 – Dacosta Kaufmann 1985, Nr. 20-3 KO

V. 31

V. 31a

JOACHIM WTEWAEL (1566–1638)

32

Die Hochzeit von Peleus und Thetis 1610

Feder und braune Tinte, braun laviert, weiß gehöht; 15,6 × 20,6 cm
Bezeichnet: GOL
London, Courtauld Institute (Witt Collection)
Inv. Nr. 2364

Die Zeichnung ist, wie eine gleichermaßen weit ausgeführte Zeichnung im Berliner Kupferstichkabinett (Inv. Nr. 12297), eine Studie zu dem gleichnamigen Gemälde in der Münchner Alten Pinakothek (Inv. Nr. 857). Wtewaels Entwurf geht auf den 1587 entstandenen Stich von Goltzius nach Sprangers „Hochzeit von Amor und Psyche" zurück. Der thessalische Held Peleus hatte die Nerei-

V. 32

de Thetis im Ringkampf bezwungen (in einer anderen Version von den Göttern zur Gattin erhalten) und feierte mit ihr Hochzeit im Kreise der Götter. Doch die Erzählung interessiert den Künstler wenig: Nur schwer ist das Hochzeitspaar auszumachen, da es vollkommen in den Hintergrund gerückt ist. Die Hauptsache wird zur Nebensache, auf ein Vorher oder Nachher des Geschehens wird nicht verwiesen. Das Motiv ist nur Anlaß für das allgemeine Getümmel eines Festgelages in einer räumlich unübersichtlichen Situation. In der Zeichnung verschmelzen die Körper miteinander zu ornamental aufgefaßten, knollenartigen Gebilden, die erst im Gemälde genauer differenziert werden. Das dunkler gehaltene Vordergrundgeschehen erzeugt einen trichterförmigen Raumsog auf die hell gestaltete, weit im Hintergrund liegende Festtafel. Als Repoussoirfigur und zugleich als formaler Mittelpunkt des Bildes dient eine sich vornüber bückende männliche Figur, die dem Betrachter in geradezu obszöner Weise ihre Kehrseite entgegenstreckt.

Literatur: Lindeman 1929, S. 251, Taf. XV – Shearman 1967, II, S. 32 u. 192, Abb. 13 – Kat. München 1973, S. 70 KO

GIAN JACOPO CARAGLIO
(um 1500–1565)

Die Götterliebschaften

33
Jupiter und Io nach 1527
Kopie von Antonio Salamanca
(um 1500–1562)
Kupferstich (Text unten beschnitten);
17,5 × 13,5 cm
Bezeichnet: 4 / Gious et Io in Vaccha
Inv. Nr. 1/548 b

34
Merkur und Herse nach 1527
Kopie von René Boyvin
(um 1525 – um 1610)
Kupferstich; 17,4 × 13,4 cm
Inv. Nr. 1/534

35
Neptun und Doris nach 1527
Kopie von René Boyvin
Kupferstich; 17,6 × 13,6 cm
Inv. Nr. 1/533

36
Bacchus und Erigone nach 1527
Kopie von René Boyvin
Kupferstich; 17,6 × 13,6 cm
Inv. Nr. 1/536 a

37
Mars und Venus nach 1527
Kopie von René Boyvin
Kupferstich; 17,6 × 13,7 cm
Inv. Nr. 1/537

V. 33

V. 36

V. 34

V. 37

V. 35

V. 38

V. 39

V. 39 a

V. 39 b

38
Vertumnus und Pomona nach 1527
Kopie von Antonio Salamanca
Kupferstich (Text unten beschnitten);
17,6 × 13,3 cm
Bezeichnet: P. IN – Ant. Sal. ex – 18 /
Vertuno et Pomona
Inv. Nr. 1/538 a

39
Herkules und Dejanira nach 1527
Kopie von René Boyvin
Kupferstich; 17,5 × 13,4 cm
Inv. Nr. 1/541

Alle: Hamburger Kunsthalle,
Kupferstichkabinett

Caraglios Serie der „Götterliebschaften" besteht aus zwanzig Blättern (Bartsch XV, 9–23 und Passavant VI, 65–69).

Zwei Stiche basieren auf Rosso Fiorentinos Entwürfen von 1526/27 („Pluto und Persephone" und „Saturn und Philyra"), die übrigen Vorlagen stammen von Perino del Vaga, der von dem Verleger Il Baviera nach dem Sacco di Roma beauftragt worden war, die Serie zu vervollständigen. Die Originalstiche Caraglios sind inzwischen äußerst selten oder nur schwer von den zahllosen Kopien zu unterscheiden.

Die Serie greift ein Konzept kommerzieller Erotika auf, das einige Jahre zuvor, 1524, erstmals für Aufregung gesorgt hatte. Giulio Romano hatte Marcanton gewinnen können, zwanzig Stiche der verschiedenen Positionen beim Geschlechtsakt nach seinen Entwürfen zu stechen, die „Modi", zu denen Pietro Aretino Sonette erotischen Inhalts beisteuerte. Papst Clemens VII. war so erbost über die Stiche, daß er sie verbieten ließ, Marcanton ins Gefängnis geworfen wurde und Giulio sich dem Zugriff des Papstes nur durch die Flucht nach Mantua entziehen konnte. Ausgelöst wurde die heftige Reaktion wahrscheinlich dadurch, daß die Stiche den Geschlechtsakt in ganzer Deutlichkeit zeigten, zwar in antikisierender Form, jedoch ohne verschleiernde Attribute zu verwenden oder ihn in einen mythologischen Deckmantel zu hüllen. Dies unterscheidet Marcantons Serie auch deutlich von der Caraglios: Die Figuren sind bei diesem identifizierbare Gestalten der antiken Mythologie, der Geschlechtsakt selbst wird bei ihm nicht dargestellt.

Die beiden Stichserien spiegeln das Interesse des 16. Jahrhunderts an erotischen Szenen, denn erstmals seit der Antike gibt es wieder eine ausgesprochen pornographische Kunst, die allerdings auf die Privatsphäre der gesellschaftlichen Oberschicht beschränkt ist. Erotische Elemente sind selbst in der religiösen Kunst nicht zu übersehen, und erst mit dem Tridentinum wird ihnen Einhalt geboten. Der Geschlechtsakt wird zu einem bildwürdigen Thema, und in dem Maße, wie die verschiedenen Körperformen erprobt und variiert werden, werden auch die unterschiedlichen sexuellen und erotischen Reize ausgelotet. Sexualität in der manieristischen Kunst bedeutet allerdings mehr als das bloße Darlegen des Geschlechtlichen, zu sehr spielt ein dekadent-erotisches Raffinement mit.

Die Liebes- und Sexualitätsvorstellung des 16. Jahrhunderts fußt im wesentlichen auf der Erzählung des Aristophanes in Platons „Symposion": Im Ursprung habe die menschliche Natur aus Doppelwesen, männlich-männlichen, männlich-weiblichen oder weiblich-weiblichen, bestanden. Aus Strafe für ihren Hochmut waren diese Doppelwesen von Zeus in der Mitte zerteilt worden und sehnsüchtig sucht nun jeder Teil seine andere Hälfte, um sich mit ihr zu vereinigen und wieder ganz zu werden. Ausgehend von dieser Erzählung verstand man die Liebe daher als die Suche nach der anderen, fehlenden Hälfte. Der Versuch der Wiedervereinigung zu einem Ganzen bildete die Grundlage des Verständnisses der zwischenmenschlichen Liebe im 16. Jahrhundert (Orchard 1986, S. 76–113). Die zunehmende Profanisierung der platonischen Liebesvorstellung sorgte im Verlauf des 16. Jahrhunderts dann dafür, daß die Idee der Einswerdung in der Liebe auch auf das sexuelle Verhältnis zwischen Mann und Frau übertragen wurde. Leone Ebreo spricht es offen aus: „So wenden sich Mann und Weib einander zu, um sich in der Ehe und im Beischlaf zu einem und demselben fleischlichen und unteilbaren Wesen wieder zu ergänzen." (Zit. nach Benz 1955, S. 41)

Sollte der eigentliche Geschlechtsakt – wie in Marcantons Stichen – jedoch nicht dargestellt werden, so gab es dafür dennoch ein unmißverständliches Symbol: In vier unserer Stiche Caraglios, „Neptun und Doris", „Bacchus und Erigone", „Mars und Venus" und „Herkules und Dejanira", sitzt die Frau neben dem Mann bzw. auf seinem Schoß und hat eines ihrer Beine über seines gelegt. Das Motiv der verschlungenen Beine eines Paares wurde im 16. Jahrhundert eindeutig als Hinweis auf die eheliche oder sexuelle Vereinigung verstanden (vgl. Steinberg 1970). Eines der frühesten Beispiele ist das Londoner „Satyrpaar" des Andrea Riccio (Abb. V. 39 a). Die Satyressa hat ihr Bein über das ihres Partners gelegt, der im Begriff ist,

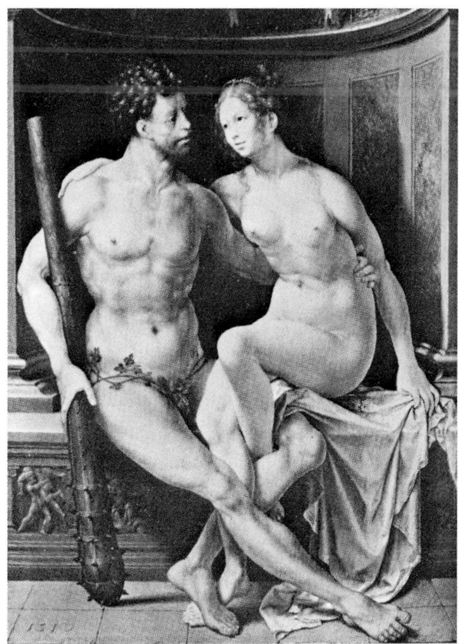

V. 39c

V. 39d

V. 39e

sie zu küssen. Im religiösen Zusammenhang ist das Motiv ebenfalls zu finden: Die Sponsa-Sponsus-Beziehung zwischen Maria und Christus wird in Michelangelos Florentiner „Pietà" (Abb. V. 39b) deutlich. Ursprünglich hatte das fehlende Bein Christi über den Beinen der Maria gelegen. Stiche des späten 16. Jahrhunderts ergänzen die Skulptur in diesem Sinne. Doch die eindeutige sexuelle Metapher schien Michelangelo denn doch zu anstößig gewesen zu sein, so daß er die Gruppe zerstörte und bei der nachfolgenden Restaurierung durch seinen Schüler nicht erlaubte, das Bein zu ergänzen, obwohl vom theologischen Standpunkt aus eine solche Darstellungsweise durchaus vertretbar gewesen wäre – wird der Jungfrau Maria doch die Rolle der Braut Christi zugewiesen.

Im nordischen Raum ist die kanonische Form dieses Motivs, wie sie von Leo Steinberg analysiert wurde (beide Partner haben nebeneinander ihren eigenen Sitzplatz, und nur ein Bein ist über das des anderen gelegt), zunächst nur vom Hörensagen bekannt, wird aber ab 1525 trotz der visuellen Kenntnis der italienischen Form nicht so streng verwendet. So führt denn der ungezwungene Umgang mit dem Beischlafmotiv in der nordischen Kunst zu abstrusen Verwicklungen der Beine. Außerordentlich gewollt wirkt die ineinander verwobene Beinkonstruktion in Mabuses „Herkules und Dejanira" (Abb. V. 39c). Der hohe Grad der Künstlichkeit dieser Pose tritt hier deutlich zutage, denn nur selten erscheint die Körperstellung ungezwungen und natürlich.

Wie kommt es nun zum Auftreten dieses Symbols um 1520 sowohl in Italien als auch im Norden? Steinberg nimmt an, daß ein oder mehrere antike Vorbilder vorhanden waren, die zu diesem Zeitpunkt einem weiteren Kreis bekannt wurden, wobei sich allerdings keine bestimmte Vorlage festmachen läßt. Die antike Herkunft habe dem Motiv, so Steinberg, eine Nobilitierung verliehen, die dem sexuellen Akt normalerweise, und insbesondere im christlichen Bereich, nicht zukomme. Die schnelle Profanisierung des Motivs auch im Bereich der nicht mythologisch verbrämten Sexualität zu Beginn des 16. Jahrhunderts läßt allerdings entweder auf ein falsches Verständnis des Symbols schließen oder auf ein weiteres Feld antiker Quellen und Vorstellungen, die auch eine Ausdehnung des Bedeutungsspielraumes erlaubten. In seiner erweiterten Form illustriert das Motiv der verschlungenen Beine eines Liebespaares androgyne Verschmelzungsgedanken, die ihr bildhaftes Symbolrepertoire denn auch aus der Antike beziehen. Ähnlich wie in Mabuses „Herkules und Dejanira" sind die Beine eines Paares miteinander verwoben, das in Johannes Sambucus' „Emblemata" (Antwerpen 1564) das Verlangen von Mann und Frau nach Vereinigung veranschaulicht (Abb. V. 39d). Die Beine sind so kunstvoll miteinander verbunden, daß sie wie ein gemeinsamer Unterleib erscheinen und die Körper erst von der Hüfte aufwärts in zwei Leiber getrennt werden. Putten halten eine Kette um den Unterleib des Paares geschlungen und ziehen es noch enger zusammen. Um die Arme ringeln sich spiralförmig Schlangen – die Schlange als Zweieinigkeitssymbol war dem 16. Jahrhundert durchaus geläufig. Im Hintergrund wachsen Weinstöcke, um die sich der Wein ebenfalls spiralförmig rankt. Das Verlangen des Paares ist in einem anderen Emblem (Abb. V. 39e), überschrieben „Modell der Ehe", von Erfolg gekrönt: Das Paar ist zu einem Wesen verschmolzen, das Band der Liebe hat seine Wirkung getan: „Dann hänge ein umschlingender Strick – es ist die freiwillige Fessel – vom Haupt bis auf die Füße verschlungen hinab – so jedoch, daß er, indem er sich zum Knoten schlingt, die Schamteile verhüllt und das Kennzeichen des Geschlechtes eben kein Kennzeichen sein läßt: denn es ist die Verknotung von Mann und Frau: bei der Vereinigung verbinden sich ihre Glieder und bedecken gegenseitig ihre Scham" (Bathélemy Aneau, Picta Poesis, Lyon 1552, zit. nach Henkel/Schöne 1967, Sp. 1632). Bezeichnet ist das Doppelwesen als „Hermaphrodit". Der gehörnte Moses sieht seinen Spruch verwirklicht, daß Mann und Frau in der Ehe ein Fleisch sein werden (1 Mose 2,24); der Satyr hingegen stellt lachend fest, daß sie zwei sind, wenn sie sich streiten.

V. 39f

Im Emblem des Sambucus wurden das Motiv der Schlange, die um den Arm, und des Weines, der um den Weinstock geschlungen ist, mit den miteinander verknoteten Beinen des Paares gleichgesetzt. Der umschlingende Wein oder Efeu gilt also ebenfalls als Metapher für den vereinigenden Geschlechtsakt. Die Liebesszene in Ariosts „Orlando Furioso'' zwischen Ruggiero und Alcine wird daher mit dem rankenden Efeu verglichen: „Kein Efeu hält den Baum so fest umschlossen/ Um den er sich mit zähen Wurzeln schlingt,/ Als sich umfahn die liebenden Genossen.'' Mit den Metaphern des Efeus und der Schlange wird nun auch das Bemühen der Quellnymphe Salmakis beschrieben, sich mit dem geliebten, aber sie zurückweisenden Hermaphroditus zu verbinden: „Endlich umschlingt sie ihn, der sich sträubt und versucht zu entrinnen, wie eine Schlange. . . Oder wie Efeu oft den langen Stamm überwebt'' (Ovid, Met. IV, 362 ff). Die Vereinigung gelingt letztendlich, und die beiden werden zu einem Wesen verschmolzen: „so/ sind, als in zäher Verstrickung die Leiber der beiden vereinigt,/ zwei sie nicht mehr, eine Zwiegestalt doch, nicht Mädchen, nicht Knabe/ weiter zu nennen, erscheinen so keines von beiden und beides.'' (Ovid, Met. IV, 376 ff). Den Verführungsversuch der Nymphe gestaltet Mabuse in seinem Gemälde (Abb. V. 39 f). Hermaphroditus versucht sich der Nymphe zu erwehren, die von hinten an ihn herangetreten ist. Ein Bein hat sie vor seines gestellt und windet sich spiralförmig um ihn herum. Das Ergebnis der Vereinigung ist schemenhaft im Hintergrund zu sehen: ein Körper mit einem männlichen und einem weiblichen Kopf. Zu beachten ist das Spiel der Beine, das in seiner Verworrenheit in die Reihe der oben analysierten Beispiele gehört. Nun findet es sich aber in einem explizit androgynen Zusammenhang, so daß das Symbol der verschlungenen Beine und des umschlingenden Efeus durchaus in einem androgynen Sinne interpretiert werden kann. Es reflektiert die Auffassung des 16. Jahrhunderts, den Liebesakt als Verschmelzungsvorgang des Männlichen mit dem Weiblichen zu verstehen. Hinzuzufügen ist, daß Hermaphroditus in der Antike als Schutzgott der sexuellen Vereinigung verstanden wurde.

Literatur: Bartsch XV, 9–23 – Ausst.-Kat. Toscana dei Medici 1980, Nr. 621–632 – Ausst.-Kat. Fontainebleau 1972, Nr. 441 – Zerner 1980 KO

V. 40

ANONYM, 16. JAHRHUNDERT

40
Jupiter, Io und Hera

Kupferstich; 17,5 × 13,5 cm
Hamburger Kunsthalle, Kupferstichkabinett
Inv. Nr. A 547 a

41
Jupiter und Callisto

Kupferstich; 17 × 13,3 cm
Hamburger Kunsthalle, Kupferstichkabinett
Inv. Nr. A 547 b

Die beiden Stiche eines unbekannten Künstlers sind wahrscheinlich Bestandteil einer Serie von Götterliebschaften, die in der Nachfolge von Marcantons „Modi''-Stichen sehr beliebt waren (vgl. Kat. V. 32–39). In dem Stich „Jupiter, Io und Hera'' wird der dramatische Augenblick der Metamorphose los in eine Kuh geschildert. Zeus hatte sich Io in Gestalt einer Wolke genähert, doch als die eifersüchtige Hera es bemerkt, verwandelt Zeus sie zu ihrem Schutz in eine weiße Kuh.

Der andere Stich schildert die Liebschaft des Zeus mit Callisto, einer Jungfrau aus dem Gefolge der Diana. Die Gefährtinnen der Diana hatten geschworen, niemals mit einem Mann zu verkehren, so daß Zeus zu einer List greift und sich in Diana verwandelt, um sich der keuschen Frau nähern zu können. Der Künstler zeigt den verwandelten Verführer in der Rückenansicht. Sein eigentlich männliches Geschlecht ist durchaus noch in seiner Körperformung zu erahnen, nur Callisto läßt sich durch die weibliche Maske täuschen. KO

NACH ANTONIO FANTUZZI
(tätig 1537–1550)

42
Jupiter und Antiope (?)

Radierung; 17,6 × 25,9 cm
Wien, Albertina
Inv. Nr. HB XIII, 1p 77 Nr. 207

Das Blatt gibt seitenverkehrt eine Radierung Fantuzzis wieder, die dieser wiederum nach einer Zeichnung Primaticcios angefertigt hat. Bei dem Sujet, dem Zerner die Radierung „Nymphe verstümmelt einen Satyr'' als Pendant zuordnet (1969, L. D. 15), handelt es sich um einen Dekorationsentwurf für Fontainebleau, dessen genauere Bestimmung heute nicht mehr zu rekonstruieren ist.

Der einzige Grund, die Darstellung als „Jupiter und Antiope'' zu identifizieren, scheint darin zu liegen, daß Jupiter sich dieser in Satyrgestalt genähert hat. Die Nymphe lehnt halbaufgerichtet an einem Baumstamm, Früchte und einen Zweig im Arm und neben sich, den linken Arm über den Kopf erhoben. Mit dieser Haltung erinnert sie an die antike Statue der schlafenden „Cleopatra'' (vgl. Haskell 1982, Nr. 24) – Vorbild vieler Nymphendarstellungen im 16. Jahrhundert –, von der Primaticcio für Franz I. in Fontainebleau einen Bronzeabguß herstellen ließ.

Das Motiv, wie in noch stärkerem Maße sein Pendant, zeigt eine Täter-Opfer-Beziehung. Der verschlagen aussehende Satyr ist dabei, der trotz ihres ängstlichen Blicks sich scheinbar passiv in ihr Schicksal ergebenden Nymphe das sie verhüllende Tuch wegzuziehen, sie gewaltsam zu entblößen.

Literatur: vgl. Zerner 1969, A. F. 71 EH 

V. 41

V. 42

interpretation, werden die urwüchsigen Triebwesen doch zugleich als Überwinder der reinen Ratio und ihrer notwendigen Grenzen angesehen. Die Intuition dieser naturverbundenen Geschöpfe macht sie zu durchaus positiv besetzten Figuren, die – ähnlich wie die Wildleute des Mittelalters – eine Art Ausgleich zum höfisch verfeinerten Menschenideal des Manierismus darstellten.

Literatur: Bartsch XIV, Nr. 284 – Bois-Reymond 1978, S. 40–44 MK

AGOSTINO CARRACCI (1557–1602)

44
Der Satyr als Maurer 1590/95

Kupferstich; 20,1 × 13,4 cm
Bremen, Kunsthalle
Inv. Nr. 10077

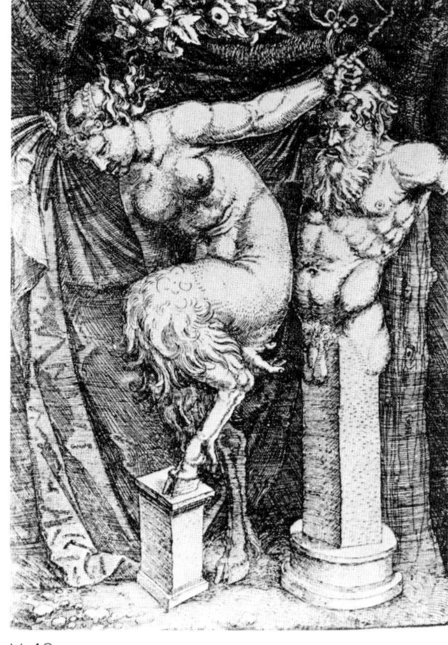

V. 43

NACH MARCANTONIO RAIMONDI (1475/1480–1527/1534)

43
Satyressa mit Priapusstatue um 1520 (?)

Kupferstich, 24,8 × 10,8 cm
London, British Museum, Prints and Drawings
Inv. Nr. H 1857-7-11-22

Dieses von einem unbekannten Stecher ausgeführte Blatt zitiert einen antiken Sarkophag, der sich im frühen 16. Jahrhundert im Hof des Palazzo Venezia bzw. San Marco in Rom befand, und dessen Vorderseite Marcantonio Raimondi in zwei gegengleichen Versionen, vermutlich noch vor 1513 – dem ersten Jahr seiner Zusammenarbeit mit Raffael –, stach. Das vorliegende Blatt gibt die zweifellos pikanteste Szene dieses generell nicht unbedingt harmlosen Bacchanalreliefs wieder, wobei allerdings widersinnigerweise die Pointe der Handlung völlig verlorengeht.

Gezeigt wird eine Satyressa, die sich auf eine recht unverständliche Weise an einer Statue des phrygischen Fruchtbarkeitsgottes Priapus zu schaffen macht. Nur wer das Vorbild – den Sarkophag – kannte (und ihm im übrigen auch mehr als bloß einen flüchtigen Blick geschenkt hatte), konnte die eigenartige Szene deuten. Das antike Relief zeigt heute wieder ausreichend drastisch die Intentionen des Satyrweibchens, das im Begriff steht, sich mit dem erigierten Penis der Herme selbst zu befriedigen. Allerdings waren sowohl das sagenhaft große Glied des – in der Mythologie darauf mächtig stolzen – Gottes als auch die Hand der lüsternen Dame vermutlich bereits um 1500 abgebrochen, sodaß schon ein wenig Phantasie zur Deutung der Szene nötig war (an der es den Zeitgenossen Marcantons offensichtlich nicht mangelte). Während allerdings Fehlendes leicht hinzugedacht werden kann, läßt der im Stich geschilderte Sachverhalt den Vorstellungen des Betrachters diesbezüglich keinen Spielraum. Offensichtlich war das Blatt ein Werk für Eingeweihte (deren Zahl allerdings beträchtlich gewesen sein mag), die den Sinn der Darstellung auch in der bloßen Andeutung erkannten.

Die große Beliebtheit der Bacchanalsdarstellungen, das oftmalige Wiederholen des Nymphe-Satyr-Satyressa-Motives, mögen auf die pure Freude an ungezügelter Sinnlichkeit zurückzuführen sein. Satyr und Satyressa stehen für die entfesselten Triebe und Leidenschaften, fern jeder menschlichen Vernunft. Dies jedoch als rein negatives Kriterium mißzuverstehen, wäre gewiß eine Fehl-

V. 44

Trotz seiner etwas abweichenden Größe zählt der Stich zu der Serie der „lascivie" des Agostino Carracci. Malvasia beschreibt die Szene etwas knapp: „Ein anderer Stich zeigt eine Nackte auf einem Bett ausgebreitet, mit Katze unten, welche schläft, dabei ein Satyr als Maurer (satiro muratore), mit vorgebundener Schürze, er hebt das Lot und hält die gebündelte Schnur in der Rechten, während er sich mit der Linken auf ein Tischchen abstützt, und Amor hebt den Vorhang ..."
Die symbolische Bedeutung der Katze und des Vogelkäfigs führt direkt in niederländische Bordellszenen. Dorther stammt auch eine 1578 von Hieronymus Wierx gestochene Parallele des Themas (Abb. V. 44a). Mielke erkannte in diesem Blatt aus einer Se-

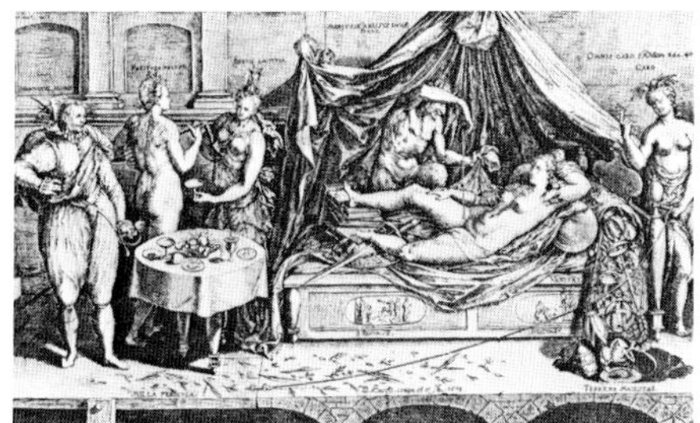

V. 44 a

rie von tiefsinnigen Allegorien des gefallenen Menschen die Urheber und Verleger Willem und Godefroid van Haecht und in inhaltlicher Hinsicht einen wortreichen Moralismus. In dem Carraccis Stich vergleichbaren Blatt tritt von links der weltliche Mensch heran, erwartet von vorübergehenden Vergnügungen und kurzer Freude. Die große Verführerin der Menschheit, Vanitas, deren Kissen Attribute von Macht und Hoheit vorführen, räkelt sich über Büchern und Waffen. Die biblischen Szenen im Sockel des Bettes zeigen Salomons Götzendienst und Samsons Verlust seiner Locken, also Siege der Schamlosigkeit. Der auslotende Satyr meint (nach Mielke) die Unmöglichkeit des Auffindens eines Herzens im ehrlosen Weib.

Im darauffolgenden Blatt der Haecht-Serie setzt sich die Szene mit dem Sturz durch eine Falltür fort. Dem Tode durch die Gefahren des Fleisches ausgeliefert, findet der Mensch schließlich aber doch noch Rettung durch Gnade. Das Motiv des Auslotens wird von Agostino Carracci übernommen und in eine häusliche Szene übertragen. Eindeutig ist die direkte Fleischlichkeit durch die Erregung des Satyrs vor Augen geführt.

Literatur: Malvasia 1841, S. 81 – DeGrazia-Bohlin 1979, S. 303 – Mielke 1975, S. 29ff BB

AGOSTINO CARRACCI (1557–1602)

45
Satyr, eine Nymphe peitschend 1590/95

Kupferstich; 15,2 × 10,7 cm
Bremen, Kunsthalle
Inv. Nr. 10075

Der Stich zählt neben vierzehn anderen zu der Serie der „lascivie" des Agostino Carracci. Papst Clemens VIII. griff den Künstler wegen der Mißachtung des „Decorums" – d. h. eigentlich wegen des erotischen Gehalts – bei biblischen und mythologischen Szenen an. Die geforderte Vernichtung der Platten kam allerdings wegen der Beliebtheit des Sujets nicht zustande (dies lag wohl auch an der Tüchtigkeit von Drucker und Verleger), im Gegenteil: Die erhaltenen Exemplare zeigen ob ihres schlechten Zustandes die Überstrapazierung der Platte.

Malvasia beschreibt die Szene wie folgt: „Eine Nymphe nackt an einem Baum gebunden wird von einem Satyr gepeitscht, aber schon nähert sich ein zweiter Satyr, der aus dem Wald tritt mit einem Knüppel in der Hand um sie zu verteidigen . . ." Rätselhaft bleiben die Bockshörner am Fuße des Baumes, die auf Agostinos besondere Vorliebe für verschlüsselte Szenen schließen läßt: denn dem Flagellanten ist keine Eifersucht anzumerken – sein Gesichtsausdruck ist eher voll sadistischer Freude.

Literatur: Malvasia 1841, Pte. II, S. 82 – DeGrazia-Bohlin 1979, S. 300 BB

V. 45

MELCHIOR LORCH (1527–1583)

46
Der Triumphzug des Bacchus und der Ariadne

Umdruck einer Federzeichnung in Grau, weißgehöht; 43,7 × 27,8 cm
Wien, Albertina
Inv. Nr. 13254

Die Komposition existiert auch in zwei Stichen von Enea Vico (B. 32) bzw. von einem unbekannten Stecher (B. 32-Kopie), der die Frauenfigur und die Hornbläser an der Spitze des Zuges fortgelassen hat. In beiden Stichen ist ein architektonischer Hintergrund hinzugefügt. Entweder liegt Vicos Stich und Lorchs Zeichnung als gemeinsames Vorbild eine antikisierende Komposition zugrunde, oder aber Lorchs Zeichnung ist die Originalkomposition.

In Anlehnung an antike Sarkophagreliefs durchzieht ein Gewimmel von Menschen, mythologischen Gestalten und exotischen Tieren hinter- und übereinandergestaffelt das Bildfeld. Bacchus und Ariadne, das mythische Hochzeitspaar und Anlaß für diesen

V. 46

Festzug, sind kaum auszumachen: Sie sind die einzigen, die auf einem Wagen fahren, der am rechten Bildrand von zwei bärenähnlichen Panthern (?) gezogen wird. Im Festzug des Weingottes gibt man sich überall den Freuden des Essens und des Trinkens hin.

Literatur: Benesch 1933, Nr. 617 KO

GIORGIO GHISI (1520–1582)

47
Allegorie der Jagd 1556

Kupferstich; 36,6 × 25,6 cm
Bezeichnet: LVCA/ PENNIS/ .R./ INVEN./ GEORGIVS/ GHISI MANT. FA./ .M.D.L.V.I. – IN SYLVIS HABITANS (. . .)
Hamburger Kunsthalle, Kupferstichkabinett
Inv. Nr. 1958/62

Ein junger, mit Lorbeer bekränzter Jäger trägt eine Frau, die mit Pfeil und Bogen ausgestattet ist, auf seinen Schultern. Jagdhunde folgen ihnen. Im Hintergrund eine Gruppe von Männern mit phrygischen Mützen und Frauen, bewaffnet mit Pfeil und Bogen.

Der Stich ist nach einem Entwurf Luca Pennis gearbeitet. Kürzlich ist von Sylvie Beguin ein Fresko mit dem gleichen Motiv in Burgund entdeckt worden, Publikation und genauere Analyse stehen allerdings noch aus.

Die Identität der dargestellten Figuren ist ungeklärt. Keiner der in Frage kommenden antiken Mythen, von Diana und Orion, Diana und Endymion oder von Venus und Adonis erwähnt eine Begebenheit, bei der die Frau auf den Schultern getragen wird. Einen Hinweis, daß es sich bei der Frau eventuell um Diana handeln könnte, gibt die Inschrift auf einem Stich von Bellange (Kat. V. 27), der auf Ghisis Stich zurückgeht. Die Jägerin wird als Diana bezeichnet, doch ist die Identität des Mannes auch dort ungeklärt.

Die Inschrift in Ghisis Stich gibt keine nähere Auskunft über die Personen: „Vergeblich hatte ich geglaubt, im Walde ohne die Fesseln der Liebe leben zu können. Aber der Gott, der den Geist der Menschen zu verwirren vermag, machte mich in sie verliebt und brachte mich dazu, sie auf den Schultern zu tragen." – Auch ein Jäger, eine der männ-

V. 47

lichsten Berufungen, ist also vor den Fesseln der weiblichen Anziehung nicht gefeit, denn selbst in seinem Element, dem Wald, ereilt ihn die Liebe in Gestalt einer Gleichgesinnten, einer Jägerin, und er hat das Kreuz der Liebe zu tragen. Der Konflikt der traditionell männlichen Bestimmung in der Jagd mit der zunehmenden Anziehungskraft der „Verweiblichung" und Gesittetheit der höfischen Sphäre wird hier ebenso ausgetragen wie in Ghisis späterem Stich „Venus und Adonis" (Kat. V. 48).

Literatur: Boorsch 1985, Nr. 21 – Massari 1980, Nr. 208 – Bartsch XV, 43 – Ausst.-Kat. Fontainebleau 1972, Nr. 349 KO

V. 48

GIORGIO GHISI (1520–1582)

48
Venus und Adonis um 1570

Kupferstich; 32 × 22,6 cm
Bezeichnet: TEODORO / GHISI / IN. GMAF.
Hamburger Kunsthalle, Kupferstichkabinett
Inv. Nr. 1/724

Der Stich basiert auf einem Entwurf Teodoro Ghisis. Ein Fragment der Zeichnung Teodoros, die Giorgio Ghisi eventuell als Vorlage benutzt hat, befindet sich in Chatsworth, Devonshire Collection (Inv. Nr. 192). Ein Gemälde mit dem Titel „Venus und Adonis" befand sich im Gonzaga-Inventar von 1627, von dem eine Replik heute im Museum von Nantes aufbewahrt wird. In der Komposition lassen sich deutliche Einflüsse von Tizians „Venus und Adonis"-Gemälde, besonders im Rückenakt der Venus, feststellen (Abb. V. 48a).

Die tragisch endende Liebesgeschichte wird bei Ovid (Met. X, 547–713) geschildert. Die Liebesgöttin hatte Adonis gewarnt, keine Tiere zu jagen, die ihn verletzen könnten. Doch er hörte nicht auf ihren Rat und wurde von einem wilden Eber zerrissen. In Ghisis Stich wird der Konflikt zwischen der männlichen und der weiblichen Sphäre ausgetragen. In der linken Bildhälfte die Welt der Liebesgöttin Venus: Ein schattiges Liebesnest ist von Amor vorbereitet; ein Putto hält einen Hasen, das Symboltier der Liebe und ihrer Auswirkungen (Fruchtbarkeit und Vermehrungslust) an den Ohren fest und hindert es an der Flucht, indem er seinen Fuß auf die Hinterläufe des Tieres gesetzt hat. Venus selbst, schon entkleidet und in verlorenem Profil, wird es nicht gelingen, das Fortgehen

V. 48 a

ihres Geliebten zu verhindern. Wie ein Kleinod hält sie den Kopf des Adonis in den Händen. Die rechte Bildhälfte des Adonis ist erfüllt mit Symbolen der Männlichkeit: Jagd, Waffe, Gewalt, weite Welt. Doch werden gerade diese Dinge ihm zum Verhängnis werden, sein Fuß steht bereits – in Parallelaktion zum Putto der Venus – auf dem abgeschlagenen (!) Kopf eines Ebers. Seine Mimik mit dem nach innen gerichteten, bestürzten Blick, der sein Schicksal vorauszuahnen scheint, bildet das inhaltliche Zentrum der Komposition. Fast meint man, er sei erblindet, womit eine gewisse Affinität zum Orion-Mythos vorliegt. Adonis ist hin- und hergerissen zwischen der Sphäre der Liebe, in die ihn Venus zu ziehen sucht, und seiner schicksalhaften Bestimmung in der Welt des Mannes, die er zwar vorausschaut, der er aber nicht zu entkommen vermag, wie die vorwegnehmend geschilderte Szene seines Todes im Hintergrund offenbart. Für Adonis gilt nicht, was anderen Männerfiguren möglich ist, nämlich unbeschadet ihrer Männlichkeit an der Sphäre des Weiblichen teilzuhaben.

Literatur: Boorsch 1985, Nr. 42 – Bartsch XV, 42 – Massari 1980, Nr. 204 KO

GIORGIO GHISI (1520–1582)

49
Der Tod der Procris um 1540

Kupferstich; 39,6 × 56,6 cm
Bezeichnet: PROCRIN ERITREI REGIS ATHENIENSIVM / FILIA, ET CEPHALI VXOR, AB EODEM VIRO INCISIO / OVIDII 7, TRANSFORMATIONVM OCCISA – Si Stampano da Gio. Jacomo de / Rossi in Roma alla Pace – Philippus Thomassinus excudit Romae – IVLIVS ROMANVS INVENTOR / G. MAF.
Hamburger Kunsthalle, Kupferstichkabinett
Inv. Nr. 2/736

Der Stich gibt seitenverkehrt eine Zeichnung Giulio Romanos wieder (Frankfurt, Städelsches Institut, Inv. Nr. 4336). Hartt vertritt die These, daß diese Zeichnung gemeinsam mit drei weiteren, „Die Jagd auf den Kalydonischen Eber'', „Hylas und die Nymphen'' und „Der Tod des Adonis'', um 1530 angefertigt wurde und als Dekoration für das Gonzaga-Jagdhaus in Marmirolo vorgesehen war. Boorsch weist darauf hin, daß diese Zeichnungen auch als Vorlagen für vier Stiche des Meisters IQV verwendet wurden, von denen „Die Jagd auf den Kalydonischen Eber'' signiert und 1543 datiert ist. Betrachtet man diese Stiche als eine zusammenhängende Serie, wird Hartts These noch unterstützt.

Die Geschichte von Cephalus und Procris wird in Ovids Metamorphosen (VII, 690 bis 862) erzählt. Cephalus geht frühmorgens auf die Jagd, seine zu Unrecht eifersüchtige Frau Procris ist ihm gefolgt und spioniert ihn aus. Versehentlich tötet er sie mit seinem Speer, da er sie für ein Wild hält. In seinen Armen stirbt sie, von herbeilaufenden Satyrn und Nymphen beweint. Amor präsentiert den unfehlbaren Speer, während am Horizont die Göttin Aurora heraufsteigt, die Erfüllung ihrer Prophezeiung zu beobachten, die sie Cephalus gegeben hatte, als dieser ihre Liebe verschmähte.

Literatur: Boorsch 1985, Nr. 5 – Massari 1980, Nr. 178 – Hartt 1958, S. 225 KO

V. 49

NACH MARCO DENTE DA RAVENNA
(nachweisbar 1515–1527)

50
Pan und Syrinx nach 1516

Kupferstich, (oben beschnitten);
24,7 × 16,9 cm
Hamburger Kunsthalle, Kupferstichkabinett
Inv. Nr. a/277

Das Motiv der Syrinx, der sich der erregte Pan nähert, ist den Metamorphosen Ovids (I, 689 ff) entnommen und schmückte das Badezimmer (!) des Kardinals Bibbiena im Vatikan. 1516 wurden die Fresken von der Raffael-Werkstatt, nach Raffaels Entwürfen, ausgeführt. Die erotischen Szenen wurden seitenverkehrt von der Marcanton-Werkstatt gestochen und so einem breiteren Publikum zugänglich gemacht. Neuerdings wird der „Pan und Syrinx''-Stich (basierend auf einer

V. 50

Zeichnung von Giulio Romano im Louvre) Marco Dente statt wie bisher seinem Lehrer Marcanton zugeschrieben. Unser Stich wiederum ist eine anonyme Kopie mit geringfügigen Änderungen. Am auffälligsten ist die Änderung der Blickrichtung der keuschen Nymphe. Der in der Vorlage ganz auf das Kämmen ihres Haares konzentrierte schräge Blick hat sich verschoben, so, als hätte sie ein Geräusch vernommen. Es herrscht die Ruhe vor dem Sturm, die Spannung des Überfalls ist bereits zu spüren, doch wird die Nymphe sich der Vergewaltigung durch die Verwandlung in Schilfrohr entziehen können. Erotische Momente wie die einladend geöffneten Schenkel und das lange Haar strahlen ungewollt – da sie sich ja unbeobachtet glaubt – ihre sexuelle Bereitschaft aus. Angelockt durch ihre runde Weiblichkeit verbirgt sich Pan hinter einem Strauch. Er ist ganz anonyme Begierde: Sein Gesicht ist durch den Strauch verdeckt, doch das erigierte Glied und die begehrlich greifenden Hände sprechen für sich. Auch wird seine „Blindheit'' durch den voyeuristischen Blick des Betrachters ersetzt.

Literatur: Bartsch XIV, 325–I – Ausst.-Kat. Marcantonio Raimondi 1981, Nr. 64 – Dunand 1977, S. 312 f KO

V. 51

GIORGIO GHISI (1520–1582)

51
Silen, Satyr und Ziege um 1540

Kupferstich; 20,4 × 30,9 cm
Bezeichnet: GMF
Hamburger Kunsthalle, Kupferstichkabinett
Inv. Nr. 1/732

Ghisi gibt eine Szene wieder, die sich als Fresko in der Loggia della Grotta im Palazzo del Tè in Mantua befindet. Giulio Romano hat eine Vorzeichnung dafür angefertigt (Louvre, Inv. Nr. 3506), an der sich Ghisi wahrscheinlich in erster Linie orientiert hat. Der Hintergrund der Szene ist eine eigene Erfindung.

Der Inhalt des Stiches ist unklar. Massari vermutet eine Illustration eines bacchischen Mythos und eine Allegorie der Voluptas, jedoch ohne dies genauer zu erläutern.

In Vergils 6. Ekloge wird der weise Silen, eine Naturgottheit aus dem Gefolge des Bacchus, im Schlaf gefangen genommen (bei Servius von zwei Satyrknaben) und singt daraufhin ein Lied von der Entstehung und den Geheimnissen der Welt. Auf das Urwissen und uralte Weisheiten verweist die Pyramide auf dem Tisch, die von der Ziege, ein Symboltier des Bacchus, gerade verschlungen wird. Auch als Symbol der Ewigkeit kann die Pyramide als bacchisches Attribut gelten. Das Wissen geht über in ein Tier, Verkörperung der Animalität und ungebundenen Sexualität, das dort in aufgerichteter, vermenschlichter Haltung am Tisch steht. Die Fortführung dieser Metamorphose wird in dem Satyr vollzogen – einem Mischwesen aus Ziegenbock und Mensch –, der in seiner traditionell dienenden Rolle dem Silen Kühlung zufächelt. Auch formal bildet er die Fortsetzung der Ziege: Der gleiche Bogen der Bewegung wiederholt sich in ihm. Angestrengt, mit hechelnder Zunge stiert er auf den geöffneten Mund des Weisen. So wie die Ziege sich die göttliche Weisheit der Pyramide einverleibt, so nimmt auch der Satyr die preisgegebenen Naturgeheimnisse in sich auf. Silen gibt sie allerdings nur im berauschten Zustand preis. Die Szene könnte somit als eine Allegorie auf das Verbundensein von tiefgründiger Wahrheit, verkörpert in der Pyramide und dem Silen, und dumpfer Naturhaftigkeit, verkörpert in dem Tier und dem Mischwesen, interpretiert werden. Die Weisheit ist allerdings erst im Rauschzustand zu vernehmen.

Literatur: Boorsch 1985, Nr. 3 – Massari 1980, Nr. 175 – Ausst.-Kat. Natur und Antike 1985, S. 173ff KO

MARCANTONIO RAIMONDI
(1475/1480–1527/1534)

52
Pyramus und Thisbe 1505

Kupferstich; 23,4 × 21,3 cm
Bezeichnet: SRN – MA 1505
Hamburger Kunsthalle, Kupferstichmuseum
Inv. Nr. 276

Marcanton stellt in diesem Stich den entscheidenden Moment der tragisch endenden Liebesgeschichte von Pyramus und Thisbe dar, die in Ovids Metamorphosen erzählt wird. Voller Erwartung war Thisbe wieder an den verabredeten Ort gekommen, an dem sie ihren geliebten Pyramus zu treffen gedachte. Dort findet sie jedoch nur noch seine Leiche. Das junge Paar hatte sich entgegen dem Willen der Eltern ineinander verliebt und sich heimlich am Grabmal des Ninus verabredet. (Die Inschrift „SRN" am Grabmal ist wahrscheinlich als „Sepulchrum regis Nini" zu entschlüsseln.) Dort kann Thisbe einer Löwin entfliehen, doch verliert sie ihren Schleier, den die Löwin mit Blut befleckt. Wenig später findet Pyramus den blutigen Schleier, glaubt seine Geliebte tot, und entleibt sich voller Verzweiflung.

Marcanton gestaltet die Szene vor einer weiten Landschaft als Gegensatzstudie zwischen tot ausgestrecktem nackten Männerkörper und in wilder Bewegung heranlaufendem Frauenakt. Thisbe hat in antikem Verzweiflungsgestus die Arme zurückgeworfen. Ihre Mimik hingegen spiegelt das Entsetzen über den Tod des Geliebten nicht in gleichem Maße. Nur als symbolhafter Tränenersatz fließt in Augenhöhe Wasser aus der nahegelegenen Quelle. Im nächsten Augenblick jedoch wird sie sich in sein Schwert stürzen, um ihm in den Tod zu folgen.

„Pyramus und Thisbe" ist Marcantons erster datierter Stich. Ob er auf eigenem Entwurf beruht, ist nicht nachgewiesen, doch entsprechen die beiden Aktfiguren dem Stil der ihm zugeschriebenen Zeichnungen. Als Vorbilder der beiden Figuren haben wohl antike Modelle gedient: ein laufender Hypnos für Thisbe, wahrscheinlich nach einer fragmentarischen Figur, da die Arme wie angesetzt wirken, und ein sterbender Gallier für Pyramus.

Literatur: Bartsch XIV, 322 – Ausst.-Kat. Marcantonio Raimondi 1981, Nr. 3, dort weitere Literatur KO

V. 52

V. 53

HANS VON AACHEN (1552–1615)

53
Tarquinius und Lucretia nach 1600

Feder in Braun über Stiftskizzen, grau laviert, weiß gehöht auf bräunlichem Papier; 23,8 × 27,9 cm
Bezeichnet: Spranger
Stuttgart, Staatsgalerie, Graphische Sammlung
Inv. Nr. C 83/3171

Die ursprünglich Spranger zugeschriebene Zeichnung wurde jetzt Hans von Aachen, seinem jüngeren Konkurrenten am Prager Hof, gegeben. Im Inventar der Kaiserlichen Sammlung in Prag wird ein themengleiches Bild von Hans von Aachen erwähnt, das heute jedoch nicht mehr nachweisbar ist. Die Zeichnung könnte ein Entwurf für dies Gemälde sein.

Die tugendhafte Gemahlin des römischen Führers Lucius Tarquinius Collatinus wurde von dem Königssohn Sextus Tarquinius des Nachts bedroht und vergewaltigt. Daraufhin erdolchte sie sich aus Scham.

Anregend für Hans von Aachens Entwurf war sicherlich Tizians Version dieses Motivs der Vergewaltigung (Abb. V. 53 a). Doch während bei Tizian noch eindeutige Abwehr der hilflosen Frau zu erkennen ist, ist die Szene bei Hans von Aachen sehr viel ambivalenter gestaltet. Beide sind unbekleidet, und wären nicht das leidend abgewandte Gesicht der Lucretia und das phallisch drohende Messer des Tarquinius, würde man eine gewöhnliche Liebesszene darin erblicken können. Alle Gliedmaßen öffnen sich zueinander hin, nur die Hände krallen sich verkrampft in die Tücher oder das Messer. Trotz der komplizierten Verschränkung von parallelen Diagonalen berühren sich die Körper (noch) nicht: ein Moment festgefrorenen Schreckens und der Erwartung. Es ist die Spannung zwischen Gewalt und Sexualität, von Bedrohung, Angst und Hingabe, die Aachens Version des Themas beherrscht.

Literatur: Kat. Stuttgart 1984, Nr. 22 KO

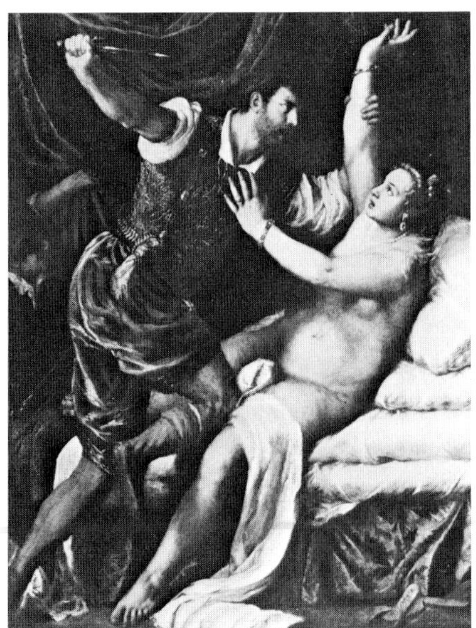

V. 53 a

V. 54

MEISTER L. D. (tätig 1540–1556)

54
Venus und Mars

Radierung; 30,2 × 27,8 cm
Wien, Albertina
Inv. Nr. I III, 3 p. 85, Nr. 399-61

Der Stich ist nach einer Komposition Primaticcios (Bartsch) oder Pennis (Zerner) ausgeführt, die Originalzeichnung ist nicht erhalten. Schlafend liegt der nackte Mars auf einem zerwühlten Bett. Der geflügelte Amor-Knabe hat ihn an den Schultern gefaßt, um ihn zu wecken, wobei er einen lasziven Blick zu seiner Mutter Venus, wie um ihr Einverständnis einzuholen, hinüberwirft. Diese steht am Fußende des Bettes und hält den Zipfel eines Vorhanges hoch, um ihren schlummernden Geliebten zu betrachten.

Eindeutig geht diese Figurenkonstellation auf einen Holzschnitt aus der Hypnerotomachia des Francesco Colonna (Abb. V. 72 a) zurück. Allerdings sind die Rollen von Mann und Frau vertauscht: Dort ist es eine Nymphe, der von einem am Baum befestigten Tuch Schatten gespendet wird, hier schlummert Mars. Selbst in der Handhaltung stimmen die Nymphe und Mars überein, nur daß dieser die Beine in männlicher Pose geöffnet hält, während jene sie züchtig übereinandergeschlagen hat. Auch verfolgt Venus andere Ziele als der dienende Satyr: Sie hat das Tuch gehoben, um ihren Geliebten in seiner ganzen Männlichkeit ungestört betrachten zu können. Wieder wird deutlich, daß der Frau die aktive, von sich aus handelnde Rolle überlassen wird (vgl. Kat. V. 59 oder V. 47). Ein Merkmal manieristischer Kunst ist es, gelegentlich die Geschlechterrollen zu vertauschen, die Rollenklischees und den Verhaltenskodex der Geschlechter zu hinterfragen. Ebenso wie das gesamte Weltbild sind sie in eine Krisensituation geraten.

Literatur: Zerner 1969, L. D. 72 – Bartsch XVI, 61 KO

MEISTER L. D. (tätig 1540–1556)

55
Jupiter und Semele 1543/44

Radierung; 21,1 × 29,5 cm
Bezeichnet: LD
Wien, Albertina
Inv. Nr. I III, 4 p. 28

V. 55

Die Komposition stammt von Primaticcio. Das Fresko, ein Pendant zur „Danaë" in der Galerie Francois' I. in Fontainebleau, war sehr wahrscheinlich eine Supraporte im Vorzimmer zur Galerie. Ebenso wie das „Danaë"-Fresko schildert es eine der zahlreichen Liebschaften des Zeus. Die eifersüchtige Hera hatte Semele beredet, daß sich Zeus ihr doch in seiner wahren Herrlichkeit zeigen solle. Dieser mußte sein Versprechen, Semele einen Wunsch zu erfüllen, einhalten und näherte sich ihr in seiner Gestalt als Wettergott. Der Blitzstrahl verbrennt sie zu Asche, das Kind Dionysos jedoch, das sie von Zeus trägt, wird gerettet – Zeus näht es in seinen Schenkel ein und gebiert es nach drei Monaten (Ovid, Met. III, 253–315). Die Komposition trägt der ungeheuren Sprengkraft des Gottes Rechnung, mit schwungvollem Gestus und einem bedauernden Ausdruck im Gesicht vollführt er sein zerstörerisches Werk. Anwesend sind die allegorischen Gestalten des Windes, der Wolken und des Regens, der es im übrigen nicht vermag, den glühenden Körper der Semele zu löschen. Diese ist bereits in (Liebes-)Ohnmacht gesunken, ganz willenloser, zerschmelzender Körper voller Hingabe. Der profane Liebesakt im mythologischen Gewand wird hier zu einem Ereignis kosmologischen Ausmaßes stilisiert.

Literatur: Zerner 1969, L. D. 12 – Revue de l'art 16–17/1972, S. 166 f – Ausst.-Kat. Fontainebleau 1972, Nr. 372 KO

MEISTER L. D. (tätig 1540–1556)
Nach Francesco Primaticcio (1504–1570)

56
Danaë

Kupferstich; 21,1 × 29,0 cm
Wien, Albertina
Inv. Nr. HB XIII, 1 p. 75

V. 56

Der Stich gibt seitenverkehrt das Bild Primaticcios wieder, welches ursprünglich für das Südkabinett entworfen wurde – als Gegenstück zur Jupiter- und Semele-Darstellung (vgl. Kat. V. 55) des Nordkabinetts – und möglicherweise erst nach dessen Abriß im Zentrum der Galerie seinen Platz fand. Danaë war das einzige Kind des Akrisios. Als diesem prophezeit wird, sein Enkel (Perseus) würde ihm zum Verhängnis werden, läßt er die noch unberührte Danaë in ein unterirdisches Gewölbe einschließen. Zeus jedoch, der sich in das Mädchen verliebt hat, nimmt die Gestalt eines Goldregens an und dringt so von oben her in das Gemach ein.

Die Darstellung zeigt, wie Zeus aus einer Wolke im Zentrum des Bildes in Danaës Schoß hinabströmt. Diese ist mit gespreizten Beinen und aufgestütztem rechtem Ellenbogen als halb sitzender, halb liegender Akt auf Kissen erwartungsvoll hingebettet. Rechts im Bild eine alte Dienerin, die von einem Putto abgelenkt wird, ein weiterer daneben scheint zu schlafen. Mit den beiden Darstellungen der Liebschaften Jupiters in den Kabinetten (jeweils über dem Kamin mit einer zu konzentrierter Betrachtung einladenden Bank davor) und den heute zerstörten, ebenfalls auf die „Götterlieben" anspielenden Bildern der West- und Ostwand, wurde das monarchische Bildprogramm der zwölf Travées der Längswände gewissermaßen ergänzt. Dabei fällt auf, daß sich Franz I., der sich hier als neuer Jupiter projiziert, auf die Episoden aus den zahllosen Liebschaften des Zeus zurückgreift, die diesen für die jeweilige Geliebte nicht sichtbar werden lassen (als Goldregen oder als Blitz). Sylvie Beguin weist in dem Fontainebleau-Sonderband der „Revue de l'art'' (1972, S. 166) darauf hin, daß die Liebe hier gleichsam als etwas Blindes und Bewußtloses imaginiert wird (vgl. auch den schlafenden Putto) – bei Danaë kommt noch der Aspekt der Käuflichkeit hinzu.

Eine Vorzeichnung befindet sich in Chantilly im Musée Conde (abgebildet bei Dimier 1928, Pl. IX).

Literatur: Zerner 1969, L. D. 8 – Ausst.-Kat. Fontainebleau 1972, Nr. 371 EH

FRANCESCO PRIMATICCIO (1504–1570)

57
Venus und Amor, schlafend mit kleinem Cupido 1541–1547

Rötel, Kreide, weiß gehöht; 14,8 × 19,9 cm
Bezeichnet: Bologne F.
Wien, Albertina
Inv. Nr. 1973

V. 57

Das Blatt ist entstanden als Entwurfszeichnung für ein Segment des zweiten Deckenkompartiments der 1541 begonnenen, von Primaticcio konzipierten und ausgeführten „Galerie d'Ulysse'' in Fontainebleau. Die schon im 18. Jahrhundert zerstörte Galerie war an den Längswänden mit Motiven aus „Odyssee'' und „Ilias'' sowie an der Decke mit Darstellungen griechischer und römischer Götter geschmückt: letzteres als Begleitprogramm, welches die Begebenheiten der Heroengeschichte in größere kosmische Gesetzmäßigkeiten einband und entsprechend dem Analogie-Denken der Zeit den Zusammenhang von Individualschicksal und Naturgesetz verdeutlichte.

Die Zeichnung zeigt – auf engstem Raum und eingepaßt in ein Oval – Venus (?) mit einem Füllhorn in der klassischen, Schlaf andeutenden Haltung mit dem Arm über dem Kopf. Die ebenfalls schlafende Figur neben ihr ist durch seine Flügel als Amor gekennzeichnet, die dritte Figur schließlich ist ein schlummernder, an die Schultern der weiblichen Figur angeschmiegter kleiner Putto.

Das Dekorationsprogramm des zweiten Deckenabschnittes, das Béguin u. a. ausgehend von vorhandenen Entwurfszeichnungen zu rekonstruieren versuchte, ist in seiner Bedeutung noch nicht völlig erklärt. Am Anfang der Galerie und damit in übertragener Hinsicht zu Beginn der Irrfahrt des Odysseus, zeigt das Mittelbild der Decke Neptun, wie dieser ein Unwetter heraufbeschwört. Die zentrale Darstellung ist umgeben von jeweils vier im weitesten Sinne auf Natur- und Schicksalsgewalten anspielenden Gottheiten: Merkur und Äolus, die beide mit den Winden zu tun haben, sowie Minerva und Vulkan, beide mit Krieg und Waffen assoziiert. Die komplementären ovalen Darstellungen „Vertumnus und Pomona'' und das hier gezeigte Blatt lassen sich im weitesten Sinne mit „Unfruchtbarkeit'' in Verbindung bringen: Der sich als alte Frau ausgebende Vertumnus will Pomona davon überzeugen, daß nichts wirklich „Lebendiges'' ohne Liebe auskommt (Ovid, Met. XIV, 623ff). Und der hier gezeigte, auch auf „Tod'' oder „Vergessen'' anspielende Schlaf der Liebesgötter mit dem hinter dem Rücken versteckten (?) Füllhorn könnte für ein vorübergehendes Außerkrafttreten der mit Fruchtbarkeit zusammenhängenden Lebensäußerungen stehen.

Literatur: Stix/Spitzmüller 1941, VI, Nr. 21 – Béguin/Guillaume/Roy 1985, S. 134 EH

JACOB BINK (um 1500–1569)
Kopie nach G. J. Caraglio
(um 1550 – um 1565)

58
Pallas Athene nach 1526

Kupferstich; 21,1 × 10,8 cm
Bezeichnet: INSIGNIS. GALEA. ATOZ. INSIGNIS. GORGONE PALAS 20
Wien, Albertina
Inv. Nr. HB IV p. 49/68

Der Stich ist der letzte aus der Serie der zwanzig „Götter in Nischen'', die Rosso Fiorentino in seiner römischen Zeit für den Verleger Il Baviera entworfen hatte und die von Caraglio 1526 gestochen wurden. Unser Stich wiederum ist eine Kopie nach Caraglio.

Zwanzig Götter, unbekleidet, sind in der Serie mit ihren Attributen versammelt. In einer graziösen, aber raumgreifenden Serpentinata-Figur ist Pallas Athene dargestellt. Sie hält den Schild der Medusa, mit der anderen Hand umfaßt sie den Speer, der aus der Nische herausragt.

Literatur: Bartsch VIII, 45 – Carroll 1976, S. 74ff – Vasari/Milanesi 1880, V, 424ff KO

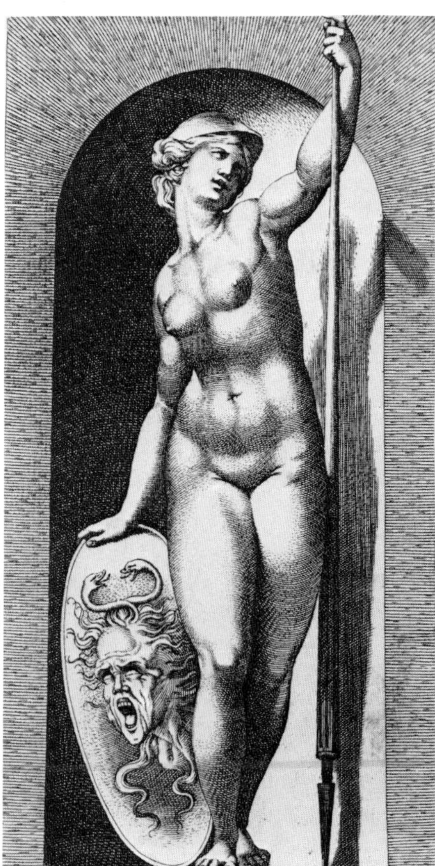

V. 58

V. 59

V. 60

MEISTER L. D. (tätig 1540–1556)

59
Frau wird zu einem Satyr getragen 1547

Radierung; 23,6 × 42,4 cm
Bezeichnet: L. D. 1547

60
Satyr wird zu einer Frau getragen

Radierung; 22,6 × 40,0 cm
Bezeichnet: L. D.

Beide: Paris, Bibliothèque National, Cabinet des Estampes

Die beiden Radierungen sind als Pendants zu betrachten. Es existieren Vorzeichnungen von Primaticcio (Metropolitan Museum, Slg. Lehmann, New York, und Eremitage, Leningrad). Erotische Darstellungen dieser Art waren beliebte Dekorationen für Badezimmer, wofür die Stufetta des Kardinals Bibbiena (nach Entwürfen Raffaels) im Vatikan das bekannteste Beispiel ist. Zerner nimmt daher an, daß diese beiden Kompositionen als Schmuck für das Badezimmer François' I. in Fontainebleau entworfen wurden.

In Kat. V. 59 wird eine sich sträubende Frau von zwei Geschlechtsgenossinnen im Laufschritt auf den Schultern zu einem Satyr getragen, der sie auf dem Bett sitzend erwartet. Das allzeit lüsterne Naturwesen ist das Gegenstück zur sexuell bereitwilligen Frau der anderen Radierung, wo sie sich einen widerstrebenden Satyr herbeibringen läßt. Dessen Sträuben ist jedoch auf Grund seiner Natur (und seines erigierten Gliedes) eigentlich unverständlich. Mißhagt es ihm etwa, daß hier die Frau die sexuell Bestimmende ist, deren Forderungen er sich nun unterwerfen soll? Die Geschlechter durchlaufen in den beiden Radierungen gleichwertige, auswechselbare Rollen in ihrem Geschlechtsgebaren sind sie gleichberechtigt. Ein für die erotische Kunst des Manierismus typisches Merkmal ist die Kombination von Eros und Gewalt. Die erotische Spannung entsteht hauptsächlich dadurch, daß eine Vergewaltigung, noch dazu in der Gegenwart von Helfershelfern, die des gleichen Geschlechts wie das Opfer sind, bevorsteht.

Literatur: Zerner 1969, L. D. 81, 82 – Bartsch XVI, 66, 67 – Zerner 1980, S. 89 – Ausst.-Kat. Fontainebleau 1972, Nr. 389
KO

JEREMIAS METZKER
(nachweisbar 1555–1599)

61 Farbabbildung S. 120
Tischuhr 1564

Bronze vergoldet, das Werk aus Eisen; Höhe 29,7 cm
Bezeichnet: Jeremias 1564 Metzker Vrmacher, Vrmacher in Augspur
Wien, Kunsthistorisches Museum, Sammlung für Plastik und Kunstgewerbe Inv. Nr. 852

Die „scientifica", die alle Formen wissenschaftlichen Gerätes umfaßten, waren unentbehrlicher Bestandteil der fürstlichen Kunstkammer. Der Drang, die irdische und außerirdische Welt theoretisch und praktisch umfassend zu erschließen, steigert die Faszination für jedes wissenschaftliche Instrument, das der Erfassung räumlicher oder zeitlicher Dimensionen diente.

Mit großer Wahrscheinlichkeit darf man sich als ursprünglichen Aufstellungsort der sogenannten Metzkeruhr den fünften, „leibfarb" ausgemalten Kasten der Ambraser Sammlung, der die Uhren, Automaten und wissenschaftlichen Instrumente enthielt, vorstellen. Die 1564 von dem Augsburger Jeremias Metzker geschaffene Uhr gehört in die Familie der „Stutz-" oder „Tischuhren". Dieser Uhrentypus zeichnet sich durch ein aufrechtstehendes, prismatisches Kästchen mit breiten Hauptfronten und schmäleren Seitenfronten aus, das nach oben hin von einem eselrückenförmig geschwungenen Dach bekrönt wird. Das Kästchen beherbergt das Triebwerk der Federzuguhr im eigenen Gehäuse und wird dadurch im Unterschied zur älteren Pendeluhr beliebig transportabel und aufstellbar. Schmuck und Funktion der Uhr sind auf ihre Allansichtigkeit hin berechnet, das heißt, alle vier Seiten des Gehäuses weisen Zifferblätter und figürlichen Schmuck auf.

Die Vorderansicht zeigt in der oberen Mitte ein Zifferblatt zum Ablesen der Minuten, Viertelstunden und Stunden nach deutscher, italienischer und Nürnberger Zeitrechnung, links darunter ein Kalendarium und rechts in der Mitte eine Tierkreisscheibe mit der Indikation des Monatsdurchganges und der Sternzeichen. Rechts oben befindet sich ein kleines Zifferblatt, ein Gangregler und links unten ein automatischer Sonntagsindikator. Die Rückseite besitzt ein mechanisch bewegtes Astrolabium und darunter einen Wochentagsweiser. Die heraldisch rechte Seite zeigt oben ein Kontrollblatt für den Stundenschlag, in der Mitte ein Zifferblatt von 12 bis 24 und darunter eine Anleitung zur Berechnung der goldenen Zahl. Die heraldisch linke Seite besitzt ein Kontrollblatt für den Viertelstundenschlag und darunter eine Anleitung zur Feststellung des Sonntagsbuchstabens. Alle Seiten der Uhr weisen reichen figürlichen Schmuck auf, der nicht in unmittelbarem Bezug zur Funktion zu sehen ist, wie etwa die Jagdszenen in der feinen Durchbrucharbeit des Daches. Der Schmuck der Kehlung der Basisplatte geht auf Stichvorlagen Sebald Behams zurück. Der Bekrönung des Daches, eine Fortuna, hat ihr Attribut, das geblähte Segel, verloren.

Literatur: Seibt 1985, S. 287 ff – Scheicher 1979, S. 102 – Kat. Wien 1966, Nr. 338 – Neumann 1961, S. 97 ff
SS

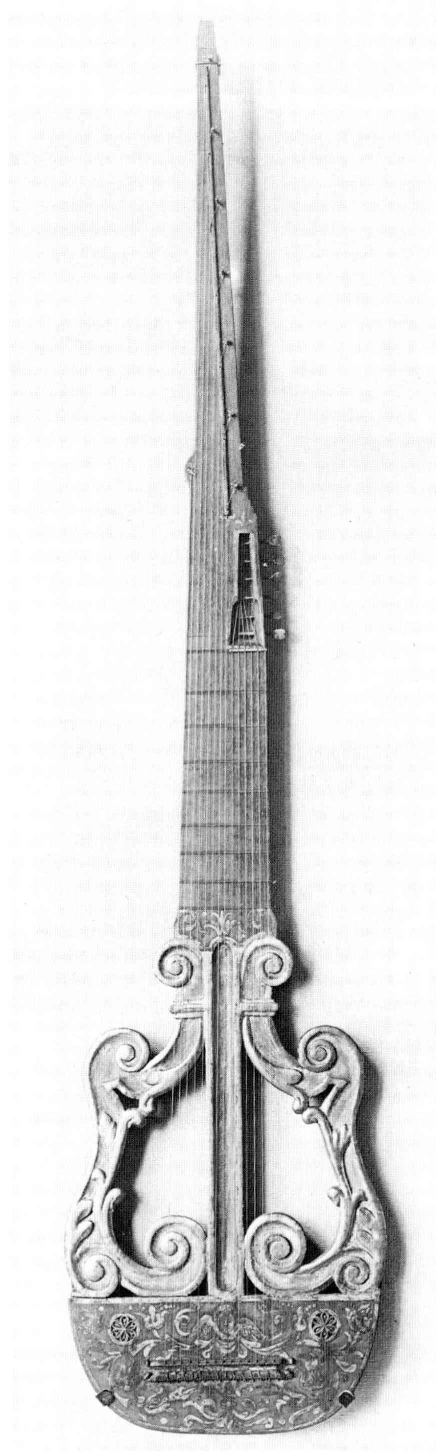

V. 62

PADUA, ENDE 16. JAHRHUNDERT

62
Lyracister

37 × 160 × 10 cm
Wien, Kunsthistorisches Museum,
Sammlung alter Musikinstrumente
Inv. Nr. 61-4069-A 66

An den Hals und das Griffbrett eines Chitarrone wurde ein Schallkörper in Form einer antiken Lyra gefügt. Das Corpus ist in Blau und Gold bemalt und hat zwei Rosetten. Das Instrument ist bereits 1730 im Schloß Ambras nachzuweisen und kann ursprünglich als optisch wirksames Requisit auf der Bühne verwendet worden sein.

Ein sehr ähnliches Instrument befindet sich im Museo Civico in Bologna.

Literatur: Schlosser 1920, II, S. 61 – Kat. Bologna 1880, Nr. 3, Tafel 1 GSt

MAILAND, 2. HÄLFTE 16. JAHRHUNDERT

63 Farbabbildung S. 133
Diana als Mohrin

Jaspiskamee, Perle, Gold; Höhe 6,4 cm
Wien, Kunsthistorisches Museum,
Sammlung für Plastik und Kunstgewerbe
Inv. Nr. XII/120

Der sich effektvoll vom hellen Hintergrund abhebende Kopf der dunkelhäutigen Jagdgöttin macht im Raffinement der erzielten Wirkung die Kunst des Steinschneiders deutlich. Seiner Fertigkeit huldigt auch Vasari, der auf die besondere Schwierigkeit, die in der gekonnten Nutzung der Steinfärbung liegt, verweist (Vasari/Milanesi I, S. 164). Diese Wertschätzung der Glyptik machte die Kamee zum begehrten Objekt für den feinsinnigen Sammler des Manierismus, den neben der Kostbarkeit eines Objektes auch dessen besonders virtuose, künstlerische Verarbeitung reizte. So findet sich auch in der Sammlung Rudolfs II., dessen Affinität für kostbare Steine bekannt war, eine stattliche Anzahl von Kameen. Die Kamee wird im 16. Jahrhundert nicht mehr wie etwa im Quattrocento in erster Linie als Schmuckstück verarbeitet, sondern als Kunstwerk eigens für die Kunstkammer geschaffen. Dort wird sie, aufbewahrt in kostbaren Kabinettschränken (vgl. Kat. V. 67), als besondere Gunstbezeugung nur ausgewählten Gästen vorgeführt.

Doch nicht nur dem Kunstsinn Rudolfs II. ist seine umfangreiche Juwelensammlung zu verdanken, den kostbaren Steinen wurde übernatürliche und heilende Wirkung zugesprochen. Zeugnis darüber gibt eine von Anselmus Boeth de Boot, dem Leibarzt Rudolfs, verfaßte magische Mineralogie mit dem Titel „Gemmarum et Lapidum Historia" (Hanau 1609), die sich neben der Kunst der Verarbeitung edler Steine auch mit deren Heilkraft und Wunderwirkung befaßt.

Das vorliegende Stück stammt aus Mailand, dem damaligen Zentrum der Steinschneidekunst. Einem bestimmten Künstler ist allerdings nur die Fassung zuschreibbar, die ein Werk des Andreas Oszenbruck sein dürfte, der im Dienste des Prager Hofes auch das Zepter Kaiser Matthias' fertigstellte.

Literatur: Ausst.-Kat. Princely Magnificence 1980, Nr. 70 – Eichler/Kris 1927, Nr. 292 SS

V. 64

ALESSANDRO MASNAGO
(2. Hälfte 16. Jahrhundert)

64
Parisurteil

Kamee, Achat; 7 × 6,6 cm
Wien, Kunsthistorisches Museum,
Sammlung für Plastik und Kunstgewerbe
Inv. Nr. XII/38

Der schöne Paris, gestützt auf seinen Hirtenstab, schickt sich gerade an, seine undankbare Rolle als Richter über die drei Schönsten der Göttinnen, Juno, Minvera und Venus, zu erfüllen – er reicht den goldenen Apfel der reichgeschmückten Venus. Ihr Versprechen, ihm die Gunst der schönsten irdischen Frau zu schenken, schien für den Jüngling verlockender als die Macht, die Juno bot, und die militärischen Ehren, die Minerva verhieß. Diese Begebenheit der im griechischen Sinne wenig heldenhaften Entscheidung für die Liebe, findet bei Homer nur kurze Erwähnung als folgenschwere Ursache des Trojanischen Krieges (Ilias 24, 25 ff). Die bildende Kunst hingegen nimmt sich häufig dieses Themas an, bietet es doch wunderbaren Anlaß für die Darstellung des nackten weiblichen Körpers. So wird auch dieses Stück des Mailänder Glyptikers Alessandro Masnago zu einem Exempel des manieristischen Proportionskanons der weiblichen Idealfigur mit ihren gelängten Proportionen und überaus eleganten Bewegungslinien. Auch die Idee der „figura serpentinata", die dem Wunsch nach Allansichtigkeit einer Figur entspricht, klingt an. Da das Relief die in sich gedrehte, von allen Seiten betrachtbare Figur, nicht gestattet, wird hier die thematisch bedingte Anwesenheit dreier nackter weiblicher Körper in dieser Hinsicht genützt. Während die siegreiche Venus in gelassener Pose die Trophäe empfangend dem Betrachter die Vorderansicht zuwendet, zeigt Minerva, in schwungvoller Bewegung den Mantel um die Schultern werfend, die genau entsprechende Rückseite.

Masnago, von Rudolf II. vielbeschäftigt, lehnt sich im Figurenkanon stark an das im rudolfinischen Kunstkreis vertretene Ideal der Schule von Fontainebleau an, das ihm, vermittelt durch die Stiche Étienne Delaunes, oft unmittelbare Vorlage für seine Kompositionen wird.

Literatur: Ausst.-Kat. Maniérisme 1955, Nr. 454 – Eichler/Kris 1927, Nr. 219 SS

ALESSANDRO MASNAGO
(2. Hälfte 16. Jahrhundert)

65 Farbabbildung S. 133
Raub der Europa

Kamee, Calzedon; 4,2 × 5,5 cm
Wien, Kunsthistorisches Museum, Sammlung für Plastik und Kunstgewerbe
Inv. Nr. XII/131

Die listenreichen Verführungskünste des Zeus lieferten eine ideale Vorlage für anspielungsreiche Illustrationen, die sowohl die humanistische Bildung des Kunstliebhabers ansprachen als auch seine Vorliebe für die sinnlich erotische Komponente eines Kunstwerkes. Der rudolfinische Kunstkreis bringt eine Vielzahl von Darstellungen aus dem Themenbereich der olympischen Götterliebschaften hervor.

Auch Masnago greift, wohl auf Anregung des fürstlichen Auftraggebers, in seinen Kameen wiederholt auf diese Sujets zurück. Er weiß das Relief des Steinschnittes mit der inhaltlichen Situation in Einklang zu bringen. Zeus, in Gestalt eines prächtigen weißen Stieres, die sich hilfesuchend ans Ufer zurückwendende Europa auf dem Rücken, hebt sich eindringlich von den dunkleren Meeresfluten ab. Diese umspülen, bildreich bevölkert von Tritonen, Nereiden und Delphinen, die Hufe des fliehenden Tieres. Der dramatische Höhepunkt des Geschehens scheint eng nach der Ovidschen Vorlage ins Bild übersetzt: „Es zagt die Entführte und blickt zum verlaßnen Ufer zurück, sie hält mit der Rechten ein Horn, ihre Linke haftet am Rücken, es bauscht ihr Gewand sich flatternd im Windhauch" (Met. II, 874 ff).

Literatur: Ausst.-Kat. Maniérisme 1955, Nr. 453 – Eichler/Kris 1927, Nr. 198 SS

MAILAND ODER SPANIEN, VOR 1540

66
Chopines

Leder; Höhe 18 cm
Kunsthistorisches Museum, Sammlungen Schloß Ambras
Inv. Nr. PA 497/98

Stelzschuhe dieser Art wurden von den Damen, insbesondere in Venedig, seit ca. 1500 getragen. Ein zweites Paar ist in der Ambraser Kunstkammer ausgestellt. ES

V. 66

PRAGER HOFWERKSTÄTTE

67 Farbabbildung S. 116
Kabinettschrank Rudolfs II.

Ebenholz mit verschiedenen Materialien; Höhe 129 cm
Wien, Kunsthistorisches Museum, Sammlung für Plastik und Kunstgewerbe
Inv. Nr. 3403

Die Ambivalenz des Kunstschrankes liegt in seiner Funktion als Aufbewahrungsort kostbarer Kleinode (Kat. V. 63–65) und der gleichzeitigen auf Grund seiner aufwendigen Ausführung erzielten Bedeutung als Kunstwerk per se. Die für das „Cabinet" charakteristisch reiche Ausstattung veranlaßte seinen Besitzer, diesen Schrank selbst als Kunststück in einem Schaukasten zu exponieren.

Neben der Verwendung erlesener Materialien führte die aufwendige Gestaltung des inhaltlichen Konzeptes, ein allegorisch-mythologischer Apparat, zur Überhöhung des wertvollen Inhaltes, den der Kunstschrank zu bergen hatte. Gleichzeitig erklärte dieses Programm den Schrank als Mikrokosmos zum Spiegel der kosmisch angelegten Kunstkammer. Im Gegensatz zu den in Augsburg gefertigten Kunstschränken aus Ebenholz und Silber, die eine besondere ikonographische Komplexität aufweisen, macht der Kunstschrank Rudolfs II. seinen Universalanspruch der Aussage in der Vielzahl der verwendeten Materialien und Verarbeitungstechniken geltend. Die von Rudolf II. besonders geschätzten „Comessi in Pietre Dure" (vgl. Kat. VIII. 10) finden ihren Platz neben Emailarbeiten, Malereien auf Elfenbein, vergoldeten Bronzeknöpfen, Medaillen und Schnitzereimedaillons aus Buchsbaum. Der seltsam bizarre Aufsatz des Schrankes, ein Konglomerat aus Mineralien, Korallen und Muscheln, rundet das Programm der Kunstkammer en miniature ab, indem er auf das Grundkonzept der fürstlichen Sammlung, die den Artefacta die Naturalia gegenüberstellt, anspielt.

Der Inhalt der Kabinettschränke umfaßte die besonderen Kostbarkeiten der Sammlung, aber auch Mirabilia wie etwa Alraunen oder sentimentale Objekte, wie jene blonde Haarlocke, die man in einem Geheimfach des rudolfinischen Schrankes fand.

Literatur: Scheicher 1979, S. 117 f – Schlosser 1978, S. 101 f, S. 187 ff SS

BERNARD PALISSY (um 1500 – 1590)

68
Runde Schüssel mit lachenden Köpfen

Keramik; Durchmesser 25,5 cm
Paris, Musée du Louvre, Département des Objets d'Art
Inv. Nr. OA 1377

Feste, Bankette und edle Tischsitten erforderten auch ein entsprechend aufwendig gestaltetes Tafelgerät. Neben goldenen und silbernen Aufsätzen, Tischbrunnen, „Trinkspielen" (vgl. Kat. I. 11) und seltsam geformten Pokalen waren aber vor allem die naturalistischen, von Palissy und seinen Nachfolgern entworfenen Naturabguß-Schüsseln Glanzstücke der Festtafel. Auf eine ähnliche Wirkungsweise, wie sie die Naturabgüsse in Speiseschüsseln hervorriefen (grauses Kleingetier unter erlesenen Gerichten), zielte diese Platte mit drei lachenden und drei Gesichtern ernsterer Miene ab. Im Gegensatz zu den einfachen Abgüssen verleitet jedoch die Variante mit den maskenhaften Köpfen zu tiefsinnigeren Spekulationen. Die Gesichter könnten für die Ambivalenz der Festfreuden stehen: Neben der zur Schau getragenen Heiterkeit der Lachenden enthüllt sich unter der Oberfläche die weniger euphorische Miene der drei anderen Gesichter. Damit könnte eine allegorische Anspielung auf die Temperamente (?) vorliegen, die in prachtvolle Flora eingebettet dem Genuß der Speisen einen kurzen Gedanken an die Vielgestalt der Launen hinzufügten.

Literatur: Kris 1926 MB

V. 68

V. 69

NACH GIAMBOLOGNA (1529–1608)

69
Affenkopf

Bronze; Höhe 26,7 cm
London, Victoria and Albert Museum,
Department of Sculpture
Inv. Nr. A 50-1937

Der Affe, als das höchstentwickelte unter den Tieren, menschenähnlich im Verhalten und Ansehen, fand stets bildnerische Darstellung, die der Auseinandersetzung mit seiner Relation zum Menschen entsprang. Als Symbol der Narrheit, Lüsternheit, Eitelkeit und Sünde schlechthin, als Fabeltier christlicher Erziehung in der Predigt reicht seine Bedeutung bis in die Kunsttheorie.

Das vorliegende Fragment eines Bronzegusses – die Bruchlinie führt von der rechten Schulter, unterhalb des Brustkorbes, zur oberen Hälfte des linken Oberarmes – läßt sich durch stilistische Vergleiche in die Nachfolge Giambolognas einordnen. (In einer Zeichnung der Uffizien finden sich ähnliche Affen im Sockel des Samson-Brunnens von Giambologna.)

Das ambivalente Wesen des Affen, das seine Dämonie aus der Stellung zwischen tierischer Triebhaftigkeit und menschlich anmutenden Verhaltensweisen, wie dem Nachahmungstrieb, bezieht, macht ihn für das dem Paradoxon stets empfängliche 16. Jahrhundert zu einem willkommenen Darstellungsgegenstand. Die geduckte Wendigkeit des Kopfes und die schlaue Wachheit des Ausdruckes wird in dem vorliegenden Porträt zur adäquaten Form des ihm zugesprochenen Wesens.

Literatur: Ausst.-Kat. Giambologna 1978 – Kat. London 1964, Nr. 487 – Janson 1952 SS

NACH GIAMBOLOGNA (1529–1608)

70
Kopf einer Negerin

Büste, Serpentin; Höhe 28,6 cm
London, Victoria and Albert Museum,
Department of Sculpture
Inv. Nr. A 4-1941

Der Halbedelstein, aus dem der von John Pope-Henessy in die Nachfolge Giambolognas gestellte Kopf der dunkelhäutigen Schönheit geschnitten ist, unterstützt die Exotik ihrer Wirkung. Nicht der warme Braunton der Bronze verleiht ihr Farbe, sondern das schimmernde Schwarzgrün des Serpentin. Die Wahl des eher ungewöhnlichen Materials will die Andersartigkeit des Wesens in seinem für das 16. Jahrhundert durchaus fremdartigen Reiz bezeichnen. Die sanfte Dreivierteldrehung des leicht geneigten Kopfes, der weite, unbestimmte Blick und die Weichheit des aufgeworfenen Mundes vermitteln eine fragende Scheu und Zurückhaltung, die wohl als Antwort auf den forschenden Blick des nach Kuriosem suchenden Betrachters dieses Jahrhunderts, in dessen Verständnis dem Neger neben seiner exotischen Faszination stets etwas Monströses anhaftet (vgl. Kat. III. 1), genommen werden muß.

Literatur: Kat. London 1964, Nr. 506 SS

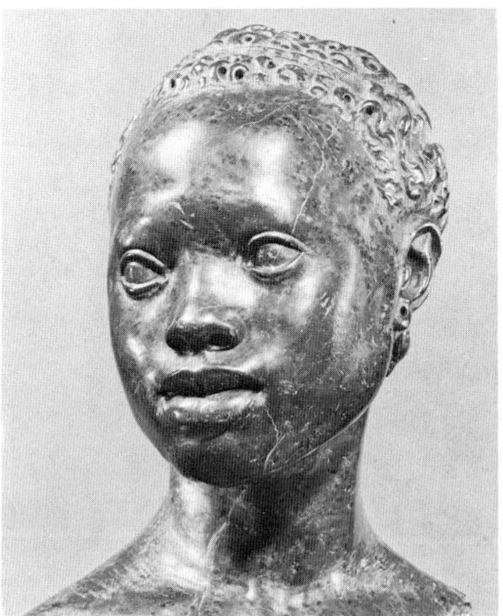

V. 70

GIAMBOLOGNA (1529–1608)

71
Nymphe und Satyr vor 1584

Bronze; Höhe 21 cm, Breite 31 cm
Dresden, Staatliche Kunstsammlungen,
Skulpturensammlung
Inv. Nr. IX/34

Die Nymphe, eines jener göttlichen und halbgöttlichen Mädchen, die bestimmte Orte in Wäldern und Fluren bewohnen und das Ge-

V. 71

folge der Jagdgöttin Diana bilden, liegt in dieser eleganten eigenhändigen Bronze Giambolognas zwischen Pölstern und Tüchern auf einer ausladenden Chaiselongue. Ihren linken Arm hat sie zum Zeichen des Schlafes über den zurückgebeugten Kopf gelegt – weich in die Kissen geschmiegt liegt die ideal proportionierte Gestalt vor dem Betrachter ausgebreitet. Die rechte Hand faßt zwischen den leicht geöffneten Beinen ein entgleitendes Tuch, was dem herannahenden Satyr, der unmittelbar neben der schönen Schläferin kniet und sie mit dem linken Arm schon berührt, einen Gestus des erregten Staunens entlockt. Gebannt betrachtet der ziegenbeinige Naturbewohner die entblößten Reize der Nymphe. Die subtile Erotik dieser Szene übertrifft die viel derberen Lustspiele der männlichen und weiblichen Satyrn des Andrea Riccio (Kat. V. 74) an Feinheit und Raffinement. Die ebenfalls äußerst feinfühlige Oberflächenbehandlung zeigt nicht nur eine dunklere Patinierung des Satyrs als jene der Nymphe, sondern ist in ihrer Vollendung auch Zeichen für den hohen Rang des Besitzers der Gruppe, des sächsischen Kurfürsten, welchem (nach Keutner) Francesco I. Medici die Bronze im Jahre 1577 überbracht haben könnte. Keutner wies auch

V. 71 a

schon auf die Tradition der Satyr-Nymphen-Szene in Malerei und Graphik hin, was durch den Vergleich mit einem Holzschnitt aus der Hypnerotomachia Poliphili des Francesco Colonna (Venedig 1499, Abb. V. 71a) noch untermauert werden kann. Dem großen Einfluß, den dieses dichterische Werk auf die Darstellung von Themen der „freien Liebe" im 16. Jahrhundert hatte, ist damit ein weiteres Indiz geliefert. Obwohl Giambologna die idyllische Szene der Hypnerotomachia aus der freien Natur in die Behaglichkeit eines reich ausgestatteten Innenraumes verlegt, ist die Unmittelbarkeit und das erotische Timbre gegenüber dem druckgraphischen Vorbild noch wesentlich gesteigert. Was Giambologna nur andeutet, ist in späteren Nachahmungen dieser Komposition (Kat. V. 72) überdeutlich geschildert.

Literatur: Ausst.-Kat. Giambologna 1978, Nr. 69 (mit älterem Schrifttum) – Kat. Dresden 1965, Nr. B 15 MB

V. 72

GIAMBOLOGNA-WERKSTATT

72
Schlafende Nymphe

Bronze und Holz; 19 × 33,3 cm
Braunschweig, Herzog Anton Ulrich-Museum
Inv. Nr. Bro 136

Diese Arbeit aus der Werkstatt Giambolognas zeigt eine Version der Gruppe „Nymphe und Satyr" (Kat. V. 71), in der zwar der Satyr fehlt, die Laszivität der Darstellung aber auf anderem Wege erreicht wird: Das in tiefen Schlaf gesunkene Mädchen gibt seine Nacktheit ausschließlich dem äußeren Betrachter preis und unterstreicht sie noch zusätzlich durch die wohl aus Gold geschmiedeten Armreifen und die hier fehlende Tuchbedeckung der Originalfassung. Auch in die malerische Darstellung weiblicher Schönheit fanden solche Ringe und Bänder Eingang, wie das z. B. die „Liegende Venus" von Dirck de Ravesteyn (Wien, Kunsthistorisches Museum, Abb. V. 72a) zeigt, was wiederum eine Lesart unserer Bronze als ruhende Liebesgöttin zuließe. Der Zweck dieser für die fürstlichen Kunstkammern gedachten Erotica wird jedoch von solchen ikonographischen Unsicherheiten nicht berührt. Auch die Proportionen der Figur – im Original des oberitalienischen Meisters flämischer Herkunft schlank und bewegt, hier jedoch plumper und ungelenk – sind offenbar diesem Ziel untergeordnet, wofür auch die an den entscheidenden Stellen wiederum übergenaue Detailtreue ein beredtes Zeugnis ablegt. Auch andere Einzelheiten, wie die Gestaltung der – hölzernen – Kissen und Tücher oder die jetzt unmotiviert und zweideutig wirkende rechte Hand der Nymphe zeigen diese Vergröberung. Im stilistischen Spektrum der beiden Versionen – Eleganz und Raffinement auf der einen, unverhohlene Direktheit auf der anderen Seite – zeigen sich die wesentlichen Ausdrucksmöglichkeiten des Manierismus in der Darstellung des Erotischen.

Literatur: Ausst.-Kat. Giambologna 1978, Nr. 72 (mit weiterführenden Angaben) MB

V. 72a

V. 73

DEUTSCH, 2. VIERTEL 16. JAHRHUNDERT

73
Schlafende Nymphe

Süddeutscher (Treuchtlinger) Marmor; 18 × 31 cm
Berlin, SMPK, Skulpturengalerie
Inv. Nr. 7757

Das kleine, von Bode einem Augsburger „Meister B.G.", von Habich einem sächsischen Bildhauer zugeschriebene und um 1530/40 datierte Marmorrelief, wohl Teilstück eines größeren Ganzen, variiert das um 1500 zusehends in Mode kommende, außerordentlich zukunftsträchtige Thema der ruhenden Schönen (Nymphe, Venus). Ursprünglich meist in szenischen Zusammenhang gebettet, wird dieses Motiv im Laufe der Zeit isoliert. Auch beim Berliner Relief erhebt sich die Frage nach seinem ursprünglichen Zustand. Bode bringt es mit einem Stich Girolamo Mocettos in Zusammenhang (seinerseits wahrscheinlich auf eine Werkgruppe Mantegnas zurückzuführen), der Amymone, die Tochter des Danaos, von Satyrn überrascht, zeigt. Tatsächlich ist die von allerlei Unholden im Schlaf aufgefundene Nymphe ein besonders beliebtes Thema des frühen Manierismus (Kat. V. 71), und die motivischen Übereinstimmungen unseres Reliefs mit Darstellungen dieser Art scheinen einen ähnlichen Inhalt des Berliner Bildwerks nahezulegen. Allerdings gemahnen einige Details darin auch an die Bildentwürfe Lucas Cranachs, der – entsprechend der höfisch-verfeinerten Erotik seiner Kunst – dem Betrachter die Rolle zuweist, die ursprünglich den mythologischen Lüstlingen zukam, und somit auf szenisches Beiwerk verzichtet. Das relativ breite Terrainfeld, das die schlafende Marmornymphe umgibt und sie so vor der allzu bedrohlichen Nähe männlicher Begierde abschirmt, weist zumindest auf eine gewisse Isolation innerhalb eines anzunehmenden Bildganzen. Als Inbegriff vollendeter weiblicher Schönheit, die sich in spannungsreicher Ambivalenz von bewußt zur Schau gestellter und gänzlich unbewußt dargebotener Sinnlichkeit dem Betrachter präsentiert, ist die Berliner Nymphe Variation eines neuzeitlich-zeitlosen Themas, das unabhängig von künstlerischem Geschmack und jeweiligen Stilrichtungen eine Vorrangstellung in der abendländischen Kunst behaupten sollte.

Literatur: Bode 1916/17, S. 206f – Ausst.-Kat. Cranach 1972, S. 631–640, Nr. 549, 550 MK

ANDREA BRIOSCO genannt IL RICCIO (1470–1532)

74
Satyressa 1. Viertel des 16. Jahrhunderts

Bronze; Höhe 23,8 cm
Braunschweig, Herzog Anton Ulrich-Museum
Inv. Nr. Bro 1

Der geistige Hintergrund für die enorme Popularität von Satyr, Satyressa und schließlich ganzer Satyrfamilien in der italienischen Kleinplastik des 16. Jahrhunderts ist in jenem humanistischen und freidenkerischen Freundeskreis um Andrea Riccio zu suchen, der sich konsequent für die Wiederbelebung antik-heidnischer Mythen einsetzte. Am Höhepunkt dieser Bewegung stand die antike Tradition gleichwertig neber der christlichen, ihre Widersprüche waren in einer Synthese aufgehoben. Der überzeugendste Beleg dafür ist das berühmte Grabmal des Gerolamo della Torre (1444–1506) in einer Veroneser Franziskanerkirche (!), in dem Riccio ausschließlich heidnische Allegorien – inspiriert von Vergil – darstellte. Satyrn waren den oberitalienischen Intellektuellen und Künstlern des 15. und 16. Jahrhunderts aus dem präzisen Studium von damals zahlreich vorhandenen antiken Sarkophagen vertraut, auf denen bacchantische Szenen in extenso dargestellt waren, die jetzt genau kopiert wurden (vgl. Kat. V. 43).

Riccio, der von den Paduaner Gelehrten Niccolò L. Thomeo, Piero Valeriano, Girolamo Fracastoro, Vater und Sohn della Torre und von Giovanni Baptista de Leone beeinflußt war, zeigt Satyrn schon auf dem von letzterem gestifteten Paduaner Osterleuchter (1507–1516) in Verbindung mit christlichen Allegorien. Unsere Satyressa ist nun ein Beispiel für die freie kleinplastische Weiterverwendung des Motivs jener Waldbewohner, die als Manifestationen einer heidnisch-christlichen Naturphilosophie interpretiert werden können und ein Denken symbolisieren, „das sich in unorthodoxen Bahnen bewegt und Momente größter Radikalität enthält" (D. Blume). Schon Planiscig erkannte, daß der ausgreifende rechte Arm der Braunschweiger Satyressa nach einem Pendant verlangt: Natürlich handelt es sich dabei um einen Satyr, wie das die vollständige Londoner Gruppe Riccios zeigt (Abb. V. 39a), in der das Weibchen sein erhobenes rechtes Bein über das linke des Partners legt, während dieser die zärtliche Umarmung erwidert. Dieser Liebesszenentypus ist der im 16. Jahrhundert verbreitetste und wurde in Stichen und Gemälden (z. B. von Spranger, Kat. I. 33) häufig verwendet.

Literatur: Planiscig 1927, S. 260f – Ausst.-Kat. Natur und Antike 1986, S. 84ff – Kat. Budapest 1975, Nr. 192 – Ausst.-Kat. Master Bronzes 1986, S. 110ff MB

V. 74

V. 75

FLORENZ, MITTE 16. JAHRHUNDERT

75
Satyr mit Vase

Bronze, grüne Lackpatina; Höhe 21 cm
Wien, Kunsthistorisches Museum, Sammlung für Plastik und Kunstgewerbe
Inv. Nr. 7558

Die im Laufe des 16. Jahrhunderts bis zur serienmäßigen Herstellung gesteigerte Produktion von Satyrfigürchen – meist in Gestalt von Kerzenhaltern, Öllämpchen oder Tintenfäßchen – begann noch im 15. Jahrhundert in den Paduaner Werkstätten und hatte ihren geistesgeschichtlichen Hintergrund in Gelehrtenzirkeln (vgl. Kat. V. 74), wo man die ziegenbeinigen Mischwesen als Repräsentanten einer „beseelten Natur" (D. Blume) erkannte. Schon Jacopo Bellini, Francesco Squarcione, der Lehrer Mantegnas, und schließlich vor allem Andrea Riccio beschäftigten sich mit der an antiken Werken geschulten Darstellung der stets lüsternen und trunkenen Satyrn, die – im Gefolge des Bacchus – in den klassischen Mythen den keuschen und scheuen Nymphen nachstellen, aber auch über tiefere Mysterien der Natur, die sie ja letztlich auf allegorische Weise symbolisieren, Bescheid wissen.

Unser Beispiel ist erst um die Mitte des Jahrhunderts des Manierismus und zudem in Florenz entstanden, wohin die Mode der in Gestalt von Gebrauchsgegenständen sich verbergenden Wesen aus einer heidnischen

Welt als Import aus den oberitalienischen Zentren der Altertumsbegeisterung gelangt war. Die künstliche grüne Patina sollte antike Provenienz signalisieren, was als Beleg für eine starke Sehnsucht dieser Zeit nach der Antike im allgemeinen und ihren Mythen im besonderen gewertet werden kann. Darin ist erkennbar, daß die Begeisterung für die offen Sexuelles und Heidnisches transportierenden Satyrn zeitlich vor der Gegenreformation liegt.

Literatur: Ausst.-Kat. Natur und Antike 1986, S. 173ff – Ebda., Nr. 173, S. 469 – Ausst.-Kat. Italienische Kleinplastiken 1976, Nr. 74 MB

DESIDERIO DA FIRENZE (tätig um 1545) (?)

76
Tintenfaß mit Satyrpaar

Bronze; Höhe 9 cm
Paris, Musée du Louvre, Departement des Objets d'Art
Inv. Nr. OA 7406

Nach den vielfältigen Annäherungen und Liebkosungen, wie es die Londoner Satyr-Satyressa-Gruppe (Abb. V. 39a) vorführt, und den zahlreichen Variationen des Satyr-Nymphen-Themas (Kat. V. 71) wendet man sich nun auch der unverhohlenen Darstellung des Geschlechtsaktes zu. Als frühestes Beispiel im Bereich der Kleinbronzen darf Riccios eigenhändiges Satyrpaar in Écouen angesehen werden (Ausst.-Kat. Natur und Antike 1985, Nr. 169), ein Typus, der in der späteren Nachfolge gleichsam „domestiziert" wurde. Um die Mitte des 16. Jahrhunderts ließ sich das Motiv bereits in so häuslich-alltäglichem Gebrauch wie jenem eines Tintenfasses anwenden. So stellte man gleichsam eine poetische Beziehung zwischen der vom Gebrauch des Tintenfasses verkörperten intellektuellen Tätigkeit und der ungehemmten freien Liebe der bocksbeinigen Mischwesen her. Geist und Natur vereinigen sich damit in einem ganzheitlich konzipierten Weltbild. Der von einem Wappen gezierte Sockel des Schreibzeugs belegt die Bestimmung dieses erotisch verbrämten Geräts für den fürstlichen Gebrauch, ein Bereich, in dem man sich diese luxuriöse Durchdringung des Alltags mit den weniger alltäglichen bronzenen Liebesszenen gerne gestattete. MB

V. 76

V. 77

ITALIEN, 16. JAHRHUNDERT

77
Badende

Bronze; Höhe 7,8 cm
Paris, Musée du Louvre, Departement des Objets d'Art
Inv. Nr. OA 7289

Der Manierismus brachte in der Darstellung der kontemplativ in sich gekehrten schönen Badenden und des sich kämmenden oder ins Spiegelbild vertieften Mädchens einen neuen Reichtum an formalen Variationen des seit der Antike bekannten Themas. Der Typus der sitzenden, in ihre Körperpflege nach dem Bade vertieften Nymphe stammt ebenfalls aus der römischen Klassik, wo die (meist steinernen) vorbildlichen Lösungen gesucht wurden. Die Kleinbronze der Renaissance bedient sich nun dieser Lösungen und führt sie im Manierismus der weiteren Variationen zu. Unsere kleine Badende erfüllte wohl den Zweck, durch subtile Disposition in edlen Gemächern das vorübergleitende, an den Anblick des Schönen gewöhnte Auge zu erfreuen. MB

V. 78

ANONYM

78
Sich kämmendes Mädchen

Bronze; Höhe 19 cm
Paris, Musée du Louvre, Departement des Objets d'Art
Inv. Nr. OA 7510

Auch das mit der Pflege seiner langen Zöpfe befaßte Mädchen ist der Hingabe an die Schönheit gewidmet. Sowohl sein verlorener Blick als auch die glänzend polierte Oberfläche bewirken einen Eindruck des Seltsam-Entrückten, des einer anderen Sphäre Zugehörigen, wo sich die Verwandlungen der Venus ungestört vom lauten Getriebe der Welt vollziehen können. Dieser Gedanke, besonders von der oberitalienischen Renaissance kultiviert, fand bleibenden Niederschlag in solchen Kleinbronzen, die bis in spätere Jahrhunderte kopiert und variiert wurden. MB

VI Die letzten Dinge

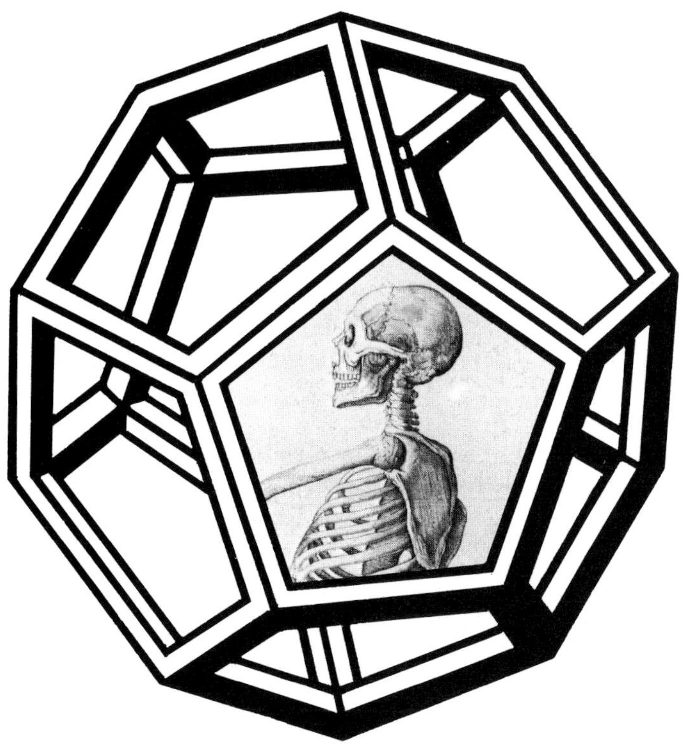

Die Kategorie der Kompositschönheit, welche dem Leser dieser Einführungen in die einzelnen Kapitel der Ausstellung mehrmals begegnet, gründet in der zumeist frappierenden Koppelung von Gegensätzen und rechnet mit einer Betrachterreaktion, die Konflikte und Schockwirkungen als reizvoll empfindet.

Wenn es um Gegensätze und deren Koppelung geht, ist keiner größer als der von Tod und Leben. Wo beide Mächte aufeinanderstoßen, steigern sie sich gegenseitig zu tragischem Pathos: Sie sind Partner, die nicht zueinander gelangen können (Kat. VI. 27, VI. 34). Das Memento-mori-Thema gehört zu den Warnungen, welche die christliche Religion immer schon für die Gläubigen bereit hielt, aber nun wird es mit neuer Intensität aufgeladen, da erst die Neuzeit die körperliche Schönheit aus dem Stigma der gefallenen Kreatur herauslöste und zum Selbstwert erklärte. Daß in den Gebärden, in denen die Schönheit sich prüfend ihrer selbst vergewissert, eine Herausforderung steckt, wird erst durch den Mitwisser Tod sinnlich spürbar (Kat. VI. 27).

Der schöne Körper ist ein Trugbild. Das wußten die Künstler des Mittelalters, wenn sie die Kehrseite der Frau „Welt" den Würmern überließen, das wußten aber auch die Meister der Hochrenaissance, ohne daß sie sich davon zu Kompositschönheiten anregen ließen. Zum lebenskräftigen Körper suchten sie nicht das Gegenbild. Die makellosen Leiber, denen sie huldigten, sind die Ergebnisse einer analytischen Wißbegierde, die im anatomischen Studium nach Wegen sucht, um die Teile zu erfragen, aus denen das Ganze sich zusammensetzt. Leonardo, der mehr als zwei Dutzend Leichen zerlegt hatte, wußte, daß der Empiriker nicht nur einen, sondern viele Körper untersuchen muß, wenn er zur „völligen Erkenntnis" gelangen will.

Erst als die anatomische Wissenschaft in ihren prächtigen Handbüchern die verschiedenen Form- und Funktionsschichten des Körpers zu eigenständigen, geradezu lebensfähigen Muskel-, Nerven-, Venen- und Knochenmenschen monumentalisierte, nahm das Bild des Menschen verschiedene, eigenmächtige „Möglichkeitsformen" an (Kat. VI. 23, VI. 30, VI. 32). Der Eingriff ins Innere des Körpers, der zunächst zerstörend auftrat, erwies sich als notwendige Vorstufe für die Gewinnung einer neuen Ganzheit. Gerne spielten zur Variation neigende Empiriker auf dem Instrument des Skeletts, das, wenn wir richtig sehen, nicht zuletzt wegen seines präzisen Formenvokabulars die amorphen mittelalterlichen Verwesungsphantasien verdrängte (Kat. VI. 25, VI. 39, VI. 40). Gerade die glatten Funktionsmechanismen der knöchernen Tektonik boten Raum für pantomimische Veranstaltungen der letzten Dinge (Kat. VI. 11, VI. 12).

Damit kontrastiert, nicht minder kunstvoll, der Tod in Taschenausgabe, die umfangreiche Produktion von Totenköpfen in Gestalt von Ringen oder Uhren – schmückende Anhängsel, die das Unausweichliche im Diminutiv und im alltäglichen Umgang gleichsam häuslich machen sollten (Kat. VI. 36, VI. 37, VI. 38).

Der Sektor, der einen Leib untersucht, setzt hinter den Tod einen zweiten zerstörenden Endpunkt, indem er das Ganze unwiderruflich in seine Teile zerlegt – nur der Künstler vermag daraus, in profaner Analogie zur „Auferstehung des Fleisches", wieder die Fiktion einer ganzen

Gestalt zu gewinnen. Gänzlich anders verfügt die Religion über das Ende des Menschen. Einem Weltbild eingefügt, das seine eigentlichen Dimensionen erst nach dem physischen Tod wirksam werden läßt, steht der Mensch ständig im Spannungsfeld von Versuchung, Strafe und Erlösung. Sein Erlöser ist ihm darin vorausgegangen, als er, der zum Tod verurteilte Aufrührer, die Erniedrigungen der namenlosen Kreatur erdulden mußte und als er in die Vorhölle, „in die untersten Örter der Erde" (Eph. 4, 9) hinabstieg (Kat. VI. 13, VI. 17, VI. 18, VI. 19).

Das Bild der Hölle und ihrer Qualen nimmt in den Versuchungs-Darstellungen eine sprühende, theatralische Phantastik an, die dem Schrecken zuweilen auch eine phantastische Seite abgewinnt, so etwa Callot in seiner „Versuchung des hl. Antonius" (Kat. VI. 15). Dieses bravouröse Spektakel bedient sich des Themas als eines bloßen Vorwandes für Spuk und Mummenschanz. Anders Callots „Hölle" (Kat. VI. 14), die das Strafgericht zwar in den Rängen eines dantesken Welttheaters vor sich gehen läßt, ihm aber das Merkmal der Unentrinnbarkeit aufzwingt, das den Betrachter nicht unterhält, sondern existentiell berührt. Der Verzweiflung tritt nichts zur Seite, auch nicht die sich aufbäumende letzte Lebenslust, der Wtewael in seiner „Sintflut" (Kat. VI. 3) einige leidenschaftliche Gebärden erfindet.

Kein Thema verlangt größeres inszenatorisches Geschick als das Jüngste Gericht (Kat. VI. 1). Es gilt, die wogenden Mengen der Seligen und Verdammten kontrastierend zu koppeln. In Italien hält sich die Massenregie an eine alles übergreifende Körperdynamik (Kat. VI. 10), indes diesseits der Alpen völlig neuartige Himmelsgewölbe und -architekturen entworfen werden, deren Gerüst aus dem einmaligen endzeitlichen Vorgang eine immerwährende Institution macht (Kat. VI. 11, VI. 12).

Alles das sind ebenso eindringliche wie aufwendige Gewissensappelle, die dem Gläubigen deutlich vor Augen führen sollen, was ihn nach dem Tod erwartet. Der gegenreformatorische Eifer ist ihnen anzumerken, er verbindet sich mit der „Lust am Untergang", welche das gespaltene Lebensgefühl in immer neue Todeserfahrungen lockt. (Katastrophenangst ist auch Katastrophenlust.) Diese infernale und pandämonische Phantastik verstummt, wenn es darum geht, von einem Tod zu berichten, der an einem bestimmten Ort zu einer bestimmten Zeit eingetreten ist. Der Maler, der an das Totenbett eines Fürsten gerufen wird, porträtiert die Leblosigkeit und nichts als sie. Kein Trost, kein Beistand ist zu spüren. Diese in der Vermummung erstarrten Menschen sind sichtbar eingesargt (Kat. VI. 4, VI. 5, VI. 6).

Die ungeschminkte Würde des Faktischen stellt sie in eine Aura, an die alle Totentänze und Anrufungen der letzten Dinge nicht heranreichen. In der Schlichtheit dieser Aufbahrungsrituale steckt nicht nur Ablehnung der Theatralik. Es gibt ein Dokument – Döhlers „Seltsamer Kult in einer Kirche" (Kat. VI. 7) –, das uns vor Rätsel stellt: eine sektiererische Veranstaltung, vielleicht eine Blasphemie? WH

FRANS FLORIS (1519/20–1570)

1 Farbabbildung S. 126
Das Jüngste Gericht 1565

Öl auf Leinwand; 164 × 220 cm
Bezeichnet: FF. ANTVERPIEN. INVE. FAC. 1565
Wien, Kunsthistorisches Museum, Gemäldegalerie
Inv. Nr. 3581

Das Sujet – seit Michelangelos Fresko in der Sixtina (1541) sehr beliebt – dient als Anlaß zu einer bewegten, ausschließlich aus Figuren in ausgefallenen Stellungen gebauten Komposition. In der obersten Bildzone der thronende Christus umgeben von Evangelistensymbolen und Engeln mit den arma christi. Im rechten Vorder- und Mittelgrund tummeln sich Teufel und Verdammte in verzerrter Mimik und Bewegung, links aufsteigende Engel mit Seligen. In der Bildmitte knieen und stehen die ihr Urteil Erwartenden. Vorne links lehnt Salomo (?), einen Stein mit dem Spruch VI/11 aus dem Buch der Weisheit haltend, der den im Diesseits das Recht Achtenden analoge gerechte Behandlung im Jenseits verspricht.

Das Bild wird erstmals 1621 im Inventar der Sammlung Rudolfs II. genannt; sein Auftraggeber ist unbekannt, nach van de Velde (1975) möglicherweise ein solcher außerhalb Antwerpens, da in der Signatur Floris' Heimatort ausdrücklich betont ist. Dem gleichen Autor zufolge ist die Tafel entweder als Epitaph (vgl. Bsp. von Crispijn van den Brock und Marten de Vos) oder als allegorisch-moralisierender Teil der Ausstattung eines Ratssaales konzipiert, worauf das Zitat aus dem Buch der Weisheit hinwiese. Ein Triptychon-Epitaph des gleichen Meisters und Themas sowie in ähnlicher Komposition der Mitteltafel befindet sich im Brüsseler Königlichen Museum.

Literatur: Van de Velde 1975, Bd. I, S. 317 f MB

VI. 2

FRANS FRANCKEN II. (1581–1642)

2
Der Höllensturz der Verdammten

Öl auf Eichenholz; 47 × 36 cm
Wien, Kunsthistorisches Museum, Gemäldegalerie
Inv. Nr. 1106

Die kleine Tafel des Antwerpeners führt die Überwindung der bedeutenden lokalen manieristischen Schule zugunsten eines bereits barocken Belehrungsprinzips vor Augen. Beschränkte sich Frans Floris (Kat. VI. 1) in seiner Version des Jüngsten Gerichtes noch auf die Ausdrucksmittel der perspektivischen Verzerrung, der scharfen Farbkontraste (gelbgrau) und der drastisch-dramatischen Körperstellungen, so verlegt der späte Nachfolger Francken das Gewicht auf die Wiedergabe genrehafter Details. Der asketisch-fahlen Behandlung der Akte Floris' wird hier trotz des kleinen Formates z. B. eine ausführliche Schilderung von Schmuckstücken und deren fleischgewordener Sinnumkehrung, nämlich den auf den Leibern kriechenden Spinnen, Schnecken und Raupen, entgegengesetzt. Francken zeigt nur mehr eine Hälfte des Weltgerichtes, den Höllensturz, um durch diese thematische Beschränkung eine Bereicherung der Ausdrucksmöglichkeiten zu erzielen. Wie originär und vorbildlich das Konzept Floris' trotzdem war, belegen die zahlreichen von Francken übernommenen Details: Der an einer Kette von einem über ihm befindlichen Teufel Aufgehängte (rechts oben) wird ebenso unmittelbar zitiert wie die Entführung einer Verurteilten in den Armen eines spitzohrigen Satansgesellen mit Rückenkamm in der Bildmitte oder die zwei arg Gefolterten am unteren Bildrand. Die beiden zentralen weiblichen Akte verschmelzen italienische Vorbilder mit Rubensschen Figurentypen. Drei Durchblicke brechen das dichte, paraventartige Geflecht der stürzenden Leiber auf: Links oben verrät ein blasser Abglanz noch die göttliche Quelle des Geschehens, während unten und rechts nur weitere den Verurteilten bevorstehende Martern gezeigt werden. Charakteristisch für die innere Verwandtschaft des Themas mit den manieristischen Formvorstellungen ist die Tatsache, daß es sich im 17. Jahrhundert nur in der Oberfläche, nicht jedoch in der Komposition gegenüber den Lösungen eines Floris oder Michelangelo bereichern ließ.

Literatur: Kat. Wien 1973, S. 69 MB

JOACHIM WTEWAEL (1566–1638)

3
Die Sintflut um 1585

Öl auf Leinwand; 148 × 183 cm
Nürnberg, Germanisches Nationalmuseum
Inv. Nr. Gm. 1212

VI. 3

Ob die vorliegende Darstellung die bildliche Übertragung der im ersten Buch Moses (Kap. 7, 8) geschilderten Sintflut ist, bleibt im wesentlichen unklar. Nicht die inhaltliche Präzision, sondern die Möglichkeit, den nackten menschlichen Körper in den gesuchtesten Posen und Bewegungen schildern zu können, war hier ausschlaggebend für die Wahl des dramatischen Themas. Es verwundert nicht, daß angesichts der im Vordergrund lagernden herkulischen Akte die Ovidsche Schilderung der Sintflut als Bildvorwurf angenommen wurde.

Unser frühes Werk Wtewaels orientiert sich in der kompositionellen Lösung der kolossalen Massendarstellung stark am Vorbild des Frans Floris, einem der wichtigsten Vertreter des holländischen Romanismus. Der in die vorderste Bildebene gedrängte offene Kreis der klassischen Akte, der ohne direkte Verbindung zu der schemenhaften Entmaterialisierung der Hintergrundfiguren bleibt, zeigt sich einem Werk wie Floris' Jüngstem Gericht (Kat. VI. 1) vergleichbar. Die Übersetzung in die ekstatische Pose der in sich gedrehten Figur, der jede inhaltliche Motivation fehlt, macht die Entwicklung, die zwischen dem Romanisten Floris und dem Vertreter des Utrechter Spätmanierismus Wtewael liegt, deutlich. Hier wird in erster Linie die möglichst raumgreifende Bewegung der Figur, die ihre Steigerung aus der Gegenüberstellung gegengleicher Bewegungsmotive zieht, wie an der dreifigurigen Gruppe im Vordergrund ablesbar ist, zum wichtigsten Anliegen künstlerischen Ausdruckes.

Literatur: Kat. Nürnberg 1977, Nr. 293 – Lindemann 1929, S. 87ff SS

DEUTSCH, 1595

4
Der tote Erzherzog Ferdinand von Tirol

Öl auf Leinwand; 98,5 × 77,5 cm
Kunsthistorisches Museum, Sammlungen Schloß Ambras
Inv. Nr. 8992

VI. 4

Erzherzog Ferdinand von Tirol, Neffe des Weltenherrschers Karl V., Sohn Kaiser Ferdinands I. (1503–1564), nahm innerhalb des Erzhauses in mehrfacher Hinsicht eine besondere Rolle ein. Trotz eines herzlichen Verhältnisses zu Onkel und Vater mußte er seine 1557 geschlossene, nicht standesgemäße Ehe mit der Augsburger Patriziertochter Philippine Welser zeit seines Lebens geheimhalten – außerdem verlieh ihm das zurückgezogene Leben als Tiroler Landesfürst mit Residenz auf Schloß Ambras eine gewisse exzentrische Aura. Durch den Aufbau der Wunderkammer, den er seit seinem Einzug in Schloß Ambras 1563 planmäßig betrieb, verschaffte er sich jedoch, zumindest aus heutiger Sicht, eine überragende kulturgeschichtliche Bedeutung, die im subjektiven Ausdruck einer dem Zeitalter zugrundeliegenden Sammlermentalität wurzelt.

Die reportagehafte Darstellung eines toten Fürsten gehörte zu den offiziellen höfischen Bräuchen (vgl. Kat. VI. 6) und erforderte weder hohes künstlerisches Können noch eine über das Sachliche hinausgehende Inszenierung des Sujets. Ferdinand ist in schlichtes Gewand gehüllt und hat einen tiefen inneren Frieden gefunden.

Literatur: Scheicher 1979, S. 76f MB

DEUTSCH, 1580

5
Die tote Philippine Welser

Öl auf Leinwand; 83 × 203 cm
Kunsthistorisches Museum, Sammlungen Schloß Ambras
Inv. Nr. 52609

Nach der geheimen Heirat mit dem damaligen Statthalter Böhmens, Erzherzog Ferdinand, mußte die Augsburgerin Philippine Welser ein vom offiziellen höfischen Leben abgesondertes Dasein fristen. In Böhmen brachte Ferdinand sie auf Schloß Bürglitz unter, seit 1563, als er zum Tiroler Landesfürsten ernannt wurde, auf Schloß Ambras bei Innsbruck, wo auch seine bedeutende Kunstkammer Aufstellung fand. Philippines und Ferdinands Söhne, Karl und Andreas, erhielten Titel als Grafen von Burgau. Nach dem Tod der Augsburgerin (1580) heiratete Ferdinand (diesmal standesgemäß) die Mailänderin Katharina Gonzaga. Das Totenbild zeigt Philippine Welser, deren Ehe mit Ferdinand eine glückliche gewesen sein soll, mit dem Kreuz auf der Brust und auf einem Polster liegend sanft entschlafen.

Literatur: Scheicher 1979, S. 76f — MB

VI. 5

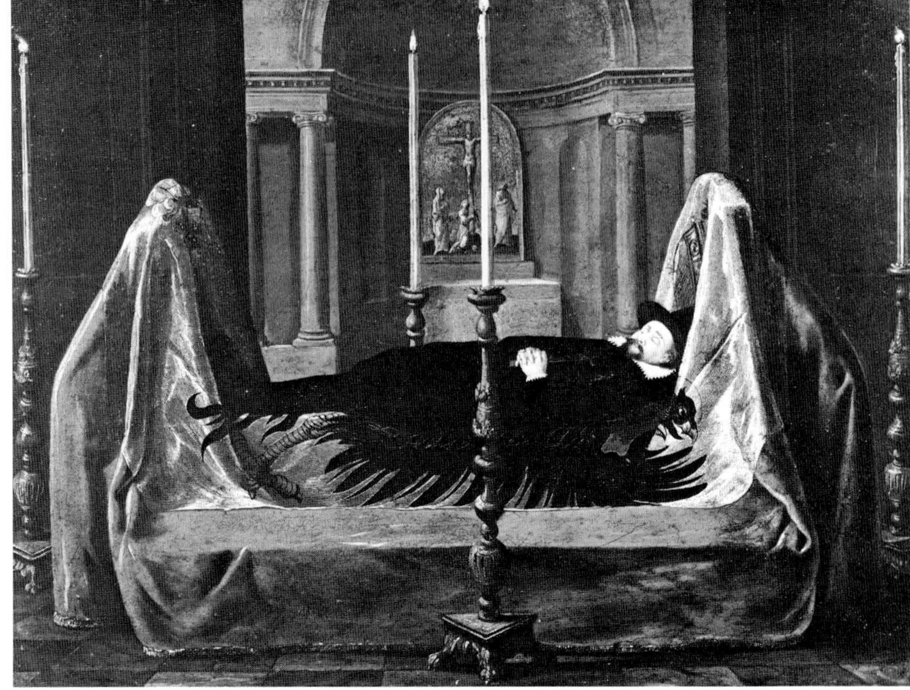

VI. 6

DEUTSCH, UM 1612

6
Kaiser Rudolf II., aufgebahrt

Öl auf Kupfer; 28 × 36 cm
Braunschweig, Herzog Anton Ulrich-Museum
Inv. Nr. 1371

Entsprechend dem Habsburger Hofzeremoniell, das eine dreitägige öffentliche Aufbahrung vorsah, ehe der verstorbene Kaiser in eine Kapelle gebracht wurde, um die oft mehrwöchige Vorbereitungszeit für die Exequienfeiern abzuwarten, ist Rudolf II. in schlichter Kleidung auf einer mit dem Doppeladler geschmückten Bahre liegend dargestellt. Auch das Ambiente ist denkbar schmucklos: Vier Kerzen umstehen das Lager des Toten, das sich in einer einfachen, nur mit Kreuzigungstafel dekorierten Kapelle befindet. Da Rudolf bereits ein Jahr vor seinem Tode zugunsten seines Bruders Matthias abdanken mußte, hält der ehemalige Regent lediglich ein Kruzifix in Händen, während die Herrschaftsabzeichen fehlen.

Totenbildnisse wie dieses dienten in erster Linie als Vorlage für Holzschnitte und Kupferstiche, die einer breiten Öffentlichkeit zugänglich gemacht werden sollten, was möglicherweise auch das bescheidene künstlerische Niveau solcher Bilder erklärt. Dennoch frappiert gerade im Fall Rudolfs II., dieses grandiosen Mäzens, die unglaubliche Ambitionslosigkeit, mit welcher der unbekannte Maler den Toten porträtiert. Die Ungeschicklichkeit der Komposition, das niedere Niveau von Figuren- und Raumdarstellung erschüttern angesichts eines Herrschers, der sich rühmte, die Künste nach Böhmen gebracht zu haben.

Das Gemälde, vermutlich bereits im Prager Inventar von 1621 erwähnt und von den Schweden geraubt, wurde 1904/05 durch Tausch vom Herzog Anton Ulrich-Museum erworben.

Literatur: Ausst.-Kat. Barock 1975, S. 19, Nr. 9 — MK

WENDEL VON DÖHLER (tätig um 1600)

7
Seltsamer Kult in einer Kirche 1600

Öl auf Leinwand; 37 × 43,8 cm
Undeutlich bezeichnet am Tisch im Bildvordergrund
Kassel, Staatliche Kunstsammlungen
Inv. Nr. LM B XI, 94

VI. 7

Das Bild trägt seinen Titel zu Recht, da die darauf gezeigte befremdende Handlung noch nicht entschlüsselt werden konnte. Der Schauplatz scheint nicht notwendig ein Kircheninneres zu sein, worauf ja lediglich die Dreischiffigkeit des Raumes hindeutet. Ebensogut könnten die korinthisch anmutende Säulenreihe mit unorthodoxen kugelförmigen Basen und die vorgeblendete Renaissance-Arkatur, unter der ein auf einem Tisch aufgebahrter Toter liegt, eine profane Halle bezeichnen. Im Mittelschiff führt eine dort aufgestellte Doppelreihe von acht Sarkophagen in die Tiefe und wird ganz hinten von einem großen Steingrabmal in der Mitte abgeschlossen. Zumindest die vorderen beiden steinernen Liegefiguren auf den Tumben scheinen Bischöfe darzustellen, die sich durch ihre Mitra ausweisen. Neben den ersten vier Sarkophagen steht je ein gedeckter Tisch mit Speisen und Getränken; dahinter bezeichnet ein mit einer Sense gekreuzter Spaten das Todesthema. Auch in den beiden Seitenschiffen stehen Tische, die in extremer Länge die gesamte Halle durchziehen. Der linke davon ist mit weißem Tuch und Tafelgerät gedeckt, das jedoch reicher als jenes auf den vier Tischen in der Mitte anmutet. Ganz links steht eine Batterie Weinkannen, für den baldigen Verbrauch vorbereitet, am Boden. Die rechte Langtafel ist von keinem Tuch bedeckt – auf ihr befinden sich Speisen (?), die wohl für den linken Festtisch bestimmt sind. Im Vordergrund unter der rechten Arkade hantiert ein Diener und bereitet das bevorstehende düstere Mahl vor. Es wäre in der Tat ein seltsamer, jedoch nicht als völlig undenkbar von der Hand zu weisender Brauch, würde hier eine mit Tafelfreuden verbundene Totenfeier für einen noch aufgebahrten Kleriker stattfinden, der im Begriffe ist, zu seinen hohen Brüdern, vor deren letzter Liegestatt ebenfalls ein – symbolisches – Festmahl angerichtet ist, heimzukehren. Der hinten in der Mitte postierte Sarkophag wäre dabei wohl für ihn bestimmt. Jedoch schließen Datierung (1600) und die mittel(nord-?)deutsche Provenienz des Bildes die Möglichkeit einer protestantischen Verhöhnung katholischer Riten nicht ganz aus. MB

JEAN DUVET (um 1485 – nach 1561)

8
Das Tier mit den sieben Köpfen und den zehn Hörnern 1555

Kupferstich; 30,5 × 22,2 cm
Bezeichnet: IOHANNES DVVET – HIST CAP 14 APOC.
Hamburger Kunsthalle, Kupferstichkabinett
Inv. Nr. 18105

Das Blatt ist zusammen mit Kat. VI. 9 Teil eines 1561 in Lyon erschienenen Illustrationszyklus zur Geheimen Offenbarung des Johannes. Die Stichserie des französischen Goldschmieds und Stechers Jean Duvet, die er – wie aus dem Titelblatt hervorgeht – bereits 1555 vollendete, geht auf Holzschnittillustrationen Dürers zur Apokalypse (1498) zurück. Während Duvet jedoch von diesem einzelne Motive übernimmt (dem siebenköpfigen Tier liegt Dürers „Satansdrache'' zugrunde), ersetzt er gleichzeitig Dürers klaren Tiefenraum durch eine Kompositionsweise, die ohne Rücksicht auf plastische Werte oder räumliche Gliederung das Blatt fast ornamental mit einer Fülle verwirrender Bilder überzieht.

Der Stich verbindet Motive mehrerer Textstellen miteinander: „Das Lamm und die Seinen auf dem Berge Zion'' (Kap. 14) mit dem „aus dem Meer heraufgekommenen Tier mit den zehn Hörnern und den sieben Köpfen'' aus Kapitel 13. Auf der rechten Bildhälfte erstreckt sich eine riesige übereinandergestaffelte Menschenmenge bis weit in den Hintergrund. Zwei Gruppen sind zu unterscheiden. Während die einen im Vordergrund das „Tier'' anbeten, schauen die Menschen im Hintergrund erwartungsvoll in den Himmel. Darüber sieht man das Lamm inmitten der „vier Wesen'' und einer Gloriole von Harfenspielern. Duvet verwendet seit seiner Italienreise (vor 1520) in seinen Stichen immer wieder Stilmomente und Motive Mantegnas und Marcantons. Er arbeitet mit Versatzstücken – hier an zwei in starker Untersicht dargestellten Köpfen zu sehen: Der eine, in der Gruppe der „Hörigen'', verschwindet in seiner aufschauenden Bewunderung fast unter dem Bauch des „Tieres'', der andere blickt inmitten anderer Gläubiger gottesfürchtig und erwartungsvoll zum Himmel auf.

Literatur: Eisler 1979, Nr. 52 EH

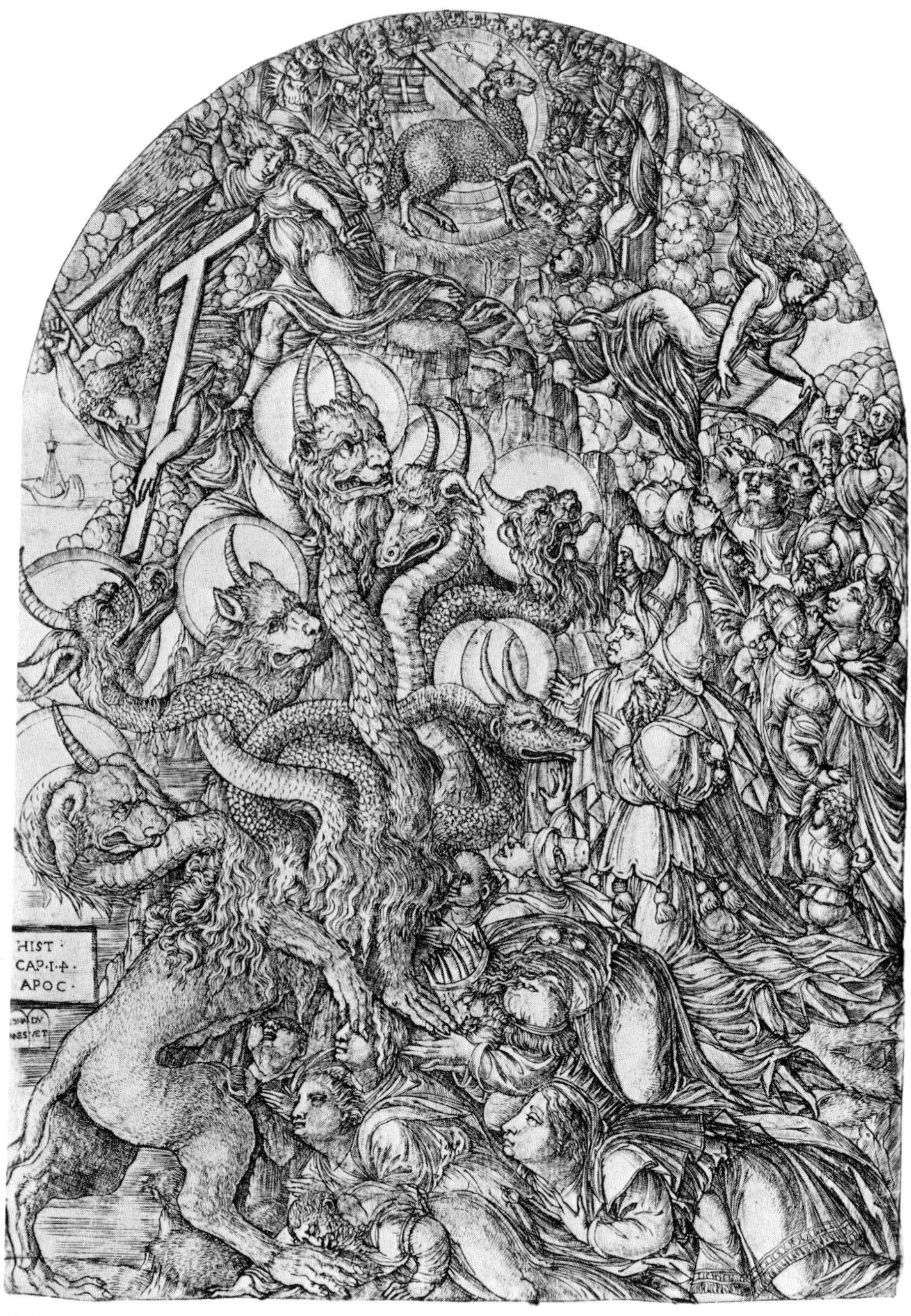

VI. 8

JEAN DUVET (um 1485 – nach 1561)

9

Der Drache mit zwei Hörnern und das Tier mit den sieben Hörnern 1555

Kupferstich; 30,4 × 21,8 cm
Bezeichnet: IOHANNES DVVET FAC – HIST 15 CAP 13 ET 16 APOC
Hamburger Kunsthalle, Kupferstichkabinett
Inv. Nr. 18107

Gottvater wendet sich von seinem Buch ab, um aus sieben goldenen Phiolen die letzten sieben Plagen über die Menschheit ausgießen zu lassen. Wieder scheinen die Menschen unterschiedlichen Lagern anzugehören. Die einen – prächtig gekleidete Angehörige verschiedener Stände – huldigen im Vordergrund dem „Drachen mit den zwei Hörnern" auf seinem Thron. Seinem Maul entspringen ein Bischof und drei Frösche (Zeichen der unreinen Gedanken des letzteren), die Mitra des Klerikers stützt eine der Säulen eines babylonisch anmutenden Turmes; links davon das „Tier in Lammsgestalt", das auffordernd den Betrachter anblickt (in der Nachfolge Dürers eher einem Löwen als einem Lamm ähnlich). Von dieser Gruppe deutlich abgegrenzt – vor allem auch durch die auffallende Figur eines antiken Söldners (übernommen aus dem „Bethlehemitischen Kindermord" Marcantons) – mehrere eher nachdenklich blickende, ebenfalls antikisch gekleidete Personen. Im Hintergrund sieht man prächtige Architekturen das Opfer von Hagelschauern und Erdbeben werden.

Duvet betont sehr viel stärker als Dürer das visionäre Moment. Seine Darstellungen scheinen keine Rücksicht mehr nehmen zu müssen auf Größenverhältnisse, räumliche Verhältnisse oder eine naturgetreue Wiedergabe des Dargestellten. Auf dem Titelblatt stellt er sich als neuen „Johannes" dar, der eine Vision empfängt, und seine Urheberschaft meldet er dadurch an, daß er auf jedem Blatt sein Monogramm kleinen Täfelchen einschreibt, die an die Gesetzestafeln Moses' denken lassen.

Literatur: Eisler 1979, Nr. 54 – Ausst.-Kat. Luther 1983, Nr. 45 EH

VI. 9

VI. 10

MARTINO ROTA (um 1520–1583)

10
Jüngstes Gericht

Kupferstich; 32 × 23,2 cm
Bezeichnet: M.D.LXXVI. MARTINVS ROTA – RODOLPHO II (. . .)
Hamburger Kunsthalle, Kupferstichkabinett
Inv. Nr. 1037 a

Die Annahme von Bartsch, es handle sich um eine tizianische Komposition, die Rota nachgestochen hat, ist nicht belegbar. Vielmehr zeigt der Stich verschiedenste Einflüsse (Michelangelo, Raffael, Tizian und Tintoretto), die der Künstler eigenständig verarbeitet hat. Der Anlaß des Stichs dürfte der Regierungsantritt Kaiser Rudolfs II. nach dem Tode Kaiser Maximilians II. gewesen sein, da letzterer bereits im Kreise der Heiligen ganz links, auf der untersten Wolkenbank sitzend und auf den Betrachter herausblickend, dargestellt ist. Die vielfigurige Komposition ist einfach im Aufbau – fast symmetrisch in eine irdische und eine transzendente Zone geteilt, die nur der Erzengel durchbricht. Eine archaisierende Gestaltung weisen die im Hintergrund des himmlischen Bereichs halbkreisförmig angeordneten Heiligen- und Engelsköpfe auf. Diese Tendenzen, die gegenreformatorischem Gedankengut entspringen, sind allerdings auch in Bildern von Tintoretto zu finden.

Literatur: Oberhuber 1966, S. 199 – Heinz 1963, S. 113 ff
BB

VI. 11

WENDEL DIETTERLIN (1550/51–1599)

11
Das Jüngste Gericht 1590–93

Federzeichnung, laviert, weiß und gold gehöht; 46,8 × 34,4 cm
Staatsgalerie Stuttgart, Graphische Sammlung
Inv. Nr. GVL 200

Das Blatt stellt den Entwurf für eines der drei Deckengemälde des heute zerstörten Neuen Lusthauses in Stuttgart dar, an dessen Ausmalung Dietterlin 1590–93 im Auftrag Herzog Ludwigs von Württemberg mitarbeitete. Zusammen mit der „Erschaffung der Welt" und der „Anbetung der 24 Ältesten" fügte sich das Jüngste Gericht zu einem inhaltlichen Ganzen, das die überzeitliche Präsenz Gottes betonte.

Die inhaltliche Zusammengehörigkeit der drei Gemälde manifestiert sich auch in den einzelnen Kompositionen. Der stark auf Unteransicht berechnete Bildaufbau unseres Blattes zeigt eine geradezu atemberaubende Raumauffassung, die wesentlich von den monumentalen, das Bildganze in zügigen Linien durchschneidenden Wolkenbändern bestimmt ist. Aus der Unberechenbarkeit himmlischer Unendlichkeit ist Christus herabgestiegen, um zu richten – dem Sturz der Verdammten, die in kompakt verschlungenen, massigen Knäueln ins Bodenlose fallen, wirken kleinere Gruppen von emporschwebenden Erlösten im linken Bildteil entgegen, wodurch die komplizierte räumliche Struktur zusätzlich verunklärende Akzente erhält.

Obwohl Dietterlins Entwurf in seiner leidenschaftlich-monumentalen Bildauffassung sowie in seiner Figurenkonzeption dem Weltgericht Michelangelos in der Sixtinischen Kapelle verpflichtet scheint, kommt in der Zeichnung als wesentliches Element die schon in Stimmers Baden-Badener Deckengemälden angelegte neuartige Raumauffassung hinzu. Anders als in Michelangelos ausschließlich von der menschlichen Figur getragenen Komposition wird bei Dietterlin der – nach oben zu verlaufende – unendliche Raum zum gleichwertigen Widerpart der fast nur in Gruppierungen auftretenden menschlichen Körper. Die Unberechenbarkeit dieses Raumes, in dem die aus Menschen und Wolken gebildeten Massen nur strukturierend, nicht aber klärend wirken, kennzeichnet Dietterlins Entwurf als wahrhaft manieristisches Werk, das weder mit renaissancehafter Harmonie noch mit dem barocken Ganzheitsanspruch in Einklang zu bringen ist, sondern ein heroisches Menschenbild mit den durch naturwissenschaftliche Erkenntnisse neu orientierten Universumsvorstellungen verbindet.

Literatur: Pfeiffer 1961, S. 54–71 – Kat. Stuttgart 1984, Nr. 16 MK

VI. 12

HERMANN TOM RING (1521–1596)

12
Das Weltgericht 1555

Feder in Schwarzbraun, graubraun laviert;
23 × 18,4 cm
Wien, Albertina
Inv. Nr. 3021

Schon 1933 stellte Otto Benesch in der dämonisch wirkenden Weltgerichtsdarstellung Rings eine „äußerste manieristische Konsequenz" fest. Zehn Jahre vor dem großen Bild Floris' (Kat. VI. 1) entstanden, zeigt das Blatt einerseits eine in dieser Art singuläre Tektonisierung der Szene, andererseits aber auch eine extrem irreale Verzerrung, Verdrehung und Dehnung der an Juste de Juste (vgl. Kat. VII. 4, VII. 5) gemahnenden Figuren. Die konzentrischen Kreise – manieristisches Symbol der „letzten Dinge" – sind jetzt tatsächlich gebaut und bilden einen steinernen Himmel. In dieser visionären Architektur postieren sich die Protagonisten des apokalyptischen Geschehens auf hierarchisch geordneten schwebenden Bodenplatten: Im obersten Ring sitzen Engel mit den arma christi, darunter, in einer stufenförmig sich erhebenden Rundarena, Märtyrer und Heilige. Sie beobachten in diesem „Theater des Todes" das vom auf der Weltkugel schwebenden Heiland dirigierte Ereignis. Darunter assistieren ihm in ekstatischen Posen Johannes, Maria, die Posaunenengel und ein geflügelter, athletisch gebauter Buchträger. In der untersten Ebene drängen sich schier unentwirrbare Knäuel aus Menschenleibern und geflügelten Teufeln, die die Verurteilten an Gliedmaßen und Haaren in die Unterwelt zerren. Das in gebannte Betrachtung des Infernos versunkene, im linken Vordergrund kniende Stifterehepaar wurde in der gemalten Ausführung der Zeichnung (Münster, Landesgalerie) durch Mönche, das normsprengende steinerne All durch Wolkenformationen ersetzt. Ring bildet in diesem Blatt eine Synthese aus den geometrisierenden und den sich des menschlichen Körpers rücksichtslos bemächtigenden Formtendenzen des Manierismus.

Literatur: Benesch 1933, Nr. 613 MB

JACQUES DE GHEYN II. (1565–1629)

13
Christus in der Vorhölle

Feder in brauner Tinte, laviert;
18,3 × 25,2 cm
Wien, Albertina
Inv. Nr. 7871

Um die Jahrhundertwende entstand dieses ebenfalls Apokalyptisches vorführende Blatt, das jedoch einer späteren, der Schlangenlinie verhafteten Stilvariante des Manierismus verpflichtet ist. Um diese spezielle Ausdrucksweise bemühte sich in der Zeichnung vor allem Jacques de Gheyn (vgl. Kat. IV. 26), der die ondulierende Linie auf virtuose Weise mit der Phantastik des Dargestellten zu verbinden wußte. Unsere Zeichnung, früher Karel van Mader zugeschrieben und den Erfindungen Jacob Isaacsz van Swanenburgh nahestehend, zeigt die Vorhölle aus der Perspektive eines in ihr Gefangenen. Am linken Bildrand betritt der auferstandene Christus mit der Kreuzesfahne die Szene durch die – ausgehängten – Höllentore, um den dort Befindlichen die erlösende Hand zu reichen. Nach rechts hin folgt ein Prospekt der ausgefallensten Mischwesen, halb Frosch, halb Mensch, Vogel oder Drachen, die im einzelnen noch nicht überzeugend gedeutet worden sind und wohl auf die Inspiration durch Hieronymus Bosch zurückgehen. Ebenso geheimnisvoll ist das Symbol der im Maul eines Wales sitzenden Eule, das die Höllendarstellungen seit alters her begleitet. Im Hintergrund erblickt man eine brennende Stadt, aus deren schwarzen Rauchschwaden sich weitere hexenartige Nachtgesichter entwickeln. Ein Gehenkter bezeichnet das Ziel des Geschehens, während vorne ein riesiges, teufelartiges Wesen, aus dessen Körper das Höllentor geschnitten zu sein scheint, mit der Hand auf die Luftgespenster zeigt. Benesch wußte, daß Callots „Versuchung des heiligen Antonius" (Kat. VI. 15) durch Blätter wie dieses „im Manieristenkreise" vorgebildet war.

Literatur: Benesch 1928, Nr. 365 – Van Regteren Altena 1983, Bd. II, Nr. II/59 MB

VI. 13

VI. 14

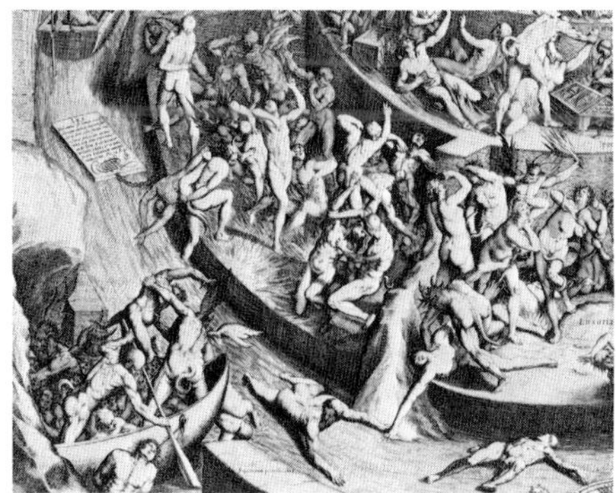

VI. 14 (Detail)

JACQUES CALLOT (1592–1635)

14
Die Hölle 1612

Radierung, zusammengesetzt aus vier Platten; entworfen von Bernardino Poccetti; 73,6 × 89,4 cm
Paris, Bibliothèque Nationale, Cabinet des Estampes
Inv. Nr. Ed. 25b

Wie in einem Tierzwinger sind konzentrische Kegelringe von Mauer und Graben umgeben; sie sind von nackten Leibern belebt, die – ihrem Erfinder Poccetti entsprechend – noch ganz dem 16. Jahrhundert angehören. In den Eckfeldern sind – im Uhrzeigersinn – Charon mit dem Nachen, das Fegefeuer, die Vorhölle der Heiligen Väter (Abrahams Schoß) und die Vorhölle der Kinder eingefügt – beide dem Zustand der Unschuld vorbehalten. Es mischt sich also heidnisch Antikes mit der patristisch gefärbten Dämonologie des Mittelalters, wie sie in der Gegenreformation wieder auflebte. Hinter der ringförmigen Mauer ist die unterste Kegelstufe in sieben Sektoren eingeteilt, die jeweils den Lastern „Zorn", „Unmäßigkeit", „Neid", „Faulheit", „Stolz", „Geiz" und „Wollust" zugeordnet sind. Darüber folgen ohne Sektoren in ringförmigen Stufen Bestrafungsszenen für „Heuchelei", „Irrlehre", „uneinsichtiges Judentum" und „Idolatrie". Zuoberst ragt Satan aus den Flammen heraus und verzehrt das Bein eines Gestraften. Die satanische Szenerie ist nicht unabhängig von der Bühnenpraxis am Mediceischen Hof zu denken (vgl. Kat. IX. 19). Die Komposition vereinigt die Tradition der Dante-Darstellungen seit Botticelli (vgl. Lightbown 1978, I, S. 147–151; II, S. 172–205) und der Cebes-Tafeln in sich (vgl. Kat. VI. 29).

Poccettis Erbteil an diesem Blatt ist die bis ins Unendliche entwickelte manieristische Figurengebärde des Kontrapostes (vgl. Summers 1977, passim). Callot wird in den späteren Blättern daran anknüpfen (vgl. Kat. IV. 54).

Literatur: Meaume 1860, Nr. 153 – Nasse 1909, Nr. 19 – Bruwaert 1912, S. 54, 67 – Plan 1914, Nr. 51 – Zahn 1923, S. 37f – Lieure 1969, Nr. 72 – Ternois 1962, I, S. 63f, 131 – Schröder 1971, S. 1382, 1397ff GS

VI. 15

JACQUES CALLOT (1592–1635)

15
Die Versuchung des heiligen Antonius
1635

Radierung; 35,8 × 46,1 cm
Hamburger Kunsthalle, Kupferstichkabinett
Inv. Nr. 18282

Callot radierte dieses Blatt in seinem letzten Lebensjahr in Nancy und gab es über seinen Pariser Verleger mit einer Widmung an den Kanzler Ludwigs XIII. heraus. Obwohl es sich um eine Heiligenlegende handelt, wich Callot einer theologisch fundierten (und ebenso bestreitbaren) Dämonologie aus (Petersdorff) und hielt sich an eine humanistisch vertretbare. Seit Bruegel waren dafür Vorbilder gegeben, besonders aus Callots Florentiner Vergangenheit (Kat. IV. 54, 55), in die ja auch die erste Fassung einer Versuchung des Heiligen von Callot fiel. Mit dieser Wendung setzten sich die paganen Traditionen des Manierismus in der theologischen Allegorik fort (vgl. auch Kat. VI. 16). Das fügte sich gut mit der Notwendigkeit, moraltheologische Probleme auf philosophische Weise zu reflektieren – wenigstens im Bereich der Gegenreformation. So nimmt es nicht Wunder, daß das Widmungsgedicht an den französischen Kanzler praktisch auf eine Anrufung des Heiligen Eremiten hinausläuft, die auch einem Dulder der griechisch-römischen Stoa hätte gelten können. Wie in den Schrecken des Krieges das Schlüsselwort das Recht ist (Kat. IV. 55), so ist es hier die Beständigkeit. Callots subjektive Manier ist präzise in der Wirkung und ambivalent in ihrer Ausdeutbarkeit, traditionell und aktuell in ihrem Reichtum an Anspielungen zugleich. Beides knüpft an die Traumdarstellungen des 16. Jahrhunderts an (Kat. I. 17, VII. 29), beides setzt sich in den kritischen zeichnerischen Disziplinen des 17. Jahrhunderts fort (Salvator Rosa) und beides hat seine Nachfolge im 19. Jahrhundert erfahren (Flaubert, Redon).

Literatur: Meaume 1860, Nr. 138 – Veyrat 1895, S. 17f – Nasse 1909, Nr. 135, S. 74ff – Michel 1911, S. 17, 110f – Bruwaert 1912, S. 100f, 119, 154f – Plan 1914, Nr.151 – Zahn 1923, S. 40ff – Seznec 1943, S. 197f – Seznec 1949, S. 39, 61f, 86 – Ternois 1962, I, S. 136f, 152, 162, 189f, 207, 211 – Ternois 1962, II, S. 11, 133ff – Pohle 1965, S. 139f – Knab 1968, Nr. 519 – Schröder 1971, S. 1513ff – Russel 1975, Nr. 139 – Kahan 1976, S. 110 – Ausst.-Kat. Callot 1975, Nr. 286a – Frongia 1981, passim GS

VI. 16

JACQUES CALLOT (1592–1635)

16
Der Triumph der Heiligen Jungfrau
1623, ediert 1625

Radierung und Kupferstich; 51 × 36 cm
Hamburger Kunsthalle, Kupferstichkabinett
Inv. Nr. 28670

Ein gegen dominikanische Thesen gerichtetes mariologisches Thesenblatt der Franziskaner André de l'Auge und Étienne Didelot, das 1625 aus Anlaß des Jubeljahres mit einer Widmung an Karl IV., Herzog von Lothringen, in Nancy herausgegeben wurde. Auftraggeber waren die dortigen Franziskaner. Abgesehen von den eher dogmatisch vorgetragenen Thesen, wie sie im Vordergrund nach dem hebräischen Alphabet im Uhrzeigersinn geordnet sind, fällt vor allem die allegorische und symbolische Ausdrucksweise in Wort und Bild auf. Es fehlt die Darstellung der Mutter Gottes als athletisch thronende Ekklesia, wie sie etwa Rubens unter dem Einfluß der Jesuiten und Dominikaner in Antwerpen gezeichnet hat (Mayer 1962, S. 60). Das stimmt mit Callots übrigen mariologischen Darstellungen überein wie auch mit dessen Beziehungen zum Franziskanerorden in Florenz und in Nancy (Ries 1981). In Callots Thesenblatt wird die Mutter Gottes zu einer triumphierenden Ekklesia-Allegorie, aber sie ist aller körperlichen Paraphernalia einer Heroine entkleidet. Ihr Panzer ist eher der einer Minerva als der einer Bellona, ihre Attribute sind Lilien und Himmelsglobus, und der Muschelwagen bringt sie sogar in die Nähe der Venus. Nicht feurige Rösser oder fauchende Löwen ziehen sie, sondern paarweise gespannt Löwe und Lamm, Adler und Phönix, die für „Hoheit" und „Liebe", „Ruhm" und „Unsterblichkeit" stehen. Die Thesen werden von Tugenden gehalten, die ihre Herkunft aus Ripas „Bildersprache" verraten: der Rest ist eher szenisch und – soweit es sich um Thesen zur Offenbarung handelt – symbolisch formuliert, wie etwa die Trinitätsdarstellung in Herzform (oben Bildmitte). Der gesamte Aufbau folgt den theatralischen Choreographien am Mediceischen Hofe (vgl. Kat. IV. 52, IX. 15), schließt aber deren räumliche Einheit aus: Man blickt in der Tat in eine nur vorgestellte Welt voll metaphorischer Bedeutung.

Literatur: Meaume 1860, Nr. 100 – Nasse 1909, Nr. 104 – Bruwaert 1912, S. 68 – Plan 1914, Nr. 473 – Zahn 1923, S. 32 – Lieure 1969, Nr. 526 – Ternois 1962, I, S. 118, 175, 178 – Ternois 1962, II, S. 119 ff – Schröder 1971, S. 1636 f – Russel 1975, Nr. 157 – Ausst.-Kat. Callot 1975, Nr. 190 – Ries 1981, S. 33 GS

VI. 17

VI. 17 a

JACQUES BELLANGE
(tätig um 1602–1624)

17
Die Kreuztragung

Radierung; 41 × 58 cm
Wien, Albertina
Inv. Nr. 1930/320

Der schon 1953 von Blunt angestellte Vergleich der Kreuztragung Bellanges mit jener Martin Schongauers (Abb. VI. 17a) belegt neben der Vielfältigkeit der Einflüsse auf den lothringischen Radierer (auch Goltzius und Parmigianino werden in seinem Werk kompiliert) zugleich auch seine überragende und immer hervorstechende Eigenart. Besondere Übersteigerung erfuhren bei ihm namentlich die Rückenfiguren aus Schongauers Stich, die Bellange von derben, roh gezeichneten Folterknechten in elegante, höfisch-gezierte Edelmänner in prächtigen römischen Rüstungen verwandelt. Abgesehen von der lustvollen Durchgestaltung jeder einzelnen Gewandschlinge und -falte sticht auch in dieser Radierung wieder das Verhältnis von Draperie und Körper ins Auge: Durch die exaltierten Posen spannen sich die Tücher eng um knabenhaft schöne Körper – wo sie sich von ihnen lösen, bilden sie ihr freies Ornamentspiel aus. Auf die zentrale Figur des weiß aus der Menge hervorleuchtenden Christus läuft eine Raumgasse zu, die zusätzlich betont wird vom unmotivierten Tanzschritt des rechts stehenden Soldaten.

Literatur: Blunt 1953, S. 125f – Walch 1971, Nr. 23
MB

JACQUES BELLANGE
(tätig um 1602–1624)

18
Pietà

Radierung; 32 × 20 cm
Wien, Albertina
Inv. Nr. 1930/321

Nach der auf die Kreuztragung folgenden Hinrichtung Jesu präsentiert die in tiefster Verzweiflung den Kopf zurückwerfende Gottesmutter den Leichnam ihres toten Sohnes. Ihrer trauernden Kopfhaltung antwortet jene des Menschensohnes, der erschlafft in den Schoß Mariä gesunken ist. Nicht nur die vorne links gegebenen Marterwerkzeuge sprechen vom unsäglichen Leid, sondern auch der stoffliche Kontrast zwischen den harten Gewandfalten der Madonna und der weichen Fleischlichkeit des leblosen Körpers Christi. Der vertikale, gelängte Typus der Pietà-Darstellungen wurzelt in Michelangelos skulpturaler Fassung des Themas und verkörpert eine gleichsam antiklassische, emotional gefärbte Variante der Szene.

Literatur: Walch 1971, Nr. 17 MB

VI. 18

ANTONIO FANTUZZI (tätig 1537–1550)
Nach Rosso Fiorentino (1494–1540)

19
Pietà 1543

Radierung; 30,7 ×24,6 cm
Hamburger Kunsthalle, Kupferstichkabinett
Inv. Nr. 1064

Auf einer schmalen Bildbühne, hinter der das Kreuz aufragt, befinden sich auf engstem Raum Maria Magdalena, voller Verzweiflung ihr Gesicht in den Händen vergrabend, eine sitzende Maria, die sich dem Christuskörper vor ihr zuwendet, und ein händeringender Johannes. Rosso verbindet hier Motive der „Kreuzabnahme" und der „Grablegung" mit der Bildform der „Pietà". Der Körper des toten Christus ist etwas aus der Bildmitte gerückt, wodurch kompositorisch der Bezug Marias zu ihrem toten Sohn in den Mittelpunkt rückt – ein Bezug, der durch den Hinweis auf ihre „spirituelle Vereinigung" (mit den andeutungsweise übereinandergelegten Beinen, ein Motiv, daß an Michelangelos „Pietà" im Dom von Florenz erinnert) und die zuwendende Gestik noch betont wird. Im Gegensatz zu der noch in Italien entstandenen „Kreuzabnahme" in Volterra konzentriert sich diese Darstellung auf den „Moment danach". Thema des Bildes ist die emotionale Reaktion auf den Verlust, die Verzweiflung und die Trauer der Beteiligten, wie auch des miteinbezogenen Betrachters (miteinbezogen durch die Art und Weise, in der er mit dem Leichnam Christi konfrontiert wird). Rosso verzichtet hier auf jede Tiefenräumlichkeit. Der tote Körper wird auf der vordersten Bildebene, fast noch vor den anderen Figuren, dem Betrachter in einer völlig irreal anmutenden Weise (da er weder durch den von zwei Satyren flankierten Sitz noch durch einen der Beteiligten wirklich gestützt wird) entgegengehalten.

Rosso hat sich immer wieder mit der Thematik des toten Christus beschäftigt. Es gibt dafür in seinem Werk Vorläufer; auch das einzige in Frankreich entstandene Tafelbild, die ganz am Ende seines Lebens entstandene „Pietà" aus dem Louvre, beschäftigt sich mit diesem Thema. Während er dort jedoch durch eine leicht diagonale Staffelung Tiefenräumlichkeit andeutet, ist die hier gezeigte Komposition (vergleichbar dem „Toten Christus" in Boston) noch ganz flach angelegt. Dies läßt vermuten, daß der erste nach dem Tod radierte Entwurf zu Beginn von Rossos Tätigkeit in Fontainebleau entstanden ist. Die so eigenartig in der Luft hängende leblos-abgeknickte Christusfigur hat er auch in seiner Darstellung des „toten Adonis" (Kat. I. 1) in einem der Fresken der Galerie Franz' I. verwendet.

Literatur: Zerner 1969, A. F. 66 – Ausst.-Kat. Fontainebleau 1972, Kat. Nr. 321 EH

VI. 19

GIOVANNI PAOLO CIMERLINI
(2. Hälfte 16. Jahrhundert)

20
Das Vogelhaus des Todes

Kupferstich; 42,5 × 64,4 cm
Hamburger Kunsthalle, Kupferstichkabinett
Inv. Nr. 1009

Das Blatt wird auch Giovanni Battista d'Angeli (dal Moro) zugeschrieben. Diese Zueignungsfrage anhand von Stilvergleichen giorgionesker Elemente mit Einflüssen von Romanino ist allerdings weniger interessant als die einzigartige Ikonographie. Bartsch schreibt 1920: „Der Tod nimmt die Menschen mit denselben Mitteln wie der Vogelfänger Vögel fängt." Die Personifikation des Todes als Gerippe taucht in dem Blatt im Vordergrund links sitzend als Vogelfänger auf: in der Linken eine Schnur, an der die Eule als Lockvogel auf einer Stange sitzt – in der Rechten eine Zuchtrute, mit der er zu dirigieren scheint. Er hat bereits mehrere Leimruten verteilt, die für die Menschen scheinbar unsichtbar bleiben – eine befindet sich unter dem Fuß eines der in einer Dreiergruppe sitzenden Gelehrten (die drei Philosophen?) als Zeichen, daß selbst die Wissenschaft den Tod nicht zu überwinden vermag. Das zweite Gerippe macht sich am Eingang des Pavillons (Vogelhauses?) zu schaffen, von dem eine bereits gefangene Menschengruppe herunterblickt: Menschen verschiedener Länder und Stände. Die in den Krug zeigende Dame gibt sich durch ihren unanständigen Gestus als Kurtisane aus. Das dritte Gerippe treibt im Hintergrund Figuren in ein Netz – in einem zweiten solchen Netz neben dem Pavillon befinden sich bereits derart Gefangene. Darüber fliegt ein Todesgenius mit dem Spiegel als Zeichen der Eitelkeit alles Irdischen. Auf dem Meer im Hintergrund fährt ein Totenschiff unter dramatisch bewölktem Himmel. Der Vordergrund ist bevölkert durch einen links unter einem Baum in Verwesung befindlichen Mann und die Musiker- und Zuhörergruppe rechts. Diese stellt die Zwiespältigkeit der Musik als Gottesgeschenk (Lebensmacht) und teuflische Verführung (Vergänglichkeit) dar. In dieser für eine Vanitasszene großen Variationsbreite fällt letztere Gruppe besonders auf – vielleicht weil Jugend und Reichtum vor dem Tod vergehen „wie die Musik in der Zeit" (Bandmann).

Literatur: Ausst.-Kat. Palladio 1980, S. 276 – Bandmann 1960, S. 81–98 – Bartsch XVI, S. 115 BB

VI. 20

MARCANTONIO RAIMONDI
(1475/1480–1527/1534)

21
Die Pest in Phrygien (Il Morbetto)
1515–1516

Kupferstich; 19,6 × 25,3 cm
Bezeichnet: MAF – EFFIGIES SACRAE DIVOM PHRIGI LINQVEBANT DVLCES ANIMAS AVT AEGRA TRAHEBANT CORP. INV. RAP. VR.
Hamburger Kunsthalle, Kupferstichkabinett
Inv. Nr. 328

In zeitgleichem Nebeneinander sind Tag und Nacht in einem Bildraum zusammengefügt. Getrennt werden die beiden Sphären durch eine hochaufragende Jupiter-Herme, deren unterer Sockel eine Inschrift enthält, die eine Textzeile aus Vergils Aeneis wiedergibt: „Lebenslicht verlosch, oder jammervoll schleppten den Leib sie hin'' (3, 140). Auf der Suche nach dem Land der Ahnen landet Aeneas mit seinen Gefährten auf Kreta, wo die Pest ausbricht. Nachts träumt er, daß ihm die Penaten der Phrygier leibhaftig erscheinen, „von strahlender Helle umleuchtet, wo durch die Öffnung der Wand lichtflutend glänzte der Vollmond'' (3, 151 f). Nur die Schriftzeile, die in dem Stich in den Lichtstrahl gesetzt ist, gibt die Gestalten als Traumbilder zu erkennen: Bilder heiliger Götter Phrygiens (3, 148).

Die Landschaftsgestaltung im rechten Hintergrund, deren auffälligste Merkmale die pyramidale Häuserruine und die Säulenfragmente sind, geht auf Raffaels „Landschaft mit Ruinen'' (Windsor) zurück. Dieses Blatt sowie eine weitere, ebenfalls seitenverkehrte, aber sonst mit dem Stich identische Zeichnung (Uffizien), die Raffael zugeschrieben werden kann, legen die Vermutung nahe, daß Raffael das Blatt speziell zur Ausführung durch Marcanton entworfen hat.

Akzentuiert ist die Gesamt-Inszenierung einer Traumsituation, in der Realität und Irrealität einander gleichgestellt sind. Die Erscheinung erhält Wahrhaftigkeit durch die Einbindung in die gleiche Architektur, vor der das reale Sterben geschildert wird. Die ständige, existentielle Bedrohung durch die Pest stellt eine atmosphärische Verbindung zur dargestellten alogischen Gleichzeitigkeit von Tag und Nacht her.

Literatur: Bartsch XIV, 314, 417 – Oberhuber 1966, S. 97 f – Shoemaker/Broun 1981, S. 12/118 GW

VI. 21

MARCANTONIO RAIMONDI
(1475/1480–1527/1534)

22
Die Hexenjagd (Lo Stregozzo) 1518–1520

Kupferstich; 29,9 × 63,5 cm
Hamburger Kunsthalle, Kupferstichkabinett
Inv. Nr. 458

Trotz seiner italienischen Urheberschaft ist der Stich ein eindrucksvolles Zeugnis der gegenseitigen Wirkung nördlichen und südlichen Kunstschaffens. In dem Bild von Hexe und Hexengefolgschaft verbindet sich Baldung Griens Auffassung von ihrer erotisierten Exaltiertheit und derjenigen des dämonischen Mänadentums Lucas Cranachs mit Mantegnas Seeungeheuer und einer michelangelesken Körpersprache. Umgeben von Ziegenböcken – dem Sinnbild Pans und der Satyrn – hockt die Hexe statt auf einem Wagen auf einem prähistorischen Tierskelett, das von ihren Begleiterinnen und Begleitern geschleppt wird. Dämonie und Erotik bestimmen den Charakter des wilden Treibens; der triumphale Hexenzug ist zugleich ein infernalisches Bacchanal.

Oberhubers These (1966), daß der Entwurf zu dem Blatt wohl am ehesten von Girolamo Genga stammt, bestätigt sich bei einem Vergleich des von ihm vorgeschlagenen Blattes der Albertina (Stix/Fröhlich-Bum 1932) mit dem Stich, da in beiden Arbeiten die vordere rechte Figur eine beinahe identische Körperhaltung aufweist, an die auch die dynamische Laufbewegung der beiden das Gerippe ziehenden Figuren angelehnt ist.

Literatur: Bartsch XIV, 321, 426, Nr. 11 – Oberhuber 1966, S. 103 – Ausst.-Kat. Natur und Antike 1985/86, S. 247 GW

VI. 22

VI. 23

MARCO DENTE DA RAVENNA
(nachweisbar 1515–1527)
Nach Agostino Veneziano
(tätig 1509–1536)

23
Skelette nach 1518

Kupferstich; 31 × 50,4 cm
Hamburger Kunsthalle, Kupferstichkabinett
Inv. Nr. 523

Panofsky deutet das Thema des nach einer 1517 datierten Zeichnung Rossos entstandenen Stiches als Disput zwischen dem Tod und dem Teufel um die Seele des auf dem Boden liegenden, schon zum Skelett gewordenen Verstorbenen. Der geflügelte Tod – eine Todesbildinterpretation, die mit Dürer und Urs Graf dem Tod eine antikisierende Prägung als Chronos gegeben hat – verweist auf sein Buch, in dem der Name des Verstorbenen erwähnt scheint. Der Tod als vitae testimonium erhebt Anspruch auf die als gerecht erkannte Seele, während der Teufel neben ihm, auf den Gestorbenen weisend, das gleiche für sich fordert. Umgeben sind die Streitenden von einer Anzahl ausgemergelter Gestalten, wobei sich die Mehrzahl auf seiten des Todes sammelt, angetan mit nur spärlicher Bekleidung oder im groben Büßergewand. Auf der linken Seite des zwittergestaltigen Teufels prescht die hagere Gestalt des Neides mit wehenden Haaren aus der Menschengruppe heraus.

In Texten, die sich auf Panofksy beziehen, wird meist nicht erwähnt, daß dieser nicht nur das generelle Thema, den Kampf um die gerechte Seele, mit der Zeichnung Rosso Fiorentinos und dem 1518 gestochenen Kupferstich Venezianos verbindet, sondern den konkreten Streit um das Andenken Savonarolas. 1517 ist das Todesjahr Fra Bartolommeos, der, beeindruckt von Savonarolas Predigten, nur noch religiöse Themen malte und auf den jungen Rosso Fiorentino großen Einfluß hatte. Fra Bartolommeo starb in dem Dominikanerkloster von San Marco, der ehemaligen Wirkungsstätte Savonarolas. In dem gleichen Jahr erließ Kardinal Cajetan einen Erlaß, der die Berufung eines Savonarola-Anhängers als Propst von San Marco verbat. Veneziano stach das Blatt 1518, dem zwanzigsten Todesjahr des aufrührerischen Dominikanermönches, wodurch Savonarola als Märtyrer rehabilitiert werden sollte.

Literatur: Bartsch XIV, 320, 424 – Berenson 1938, S. 313 – Panofsky 1964, S. 234ff – Helm 1928, S. 9ff
GW

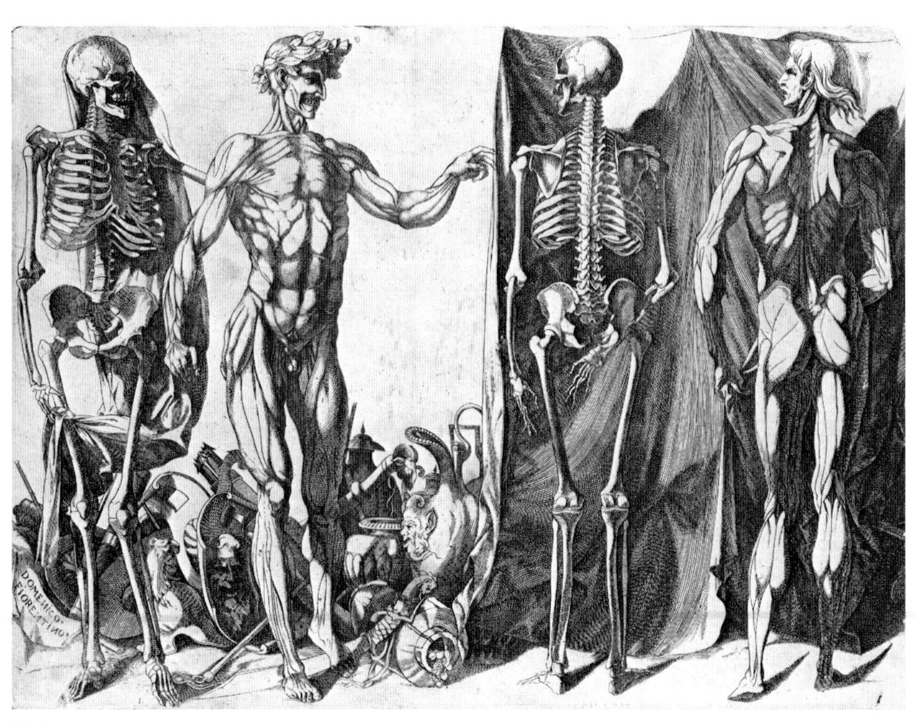

VI. 24

DOMENICO RICOVERI DEL BARBIERE
(um 1506–1565)

24
Anatomische Studie

Kupferstich; 23,3 × 33,8 cm
Hamburger Kunsthalle, Kupferstichkabinett
Inv. Nr. 1120

Im Gegensatz zum tiefen allegorischen Sinn der Skelettszene Marco da Ravennas (Kat. VI. 23) zeigt del Barbiere in seinem ebenfalls nach einem Entwurf Rosso Fiorentinos angefertigten Stich ein Gerippe und einen Écorché (vgl. Kat. VI. 41) lediglich in belanglos scheinende, trotzdem aber angeregte Konversation mit ihren eigenen, von hinten gesehenen Ebenbildern vertieft. Vor einem ungeordneten Haufen mit Trophäen, Waffen und Prunkgefäßen stehend, wendet sich das in ein loses Tuch gehüllte Skelett links ebenso wie der Gehäutete neben ihm, der den Lorbeerkranz des siegreich aus den von den Waffen angedeuteten Kämpfen Hervorgegangenen trägt, mit einem Gestus an die beiden Gestalten rechts im Bild. Deren Mienenspiel ist weit weniger vergnügt als jenes der „Siegreichen" – mißmutig schreiten sie in die Bildtiefe, wo ein Vorhang die Attribute des kriegerischen Ruhms verbirgt. Vielleicht ist in dieser seltsamen Begegnung auf die innere Verbindung von Kriegsruhm und Wissenschaft (Erforschung des menschlichen Körpers) angespielt, womit sich allerdings noch keineswegs die Bedeutung der Beiden vor dem Vorhang erklären läßt. Auf jeden Fall aber stehen hinter der Erfindung Rossos die zum ersten Mal in Michelangelos Cascina-Schlacht vorgeführten verschiedenen Ansichten des nackten menschlichen Körpers in einem Werk. MB

BATTISTA FRANCO (1498–1561)

25 A
Skelett und Knochenstudien
6. Jahrzehnt des 16. Jahrhunderts

Kupferstich; 45,9 × 32 cm
Bezeichnet: franco forma

NACH BATTISTA FRANCO

25 B
Totenköpfe

Kupferstich; 11,9 × 33,7 cm
Bezeichnet links unten: B.F.V.IN. – NN exc. 1563
Wien, Albertina
Inv. Nr. HB III, S. 61

Battista Francos Blatt bezieht seine Wirkung aus dem Kontrast zwischen der freigelassenen hochrechteckigen Fläche, von deren Weiß sich ein von der Seite gesehenes, nur wenig fragmentiertes Skelett abhebt, und den vor schattigem Grund dicht gedrängten Knochen, die dieses Feld an zwei Seiten wie ein Relieffries umgeben. Die Form dieser asymmetrischen Fläche ausnützend, sind hier in größerem Maßstab Teile des menschlichen Skeletts herausgegriffen und aus den verschiedensten Blickwinkeln gezeigt: im rechten Teil Bein- und Fußknochen, und, gleichsam auf dem oberen Rand des gerahmten Feldes liegend, Totenköpfe.

Das Studium der Anatomie gehörte zu den auch in der Theorie geforderten Kenntnissen der Künstler des 16. Jahrhunderts. So zeichnen beispielsweise in Enea Vicos Stich der „Akademie" des Bandinelli die Schüler nicht nur nach Statuetten, auch Teile des menschlichen Skelettes dienen als Vorbild (zur Konvergenz von Kunst und Medizin vgl. auch die „Fabrica" des Andreas Vesalius, Kat. VI. 32). Ein „horror vacui" wie im rahmenden Feld bestimmt auch die – nach Entwürfen Palma Giovanes ausgeführten und einfacheren – Körperstudien in „De excellentia et nobilitate delineationis libri duo" (1611) von Battistas Sohn Giacomo Franco, einem der frühesten praktischen Zeichenhandbücher. Im Blatt des Vaters könnte eine ähnliche didaktische Absicht vorliegen, wichtiger ist sicherlich die virtuose Darstellung des zwischen exaktem Naturbild und Grauen oszillierenden Themas.

Das Blatt ist nicht signiert (die Beschriftung wurde später hinzugefügt), doch deutet der malerische Stil der Graphik ebenso auf Battista Franco hin wie das hier oben beigegebene Blatt, in dessen rechter Hälfte Francos Totenköpfe kopiert sind. 1563 – also nach Battistas Tod – datiert und von Niccolò Nelli ausgeführt, wird hier „Baptista Francus Venetus" als der Erfinder angegeben.

Literatur: Bartsch 1920, Nr. 4, S. 89 u. Nr. 69, S. 81 – Rearick 1958/59, S. 103 ff (zu Franco allgemein) – Rosand 1970, 11–12, S. 3 ff (zu Giacomo Franco) HA

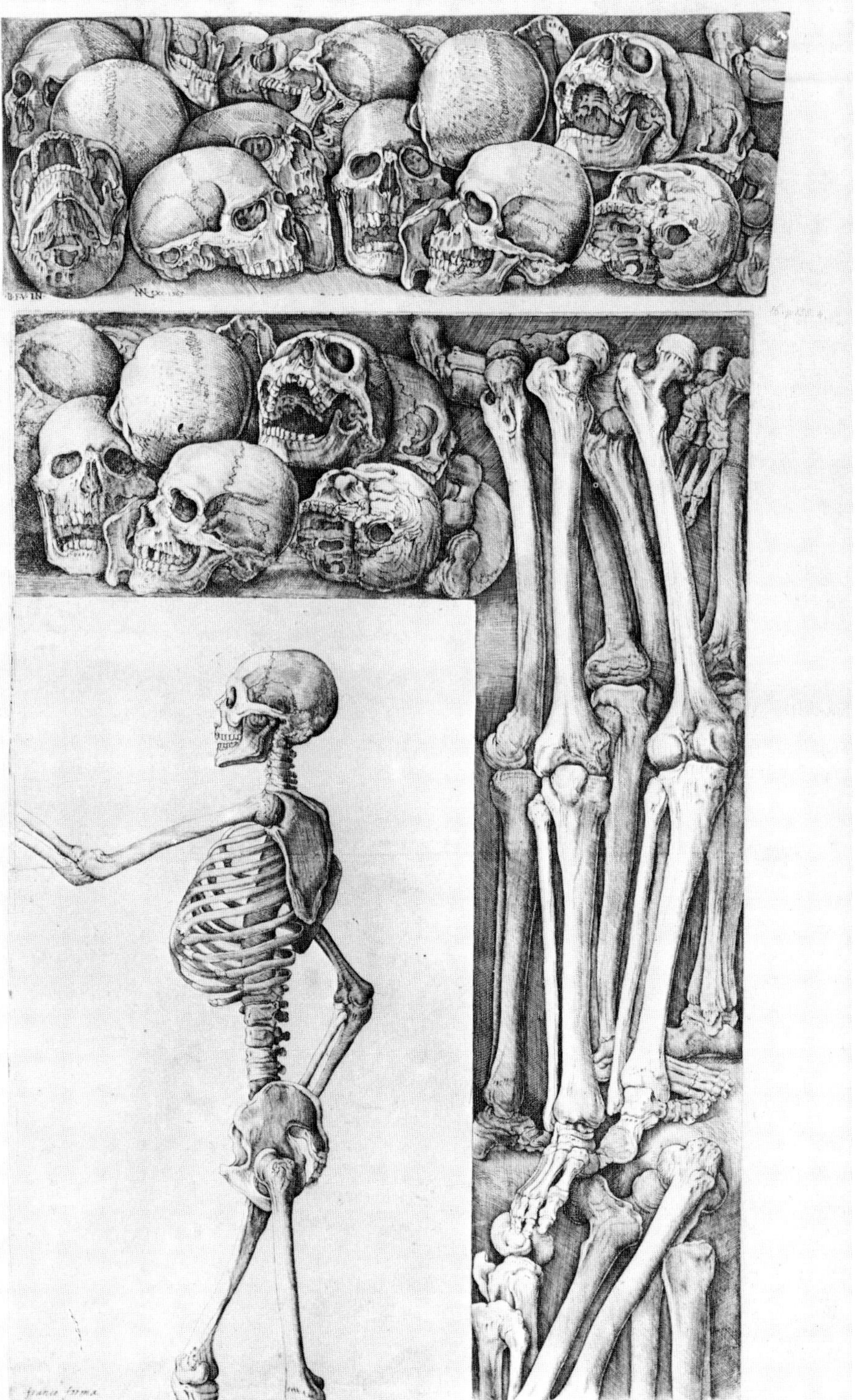

VI. 25 A und B

VI. 26

GIORGIO GHISI (1520–1582)

26
Die Vision des Hesekiel 1554

Kupferstich; 41,7 × 68 cm
Bezeichnet: IO: BAPTISTA / BRITANO / MANTVAN / IN – ANT. LAFRERII – GEORGIVS / DE GHISI / MANTVAN (. . .)
Hamburger Kunsthalle, Kupferstichkabinett
Inv. Nr. 3/739

Der Stich basiert auf einem Entwurf Giovanni Battista Bertanis. In einer kargen Felslandschaft öffnet sich ein von Grabmälern umstandenes Totenfeld. Menschliche Knochen und Skelette, teilweise mit Haut, Sehnen und Muskeln bezogen, liegen verstreut herum, einige haben sich aufgerichtet. 1542 war in Basel Andrea Vesalius' „De Humani Corporis Fabrica'' (Kat. VI. 32) erschienen, ein anatomisches Lehrwerk, das auf skurrile Darstellungen dieser Art äußerst einflußreich war (vgl. Kat. VI. 24). Obwohl keine direkten Übernahmen festzustellen sind, kann man wohl annehmen, daß Ghisi sich von diesem Lehrwerk anregen ließ. Der Sinn der makabren Szenerie wird durch den Text der Banderole entschlüsselt: Es handelt sich um die Illustration einer Stelle aus Hesekiels apokalyptischer Vision (Hesekiel 37,6): „Ich will euch Sehnen geben und lasse Fleisch über euch wachsen'', der Text fährt fort: „und überziehe euch mit Haut und will euch Odem geben, das ihr wieder lebendig werdet.'' Die Vision Hesekiels verheißt dem Volk Israel das Ende der Babylonischen Gefangenschaft und wird von der Theologie als ein Hinweis auf die Auferstehung des Fleisches am Jüngsten Tag gedeutet. Besonders apokalyptische Visionen boten dem Künstler gute Gelegenheit, sich allerlei Merkwürdigkeiten, „meraviglia'' auszumalen.

Literatur: Boorsch 1985, Nr. 15 – Bartsch XV, 69 – Massari, Nr. 202 – Kat. Hamburg 1967, Nr. 61 KO

MONOGRAMMIST M

27
Der Tod und die Frau

Kupferstich; 35,1 × 24,7 cm
Bezeichnet: MORTALIA FACTA PERIBVNT – M
Paris, Bibliothèque Nationale
Inv. Nr. B 61212

Insbesondere in der Nordischen Kunst, z. B. bei H. S. Beham oder Baldung Grien, sind Vanitas-Darstellungen in der Form der Gegenüberstellung von einer schönen, jungen Frau und einem mageren Totengerippe häufig zu finden. In der italienischen Kunst ist das Motiv hingegen seltener. Vanitas-Symbole wie der Spiegel, die Sanduhr, das Rad der Fortuna und die Vogelschwinge verweisen auf die Vergänglichkeit und die Scheinhaftigkeit alles Sterblichen. Die von Spannungen aller Art stark verunsicherte Epoche entwickelte ein hellwaches Sensorium für den Kontrast von blühendem Leben und Tod, der den Menschen hinterrücks ereilen konnte.

Die Komposition des hochgewachsenen Körpers der Frau ist durch Michelangelos „Apollo'' (Florenz, Bargello, Abb. VI. 27 a) angeregt. Die eigenwillige, anatomisch inkorrekte Muskelformung läßt sich allerdings eher mit Pontormos Zeichnungen vergleichen, der selbst wiederum von Michelangelo beeinflußt ist. Das Vorbild einer männlichen Figur wird von dem Monogrammisten ohne Bedenken auf den Körper einer Frau übertragen, so daß sie ein androgynes Erscheinungsbild bekommt, gleichermaßen aus männlichen und weiblichen Versatzstücken zu einer Kompositfigur zusammengesetzt.

Literatur: Bartsch XV, 1 – Zerner 1962 – Dunand 1977, S. 60 KO

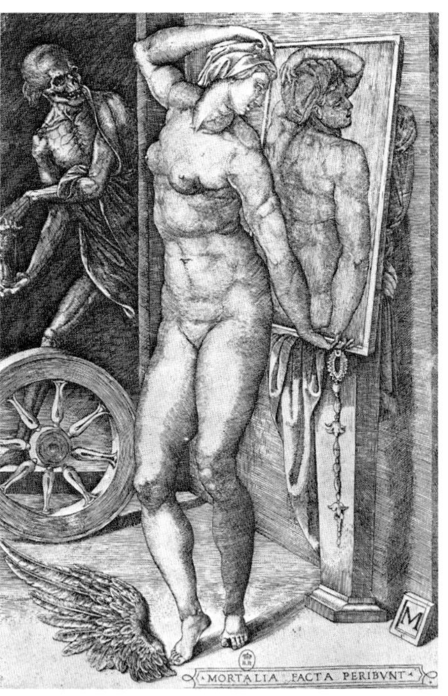

VI. 27

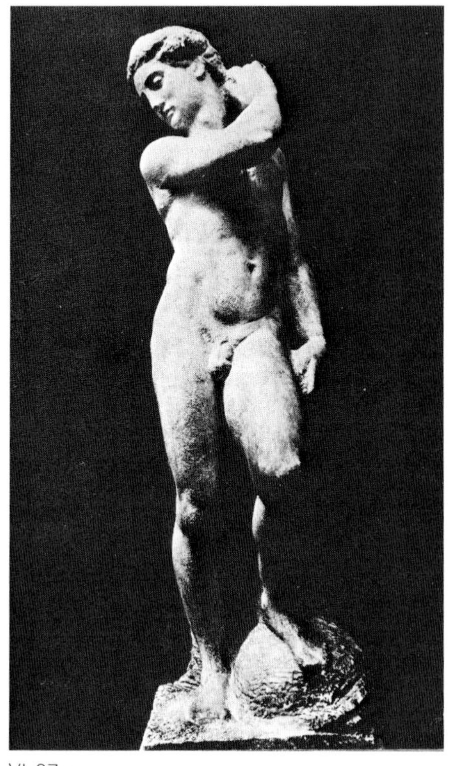

VI. 27 a

TOBIAS STIMMER (1539–1584)

28
Der Tod um 1571/72

Pinselzeichnung auf graugrundierter Leinwand; 91 × 50 cm
Straßburg, Musée des Arts Décoratifs

Für die von Konrad Dasypodius geplante und 1574 vollendete astronomische Uhr des Straßburger Münsters schuf Stimmer nicht nur eine Reihe von Gemälden, sondern auch

ausschlaggebend für die Gestaltung der aufwendigen Komposition gewesen sein muß.

Der Künstler lehnt mit ebenso betrübter wie hoheitsvoller Miene an einer Brüstung und weist mit zurückhaltender Geste auf das über einem Sarkophag angebrachte Porträtmedaillon seiner Frau Christine Müller, das von Glaube und Weisheit, den beiden vordringlichsten Eigenschaften der Verstorbenen, flankiert wird. Thanatos, der Tod als Knabe, betrachtet es bewundernd, während er beinahe verschämt einen in seinem Mantel verborgenen Totenkopf damit vergleicht. Sein Fuß ruht auf einem umgestürzten Stundenglas, das wie die gesenkte Fackel Symbol für Christine Müllers verlöschtes Leben ist. Die am Boden liegenden Künstlerutensilien beziehen sich möglicherweise auf den am Sarkophag angebrachten Spruch: „Das Herz des Gatten folgt deiner Seele und erreicht sie doch nicht. Und selbst wenn er mit sich das Seine wegwürfe, er erhielte dich nicht wieder."

Der linke Bildteil zeigt den Trauernden unter dem Ansturm solcher Selbstmordgedanken, die in dem mit einem Pfeil bewaffneten Skelett kulminieren, welches sich hilfesuchend nach Chronos (der Zeit) umwendet, dem Spranger ein (noch nicht abgelaufenes) Stundenglas vor Augen zu halten trachtet. Die ambivalente Geste dieser Figur spiegelt die Mehrdeutigkeit der gesamten Darstellung. Einerseits ist sie ein Hinweis darauf, daß der den Tod herbeisehnende Künstler noch nicht reif für diesen ist. Andererseits ist nicht zu übersehen, daß die – gemeinsam mit Plastik und Architektur – hinter Spranger stehende Malerei ihre Palette zwischen ihren Schützling und das Stundenglas schiebt, als wolle sie diesem memento mori jede Wirksamkeit rauben und die Bedeutung der Zeit damit zunichte machen. Sie hebt den Künstler dadurch in eine Sphäre, in welcher die Zeitlosigkeit des Ruhmes regiert, der in Gestalt der Fama über der Malerei erscheint und von einem mit Lorbeerkranz und Siegespalme versehenen Putto begleitet wird. Die Aufschrift des Spruchbandes „Er lebt durch Göttlichen Willen und durch seinen Namen" demonstriert eindrucksvoll die im Manierismus herrschende Auffassung, daß die künstlerische Idee (Concetto) einem gottgleichen Schöpfungsakt entspreche.

So wird der Schmerz Sprangers zum Anlaß verstärkter Selbstdarstellung, die den Künstler in allegorischer Bildsprache überhöht und ihn – ähnlich dem Herrscher – zum Repräsentanten höchster Wertvorstellungen des Spätmanierismus macht.

Literatur: Oberhuber 1967, S. 234, Nr. 347 – Mielke 1979, S. 42f, Nr. 42 MK

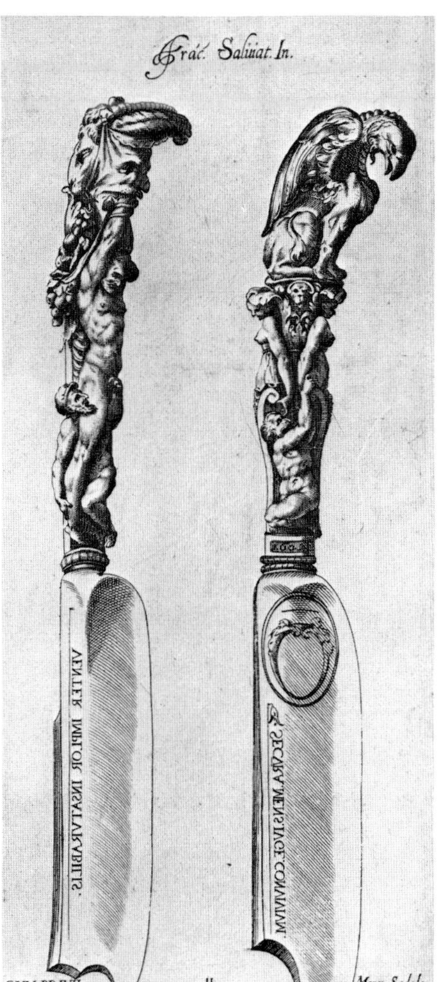

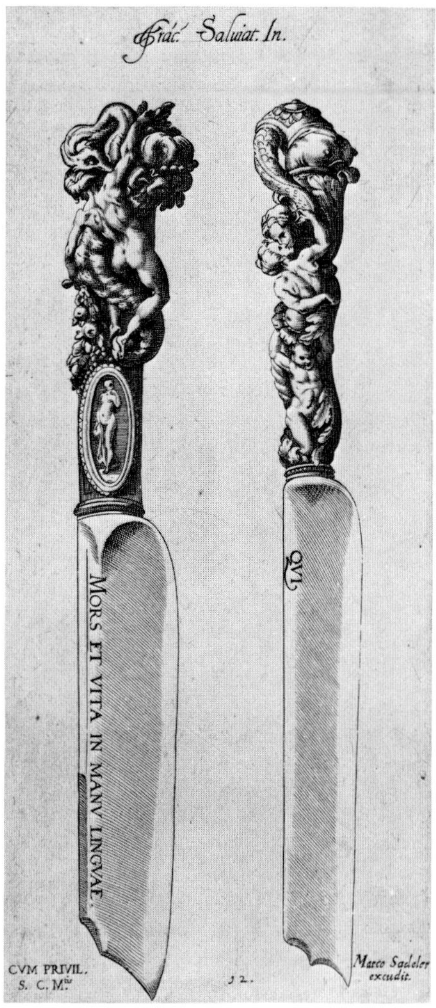

VI. 35

AEGIDIUS SADELER (1570–1629)

35
Messergriffentwürfe

2 Kupferstiche; 24,6 × 11,5 cm
Hamburger Kunsthalle, Kupferstichkabinett
Inv. Nr. 4658

Der eine Messergriff mit dem phantastischen Steinbockkopf und dem verzerrten Menschengesicht zeigt einen gefesselten Mann, der von einem Bärtigen an den Messergriff gebunden wird. Die Auflösung des Motivs ist nicht eindeutig möglich, aber es könnte sich um den gefesselten Prometheus handeln. Der andere Messergriff stellt einen Greif, ein sagenhaftes Untier, dar, das auf seine Opfer, zwei an den Messergriff gefesselte Frauen, wartet. Die auf der Klinge angebrachten Inschriften „Venter Implor Insaturabilis" und „Secura Mens Iuge Comvivum" haben mit den Griffdarstellungen nichts zu tun und beziehen sich auf das Essen, wofür diese Messer auch entworfen wurden.

Die Griffe der beiden anderen Messerentwürfe stellen links den Kampf des Herkules gegen die vielköpfige Hydra, ein schreckliches todbringendes Ungeheuer, dar, und damit den Sieg des Heros über den Tod.

Rechts dürfte Echidna dargestellt sein, ein Ungeheuer, das zur Hälfte eine schöne Frau und zur Hälfte eine widerliche Schlange ist. Sie ist die Mutter einer Reihe von furchtbaren antiken Ungeheuern, wie der Chimäre, der lermischen Hydra und der Sphynx, und daher eine Verkörperung des Todes. Sie ist dabei, einen jungen Mann zu umgarnen und zu verderben.

Auf der Klinge wird mit der Inschrift „Mors et Vita in Manu Linguae" auf die Frage von Tod und Leben angespielt. MP

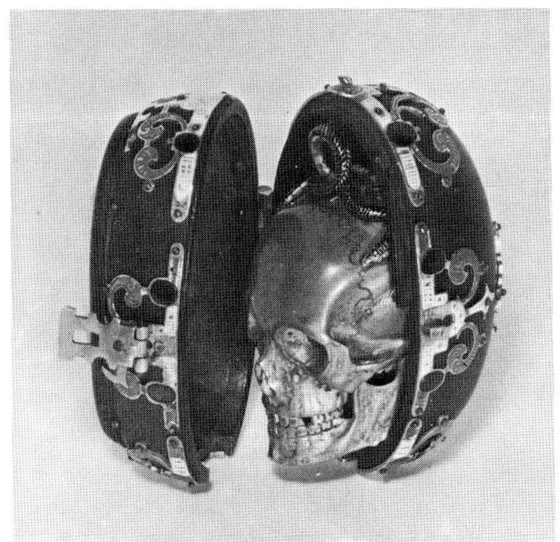

VI. 36

SÜDDEUTSCHLAND,
FRÜHES 17. JAHRHUNDERT

36
Totenkopfsackuhr

Silber, Gold, transluzides Email, Glas, Werk, Messing, Eisen; Länge 4,5 cm, Gehäuse: Länge 5,4 cm
Wien, Kunsthistorisches Museum, Sammlung für Plastik und Kunstgewerbe
Inv. Nr. 1566

Eine Ebenholzkapsel in Form eines Nürnberger Eies birgt in ihrem Inneren einen Totenkopf, der unter der aufklappbaren Schädeldecke ein Ziffernblatt beherbergt. Diese „Totenkopfuhr" wurde entweder um den Hals oder in der Tasche getragen. Recht drastisch führt dieses stets mitführbare memento mori seinem Besitzer durch in regelmäßigen Intervallen herunterklappenden Unterkiefer die Vergänglichkeit alles Irdischen vor Augen. Der schaurige Kitzel, den dieser makabre Zeitmesser dem Betrachter verursachte, manifestiert den Gegenpol zur stets bejahten Lustbarkeit des irdischen Lebens, deren Vergänglichkeit nur allzu gewiß war.

Literatur: Kat. Wien 1966, Nr. 361 SS

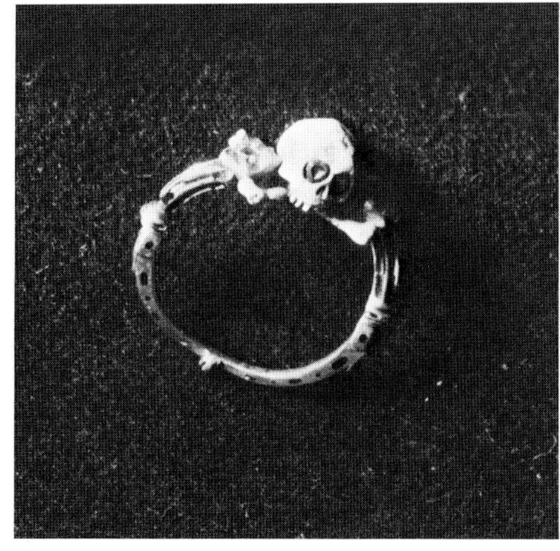

VI. 37

17. JAHRHUNDERT (?)

37
Totenkopfring

Gold, Diamant, Email; Höhe 2,2 cm
Wien, Kunsthistorisches Museum, Sammlung für Plastik und Kunstgewerbe
Inv. Nr. 2197

Ein winziger, in fahlem Blaßgrün schimmernder Totenkopf über zwei gekreuzten Knöchelchen trägt in seinen verloschenen Augen zwei funkelnde Diamanten.

Der vor Augen geführte Tod als Schmuck und damit Ausdruck der höchsten irdischen Sinnesfreude, ein memento mori, das nur dem Paradoxon manieristisch-absurden Denkens zu entspringen vermag. SS

DEUTSCH, 16.–17. JAHRHUNDERT

38
Sieben Totenköpfe aus Elfenbein als memento mori

38 A
Doppeltotenkopf 1522
4,2 × 4,3 cm
Inv. Nr. 79.MA 759

38 B
Meditationskopf 17. Jahrhundert?
Höhe 7 cm
Inv. Nr. 145.R 4648

38 C
Verwesender Kopf 17. Jahrhundert
Höhe 3,9 cm
Inv. Nr. 148.R 4643

38 D
Rosenkranzanhänger 17.–18. Jahrhundert
Höhe 3,3 cm
Inv. Nr. 317.MA 2054

38 E
Rosenkranzanhänger 17.–18. Jahrhundert
Höhe 3,3 cm
Inv. Nr. 316.MA 2053

38 F
Verwesender Kopf mit Herzogshut
Inv. Nr. R 4646

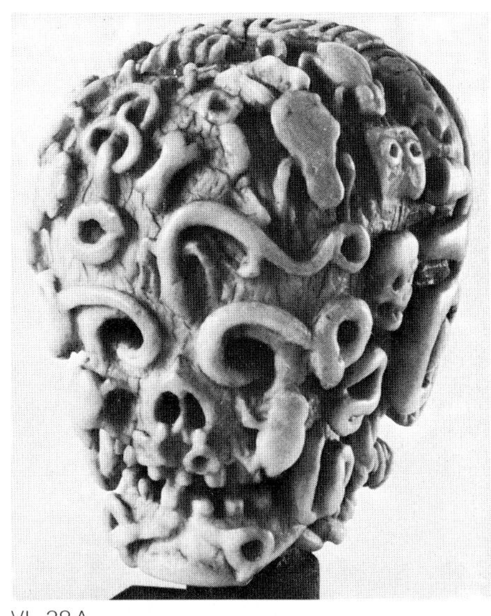

VI. 38 A

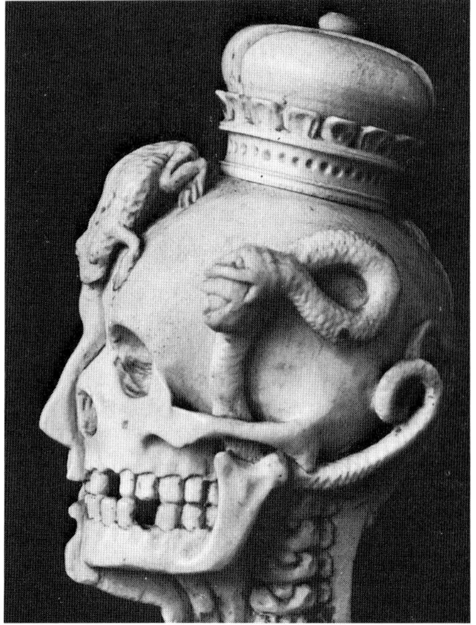

VI. 38 F

38 G
Schädel ohne Unterkiefer
Inv. Nr. R.4649

Alle: München, Bayerisches Nationalmuseum

Die kleinen elfenbeinernen Totenköpfe erfüllten – als Griffe auf Gebrauchsgegenstände geschraubt oder als Rosenkranzanhänger – immer dieselbe Funktion: ihren Träger beständig an die Nähe des Todes und die Kürze des irdischen Lebenswandels zu erinnern. Durch ihre kleine bijouartige Gestalt konnten sie in jeder Kleidung Platz finden und gewannen so eine gewisse Allgegenwärtigkeit. Neben den Faszinosa der Würmer und der Verwesung zeigen die Köpfe auch die Grenze allen politischen Tuns: unter dem Herzogshut kriechen schon Frosch und Schlange, die schließlich auch die noch lebende Gesichtshälfte zum Absterben bringen werden.

Literatur: Ausst.-Kat. Die letzte Reise 1984, Nr. 13 MB

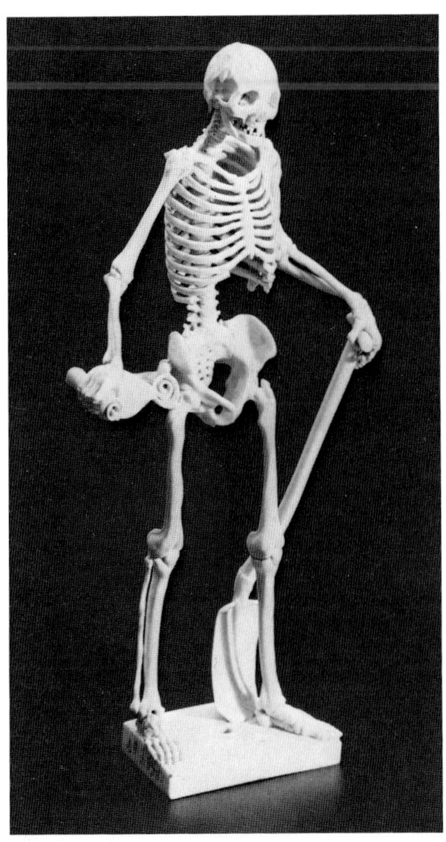

VI. 39

DEUTSCH, 1678

39
Skelett

Elfenbeinschnitzwerk; Höhe ca. 20 cm
Wien, Österreichisches Museum für Angewandte Kunst

Schon in den Kunstkammern des 16. Jahrhunderts waren aus Elfenbein geschnitzte Skelette, z. B. im Ambraser „Tödleinschrank" Paul Reichels, beliebte Sammlungsstücke, die sowohl eine naturwissenschaftliche Funktion erfüllten als auch zur Vergegenwärtigung des ständig nahen Todes dienten. Im 18. Jahrhundert nahm das Elfenbeinskelett mehr den Charakter eines kompliziert herzustellenden „Kunststücks" an, wo sich durch die exakte Wiedergabe anatomischer Details größtes handwerkliches Geschick demonstrieren ließ. MB

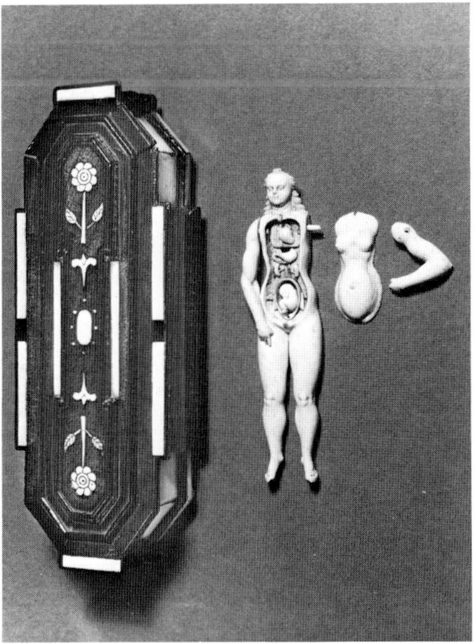

VI. 40

STEFAN ZICK (1639–1715) (?)

40
Anatomisches Lehrmodell der Schwangerschaft

Elfenbeinfigürchen in Holzkästchen; 14,2 bzw. 21,0 cm lang
Mönchengladbach, Städtisches Museum Schloß Rheydt
Inv. Nr. S 111

In diesem volkstümlichen anatomischen Lehrmodell ist der ursprüngliche ernsthaft-naturwissenschaftliche Charakter der zerlegbaren Körpermodelle auf eine derbe Weise übersteigert und zudem wenig kunstvoll in Objektgestalt umgesetzt. Die abnehmbare Bauchdecke des weiblichen Aktfigürchens enthüllt einen im Mutterleib kauernden Embryo nebst Nieren, Herz und Leber (?) der Schwangeren. Sinnfälligerweise wird die zerlegbare Elfenbeinfigur in einer sargartigen Schatulle aufbewahrt, die auf diese Weise für die Vorbedingung aller anatomischen Untersuchung, den Tod des Menschen, steht. MB

VI. 41

ANONYM, UM 1600

41
„Muskelmann"

Blei; Höhe 47 cm
Wien, Kunsthistorisches Museum, Sammlung für Plastik und Kunstgewerbe
Inv. Nr. 10.141

Die Holzschnitte in Vesals „De corpore fabrica" (Kat. VI. 31), in denen enthäutete Menschen gezeigt wurden, um den Muskelaufbau des Körpers darzustellen, bildeten die Grundlage für die in der Folge auch als dreidimensionale Skulpturen gebauten „Écorchés". Solche Figuren konnten vielfältige Verwendung finden als Demonstrationsmodelle für gelehrte Kreise, als Studienobjekte in Kunstakademien (vgl. Kat. VII. 25, 26) und Ateliers und schließlich auch als Sammlungsstücke in den verschiedenen edlen Kunstkammern. Unser nicht wirklich „gehäuteter", nur deutlich das Spiel seiner kräftigen Muskeln vorführender Athlet scheint durch seine ausgreifende und kunstvolle Körperhaltung, die an die Bewegung eines Diskuswerfers erinnert, für den Bedarf einer fürstlichen Kuriositätensammlung konzipiert worden zu sein. Weniger die genaue anatomische Beschaffenheit als vielmehr die plastisch-skulpturhafte Qualität der Bleifigur, die auch die Kenntnis antiker Bildwerke verrät, dürften die gestalterischen Leitlinien gebildet haben. MB

VII Ruhm der Künste

Michelangelos Rundbild der Hl. Familie, das die Kunstgeschichte nach dem Besteller „Tondo Doni" nennt (1504/06, Florenz, Uffizien), hat zwei Handlungszonen, die nichts miteinander zu tun haben: vorne die Familie, dahinter, durch eine niedrige Mauer distanziert, einige nackte Jünglinge in der lässigen Haltung von Aktmodellen. Die kunstgeschichtliche Forschung, immer bestrebt, die ihr ausgelieferten Werke kohärent zu machen, hat verschiedene Deutungen vorgeschlagen, um die beiden Bildschichten miteinander zu verklammern. Sie überzeugen nur die Überzeugten. Könnten wir uns nicht auf Vasari einigen, der die nackten Fremdkörper mit dem „Verlangen" des Malers erklärte, „vom Umfang seiner Kunst noch mehr zu zeigen"? Als Manierist fand er an dieser „Zugabe" nichts Tadelnswertes, und wenn wir bedenken, daß sie dem Künstler als artistische Visitenkarte diente, bezeugt die Koppelung mehr als bloß kompositorisches Geschick. Ein Künstler wie Michelangelo, der sein Können vorführen wollte, konnte das am überzeugendsten in der Aktfigur und im Hinblick auf antike Vorbilder tun.

Wer sich dieser Herausforderung stellte, mußte einen zwiefachen Wettstreit führen. Einmal war ihm die Nachahmung der Natur vorgeschrieben, denn sie verbürgte Lebensnähe. Zum anderen hatte er sich an antiken Vorbildern zu orientieren, denn ihnen verdankt die empirische Form ihre Erhöhung zum Ideal. Als solche Muster nennt Vasari den Laokoon, den Herkules Farnese, den Torso des Belvedere, die Venus, die Kleopatra und den Apoll – bis auf den Herkules Hauptwerke der Vatikanischen Sammlungen. Dieser Wettstreit von Natur und Kunst gerät notwendig immer wieder in Zwiespälte, welche Vasari jedoch nicht reflektiert, denn letztlich geht es ihm darum, daß der Künstler seinen schöpferischen Ehrgeiz, sein Kunstverlangen befriedigt. In Michelangelos Medici-Gräbern sieht er den legitimen, wenn auch gescheiterten Versuch, der Natur zu lehren, wie die Kunst „ihr in allen Dingen überlegen sei". Wer Kunst sagt, meint das schöpferische Ingenium und dessen Selbstdarstellung. Folgte Michelangelo bei den Jünglingen des Tondo Doni seinem Kunstverlangen, so nahm er später die Formanstrengung des Jüngsten Gerichts auf sich, um zu zeigen, „was alles der Kunst der Malerei möglich sei" (Vasari). Hier liegt schon der expansive Ansatz zu dem, was Beuys als „erweiterten Kunstbegriff" ausgab.

Verfügbarkeit

Was alles möglich sei . . . Diesen Nachweis erbringen im 16. Jahrhundert die Künstler, die sich den menschlichen Körper verfügbar machen. Das vollzieht sich auf zwei Ebenen, die miteinander korrespondieren, denn der Künstler überträgt sein Bedürfnis nach Schaustellung auf seine Geschöpfe, die sich allesamt – das beginnt schon im Tondo Doni – exhibitionistisch gebärden. Ob sie durch die Luft wirbeln wie die „Frevler" des Goltzius (Kat. IV. 22–25) oder aus dem erotischen Gewaltakt eine Arabeske formen (Kat. VII. 2, VII. 15), ob sie als Akrobaten die Schwerelosigkeit (Kat. VII. 3–5) oder das Alphabet erproben (Kat. VII. 6) – immer sind diese Gestalten einem Betrachter zugewandt, sind sie lebende Kunststücke, die Beifall begehren. Sie spotten der Schwerkraft, von der ein Laokoon sich nicht befreien kann, sie lassen auch eindeutige Sinngehalte hinter sich. So kann ein hl. Sebastian zu einem graziösen Nackttänzer, ein hl. Johannes zu einem Androgyn werden (Kat. VII.8, VII. 11). Der Gegensatz der Geschlechter wird in einer anatomischen „Möglichkeitsform" aufgehoben, die verschiedene Deutungen zuläßt. Im Zentrum dieses transitorischen Formdenkens steht das Ungenügen an dem, was ich die Ästhetik der Einbahnstraße nennen möchte. Parmigianino denkt über das Thema „Moses zeigt die Gesetzestafeln" nach und findet neun Lösungen, neun Möglichkeitsformen, die sich zueinander komplementär verhalten (Abb.). Dieser Wahlfreiheit bot sich die plastische Rundfigur als Quadratur des Kreises an: Sie ist die Summe aller ihrer Ansichten, die in sich selbst kreisende Möglichkeitsform (vgl. Kat. VII. 2).

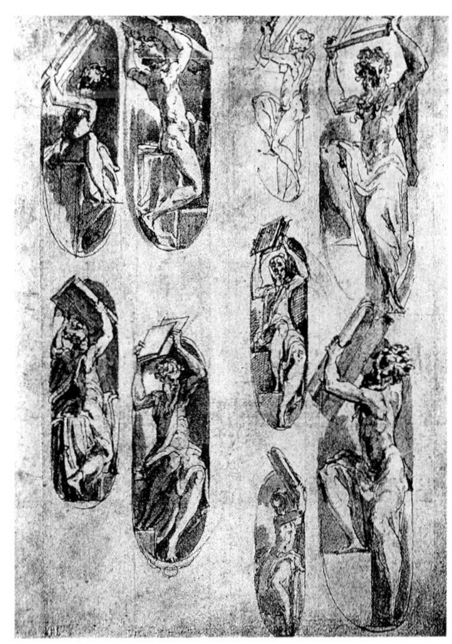

Parmigianino, Neun Studien für den Moses in den Deckengemälden der Steccata, New York, Metropolitan Museum

Der Ruhm der Kunst ist der Ruhm des Künstlers

In dem Maße, in dem Kunst aus Kunst abgeleitet wird, kommt dem antiken Muster die Rolle eines Korrektivs zu, dem sich die Naturerfahrung zu unterwerfen hat. Die Regeln dieses Verfahrens gibt der akademische Kunstunterricht. Hier herrscht das nachdenkliche Gespräch oder emsige Betriebsamkeit (Kat. VII. 25, VII. 26). Wenig berichten diese Vorstellungen von den künstlerischen Individuen und ihrem Lebensstil. Um so eindringlicher sind die Dokumente, die hinter die Kulissen von Ruhm und Arbeitseifer blicken lassen. In seinem Selbstbildnis mit einer Hündin verläßt Parmigianino das verführerische Spektrum der Möglichkeitsformen (Kat. VII. 17), gleichwie Jamnitzer nicht seinen Erfindungsreichtum ausbreitet, sondern ganz in seinen Berechnungen aufgeht (Kat. VII. 20), und der hockende Raffael (Kat. VII. 18) hat die Unmittelbarkeit eines Dokuments (auch wenn es sich um eine Erfindung handelt), welches Licht auf die latente Randsituation des Künstlers wirft, der zwischen Aufbegehren, Unterwerfung und Resignation schwankt. Er ist vieler Herren Diener und Schutzbefohlener. Das Merkmal der „Verfügbarkeit" läßt sich deshalb auch auf ihn und sein weit gefächertes Rollenbewußtsein übertragen. Wir sehen ihn seinesgleichen huldigen (Kat. VII. 27), mit dem Teufel paktieren (Kat. VII. 23), die Patronanz von Minerva und Venus aufsuchen (Kat. VII. 1, VII. 35, VII. 36) und widrigen Zeitläuften entfliehen (Kat. VII. 37). Aber es erschließen sich auch Rückzugswelten der Phantasie, die weiträumiger sind als die von ikonographischen Programmen bestimmten Werke der Auftragskunst. Ghisis berühmter Stich ist dafür ein Beispiel (Kat. VII. 28). Trotz Bredekamps durchwegs schlüssiger Deutung (vgl. S. 62ff) ist dieser Bildgedanke vom großen Thema der schöpferischen Selbstbefragung nicht zu trennen, er bleibt ihm in seiner „anschaulichen Gestalt" (Sedlmayr) verhaftet: dort der meditierende Künstler, dem das Vergil-Wort SEDET AETERNUMQUE SEDEBIT INFOELIX den Standort zuweist, und hier die sieghafte Iris-Aurora-Venus, der er seinen sinngebenden Auftrag verdankt.

Der Gunst seiner mächtigen Mäzene ausgeliefert, möchte der Künstler nicht nur Diener der Macht sein, er will selber am Ruhm partizipieren. Die Ruhmbegierde der geistlichen und weltlichen Auftraggeber stachelt nicht nur den künstlerischen Ehrgeiz an, sie provoziert einen permanenten Leistungswettkampf, sie weckt die bösen Energien von Haß und Neid (Kat. VII.32). Von diesen Machtkämpfen ist in den meisten Allegorien des Ruhms nicht die Rede (Kat. VII.39, VII.40).

Manchmal freilich dienen sie der Selbstrechtfertigung, etwa wenn Zuccari mit seinen Neidern und Verleumdern abrechnet (Kat. VII.33). Er erfindet dazu eine komplizierte Allegorie, die verschiedene Realitätsschichten ineinander blendet. Am wenigsten kommentarbedürftig ist die Hauptszene auf der Vordergrundsbühne. Der Maler erblickt eine nackte Frau in Triumphhaltung, die von Wolken und einem Strahlenkranz zu einer Vision verklärt wird. Zuccari nannte sie in seinem Kommentar die „vera intelligenza'', die wahre Einsicht. Sie ist die verkörperte „Idee'', die dem Künstler den Weg weist, ähnlich der Lanzen-Trägerin auf dem Ghisi-Stich. So ist die Nacktheit in eine geistige Sphäre eingewoben: Verkörperte sie am Beginn des Jahrhunderts die Schönheit physischen Selbstbewußtseins und danach dessen Variationsbreite um seiner selbst willen, so ist sie jetzt zu einer Verkünderin geworden, die der Kunstreligion ihren wahren Auftrag, die Dimension der geistigen Vorstellung, erschließt. Dafür haben Theoretiker wie Zuccari und Lomazzo den Begriff des „disegno interno'' geprägt. Dieser geistigen Dimension ist das künstlerische Handeln untertan: Ihr gehorchen die Hand und alle Handfertigkeiten. Lomazzo hat diesen Zentralgedanken der manieristischen Kunsttheorie in einer Zeichnung veranschaulicht, in der die Künste, der Fremdbestimmung ledig, sich selber huldigen (Kat. VII.31). Der Herrscher, dem alles zustrebt, ist kein Machthaber, sondern ein alter Mann mit einer Fackel, der heute weitgehend als „Disegno'' gedeutet wird: „Wie die Sonne das wahre Licht des Universums ist, so ist Disegno das einzige und wahre Licht aller menschlichen Fähigkeiten'' (Winner).

Beide Allegorien gehen mit dem künstlerischen Selbstbewußtsein nicht gerade sparsam um. Beide entziehen den Künstler kunstfremden Autoritäten. Was in Zuccaris Olymp diskutiert und beschlossen wird, ist letztlich belanglos angesichts der Entscheidung, die der Maler in der Zwiesprache mit der „vera intelligenza'' trifft: Sie, nicht Jupiter, ist seine Partnerin. In Lomazzos „Allegorie des Disegno'' nimmt der thronende Alte die Rolle ein, die der Fürstenehrgeiz für sich beansprucht: Der Kunstgedanke ist sein eigener Herr. Doch letzlich sind diese Harmonien Trugbilder. Der „Tempel'', den Lomazzo als Theoretiker beschreibt und in seiner Albertina-Zeichnung entwirft, nimmt sich wie ein gelebtes Gesamtkunstwerk aus, in dem jeder frei über sich selbst verfügen kann, gemäß der Devise, die Vasari ausgibt: „Kein Künstler ist verpflichtet zu arbeiten, er arbeitet, für wen und wann er will.'' Diese Selbstherrlichkeit findet nicht uneingeschränkten Beifall, dem Traum der schöpferischen Autonomie steht die Wirklichkeit der Zwänge gegenüber. Ehe er den Künstler programmatisch davon entlastet, mußte Vasari in seiner Lebensbeschreibung Pontormos einräumen: „So stieg man zu dem Zimmer, worin er schlief und bisweilen arbeitete, auf einer Holzleiter empor, die er, sobald er eingetreten war, mit einem Gewinde aufzog, damit nur keiner ohne seinen Willen oder Wissen zu ihm heraufkommen könnte. Was jedoch den Leuten noch mehr an ihm mißfiel, war, daß er nur arbeiten wollte, wann und für wen er Lust hatte und nach seiner Laune.'' Auch hier sehen wir Wunschbild und Wirklichkeit auseinander klaffen. Auch die Zeichnung von Geeraerts (Kat. VII.34) zerstört die Selbstgewißheit von Zuccari und Lomazzo. Dieser Maler arbeitet nicht „für wen und wann er will'', sondern weil er *muß*: einmal für Merkur und zum anderen für seine vielköpfige Familie. Ihm steht keine „vera intelligenza'' bei. Die Melancholie, die er als Allegorie malt, ist die schöne Kunstlüge, hinter der sich sein alltägliches Elend verbirgt.

Der Quergang vor Saal VIII setzt in einer Reihe von Büchern, Traktaten und Einzelblättern das Thema der Verfügbarkeit des menschlichen Körpers fort, welches in Saal VII („Ruhm der Künste'') unter dem Gesichtspunkt artistischer Variationsbreite, in Saal VI („Die letzten Dinge'') unter dem der medizinischen Seziererergebnisse behandelt wurde. Mithin verbinden die hier ausgelegten Dokumente zwei Ansichten vom Menschen: Die eine macht ihn zum Produkt künstlerischer Erfindung (VII), die andere zum Dokument wissenschaftlicher Analyse (VI).

Unsere Anthologie belegt die Variationsbreite der menschlichen Gestalt, wie sie sich aus dem Vergleich verschiedener Lehrbücher ablesen läßt. Der ideale Prototyp wird gedehnt, gepreßt, gelängt und gefüllt (Kat. VII.50). Der Quadratmensch in der Proportionslehre des Walter Rivius (Kat. VII.52) geht auf Cesarinos Vitruv-Ausgabe (Como 1521) zurück. Der italienische Stich und der deutsche Holzschnitt versuchen mit einer Unerbittlichkeit, die wir als manieristische Obsession bezeichnen möchten, die menschliche Gestalt „zum Quadrat zu erheben''. Ein Gewaltakt, der die „Möglichkeitsform'' negiert, weil er nur ein Absolutum gelten lassen will. Angesichts der Spreizung bemerkte Kenneth Clark, ein Gorilla könnte für die exakte Geometrie geeigneter erscheinen als ein Mensch. (Leonardo war dieser Zwangsmaßnahme entgangen, indem er seinen homo ad quadratum sowohl auf ein Quadrat als auf einen Kreis projizierte und beide nicht zur Deckung brachte.)

Im organischen Körperbau verbergen sich tektonische Koordinaten – Quadrat und Würfel –, die das Gewachsene in ein Gemachtes, Konstruiertes hinüberführen. Was Dürer und andere (Kat. VII.50, VII.51) in präzise, modellhafte Maßbeziehungen umsetzen, wird bei Schoen (Kat. VII.45, VII.46) und Cambiaso (Kat. VII.53) zu einem flexiblen Code, der die Raum-Körper-Beziehungen überschaubar machen soll. So entstehen kubo-organische Zwitter, denen der Weg zur Marionette vorgezeichnet scheint. Die Stereometrisierung ist nur eine der vielen Verwandlungsmöglichkeiten des Körpers. Andere führen in die Welt der Karyatiden, wo sich die Lust an Mischgeschöpfen mit lehrbuchhafter Ausführlichkeit mitteilt (Kat. VII.44, VII.57). Halb tektonisches Glied, halb dessen Verneinung, sind diese Kompositschönheiten Capricci, in denen auch vegetabile und animalische Anspielungen Unterschlupf finden (Kat. VII.54, VII.56). Entledigt man sie ihrer architektonischen Dienstbarkeit, bleiben frei schwebende Grotesken und Masken übrig, deren fratzenhafte Wildheit die der Medusa übertrifft. Das menschliche Antlitz erweitert sich in dem Maße, in dem es tierische Züge annimmt, zugleich aber erstarrt es zu apotropäischer Strenge (Kat. VII.55). Wenn dieses Geschlinge von seinen wüsten Zügen befreit und zu lockeren Verflechtungen entschärft wird (Kat. VII.58, VII.59, VII.60), versöhnt es den Blick in elegant ausgewogenen Arabesken, aus denen hie und da ein listiger oder feindseliger Maskenblick auftaucht, den jedoch die gleitende Formmelodie schnell wieder überspielt.

In den Kubo-Menschen von Erhard Schoen – die nichts mit dem Kubismus zu tun haben! – befreit sich der geometrische Formgedanke von der organischen Grundgestalt des Leibes, doch bleibt er oft auf halbem Wege stehen. Was geschieht, wenn autonome geometrische Körper auf den Plan treten? Das zeigt die „Perspectiva" von Lencker (Kat. VII. 41). Dort wird auch die Verdinglichung von Buchstaben vorgeführt, woran sich das Spiel mit der Vielansichtigkeit anschließt (Kat. VII. 42, die verschieden gelagerten Buchstaben von Lencker), vergleichbar dem Menschen in seiner Verfügbarkeit. Von diesen Möglichkeitsformen ist es nur ein Schritt zu Lorenz Stoers Versuch, Landschaften mit imaginären Objekten zu besetzen (Kat. VII. 49). Damit betreten wir die „Kunststuckh"-Welt, welcher Raum VIII gewidmet ist. WH

VII.1

BARTHOLOMÄUS SPRANGER (1546–1611)

1
Der Triumph der Weisheit um 1591

Öl auf Leinwand; 163 × 117 cm
Wien, Kunsthistorisches Museum, Gemäldegalerie
Inv. Nr. 1133

Konrad Oberhuber bezeichnet den „Triumph der Weisheit'' als Symbol für die geistige Einstellung des Rudolfinischen Hofes und des höfischen Spätmanierismus im Norden schlechthin. Minerva, durch Helm, Lanze und Gorgoneion gekennzeichnet, steht auf einem Podest (das als Hinweis auf Merkur/Hermes verstanden werden kann) und hat einen Fuß auf die mit Eselsohren versehene Unwissenheit gesetzt. Sie ist von den neun Musen und der Kriegsgöttin Bellona umgeben, zwei Genien reichen ihr Lorbeerkranz und Siegespalme. Ihre Haltung entspricht der des auferstandenen Christus im Epitaph des Prager Goldschmieds Nikolaus Müller, was die Austauschbarkeit christlicher und mythologischer Vorstellungen im Manierismus belegt. Minerva-Sapientia und Christus erscheinen gleichermaßen als Inbegriff höchster göttlicher Weisheit. Es ist kennzeichnend, daß dieselbe Gesellschaft, die seit Jahrzehnten innerhalb des christlichen Glaubens einen erbitterten Streit um Spitzfindigkeiten führte, in Hinblick auf die wechselweise Verwendbarkeit christlicher und antiker Vorstellungen eine solche Offenheit demonstrierte.

Der „Triumph der Weisheit'' ist auf verschiedene Weise gedeutet worden. Diez sieht darin – wohl etwas vereinfachend – eine Apotheose der Astrologie, der Lieblingswissenschaft des Kaisers, und verweist auf die von Urania (vgl. Kat. III. 2) hochgehaltene Armillarsphäre. Oberhuber unterstreicht die Vielschichtigkeit der Bildidee; sie impliziere den Sieg kaiserlicher Tugend über das Laster im Sinne der Psychomachia des Prudentius (eine von Gerszi unterstützte Ansicht) ebenso wie die Bewährung kaiserlicher Weisheit in Krieg und Frieden, was die bevorzugte Stellung Bellonas und Kalliopes, der Muse der Poesie, im unmittelbaren Vordergrund des Bildes verständlich macht. Auch Tugend und Weisheit sind also auswechselbar, einander gleichgesetzt, jener Vorstellung entsprechend, daß nur die Unwissenheit zur Sünde führe, Weisheit jedoch ein tugendhaftes Leben garantiere.

Daneben ist dem „Triumph der Weisheit'' Sprangers Absicht abzulesen, eine Höherstellung der Künste zu demonstrieren. Die bildende Kunst, ungeachtet aller partiellen Erfolge während der italienischen Renaissance weiterhin an der Schwelle zwischen dem Handwerk und den Freien Künsten angesiedelt, wird von Spranger in den allegorischen Figuren von Malerei, Bildhauerei und Architektur der rechten Musengruppe zugeordnet. Sie werden somit zu einem unabdingbaren Bestandteil von Bildung und Weisheit, eine Ansicht, die Rudolf II. geteilt haben wird, und die im Majestätsbrief vom 27. 4. 1595, der die Malerei ausdrücklich als Kunst bestätigt, ihren Niederschlag findet.

Literatur: Diez 1909/10, S. 116f – Oberhuber 1958, S. 151 ff und S. 235, Nr. 65 – Dacosta Kaufmann 1985, S. 302, Nr. 20–49 MK

VII.2

NACH GIAMBOLOGNA (1529–1608)

2
Raub einer Sabinerin

Bronze, brauner Lack, braune Naturpatina;
Höhe 59,5 cm
Wien, Kunsthistorisches Museum,
Sammlung für Plastik und Kunstgewerbe
Inv. Nr. 5899

Das dramatische Geschehen des Raubes der Sabinerinnen wird in eine dreifigurige Gruppe übersetzt, die in ihrer in die Höhe schraubenden Bewegung die perfekte Vereinigung der von Lomazzo geforderten Prinzipien von „Furia" und „Gratia", die die bewegte, agierende Figur zu bestimmen hat, vereinigt. „Gratia" als „bewegte lebensvolle Schönheit" (Lomazzo), steht für die sich in heftiger, aber dennoch vollkommen anmutiger Torsion zu befreien suchende Sabinerin; „Furia", die kraftvolle Leidenschaft für die beiden sich in schraubender Bewegung verschlingenden männlichen Kontrahenten. Im Gegensatz zum Equilibrium der Hochrenaissanceskulptur, die die Wirkung ihres harmonischen Gleichmaßes in der Fläche entwickelt, in der reinen Vorder- bzw. Rückenansicht, zwingt die „Figura Serpentinata" in ihrem Grenzgang zwischen Ausgewogenheit und Unruhe den Betrachter im ständigen Umschreiten die Idealansicht zu suchen, da jede der sich bietenden Ansichten gleichermaßen „interessant wie unvollständig" (Panofsky) ist. Die in sich gedrehte Figur ist somit in ihrem Prinzip der verschiedenen Möglichkeiten der Anschauung die manieristische Antwort auf die konkret berechnete Harmonie der Renaissance.

Die vorliegende Bronzegruppe ist eine Reduktion jener dreifigurigen, monumentalen Marmorgruppe des Sabinerinnenraubes, die Giovanni da Bologna Anfang der achtziger Jahre das 16. Jahrhunderts für die Loggia dei Lanzi schuf. Der Kolossalgruppe, die so vollkommen das Prinzip der „Figura Serpentinata" erfüllte, eilte ein weltweiter Ruf voraus, der allgemein den Wunsch nach Kopien erweckte. Die vielgerühmte Gruppe durfte nicht in der erlesenen Sammlung Rudolfs II. fehlen, und demzufolge erscheint im Inventar der Prager Sammlung folgende genaue Beschreibung, die die Wichtigkeit des Stückes illustriert: „Ein gruppo nach dem Giovan Bolonia so er zu Florentz von weißem marmo gemacht, sein 3 figurn von bronzo, ist ein rabimento Sabine."

Es ist allerdings nicht gesichert, ob die vorliegende Gruppe mit jener beschriebenen identifiziert werden darf.

Literatur: Ausst.-Kat. Giambologna 1978, Nr. 59 – Lomazzo 1965, c. 26, S. 73 SS

VII.3

AUGSBURG

3
Akrobatin

Bronze; Höhe 10 cm
Kopenhagen, Statens Museum for Kunst
Inv. Nr. 5559

Körper lassen sich drehen und wenden, biegen, beugen und in jede beliebige Stellung bringen. Diese Erkenntnis schöpfen Kunst und Kunsttheorie des 16. Jahrhunderts auf vielfältige Weise aus, läßt sich doch durch die Darstellung des verdrehten Leibes nicht nur höchste Kunstfertigkeit beweisen, sondern damit auch noch eine unmittelbare, auf das Staunen des Betrachters berechnete Wirkung erzielen. Die Akrobatin drückt diesen Hauptgedanken des Zeitalters mit einer kunstvollen Verrenkung auf eine unmittelbare Weise aus. Das Glöckchen, das sie mit ihrem Mund aufzunehmen im Begriffe ist, dient nur mehr als zusätzliches Kuriosum zum ohnehin schon recht ausgefallenen Motiv ihrer Körperstellung. Die Kleinbronze, im 16. Jahrhundert eines der wichtigsten Ausdrucksmedien für Seltsames und auch Erotisches (vgl. Kat. V. 71), war wohl das ideale Sprachmittel solch wunderbarer Demonstrationsstücke.
MB

JUSTE DE JUSTE (1505–1559)

4
Pyramide von sechs Männern um 1543

Radierung; 27,7 × 20,5 cm
Bezeichnet: IVSTE
Hamburger Kunsthalle, Kupferstichkabinett
Inv. Nr. 926I

Das Blatt ist das erste eines ungewöhnlichen Zyklus von fünf Radierungen des Juste de Juste, eines Künstlers, der unter anderem als Gehilfe Rossos in Fontainebleau gearbeitet hat. Die skizzenhaft ausgeführten Darstellungen „grotesker gymnastischer Pyramiden", wie Zerner (1972) sie nennt, geben noch immer Rätsel auf. Entgegen der bisherigen Deutung, die hier Turnübungen oder akrobatische Bravourstücke dargestellt sehen wollte oder versucht hat, die Blätter in der Tradition der aus Menschenleibern gebildeten Buchstabenkonfigurationen (vgl. Kat. VII. 6) zu entziffern, scheint es sich eher um eine Art Schicksalsallegorie zu handeln: um ein labiles Gebilde rivalisierender, sich gegenseitig behindernder und doch wiederum verzweifelt Haltsuchender „Aufsteiger" und „Stürzender" – eine Neufassung der mittelalterlichen Vorstellung vom Rad der Fortuna.

Die aufsteigende Aktfigur oben rechts wird so zum Antitypus des „Stürzenden" in der Mitte. Juste de Juste könnte als Vorlage für diese Figur einen der „Kletterer" aus Michelangelos Karton der „Schlacht von Cascina" verwendet haben (im Ensemble, aber auch

VII.4

VII.4 a

als Einzelfigur von Marcanton gestochen, Bartsch XIV, S. 363, 488). Auch Heemskerck hat auf diesen Typus zurückgegriffen. In dessen allegorisch-moralisierender Darstellung der „Gefahren menschlichen Ehrgeizes" (Abb. VII. 4a) ist Michelangelos Kletterer einer der vielen um sozialen Aufstieg bemühten Menschen, die mühsam einen Berghang erklimmen, um bei dem unweigerlich folgenden Balanceakt an der Spitze zum großen Teil um so tiefer wieder in den Abgrund zu stürzen. Zu dieser Interpretation würde passen, daß auf der Radierung von Juste de Juste die auffallende Beinstellung der beiden rechten unteren Figuren an das Christus-Monogramm denken läßt. Die labile Existenzform des Menschen als eines Gemeinschaftswesens fände zumindest gestützt auf den christlichen Glauben eine stabilere Grundlage.

Literatur: Zerner 1969, J. J. 1 EH

JUSTE DE JUSTE (1505–1559)

5
Pyramide von sechs Männern um 1543

Radierung; 27,0 × 20,3 cm
Bezeichnet: IVSTE
Hamburger Kunsthalle, Kupferstichkabinett
Inv. Nr. 926III

Die Radierung variiert als drittes Blatt des mit Kat. VII. 4 beginnenden Zyklus das Motiv der bewegten, weil von der Logik ihrer Statik her völlig irrealen Menschenpyramide. Auf der schmalen Bildbühne, die von einem neutralen, keinerlei Realitätsbezug zulassenden Hintergrund umfangen wird, sind wieder sechs Männerakte bei ihrer grotesken Akrobatik zu beobachten. Die Figur vorne rechts scheint den in der Mitte Schwebenden kaum halten zu können (oder zu wollen) und beide werden überragt von einem mehr oder weniger in der Luft hängenden Kletterer.

Insgesamt scheint der stützende Zusammenhalt aufeinander wenig konstruktiv, die Füße finden keinen rechten Halt. Die Gesichter wirken verkrampft und verzerrt, wie das sich Aufeinanderstützen eher einem Blind-nach-unten-Treten und Aneinander-Zerren gleicht.

Literatur: Zerner 1969, Nr. J. J. 3 – Ausst.-Kat. Fontainebleau 1972, Nr. 353 EH

VII.5

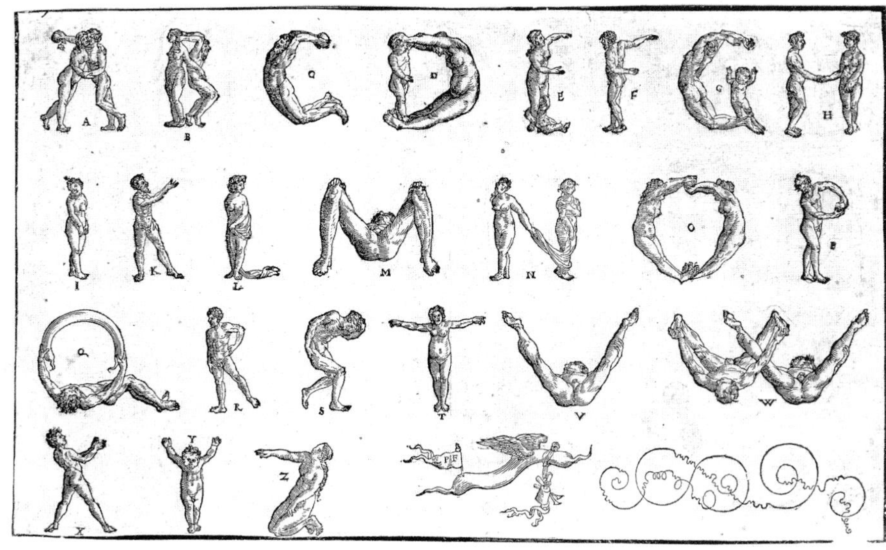

VII.6

PETER FLÖTNER (um 1495–1546)

6
Das Menschenalphabet

Holzschnitt; 16 × 17 cm
Wien, Albertina
Inv. Nr. D.I 14, p. 13, S. 834

Die nackte menschliche Figur war in der Antike ein Hauptgegenstand der bildenden Kunst. Nach dem antiken Vorbild beschäftigten sich die Renaissancekünstler in Italien von neuem mit diesem Thema. Erst mit einiger Verspätung widmeten sich die deutschen Künstler des 16. Jahrhunderts dem Studium der nackten menschlichen Figur. Flötner schuf mit dem 1532 aufgestellten Apollo als Bogenschützen die erste nackte Freifigur in Nürnberg. In seinen Stichfolgen begegnet man schon Vorläufern. Doch sind sie großteils nach italienischen Vorlagen und nur vereinzelt nach dem Naturvorbild gearbeitet. Die Nacktheit mußte erst enttabuisiert werden.

Flötner setzt aus seinen freizügigen Akten das Alphabet zusammen und paraphrasiert damit ein klassisches Thema. Bildete für den antiken Architekten Vitruv der wohl proportionierte menschliche Körper den Ausgangspunkt für die gesamte Architektur, so überträgt der deutsche Künstler dieses Gedankenmodell auf den Buchstaben, der das Grundelement für jegliche sprachliche und schriftliche Kommunikation ist. Der menschliche Körper wird somit aufgrund seiner Motorik zu einem Kommunikationsträger.

Literatur: Ausst.-Kat. Jamnitzer 1985, S. 8–10 RK

VII.7

PETER FLÖTNER (um 1495–1546)

7
Die menschliche Sonnenuhr

Holzschnitt; 19,5 × 25,8 cm
London, British Museum, Department of Prints and Drawings
Inv. Nr. E 8-186

Flötner beschreibt auf dem Flugblatt den von der Uhr bestimmten Ablauf des menschlichen Daseins in Form einer Allegorie der Völlerei. Das Leben wird auf die Grundbedürfnisse wie Nahrungsmittelaufnahme beziehungsweise deren Ausscheidung reduziert. Die Uhr ist bereits zur Kontrollfunktion für den Tagesablauf geworden. Flötners kritische Antwort auf diese Einschränkung drückt sich in den Fäkalien aus, die als Gegensatz zu den mechanischen Meßinstrumenten ein natürliches Regulativ bilden.

Trotz seiner extrem naturalistischen Formulierung paraphrasiert er in der Darstellung des liegenden Mannes ein seit der italienischen Renaissance weit verbreitetes Motiv: Der stark verkürzte Körper stellt seit Mantegnas Darstellung des toten Christus (Mailand, Brera) ein Leitmotiv der nachfolgenden Künstlergenerationen dar, die ihre Kenntnis der perspektivischen Gesetze mit diesem Thema beweisen wollten. Flötner demonstriert damit seine künstlerische Virtuosität, ironisiert aber gleichzeitig dieses klassische Zitat ganz im Sinn der heute aktualisierten Postmoderne.

Literatur: Krempel 1974, S. 48 ff – Ausst.-Kat. Jamnitzer 1985, S. 10–11 RK

MICHIEL COXIE (1499–1592)

8
Der heilige Sebastian

Schwarze Kreide, Pinsel und Feder, gehöht; 46,4 × 24,5 cm
Wien, Albertina
Inv. Nr. 2999

Als einer der wesentlichsten Romanisten (vgl. dazu den Beitrag von G. Heinz, S. 43 ff) weiß Coxie auf virtuose Weise mit dem menschlichen Körper umzugehen. Weißhöhung und „steinerner" Eindruck des Inkarnates zeigen den Einfluß Frans Floris' auf ebenso deutliche Weise wie das ausschließliche Interesse für die Figur, die hier ohne jedes Repoussoir gegeben wird. Sebastian wird nicht als Gequälter, als Leidender und Gefolterter gezeigt, sondern führt im Gegenteil auf eine geradezu kokettierende Weise die edle Schönheit seines Körpers vor, der von den winzigen Pfeilchen nicht wirklich verletzt scheint. Schwung und Gegenschwung der Linien, die Variation der Stellungen, die trotz der gefesselten Hände noch möglich sind, all dies indiziert ein Streben zur genauen Untersuchung des Märtyrerkörpers, die seiner theatralischen Inszenierung im Werk Callots (Kat. IV. 19) vorausgeht. Die Entfernung der Aussage vom Inhalt, nämlich dem Leiden für den wahren Glauben, zugunsten der interessanten Form, die das Gegenteil ausdrückt, ist charakteristisch für eine akademisch-experimentelle Gesinnung der niederländischen Romanisten, die nicht mehr allein aus dem bloßen Antikenstudium erklärt werden kann.

VII.8

Literatur: Benesch 1928, Nr. 115 MB

GEORGES LALLEMANT
(um 1570/75 – um 1636)

9
Entwurf für einen Tierkreismann

Feder, zart grau laviert; 26,5 × 19,4 cm
Berlin, SMPK, Kunstbibliothek
Inv. Nr. Holz 4970

Die von Berckenhagen dem Bellange-Schüler George Lallemant zugeschriebene Zeichnung zeigt eine aus verschiedenen Einzelmotiven zusammengesetzte menschliche Gestalt. Mit Lineal und Zirkel stützt sie sich auf einen Globus, die erhobene rechte Hand hält eine aus drei ineinandergesteckten Quadraten bestehende geometrische Figur.

Das Blatt zeigt etwas variiert einen sogenannten Homo Signum, einen Tierkreismann, wie man ihn nach Bober (1948) schon im ersten Jahrhundert nach Christus und das Mittelalter hindurch dargestellt hat. Der Mensch wird dabei als ein dem Makrokosmos analoger Mikrokosmos begriffen, den man sich als durch die Sterne bestimmt vorstellte. Die Planeten hatten Einfluß auf das Schicksal, und die Medizin ordnete – von oben nach unten analog dem Lauf des Jahres durch den beim Widder beginnenden Tierkreis – jedem Tierkreiszeichen Körperteile und -funktionen zu: dem Kopf den Widder, dem Hals den Stier, die Arme den Zwillingen und so weiter bis hinunter zu den hier in der Form von Fischen ausgebildeten Füßen.

Lallemant übernimmt zwar noch den Bildtypus, dessen Sinn wird hier jedoch durch die Form der Darstellung verfremdet. Der Homo Signum steht für ein Lebensgefühl, in dem sich der Mensch in den Kosmos eingebunden, aber auch diesem ausgeliefert fühlt, was sich in der Bildform unter anderem darin ausdrückt, daß die Zeichen als jeweils auf den Menschen bezogen dargestellt werden, während sie gleichzeitig ihren Charakter als etwas dem Körper Äußerliches und von diesem unabhängig Existierendes wahren. Lallemants „Mensch" hat sich dagegen die Tierkreiszeichen einverleibt. Lässig posierend stützt er sich im Herrschergestus auf die zum preziösen Möbelstück degradierte Erde, Lineal und Zirkel als Zeichen der Naturbeherrschung in der linken Hand. In der erhobenen Rechten hält er eine geometrische Figur, die möglicherweise auf die platonische Idee anspielt, sich die physikalische Welt als aus regelmäßigen Körpern (Dreiecken) aufgebaut zu denken – hier, aus ihrem ursprünglichen Zusammenhang herausgelöst, als Zeichen einer rationalistischen Naturauffassung.

Literatur: Berckenhagen 1970, S. 42f EH

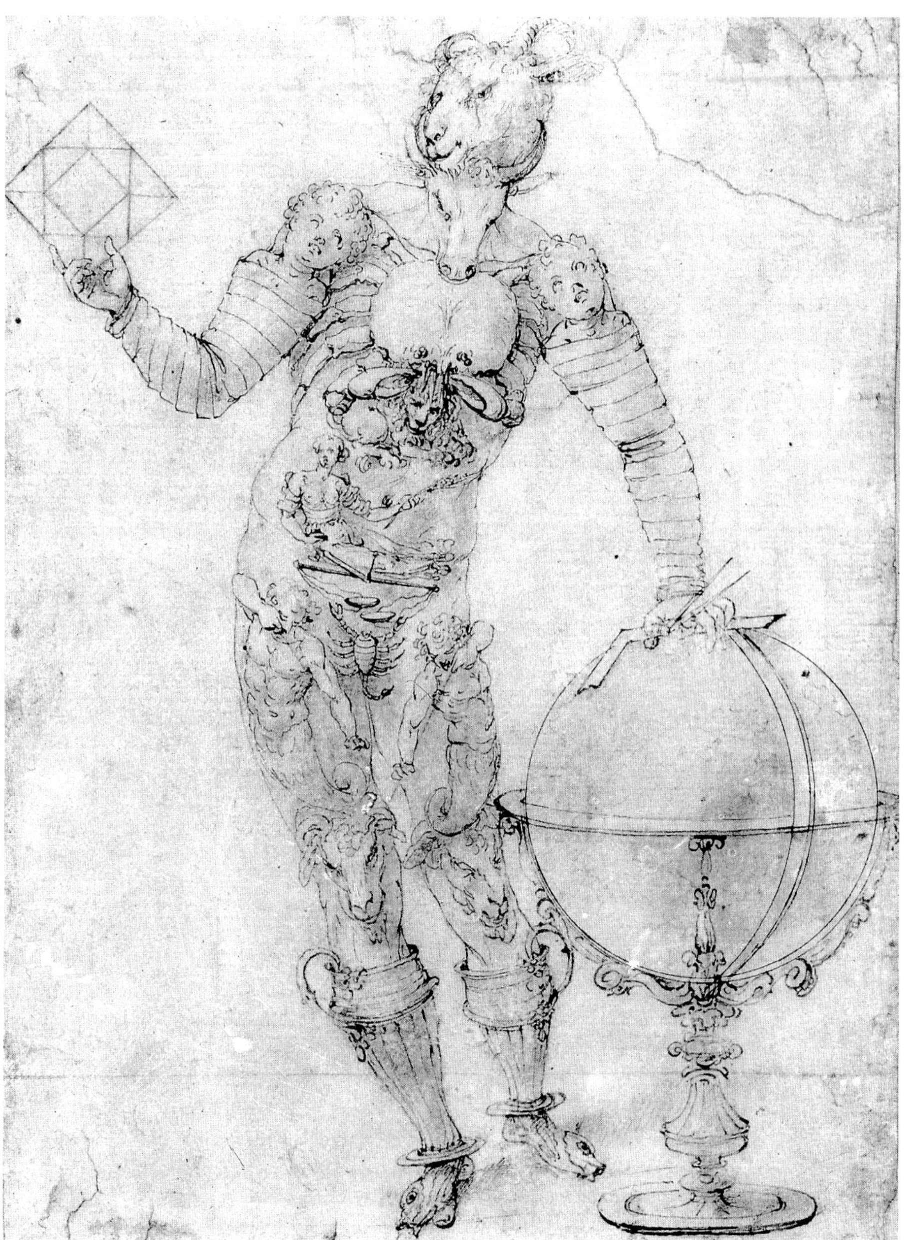

VII.9

VII.10

VII.11

ANDREA MELDOLLA
genannt SCHIAVONE (um 1510/15–1563)

10
Mars

Radierung; 19,9 × 11,3 cm
Inv. Nr. 1859-8-6-615

11
Der heilige Johannes

Radierung; 21,9 × 11,1 cm

Beide: London, British Museum, Department of Prints and Drawings

Die beiden Figuren, die ihre Körper in elegantem Schwung präsentieren, zeigen deutlich, wie nebensächlich nicht nur die Identität der Personen, sondern auch ihr Geschlecht über der Darstellung der „verfügbaren" Leiber geworden ist. Egal, ob die Kostümierung mythologisch (Mars) oder christlich (hl. Johannes) ausfallen soll, der Künstler zeigt in jedem Fall einen der „grazia" verschriebenen, tänzelnden Menschen, dessen feminines Äußeres keine Rücksicht mehr auf die Würde nimmt, die von den hohen Wesen ausgehen sollte. So wird Mars, dessen Becken nach rechts ausschwingt, zu einem mädchenhaften Jüngling und der nach links ausschwingende, von hinten (!) gezeigte Johannes zu einer geziert-grazilen Dame, die den vergifteten Kelch des Evangelisten präsentiert. Die Beziehung zu den Radierungen Bellanges, namentlich seinem „Johannes", der ebenfalls eine drastische Verweiblichung vorführt, liegt auf der Hand. MB

MARCO DENTE DA RAVENNA
(nachweisbar 1515–1527)

12
Laokoon
2. Jahrzehnt des 16. Jahrhunderts

Kupferstich; 47,6 × 32,8 cm
Bezeichnet: MRCVS RAVENAS – LAOCHOON – ROMAE IN PALATIO PONT IN / LOCO QVI VVLGO DICITVR / BELVIDERE
Wien, Albertina
Inv. Nr. I.1, 21, p. 40

Dargestellt ist in diesem Stich (seitenrichtig) die 1506 auf dem Esquilin in Rom gefundene antike Laokoon-Gruppe, allerdings nicht – wie die Inschrift auf dem Sockel vermuten ließe – im Statuenhof der Belvedere-Villa im Vatikan, wo Papst Julius II. diese noch im gleichen Jahr aufstellen ließ. Das ruinöse Mauerwerk im Hintergrund soll wohl keinen bestimmten Ort bezeichnen: Wie im „Marc Aurel"-Stich von Dentes Lehrer Marcantonio Raimondi dient es als wirkungsvoller Fond und betont den Fragmentcharakter der Skulptur. Das Blatt ist eines der wenigen Zeugnisse, die ihren Zustand vor den späteren Ergänzungen, vor allem der rechten Arme Laokoons und des jüngeren Sohnes links, überliefern.

Der „Laokoon" ist als ein Werk der rhodischen Bildhauer Athenadoros, Hagesandros und Polydoros – von ihnen stammen auch die erst 1958 gefundenen Gruppen aus der Tiberiusvilla in Sperlonga – bezeugt und wird heute meist als Arbeit des 1. Jahrhunderts n. Chr. angesehen, vielleicht, wie Bernard Andreae vorschlägt, als eine Marmorkopie nach einem hellenistischen Bronzeoriginal aus der Mitte des 2. Jahrhunderts v. Chr. Thema ist eine tragische Episode aus dem Trojanischen Krieg: Der Priester Laokoon, der als einziger vor der Gefahr des hölzernen Pferdes, in dem sich griechische Krieger verbargen, warnte, wird mit seinen beiden Söhnen von Schlangen der Göttin Athene getötet.

Vor allem im 16. Jahrhundert wurde der „Laokoon" in vielen Paraphrasen und motivischen Übernahmen zitiert, die virtuose Künstlichkeit der Gruppe, ihre in starker Torsion gezeigten muskulösen Körper entsprachen den eigenen Idealen. Vasari stellte im Vorwort zum dritten Teil seiner „Viten" zwischen der Auffindung des „Laokoon" und der Entstehung der „maniera moderna" in der Kunst seines Jahrhunderts einen Zusammenhang her (Vasari/Milanesi IV, S. 10).

Der große Einfluß dieser antiken Skulptur hängt sicher auch mit ihrer Rolle in kunsttheoretischen Diskussionen zusammen. Schon bei ihrer Entdeckung 1506 erkannte man in der Gruppe das von Plinius d. Ä. als „opus omnibus et picturae et statuariae artis praeferendum" gerühmte Bildwerk (Nat. hist. 36, 37). Dieses Urteil war zwar wahrscheinlich mehr als Schmeichelei für den Besitzer, Kaiser Titus, gedacht, die Künstler des Cinquecento konnten aber bei der Nachahmung des „Laokoon" glauben, sich am „paragone" mit dem hochgeschätztesten Werk der Antike zu beteiligen. Die Literaten zogen dagegen den Vergleich mit der Schilderung der Szene bei Vergil: Laokoon schreit hier wie ein getroffener Opferstier auf („clamores simul horrendos ad sidera tollit", Aeneis II, 222), in der Skulptur äußert der Priester seinen Schmerz verhaltener. Schon Marliani begründet 1544 diesen Unterschied in der Mitteilung des Gefühls mit den spezifischen Ausdrucksmöglichkeiten der künstlerischen Medien – wie später Lessing in „Laokoon: oder über die Grenzen der Mahlerey und Poesie" (1766). Und am Beispiel des „Laokoon" wird schließlich Winckelmann sein von der Rezeption der Statue im Cinquecento so verschiedenes Antikenbild entwickeln.

Literatur: Brummer 1970, S. 73ff – Winner 1974, S. 83ff – Andreae 1986, S. 123ff (mit Hinweis auf frühere Literatur zum antiken „Laokoon") HA

VII.12

VII.13

NACH TIZIAN (um 1487/90–1576)

13
„Karikatur" des Laokoon
17. Jahrhundert (?)

Kupferstich; 23,1 × 33,8 cm
Bezeichnet: Titi. inv.
Wien, Albertina
Inv. Nr. HB 27,2, p. 53

In einem verkleinerten, seitenverkehrten Nachstich wird hier ein Holzschnitt wiederholt, der wahrscheinlich in den vierziger Jahren des 16. Jahrhunderts von Niccolò Boldrini ausgeführt worden ist. Sein Entwurf stammte, wie erstmals Carlo Ridolfi (1648) schreibt, von Tizian. Die Signatur auf dem Nachstich fehlt im originalen Holzschnitt.

Für das Thema dieses Blattes hat sich der etwas irreführende Titel „Karikatur des Laokoon" eingebürgert. Dargestellt ist eine Travestie des berühmten antiken Bildwerkes (vgl. Kat. VII. 12) durch Affen, in der das ausdrucksvolle Pathos des Vorbildes lächerlich gemacht ist.

Tizian selbst folgte mehrmals dem antiken „Laokoon" in der Gestaltung seiner Figuren, z. B. in den frühen zwanziger Jahren des Cinquecento im Averoldi-Altar und in „Bacchus und Ariadne". Der Holzschnitt soll daher sicher nicht die uneigenständige „Nachäffung" der Werke des Altertums durch die Maler Roms verspotten, wie Gérard van Obstal – an die kunsttheoretische Entgegensetzung von Venedig und Mittelitalien in Vasaris „Viten" anknüpfend – in einem Vortrag an der Pariser Akademie am 2. Juli 1667 meinte. Im Gegenteil, gerade das Spiel des Künstlers mit dem klassischen Vorbild durch das Mittel der Travestie bestätigt die Bedeutsamkeit, die im 16. Jahrhundert der „Laokoon-Gruppe" zugeschrieben wurde – und ist somit auch ein Beispiel des hohen Standes künstlerischer Selbstreflexion in dieser Zeit.

Affen ahmen ein Kunstwerk nach: Michelangelo Muraro und David Rosand verstehen daher das Blatt als scherzhafte Inversion des bekannten Satzes „Ars simia naturae". Die Tiermutter mit den Jungen im Hintergrund könnte auf Tizians Motto „Natura potentior ars" anspielen, das mit dem Bild einer Bärin verbunden war, die ihre Neugeborenen leckt – und ihnen damit erst, einer alten Vorstellung nach, die eigentliche Form verlieh (allerdings kann man die Gattung der Tiere im Holzschnitt nicht eindeutig identifizieren). Eine spezifischere Bedeutung der „Laokoon-Karikatur" nimmt Horst W. Janson an. In „De humanis corporis fabrica libri" von 1542 – dessen Holzschnitte aus dem Tizian-Umkreis stammen (vgl. Kat. VI. 32) – hatte Vesalius die antike Autorität der Medizin, Galen, kritisiert, weil dieser seine fehlerhafte Kenntnis des menschlichen Körpers allein aus der Sektion von Affen bezogen hätte. Die Anhänger Galens antworteten, die Anatomie der Menschen des Altertums sei vollkommener und deshalb anders als die der Modernen gewesen. In diesem Streit, so Janson, diente der Holzschnitt als polemisches Kampfmittel: er führt die Ansicht der konservativen Mediziner „ad absurdum" und zeigt die Helden der antiken Vergangenheit – als Affen.

Literatur: Félibien 1706, S. 57f – Janson 1946, S. 49ff – Ausst.-Kat. Tizian 1971, Nr. 25, S. 53f – Muraro/Rosand 1976, Nr. 49, S. 114f HA

LUKAS UND WOLFGANG KILIAN
(1579–1637 und 1581–1662)

14
Die drei anläßlich des 1600jährigen Gründungsjubiläums in Augsburg errichteten Brunnen 1594–1598

LUKAS KILIAN

14 A
Der Augustusbrunnen
Kupferstich; 49 × 37,1 cm

WOLFGANG KILIAN

14 B
Der Merkurbrunnen
Kupferstich; 47 × 36,4 cm

WOLFGANG KILIAN

14 C
Der Herkulesbrunnen
Kupferstich; 46,6 × 36,1 cm

Alle: Augsburg, Städtische Kunstsammlungen
Inv. Nr. G 778–780

Als sich kurz vor 1600 Augsburg zur Feier seiner Stadtgründung durch Kaiser Augustus drei monumentale Brunnen errichtete, entstanden damit gleichzeitig drei Hauptwerke der manieristischen Skulptur nördlich der Alpen. Der Augustusbrunnen, entworfen von Hubert Gerhard, spiegelt die Kenntnis des berühmten Neptunbrunnens in Bologna, ein Werk des Giambologna, das die Brunnenarchitektur dieser Zeit wesentlich beeinflußte. Merkur- und Herkulesbrunnen wurden vom Kammerskulpteur Rudolfs II., Adriaen de Vries, errichtet. Der Gedanke der Augsburger, sich selbst diese drei monumentalen Denkmäler zu setzen, die allesamt historisch-mythologische Programme vorführen, entspricht vollständig einer spezifisch manieristischen Gesinnung: Man identifiziert sich mit antiken und mythologischen Helden, erfreut sich an der Möglichkeit, eine Vielzahl von Figuren in jeweils anderer Verkleidung und Pose darstellen zu können und gewinnt durch die Dreizahl der Monumente ein weitläufiges System inhaltlicher Beziehungen und gegenseitiger Verweise. So entsteht ein Gesamtkunstwerk, das eine ganze Stadt zum Schauplatz dieser vielfältigen Anspielungen macht und in der die Wiederholung und Vermehrung der Motive nicht nur die Verfügbarkeit des Körpers, sondern auch jene der Themen beispielhaft in Szene setzt. Die Tatsache, daß unsere drei Stiche für die „Vorbildersammlung der Reichsstädtischen Kunstakademie in Augsburg" angefertigt wurden, läßt den Schluß auf weitere Vervielfältigbarkeit und eine erhoffte Nachahmung zu.

Literatur: Ausst.-Kat. Welt im Umbruch 1980, Nr. 215–217 MB

VII.14 A

VII.14 B

VII.14 C

ANDREA ANDREANI (1540/46–1623)

15
Der Raub der Sabinerinnen 1585

Clair-obscur-Holzschnitt von vier Platten auf drei Blättern;
74,6 × 94,6 cm (Blattgröße)
Wien, Albertina
Inv. Nr. A I 12, p. 80

Dieser monumentalste aller Clair-Obscur-Holzschnitte des 16. Jahrhunderts zeigt das Sockelrelief eines der Hauptwerke Giambolognas, des „Raubes einer Sabinerin" (Kat. VII. 2), der in der Florentiner Loggia dei Lanzi aufgestellt war. Dort befand sich die Gruppe in Nachbarschaft des „Perseus" Cellinis (vgl. Kat. I. 12). Was die vollplastische Gruppe nur in einer herausgegriffenen Szene zeigt, wird hier in extenso geschildert: Berittene römische Krieger und in der Gestalt herkulischer Akte durch die Straßen ziehende Heldenfiguren stürzen sich auf meist ebenfalls unbekleidete Sabinerinnen, packen sie und versuchen sie trotz heftiger Gegenwehr hinwegzuzerren. Was Giambologna und damit auch seinen wichtigsten Dokumentator, Andreani, interessiert, ist die Vielfalt und Exzessivität der sich aus solch dramatischem Geschehen ergebenden Posen, die ausführlich vorgeführt werden. Trotzdem wendet der kunstfertige Graphiker, der den Clair-obscur-Holzschnitt erst zu seiner wahren Bedeutung geführt hat, noch die älteren Kunstprinzipien verhaftete Zusammenfassung mehrerer Figuren zu Gruppen an, die in sich geschlossene Formkomplexe bilden und so zu gebauten Denkmälern vor den kühlen Palastfassaden erstarren.

Literatur: Ausst.-Kat. Giambologna 1978, Nr. 210 MB

VII.15

VII.16

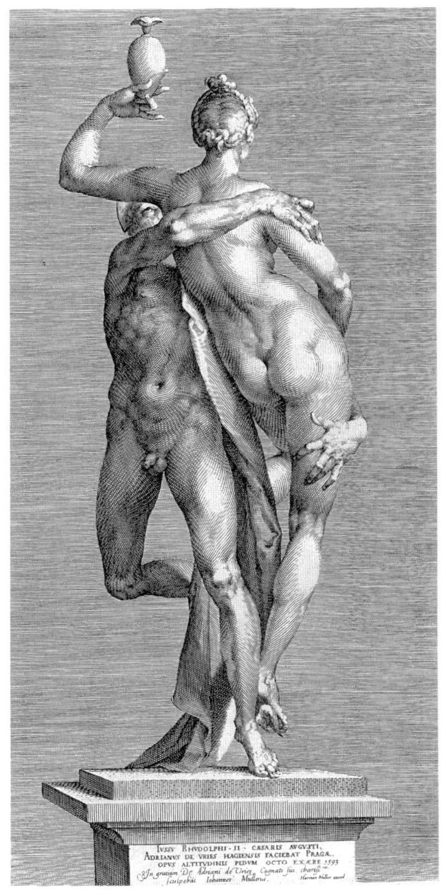

VII.16

JAN MULLER (1571–1628)
Nach Adriaen de Vries (um 1560–1626)

16
Merkur und Psyche 1593

3 Kupferstiche; 55,6 × 25,6 cm
Hamburger Kunsthalle, Kupferstichkabinett
Inv. Nr. 4673
Berlin, SMPK, Kupferstichkabinett

Mullers Stiche geben die 1593 entstandene, heute in Paris aufbewahrte Bronzegruppe des Adriaen de Vries wieder, die dieser im Auftrag Rudolfs II. für den sogenannten Neuen Saal in der Prager Burg schuf. Adriaen de Vries zeigt sich hierin als echter Schüler Giambolognas, dessen fliegender Merkur – als bildgewordene Idee dynamischer Schwerelosigkeit – ihn ebenso beeinflußt haben dürfte wie die Raptusdarstellungen dieses Meisters, die das Ideal der „figura serpentinata" in der als Gesamtheit aufgefaßten Figurengruppe in höchster Vollendung vortragen.

Die Thematik des Dargestellten ist charakteristisch für den rudolfinischen Hof, da der bei Apuleius berichteten Begebenheit in der allegorischen Bildsprache der kaiserlichen Kunst eine ganz besondere Bedeutung zukommt. Psyche, Sinnbild der menschlichen Seele, erfährt durch Merkur ihre Apotheose, der nicht nur ein Gott der Weisheit und des Intellekts, sondern als Hermes Trismegistes auch der Hüter esoterischen Wissens ist. Daß die Seele nicht nur durch das Streben nach Weisheit schlechthin, sondern besonders mit Hilfe okkulter Geheimwissenschaften ihre Vergöttlichung erreichen kann, mag den Vorstellungen Rudolfs im besonderen Maße entsprochen haben.

Interessanterweise weicht Muller in einigen Details nicht nur von seiner Vorlage ab, sondern variiert manche Motive – wie den emporgehaltenen Arm der Psyche – auch innerhalb der Stichserie. Er treibt dadurch die von der jeweiligen Ansichtseite des Objekts ausgehende Wirkung weiter voran; so suggeriert jedes einzelne Blatt nicht nur einen anderen Betrachterstandpunkt, sondern auch einen anderen (inhaltlichen) Aspekt der Bronzegruppe, und der imaginär umschreitende Betrachter erhält nicht etwa einen geschlossenen Gesamteindruck, sondern drei verschiedene Eindrücke, die, kaum daß er seinen Blickpunkt gewechselt hat, eine neue Ausdruckskomponente des Ganzen vermitteln.

Literatur: Mielke 1979, S. 34, Nr. 21 MK

VII.17

FRANCESCO MAZZOLA genannt
PARMIGIANINO (1503–1540)

17
Mann mit aufgerichteter Hündin

Feder in brauner Tinte; 30,5 × 20,4 cm
Bezeichnet: Il ritratto del Parmigianino di sua mano
London, British Museum, Department of Prints and Drawings
Inv. Nr. 1858-7-24-6

Das ausgefallene Thema dieses großartigen Blattes hat die Forschung bisher zu keinen Interpretationen verführt, die über die Frage nach der Möglichkeit eines Selbstporträts hinausgehen. Zweifellos handelt es sich, ähnlich dem „Selbstporträt im Konvexspiegel“ (Kat. I. 5), um ein „Kunststück“, ein capriccio, das den Rahmen einer bloßen Genreszene sprengt. Dazu rechnet in erster Linie die seltsame Vermenschlichung der auf ihren Hinterbeinen aufgerichteten (trächtigen?) Hündin, die ebenso wie ihr Herr ein unsichtbares Gegenüber anblickt. Dieser Blick nach oben läßt zumindest die Möglichkeit zu, daß der Sitzende einem außerhalb des Bildausschnitts Stehenden seine aufgerichtete Hündin präsentiert, vielleicht, um mit ihm ihren Zustand zu diskutieren. Die damit vorliegende Suche nach dem Seltenen und Ausgefallenen ist ein wesentliches Element des künstlerischen Selbstverständnisses im 16. Jahrhundert, eine Suche, die mitunter, wie unser Blatt belegt, in der unvermutet direkten Darstellung einer häuslichen, jedoch vollständig verrätselten Szene fündig wird. Auch die ausschließliche Darstellung des Hauptmotivs unter Vernachlässigung allen Beiwerks unterstützt diesen Eindruck. Neben den Märtyrerkörpern (vgl. Kat. VII. 8) werden nun auch Tierkörper als Faszinosa der möglichen Erscheinungsformen der Natur präsentiert.

Literatur: Popham 1953, Nr. XXII – Popham 1971, Nr. 256 MB

MARCANTONIO RAIMONDI
(1475/1480–1527/1534)

18
Raffael 1518

Kupferstich; 13,9 × 10,5 cm
Hamburger Kunsthalle, Kupferstichkabinett
Inv. Nr. 362

Mit wenigen, markanten Mitteln – einer leeren Leinwand, Farbtöpfchen, einer Palette – ist angedeutet, daß es sich bei diesem Blatt um ein Künstlerporträt handelt. Auf der unteren Ebene eines zweistufigen Podestes kauert der bärtige, junge Künstler, bis unter die Knie vollständig eingehüllt in einen schweren Mantel. Den unbenutzten Malutensilien hat er den Rücken zugewandt. Die Unbewegtheit des in den Mantel verkrochenen Körpers korrespondiert mit den beinahe grimmigen, verschlossenen Gesichtszügen und den träge ins Leere starrenden Augen.

Die Betitelung des Blattes mit „Raffael“ geht auf Bartsch zurück, wurde aber immer wieder angezweifelt, auf Grund der geringen Ähnlichkeit, die das Porträt mit vergleichbaren Raffael-Bildnissen hat, die diesen meist als jugendlichen Romantiker zeigen (Delaborde). Umstritten ist auch die Autorschaft, wobei die mindere Qualität der Ausführung als Beleg angeführt wird. In dem Œuvre-Katalog von Shoemaker/Broun ist das Blatt nicht mehr erwähnt. Tatsächlich lassen sich einige perspektivische Ungereimtheiten feststellen, die sich im wesentlichen auf die Neigungen der Podeststufen beziehen. Auch die Zuordnung der Unterschenkel der Figur zum Gesamtkörper ist anatomisch fragwürdig.

VII.18

Ungeachtet dieser Mängel ist das Blatt in seiner Ausstrahlung meisterhaft. Das Interesse konzentriert sich auf die Psychologie der Person.

Marcanton zeigt Raffael als einsame Künstlergröße in dumpfer Bewegungs- und Arbeitsunfähigkeit. Der Künstler als aristotelischer „homo melancholicus“ gebannt in düsterer Askese. Mit Hilfe dieser Interpretation wäre die ungewöhnliche Wahl des Interieurs verständlicher. Einsam auf den Stufen und in der Bildmitte sitzt auch der Diogenes in Raffaels „Schule von Athen“. Porträtiert ist in ihm Raffaels Freund und humanistischer Lehrer, der Ptolemäer Flavius Calvus. Unauffällig, aber wirkungsvoll evoziert Marcanton über das Stufenmotiv eine Symbiose von Künstler und Philosoph: beide, seit Aristoteles (Problemata, XXX) prädestiniert für ein melancholisches Gemüt. Die „De Vita Triplici“ Marsilio Ficinos (1482/1489) sind die anschaulichste Reaktion auf die Nobilitierung der Melancholie als typisches Merkmal des Genies, entgegen der mittelalterlichen Auffassung von der Melancholie als „acedia“, als Todsünde Trägheit. Neben Aristoteles bedient sich Ficino auch des „mania“-Begriffes Platons, um die Qulitäten der schöpferischen Melancholie zu betonen. Daneben aber, das bedingen die antiken Quellen, benennt Ficino die Gefahr, daß die Melancholie umschlagen kann in eine krankhafte Schwermut.

Der manieristische Melancholie-Kult beruht nicht nur auf diesem genialischen Selbstverständnis, sondern ist ein Moment der bewußten Zerstörung des harmonischen Weltbildes der Renaissance, eine Zerstörung, die vor der eigenen Psyche nicht halt macht (mit oft suizidalen Folgen). Marcanton steht mit seinem Raffael-Porträt in genau dieser Tradition, und er treibt die Zersetzung tradierter Bilder soweit, daß er den Künstler gerade nicht in seiner umgänglich anmutigen Schönheit zeigt, sondern in abweisender Trübsinnigkeit.

Literatur: Bartsch XIV, 369, 496 – Delaborde 1887, S. 254/56 – Wittkower 1969, passim GW

VII.19

VII.20

GIORGIO GHISI (1520–1582)

19
Porträt Michelangelos nach 1564

Kupferstich; 26,7 × 19,8 cm
Bezeichnet: MICHAEL ANGELVS BONAROTA / TVSCORVM FLOS DELIBATVS / DVARVM ARTIVM PVLCHERRIMARV / HVMANAE VITAE VICARARVM / PICTVRAE STATVARIAE QUE/SVO PENITVS SAECVLO EXTINCTARV / ALTER INVENTOR FACIEBAT / GMF
Hamburger Kunsthalle, Kupferstichkabinett
Inv. Nr. 1/740

Ghisis Stich basiert auf einem Gemälde des Jacopino del Conte (Florenz, Uffizien), um 1545 angefertigt. Die Inschrift auf dem ornamentalen Rahmen in Ghisis Porträt läßt darauf schließen, daß Michelangelo (1475–1564) zu dem Zeitpunkt der Anfertigung des Stiches bereits gestorben war. Auch stilistisch gehört der Stich eher in die Mitte der sechziger Jahre. Insofern kann die These verschiedener Autoren nicht länger aufrechterhalten werden, es handle sich bei diesem Stich um denjenigen, der als Frontispiz für Ghisis Reproduktion des „Jüngsten Gerichts" verwendet worden war.

Der Stich stellt Michelangelo ungefähr im Alter von siebzig Jahren dar. 1541 waren die Arbeiten am „Jüngsten Gericht" abgeschlossen – demjenigen Werk Michelangelos, das auf die manieristischen Kompositionen großer Massenszenen stärksten Einfluß ausübte.

Literatur: Boorsch 1985, Nr. 39 – Bartsch XV, 71 – Ausst.-Kat. Italian Prints 1978, Nr. 45 KO

JOST AMMAN (1539–1591)

20
Wenzel Jamnitzer

Kupferstich; 17,7 × 25,8 cm
Hamburger Kunsthalle, Kupferstichkabinett
Inv. Nr. 12508

Der vorliegende Stich stellt den Goldschmied Wenzel Jamnitzer als alten Mann an seinem Arbeitsplatz dar. Er ist dabei, mit Hilfe des auf Dürer zurückgehenden und von Jamnitzer später modifizierten Perspektivapparates etwas zu entwerfen. Mit Hilfe dieser Apparatur ist es möglich, einen beliebigen Gegenstand (bei Dürer ist es die berühmte Laute) mittels einer Art Abtastverfahren perspektivisch richtig auf eine zweidimensionale Fläche (ein Stück Papier) zu projizieren. Mit Hilfe einer klappbaren Fläche, durch die hindurch man auf das abzubildende Objekt blickt, und dadurch, daß der Sehstrahl durch den Faden repräsentiert wird, dessen Schnittpunkt mit der klappbaren Zeichenfläche markiert werden kann, ist es möglich, das Objekt Punkt für Punkt abzubilden. Dadurch, daß der „Sehstrahl" im Hintergrund (im angenommenen Blickpunkt) fest verankert wird, kann jeder einzelne dieser Punkte im proportional richtigen Verhältnis zu allen übrigen auf die zweidimensionale Ebene übertragen werden. In die hintere Wand des dargestellten Raumes sind zwei oben abgeschrägte Nischen eingelassen, in denen neben einem Buch und einer Sanduhr rechts ein aus vier Würfeln aufgebautes geometrisches Phantasiegebilde steht. Auf Jamnitzers Arbeitstisch sieht man neben Zirkel und Lineal Auf- und Grundriß eines weiteren stereometrischen Gebildes.

Nach Platon (Timaios) ist die für uns sichtbare physikalische Welt auf bestimmte geometrische Urformen und letztlich auf zwei allem zugrunde liegende Dreiecke zurückzuführen (aus rechtwinkeligen, gleichschenkeligen Dreiecken sich zusammensetzender Grundriß auf dem Tisch). Jamnitzer hat sich immer wieder um die perspektivisch richtige Darstellung dieser idealen „platonischen Körper" bemüht und dabei seinen Perspektiv-Apparat entgegen dessen eigentlicher Bestimmung auch deduktiv eingesetzt. Statt wie bisher mit diesem gegebene Objekte plastisch-dreidimensional abzubilden, dient er hier dazu, ideale Körper in stimmigen Proportionen zu visualisieren – eine eher visionäre Verfahrensweise, auf die dieser Stich dadurch hinweist, daß Jamnitzer ganz in sich versunken und ohne ein sichtbares Objekt zu fixieren dasitzt und den für die Markierung zuständigen Holzdorn (seine entscheidende Neuerung gegenüber Dürers Knotenverfahren) mit dem rechten Zeigefinger berührt. So wirkt es, als „projiziere" er etwas im oder aus dem Geiste.

Literatur: Hollstein II, S. 11 – Ausst.-Kat. Jamnitzer 1985, Nr. 773 EH

VII.21

NICCOLÒ DELLA CASA
(tätig in Rom 1543/47)
Nach Baccio Bandinelli (1493–1560)

21
Porträt des Baccio Bandinelli
1540–50

Kupferstich; 29,3 × 22 cm (2. Zustand)
Bezeichnet: BACCIO BANDINEL / FLO.S – N.D.LA / CASA.F. – ANT.LARERI.R (=Lafréry)
Hamburger Kunsthalle, Kupferstichkabinett
Inv. Nr. 1°/ 18172

Schon von den Zeitgenossen wegen seines Charakters und seiner Werke in Spottgedichten geschmäht, kann die Persönlichkeit Baccio Bandinellis gerade in ihren forciert wirkenden Zügen als exemplarisch für den Kampf der Künstler des 16. Jahrhunderts um eine bessere gesellschaftliche Stellung gelten. Arroganz und lächerliche Selbstüberschätzung, Fürstenliebdienerei, Rivalität und Mißgunst gegenüber Kollegen sind der Preis, der für diesen sozialen Aufstieg bezahlt werden muß. Auch Vasari – für den Bandinelli oft als negatives Gegenbild seines Heros Michelangelo dienen mußte – kann dem Bildhauer aber nicht die Achtung für seinen Fleiß und sein Streben nach Ehre und Vollkommenheit der Kunst versagen.

Ein A. S. (Antonio Salamanca, ein Verleger und Drucker in Rom) bezeichnetes – von Bartsch della Casa zugeschriebenes – Porträt des Bildhauers ist 1548 datiert, aus dieser Zeit stammt wohl auch dieses Blatt, dessen Darstellung sich auf die schlanke, bis zu den Knieen sichtbare Gestalt des Künstlers vor der Ecke eines Innenraums konzentriert. Auch hier hält Bandinelli allerdings eine Herkules-Figur, die vielleicht auf sein bekanntestes Werk, die 1534 vollendete Herkules und Cacus-Gruppe vor dem Palazzo Vecchio in Florenz, hinweist, aber auch auf seinen wichtigsten Mäzen, Herzog Cosimo I. Medici, der diesen mythologischen Held gerne auf seine eigene Person bezog. Die mit erhaltenen Werken des Bildhauers nicht identifizierbaren Statuetten (Wachsmodelle?) erinnern an die Torsi und antikisierenden Skulpturen – der stehende Jüngling am Fensterbrett etwa variiert (seitenverkehrt) den Apollo Belvedere –, nach denen die Schüler in zwei Darstellungen der Werkstatt Bandinellis lernen, die von Agostino Veneziano (1531, Kat. VII. 26) und Enea Vico nach dem Entwurf des Bildhauers gestochen wurden. Beide sind „Akademie" tituliert; dieser Begriff aus der humanistischen Bildung wird von Bandinelli erstmals auf die „bottega" eines bildenden Künstlers übertragen.

Die Brust ziert eine Pilgermuschel, das Abzeichen des Ritterordens des hl. Jakob von Compostela, in den Kaiser Karl V. Bandinelli 1530 aufgenommen hatte. Mit der Adelung hat die Nobilitierung des Künstlers, seine Loslösung aus der zünftigen Bindung des Handwerksstandes, ihr Ziel im eigentlichen Wortsinn erreicht; auch wenn der Adelstitel im Falle Bandinellis, wie seine Gegner behaupteten, nur erschlichen war. Bald nach diesem Porträt wird der Künstler daher in seinem ab 1552 diktierten „Memoriale" sich mit einem bis auf Karl den Großen zurückreichenden Stammbaum seiner Familie gegen diese Angriffe verteidigen.

Literatur: Ausst.-Kat. Toscana dei Medici 1980, S. 264, Nr. 689 – Bandinelli 1979, S. 1359ff – Pevsner 1940, S. 39ff – Wittkower 1963 – Warnke 1985, ad vocem
HA

MEISTER IQV (tätig um 1543)
Nach Francesco Primaticcio (1504–1570)

22
Apelles malt Alexander und Kampaspe

Radierung; 44,0 × 29,6 cm
Wien, Albertina
Inv. Nr. HB 13, 1 p. 12, Nr. 30

Das ovale Mittelbild der Radierung gibt eine der Szenen der Alexandergeschichte wieder, die Primaticcio zu Beginn der vierziger Jahre für das Zimmer der „Duchesse d'Étampes" in Fontainebleau entworfen und ausgeführt hat. Franz I. lernte Anne d'Heilly kurz nach seiner Rückkehr aus der spanischen Gefangenschaft kennen. Sie war seine langjährige Mätresse, die er 1534 an Jean de Brosse verheiratete (unter Zugabe der Ländereien und des Titels „von Étampes"). Die „Duchesse d'Étampes" verblieb jedoch die meiste Zeit am Hof und hat bis zum Ende der Regierungszeit Franz' I. erheblichen Einfluß ausgeübt (vgl. Knecht 1982, S. 192f).

Die Geschichte von Apelles und Alexander dem Großen geht auf Plinius zurück (Nat. Hist. XXXV). Dieser erzählt, wie Apelles eines Tages den Auftrag erhält, Kampaspe, die Geliebte Alexanders, zu malen. Der Künstler verliebt sich in sie, Alexander bringt seine Wertschätzung dadurch zum Ausdruck, daß er ihm die Geliebte abtritt. Die Darstellung scheint die Tatsache, daß hier eine Frau mehr oder weniger unfreiwillig übereignet wird, noch betonen zu wollen. Kampaspe (neben der ein kleiner Putto in der klassischen, Unschuld und Keuschheit ausdrückenden Nymphenhaltung schläft) macht einen etwas unglücklichen und sich sträubenden Eindruck, während der als Akt dargestellte, nur mit seinem Helm bekleidete Alexander dabei ist, sie in Richtung des Apelles zu drehen. Dieser steht an seiner Staffelei und wird von einem Putto ebenfalls in Richtung Bildmitte gezerrt. Im Vordergrund beugt sich ein weiterer Putto über eine umgestürzte Urne, aus der Goldstücke zu fließen scheinen. Die antike Anekdote thematisiert mit den Motiven des üppig fließenden Goldes und der abgetretenen Geliebten ebenso die Großzügigkeit des Herrschers (Franz I.) gegenüber seinem „Hofkünstler", wie auch dessen (Primaticcios?) Selbstbewußtsein.

Literatur: Ausst.-Kat. Fontainebleau 1972, Nr. 358 EH

VII.22

DIRCK VOLCKERTSZ COORNHERT (1522–1590)

23
Allegorie der Hoffnung auf Gewinn
1550

Kupferstich; 27,5 × 19,5 cm
Bezeichnet: .I. / MH.in./DVC fe./ 50
Amsterdam, Rijksmuseum, Rijksprentenkabinet
Inv. Nr. 1984.6

Dieses Blatt, in dem ein Teufel als Maler erscheint, ist das erste einer Serie von vier Blättern, die die Hoffnung auf Gewinn allegorisieren. Als Vorlage dienten Zeichnungen von Maerten van Heemskerck. Der Teufel verblendet/verführt den Menschen, indem er ihm das eitle Begehren nach Reichtum, Macht und sinnlichem Genuß eingibt. Coornhert veröffentlichte 1567 ein Schauspiel mit dem Titel „Comedie van lief en leedt", das inhaltlich die Stichfolge nacherzählt. Dieses Blatt ist aber auch eine Allegorie der Malerei. Auffällig ist, daß die Anordnung der Personen – der sitzende „Maler", der stehende Betrachter – der Darstellung „Apelles malt Kampaspe vor Alexander" (Kat. VII.22) entspricht, und der antikisierte, in der Betrachtung versunkene Jüngling könnte nach Haltung und Physiognomie beinahe ein Alexander-Bildnis sein. Doch ist hier das Thema nur Mittel zum Zweck, vielleicht auch nur geboren aus dem freien Spiel der Assoziation, denn das Eigentliche ist das Grundsätzliche: die Leidenschaft, geboren aus der Macht der Imagination, die das Bild eingibt. Und hier nun weist der Maler durch seine Teufelsgestalt über sich selbst hinaus und betätigt sich Coornhert als Moralphilosoph.

Gemäß der These, daß der Manierismus das sensualistische Erleben transzendiert (Frey) und das Innenleben in stärkerem Maße ins Bewußtsein rückt, interpretiert Coornhert das Übersinnliche als bedrohlich Jenseitiges, das das Innere anfüllt mit eitlen Sinnesreizen, die nicht der Erkenntnis dienen, sondern verblenden. Die Antipode ist das klassische Ideal, normativ und gesetzmäßig – Gleichmut ist die hauptsächliche Wirkung, die von dem Mann ausgeht. So ist er nicht der Verführte, sondern der Widerstehende und Sinnbild der Philosophie des Stoizismus. In diesem Sinne verändert sich die Bedeutung der knieenden Frauengestalt grundsätzlich. Sie ist weder Lust noch Sünde, ihre Nacktheit ist nicht Ausweis ihrer Frivolität, sondern in ihr verwirklicht sich das Prinzip der stoischen Ethik, daß Tugend die Zügelung der Leidenschaften und Begierden bedeutet, daß ihre Nacktheit nicht den unbedeckten Körper meint, sondern ideelle Reinheit. Hierin unterscheidet sie sich von der nackten Frauenfigur, die der Teufel in das Herz malt, die gestisch ihre sexuelle Lust bekundet.

Insofern ist also der Stich Coornherts auch eine Allegorie der Malerei, als er die Macht der Bilder als Macht des schönen Scheins deutet und den Künstler als diabolischen Schöpfer einer artifiziellen Sehnsucht.

Literatur: Hollstein IV, 183, S. 230 – Veldmann 1977 GW

JAN SAENREDAM (1565–1607)

24
Allegorie auf die sinnliche und ideelle Erkenntnis 1616

Kupferstich; 24,0 × 18,0 cm
Bezeichnet: HG Inuent, J. Saenr. scu. R. de Baudous excudiit, 1616 – Haec memini nocuiße atque oblectaße videntes.
Hamburger Kunsthalle, Kupferstichkabinett
Inv. Nr. 4629

In diesem Blatt geht es nicht nur um die Beziehung Maler – Modell, sondern auch um den Standpunkt des Künstlers und der künstlerischen Produktion im Rahmen einer Auseinandersetzung über Naturerkenntnis.

Die im Vordergrund sitzende halbnackte Frauengestalt ist nicht nur Modell. Durch ihre ins Licht gerückte Nacktheit wird sie auch als Veritas allegorisiert, eine Wahrheit jedoch, die dekonstruiert wird. Gleich einem weiblichen Narziß ist sie verliebt in das Bild ihrer selbst und erkennt die Täuschung nicht. Die Spiegelung wird hier verstanden als Trugbild, als Metapher für den nur scheinbaren Erkenntnisgehalt sinnlicher Wahrnehmungen. Nicht nur die im Lichtkegel kauernde Katze – Sinnbild des Aberglaubens – sondern auch der Text warnen vor diesen trügerischen Sinnesverlockungen. Dem Modell gegenüber sitzt der Maler, dessen Blick in eine imaginäre Ferne entrückt ist. Er bedarf des Studiums des Modells nicht; seine Hand wird geführt durch das „disegno interno" oder die „idea" im Sinne jener von Federico Zuccari 1607 programmatisch formulierten Auffassung als „Form oder Idee in unserem Geist, die ausdrücklich und deutlich die von ihm vorgestellten Sachen bezeichnet". Durch die dunklere Schraffur formal eingebunden in ein ihn umgebendes männliches Bündnis, ist der Maler Stellvertreter für die Selbstpositionierung des Künstlers im Kreis der Wissenschaftler. Der Künstler wird vorgestellt als „Imitatore della Natura", der Kraft seiner inneren Vorstellungen befähigt ist zu einer Ideenbildung, die den gleichen Prinzipien folgt wie die Naturgesetze, welche von dem Künstler bei der Hervorbringung seiner Werke nachgeahmt werden. Möglicherweise liegt hierin die übertragene Bedeutung des Frauenbildnisses auf der Leinwand, da die Natur als weiblich verstanden wurde. In welch strengem Sinne Saenredam ideelle Erkenntnis in den Grenzen des Rationalen definiert – und hier würde er der mittelalterlich-scholastischen Auffassung Zuccaris nicht folgen –, deutet sich durch den Vogel an. Man kann den vorsichtig Fliegenden mit Dädalus assoziieren, jenem Sinnbild eines Künstlers, der von den Gefahren übermäßiger Höhenflüge wußte und in dem sich kreative Genialität mit wissenschaftlichem Erkenntnisinteresse paarte.

Literatur: Bartsch III, 249, 100 – Hollstein 106 GW

VII.23

VII.24

VII.25

CORNELIS CORT (1533–1578)

25
Die Kunstakademie 1578

Kupferstich; 43,0 × 30,0 cm
Bezeichnet: Iacobo Boncompagno (. . .) Romae Anno 1578
Amsterdam, Rijksmuseum, Rijksprentenkabinet
Inv. Nr. BI 6381

Der Stich reproduziert eine heute im British Museum verwahrte Zeichnung Jan van der Straets (= Johannes Stradanus). Im Bannkreise des römischen Akademismus, der vor allem von Taddeo und Federico Zuccari (Kat. VII. 32) repräsentiert wurde, bringt er die allegorischen Leitlinien des künstlerischen Schaffens in monumentaler Akkumulation auf den Punkt. Die vorgestellte Ideal-Akademie, die in dieser komplexen Form zu Lebzeiten Stradanus' wohl noch nicht existierte, verbindet Mythologie und Realität auf eine mühelose Weise: auf dem zentral situierten Podest stehend, meißelt ein Bildhauer an einer riesigen Figur der Pallas Athene, die von einem Flußgott flankiert wird. Diese eigentlich nicht zusammengehörigen Figuren symbolisieren die immerwährende Vorbildlichkeit der Antike, gleichzeitig aber auch die Disziplin der Monumentalbildhauerei, der „statuaria" an sich. Rechts die Malerei, verkörpert von einem Künstler, der an einem ebenfalls riesigen Gemälde einer antikisch anmutenden Schlacht arbeitet. Darunter zeigt sich die Architektur (dargestellt durch einen mit Zirkel und Skizzenbuch hantierenden Zeichner), die Kunst des Kupferstiches („incisoria") und die „sculptura", die Kleinbildhauerei. Links stehen ein Skelett skizzierende Kinder für die Zeichenkunst, während dahinter ein Gelehrter eine an einem Strick hängende Leiche seziert. Auch die daneben angebrachte Bezeichnung „anatomia" belegt die Stellung dieser Wissenschaft unter den lehr- und daher auch lernbaren Künsten (vgl. Kat. VI. 32). Diese Vorstellung war nun (1578) schon so gefestigt, daß sich der sichere Weg zum Erfolg als Künstler in diesem Blatt wie eine programmatische Anleitung auf recht eindeutige Weise darstellen ließ. Trotz der Befürchtungen Zuccaris (s. Kat. VII. 32) existiert also immer noch eine – wenn auch vielfältige – Einheit der Künste, die unter dem Dach der Akademie zusammenfinden.

Literatur: Bierens de Haan 1948, Nr. 218 MB

MARCO DENTE DA RAVENNA
(nachweisbar 1515–1527)

26
Die Akademie Bandinellis nach 1531

Radierung; 27,4 × 30,1 cm
Bezeichnet: ACADEMIA . DI . BACCHIO . BRANDIN . IN . ROMA . IN . LVOGO . DETTO . BELVEDERE . MDXXXI
Hamburger Kunsthalle, Kupferstichkabinett
Inv. Nr. 453

Vermutlich handelt es sich bei diesem Blatt um eine Kopie, die Marco Dente nach einer Radierung Agostino Venezianos (Bartsch 418) erstellte. Darauf weist nicht nur das unter der Inschrift fehlende Monogramm hin, sondern auch die geglätteten, fast stereotypen Gesichtszüge, die, enger als es Veneziano trotz aller Themengleichheit tat, an die Physiognomien Marcantonio Raimondis angelehnt sind. Dies ist ein typisches Merkmal für Marco Dente. Auffällig ist – und dies könnte auch für eine Kopie sprechen –, daß Marco Dente den Fehler in dem Schattenwurf des rechten Arms der mittleren, im Bildhintergrund auf einem Sockel aufgestellten Statuetten, nicht korrigiert hat, sondern den Arm unterhalb des Schultergelenks unvollendet ließ.

In erster Linie ist das Blatt (Eigen)Werbung für den Bildhauer Baccio Bandinelli (1493–1560), der mit einem Figürchen in der Händen wiedergegeben ist. Um ihn herum sitzten seine Schüler, zeichnend oder sinnierend. Der Raum wird erleuchtet durch eine Kerze, deren Strahlenkranz nicht nur die in den Händen gehaltene Venus-Statuette berührt, sondern auch die kleine männliche Aktskulptur, die auf dem Tisch steht und eindeutige Züge des „Davids" Michelangelos trägt. Angespielt wird damit auf die Auseinandersetzung, die Bandinelli mit seinem Konkurrenten führte.

Literatur: Ausst.-Kat. Toscana dei Medici 1980, Nr. 687, 6.1 – Grosshans 1980, S. 37 GW

VII.26

GIORGIO VASARI (1511–1574)

27 Farbabbildung S. 116
Blatt aus dem „Libro"

Feder und Bister, laviert, auf Papier;
49,3 × 37,3 cm
Wien, Albertina
Inv. Nr. 14179

Kein anderes Dokument spiegelt deutlicher die Vereinigung der grundlegenden Bewegungen der Kunst des 16. Jahrhunderts wider als das berühmte „Libro" Vasaris. In ihm sammelte er Originalzeichnungen aller von ihm als wesentlich erachteter Künstler seiner Zeit, indem er deren Blätter in Alben klebte und mit stilistisch angepaßter, von ihm selbst entworfener Rahmung versah. Als unmittelbarster Niederschlag der „idea" fand die Zeichnung in dieser Zeit erste Anerkennung als selbständige Kunstgattung. Durch seine Sammlung dokumentiert Vasari vor allem das Interesse der Kunst an sich selbst, die Lust an der Stilvielfalt und die enzyklopädische Wissensanhäufung, die den Geist des Zeitalters so wesentlich bestimmte.

Die Albertina verwahrt eines der brillantesten Blätter jenes „Libro". Es besteht aus acht auf ein Grundblatt geklebten Zeichnungen, von denen die sechs karikaturhaften Köpfe aus dem Umkreis Leonardos stammen; der Mädchenkopf ist eine alte Kopie, während der kleine Johannes von der Hand Lorenzo di Credis stammt. Aus der Bezeichnung „Pet. Crozat, Già di Giorg. Vasari ora di P. Gio. Meriette. Julien de Parme 1775" geht hervor, daß die Unterlage, auf die das Ensemble zusätzlich montiert ist, im 18. Jahrhundert angefügt wurde. Die Kartusche mit der Inschrift „Lionardo da Vinci" ist eine Originalbezeichnung Vasaris, die seine Zuschreibung der Blätter an den großen Meister der Hochrenaissance belegt. Vasaris Leidenschaft, Zeichnungen zu sammeln, repräsentiert auch das beginnende Kunstkennertum, das aus der Vervielfältigung der Personalstile sich zwangsläufig ergab. Höchste Individualität und genaueste Dokumentation bedingen sich also gegenseitig und begründen so schon im 16. Jahrhundert das Konzept der wissenschaftlich angelegten Kunstsammlungen unserer Zeit. Auch heute noch werden Druckgraphiken in Klebebänden aufbewahrt, die in Vasaris insgesamt mindestens fünf „Libro"-Alben ihre historischen Vorläufer finden.

Literatur: Kaufmann 1970, S. 215f — MB

VII.28

GIORGIO GHISI (1520–1582)

28
Iris weckt den Schlafgott Somnus 1561

Kupferstich; 38,3 × 54,3 cm (Zustand IIa)
Bezeichnet: RAPHAELIS VRBINATIS INVENTUM. / PHILIPPVS DATVS ANIMI GRATIA / FIERI IVSSIT / SEDET AETERNVM / QVE SEDEBIT INFOELIX – GIORGIVS / GHISI MAT / .F.1.5.6.1. – TV NE CEDE MALIS : SED / CONTRA AVDENTIOR ITO
Hamburger Kunsthalle, Kupferstichkabinett
Inv. Nr. 2/721b

Der wohl bekannteste und merkwürdigste Stich Ghisis, bislang auch als „Der Traum Raffaels", „Die Melancholie Michelangelos" oder „Allegorie des Lebens" bezeichnet, hat nun in diesem Katalog durch Horst Bredekamp eine zufriedenstellende Interpretation gefunden, auf die hiermit verwiesen sei (S. 62ff).

Die eingefügten Texte sind Zitate aus Virgils Aeneis (VI, 617 und 95), der Beschreibung des Abstiegs in die Hölle, doch scheinen sie erst nachträglich hinzugefügt worden zu sein, da der erste Zustand des Stiches nur eine Inschrifttafel vorsah, vermutlich für das Monogramm und Datum Ghisis. Über den Auftraggeber, obwohl namentlich genannt, ist nichts näheres bekannt. Ebensowenig ist geklärt, wer der entwerfende Künstler war. Die Forschung hat seit jeher bezweifelt, daß der Entwurf von Raffael stammt, wie es die Inschrifttafel angibt. Allerdings ist der bärtige Mann eindeutig auf eine Figur aus Raffaels „Schule von Athen" zurückzuführen.

Literatur: Boorsch 1980, Nr. 28 – Bartsch XV, 67; Massari 1980, Nr. 214 – Albricci 1983, S. 215–22 – van Lennep 1966 — KO

VII.29

MARCANTONIO RAIMONDI
(1475/1480–1527/1534)

29
Der Traum (Raffaels) 1507–08

Kupferstich; 23,6 × 33,5 cm
Bezeichnet: MAF
Hamburger Kunsthalle, Kupferstichkabinett
Inv. Nr. 299

Vermutlich liegt dem Stich ein verloren gegangenes Bild Giorgiones zu Grunde, das 1705 in der Sammlung Gambatto unter der Bezeichnung „incendio con diverse figure" geführt wurde. Unabhängig von einer dezidiert benennbaren Vorlage sichert der giorgioneske Stil diese Zuschreibung und zugleich auch die Datierung, die in die Zeit des Aufenthaltes Marcantons in Venedig, von ca. 1506–1508, gelegt werden muß.

Es gibt diverse Spekulationen über eine konkrete Geschichte, die dem Blatt unterlegt sei – Servius' Kommentar zur Aeneis, Hekubas Vision von der Zerstörung Trojas u. ä. (Wickhoff, Hartlaub) –, doch keine weiß sich selbst als zufriedenstellend. Obwohl Hartlaub 1953 von seiner früheren, 1925 gegebenen Interpretation abrückt, scheint sie, die eine Verbindung aus mythologischen und vor allem alchemistischen Quellen zieht, diejenige zu sein, die dem Blatt als Traumvision am nächsten kommt. So läßt sich die Doppelgestalt der Liegenden sowohl mit der sich selbst im Traum sehenden Hekuba erklären, aber auch mit der okkulten Seinstheorie, die Seele und Körper als getrennt agierend begreift, wobei die Seele als „anima corporalis", als eben jene figürliche Gestalt interpretiert werden kann, wie es in dem Stich geschieht. Der Körper, als weiblicher Rückenakt, liegt auf dem festen Boden, angelehnt an den Felsen, der sich als Ruhebett für die Seele verflüchtigt in ein wolkiges Gebilde, das nur an den äußeren Rändern noch die Struktur eines Felsens hat. Auch die Monstren, die in ihrer phantastischen Abstrusität Hieronymus Bosch oder Martin Schongauer entlehnt sind, überschreiten die feine Grenze zwischen Realität und Imagination nicht. Raum und Zeit sind im Traum aufgehoben. Die brennende Architektur befindet sich in dem gleichen irrealen Kontinuum der „aqua permanens", wie jener düstere Gebäudehaufen. Eine räumliche Perspektive wird mit Hilfe der Wasserspiegelungen und der Proportionalität der auf dem Wasser treibenden Boote zueinander irritiert.

Literatur: Hartlaub 1925, S. 62 ff – Tschmelitsch 1975, S. 190 – Shoemaker/Broun 1981, S. 74 GW

VII.30

JAN SAENREDAM (1565–1607)
Nach Cornelis van Haarlem (1562–1638)

30
Das Höhlengleichnis des Platon 1604

Kupferstich; 32,7 × 45,0 cm
Bezeichnet: C.C.Harlemensis Inv. JSanredam Sculpsit Henr.Hondius excudit. – Maxima par (. . .) egestas.
Wien, Albertina
Inv. Nr. HB 81, p 63, Nr. 122

Der Stich illustriert Platons Höhlengleichnis aus dem siebten Buch der „Politeia". Dessen idealistische Philosophie geht davon aus, daß der gewöhnliche Sterbliche inmitten einer Scheinwelt lebt, in der er nichts als Schatten wahrnimmt. Platon veranschaulicht diesen Gedanken mit dem Bild in einer Höhle angeketteter Menschen, die, da sie den Kopf nicht bewegen können, gezwungen sind, nichts als Schatten verschiedener, vor einem künstlichen Licht vorbeigetragener Gegenstände wahrzunehmen – und, bedingt durch ihren eingeschränkten Horizont, diese für die einzig gültige Realität halten.

Cornelis hat das Blatt in zwei Hälften geteilt und seine Figuren, je nach Erkenntnisstand (auch bei Platon gibt es eine abgestufte Hierarchie mit denen an der Spitze, die sich dem „natürlichen Licht" stellen), der einen oder der anderen Bildhälfte zugeteilt: auf der einen Seite (hier rechts) diejenigen, die im Dunkeln leben und nichts als Trugbilder wahrnehmen, daneben und durch „Prediger" mit der ersten Gruppe verbunden einige sich würdevoll versammelnde „Weise", die um die Eingeschränktheit ihres Horizontes wissen. Als dritte Gruppe schließlich, hier durch drei kaum noch erkennbare, außerhalb der Höhle im gleißenden Licht stehende Figuren repräsentiert, werden diejenigen dargestellt, deren Angehörige sich von den irdischen Trugbildern gelöst haben und das Übersinnliche und Göttliche unvermittelt wahrzunehmen bereit und in der Lage sind. Cornelis hat die bei Platon nicht genauer definierten schattenwerfenden Gegenstände durch eine Gruppe auf einer Mauer stehender allegorischer Gestalten (Amor, Spes, Fides, Fama etc.) ersetzt. Er spielt damit auf die im 16. Jahrhundert verbreitete Vorgangsweise an, abstrakte Begriffe wie Glaube, Hoffnung, Liebe oder Ruhm auch durch Indienstnahme heidnisch-antiker Göttergestalten zu personifizieren. Christliches Gedankengut wird hier mit antikem verschmolzen (das antike Gleichnis, das in der Unterschrift in seinem Bedeutungsgehalt erklärt wird, ist durch die Überschrift zum Johannesevangelium in Bezug gesetzt). Auf der anderen Seite nimmt diese allegorisierende Vorgehensweise hier jedoch das „Göttliche" aus. Das Übersinnliche, die letzte göttliche Wahrheit kann mit bildnerischen Mitteln nicht mehr dargestellt werden (vgl. dazu Friedländer 1928/29 und seine Ausführungen zum „antimanieristischen Stil um 1590"). Das Konzept stammt von dem Amsterdamer Humanisten H. L. Spiegel, der bei Cornelis die Zeichnung und bei Saenredam den entsprechenden Stich in Auftrag gab.

Literatur: Mielke 1979, Kat. Nr. 84 – Ausst.-Kat. Wort und Bild 1981, Kat. Nr. 2 EH

VII.31

GIOVANNI PAOLO LOMAZZO (1538–1600)

31
Allegorie der Malerei vor 1571

Federzeichnung, Bister, laviert;
33,1 × 21,4 cm
Wien, Albertina
Inv. Nr. 2769

Die virtuose Federzeichnung ist möglicherweise das Titelblatt eines Traktates, da Verbindungen zu den theoretischen Anliegen des Malers in den allegorischen Figuren erkennbar sind. Nach seiner Erblindung im Jahre 1571 widmete sich Lomazzo der Aufzeichnung zweier Texte: des „Trattato dell' Arte della Pittura, Scultura et Architettura" (1584) und der „Idea del Tempio della Pittura" (1590). Die Verbindung neoplatonischer Ideen mit der Philosophie des Mittelalters in diesen Werken ist eine für die Zeit der Gegenreformation in Mailand charakteristische Tendenz. Innerhalb Lomazzos kompliziertem Denkgefüge zeigt sich eine Symbolik, die besonderen Wert auf die Astrologie und die Mythologie legt. Darum wird der in der Zeichnung in einer zentralen Nische thronende personifizierte „Disegno" mit Apollo in Bezug gebracht. Der auch in den theoretischen Schriften Cellinis und Armeninis gezogene Vergleich zwischen dem Gott und dem „Disegno" erklärt den Strahlenkranz des Thronenden. „Disegno" ist gleichzeitig der zentrale Kunstbegriff des 16. Jahrhunderts, der alle drei Künste umfaßt und den intellektuellen, theoretischen Anspruch von rechter Proportion und wahrer, durch Linien begrenzter Form meint. Im Hintergrund der Zeichnung sieht man in den mächtigen Hallen mit Durchblick die Arbeiten der verschiedenen Künstler: das Bauen, das Abnehmen der Körpermaße vom Modell, das Naturzeichnen und die anatomischen Untersuchungen. Nicht alle Gestalten des Vordergrunds sind deutbar, wohl aber die auf höherer Stufe stehenden Wächter der Akademie, Merkur und Minerva, die Laster und eine Vecchia beziehungsweise ein mahnendes Gerippe am Rande der untersten Stufen. Auf der Treppe sitzend sind Venus, ein geflügelter Cupido und ein verkrüppeltes Kind dargestellt, das im neoplatonistischen Gedankengut die unvollständige künstlerische Idee personifiziert.

Literatur: Winner 1983, S. 425 ff – Lynch 1968, S. 325 ff – Ackermann 1967, S. 317 ff – Blunt 1940, S. 138 ff BB

FEDERICO ZUCCARI (1540–1609)

32
Die Verleumdung des Apelles 1572

Feder in Sepia, laviert; 49 × 53,9 cm
Hamburger Kunsthalle, Kupferstichkabinett
Inv. Nr. 21516

VII.32

Kein mythologisches Thema eignete sich besser zur metaphorischen Darstellung der Widrigkeiten, denen ein Künstler ausgesetzt war, als die Legende von der Verleumdung des Malers Apelles. Ihre symbolische Kraft war geeignet, in Anlehnung an das Schicksal des antiken Hofkünstlers (vgl. Kat. VII. 22) ein subjektives Bild von den sozialen Umständen des Lebens an den Höfen des beginnenden Absolutismus zu zeichnen. Sie führt ins Zentrum der Selbsteinschätzung der Hofkünstler des 16. Jahrhunderts (vgl. dazu die Ausführungen M. Warnkes, S. 55ff) und ihre Verbildlichung hat einen programmatischen Charakter: Auch Vasari stellte in den Wandmalereien seines florentinischen Wohnhauses eine Atelierszene mit Apelles dar – gewiß ein Leitbild seines künstlerischen Strebens.

Ein von Lukian beschriebenes und dem 16. Jahrhundert durch die Übersetzung Albertis bekanntes Werk des Hofkünstlers Alexanders des Großen zeigte jene Calumnia (Verleumdung), die neidische Künstlerkollegen gegen den unschuldigen Meister beim Prinzen Midas vorgebracht hatten. Die manieristische Nachgestaltung dieser von Boticelli für die Renaissance wiederentdeckten Szene drückt den künstlerischen Anspruch auf antike Größe ebenso aus wie jenen auf Wahrhaftigkeit und die eigene Überlegenheit über intrigante Konkurrenten. Unmittelbarer Anlaß für Zuccaris Darstellung der Calumnia des Apelles war, wie zuletzt ausführlich J. Shearman gezeigt hat, eine Auseinandersetzung des Künstlers mit seinem fürstlichen Auftraggeber, dem Kardinal Alessandro Farnese, für den er Wanddekorationen in seinem Landschloß Carprarola schuf, sowie die Rivalität zum Nachfolger in dieser Funktion, dem Maler Jacopo Bertoia. Zuccari führte die Komposition zweimal in Öl aus (Hampton Court, Royal Colletions, und Palazzo Gaetani, Rom) und fertigte einige vorbereitende Zeichnungen an, von denen das Hamburger Blatt das fortgeschrittenste Stadium spiegelt. Prinz Midas sitzt – der böswilligen Anklage schon Glauben schenkend – links auf seinem Thron und ist im Begriffe, die Fesseln Furors, des blinden Zornes, zu lösen, der als wilder Kämpfer auf einer Rüstung sitzend und in Ketten gegeben ist. Pallas Athene, Göttin der Weisheit, versucht Midas noch zurückzuhalten, dem im Hintergrund (von links nach rechts) die Allegorien des Mißtrauens, der Verleumdung (mit der Fackel in der Linken) und des Neides in Gestalt einer häßlichen, ausgedörrten Alten (vgl. Kat. IV. 26) assistieren. Im Vordergrund eine Harpye, die in ähnlicher Gestalt auf dem allegorischen Stich Biards (Kat. I. 24) erscheint, welcher überhaupt eine späte Paraphrase der Calumnia Zuccaris zu sein scheint. In der rechten Figurengruppe unseres Blattes verläßt Apelles gerade die Szene. Er hat Fesseln und Joch des Fürstendienstes (beides vorne am Boden) gebrochen, trägt aber noch den Lorbeerkranz und das Schwerarbeit symbolisierende Ochsenfell. Beide bezeichnen die verhaßte Abhängigkeit vom Hofe. Ein grauenhaftes Mischwesen mit menschlichen Oberkörper und schlangenförmigen Beinen, in seiner Rechten eine weitere Schlange schwingend, versucht den Künstler vor Midas' Thron der eselsohrigen Dummheit zu zerren. Diese zwitterhafte Allegorie des Betruges trägt die Züge Bertoias; Apelles ähnelt naturgemäß Zuccari. Er wird schützend von Hermes und der zwei Tauben tragenden nackten Unschuld begleitet. Im Fensterausblick dahinter zerstört ein Hagelwetter die Ernte der Bauern – Symbol für die Enttäuschung, die man erntet, wenn man Belohnung erwartet. Die figurale Szene ist von einem Rahmen umfangen, in dessen Medaillons weiterführende Allegorien stecken: Ihr Programm wird oben (als zweite Schichte des Blatts über ein darunterliegendes anderes Emblem geklebt) abgeschlossen von Juno, die in den Lüften über ruhiges Gewässer mit Fischern fährt – ein Symbol des Friedens, den es zu erringen gilt. Die übrigen drei Medaillons spielen auf Weisheit, Tugend u. ä. an. Die vier Rahmenecken werden von Medusenschildern gebildet, das obere Mittelemblem von Herkules (Tugend) und einer Figur mit Adler (Geist) und Löwe (Edelmut) gerahmt. Über den beiden seitlichen Ovalen stehen Zuckerhüte, Wappenmotive der Zuccari.

Literatur: Shearman 1983, S. 299–303 (mit sämtlichen weiterführenden Angaben) – Cast 1981, S. 128ff MB

CORNELIS CORT (1533–1578)
Nach Federico Zuccari (1540–1609)

33
Der Maler der Wahrheit

Kupferstich von zwei Platten;
79,5 × 53,4 cm
Hamburger Kunsthalle, Kupferstichkabinett
Inv. Nr. 4182

Unter den manieristischen Malern Mittelitaliens reflektierte – neben Vasari – vor allem Federico Zuccari über Identität, Theorie, Höhen und Tiefen seines Berufes. In reichen und komplizierten Allegorien entwarf er Zustandsbilder, Polemiken und pathetische Triumphszenen der Künste, die z. T. eine propagandistische Funktion innerhalb der andauernden Intrigen erfüllten, denen sich die Künstlergeneration nach Raffael und Michelangelo ausgesetzt sah. Unser Stich illustriert einen persönlichen Konflikt, den Zuccari durch die Erfindung dieser allegorischen Darstellung des Künstlerleides zu bewältigen suchte und der in der Kritik an seinen Malereien in der Florentiner Domkuppel wurzelt. In verwirrender Vielfalt und verschiedenen Realitätsebenen führt das von Cort nach einer

Zeichnung Zuccaris, von der ein Fragment in Düsseldorf verwahrt wird, gestochene Blatt eine Bild-im-Bild-Komposition vor, deren unerhörte Komplexität nur im Manierismus denkbar und Teil seiner spezifischen Denkweisen ist. Zuccari zeigt eine erfundene und irreal wirkende Szene, eine Art von abstrakter „idea'', deren Wiedergabe er sich schon in seinen theoretischen Schriften („L'Idea'') widmete. Im unmittelbaren Vordergrund steht als nimbierte Rückenfigur die „vera intelligenza'' über der in eine Höhle gesperrten „invidia'', dem Neid (vgl. Kat. IV. 26). Dahinter sitzt der Maler, ein Edelmann von Ähnlichkeit mit Zuccari selbst, und führt, umgeben von Farbenreibern (links), Modellen und Werkzeugen (rechts), die Anweisungen des inspirierenden Genius in Form eines gewaltigen Gemäldes aus, dessen Wiedergabe den Rest des Blattes einnimmt. In zwei Sphären sind hier eine olympische Szene und deren Folgen auf der Erde dargestellt. Im Olymp lagern vor einem Bild, das die Verfolgung der Tugenden durch die vom blinden Glück (vgl. Kat. IV. 33) angeführten Laster zeigt, acht der neun lorbeerbekränzten Musen. Die neunte, nämlich die Malerei, wird links davon, schon leicht erhöht, von den drei Grazien und Amor vor den Thron Zeus' geführt. Die behelmte Pallas Athene, Schutzgöttin der Weisheit, erklärt dem Göttervater das von der Malerei geschaffene und mit seiner reichen Rahmung wie eine Schöpfung Zuccaris selbst anmutende (Kat. VII. 32) Gemälde. Im rechten Teil des Olymps wohnen der Verhandlung Merkur, ausgewiesen durch seinen Caduceus, der gehörnte Hirtengott Pan, ferner der wie die „intelligenza'' von einer Gloriole umfangene Musenführer Apoll sowie Diana und die dahinter befindlichen Allegorien der Zeit (Alter mit Sense) und Standhaftigkeit (turmbekrönte Frauengestalt) bei. Zeus zeigt sich von der Klage der Malerei überzeugt und sendet zur Strafe Furien auf die Erde, welche die Laster rechts in der unteren Sphäre des großen Gemäldes verfolgen. Links schmiedet man in der Werkstatt Vulkans (vgl. Kat. I. 31) nicht nur strafende Blitze, sondern auch die Pinsel, mit Hilfe derer der Maler die Geschichte wahrheitsgemäß darstellen soll. Damit führt die Erzählung wieder in den Vordergrund zurück, wo der solch Phantastisches gebärende Dialog des Malers mit seinem Genius stattfindet und der Künstler – wenn auch nur auf allegorischer Ebene – endlich Genugtuung durch die Bestrafung der Feinde seiner Hervorbringungen erfährt.

Literatur: Körte 1935, S. 67 ff – Bierens de Haan 1948, Nr. 221 – Heikamp 1957, S. 175–232 – Winner 1962, S. 151–185 – Heikamp 1967, S. 51 MB

VII.33

MARCUS GEERAERTS (1516/21–vor 1604)

34
Die Sorgen des Malers 1577

Feder und Pinsel in Tusche, Weißhöhungen; 24,2 × 37,9 cm
Bezeichnet: Haud facile emergunt quorum virtutibus obstat Res angusta domi (. . .)
Paris, Bibliothèque Nationale, Cabinet des Dessins
Inv. Nr. B. 4 rés.

VII.34

Den akademischen Sorgen eines Zuccari (Kat. VII. 33) stehen in den Niederlanden die häuslichen Geeraerts' gegenüber. Während die Farbenreiber im Atelier des „Malers der Wahrheit" für ein großartiges Unternehmen ihre Dienste leisten, blickt jener im Blatt Geeraerts' eher sorgenvoll und skeptisch aus dem Hintergrund hervor. Die Szene zeigt, wie berechtigt der Zweifel an der glücklichen Fertigstellung des allegorischen Gemäldes ist, das der vor seiner Staffelei sitzende Künstler in Angriff genommen hat: Schwiegermutter und Ehefrau versuchen ihn mit direkten Zugriffen auf die Verantwortung für vier Kinder hinzuweisen, die alle versorgt sein wollen. Je mehr der Künstler aber von seiner Arbeit abgelenkt wird, desto geringer die Chance, damit für den geforderten Unterhalt aufzukommen. Links ist die Sphäre der Künste den lästigen Angehörigen gegenübergestellt. Ein Modell mit Attributen der Musen wartet gelassen darauf, vom Maler porträtiert zu werden, den Merkur und ein Putto vergeblich zu inspirieren suchen. Die Zeit, in der Großes geschaffen werden soll, verrint indes unerbittlich, was auch die Figuren im Fensterausblick symbolisieren: die Allegorie der Zeit mit dem Stundenglas zieht einen wehrlosen Mann, vielleicht den Künstler, hinter sich her. Die Komposition ist ähnlich einer Scheidewegsszene konzipiert. Der Maler, verzweifelt sein Haar raufend, muß sich zwischen den Mühen seiner Kunst und den alltäglichen Sorgen seiner Familie entscheiden. Beides scheint hoffnungslos, was auch darauf hinweist, daß den Künsten nun neben den Scheingefechten in Geschmack und Theorie noch wesentlich elementarere Prüfungen auferlegt werden. Daß jedoch gerade deren subjektives Erlebnis im 16. Jahrhundert wieder Kunst hervorbringen kann, belegt die Zeichnung Geeraerts' deutlich.

Literatur: Lugt, Nr. 185 — MB

AEGIDIUS SADELER (um 1570–1629)
Nach Hans von Aachen (1552–1615)

35
Minerva führt die Malerei zu den Freien Künsten um 1595

Kupferstich; 50,3 × 39,1 cm
Wien, Albertina
Inv. Nr. H I 41 p. 95

Der Stich Sadelers, den dieser nach einem im Auftrag Wilhelms V. von Bayern geschaffenen Gemälde Hans von Aachens anfertigte, illustriert die in den neunziger Jahren des 16. Jahrhunderts auch offiziell erfolgte Nobilitierung der Malerei. Minerva, in schwungvoller Eleganz einherschreitend, hat die graziöse Pictura an der Hand genommen und führt sie zu den „septem artes liberales", die sich ganz ihren Tätigkeiten hingeben und den Neuankömmling mit selbstverständlicher Gelassenheit empfangen. Die Malerei jedoch wendet ihr Haupt und blickt – sehnsüchtig, unschlüssig, fragend – zurück. Ein herbeischwebender Putto krönt ihre emporgehaltenen Attribute mit Lorbeerkranz und Siegespalme.

Das scheinbar relativ eindeutig interpretierbare Geschehen wird durch die Bildunterschrift ergänzt, die – entsprechend der manieristischen Kunsttheorie – Malerei ohne Weisheit (also bloße Naturnachahmung ohne die alles überragende künstlerische Idee, den Concettismo) als roh bezeichnet, als Handwerk eben, das zu überhöhen eine intensive Bestrebung der gesamten Epoche und dieses Stiches im besonderen darstellt. Dieser eindeutigen, durch die Bildunterschrift unterstützten Aussage wird jedoch ein zweiter Aspekt unterschoben, der vor allem im rückwärtsgerichteten Blick der Malerei, aber auch in Details wie den fragmentierten Skulpturen im linken Bildteil oder dem auf dem Boden liegenden Hammer und Meißel zum Ausdruck kommt. Hier spielt der Maler Aachen möglicherweise auf den Paragone, den Wettstreit zwischen den Künsten, an, der nicht nur das 16. Jahrhundert bewegte und der zumindest auf Sadelers Stich und in der Politik des Kaisers zugunsten der Malerei entschieden wurde.

Literatur: Peltzer 1911/12, S. 101 f, fig. 32, S. 166, Nr. 43 – Oberhuber 1967 – Konecny 1982, S. 237 ff — MK

VII.35

VII.36

VII.37

RAPHAEL SADELER
(um 1560/61 – um 1628)
Nach Hans von Aachen (1552–1615)

36
Amor Fucatus 1591

Kupferstich; 21,8 × 13,9 cm
Wien, Albertina
Inv. Nr. p. 24, Nr. 60

Dargestellt ist laut Peltzer Venus mit den Attributen der Künste. Tatsächlich sitzt die Göttin der Liebe in üppiger Vollkommenheit auf ihrem reichdrapierten Lager und hält Palette und Pinsel in der Hand, während ihr zur Seite Musikinstrumente lehnen. Der kleine Amor, dem sie mit eigentümlich koketter Gebärde den Kopf zuwendet, klettert auf ihren Schoß und macht sich an der reichen Stoffülle ihres Mantels zu schaffen. Über dem Paar schwebt ein schattenhafter Putto, der als einzig realen Bestandteil eine vorgehaltene Maske zeigt.

Was auf den ersten Blick wie eine grandiose Symbiose zwischen Liebe und Kunst erscheint, wird durch den substanzlosen Putto in Frage gestellt, der als Personifikation der Täuschung mit deren klassischem Attribut, der Maske, gelesen werden muß. Die Liebe schmückt sich also mit den Künsten nicht etwa, um einen höheren Grad an Vollkommenheit zu erreichen, sondern um irrezuführen, was der kleine Spruch unterhalb der Darstellung unterstreicht: Die Kehrseite verbirgt Venus in ihrem Herzen, während sie nach außen hin mit Hilfe der Künste glänzt.

Aachen greift hier ein Thema auf, das in der Malerei des 16. Jahrhunderts des öfteren wiederkehrt, so in Bronzinos vor der Jahrhundertmitte entstandener Londoner „Allegorie". Die Tücke der Liebe erhält jedoch in Sadelers Stich einen besonderen Akzent durch die Rolle, die dabei den Künsten zugeteilt wird. Zwar werden sie zu Handlangern der körperlichen Liebe degradiert, doch wird auch dadurch ihre Macht noch betont: Wenn selbst die Göttin der Schönheit ihrer bedarf, um wieviel unentbehrlicher müssen sie dann erst dem (nach ästhetischer Vollkommenheit strebenden höfischen) Menschen sein!

Literatur: Peltzer 1911/12, S. 102, fig. 33 MK

JAN MULLER (1571–1628)
Nach Bartholomäus Spranger (1546–1611)

37
Fama führt die Künste in den Olymp
(Die Künste fliehen vor den Barbaren) 1597

Kupferstich, zwei Platten; 70,8 × 52,4 cm
Wien, Albertina
Inv. Nr. H.I, 47, p. 70

Der nach einer Zeichnung Bartholomäus Sprangers 1597 entstandene Stich Jan Mullers paraphrasiert die im Prager Kunstkreis ebenso wie im gesamten Manierismus beliebte Darstellung der Psyche, die von Merkur in den Olymp gebracht wird. In Mullers Stich sind es die Künste, die von Fama zu den Göttern emporgetragen werden, während Zephir kräftig Hilfe leistet und Amor mit Lorbeerkranz und Siegespalme das Geschehen überwacht.

Die irdische Region birgt den Anlaß für die Aufnahme der Künste in den Bereich des Göttlichen: In der schattigen Zone des rechten Bildteiles schwingt eine Gruppe finsterer Türken drohend die Waffen, während sich links, von himmlischem Licht überflutet, die Vertreter europäischen Mäzenatentums um Architektur, Malerei und Plastik verdient machen. Die Apotheose der Künste, durch die abendländischen Fürsten ermöglicht, erfaßt auch die Künstler, die in paradiesischer Nacktheit ihre Werke unter der Aufsicht der Großen gestalten.

Dem Bild liegt also eine doppelte Aussage zugrunde. Einerseits werden die Türken als kunstfeindliche Barbaren dargestellt, die zu besiegen das leuchtende Bannerheer unterhalb der aufsteigenden Figuren bereits in Aussicht stellt. Selbst die Götter haben sich dieser großen Idee verschrieben: In der die Ankömmlinge erwartenden Versammlung der Unsterblichen sieht man den blitzbewehrten Jupiter, der mit der bereitstehenden Minerva, der Patronin der Künste, ein durch sprechende Gesten unterstütztes Gespräch über die bevorstehende Vernichtung der Feinde führt. Sogar die Künste scheinen den sicheren Sieg der abendländischen Potentaten vorherzusehen: Die Allegorie der Skulptur hält eine Statuette der Pallas Athene (Minerva) in Händen.

Diese Gruppe der drei Künste sowie der gesamte linke Bildteil implizieren aber auch noch einen weiteren wichtigen Grundgedanken der Darstellung, nämlich die offizielle Nobilitierung der Malerei durch den Majestätsbrief Rudolfs II. im Jahre 1595.

Literatur: Diez 1909/10, S. 132, fig. 25 – Oberhuber 1967, S. 229f, Nr. 342 – Mielke 1979, S. 33, Nr. 20
MK

VII.38

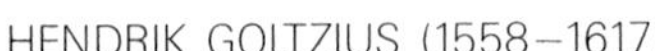

HENDRIK GOLTZIUS (1558–1617)

38
Fama und Historia (Allegorie auf die ewige Wiedergeburt der Tugend) 1586

Kupferstich; 37,0 × 23,5 cm
Bezeichnet: HGoltzius fecit. A°. 1586
Wien, Albertina
Inv. Nr. H I, 32, p. 40

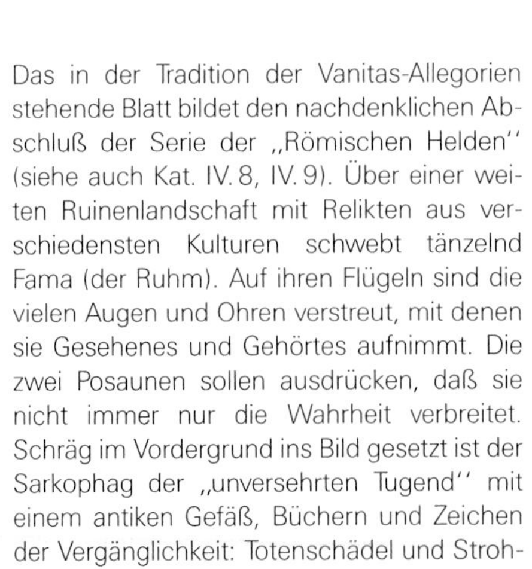

Das in der Tradition der Vanitas-Allegorien stehende Blatt bildet den nachdenklichen Abschluß der Serie der „Römischen Helden" (siehe auch Kat. IV. 8, IV. 9). Über einer weiten Ruinenlandschaft mit Relikten aus verschiedensten Kulturen schwebt tänzelnd Fama (der Ruhm). Auf ihren Flügeln sind die vielen Augen und Ohren verstreut, mit denen sie Gesehenes und Gehörtes aufnimmt. Die zwei Posaunen sollen ausdrücken, daß sie nicht immer nur die Wahrheit verbreitet. Schräg im Vordergrund ins Bild gesetzt ist der Sarkophag der „unversehrten Tugend" mit einem antiken Gefäß, Büchern und Zeichen der Vergänglichkeit: Totenschädel und Strohbündel. Davor kniet eine Frau, die soeben der Erde entstiegen zu sein scheint und neugierig im „Buch der Geschichte" liest. Über ihrem Kopf, im Schnittpunkt der Bilddiagonalen schwebt – wie drohend und die Szenerie beherrschend – eine geflügelte Sanduhr, das Zeichen für die stets entfliehende Zeit. Aber der Vanitas-Motivik entgegengesetzt gibt es auch eine Fülle von Erneuerungs- und Wiedergeburts-Symbolen. Dem Schoß der dem Erdreich Entstiegenen entsprießt Getreide (Korn, das sich stets selbst neu aussät), in ihrer linken Hand hält sie einen aus seiner Asche auferstehenden Phönix. Rechts am Bildrand stößt ein Hirsch sein Geweih ab, damit ihm ein neues wachsen kann.

Literatur: Bartsch III, S. 34, 95 – Strauss 1977, Nr. 239 – Mielke 1979, Nr. 86
EH

VII.39

VII.40

GIOVANNI BATTISTA D'ANGELI
auch ANGELO DEL MORO (um 1515–1573)

39
Fama

Kupferstich; 29,5 × 22,1 cm
Hamburger Kunsthalle, Kupferstichkabinett
Inv. Nr. 1007

In diesem vermutlich eine Wanddekoration skizzierenden Stich wird der Ruhm der Kunst durch eine reiche Allegorie der „fama" verkündet. Auf dem Erdball schwebend und in ein nur lose ihren Körper bedeckendes Tuch gehüllt, stößt die geflügelte Frauengestalt in eine Posaune, um eine glückverheißende Synthese von Natur und Kunst zu verbreiten: Links repräsentiert eine weibliche Figur mit den Attributen der Musen (Laute, Buch, Armillarsphäre, ungewöhnlich: das Schwert) die Welt der Künste, während der Satyr mit seinem muskulösen Oberkörper rechts für die ungezügelten Naturkräfte steht. Der Lorbeerkranz in der Rechten der Fama ist dem musischen Bereich zugedacht. Besonders dicht verflechten sich die Aussagen zwischen den beiden unteren Figuren, wo ein Adler (Macht), Widderköpfe an einem Früchtegehänge, Sphingen (unergründliche Weisheit) und ein Medusenhaupt (Schönheit und Schrecken) die Allegorie ergänzen. Die Trophäen- und Löwenkopfrahmung steht für die Repräsentativität der Dekoration, die im Hintergrund noch einen Landschaftsausblick gibt. Besonders die leichthändige Wiedergabe der Trophäengehänge weist schon auf Gestaltungen der Tiepolo (Kat. X. 4) voraus.

MB

DOMENICO RICOVERI DEL BARBIERE
(um 1506–1565)
Nach Rosso Fiorentino (1494–1540)

40
Gloria

Radierung und Grabstichel;
28,3 × 22,3 cm
Bezeichnet: DOMENICO DEL BARBIERE FIOR^E^NTINO – GLORIA
Hamburger Kunsthalle, Kupferstichkabinett
Inv. Nr. 1119

Barbiere, ein vielseitiger, auch als Bildhauer tätiger Künstler, war zur Zeit Rossos in Fontainebleau beschäftigt. Die auf Rosso zurückgehende Darstellung der „Gloria" war Bestandteil des komplizierten Bildprogramms der Galerie Franz' I. Über dem Eingang des ehemaligen Nordkabinetts, wahrscheinlich an dem Platz der heutigen „Nymphe von Fontainebleau", befand sich ursprünglich ein Bas-Relief mit der Büste Franz' I., flankiert von zwei Fresken auf Goldgrund: einer „Gloria", auf welche diese Radierung zurückgeht, und einer „Viktoria".

„Gloria", der geflügelte Ruhm, steht von Wolken umgeben auf einer als Erde zu identifizierenden Kugel, deren feine Linienzeichnung den „Stiefel" Italiens und das mittlere Europa zu erkennen gibt, in der Hand die zwei Posaunen, mit denen sie Wahrheit und Unwahrheit über die Welt verbreitet. Mit ausgreifenden Schritten nach rechts davoneilend, hat sie den Oberkörper frontal dem Betrachter entgegengedreht, während der Kopf ganz nach links ins Profil gewendet ist: Zeichen ihres Einflusses auf Vergangenheit, Gegenwart und Zukunft.

Literatur: Kusenberg 1931, S. 198 – Ausst.-Kat. Fontainebleau 1972, Nr. 338 – Zerner 1969, D. B. 9

EH

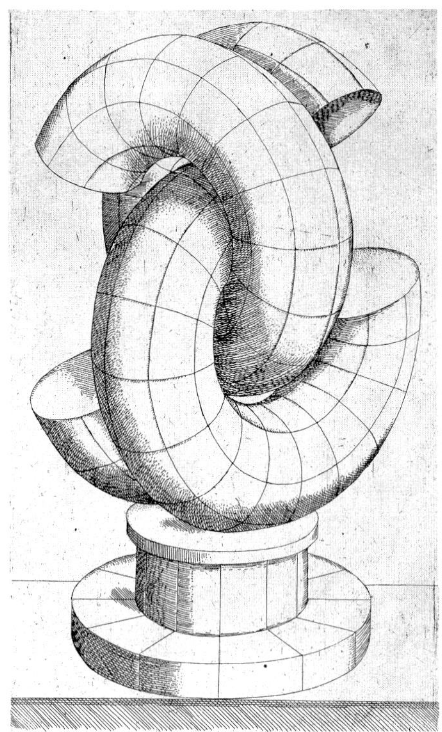

VII.41

JOHANNES LENCKER (um 1523–1585)

41

Perspectiva Hierinnen auffs kürzeste beschrieben, mit Exempeln eröffnet und an tag gegeben wird ein newer besonders kurtzer doch grechter und sehr leichter weg wie allerley ding es seyen Corpora Gebew oder was moeglich zu erdencken und in Grund zu legen ist, verruckt oder unverruckt, ferner in die Perspectyf gebracht werden mag, ohne einiche vergebliche Linien riß und puncten und dergleichen weg bißhero noch nicht bekannt gewesen. Nürnberg 1571.

Hamburger Kunsthalle, Bibliothek
Inv. Nr. III. Nürnberg 1571

Lenckers Büchlein ist dem Pfalzgrafen Friedrich vom Rhein gewidmet, der selbst als Autor einer kurzen perspektivischen Abhandlung erwähnt wird. Von 1572 bis 1576 unterrichtet Lencker am Sächsischen Kurfürstlichen Hof Perspektive. Für Dürer war die Perspektive noch ein streng gehütetes Geheimnis, das er während seiner zweiten Italienreise (1505/06) ergründen wollte. Für die italienischen Künstler an der Wende zum 16. Jahrhundert bedeutete ihre Kenntnis neben neuen künstlerischen Möglichkeiten gleichzeitig eine Hebung ihrer sozialen Reputation. Arithmetische und geometrische Kenntnisse sind unbedingte Voraussetzungen für das Verständnis der wissenschaftlichen Perspektive. Euklids lateinischer Traktat „Elementae geometricae" wurde erst Anfang des 16. Jahrhunderts in italienischer Sprache herausgegeben.

Der als Goldschmied tätige Handwerker Lencker hatte sich auf Grund seines mathematischen Wissens bereits Anerkennung als „Instruktor für Perspektive" an den Fürstenhöfen verschafft. Sie ist bereits ein Bestandteil der Prinzenerziehung geworden.

In seinem Buch zeigt Lencker zuerst die Geräte für die Übertragung der bereits existierenden stereometrischen Körper auf den Bildträger. Nach dem Auftragen des Grundrisses werden die jeweiligen Körper mittels verschiedener Perspektivmethoden verkürzt. Da keine schriftlichen Anleitungen beigegeben sind, kann das Buch nur als Ergänzung zu einer mündlichen Unterweisung verstanden werden. Ebenso können die vielen Darstellungen als Vorlagen für dreidimensionale Objekte dienen, die, in Stein, Elfenbein etc. ausgeführt, schließlich in den Kunstkammern aufgestellt wurden.

Literatur: Bachtler 1978, S. 71–122 – Keil 1985, S. 144 ff RK

JOHANNES LENCKER (um 1523–1585)

42

Perspectiva literaria. Das ist ein clerliche fürreyssung Wie man alle Buchstaben das gantzen Alphabets Antiguitetischer oder Römischer Schriften auff mancherley art und stellung durch sondere Künstliche behende weys so bißhero nit an liecht kommen in die Perspectif einer flachen ebnen bringen mag durch Hansen Lencker Burgern zu Nürmberg allen liebhabern guter Künsten zu ehren und gefallen publiciert Anno Domini M.D.LXVII.

Wien, Österreichisches Museum für Angewandte Kunst
Inv. Nr. G. II. 3

Die Wahl der Buchstaben für seine szenischen Darstellungen sieht Lencker in der elementaren Bedeutung des Buchstabens, da er den Beginn der Kommunikation und Wissensvermittlung darstellt. Der Buchstabe bildet die formale Voraussetzung für das geschriebene Wort wie der Disegno in seiner praktischen Bedeutung die Grundlage für jede künstlerische Darstellung ist. Lencker übernimmt hier eine Analogie, die von einem der bedeutendsten Theoretiker der italienischen Frührenaissance stammt. Leon Battista Alberti erwähnt in seinem Traktat über die Malerei: „Ich wünsche, daß die Jünglinge, welche sich eben als Neulinge der Malerei widmen, es so machen, wie ich es bei jenen sehe, welche das Schreiben lehren. Diese lehren zuerst die Form jedes Buchstabens für sich, was die Alten ‚Elemente' nannten, hernach unterweisen sie, wie die Silben und dann wie die einzelnen Worte zusammengehängt werden."

Als unmittelbare Vorlage dienten Lencker die mit Zirkel und Richtscheit konstruierten Antiqua-Schrifttypen aus Dürers Lehrbuch „Unterweisung der Messung" von 1525. Doch er unterscheidet sich von seinem Vorbild durch die formale Zusammenstellung seiner Buchstaben. Wo Dürer nur Anweisung zur Konstruktion in Form eines Lehrbuches gibt, verselbständigen sich hier die Buchstaben zu dreidimensionalen Gebilden. Der Buchstabe hat nicht nur eine an das Wort gebundene sprachliche Funktion, sondern wird durch seine formale Erscheinung und Variation zu einem eigenen Kunstobjekt.

Literatur: Ausst.-Kat. Jamnitzer, Lencker, Stoer 1969 – Keil 1985, S. 144 ff RK

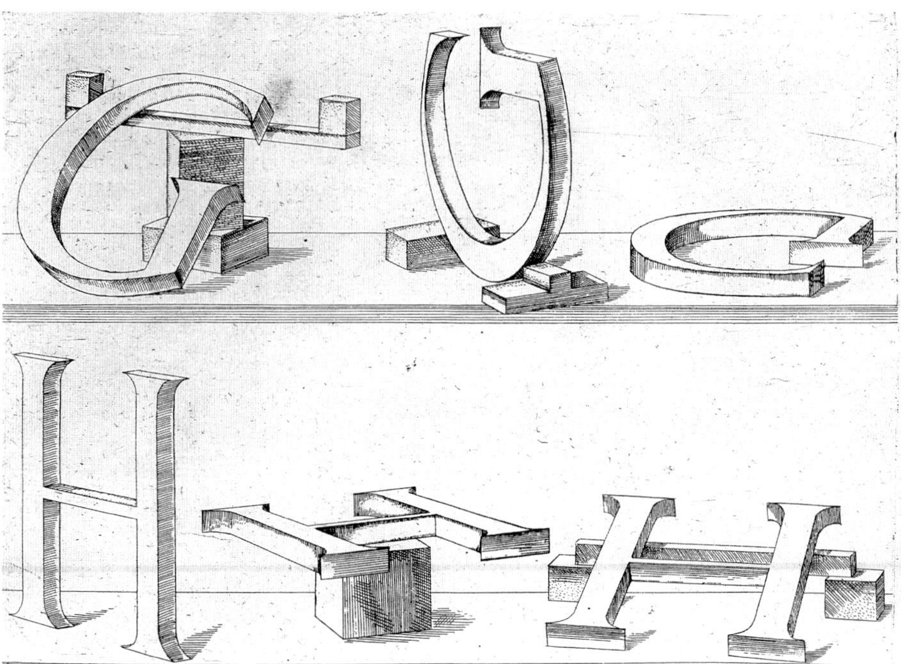

VII.42

VII.43

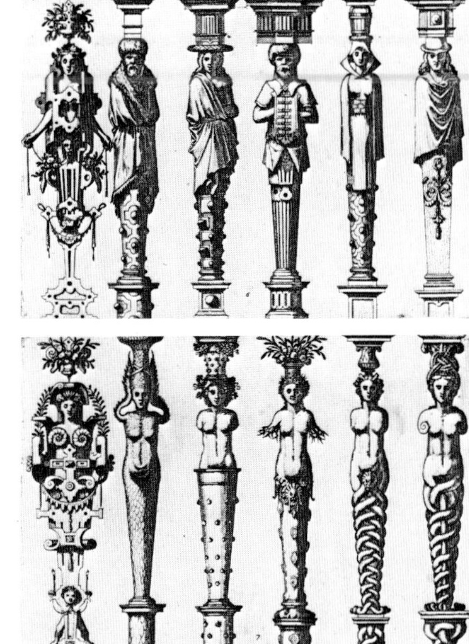

VII.44

HANS VREDEMAN DE VRIES
(1527–1604)

43
Perspective Id est celeberrima ars inspicientis aut transpicientis oculorum aciei, in pariete, tabula aut tela depicta (. . .) 1604

Wien, Österreichisches Museum für Angewandte Kunst
Inv. Nr. C I. 1

Das 1604 herausgegebene Perspektivbuch stellt den Höhepunkt der seit Mitte des 16. Jahrhunderts andauernden Stecher- und Entwerfertätigkeit von Vredeman de Vries dar. Inhaltlich zerfällt das Buch in zwei Teile mit 49 bzw. 24 Tafeln. Vredeman fügt keine näheren Beschreibungen den Illustrationen hinzu, da er die Bilder selbst sprechen lassen will. Schon mit dieser Bemerkung, die in der Einleitung des Buches zu finden ist, wird seine Intention klar. Die Tafeln sind keine Vorlagen für eine reale Architektur, sondern dienen allein dem ästhetischen Genuß. Die Illustrationen sind graphische Kunstwerke, die höchstens auf Tafelbilder unter Hinzunahme farblich malerischer Effekte übertragen werden können. Vredeman baut seine Architekturstücke mit einem Fluchtpunkt auf, in dem alle parallelen Linien zusammenlaufen. Dort befindet sich auch der Horizont bzw. der imaginäre Betrachter. Für bestimmte Darstellungen, z. B. das Stiegenhaus, nimmt er nur einen Fluchtpunkt an, läßt hingegen die Horizontlinie aus. Dadurch entstehen extrem starke Verkürzungen. Denn in diesem Fall steht der Betrachter tatsächlich außerhalb des Bildes. Die labyrinthisch verschlungenen Architekturteile, das abrupte Hineinfallen bzw. Vorstoßen in den Bildraum, das Überraschungsmoment, das der gewohnten Sehweise widerspricht – all dies sind wahrnehmungspsychologische Phänomene, die einen wesentlichen Bestandteil der manieristischen Kunstauffassung darstellen.

Literatur: Placzek 1968 RK

HANS VREDEMAN DE VRIES
(1527–1604)

44
Säulenentwürfe

Zwei Kupferstiche; je 15,9 × 23,6 cm
Wien, Österreichisches Museum für Angewandte Kunst
Inv. Nr. 138/4, 138/5

Hans Vredeman bezeichnet in dem den Tischlern, Steinmetzen und Schreinern gewidmeten Musterbuch die aus der Antike stammenden Karyatiden als Termen. Im Vergleich zur klassischen Karyatide, deren betont weibliche Körperformen – durch das Gewand zwar bedeckt – doch klar zu erkennen sind, werden an den Termen des 16. Jahrhunderts die geschlechtlichen Charakteristika besonders akzentuiert.

Der Genitalbereich, an dem das menschliche Wesen in eine anthropomorphe Stütze übergeht, wird zum formalen und inhaltlichen Zentrum der künstlerischen Gestaltung. Die Geschlechtsteile können so zu Löwenköpfen oder schlangenähnlichen Gebilden werden. Neben den Termen (weiblich) und Hermen (männlich) physiognomisiert Hans Vredeman auch die fünf klassischen Säulenordnungen, indem er die Lebensalter des Menschen auf die jeweiligen Säulenarten überträgt. So stellt die korinthische Ordnung die Jugend, die er vom 16. bis zum 32. Lebensjahr rechnet, dar. Dabei werden den jeweiligen Säulenordnungen die entsprechenden Hermen- bzw. Termenpilaster gegenübergestellt. Die so vorgenommene architektonische Ordnung erhält eine neue ethisch-philosophische Symbolik, die in den Architekturphantasien des Wendel Dietterlin sowohl formalen als auch inhaltlich phantastischen Höhepunkt findet.

Literatur: Mielke 1975, S. 29–83 RK

ERHARD SCHOEN (um 1491–1542)

45
Vnderweissung der Proportion vnnd stellung der bossen ligent, stehent, abgestolen wie man das vor augen sichet in dem büchlein, durch Erhart Schoen von Nürnberg für die Jungen gesellen vnd Jungen zu vnterrichtung die zu der Kunst lieb tragen vnd in den druck gebracht. Erste Ausgabe 1534, weitere Auflagen 1543, 1561 und 1565

Wien, Österreichisches Museum für Angewandte Kunst
Inv. Nr. C I 16

Schoen widmet sein Lehrbuch allen angehenden Kunsthandwerkern, die ihn gebeten haben, „diese Kunst der proportion und der messunghalben zu erleichtern'', damit sie die Bücher Dürers (vgl. Kat. VII. 50) und des antiken Architekturtheoretikers Vitruv besser verstehen könnten. Er sieht seine Ausführungen, die er selbst als reine Elementarstudien für

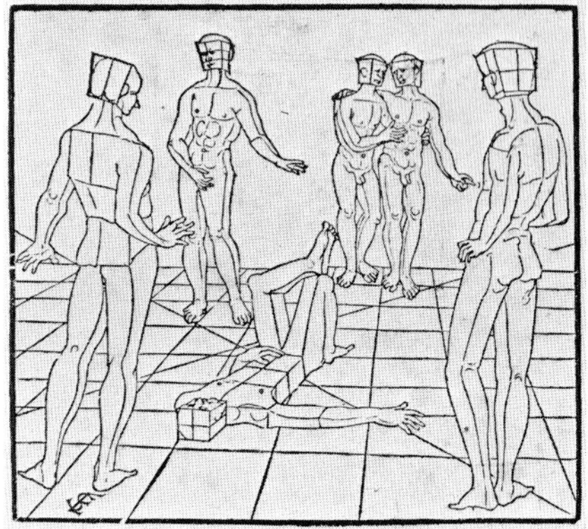

VII.45

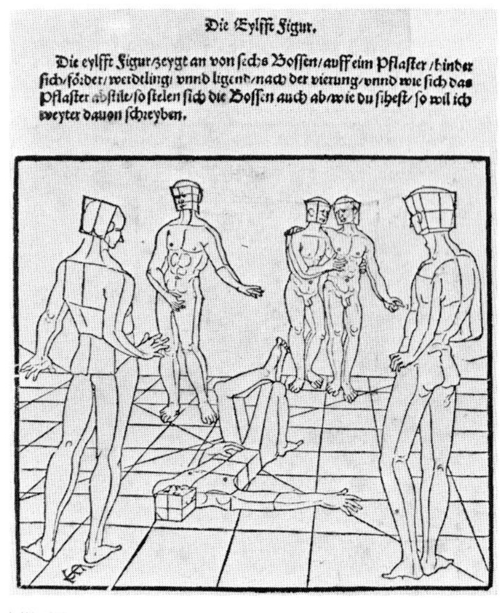

den Anfänger bezeichnet, nur als Einstieg in die komplizierte Traktatliteratur der beiden oben genannten Autoren.

Schoen verarbeitet seine kunstpädagogischen Erfahrungen, die er selbst während seiner Lehrzeit in Dürers Werkstatt gemacht hat. Das Programm des Büchleins ist sehr reichhaltig. Es beginnt mit den einfachsten Begriffen der Euklidischen Geometrie, beschreibt weiters die aus Quadraten entwickelten Kopf- und Figurenkonstruktionen, die Proportion des Mannes und des Kindes (die Proportion des weiblichen Körpers wird ausgelassen) und schließlich die Proportion des Pferdes. Abschließend werden noch Konstruktionen von Wappen vorgeführt. Die Kenntnis der Proportion des menschlichen Körpers und des Pferdes, ihre Darstellung im Zusammenhang mit der Perspektive, bildet für den Renaissancekünstler die Voraussetzung, ein Kunstwerk „richtig", d. h. nach wissenschaftlich festgelegten Kriterien, aufzubauen. Dürers Vorarbeiten standen auf einem intellektuell zu hohen Niveau, um eine Breitenwirkung zu erzielen. Erst die Autoren der sog. „Kunstbücher" wie Erhard Schoen, Hieronymus Rodler, Hans Sebald Beham und Heinrich Lautensack konnten diese Lücken schließen, indem sie die komplizierten Anweisungen Dürers vereinfachten.

Literatur: Gombrich 1978, II, S. 195ff – Keil 1983, S. 111–125 RK

ERHARD SCHOEN (um 1491–1542)

46

Blatt aus „Vnderweissung der proportion vnnd stellung (. . .) (vgl. Kat. VII. 45)

Wien, Österreichisches Museum für Angewandte Kunst
Inv. Nr. 156/5

Schoen setzt sich in seinen kunstpädagogischen Arbeiten vor allem mit der Proportion der menschlichen Figur und der Perspektive auseinander. Der meßbare wohlproportionierte menschliche Körper muß sich dem ebenso meßbaren Raum adäquat einfügen. Der menschliche Körper wird somit zu einem plastischen Gebilde, das in seinem Aufbau eine architektonische Struktur aufweist. So wird der organische Körper zu geometrischen Gebilden wie Kuben und Quader reduziert, um diese anschließend auf der in Schachbrettmuster aufgeteilten Raumbühne aufzutragen. Dürer arbeitete als erster deutscher Künstler diese „Kubenmethode", die er während seiner zweiten Italienreise 1505/07 kennengelernt hatte, systematisch aus. War jedoch für ihn diese abstrahierende Vorgangsweise nur ein Grundgerüst für seine bildlichen Darstellungen, tritt bei den Künstlern um die Mitte des 16. Jahrhunderts wie Schoen und Luca Cambiaso (vgl. Kat. VII. 53) die Freude an der ästhetisch aufbereiteten Mechanisierung des menschlichen Körpers in den Vordergrund. Diese Tendenz, die in der bildenden Kunst vorbereitet wird, führt schließlich zu den Spielautomaten des Manierismus, die die elementaren menschlichen Bewegungen nachvollziehen können und somit zu den raffiniertesten Spielereien der Kunstkammern gehören.

Literatur: Eimer 1956, XXV, S. 113–146 – Keil 1983, S. 111–125 RK

VII.46

WENZEL JAMNITZER (1508–1585)

47

Perspeciva Corporum Regularium. Das ist, Ein fleyssige Fürweysung, Wie die Fünff Regulirten Cörper, darvon Plato inn Timaeo, Vnnd Euclides inn sein Elementis schreibt (. . .) Nürnberg 1548

Wien, Österreichisches Museum für Angewandte Kunst
Inv. Nr. C II 5

Bereits im Titel seines Werkes zitiert Jamnitzer seine beiden Hauptquellen. Inhaltlich orientiert er sich an Platos Schrift über den Aufbau der Welt. Für die formale Gestaltung dienen ihm Euklids geometrische Ausführungen. Aus den vier Elementen Erde, Feuer, Luft, Wasser und Gottes fünfter Wesenheit, dem Himmel, „sind alle irdischen Körper und wir menschen selbe genaturet und gemessigt werden und ein jeder seine complexion hat".

Jeder regelmäßige Körper, beginnend mit dem Tetraeder als Symbol des Feuers, wird mit einem Vokal versehen. Anschließend werden 23 Variationen dieser Grundform vorgeführt. Das mystische Zahlenverhältnis, das sich in den jeweiligen 24 Formen eines „Aggregatzustandes" ausdrückt, weiters die Vokalbezeichnungen für die jeweiligen Elemente, und schließlich die szenische Aufbereitung der Körper, die vor einem neutralen Grund schweben und von einem Labyrinthband gerahmt werden, repräsentieren die in Bilder umgesetzten neuplatonischen Gedanken. Im Timaios (21. Kapitel) ordnete Plato den vier Elementen ihrer jeweiligen Beschaffung nach spezifische Funktionen zu: „So erhält das Feuer, weil es alles durchdringt, die spitzeste Form, den Tetraeder. Der Erde wollen wir die Würfelform geben, denn unter den vier Gattungen ist die Erde am unbeweglichsten." Der Zusammenhang der Elemente mit den Temperamenten, die für die geistigen Fähigkeiten des Menschen und sein Verhalten bestimmend sind, hat eine seit dem frühen Mittelalter bestehende literarische Tradition. So wird dem Feuer das cholerische Temperament zugeordnet. So erhält die Erde die Gestalt eines Kubus, das Feuer die eines Tetraeders, die Luft die eines Oktaeders, das Wasser die eines Ikosaeders und schließlich der Himmel die Form eines Dodekaeders.

Der hohe Abstraktionsgrad von Jamnitzers Figuren soll nichts anderes als die Konkretisierung eines bereits in der Natur vorhandenen Systems darstellen. Der Kosmos, die Natur und selbst der Mensch setzen sich aus den oben beschriebenen Formen zusammen.

Literatur: Ausst.-Kat. Jamnitzer 1985, S. 161, 164, 479/480 – Keil 1985, S. 142–144 RK

VII.47

VII.49

CHRISTOPH JAMNITZER (1563–1618)

48
Neuw Grottesken Buch
Nürnberg 1610

Wien, Österreichisches Museum für Angewandte Kunst
Inv. Nr. 9/6, 8, 9, 18

Ein Vergleich mit Agostino Venezianos Grotesken-Blatt (Kat. VII. 57) zeigt die grundlegenden inhaltlichen Veränderungen, die dieses Thema innerhalb seiner fast hundertjährigen Entwicklung erfahren hat. War dort die Groteske auf die Antikenrezeption mit dem thematischen Bezug auf die heidnische Götterwelt ausgerichtet, ist Jamnitzers Konzeption vom Mythos der Natur beherrscht. Man begegnet hier Mischformen von Mensch und Tier und den von früheren Blättern her bekannten geflügelten Putten. Doch stehen alle Wesen hier in einem Dialog mit der Natur, der durch Insekten und phantastische Tiere, die wiederum menschliche Verhaltensweisen imitieren, bestimmt wird. Nur noch formale Dekorationsformen wie die Voluten und Fruchtschnüre lassen an den gestalterischen Grundtypus der Groteske erinnern. Hier herrscht das Phantastische vor. Der Jenseitsbezug, der durch die mythologische Rezeption gewahrt war, ist zugunsten der Suche nach phantastischen Monströsitäten aufgegeben worden.

Literatur: Warncke 1978, S. 65–87 – Franz 1966 RK

VII. 48

LORENZ STOER
(tätig 2. Hälfte 16. Jahrhundert)

49
Geometria et Perspectiva. Hier inn Etliche zerbrochene Gebew den Schreinern in eingelegter Arbeit dienstlich auch viel andern Liebhabern zu sondern gefallen geordnet unnd gestelt durch Lorentz Stoer maller Burger inn Augspurg 1567.

Wien, Österreichisches Museum für Angewandte Kunst
Inv. Nr. M II 5

Stoers Büchlein gehört ebenso wie die beiden Werke Hans Lenckers (Kat. VII. 41, VII. 42) und Wenzel Jamnitzers zur Gattung der Vorlagenbücher. Die Illustrationen können direkt von einem Handwerker – in diesem Fall vom Schreiner – in ein anderes Medium übertragen werden (vgl. Kat. I. 8). So wird es ihm ermöglicht, die äußerst komplizierten stereometrischen Körper ohne jegliche mathematisch-geometrische Kenntnis zu kopieren und trotzdem ein „virtuoses" Kunststück zu schaffen. Stoer setzt hier vier grundverschiedene Bedeutungsträger in eine semantische Beziehung. Ein ehemals „künstliches", d. h. von Menschenhand geschaffenes Objekt wie das mehrgeschossige Gebäude wird zu einer von der Natur eroberten Ruine transformiert und somit wieder in einen gleichsam natürlichen Gegenstand zurückverwandelt.

Das Ornament stellt die Inkarnation des „Künstlichen" dar, das durch einen systematischen geistigen Abstraktionsprozeß zu einer künstlerischen Form geworden ist. Dazwischen steht eine Pyramide, auf deren Spitze ein Ikosaeder in einer äußerst labilen Position ruht. Nach Platos Auffassung (Timaios, 21. Kapitel) besitzt das Feuer in seiner atomistischen Struktur die Gestalt einer Pyramide, die Luft die Form eines Ikosaeder (aus 24 Dreiecken bestehend). So stellen diese beiden stereometrischen Körper die Symbole für Luft und Feuer dar; zwei in ihrer formalen Erscheinung divergierende Gestaltungen, die sich funktionell jedoch gegenseitig bedingen. Dazwischen zeigt sich ungeordnete Natur, die sich selbst in einer stetigen Veränderung befindet. Das Endstadium dieser Entwicklung zeigt sich in den abgestorbenen Ästen.

In der Virtuosität des Handwerkers, der in seinem künstlerischen Vorgehen einen hohen Abstraktionsgrad aufweist und ihn mit technischem Können bildlich umsetzen kann, wird sein Produkt zu einem philosophischen und gleichzeitig ästhetisch relevanten Anschauungsstück.

Literatur: Ausst.-Kat. Jamnitzer, Lencker, Stoer 1969 – Keil 1985, S. 147 ff RK

VII.50

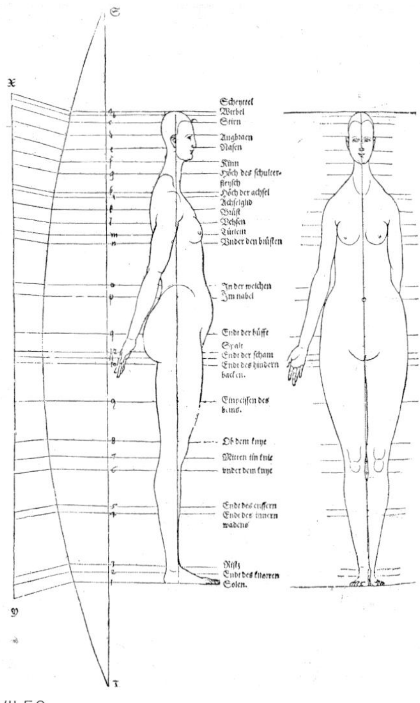

ALBRECHT DÜRER (1471–1528)

50

Vier bücher von menschlicher Proportion (. . .) Nürnberg 1528

Hamburger Kunsthalle, Bibliothek
Inv. Nr. III. XVI, Nürnberg 1528

Dürer plante kurz nach der Rückkehr von seiner zweiten Italienreise ein Lehrbuch der Malerei, das er jedoch nie vollenden sollte. Denn „Die Proportion", die nur ein Kapitel neben der Erörterung der Perspektive, Komposition, des Gebrauchs der Farbe etc. darstellt, beschäftigte ihn für die nächsten zwanzig Jahre. Er ist aber der erste Künstler der Neuzeit, der sich mit den vielfältigen Erscheinungsformen der Natur auseinandergesetzt hat.

Im ersten Buch werden die Größe der Figur und ihre Körperteile mit dem Teiler gemessen. Der Teiler ist ein Richtscheit mit der Höhe des zu messenden Modells. Die einzelnen Distanzen werden in aliquoten Brüchen aufgetragen (Gesamthöhe = 1). Insgesamt werden zehn Typen, jeweils fünf Frauen und Männer nach diesem Verfahren gemessen.

Im zweiten Buch zeigt Dürer an Hand von acht Männern und zehn Frauen die „Exempeda-Methode": Die Fußlänge des Menschen entspricht 1/6 der Gesamtkörperlänge. Daraus wird der „Maßstab" genommen und in weitere Einheiten unterteilt, wobei die kleinste Unterteilung 1/1800 der Gesamtkörperlänge ausmacht. Anschließend wird das lebende Modell damit gemessen und so die Proportionen festgestellt.

Im dritten Buch werden Umkonstruktionen bei gleichbleibender Proportion vorgeführt. Denn bei einer Kopfwendung ändert sich zwar die Dimension auf dem Bild, aber nicht die Proportion.

Im vierten Buch werden die verschiedenen Bewegungsarten und die „Kubenmethode" besprochen. Hier wird der menschliche Körper in geometrische Figuren eingeschrieben, dann der Grundriß hergestellt und zu sphärischen Körpern gebogen. Diese Methode wird später in vereinfachter Form von Schoen und Cambiaso übernommen (vgl. Kat. VII. 46, VII. 53). Dürer beschreibt die menschliche Bewegung als rein mechanischen Vorgang, ohne auf die anatomischen Zusammenhänge einzugehen. Seine Beschäftigung mit der Proportion zeigt die Entwicklung vom idealen Menschenbild der Renaissancetheorie zu einer Typenlehre, die alle Erscheinungsformen der Natur wissenschaftlich analysiert. Damit hat Dürer den Weg zur „maniera" eröffnet. Denn jeder Künstler kann nun seine persönliche Vorstellung einer ihm subjektiv schön erscheinenden Figur künstlerisch umsetzen. Voraussetzung hierfür ist aber eine wissenschaftliche Erarbeitung, wie sie Dürer in der Proportionslehre vorgeführt hat.

Literatur: Panofsky 1915 – Keil 1983, S. 69–108 RK

DANIELE BARBARO (1514–1570)

51

La pratica della prospettiva Venedig 1569

Hamburger Kunsthalle, Bibliothek
Inv. Nr. III. XVI, Venedig 1569

Daniele Barbaro vereinigt alle humanistischen Bildungsideale. Nicht als praktizierender Künstler, sondern als Mathematiker und Philosoph beschäftigt er sich ausführlich mit den Regeln der Kunst. Ebenso wie sein deutscher Kollege, der Mediziner Rivius (vgl. Kat. VII. 52) verfaßt er einen Vitruvkommentar (Venedig 1556). Danach konzentriert er sich auf das Problem der Perspektive. Doch er sieht die Perspektive vor allem als mathematisch-geometrische Disziplin, die in ihrer ganzen Breite eigentlich nur noch vom Mathematiker verstanden werden kann.

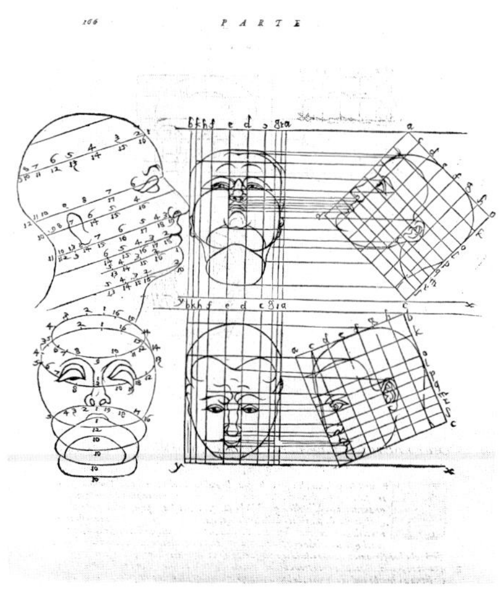

VII.51

Doch Dürers theoretische Grundlagenforschung, die in der „Proportionslehre" von 1528 und in der „Unterweisung der Messung" von 1525 zusammengefaßt wurden, bildet auch für Barbaro das Hauptmaterial seiner Interpretationen.

Zur Veränderung der Dimension der darzustellenden Gegenstände, sei es ein Kapitell, ein menschlicher Kopf oder jedes beliebige Objekt, wendet er die Übertragungsmethode an. Hierfür benötigt man entweder die Frontal- oder Profilsicht beziehungsweise den Grundriß des Gegenstandes. Anschließend zieht man von den in jeweils ein Quadratnetz eingezeichneten Rissen, die zueinander in einem neunziggrädigen Winkel stehen, Linien, deren Schnittstellen die neue Ansicht ergeben. Barbaro kopiert diese Methode und selbst die Darstellungen direkt aus Dürers „Proportionslehre". Die Einschreibung des in seiner Dimension zu verändernden Gegenstandes in geometrische Flächen zeigt den konsequenten Abstraktionsgrad, dessen formaler Höhepunkt in den Kubenfiguren Schoens und Cambiasos (vgl. Kat. VII. 45, VII. 53) zu finden ist.

Literatur: Vagnetti 1980, S. 458 ff RK

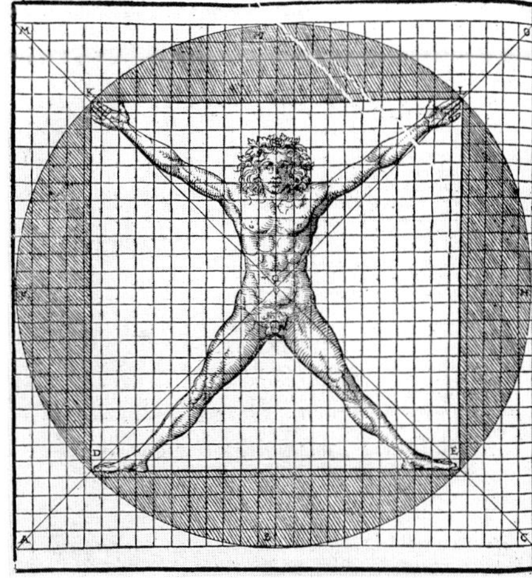

VII.52

GUALTHERIUS RIVIUS (um 1500–1548)

52
Der gantzen Architektur angehörigen mathematischen und mechanischen Künst eygentlicher Bericht und vast klare verstendliche Unterrichtung zu rechtem Verstandt der lehr Vitruvii in drey furneme Bücher abgetheilet. Ausgabe Nürnberg 1558

Hamburger Kunsthalle, Bibliothek
Inv. Nr. III. XVI, Nürnberg 1558

Das umfangreiche Buch besteht aus drei Hauptteilen, der „neuen Perspectiva" und jeweils einer Abhandlung über die Malerei und die Bildhauerei. Die erstmals 1547 herausgegebene Ausgabe sollte eigentlich als Einführung für den ein Jahr später erschienenen ersten Vitruv-Kommentar in deutscher Sprache (Vitruvius Teutsch, Nürnberg 1548) dienen. Der Mediziner und Philosoph, ein allgemeingebildeter Humanist, kompiliert in seinem Lehrbuch die gesamte italienische und deutsche Traktatliteratur, ohne wesentliche Neuerungen zu integrieren. Obwohl er sein Buch allen Handwerkern widmet, „welche sich des Zirckels und Richtscheidts künstlich gebrauchen", werden sie sicherlich nicht nach diesem dicken Folianten gegriffen haben, um die Regeln der Kunst daraus zu lernen. Diesen Zweck erfüllten die einfachen Traktate wie Schoens Kunstbüchlein (Kat. VII.45) viel besser, da sie von praktizierenden Künstlern und nicht von reinen Theoretikern verfaßt wurden. Trotzdem stellen Rivius' Bücher einen Meilenstein in der deutschen Kunsttheorie dar, weil hier zum ersten Mal die grundlegenden Kriterien der Renaissanceästhetik in deutscher Sprache behandelt wurden: die Gesetze der Harmonie und der Proportion. Aus der menschlichen Figur entwickelt sich die Proportion der gesamten Architektur, vom Grundriß eines Gebäudes bis zur Konstruktion einer Säule. Diese Gegenüberstellung Mensch – Architektur führt auch zur formalen Behandlung der menschlichen Figur als architektonisch strukturiertes Objekt. Die Regeln für die Bildhauerei und sogar für die Malerei werden somit von den Prinzipien der Architektur abgeleitet.

Literatur: Ausst.-Kat. Architekt und Ingenieur 1984, S. 67/68 – Ausst.-Kat. Architekturtheorie 1986, S. 36–43 RK

LUCA CAMBIASO (1527–1585)

53
Bewegungsstudien

Lavierte Federzeichnung; 12,8 × 14,2 cm
Wien, Akademie der bildenden Künste, Kupferstichkabinett
Inv. Nr. 17.183

Cambiasos kubische Figurenstudien wurden schon zu seinen Lebzeiten von dem manieristischen Kunsttheoretiker Giovanni Paolo Lomazzo („Trattato dell'arte della Pittura, Sculptura ed Architettura", 1584) als sehr erfindungsreich und bizarr beschrieben. Eine formale Ähnlichkeit zu Schoens Figuren (vgl. Kat. VII.45) ist evident.

Der menschliche Körper zeigt sich in seiner von jeglicher Individualität befreiten geometrischen Struktur. Erst hier beginnt für den Künstler die eigentliche Aufgabe. Aufbauend auf der allgemeinsten Form, dem Schema, erweckt er den aus Kuben bestehenden Körper mittels seiner künstlerischen Potenz zum Leben. Hier erfährt der Schöpfungsgedanke, der den Künstler seit dem Beginn des 16. Jahrhunderts ständig begleitet, seine konkreteste Formulierung.

Literatur: Suida 1958 – Müller 1970, S. 33–40 RK

VII.53

WENDEL DIETTERLIN (1550/51–1599)

54
Architectura von Außtheilung, Symmetria und Proportion der fünff Seulen, und allen darauß folgender Kunst-Arbeit von Fenstern, Caminen, Thürgerichten, Portalen, Bronnen und Epitaphien, Nürnberg 1598
Aufgeschlagen Blatt Nr. 75: Küche

Hamburger Kunsthalle, Bibliothek
Inv. Nr. XVI, 1593

Vitruv hatte die anthropomorphe Deutung der Säule mit der rhetorischen Doktrin der Stillagen verbunden und den Säulenarten bestimmte Ausdruckswerte – schmucklose „severitas" der männlichen dorischen, „teneritas" der verzierten, jungfräulichen korinthischen und die mittlere Lage der weiblichen jonischen Säule – zugeordnet. Was bei Vitruv noch auf die Gestaltung der Tempel beschränkt blieb, wurde von Serlio auf alle Aufgaben der Architektur übertragen. Im Sinne des „decorum" gebührt jedem Gebäude eine Säulenordnung, die seiner Funktion entspricht. Stadttor und Festung sollen mit groben toskanischen, eine einer weiblichen Heiligen geweihte Kirche dagegen mit jonischen Säulen gestaltet werden usw. Diese Lehre erfuhr im späten 16. Jahrhundert in den Ländern nördlich der Alpen eine besondere, gedanklich zugespitzte Formulierung. Das System der fünf Säulenordnungen – hierarchisch vom eher Rohen zur kunstvollen Eleganz aufsteigend – wurde zum ordnenden Prinzip aller Dinge der Welt erhoben, von Hans Vredeman de Vries etwa mit den Lebensaltern (vgl. Kat. VII.47), von seinem Sohn Paul mit den fünf Sinnen verglichen.

Höhepunkt dieser „Säulenspekulation des Manierismus" ist zweifellos Dietterlins „Architectura". Die einzelnen Ordnungen werden in fünf Büchern behandelt.

Die klassischen Säulenformen bilden auch in dem hier gezeigten Blatt – der Darstellung einer Küche aus dem zweiten, der dorischen Ordnung gewidmeten Buch – den hinter den Variationen oft kaum wiederzuerkennenden Ausgangspunkt einer im „horror vacui" mit Ornamenten und Bänderungen verzierten, in Vor- und Rücksprüngen reich geschichteten Architektur. Das Gebälk über der linken Tür wird, zurückspringend, zum Kranzgesims der rechten, mit einem gesprengten Giebel bekrönten Ädikula, durch diese ambivalente Lösung werden Portal und Kamin der Küche miteinander verklammert. Die Mitte beherrscht der das Portal (sein linkes Pendant befindet sich außerhalb des Bildes) flankierende, als Abbild eines dicken Koches mit Messer, Löffel und Geflügel geformte Hermenpilaster; der von Dietterlin zu Beginn des Buches der dorischen Ordnung zugeordnete martialische Krieger erscheint hier ironisch paraphrasiert. Das Kapitell ist durch Schüs-

VII.54

seln ersetzt (mit denen schon Alberti diese architektonische Form verglichen hatte). Auch die übrige Dekoration macht die Bestimmung des Raumes anschaulich: die Eberköpfe; die mit Kräutern verbundenen, gekreuzten Kellen in einer Metope; Würste und Kessel in der Nische über dem Portal, von der ein Rehbock und Hasen herabhängen; die daneben sitzende weibliche Figur mit Füllhorn, Getreide und Bienenkorb (Ceres?). Durch diese naturalistischen Elemente – bei denen zwischen künstlichen Skulpturen und organischen Körpern bewußt nicht unterschieden wird – erscheint die abstrakte Form der Architektur mit transitorischem Leben erfüllt.

Literatur: Ohnesorge 1893, S. 27 ff – Forssman 1956, S. 160 ff – Ausst.-Kat. Architekturtheorie 1986, S. 73 ff
HA

VII.55

FRANS HUYS (1522–1562)

55
Pourtraicture ingenieuse de plusieurs facons de Masques

Kupferstiche;
16,2 × 14,9 cm und 15,9 × 14,9 cm
Wien, Österreichisches Museum für Angewandte Kunst
Inv. Nr. 64/65789

Die Tradition des Ornamentstiches in Antwerpen wurde von den Künstlern Cornelis Bos und vor allem von Cornelis Floris um die Mitte des 16. Jahrhunderts begründet. In Rom mit den antiken Grotesken konfrontiert, übersetzten sie diese in ihre exzentrische, von der klassischen Tradition unbelastete Formensprache. Schleimige verknorpelte Kopfformen und absurde Mischbildungen wurden von schweren Rollwerkornamenten gerahmt. Diese Blätter dienten den Handwerkern als Vorlagen für Architekturdekorationen und Möbelverzierungen. Huys, der aus dem oben genannten Künstlerkreis die formalen Grundlagen für seine Schöpfungen übernahm, konzentriert sich in der aus 18 Blättern bestehenden Stichfolge jedoch nur auf Kopfformen ohne jegliche dekorative Ornamentrahmung. Verzerrte oder entstellte Kopfformen – allen voran das Haupt der Medusa – bilden einen festen Bestandteil der italienischen Groteske. Dort bedeutet das dämonische fratzenhafte Gesicht Abschreckung und Abwehr beziehungsweise das Prinzip der Unterwerfung. Huys verläßt dieses noch aus der antiken Mythologie überlieferte Konzept und formt phantastische Wesen, die aus verschiedenen animalischen Körperteilen und pflanzlichen Elementen zusammengesetzt sind.

Literatur: Berliner/Egger 1981, III, S. 68 RK

VII.56

JOSEPH BOILLOT (1560 – nach 1603)

56
Nouveaux Poutraitz et figures de termes pour user en l'architecture: composez et enrichiz de diversité d'animaulx, representez au vray, selon l'antipathie et contrarieté naturelle de chacun d'iceulx. 1592

Kupferstiche;
von 24,6/27,4 cm bis 8,2/9,6 cm
Wien, Österreichisches Museum für Angewandte Kunst
Inv. Nr. 137/1,2

Der Hermenpilaster (vgl. Kat. VII. 57), ein in der italienischen manieristischen Kunst oft verwendetes Architekturdetail, erfährt im Laufe des 16. Jahrhunderts immer phantastischere Variationen. Boillot wechselt die bis dahin nur mit menschlichen Wesen besetzten Hermen mit Tieren aus. Jedem Tier wird entweder ein anderes feindliches Tier oder Gegenstände, die es haßt, zugeordnet. Der Vogel Strauß, der dem Pferd beigegeben ist, hat eine dem Kamel ähnliche Gestalt, und Pferde hassen Kamele. Auch der Gehörsinn kann ein Feindbild hervorrufen. So sind an der Herme mit dem Löwen noch Trommeln und Trompeten angebracht. Die bisweilen doch sehr sophistischen Gedankengänge zeigen ein für das Verständnis der manieristischen Kunst wesentliches Charakteristikum auf: die Verknüpfung von scheinbar gegensätzlichen Bedingungen und ihre Unauflösbarkeit. Mit der Physiognomisierung bestimmter Verhaltensweisen bei Tieren und der Übertragung auf die Menschen beschäftigen sich gegen Ende des 16. Jahrhunderts Wissenschaftler und Künstler in ganz Europa.

Literatur: Jessen 1920, S. 69 RK

AGOSTINO VENEZIANO DEI MUSI
(um 1490 – nach 1536)

57
Hermenpilaster 1536

Kupferstich; 20,6 × 12,2 cm
Bezeichnet: „A V 1536"
Wien, Albertina
Inv. Nr. HB X, 3, p. 16, Nr. 537

In der Antike bestand die Herme in ihrer ursprünglichen Form aus einer Büste des Gottes Hermes, die auf einem sich nach unten verjüngenden Pfeiler stand. Später wurden andere männliche Gottheiten, meist mit nacktem Oberkörper, auf Pfeiler gestellt und auf Marktplätzen oder Straßenkreuzungen angebracht. Im Zuge des wieder erwachten Interesses an der Antike wurden die Hermen nicht mehr als Freiplastiken, sondern als Gliederungselemente für Fassaden oder in Innenräumen als tragende Architekturstützen verwendet. Besonders die manieristische Architektur verlangt ausgeprägte physiognomische Versatzstücke zur Belebung der noch auf den starren ästhetischen Prinzipien der Renaissance beruhenden Architektur. Die von den Groteskenentwürfen her bekannten anthropomorphen Mischwesen werden nun von den Stechern als Vorlagen für die Architektur ausgearbeitet.

Literatur: Forssman 1956, S. 25 ff RK

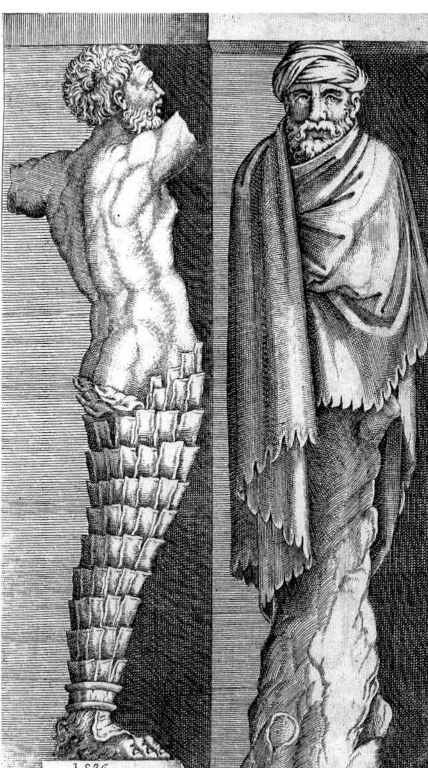

VII.57

VII.58

ZOAN ANDREA (tätig um 1475 – um 1519)

58
Groteske

Kupferstich; 39,4 × 13,4 cm
Bezeichnet: Z A, 1505
Hamburger Kunsthalle, Kupferstichkabinett
Inv. Nr. 109

Zoan Andreas Ornamentstiche unterscheiden sich trotz mancher formaler Übereinstimmungen in wesentlichen Zügen von Agostino Venezianos Grotesken. Der stark vertikal orientierte Aufbau wird, sei es ein kandelaberartiges Gebilde oder ein Triumphwagen, von beiden Künstlern fast gleich formuliert. Doch fehlen bei Zoan Andrea die anthropomorphistischen Mischwesen, die sich im

Spannungsfeld zwischen den Göttern und Dämonen befinden. Seine ikonographischen Symbole weisen einen zu hohen Realitätsgrad auf, um in die verrätselte jenseitsbezogene Welt des Grotesken einzudringen. Antiker Mythos und das seit der italienischen Frührenaissance weit verbreitete Thema des Triumphwagens beziehungsweise die Trophäen führen zu dieser allegorischen Überhöhung der Kriegskunst. Der Unterschied zu den reifen manieristischen Interpretationen dieser Thematik zeigt sich in Arcimboldos Allegorien (vgl. Kat. I. 3, 4), in denen die gleichen Attribute zu physiognomischen Gebilden werden.

Literatur: Weisbach 1919, S. 1–19 – Bartsch 25, S. 293
RK

AGOSTINO VENEZIANO DEI MUSI
(um 1490–nach 1536)

59
Groteskenentwurf

Kupferstich; 26,8 × 15 cm
Wien, Albertina
Inv. Nr. HB X, 3, p. 77, Nr. 747

Raffaels gründliches Studium des klassischen Altertums, vor allem der Malereien in den Räumen der alten Kaiserpaläste Roms, bildet die Grundlage für die zu Anfang des 16. Jahrhunderts allgemein einsetzende Antikenrezeption. Stecher wie Raimondi und Veneziano übertragen die archäologischen Fundstücke in ihre Ornamentstiche. Prinzipiell waren die antiken Darstellungen mit figürlichen Szenen, deren Protagonisten meist spielende Putten oder Mischwesen, jedoch niemals menschliche Wesen waren, aus der griechischen Mythologie ausgestattet. Die Faszination und Beliebtheit der im wahrsten Sinne des Wortes grotesken Stichfolgen Agostino Venezianos für die zeitgenössischen Betrachter setzt die Bereitschaft voraus, sich in diese Götter- und Dämonenvorstellungen einzuleben. Der formale und geistige Stoff dieser Grotesken – und der Renaissancegroteske überhaupt – besteht in der Aufbereitung des Dionysischen Kultes, dessen Wesen durch zwei Extreme geprägt ist: Enthusiasmus und Ekstase. Formal drückt sich dies einerseits in den aggressiven Bewegungen und Handlungen der bocksbeinigen Mischwesen, der Mänaden und Nymphen, andererseits in den unschuldig wirkenden Putti aus. Diese kleinen spielenden Wesen zeigen inhaltlich den naiven Spieltrieb des Menschen auf, während sie gleichzeitig den antiken Darstellungsgehalt ironisieren. Der Mensch selbst hat keinen Zutritt zu dieser zwischen Göttern und Dämonen aufgeteilten Welt.

Literatur: Hedergott 1960, S. 126–154 RK

VII.59

VII.60

PETER FLÖTNER (um 1495–1546)

60
Groteskenentwurf 1546

Holzschnitt
Hamburger Kunsthalle, Kupferstichkabinett
Inv. Nr. 1954/197

Flötners Groteskenentwürfe stellen einen wichtigen Entwicklungsgrad für die deutsche Ornamentik in der Mitte des 16. Jahrhunderts dar. Bleibt die italienische Groteske der ersten Generation auf die Demonstration mythologischer Mischwesen beschränkt, fügt der deutsche Künstler menschliche Figuren in die Darstellung ein. Damit verliert aber die Groteske ihre wesentliche Aussagekraft als fiktive, jenseits jeglicher realen Auffassung angesiedelte Darstellungsebene. Formal baut Flötner seine Komposition in der Tradition des italienischen Kandelaberentwurfs auf, füllt jedoch die Fläche völlig aus. Die mythologischen Wesen sind in ein labyrinthisches Geflecht von Arkanthusblüten eingeflochten. Der teilweise spielerische Charakter der handelnden Wesen, die gedrängte Komposition und schließlich die in ihren Proportionen überlängten menschlichen Figuren drücken exemplarisch die Stilkriterien des Manierismus aus. Unbelastet von dem in Italien latent vorhandenen antiken Erbe kann der deutsche Künstler seiner Phantasie freien Lauf lassen, indem er hemmungslos Adaptionen antiker Vorlagen durchführen und das ganze System in ein dekoratives Gebilde übertragen kann.

Literatur: Leitschuh 1904 – Jessen 1920 – Ausst.-Kat. Jamnitzer 1985, S. 141–150
RK

DANIEL MAYER (um 1600 – um 1656)

61
Architektura 1609

Wien, Österreichisches Museum für Angewandte Kunst
Inv. Nr. 135/46

Daniel Mayer war einer der wichtigsten deutschen Vorlagenstecher. Auch seine Architekturentwürfe, die mit Staffagefiguren versehen sind, dienten der handwerklichen Umsetzung und fungieren somit als wesentliches Quellenmaterial für die gebaute Architektur des 16. Jahrhunderts. Der Titel „Architektura oder Verzeichnis allerhand Einfassungen an Türen, Fenstern und Decken etc. sehr nützlich und dienlich allen Mahlern, Bildthawern etc. Alles erstlichen new erfunden und geetzt ..." zeigt bereits eine gewisse Konkurrenz unter den kursierenden Vorlagenbüchern, da so ausdrücklich auf die eigene Erfindung der Motive hingewiesen wird. MB

VII.61

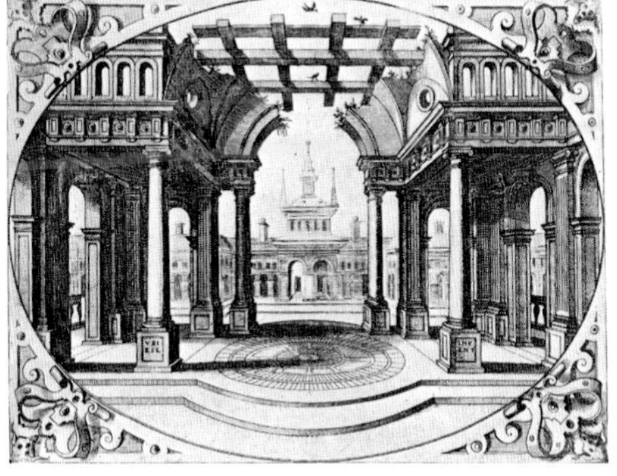

VII.62

NACH HANS VREDEMAN DE VRIES (1527–1604)

62
Phantastische Hallen und Brunnen 1562

Radierungen; 18,6 × 21,8 cm
Wien, Österreichisches Museum für Angewandte Kunst
Inv. Nr. 147/12, 17, 20

Wie die Arbeiten Lorenz Stoers (Kat. VII.49) war auch diese nach Erfindungen Vredeman de Vries' gestochene 20teilige Serie als Vorlagenbuch für Intarsienkünstler gedacht. Die Schriften Sebastiano Serlios und Vitruvs, der beiden wichtigsten Anreger der Architektur des 16. Jahrhunderts, sollen, wie Oberhuber deutlich machte, Vredeman vor allem durch diese Kunsthandwerker bekannt gemacht worden sein. Die riesigen, phantastisch-übersteigerten Hallen, die sich entlang scharf gezogener Tiefenachsen entwickeln, sind besonders charakteristisch für das Werk Vredemans, der seine Bedeutung aus der virtuosen Illustration bloß vorgestellter Bauideen bezieht.

Literatur: Oberhuber 1967, Nr. 150 MB

GIOVANNI BATTISTA BRACCELLI (tätig um 1624–1649)

63
Bizzarie di varie figurae 1624

Faksimileausgabe, Paris 1963
Einleitung von Tristan Tzara
Hamburger Kunsthalle, Bibliothek
Inv. Nr. Gr. St. Bracelli 1981

In Braccellis „Bizzarie" stecken die Anfangsbuchstaben der manieristischen Verfremdungsanatomien. Schon auf der großen New Yorker Ausstellung „Fantastic Art, Dada, Surrealisten" wurde ihre Vorläuferrolle deutlich. Masson verdankt ihnen viel (Kat. XIV.46), Dalí entnahm ihnen die Schubladenidee (Kat. XVI.31). Als 1963 eine Faksimileausgabe des einzigen komplett erhaltenen Exemplars (50 Blätter, davon 47 Kupferstiche) vorbereitet wurde, bot sich für Tristan Tzara die Gelegenheit, aus der Sicht eines Surrealisten der ersten Stunde einen Kommentar zu schreiben. Er wies die Beziehungen zur Formensprache der Kubisten als oberflächliche Analogien zurück, wie er auch den Dadaisten die Patenschaft Braccellis absprach, da ihre subjektive Dingkombinatorik den systematischen Ansatz vermissen läßt. Somit verbleibt nur der Surrealismus als Fortführer der „systematisation rigoureuse", die aus den „Bizzarie" in den Augen Tzaras das Gegenteil dessen macht, was der Titel ankündigt, nämlich ein kohärentes, ganzheitliches Weltbild von durchdachter Objektivität. WH

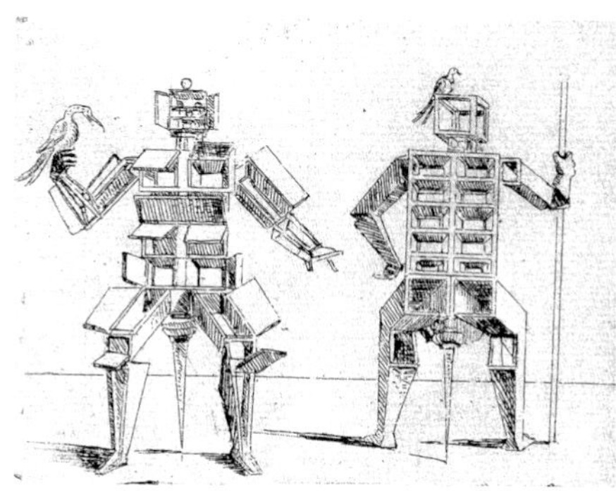

VII.63

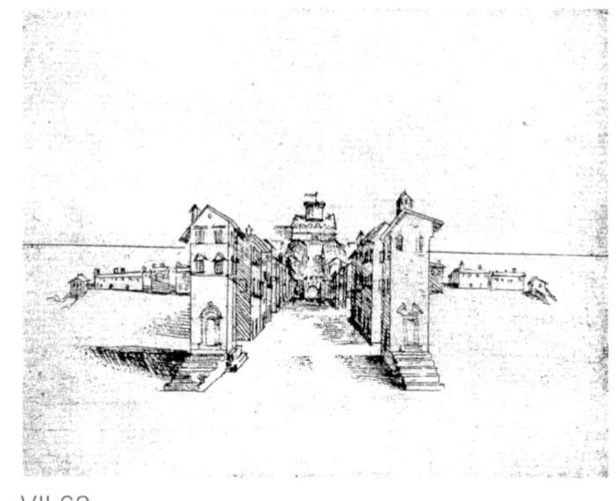

VII.63

VIII „herrlich schen kunststuckh“

Mit diesem Raum schließt sich der Kreis. Nachdem sie eine Zeitlang in den Seitenräumen II, III, IV, V getrennt herrschten, nehmen Mars und Venus in dieser zusammenfassenden Huldigung an das „KUNSTSTUCKH" wieder den Dialog auf, dessen Rollenverteilung Aristoteles – ein „terrible simplificateur" – entworfen und dem 16. Jahrhundert vermacht hatte. Demnach sehnt sich die Frau nach dem Mann wie die Materie nach der Form. (Wir lassen diese Vereinfachung zu ihrem Recht kommen, weil sie zu den Denkmustern der Epoche zählte – damit ist nichts über ihre Gültigkeit ausgesagt.)

Noch einmal tritt dem Besucher die manieristische Kompositschönheit in breiter, multimaterieller Entfaltung gegenüber, ausgespannt zwischen den Polen Materie und Form, getragen von den unzähligen Wahl- und Kombinationsmöglichkeiten, die zwischen dem rohen Naturgebilde und der raffinierten Formalisierung liegen. Hier der Handstein (Kat. VIII. 75), der Korallenberg (Kat. VIII. 73) und die magische Alraune (Kat. VIII. 66), dort ein fein gedrechseltes Elfenbein-Kunststück (Kat. VIII. 71), ein Polyeder (Kat. VIII. 69) und ein monumentales Vorhängeschloß (Kat. VIII. 88), hier der zottige Haarmensch (Kat. VIII. 8) und dort ein erlesener Androgyn (Kat. VIII. 35) – Wildnis gegen Zivilisation, Urlaut gegen Kunststimme. Doch dieses „Gegen" legt einen Gegensatz nahe, wo es doch im Grunde stets um die concordia discors geht, um den Handstein mit der kunstvollen Bekrönung, um den Naturabguß, der sich zur Arabeske verfeinert (Kat. VIII. 65), um die Muschel als Öllampe (Kat. VIII. 36), die Koralle als Degen (Kat. VIII. 74), das Messer als Kunstschrank (Kat. VIII. 61) und um die Schlangenschüssel als Medusa (Kat. VIII. 45).

In diesem Pandämonium wird kunstvoll ausgeführt, was schon in Saal I („Der bannende Blick") einige Stichproben ankündigten: das Schreibzeug mit den Kriechtieren (Kat. I. 35), der Intarsienschrank (Kat. I. 8), die beiden Köpfe von Arcimboldo (Kat. I. 3, I. 4). Dort lag noch der Akzent auf höfischer Repräsentanz und Prachtentfaltung. Dazu bildet nun der KUNSTSTUCKH-Raum das Gegenstück, also die notwendige Ergänzung. Der aufwendige Würderahmen ist weggefallen, die sinnlich-magische Freude am Seltsamen, Kostbaren und Absonderlichen hat sich nun ganz auf die private Kontemplation zurückgezogen. Dieser Intimisierung trägt die Raumgliederung Rechnung. Sie ist labyrinthisch angelegt, sie verwirrt und verblüfft, führt in Sackgassen und Engpässe und versetzt die Fülle der Objekte in einen Schaufensterzauber, wo kein System, keine ikonographische Gliederung herrscht. Hier ist jede Nachbarschaft möglich, auch „glühend Eis und schwarzer Schnee". Hier wird Hermia zur Zwergin („Du Minimum aus Natternwurz"), aber auch ein Kumpan von Squenz und Zettel zum Tantalus (Kat. VIII. 40). Immer wieder sehen wir verschiedene Bedeutungen und – bei den Geräten und Automaten – verschiedene Funktionen miteinander verschränkt bzw. im handgreiflichen Sinn ineinander gestülpt. Das Ineinander will vom Interpreten, die Funktionsverschachtelung vom Benutzer auseinandergenommen werden. Dieses Verwirrspiel gehorcht einer Grundfigur, dem Labyrinth. Wieder wird hier Ambivalenz auf eine visuelle Metapher gebracht, denn das Labyrinth ist eine dynamische Formfigur, welche ebenso in eine (unbekannte, geheimnisvolle) Mitte führt, wie aus dieser sich herausschält und in ihrer Umkreisung zu keinem Ende kommt.

Dem Labyrinth sind die beiden Impulse verwandt, die in den „Kunststücken" Gestalt annehmen: einmal das hermetische Verbergen einer oder mehrerer Kernfiguren bzw. apparativ gesteuerter Funktionen – der Kopf als Landschaft (Kat. VIII. 3), die anamorphotische Verschlüsselung (Kat. VIII. 7), der Husar als Trinkgefäß (Kat. VIII. 60), das Buch als Vexierobjekt (Kat. VIII. 62) –, zum andern die üppige Rahmung einer solchen Kernzone durch ein System tektonischer, figuraler und ornamentaler Schmuckformen.

Der eine Weg zielt auf eine Mitte, der andere entwirft dazu die expandierende Gegenbewegung. Schreine, Automaten, Gefäße und Kästchen sind so angelegt, daß Auge und Hand verlockt werden, in ihr Inneres einzudringen, die Verschachtelung zu öffnen. Damit kontrastiert der expandierende Formaufbau. Diese Tendenz geht dahin, ein Thema durch Begleitformen abzustützen, primäre und sekundäre Inhalte in einem dekorativen Ensemble zu vereinigen, das die Gattungstendenzen überspielt. Ein Musterbeispiel sind die „Mehrfeldbilder" der Galerie François Ier in Fontainebleau, wovon die Wiener Wandteppiche eine gute Vorstellung geben, wenngleich ihnen die dritte Dimension der originalen Wandgestaltung abgeht (Kat. I. 1, I. 2). Ein Mittelbild wird gerahmt, doch die Fassung verselbständigt sich und entwickelt ihre eigene Gesetzmäßigkeit, aus deren Sicht das zentrale Thema sich zu einem bloßen Vorwand reduziert. Dieselbe Mehrsinnigkeit kennzeichnet die ornamental-arabesken Formerfindungen, etwa die Grotesken von Hoefnagel (Kat. VIII. 19, VIII. 20), wo Mitte und Rand sich die führende Stimme streitig machen. Die Subordination der Teile (wie sie im Barock herrscht) wird vermieden. Dieses labile Gleichgewicht fügt sich der Ästhetik der Ambivalenz ein. Der Betrachter (Benutzer) ist stets zur Entscheidung aufgerufen: Ist die Mitte wichtiger als die groteske Rahmung? Sind dies Buchstaben oder Menschen (Kat. VII. 6)? Tafelgeräte oder autonome Kunstwerke? Ist dies eine Landschaft oder ein Kopf (Kat. VIII. 3)? Ein Bild oder bloß dessen Kehrseite (Kat. VIII. 6)? Eines ist gewiß: Es sind lauter zwieträchtige Eintrachten, über denen die Devise steht: Kunst kann aus allem gemacht werden. Wo immer die Künstler unseres Jahrhunderts sich von dieser Multimaterialität leiten lassen, stehen sie in der Nachfolge der Kunst- und Wunderkammern (Abb. 1 und 2).

Die Geschichte der Kunst- und Wunderkammern des deutschen Sprachraumes fällt in die zweite Hälfte des 16. Jahrhunderts. Zu den herausragenden Gründungen zählen die Sammlung Erzherzog Ferdinands von Tirol, die dieser nach dem Tod seiner Gemahlin Philippine Welser (1580) (Kat. VI. 5) auf Schloß Ambras verbringen ließ, die Kunstkammer Rudolfs II. in Prag und die der bayerischen Herzöge in München und schließlich das 1560 gegründete Dresdener „Grüne Gewölbe". WH

Abb. 1 Jean Dubuffet, Schmetterlings-Collage, 1953, Hamburg, Privatbesitz

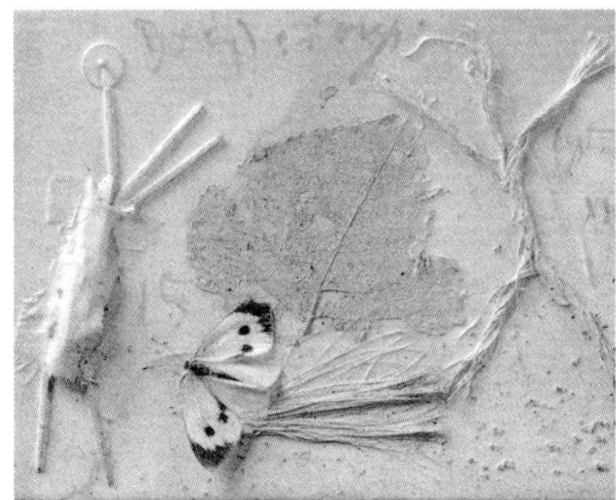

Abb. 2 Pablo Picasso, Komposition mit Schmetterling, 1932, Paris, Musée Picasso

HANS III. JORDAENS (um 1595–1643/53)

1 Farbabbildung S. 117
Ein Kunst- und Raritätenkabinett
um 1630

Öl auf Eichenholz; 86 × 120 cm
Bezeichnet: Hans Jordans F.
Wien, Kunsthistorisches Museum, Gemäldegalerie
Inv. Nr. 716

Jordaens stellt mit seinem freundlichen, einladenden Gemälde die zauberhafte Welt des Kunstkabinetts vor.

Einige Connaisseurs haben sich eingefunden, den ausgestellten Reichtum zu bewundern. Während sich zwei vornehme Herren – Nachwuchs und Hunde im Gefolge – von einem bärtigen Kenner belehren lassen, sitzt in der Bildmitte ein schwarzgekleideter Nobelmann, der sich Rubens' „Erweckung des Lazarus", vermutlich um 1624 entstanden und heute in Berlin aufbewahrt, vorführen läßt. Dieses Bild ist jedoch das einzige aller Dargestellten, das sich identifizieren läßt, während alle anderen offensichtlich keine realen Vorbilder hatten. Es handelt sich bei diesen Werken vielmehr um ein Kompendium dessen, was der kunstsinnige Mann von Welt zu sammeln hatte – neben dem „letzten Schrei" Rubens' und Bildern Jan Bruegels sowie zeitgenössischen Landschaften auch mythologische und biblische Sujets in italienischer Manier. Jordaens zeigt hier kein konkretes Kunstkabinett, vielmehr ein Idealbild davon, dem (groß-)bürgerlichen Milieu seiner Heimat angepaßt. Dem Adel, allen voran dem Erzherzog Leopold Wilhelm nacheifernd, stellte der stolze Besitzer einer solchen Kunstkammer neben seinem Reichtum auch seine Bildung und seinen Geschmack unter Beweis, wenngleich Jordaens' Gemälde verrät, daß eher die vielfältige Quantität denn die originelle Qualität der darin enthaltenen Kunstgegenstände den Wert einer solchen Sammlung bestimmte.

Das aus der Sammlung des Erzherzogs stammende, vom Maler bezeichnete und im Inventar von 1659 unter Nr. 203 angeführte Bild ist offensichtlich eine Gemeinschaftsproduktion mehrerer Künstler, wobei Jordaens für Figuren und Gemälde verantwortlich gezeichnet haben dürfte.

Literatur: Engerth 1884, S. 216 f – Speth-Holterhoff 1957, S. 113–116
MK

GEORG HAINZ (tätig 1666–1668)

2 Farbabbildung S. 117
Kunstkammerschrank 1666

Öl auf Holz; 114,5 × 93,3 cm
Hamburger Kunsthalle
Inv. Nr. 435

Hainz zeigt in seinem berühmt gewordenen Kunstkammerbild nicht die wohlgeordnete, sich über mehrere Räume erstreckende Wunderkammer eines Fürsten. Sein Bild, dessen unvermittelter Realismus auch heute noch frappiert, dokumentiert die zur Entstehungszeit üblichen, in bürgerlichen Kreisen des Nordens weitverbreiteten Kunstschränke. In ihnen bewahrte man in geringer Anzahl, jedoch starker Aussagekraft, besondere Gegenstände auf, die bei Hainz mehr dem Preziösen denn dem bloß Außergewöhnlichen zuzurechnen sind. So repräsentieren die einzelnen Schmuckstücke beträchtliche Werte, besonders aber sticht der zentral placierte elfenbeinerne und reich beschnitzte Pokal hervor, der ein seltenes und gesuchtes Sammlungsstück war. Dieser Pokal wird heute in Dänemark verwahrt und illustriert wie der Petelpokal (Kat. VIII. 50) den Typus der mit Bacchusszenen geschmückten Trinkgefäße. Totenköpfe, Muscheln und andere Mirabilia lagern in Hainz' Bild in nüchternen Fächern, deren Isolation den Objekten eine gesteigerte Strahlkraft verleiht, die z. T. auch von Trompe-l'œil-Effekten wie dem halbgeöffneten Brief herrühren.

Literatur: Ausst.-Kat. Stilleben 1979, S. 480 ff
MB

VIII. 3

JOOS DE MOMPER (1564–1635)

3
Kopf-Landschaft

Öl auf Leinwand; 19 × 25 cm
Privatsammlung Basel/Schweiz

In seiner Kopf-Landschaft hebt der niederländische Landschaftsmaler Joos de Momper die Grenze zwischen Mensch und Natur auf. Die Landschaft wird zum Menschenkopf und der Menschenkopf zur Landschaft. In diesem Changieren zwischen den Bereichen ist das Bild de Mompers natürlich auch ein Element der verkehrten Welt, jenes Entwurfes einer Gegenwelt, in der die denkbaren, aber zuvor nicht gedachten Möglichkeiten aufgezeigt werden. Sie kennzeichnet ein neues Naturgefühl, in dem der Mensch in der Natur aufgeht, sie aber auch ganz bestimmt. Das Landschaftsgesicht wird zum Symbol dieser Naturauffassung.
MP

VIII. 4

VIII. 5

MAX ERNST (1891–1976)

4
Mikrobe

Öl auf Karton; 2,3 × 6,3 cm
Köln, Privatsammlung

Wahrscheinlich 1949 entstanden, als Max Ernst eine Reihe von Weltlandschaften en miniature malte – „a world in a nut-shell". Von jedem Bezug auf menschliche Maßstäbe entlastet, sind diese winzigen Verwerfungen und Urlandschaften den „Pietre dure" und den Steinschnitten des 16. Jahrhunderts in Form und Geist verwandt (Kat. VIII. 10). WH

TOBIAS VERHAEGHT (1561–1631)

5
Gebirgslandschaft mit der Trennung von Abraham und Loth 1609

Öl auf Leinwand; 111 × 157 cm
Braunschweig, Herzog Anton Ulrich-Museum
Inv. Nr. 1454

In den Arbeiten der niederländischen Landschaftsmaler, die in der Tradition von Pieter Bruegel arbeiteten, entwickelte sich die Form einer enzyklopädischen Ideallandschaft, aus der die menschlichen Figuren fast gänzlich verschwinden und in denen der Schwerpunkt der Darstellung weniger auf der Vegetation als auf der Geologie liegt. Die Landschaft wird von gigantischen, urweltlichen Felsformationen bestimmt, in denen die Menschen nur noch die Rolle unwichtiger Statisten spielen. Das Interesse des Künstlers gilt nicht den biblischen Gestalten, sondern den Naturmotiven in ihrer phantastischen Großartigkeit. Dieses starke Interesse an der Landschaft, das der Rubenslehrer Tobias Verhaeght hier zeigt, hängt mit dem wachsenden Interesse an der Natur zusammen. Mit dem Entstehen der Naturwissenschaften wird der Mensch einerseits aus dem Mittelpunkt des Weltbildes verdrängt, andererseits macht er sich zu seinem Beherrscher. MP

VIII. 6

CORNELIS NOBERTUS GYSBRECHT (nachgewiesen 1659–1675)

6
Rückseite eines Gemäldes

Öl auf Leinwand; 66 × 86,5 cm
Kopenhagen, Statens Museum for Kunst
Inv. Nr. 1989

Ein wesentliches Anliegen des Manierismus war das Ergründen der Möglichkeiten des Denkens in Gegensätzen. Man erkennt von vornherein, daß die Wahrheit doppelseitig ist, daß man jede Simplifikation vermeiden und die Dinge in ihrer Komplexität erfassen muß. Wenn es die übliche Ordnung, die normale Wirklichkeit gibt, muß es auch eine andere, engegengesetzte Ordnung, eine unübliche Wirklichkeit geben. Denn die Gegenstände bestehen nicht nur aus einer Seite, sie bestehen zumindest aus zwei. Wenn es also die Vorderseite eines Dinges gibt, muß es auch seine Rückseite geben. Daher stellt der niederländische Stillebenmaler Cornelis Gysbrecht die Rückseite des Gemäldes dar, sie gehört genauso zur Wirklichkeit wie die Vorderseite. Sie widerspricht unserer Erwartungshaltung, erstaunt und verwirrt uns. Dieser Wunsch, den Betrachter in Erstaunen zu versetzen, überlebte bis ins 17. Jahrhundert. Neben dem Gedanken der verkehrten Welt spielt natürlich auch das Spiel mit der Wiederholung des Rahmenmotives eine Rolle. Hier kommt es durch den Gegensatz zwischen den zwei gemalten Rahmen und dem wirklichen zu einem Trompe-l'œil-Effekt, einer Augentäuschung, eines der Anliegen der Stillebenmalerei des 17. Jahrhunderts. In unserem Jahrhundert hat der Spanier Tàpies den Keilrahmen zum Bildthema erhoben. MP

VIII. 7

MATTHIAS STOM (= STOMER)
(um 1600 – nach 1650)

7
Anamorphose: Der heilige Hieronymus
ca. 1640

Öl auf Leinwand; 44 × 58,5 cm
Utrecht, Centraal Museum
Inv. Nr. 18448

Die tiefstgreifende Verrätselung, deren ein Ölgemälde fähig ist, manifestiert sich in der Anamorphose. War zum Verständnis komplizierter Allegorien noch eine humanistische Bildung vonnöten, so muß hier ein technischer Gegenstand eingesetzt werden, um das Bildgeheimnis zu entschlüsseln. Erst wenn man einen verspiegelten Zylinder auf das flachliegende Gemälde stellt, setzt sich an dessen Außenwänden die verschwommene zu einer lesbaren Darstellung zusammen. In unserem Falle ist es ein hl. Hieronymus, der als Vorlage für diese vollendete Verfremdungskunst benützt wird. Solche skurrilen Spiele mit optischen Verzerrungen, an denen manieristische Geister größte Freude fanden, wurzeln wohl in der wissenschaftlich orientierten Erforschung der Perspektive (vgl. Kat. VII. 41–47), deren Entdeckungen man nun auf verschiedenste Weise für ausgefallene Kombinationen auszuwerten wußte. Die Naturwissenschaft gab den Verfremdern die Werkzeuge in die Hand, Konventionen und gewohnte Sichtweisen des Ölgemäldes radikal in Frage zu stellen und durch die Vermengung mit technischen Hilfsmitteln die Zweidimensionalität zu sprengen. MB

VIII. 8

DEUTSCH, UM 1580

8
Die Tochter des Haarmenschen Petrus Gonsalvus

Öl auf Leinwand; 122 × 85 cm
Kunsthistorisches Museum, Sammlungen Schloß Ambras
Inv. Nr. GG 8331

Bei der Dargestellten handelt es sich um die 1574 geborene älteste Tochter des Haarmenschen Petrus Gonsalvus, der mit seiner Familie, gleichsam als lebende Mirabilie, an verschiedenen europäischen Höfen, darunter auch in München, weilte.

Das Porträt des Vaters (Inv. Nr. GG 8329) wird im Inventar der Ambraser Kunstkammer von 1621 als „Rauchmann zu Münechen" erwähnt. In Ambras sind auch Bildnisse des Sohnes (Inv. Nr. GG 8330) und der unbehaarten Mutter (Inv. Nr. GG 8332). Die Familie des Haarmenschen ist auch von Georg Hoefnagel in einem mehrbändigen, Kaiser Rudolf II. gewidmeten Werk dargestellt.

Literatur: Kat. Innsbruck 1977, Kat. Nr. 390 – Dacosta Kaufmann 1985, S. 245 ES

GERHARD JANSSEN (1636–1725)

9
Betrachomyomachie 1684

Hinterglasmalerei
Bezeichnet: GI
Wien, Kunsthistorisches Museum, Sammlung für Plastik und Kunstgewerbe
Inv. Nr. 3021

Der von Janssen gewählte Vorwurf, ein homerisches Kleinepos über den Krieg zwischen Fröschen und Mäusen, wird in geraffter Form zur Darstellung gebracht. An den Ufern des Sees tobt gerade der Kampf zwischen den mit Nadeln bewaffneten Tierheeren. In den Fluten treibt noch die Leiche des Mäuseprinzen „Krumendieb", dessen durch den Froschkönig „Pausback" verschuldeter Tod – der Froschkönig sollte den Mäuserich über die Fluten bringen, ließ diesen aber angesichts einer Seeschlange kläglich ertrinken – Ursache für den blutigen Kampf ist.

Im bewölkten Himmel über der Landschaft thront der olympische Rat. Zeus hat sich gerade entschlossen, dem unterlegenen Froschheer mit Blitz und Donner und einer Verstärkung durch ein Krebsheer – es rückt gerade am linken Seeufer vor – zu Hilfe zu kommen.

Die Unzahl der minutiös geschilderten Insekten, die die Rahmung der Darstellung bilden, verraten, daß das Interesse an der Schilderung dieser Begebenheit aus dem Tierreich in erster Linie – ganz ähnlich den Naturabgüssen (vgl. Kat. VIII. 65) – der Darstellung der verschiedensten Formen niederen Getieres und dem damit beim Betrachter erzeugten Schauer galt.

Literatur: Braun 1914, S. 10 ff SS

GIOVANNI CASTRUCCI (tätig um 1600/10)

10 Farbabbildung S. 133
Landschaft mit Obelisk 1607/11

Pietre Dure, verschiedene Halbedelsteine;
49,3 × 34,2 cm
Wien, Kunsthistorisches Museum,
Sammlung für Plastik und Kunstgewerbe
Inv. Nr. 3397

Die weite Landschaft wird zentral von einer dreibogigen Brücke beherrscht, die einen Obelisken mit dem kaiserlichen Wappen trägt. Die formbildende Verwendung der Farbe und der Maserung des Steines bestimmt die malerische Wirkung und damit die Qualität des „florentiner Mosaikes", das sich in der Spätrenaissance in den Werkstätten des Mediceischen Hofes entwickelte.

Von hier gelangten die „comessi in pietre dure" als großzügige Geschenke der toskanischen Herzoge unter anderem auch an den Hof Rudolfs II. „Una tavola, rimessa di christalli et altre pietre, stimata fattura singolare et di molto lavore" (Vincenzo Gradenigo) entzündet sofort die Begeisterung Rudolfs II. für diese elitäre Form der Steinintarsierung, verbindet sie doch in genialer Weise edles Material mit virtuoser Verarbeitungstechnik. Die reichen Mineralienbestände Böhmens boten sich geradezu an, diese Kunstform auch am Prager Hof einzuführen. Nach mehreren Versuchen gelang es schließlich 1596, Cosimo Castrucci zu gewinnen und 1600 auch Giovanni Castrucci. Letzterem läßt sich auf Grund des Inventars der Prager Kunstkammer von 1607–1611 die Landschaft mit Obelisk zuschreiben. Der Komposition liegt ein Stich Johann Sadelers nach einer Invention des Lodewyck Toetput von 1599 (Wien, Albertina) zugrunde.

Literatur: Voltelini 1894, S. LXXXVII, Nr. 11989 – Neumann 1957, S. 157 SS

VIII. 11 A

GIOVANNI GUERRA (um 1540–1618)

11
Vier Ansichten des „Sacro Bosco" zu Bomarzo 1599

Federzeichnungen;
19,6–23 × 14,7–16,4 cm
Wien, Albertina
Inv. Nr. 37197, 37232, 37199, 37200

Als im Jahre 1542 nach diversen Erbstreitigkeiten der Besitz des Städtchens Bomarzo in der Nähe Viterbos an Vicino Orsini kam, war damit der Grundstein für die Entstehung des ungewöhnlichsten Fürstengartens des 16. Jahrhunderts gelegt. Vicino, ein der Dichtung zugeneigter und selbst künstlerische Ambitionen verfolgender „Freigeist", zog sich nach militärischen Mißerfolgen 1571 auf das Landschlößchen zurück und begann nach eigenen Entwürfen die heute noch zu bestaunenden seltsamen Bauwerke des „Schiefen Hauses", des „Höllenmaules" und des „Tempietto" sowie monumentale Riesen, Drachen und Nymphen in einem Wäldchen unweit seines Schlosses zu errichten. Diese Anlage trägt den Namen „Sacro Bosco", heiliger Wald, und steht symbolisch für die gedanklichen und lebemännischen Ausschweifungen, die sich Vicino Orisini gestattete. „Das ‚Wäldchen' besaß für Vicino nicht nur den Charakter eines Gleichnisses; es war für ihn der Ausdruck und Leitfaden einer tief liberalen, skeptischen, gegenüber Autoritäten und deren Weltordnung rebellischen Sicht der Natur und der menschlichen Gemeinschaft" (Bredekamp). Die im Garten verkörperte „Mischung aus Sinnlichkeitskult und Okkultismus ... bedeutet einen Bruch mit Gegenreformation, Stoizismus und Neuplatonismus; seine Gebilde leben nicht etwa von einer Veredelung der Materie in Schönheit, sondern von einer rebellischen Rückführung der Kunstwerke auf die sinneskultische Energie ihrer Entstehung. Der manieristische Charakter des ‚Wäldchens' liegt in einem geradezu trotzigen Rückgriff auf den ... verachteten Epikureismus der Renaissance" (Bredekamp).

Literatur: Bredekamp 1985 MB

VIII. 11 B

L ORDINE DEL FONTE CABALINO DI BVONMARTIO
CONTIENE OLTRE ALLE MVSE NELLI QVATRO ANGOLI FVOR
DEL GIRO FIGVRA DI GIOVE APOLO BACCO E MERCVRIO

VIII. 11 C

VIII. 11 D

VIII. 12

STEFANO DELLA BELLA (1610–1664)

12
Der Apenninische Koloß von Giovanni Bologna im Park der Villa Pratolino zu Florenz

Kupferstich; 24 × 37 cm
Hamburger Kunsthalle, Kupferstichkabinett
Inv. Nr. 1968/174

Die Vereinigung von Arteficialia und Naturalia, also der Werke des menschlichen Schaffens mit den Produkten der Natur, findet nicht nur in der Kunst- und Wunderkammer statt, sie ist auch ein Element der Gestaltung der manieristischen Landsitze. Im 16. Jahrhundert kam es zu einem Wiederaufleben der antiken Tradition, aus Felsen Skulpturen zu meißeln. Dieser Gedanke verband sich mit dem Bewußtsein, daß die Natur selbst ein Kunstwerk ist. Als Ergebnis aller dieser Überlegungen findet man Giambolognas gigantischen, aus dem Felsen gehauenen Apennin, im Garten der Villa di Pratolino, die Bernardo Buontalenti (1569–1584) für Francesco de Medici entwarf. Aus einer Höhle entwächst ein gewaltiger Riese. Sein Bart, sein Rücken, seine Haare sind mit Flechten bedeckt. Er symbolisiert die Zugehörigkeit der Kunst, der Architektur zur Natur und gleichzeitig ihre Unterwerfung unter die Gestaltungskraft des Menschen. Daß diese Höchstleistung der Gartenkunst in der Form eines Stiches gezeigt wird, entspricht genau der Verbreitungsform des Manierismus, der seine Ausbreitung über Europa zu einem nicht geringen Grad den zahlreichen Reproduktionsstichen verdankt.

Literatur: Kaufmann 1970, S. 277 ff MP

ANTONIO FANTUZZI (tätig 1537–1550)

13
Einrahmung der „Austreibung der Unwissenheit" 1543

Radierung; 26,5 × 53,3 cm
Paris, Bibliothèque Nationale, Cabinet des Estampes

Die Radierung gibt in leicht abgewandelter Form und seitenverkehrt einen der von Rosso für die vierzehn Abschnitte der Längswände der Galerie Franz' I. in Fontainebleau entworfenen ornamentalen Rahmen wieder. Jede der „Travées" zeigte ein anderes ornamentales Programm. Die Mittelfresken wurden jeweils abwechselnd von plastisch ausgeführten Stukkaturen (Hochreliefs) oder als Fresken und Flachreliefs ausgeführten Darstellungen gerahmt.

Die Komposition ist symmetrisch angelegt. Die Radierung zeigt eine Gebirgslandschaft in architektonischer Rahmung, flankiert von mehreren Satyrn: Satyr und Satyressa mit Körben auf den Köpfen sowie je zwei „Heranwachsende", die an ihnen emporklettern. Darunter stehen jeweils zwei, teilweise dem Betrachter frontal zugewandte Putten, oben – ebenfalls je zwei – nackte weibliche Figuren, die sich im Melancholiegestus auf Teile des architektonischen Gliederungssystems aufstützen. An den Seiten befinden sich üppige Fruchtgehänge und vorgelegte Pilaster mit Rankenornamenten. Es entsteht hier ein Spannungsverhältnis zwischen dem durch die Andeutung von Schattenpartien vollplastisch wirkenden figürlichen Ensemble und der Zweidimensionalität von Mittelbild und flachreliefartig aufgefaßter Pilasterordnung. Die Figuren scheinen fast auf den Betrachterraum überzugreifen, scheinen der Wand vorgelagert zu sein, das Mittelbild dagegen tritt noch hinter diese zurück, wirkt im Kontrast wie ein „Ausblick" in ein menschenleeres idyllisches „Jenseits".

Literatur: Zerner 1969, A. F. 33 EH

VIII. 13

VIII. 14

THOMAS DE FRANCINI (1571–1651)

14
Entwurf für die linke Hälfte eines Grottengewölbes

Feder in Braun; 34 × 15,1 cm
Bezeichnet: DF

15
Entwurf für eine Muscheldekoration

Schwarze Kreide; 28,9 × 31,8 cm
Bezeichnet: DF

Beide: Berlin, SMPK, Kunstbibliothek
Inv. Nr. Hdz 3258 a und b

Aufgrund von Vergleichen mit seinen gestochenen Entwürfen und ausgeführten Werken schreibt Berckenhagen die beiden Zeichnungen für Grottendekorationen Francini zu, von dem ansonsten keine gesicherten eigenhändigen Blätter bekannt sind. Francini war als Entwerfer von Fontänenanlagen im Palais du Luxembourg und im Schloß Fontainebleau tätig, weshalb seiner Gartenkunst besonders repräsentativer Charakter für die großen Anlagen der Zeit um 1600 zugeschrieben werden kann. Die beiden Blätter zeigen auch beispielhaft, wie konzis die Ikonographie an die Vorstellungen von der Grotte als Lebensraum feucht-unheimlicher Fabelwesen angeglichen ist: Muscheln, Tritonen, Delphine, Poseidon und die Darstellung einer Schiffsflotte bilden hier die Leitmotive des Dekors. Elegante Gesellschaften fanden in solchen Grotten, die versteckt in weitläufigen Fürstengärten errichtet wurden, ein adäquates Ambiente für leichte Konversation und höfisches Spiel.

Literatur: Berckenhagen 1970, S. 49, 50 MB

BERNARD PALISSY (um 1500–1590)

16
Schnitt durch eine unterirdische monumentale Grottenanlage

Feder in brauner Tusche; 29,5 × 40,7 cm
Berlin, SMPK, Kunstbibliothek
Inv. Nr. Hdz. 1086

Das berühmte Blatt wird Palissy zugeschrieben, der 1570 als maßgeblicher Entwerfer die unter dem Bodenniveau gelegene Grotte in den Tuilerien zu Paris für die Gemahlin des königlichen Oberstallmeisters errichtete. Ihre Besonderheit lag darin, daß man von oben in ihr über und über von Muscheln und bunten Fayencen überwuchertes Innere blicken konnte. Von außen gelangte man über einen (links im Blatt eingezeichneten) Treppenlauf in die Grotte, aus deren Wänden Wasser strömte, das in kugelförmigen Reservoirs innerhalb der dicken Umfassungsmauern gespeichert war. Diese aufwendig konstruierte, in größter Raffinesse ersonnene, heute jedoch nicht mehr erhaltene Anlage zählte wohl zu den bedeutendsten Gartenarchitekturen des 16. Jahrhunderts überhaupt.

Literatur: Berckenhagen 1970, S. 14–16 MB

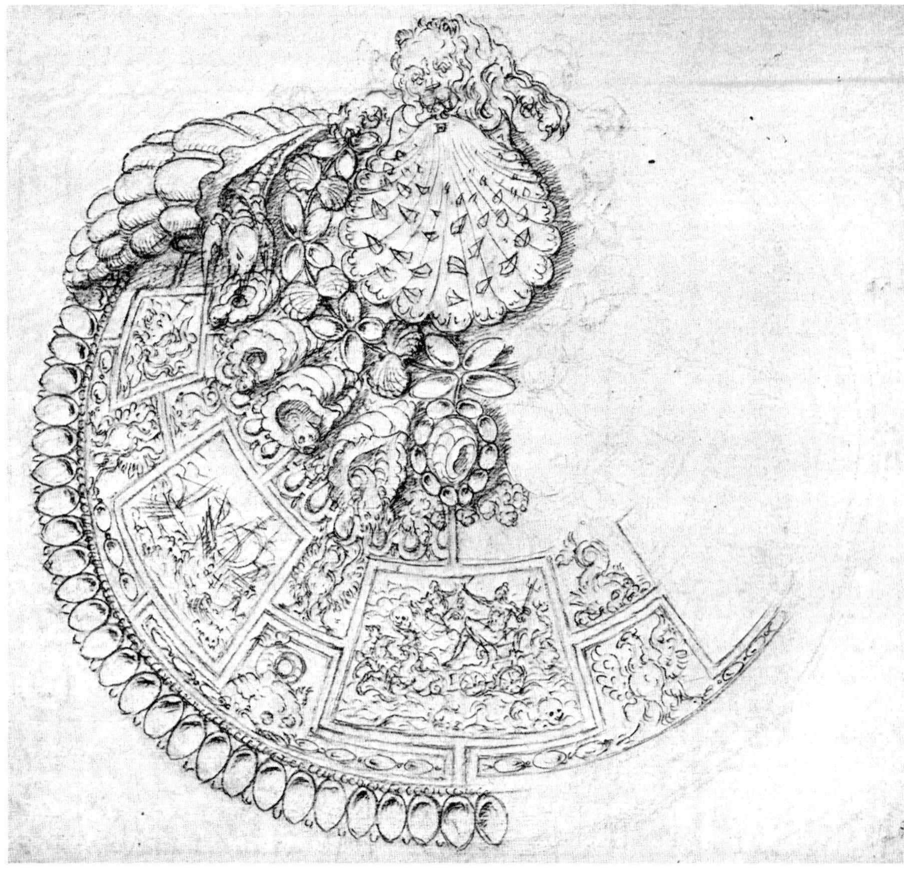

VIII. 15

VIII. 16

MEISTER L. D. (tätig 1540–1556)

17
Kryptoportikus der Grotte im Föhrenhain
um 1543

Radierung; 53,1 × 24,5 cm
Bezeichnet: LD
Paris, Bibliothèque Nationale

Die Radierung gibt in etwas variierter Form die Fassade der zwischen 1541 und 1543 errichteten, zum Teil heute noch erhaltenen Grotte des „Jardin du pins" in Fontainebleau wieder. 1550 wurde das untere Geschoß in den Eckpavillon der im 18. Jahrhundert zerstörten „Galerie d'Ulysse" miteinbezogen. Über das Innere der Grotte weiß man nur wenig: Sie war wahrscheinlich mit Grotesken und Muscheldekor ausgeschmückt, und Gothein (1926, S. 11) schildert sie als „von Brunnen durchrauscht". Das Blatt gibt die Fassade als reinen Aufriß wieder, der Durchblick durch die Bögen wird durch ein neutrales Streifenmuster verwehrt.

Die Existenz dieser Radierung stützt die These von Dimier (1928, S. 16f), daß der Entwurf der Grotte von Primaticcio stammt. Der Meister L. D. hat sein Motiv wahrscheinlich von einer Entwurfszeichnung dieses Künstlers übernommen. Die schweren Rustikabögen wie auch die in die Pfeiler integrierten, an den Stein gefesselten Giganten lassen an italienische Einflüsse, vor allem von Giulio Romano und Michelangelo denken: an die Rustika-Partien des Palazzo del Tè in Mantua, den Saal der Giganten, in denen die Riesen unter einer Flut von Felsbrocken begraben werden oder die unter Franz I. nach Frankreich gekommenen Sklaven Michelangelos (mit ihrer Schwere, ihrer noch unentfalteten, an den Stein gefesselten Körperkraft – die florentiner Pendants waren in einer Grotte im Boboli-Garten aufgestellt). Es wird hier – und das trifft auch auf die Satyrhermen zu – organisches, plastisch-körperliches Leben in architektonische Stütz- und Gliederungssysteme eingebunden. Aber so sehr damit Lebendiges zu Stein, zum Ornament und Architektur-Versatzstück wird, so verändert sich auf der anderen Seite bei solchen Metamorphosen auch der Charakter der Architektur. Belebtes und Unbelebtes vermischen sich hier, und das scheinbar völlig Natürliche ist letztlich höchst artifiziell. Golson (1971, S. 106) sieht in der „Grotte des pins" eine der frühesten französischen Formulierungen der auf Serlio zurückgehenden „union between architecture and nature which beyond mannerism is prophetic of the baroque".

Literatur: Zerner 1969, L. D. 60 – Aust.-Kat. Fontainebleau 1972, Nr. 382 EH

VIII. 17

VIII. 18

FRANZÖSISCH, ENDE 16. JAHRHUNDERT

18
Entwurf für ein aufwendig gestaltetes Schreibzeug mit bekrönender Uhr

Feder in Braun, laviert; 56,5 × 42 cm
Berlin, SMPK, Kunstbibliothek
Inv. Nr. Hdz. 2217

Die an der Spitze dieses „Denkmals" aufgestellte Uhr ist nicht allein ein praktischer Einfall, sie ist ein Symbol: Die Uhr als Instrument der exakten Zeitmessung dient zur Erschließung der Welt. Was meßbar ist, ist für den Menschen auch exakt erfaßbar und damit beherrschbar. Die Uhr ist als Prototyp der vom Menschen erdachten und ausgeführten Maschine ein Gegenpol zur Natur und ein Hilfsmittel zu deren Beherrschung. Als Maschine zur Messung der Zeit wird sie zum Symbol für die Naturwissenschaften und die Philosophie. Welches andere Symbol könnte ein Schreibzeug dieser zunehmend an der Erforschung der Natur interessierten Zeit bekommen, dient es doch zur Konservierung der durch die Naturbeobachtung hervorgebrachten Ideen. Da unser Schreibzeugentwurf vermutlich für einen fürstlichen Auftraggeber angefertigt wurde, wurde dieser Gebrauchsgegenstand zum Anlaß aufwendiger künstlerischer Dekoration. Er zeigt die Passion für das Ornament, das die Struktur in einem „horror vacui“ überspinnt und mit Medaillons und Figuren belebt. Dabei bedient sich der unbekannte Künstler genauso der Gestalten der Bibel wie der griechisch-römischen Mythologie. Dazwischen beleben aus der Natur entnommene Formen die Flächen.

Literatur: Berckenhagen 1970, S. 38/39 MP

GEORG HOEFNAGEL (1542–1600)

19
Allegorie auf Abraham Ortelius 1543

Gouache auf Pergament; 11,8 × 16,5 cm
Antwerpen, Stedelijk Prentenkabinett
Inv. Nr. 535

Das Denken des Manierismus neigt zur emblematischen Form, in der aus einem Gedanken ein neues Bild, ein Emblem, entsteht. Einer der großen Meister der Emblematik des späten 16. Jahrhunderts war Georg Hoefnagel. Er schuf im Auftrag der beiden großen manieristischen Kunstförderer, Ferdinand II. von Tirol und Kaiser Rudolf II. zahlreiche Pflanzen- und Tierminiaturen. Diese intensive Beschäftigung mit der Natur schlägt sich ganz deutlich in seinen Emblemata nieder, bei denen die Symbolik stark von Motiven der Naturdarstellung bestimmt wird. 1593 schuf er für seinen Freund Abraham Ortelius ein Blatt, das die Devise „. . . neminem habet osorem nisi ignorantem“ trägt. An den Seiten finden sich die Inschriften „D. Abrahamo Ortello Amicitiae monumentum“ und „Georgius Houfnaglius d. genio duce MDXCIII“, die den Künstler und den Adressaten des Emblems bezeichnen. In der Mitte unten wird mit der Inschrift „Hermathena“ die Aussage des Bildes zusammengefaßt: Im Zentrum findet sich die Eule Athenes, die auf der auf einem Buch disponierten Weltkugel sitzt. Sie hält den Caduceus (Heroldsstab), der aus zwei um einen Pinsel gewundenen Schlangen besteht, in ihrer rechten Kralle. Aus der Weltkugel sprießen zwei Ölzweige hervor. Neben dem Buch liegen Pinsel, ein Zirkel, Muscheln mit Farbresten und anderes Zeichengerät. Der Caduceus ist das Attribut Hermes', des Gottes der schönen Künste und der Beredsamkeit, wobei der aus einem Pinsel gebildete Stab den Maler gleichsam zum Hermes macht. Die Eule ist das Attribut Athenes, der Göttin der Weisheit und Wissenschaft. Gemeinsam bilden sie den Begriff der Hermathena, der schon im Altertum die Verbindung von Wissenschaft und Kunst bedeutete und als dessen Produkt wohl die prachtvollen Insekten- und Schmetterlingsdarstellungen angesehen werden können.

Literatur: Wilberg Vignau-Schuurman 1969, S. 195f MP

VIII. 19

VIII. 20 A

GEORG HOEFNAGEL (1542–1600)

20
Zwei Groteskenblätter

20 A
Groteske mit Falter und Fruchtstücken
1594

Aquarell; 17,4 × 12,2 cm
Wien, Albertina
Inv. Nr. 1525

Nach den Fundorten, den „grotte“, als „grotteschi“ bezeichnet, orientierte sich diese Dekorationsform des Manierismus an der römischen Wandmalerei, die man in Rom in den Ruinen der Domus Aurea fand. Die Groteske ist die Herrschaft der hybriden Formen, der Triumph des Anorganischen und die Belebung der Dekoration durch Rollwerk und tierhafte Gebilde. Sie kennzeichnet das neue Interesse an der Natur, das man bei Hoefnagel verstärkt beobachten kann. Genaueste Naturbeobachtungen fließen in die Grotesken Hoefnagels ein, wobei auch ein symbolischer Inhalt angenommen werden kann. So könnte man den mit der Weltkugel spielenden Amor wohl als das unberechenbare Spiel der Liebe mit den Menschen deuten.

20 B Farbabbildung S. 132
Groteske mit Fledermaus 1595

Deckfarbenaquarell; 17,5 × 12,6 cm
Wien, Albertina
Inv. Nr. 1526

Die Groteske mit der Fledermaus und den Schlangen dürfte in Zusammenhang mit der Sünde stehen. Die Fledermaus, die mit dem Kopf nach unten schläft, ist das Symbol des gefallenen Menschen, des Sünders. Diese Deutung wird durch die beiden Schlagen verstärkt. Die Schlange ist die Verführerin Adams und Evas im Paradies, das Tier des Sündenfalls, die Verkörperung des Satans und des Bösen.

Literatur: Benesch 1928, Nr. 339, 340 – Wilberg Vignau-Schuurman 1969, S. 174f MP

HANS BOL (1535–1593)

21
Sturz des Ikarus

Federzeichnung; 14,5 × 21,4 cm
Hamburger Kunsthalle, Kupferstichkabinett
Inv. Nr. 1920/176

Bols Zeichnung zeigt, daß mythologische Inhalte nicht nur in allegorischen Zusammenhängen Verwendung finden, sondern auch als bloße Hintergrundmotive einen „Vorwand'' für die Ausbildung extensiver Dekorationsfolien bilden können. Der Sturz Ikarus' verschwindet hinter einer ländlichen Szene, die ihrerseits von aufwendigen Naturstudien gerahmt wird. Hier tritt das gesteigerte Interesse an der genauen Schilderung von Kleintieren, wie Vögeln, Insekten, Schalentieren und auch zwei Hündchen, zutage. Eine Maus, die gewiß in keinem inneren Zusammenhang mit der Frevlerszene steht, betrachtet aus dem Bildrahmen die darin vorgeführten Bauern und Hirten, welche ihrerseits erstaunt den Sturz vom Himmel verfolgen. So sind nicht nur verschiedene Bild-, sondern auch Realitätsebenen geschildert, die sich in einem Muster aus friedlichen Gartenmotiven auflösen. Oft wurde auch auf die Herkunft solcher Rahmungen von spätmittelalterlichen Miniaturen verwiesen. Pieter Bruegel wendet in seinem Brüsseler Bild des Ikarussturzes ein ähnliches Kompositionsprinzip an. MB

VIII. 21

ADAMO SCULTORI (um 1530–1585)

22
Masken „Nach der Antike''

Sechs Kupferstiche
Hamburger Kunsthalle, Kupferstichkabinett
Inv. Nr. 749

Als Maler um 1500 in Rom in die Ruinen der Domus Aurea eindrangen, entdeckten sie römische Stuckverzierungen und Wandmalereien des IV. pompeianischen Stils, die sie zu einer neuen Dekorationsform, der Groteske, anregten. In den Malerateliers entstanden aus diesen phantastischen Ornamenten hybride Gebilde, die pflanzliche Formen, Rollwerk, Figuren und Masken miteinander vereinigten. Von diesen ornamentalen Formen ist es kein weiter Schritt zu den aus pflanzlichen Formen gebildeten Masken, die Ghisi entwirft. Neben der Freude am Bizarren, Phantastischen dürfte auch die Tendenz zur Karikatur in diesen Stichen eine Rolle spielen. Aus pflanzlichen Elementen sind hier unterschiedlichste Gesichtsausdrücke und Charaktere gestaltet. Sie entsprechen in ihrer Mischung aus Naturformen und menschlichen Elementen einer Neigung des Manierismus, die Grenze zwischen Naturprodukt und Menschenwerk aufzulösen. MP

VIII. 23

VIII. 22

AGOSTINO CARRACCI (1557–1602)

23
Studienblatt mit Masken 1580/85

Rötelzeichnung; 25,8 × 19,7 cm
Wien, Albertina
Inv. Nr. 2179

Die drei Masken – zwei weibliche mit Zöpfen und ein Löwenmischwesen – sind Studien Agostinos für einen schmalen dekorativen Fries oberhalb der Bildfelder mit der Geschichte der Gründung Roms im Palazzo Magnani in Bologna, wo alle drei Carracci tätig waren. Ignudi und Masken sowie einige größere Landschaften werden in der Literatur allgemein Agostino zugeschrieben. In der Renaissance ist die Bedeutung der Maske aus antiker Tradition und mittelalterlicher Dämonievorstellung verschmolzen; anderseits entwickelten sich völlig neue Möglichkeiten der Anwendung. Da es sich thematisch bei dem Fries der Carracci aber um ein antikes Thema handelt, wären auch Rückgriffe auf die antike apotropäische Bedeutung denkbar. Eine rein dekorative Wirkung des durchgehenden Bandes dieser Fratzen ist bei Agostinos hohem geistigen Anspruch wohl kaum denkbar, außerdem gelten die Carracci als die Erfinder der neuzeitlichen Karikatur; die Verbindung zur Maske ist also naheliegend. Vielleicht sind sie, nach M. Barasch, eine Art Einführung in ein Mysterium – möglicherweise sogar eine Anspielung auf die gewählte „Tonart'' der Erzählung der römischen Historie.

Literatur: Stix/Spitzmüller 1941, Kat.-Nr. 84 – Barasch 1981, S. 253–264 – Pinder 1932, S. 148 ff BB

VIII. 24

VIII. 25

SCHULE DES AGOSTINO CARRACCI

24
Konsolenentwurf mit Faunsmaske

Rötel; 21,3 × 10,2 cm
Hamburger Kunsthalle, Kupferstichkabinett
Inv. Nr. 21096

Dieser virtuos gezeichnete Faunsmaskenentwurf aus der Carraccischule war wohl für eine Konsolendekoration vorgesehen. Fahle Beleuchtung, lebhafter Strich und eine dämonische Präsenz des Antlitzes verleihen dem Kopf eine besonders lebhafte Wirkung. Sie steht für einen intendierten Eindruck, der aber in der plastischen Ausführung am Bau wohl nicht mehr in dieser Intensität erreicht werden konnte. Die Zeichnung illustriert auch, wie „beseelt" man sich Bauteile eines Palastes vorstellte, wo jedes Detail Bedeutung und einen Charakter besaß, der in unserem Falle den Geschmack des am Grotesken interessierten Bauherrn spiegelt. MB

FRANCESCO MAZZOLA genannt PARMIGIANINO (1503–1540)

25
Maskenträger

Feder in Tinte; 14,5 × 11,9 cm
Bezeichnet: Parmigiano
Paris, Musée du Louvre, Cabinet des Dessins
Inv. Nr. 6652

Parmigianinos Maskenträger zeigt das Interesse an Verwandlung, Metamorphose und Vermummung, das die Ambitionen des Manierismus so wesentlich bestimmt. Ein Jüngling, der eine überdimensionale Zeusmaske trägt, bewegt sich in schnellem Schritt durchs Bildfeld. Die riesenhafte Maske verdeckt den nackten Leib und den Kopf des Knaben, dadurch seine Identität ersetzend zugunsten der dämonischen Präsenz des Göttervaters. Solche Magie und die Realitätsebenen verwischende Maskerade entstammt wohl den großen Festdekorationen und -inszenierungen, wo sie unversehens bannende Echtheit gewinnen konnten. In ihrem Wirkungskreis entstand eine andere Realität, die sich an mythologische Vorbilder anlehnte. Die sinnlich-frohe, aber doch hehre Aura der stets auch zu Verwandlungen bereiten Göttertafeln wurde so auf die Feste der Höfe übertragen, die ähnlichen Zauber erzeugten.

Literatur: Popham 1971, Nr. 498 MB

URS GRAF (um 1484 – um 1527)

26
Reisläufer 1523

Federzeichnung; 21,5 × 15,5 cm
Basel, Öffentliche Kunstsammlung, Kupferstichkabinett
Inv. Nr. U.X.95

Das Blatt, das die sprühende Kreativität und unbeschwerte Sicherheit des Künstlers in jedem Strich erkennen läßt, variiert einmal mehr ein Lieblingsthema Grafs, den sogenannten Reisläufer. Als nicht pflichtmäßig aufgebotener, sondern freier Söldner, der sich seinen Dienstgeber selbst aussuchte und somit sein eigener Herr war, steht er für Grafs männliches Ideal schlechthin. Der Künstler selbst war 1521 als Reisläufer – noch dazu auf vom Basler Rat verbotener (päpstlicher) Seite – in Italien, weshalb er im darauffolgenden Jahr auch eine Haftstrafe in seiner Heimatstadt zu verbüßen hatte.

Die auffallende Geziertheit, die der Künstler dem Hünen verlieh, erschöpft sich keineswegs in der unpraktischen Kostümierung, sondern bestimmt die gesamte Komposition: Der elegante Schwung der Figur, der ein höchst instabiles Standmotiv bedingt, wird auf raffinierte Weise durch die schräggehaltene Lanze und das nahezu horizontal wegstehende Schwert aufgewogen. Gekurvte Linien bestimmen die Wirkung des Blattes vom kleinsten Detail bis zur Gesamtkonzeption; auch die – die Neugierde des Betrachters aufs äußerste herausfordernde – Rückenansicht ist ein Kunstgriff, der eher schon den künstlerischen Vorstellungen des höfischen Manierismus entspricht als der oft übermäßig drastischen, bewußt verhäßlichenden Bildsprache, der sich Graf üblicherweise bedient.

Literatur: Koegler 1926 – Koegler 1947, S. 11 ff MK

VIII. 26

VIII. 27

GIUSEPPE ARCIMBOLDO (1527–1593)

27
Die Köchin um 1570

Federzeichnung in brauner Tusche über Kohleskizze; 20 × 14,5 cm
Paris, École Nationale Supérieure des Beaux-Arts
Inv. Nr. M.2249

Das dem Mailänder Künstler Arcimboldo zugeschriebene Blatt zeigt ein ausschließlich aus Küchengeräten zusammengesetztes – nach der Form der wohlgerundeten Schüssel in Brusthöhe zu urteilen – weibliches Wesen: die Köchin. Mit schwungvollem Elan und energischem – durch einen Tassenhenkel wirkungsvoll unterstrichenen – Blick wendet sie sich einem imaginären Widerpart zu, und ungeachtet ihrer eher komischen Erscheinung entbehrt sie doch nicht einer gewissen hoheitsvollen Haltung. Der freie Strich und das offensichtlich beachtliche Können des Zeichners, der von dem präzise ausgeführten Gesicht zur wohlkalkulierten Großzügigkeit der Randpartien fortschreitet, verleihen dem Blatt eine dynamische Qualität, die dieses an sich aus leblosen Dingen zusammengesetzte Gebilde mit Vitalität erfüllt.

Die künstlerische Qualität ist es wohl auch, die für die Zuschreibung an Arcimboldo verantwortlich zeichnet. Da das gesicherte graphische Œuvre des Meisters minimal ist, lassen sich keine wirklich fundierten stilistischen Beweise für seine Autorschaft erbringen. Auch die Tatsache, daß er als der führende Vertreter der Kompositfigurenmalerei gelten kann, genügt allein nicht für eine Zuschreibung dieses Blattes, zumal solche „Grilli'' im letzten Drittel des 16. Jahrhunderts auch außerhalb von Arcimboldos Wirkungskreis geschaffen wurden. Allerdings ist das Thema des Kochs in der Kunst des Mailänder Meisters belegt; neben den heute verschollenen, bereits im Dresdener Kunstkammerinventar von 1595 erwähnten Bildern von Koch und Mundschenk existiert auch eine gestochene Version der anthropomorphen Küchenallegorie (als Pendant der „Agricultura''), bei deren Einordnung in das Œuvre Arcimboldos allerdings dieselbe Vorsicht geboten scheint wie bei der Beurteilung der Pariser Zeichnung, da hinsichtlich stilistischer Kriterien auch hier nur wenig fundierte Aussagen gemacht werden können.

Nicht zu unterschätzen ist schließlich der allegorische Gehalt der durchaus nicht bloß als Groteske aufgefaßten Figur der Köchin. Ihre – durch das Graphikpaar nahegelegte – mögliche Kombination mit einer „Agricultura", aber auch das Gemäldepaar von Koch und Mundschenk weisen auf einen tieferen Sinn in der Darstellung dieser kunstvoll zusammengesetzten Person, die als nahrungsspendende und zugleich kreative Kraft des Alltags durchaus als Symbol für die menschlichen Errungenschaften im täglichen Kampf ums Überleben verstanden werden kann.

Literatur: Geiger 1954, S. 146, Taf. 38 – Ausst.-Kat. Seizième Siècle 1965/66, S. 12, Nr. 15 MK

VIII. 28

MONOGRAMMIST MW

28
Kompositporträt eines Bauern

Holzschnitt; 35 × 24 cm
Nürnberg, Germanisches Nationalmuseum
Inv. Nr. HB 2026

Neben dem allegorischen Kompositporträt der Köchin findet auch der Landwirt Darstellung durch Akkumulation seiner Arbeitsgeräte in der Form einer Bildnisbüste. Der Holzschnitt eines unbekannten Künstlers lehnt sich deutlich an die Erfindungen Arcimboldos an (Kat. VIII. 27), kann aber wohl als Paraphrase der qualitätvolleren Arbeiten des Prager Hofkünstlers bezeichnet werden. Die druckgraphische Ausführung belegt eine hohe Nachfrage nach solchen Darstellungen, die durch die Vervielfältigungstechnik in großer Auflage verbreitet werden konnten.

Literatur: Ausst.-Kat. Stimmer 1984, Nr. 152 b MB

VIII. 29

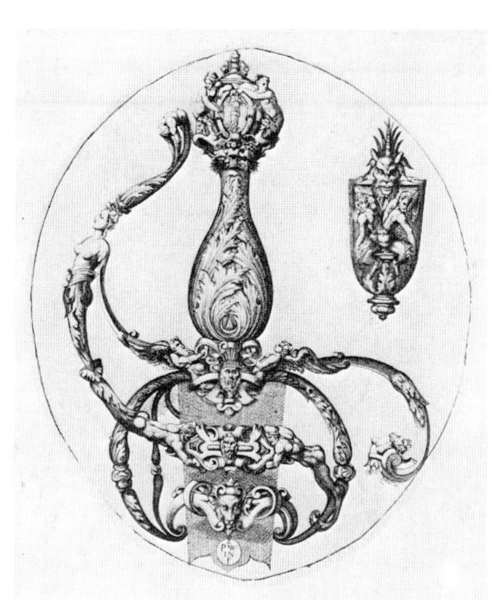

PIERRE WOERIOT
(um 1531/32 – nach 1596)

29
Degengriffentwurf um 1532

Kupferstich; 12 × 15 cm (oval)
Wien, Österreichisches Museum für Angewandte Kunst
Inv. Nr. K. I. 233 – 109/28

Wie della Bellas Degengriffentwurf (Kat. VIII. 30) führen auch Woeriots Skizzen auf eindrucksvolle Weise vor, daß gerade der Gebrauchsgegenstand höherer Verwendung ein ideales Metier für den wuchernden manieristischen Formwillen war. Degengriffe, Trinkgefäße, Schreibzeuge und wohl auch die Mode (vgl. Kat. V. 15) wurden einem alles ergreifenden Ornamentalisierungsprozeß unterworfen. MB

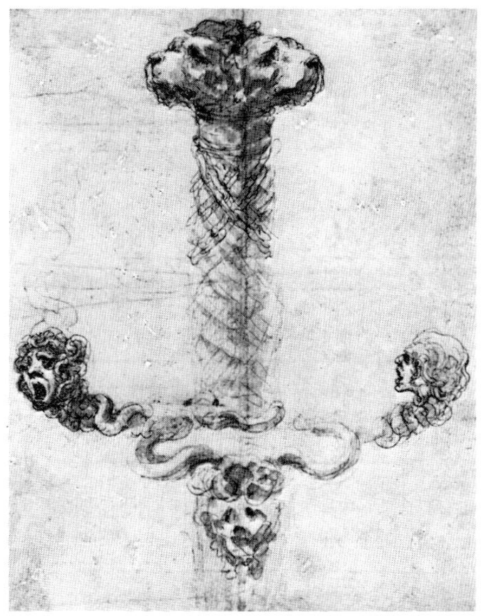

VIII. 30

STEFANO DELLA BELLA (1610–1664)

30
Degengriffentwurf

Federzeichnung in Braun, grau laviert
Berlin, SMPK, Kunstbibliothek
Inv. Nr. Hdz 2404 B.56

Im Laufe des 16. Jahrhunderts, in dem die Schule des Stichfechtens sich voll entfaltete, entwickelte sich der Degen von einer Militärwaffe zur beliebtesten Seitenwehr des Zivilisten. Durch die ständigen Duelle bedingt, wurde er zu einem unverzichtbaren Bestandteil der männlichen Kleidung. Der Degen wird, entsprechend künstlerisch geschmückt, zum Inbegriff der hoffähigen Waffe. Als höfische Waffe gewinnt bei seiner Ausgestaltung in einer Zeit des beständigen schillernden Spiels und der allgegenwärtigen Selbstdarstellung das dekorative Element eine so große Bedeutung, daß es alle anderen Gesichtspunkte überragt. Es ist daher ganz selbstverständlich, daß in einer solchen Atmosphäre der Entwurf von Degengriffen nicht so sehr die Sache des Waffenschmiedes wie des Künstlers ist. Stefano della Bella, der Florentiner Graphiker, schuf eine Reihe von solchen Entwürfen. Der Knauf unseres Griffes wird von zwei Doggenköpfen gebildet, die aus gewundenen Schlangenleiben bestehende Parierstange endet in einem schlangenumkränzten Medusenhaupt und einem nicht näher identifizierbaren expressiven Kopf. Unter dem Fingerbügel, in der Richtung der tödlichen Spitze, ist, um die Phantastik noch zu steigern, ein Totenkopf angebracht.

Literatur: Berckenhagen 1970, S. 88 MP

ERASMUS HORNICK (um 1520–1583)

31
Flohpelz

Radierung; 11,8 × 17,1 cm
Bezeichnet: E H
Hamburger Kunsthalle, Kupferstichkabinett
Inv. Nr. 12503

In den Inventaren der fürstlichen Kunstkammern sind neben Kunstwerken auch Schmuckstücke aufgezählt, die genauso zu jeder Kunst- und Wunderkammer gehören wie exotische Muscheln und andere Kuriositäten. Dieser Entwurf für ein solches Schmuckstück stammt von der Hand des späteren Kammergoldschmiedes Kaiser Rudolfs II., Erasmus Hornick. Es handelt sich um einen sogenannten Flohpelz, wobei dieser Begriff erst eine Erfindung des ausgehenden 19. Jahrhunderts ist. Im 16. Jahrhundert erlebte die Pelzmode einen großen Aufschwung. Eine Folge dieser Modeströmung war der Flohpelz, der, soweit er mittels

Goldschmiedearbeiten künstlerisch gestaltet war, auf fürstliche Höfe und Kreise des hohen Adels beschränkt blieb, wofür nicht nur die erhaltenen Inventare, sondern auch das überkommene Bildmaterial sprechen. Es handelt sich dabei um Marder-, Zobel- oder selbst Wolfspelze, deren Köpfe und Pfoten aus mit Edelsteinen geschmücktem Gold oder aus Bergkristall hergestellt wurden. Benutzt wurden sie als Fächer oder Spielzeug. Eine Funktion zum Anlocken von Ungeziefer kann aus zeitgenössischen Quellen nicht nachgewiesen werden und ist eine Erfindung des 19. Jahrhunderts.

Literatur: Hunt 1963, S. 151–157 – Schiedlausky 1972, S. 476 MP

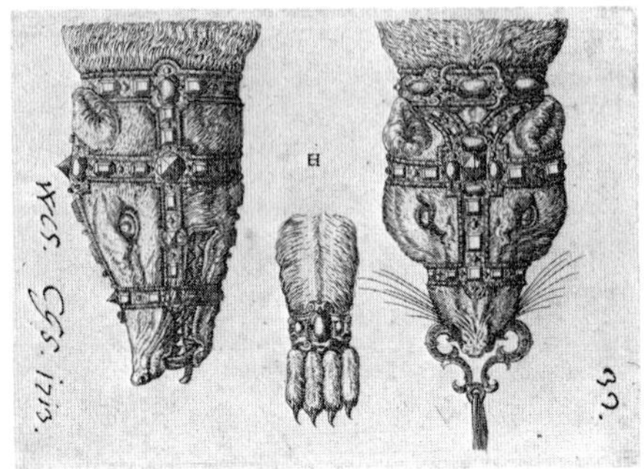

VIII. 31

NIEDERLÄNDISCH, 1555

32
Titelkupfer der Beschreibung des Museums Wormianum zu Kopenhagen
Leiden 1655

Kupferstich; 35 × 44 cm
Schleswig-Holsteinisches Landesmuseum

Das Museum Wormianum, eine der berühmtesten privaten „Kunstkammern" des Nordens, war in Wahrheit hauptsächlich eine Ansammlung von Naturalien und Fundstücken aller Art. Der Einblick des Titelkupfers zeigt neben Schildkrötenpanzern, Krokodilen, Geweihen und getrockneten Fischen auch seltene Erden, Wurzeln und Salze. Da diese bürgerliche Sammlung in Kopenhagen situiert war, dominiert der maritime Charakter. Verschiedenste Meereswesen wurden in Hingabe und Akribie zu einem komplexen Raumdekor verschmolzen: Selbst von der Decke hängen Tiefseefische, Störe und ein ausgestopfter Eisbär herab, im Hintergrund werden Waffen gezeigt, die zur Erlegung dieser seltenen Tiere dienen.

Literatur: Schlosser 1978, S. 179 MB

VIII. 32

ALBERTO GIACOMETTI (1901–1966)

33
Sturz eines Körpers auf ein Diagramm
(Das Leben geht weiter) 1932

Feder in Tusche; 31 × 24,5 cm
Basel, Öffentliche Kunstsammlung, Kupferstichkabinett
Inv. Nr. 1975.3

Giacometti ging mit der Wünschelrute seiner Poesie durch die Welt der Objekte, doch begnügte er sich nicht mit Fundstücken. Er erfand Kompositgebilde, deren Funktion man irgendwo zwischen Spiel und Reliquie, Ritual und Amulett vermuten kann. Das belegen die „beweglichen und stummen Objekte", deren Zeichnungen er 1932 in „Le Surréalisme au service de la révolution" veröffentlichte. Die Summe dieser Erfindungen ist der „Palast um vier Uhr früh" (1932). Unsere Zeichnung bezieht sich auf eine verschollene Objektskulptur „Das Leben geht weiter" (1932), die als Spielbrett und als Meditationslandschaft gedeutet werden kann. Das Format ist handlich, doch die Ausführung könnte man sich riesig vorstellen: ein Objekt zwischen der Säule von Retz und den Rummelplätzen der Niki de Saint-Phalle. WH

VIII. 33

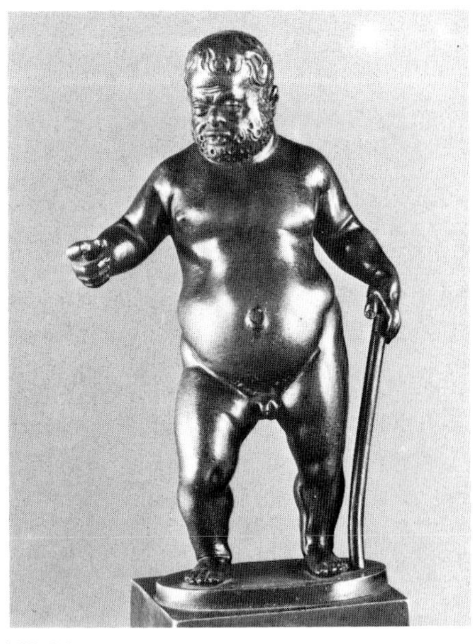

VIII. 34

NACHFOLGER DES GIAMBOLOGNA

34
Morgante, stehend um 1580–90

Bronze, dunkelbraune Patina; Höhe 13 cm
Wien, Kunsthistorisches Museum, Sammlung für Plastik und Kunstgewerbe
Inv. Nr. 10 001

Morgante (1535–1594) war Hofzwerg Cosimos I. Medici. Er wurde voll Ironie nach dem Riesen Morgante aus Luigi Pulcis 1481 erstmals publiziertem epischen Gedicht benannt.

Der Zwerg, als wunderliche Laune der Natur, durfte am Hofe eines allen Abnormitäten gegenüber empfänglichen manieristischen Fürsten nicht fehlen. Die Faszination, die der Zwerg durch seine Mißgestalt hervorrief, räumte ihm im höfischen Leben einen wichtigen Platz ein und machte ihn sogar porträtwürdig.

Der stehende Morgante, der ursprünglich ein Cornetto in seiner Rechten hielt (das Exemplar des Victoria & Albert Museum zeigt das Horn), stützt sich mit der Linken auf einen Stock. Die einfache, jede beschönigende Pose entbehrende Wiedergabe des leicht verfetteten Zwergenkörpers macht die unverhohlene Neugier, die menschlichen Mißbildungen entgegengebracht wurde, deutlich.

Der Wiener Morgante ist ein Vertreter einer ganzen Gruppe von Morgante-Porträts, deren Prototyp jene Brunnenfigur darstellt, die Giambologna gemeinsam mit Cencio della Nera, dem großherzoglichen Goldschmied, als Bekrönung für einen Brunnen Ferdinandos I. in seinem Garten über der Loggia dei Lanzi um 1582/83 geschaffen hatte.

Literatur: Ausst.-Kat. Giambologna 1978, Nr. 53 SS

VIII. 35

GIOVANNI FRANCESCO SUSINI
(gest.1646)

35
Hermaphrodit nach 1639

Bronze; Höhe 20 cm, Länge 41 cm
Wien, Kunsthistorisches Museum,
Sammlung für Plastik und Kunstgewerbe
Inv. Nr. 5672

Hermaphroditus, der Sohn des Hermes und der Aphrodite, war die Verkörperung vollendeter Schönheit. Die Darstellung des mädchenhaften Jünglings, der von Nymphen aufgezogen wurde, galt – auch im Zeitalter des Manierismus – immer jenem selbstvergessenen Halbschlaf, in dem sich der Knabe in die weichen Kissen seiner Lagerstatt schmiegt. In seiner Person vereinigen sich Eros, Traum und das Element Wasser, das seine Existenz prägt: Als er sich auf einem seiner Jagdzüge im Lande der Carer an einer Quelle laben wollte, verliebte sich Salmacis, die Nymphe jenes Gewässers, in den schönen Hermaphroditus und beschwor, als sie auf keine Gegenliebe stieß, die Götter, beider Leiber auf ewig zu einem werden zu lassen. Die Götter erfüllten diesen Wunsch. Seither konnte kein Mann mehr diese Quelle betreten, ohne sie als „Halbmann" wieder zu verlassen (Ovid, Met. IV, 288–388).

Susinis Darstellung des schönen Knaben orientiert sich an einer antiken Plastik, dem im Louvre verwahrten Hermaphrodit aus der Sammlung Borghese. So finden nicht nur alte Mythen, sondern auch klassische Formen in untrennbarer Verflechtung Eingang in die Kunst der Spätrenaissance. Die Hingabe an das Schöne bleibt mit jener an die Antike verbunden. Hermaphroditus steht aber vor allem für das Element Wasser, dessen Wirkung auf Körper und Seele der Menschen er durch sein Schicksal repräsentiert.

Literatur: Ausst.-Kat. Giambologna 1978, Nr. 189 MB

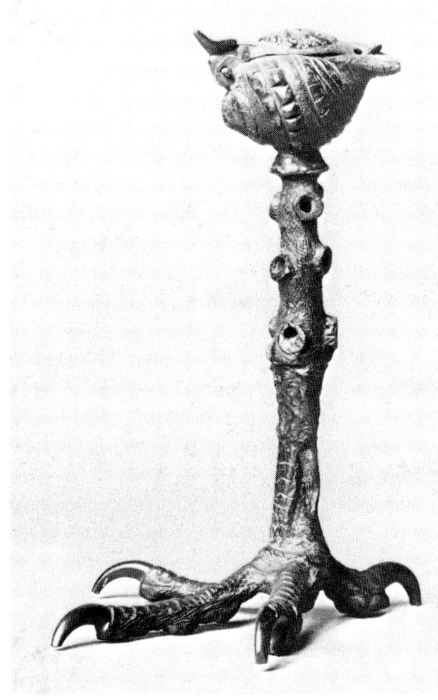

VIII. 36

PADUA,
WERKSTATT DES ANDREA RICCIO

36
Öllampe in Gestalt einer Muschel auf Adlerkralle Anfang 16. Jahrhundert

Bronze; Höhe 22,3 cm
Wien, Kunsthistorisches Museum,
Sammlung für Plastik und Kunstgewerbe
Inv. Nr. 5935

Über einer Adlerkralle sitzt ein künstlich gestutzter Baumstamm, der den eigentlichen Lampenbehälter in Form einer Muschel trägt. Die aus willkürlich übereinandergestaffelten, der Natur entnommenen Elementen zusammengesetzte Lampe verdeutlicht ein für das 16. Jahrhundert bezeichnendes Konzept der Gegenüberstellung verschiedener Realitätsgrade in ein und demselben Objekt. Die Einzelteile sind hierarchisch zusammengestellt. Der Abguß der Adlerkralle, der die reinste Form der Naturnachahmung repräsentiert, bildet die Basis. Auf dieser sitzt ein in enger Anlehnung an die Natur, aber künstlich geformter Baumstamm, der bereits die Hand des bearbeitenden Künstlers verrät. Die Muschel schließlich, die ebenfalls dem Naturvorbild folgt, wird in ihrer Form dem Gebrauchszweck untergeordnet. Funktionalisiert durch einen an der Oberseite eingearbeiteten Deckel, der sie für den Gebrauch als Lampe adaptiert, verkörpert sie die durch den Künstler verfügbar gemachte Natur. Form und Inhalt der Krallenlampe, die allgemein als Erfindung Andrea Riccios angesehen wird, sind auch in Entsprechung zum Begriffsbild der ägyptischen Hieroglyphe zu verstehen, wie sie bildlich und textlich illustriert in Francesco Colonnas Hypnerotomachia und in der „Hieroglyphica" des Piero Valeriano (16. Buch) auftritt.

Literatur: Ausst.-Kat. Natur und Antike 1985/86, Nr. 219 – Planiscig 1924, Bd. 4, Nr. 51 SS

AUGSBURG, 1567

37 Farbabbildung S. 126
Muschelgerät aus Ambras

Fassung: Silber, vergoldet; Höhe 40,6 cm
Wien, Kunsthistorisches Museum,
Sammlung für Plastik und Kunstgewerbe
Inv. Nr. 6863

Die Meeresschnecke, eine exotische Naturalie, rangiert neben Muscheln, Straußeneiern und Rhinozeroshörnern als Kostbarkeit aus fernen unerreichbaren Ländern weit oben in der Liste der Schätze, die die fürstliche Kunstkammer füllen. Ihre Bedeutung drückt die meisterliche Goldschmiedearbeit der Fassung aus, die die formale wie inhaltliche Überhöhung des seltsamen Naturproduktes durch die Virtuosität der Kunstfertigkeit erreicht.

Hier trägt ein bärtiger fischleibiger Wassermann das Schneckenhaus auf seinen muskulösen Schultern. Die Basis des bizarren Aufbaues bildet eine Jakobsmuschel. Alle Teile der Fassung sind in vergoldetem Silber gearbeitet und tragen Augsburger Beschauzeichen und eine Goldschmiedemarke, die Endris (Andreas) II. Degen (gest. 1583) als Autor des Werkes vermuten lassen.

Literatur: Seling 1980, Bd. III, S. 53 – Hayward 1976, S. 382 SS

SÜDDEUTSCH, AUGSBURG (?), UM 1600

38 Farbabbildung S. 135
Figurenuhr in Gestalt eines Kriegselefanten

Bronze, vergoldet, Silber; Werk aus Eisen, Sockel aus Ebenholz; Höhe 28,5 cm
Wien, Kunsthistorisches Museum, Sammlung für Plastik und Kunstgewerbe
Inv. Nr. 1125

Wie die Diana Melchior Mairs (Kat. I. 11) stammt auch dieser Kriegselefant vermutlich aus den Augsburger Silberschmieden der Zeit um 1600 und diente als Tischgerät der Unterhaltung einer edlen Tafelrunde. Er konnte Kopf, Augen und Schwanz bewegen, während der Elefantentreiber mit der Hand schlug und das gesamte Objekt über den Tisch rollte. Der Elefant als Symbol der Weisheit und Stärke blickt auf eine reiche und alte Tradition von Darstellungen entweder als Obeliskenträger oder als Kriegselefant wie in unserem Beispiel zurück.

1947 hat William S. Heckscher in seiner grundlegenden Analyse des obeliskentragenden Elefanten Berninis auf der römischen Piazza Minerva die tiefsinnige und vielschichtige Bedeutung des exotischen Riesentieres erkannt und ihren Wandel in den verschiedenen Perioden vorgestellt. Demnach verkörpern die allegorischen Darstellungen des Kriegselefanten, die über das Mittelalter und die Antike bis in die alten östlichen Kulturen zu verfolgen sind, Eigenschaften der Unverwundbarkeit, des Edelmutes und der fürstlichen Majestät – eine „ehrfurchtgebietende und geheimnisvolle Aura" (Heckscher). Diesen Faszinosa des Fremdländischen und Edlen hielt in der Renaissance vor allem das Studium klassischer Quellen die Waage, wo der Elefant, besonders in Plinius' achtem Buch der „Naturalis Historia", bereits genau beschrieben wird. Auch Leonardo nahm auf diese antike Quelle ausführlich Bezug. Im 16. Jahrhundert, dem die genauere Erforschung anderer Kontinente vorbehalten war, maß man dem edlen Tier höchste Bedeutsamkeit zu. Am französischen Hof fand die allegorisch-repräsentative Darstellung des Elefanten in den Fresken der Galerie Franz' I. in Fontainebleau Verwendung, war aber auch im süddeutschen Raum bekannt, wie ein Blatt aus Elsässers Darstellung der Kolowrat-Hochzeit (Kat. V. 12) zeigt, und, für unser Tischspiel besonders interessant, der praktisch gleichzeitig (1598) entstandene objektartige Elefant aus der „Architectura" Wendel Dietterlins.

Vorbilder für den Elefanten als Kunstobjekt könnten ferner die lebenden Tiere gewesen sein, die schon im 15. und 16. Jahrhundert öfters in Deutschland zu sehen waren (z. B. fertigte man aus den Gebeinen eines von ihnen den berühmten „Elefantenstuhl" der Kremsmünsterer Stiftssammlungen), oder auch die als Automaten gebauten lebensgroßen Elefantenmodelle, die dem Einzug König Heinrichs II. 1550 in Rouen besondere Würde verliehen. Auch im manieristischen Wundergarten von Bomarzo (vgl. Kat. VIII. 11) fand der Elefant als Zeugnis seiner seit der Antike an ihn geknüpften geheimnisvollen Tugendhaftigkeit eine monumentale Ausführung als Obeliskenträger, die ihrerseits schon von der Darstellung in der „Hypnerotomachia Poliphili" des Francesco Colonna (1499) beeinflußt war. Es drängt sich die Frage auf, ob der süddeutsche Künstler unserer Elefantenuhr, deren Räderwerk im Turm (Palankin) versteckt ist, mit einer über das Kuriose hinausgehenden Ikonographie des größten aller Tiere vertraut war und nicht bloß die Vorstellung des gravitätisch voranschreitenden Kriegselefanten in unvermittelter Analogie auf die Formgelegenheit des Tafelspieles übertragen hatte.

Literatur: Maurice 1976, Bd. II, S. 48, Abb. 293 – Ausst.-Kat. Bayern 1972, S. 398, Nr. 794 – Kat. Wien 1966, Bd. II, S. 104, Nr. 369 – Heckscher 1947, S. 155–182 MB

HANS SCHLOTTHEIM (1544/47–1626)

39
Automat in Gestalt einer Galeere mit figural bemalten Segeln

Silber vergoldet;
Höhe 67 cm, Länge 66 cm
Wien, Kunsthistorisches Museum, Sammlung für Plastik und Kunstgewerbe
Inv. Nr. 874

Das prächtige Schiff vermag mittels eines Triebwerkes unter Musikklängen – die Trompeter führen dabei ihre Instrumente zum Mund, und die Trommler schlagen auf ihre Felle – über den Tisch zu fahren. Die gebauschten Segel zieren farbenprächtig gemalte maritime Allegorien. Tritonen, Nereiden, aber auch Bacchanten wirbeln in üppiger Nacktheit über die Leinwandflächen.

Der kaiserliche Doppeladler auf den Flaggen und den Fahnentüchern der Trompeter und die am Schiffsrumpf vermerkte Jahreszahl 1585 legen nahe, daß das Schiff im Besitz Rudolfs II. war.

VIII. 39

Das Schiffsmotiv läßt sich bis ins Mittelalter zurückverfolgen, wo es im kirchlichen Bereich als Weihrauchschiff oder Schiffsreliquiar auftaucht. Der weltliche Gebrauch wußte es als Trinkgefäß, Salzfaß oder Behälter für das Eßbesteck zu verwenden. Es verwundert nicht, daß die Funktion des Schiffes im 16. Jahrhundert in den Hintergrund tritt und die Freude an der reichen Ausstattung und der möglichst ausgeklügelten Mechanik ihren Platz einnimmt. Das selbstbewegliche Spielzeug gehörte wahrscheinlich zu der Gruppe der so beliebten Trinkspiele (vgl. Kat. I. 11). Das Schiff wurde über die Tafel geschickt und verurteilte im Anhalten vor einem der Gäste diesen zum Leeren seines Weinglases.

Wahrscheinlich darf Hans Schlottheim, ein Augsburger Uhr- und Automatenmacher, als Autor des Schiffes angesehen werden.

Literatur: Scheicher 1979, S. 157f – Kat. Wien 1966, Nr. 390 – Streng 1963, Nr. 1, S. 277ff SS

CHRISTOPH GANDTNER
(tätig Ende 16. Jahrhundert)

40 Farbabbildung S. 127
Tantalus

Keramik, glasiert; Höhe 26,6 cm
Wien, Kunsthistorisches Museum,
Sammlung für Plastik und Kunstgewerbe
Inv. Nr. 3155

„Porzellanä gschirr", „schisseln, täller und schälele von gold geschmelzt", „terra sigillata", „Flaschen und Kandl von Erd, Hafen und Kriegel" waren in großen Mengen im 14. Kasten der Ambraser Sammlung ausgestellt. Entscheidend für die Zusammenstellung dieses Kastens, die feinstes Porzellan neben Südtiroler Keramik reiht, ist der verwandte Erzeugungsvorgang, nicht Analogie in Stil und Herkunft. Die Idee der Mirabilia, die alles jenseits der alltäglichen Wirklichkeit Stehende umschließt, stellt ein Scherzgefäß des Christoph Gandtner gleichberechtigt neben eine chinesische Porzellanschale der Ming-Dynastie. Die leuchtend bunten Keramiken dieses Meraner Hafnermeisters hatten zumeist Bacchus oder wie hier Tantalus zum Thema. Die Figur des antiken Dulders wird allerdings ins bäurisch Derbe übersetzt. Ein auf einem Faß sitzender Mann hat seinen Kopf durch eine auf seinen Schultern ruhende, reich gedeckte Tischplatte gesteckt, dessen Köstlichkeiten er infolge dessen nicht erreichen kann. Drastisch wird so die Strafe der Völlerei illustriert und gleichzeitig in manieristischer Doppelbödigkeit, indem der abnehmbare Kopf die Figur als Trinkgefäß entpuppt, ironisiert.

Literatur: Ringler 1965, S. 59ff – Ringler 1964 – Schlosser 1910 SS

PADUA, UM 1500

41
Öllampe in Gestalt eines Mohrenkopfes

Bronze, Reste von schwarzem Lack,
braune Patina; Höhe 8,8 cm
Wien, Kunsthistorisches Museum,
Sammlung für Plastik und Kunstgewerbe
Inv. Nr. 5916

Der antikisierende Lampentypus in Form eines Negerkopfes wird als Schöpfung des Andrea Riccio angesehen. Das vorliegende Exemplar dürfte in seinem Umkreis entstanden sein. (Ein ihm selbst zugeschriebenes Exemplar befindet sich im Bayerischen Nationalmuseum Inv. Nr. NN 963.) Im Gegensatz zum antiken Vorbild wird der Mohrenkopf hier im Sinne der Faszination für das Monströse und Skurrile, dem der exotische Negerkopf an sich schon entgegenkommt – noch zusätzlich durch seine Funktionalisierung verzerrt. Der weit vorgeschobene Unterkiefer dient zur direkten Aufnahme der Dochttülle und die kraushaarige, efeubekränzte Schädelkalotte wird als Deckel montiert. Die aus dem Haar wachsenden Bockshörner verleihen dem Mohren satyrhafte Züge und unterstreichen damit seine Fremdartigkeit. Analog zur Krallenlampe (Kat. VIII. 36) findet sich hier wieder der dem Objekt eigene Dualismus von praktischer Funktion und Bedeutungsträger. Die Öllampe, im 16. Jahrhundert als Symbol für Leben, magische Kraft, geistige Erkenntnis und Tugend verstanden, wird in diesem Sinne beispielsweise von Vasari in seinem Porträt des Lorenzo de Medici (Florenz, Uffizien) anspielungsreich verwendet.

Literatur: Ausst.-Kat. Natur und Antike 1985/86, Nr. 210 – Ausst.-Kat. Italienische Kleinplastiken 1976, Nr. 114 – Planiscig 1924, Bd. 4, Nr. 43 SS

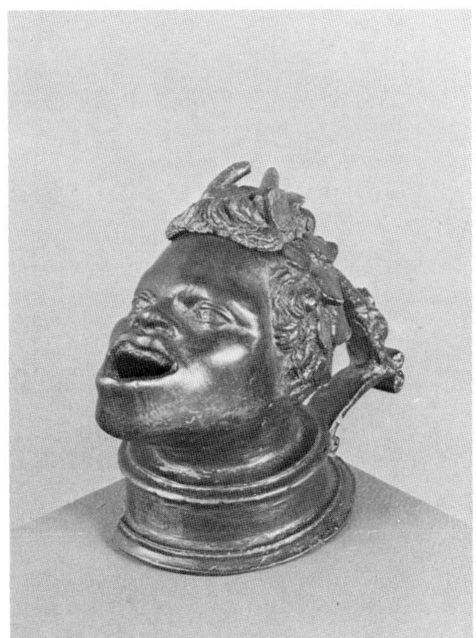

VIII. 41

VIII. 42

19. JAHRHUNDERT (?)

42
Türklopfer in Gestalt eines Greifes

Bronze; Höhe 26,4 cm
Wien, Kunsthistorisches Museum,
Sammlung für Plastik und Kunstgewerbe
Inv. Nr. 7112

Dem am Hauseingang Einlaß begehrenden Ankömmling tritt in furchterregender Weise ein die gefährlich scharfen Krallen vorstreckender Greif entgegen; er bildet, befestigt in der Mundöffnung eines Mascaron, den Türklopfer. Im Schnabel des dämonischen Vogelwesens windet sich im Todeskampf eine Schlange, ein Umstand, der keinen Zweifel über die Gefährlichkeit dieses Raubtieres läßt. Dem Greif, der in der antiken Mythologie als göttlicher Diener oder Wächter auftritt – wie bei Aischylos (3, 116), wo er einen Goldschatz vor dem Zugriff der Armiaspen zu schützen hat –, wird in der Gestalt des Türklopfers wohl analog zu dem als Medusenhaupt gebildeten Türknopf (Kat. I. 14) apotropäische Wirkung zuzuschreiben sein. Er schützt vor Unwillkommenem und wehrt Gefahr ab.

Literatur: Planiscig 1924, Nr. 199 SS

18. JAHRHUNDERT (?)

43
Muschelkopf

Muschelkomposit; 33,7 × 22,3 × 22,8 cm
Privatsammlung Basel/Schweiz

Der manieristische Herrscher sammelt zunächst nicht sosehr das Normale, sondern das Abnormale und Absonderliche, alles das, was Staunen erweckte. So konnte man das Reich der Natur als eine Sammlung von wundersamen Dingen und Formen vorführen. Es bestand eine starke Verbindung zwischen den gesuchten Naturphänomenen und dem Wunderbaren, deren große Bedeutung für uns nur mehr schwer nachvollziehbar ist. Erst durch diese Einschätzung wurden „gefundene" Sammelobjekte zum Anlaß hervorragender Kunstgegenstände. Dazu kam eine Vorliebe für das Bizarre der Einfälle und eine Freude an der Verbindung von Natur und Kunstwerk. Ein Ergebnis dieser verschiedenen Tendenzen ist z. B. der Muschelkopf, wobei die Verwendung von Muscheln ein Zeugnis für die hohe Wertschätzung ist, deren sich diese aus dem Fernen Osten importierten, exotischen Meeresprodukte, vor allem nördlich der Alpen, in Kunst- und Wunderkammern erfreuten. MP

VIII. 43

VIII. 44

BERNARD PALISSY (um 1550–1590) (?)

44
Runde Schüssel im Stil rustique
2. Hälfte 16. Jahrhundert

Glasierte Fayence mit Naturabgüssen und -nachbildungen; Durchmesser 43 cm
Braunschweig, Herzog Anton Ulrich-Museum
Inv. Nr. Z.L.I 4581

In einem sehr dichten Dekor bildet diese Schüssel Fauna und Flora eines klaren Baches nach. Rund um eine eingerollte Schlange im Tellerzentrum fließt über Kieselsteine Wasser, in dem sich Flußfische tummeln. Der Tellerrand stellt das reich belebte Ufer dar.

Trotz der scheinbaren Überladung ist die traditionelle Zoneneinteilung von Schüsseln und Tellern eingehalten und wird sogar durch die abgestufte Farbgebung noch unterstrichen.

Literatur: Ballot 1924 – Kris 1926, S. 137–209 JW

BERNARD PALISSY (um 1500–1590) (?)

45 Farbabbildung S. 114
Ovale Schüssel im Stil rustique
2. Hälfte 16. Jahrhundert

Glasierte Fayence mit Naturabgüssen und -nachbildungen; 53 × 40,8 cm
Wien, Österreichisches Museum für Angewandte Kunst
Inv. Nr. Ke 3964

Palissy bediente sich nicht nur der Technik des Naturabgusses, wie er auch aus der Goldschmiedekunst bekannt ist (siehe Kat. I. 35), sondern auch der miniaturhaften Naturnachbildung – man beachte etwa das Vogelnest am Rande dieser Schüssel.

Verständlich wird dieses Nebeneinander, wenn die bei Festessen üblichen Scherze in Betracht gezogen werden. Zur Unterhaltung der Gäste krochen Krebse über die gedeckte Tafel, flogen Vögel aus Torten hoch und wurden lebende Tiere unter Gekochtes und Gebratenes geschoben, um die ganze Schüssel „lebendig" zu machen.

Mit der fortschreitenden „Verfeinerung" der Sitten wurde das lebende Tier am Eßtisch nicht mehr geduldet, Fleisch wurde durch Filetierung unkenntlich gemacht; dafür jedoch wurden die Tiere im Tischgerät – wie eben bei Palissy – oder auch im Tafelaufsatz nachgeahmt.

Literatur: Ballot 1924 – Kris 1926, S. 137–209 JW

FRANZÖSISCH, ENDE 16. JAHRHUNDERT

46
Ovale Platte mit Fischen, Fröschen und Muscheln

Keramik, glasiert; 50 × 39 cm (oval)
Paris, Musée du Louvre, Departement des Objets d'Art
Inv. Nr. MR 3530

Jede Schüssel von der Hand, aus dem Atelier oder dem Umkreis Palissys ist einer bestimmten Sphäre zugeordnet. Waren die Stücke aus Écouen (Kat. I. 20) und dem Louvre (Kat. V. 68) figuralen und allegorischen Darstellung gewidmet, so sind jene aus Wien und die vorliegende ovale Platte den Bereichen des Kleingetiers zuzurechnen. Dabei repräsentieren Rand und Eintiefung der Speiseplatte trockene und feuchte Lebensräume: Schmetterlinge und Eidechsen bevölkern die Rahmung, während in der Vertiefung in einem kreisförmig verlaufenden Gewässer verschiedene Fische um eine von Muscheln und zwei Fröschen bewohnte Insel schwimmen. So ist in einer sehr aufwendigen Weise ein Bild des Feuchtbiotops auf die Festtafel transponiert. MB

VIII. 46

MARTIN BURCKHARDT (tätig um 1600)

48
Trinkgefäß in Gestalt eines Straußen
um 1600

Verschiedene Materialien; Höhe 47 cm
Kassel, Staatliche Kunstsammlungen
Inv. Nr. B II 84

Die wegen ihrer Seltenheit als Sammelobjekte besonders geschätzten Straußeneier wurden gern von den Goldschmieden des Manierismus zu Prunkgefäßen verarbeitet. Ein solcher Straußeneipokal vereinigte dann Artefïcialia und Naturalia in sich. Das Interesse des Fürsten an exotischen Materialien wurde auch von den magisch-abergläubischen Anschauungen der Zeit gefördert. Der mit zahlreichen Bedeutungen versehene Vogel Strauß wurde häufig als eisenfressendes Tier, das selbst Hufeisen verdauen könne, dargestellt. Die häufige Verwendung der Straußeneier für Trinkgefäße dürfte mit dem Glauben an die verdauungsfördernde Wirkung der Straußeneier zusammenhängen.

Literatur: Wilberg Vignau-Schuurman 1969, S. 215 MP

BERNARD PALISSY (um 1500–1590) (?)

47
Sauciere mit weiblichem Akt

Keramik; Länge 15 cm
London, Victoria and Albert Museum,
Department of Ceramics
Inv. Nr. GB 992

Auf besonders delikate Weise führt die kleine Saucenschüssel aus dem Umkreis Palissys das unterhaltsame Kunstprinzip vor, an edlen Tafeln unter den Speisen plötzlich täuschend echt nachgeformte Tiere oder Gesichter zum Vorschein kommen zu lassen. Der Kopf der schönen Nackten des Londoner Stücks war schon bei gefülltem Gefäß sichtbar – der entblößte Leib zeigt sich aber erst, wenn die Sauciere geleert wurde. Dieser derbe Spaß führt deutlich vor Augen, wie dicht nicht nur die Lust an Eros und aufwendigen Speisen, sondern auch Kunst und Witz nebeneinander lagen. MB

VIII. 47

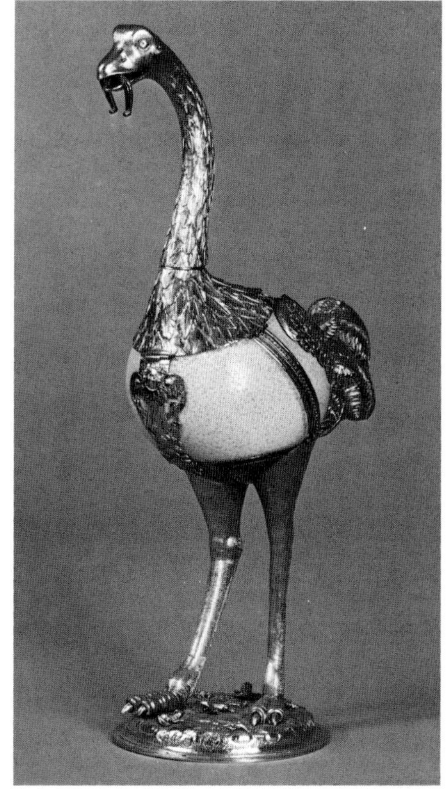

VIII. 48

VIII. 49

ABRAHAM I. PFLEGER (gest. um 1605/06)
(Kopie des 19. Jahrhunderts)

49
Willkomm der Familie Geizkofler

Holz, Silber;
Höhe 33cm, Durchmesser 27 cm
Wien, Kunsthistorisches Museum,
Sammlung für Plastik und Kunstgewerbe
Inv. Nr. 3976

Am 23. September 1583 fanden in Innsbruck die aufwendigen Feierlichkeiten anläßlich der Hochzeit des Salzburger Rates Raphael Geizkofler (1539–1584) mit Catarina Caster statt. Vielleicht war dies der Anlaß für die Anfertigung des merkwürdigen, aus Zirbelwurzel gedrechselten Maserpokals, der folgende Inschrift trägt: „ALLEN. GEIZKOFLERN. ZV. VND. EHREN. SOLL. DER. WERDE. GAST. DISEN. WILLKVN. AUSLEHREN. 1583.''

Der Pokal folgt in seiner leicht altertümlichen Form den Handheben und Scheuern oder Doppelköpfen des 15. Jahrhunderts. Die Skurrilität, die in der Absicht liegt, einem Gast den Willkommenstrunk in einem bereits der Verwitterung anheimgefallen scheinenden Holzpokal aufzuwarten, muß wohl aus jener Intention erklärt werden, die beispielsweise auch Muscheln oder Bezoare als besondere Kostbarkeit in Kelchform fassen ließ.

Die Wiener Kopie nach dem in Augsburg (Städtische Kunstsammlung Inv. Nr. 12173) aufbewahrten Original des Goldschmiedes Abraham I. Pfleger (gestorben 1605/06 in Augsburg), besitzt im Unterschied zur Vorlage einen Deckel, der darauf schließen läßt, daß auch das Original ursprünglich einen besaß.

Literatur: Ausst.-Kat. Welt im Umbruch 1980, Bd. II, Nr. 739 SS

VIII. 50

GEORG PETEL (um 1590/93–1634)

50
Elfenbeinpokal mit trunkenem Silen
um 1628

Höhe 28 cm
Augsburg, Städtische Kunstsammlungen
Inv. Nr. 10433

Der Petelpokal zeigt die eindeutigste Spielart möglicher Gestaltungen von Trinkgefäßen. Deren Zweck, nämlich das Trinkgelage so unterhaltsam wie möglich zu gestalten, wird in seinem Dekor auf einer metaphorisch-mythologischen Ebene wiederholt: Der trunkene Silen stützt sich auf seine ebenso berauschten Begleiter, doch hinter ihm lauert schon der Tod mit seinem Sensenattribut. Ein Putto auf einem Seeuntier bekrönt den Deckel, der seinerseits die verderbnisbringende Flüssigkeit verschließt: Ihre Folgen werden in dem virtuosen Relief ausführlich geschildert, ein Relief, dessen schwellende Körperhaftigkeit den Rundkörper des Gefäßes zu einem fast freiplastischen Gebilde umdeutet.
MB

TIROL, 1582

51
Hochzeitsbecher

Keramik, Alabaster;
Höhe 23 cm, Durchmesser 10 cm
Wien, Kunsthistorisches Museum,
Sammlung für Plastik und Kunstgewerbe
Inv. Nr. 9064

Die aus Alabaster geschnittene Figur, ein Mädchen in der Tracht von 1580, die Blumen und eine Taube als Liebessymbole in Händen hält, entpuppt sich bei näherer Betrachtung als Trinkgefäß; der üppige Rock der Figur ist die Cuppa des Bechers. Dieser muß, da er nur benützbar ist, wenn die Figur auf dem Kopf steht, in einem Zug geleert werden, um

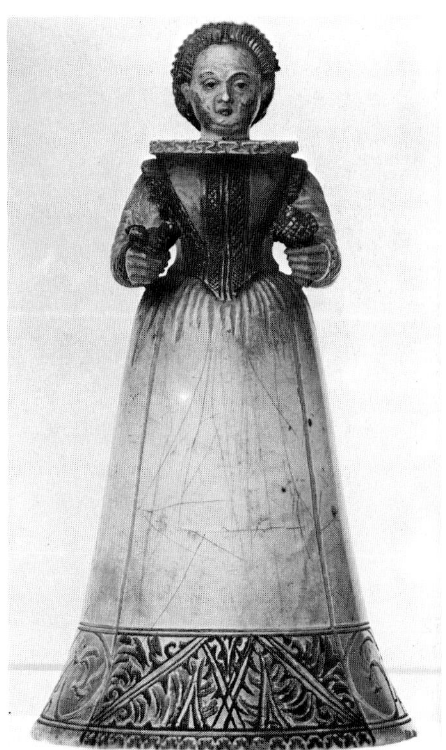

VIII. 51

sein Abstellen wieder zu ermöglichen. Die wunderliche Idee, aus den Röcken einer Frau zu trinken, der nicht eine gewisse Derbheit abgesprochen werden kann, wird an Hand einer Textstelle aus dem Jahre 1589 erklärend illustriert: „Uns Teutschen kann man die Trinkgeschirr nicht groß genug, sondern auch nicht schön und seltsam genug machen. Man trinkt aus Affen und Pfaffen, Mönch und Nonne, Löwen und Bären, Straußen und Käuzen, und aus dem Teufel selbst. Ich will und mag nichts sagen von den unflätigen Weinzapfen, die aus Kannen, Schüsseln, Höfen, Hüten, Schuhen, Stifeln, Handbechern und gar aus Nachtgeschirren und Hornkochel einander zutrinken'' (zit. nach H. Seling). Der Sturzbecher entspricht aber gleichzeitig der Idee der „verkehrten Welt'', die gerade im Manierismus mit seinem Infragestellen der Realität und deren Umkehrbarkeit neue Nahrung findet.

Literatur: Ausst.-Kat. Curiositäten 1978, S. 27 – Seling 1980, Bd. I, S. 72 SS

VIII. 53

SÜDDEUTSCH,
2. VIERTEL 16. JAHRHUNDERT

53
Hirsch als Trinkgefäß

Silber, vergoldet;
Höhe 19,3 cm, Breite 7,5 cm
Inv. Nr. 60/130

Die drei Karlsruher Stücke illustrieren die Metamorphosen und Permutationen, denen Tafelgeschirr in einer Zeit anheimfällt, die allem und jedem die besondere, ausgefallene und gesuchte Form verleihen will. Man bediente sich aller, auch lebender plastischer Objekte, um durch ihre Umdeutung zu Trinkgefäßen das Erstaunen und Lachen des Betrachters herauszufordern. So werden nicht nur Hirsch und Ochse, sondern auch Damen plötzlich zu Scherzgefäßen, denen man den Kopf abnehmen oder aus ihren Röcken trinken kann. Schon der Wiener Hochzeitsbecher (Kat. VIII. 51) führte dieses für das gesamte 17. Jahrhundert so charakteristische Spiel vor, Witz aus der Verfremdung von Gebrauchsgegenständen zu erzeugen. MB

SPANISCH, UM 1520

55
Silberkanne mit Groteskendekor

Silber, getrieben; Höhe 26,5 cm
London, Victoria and Albert Museum,
Department of Metalwork
Inv. Nr. M 471/1956

Der prunkvolle Londoner Silberkrug zeigt eine aufwendige Verquickung von Fabelwesen mit kostbarem Material und einer noch an der Gebrauchsfähigkeit orientierten Verwendung. An die Stilprinzipien mittelalterlicher Silberschmiedearbeiten angelehnt, werden die vollplastischen Mischwesen aus menschlichen Köpfen, Schlangen, Drachen und einem Hund, die den Henkel bilden, effektvoll den nicht reliefierten Seitenflächen des Kruges gegenübergestellt. MB

VIII. 52

ELIAS ZORER (tätig um 1600)

52
Ochse als Trinkgefäß

Silber, vergoldet; Höhe 27 cm
Inv. Nr. 64/102

VIII. 54

SÜDDEUTSCH, UM 1570

54
Jungfernbecher

Bronze, gegossen, vergoldet;
Höhe 20 cm, Durchmesser 10,8 cm
Inv. Nr. 56/138

Alle: Karlsruhe, Badisches Landesmuseum

VIII. 55

VIII. 56

WERKSTATT DER MISERONI und
PAULUS VAN VIANEN (um 1570–1613)

56
Jaspiskanne mit Goldfassung

Jaspis, Gold; Höhe 39,5 cm
Bezeichnet: P.D.V.F. 1608
Wien, Kunsthistorisches Museum,
Sammlung für Plastik und Kunstgewerbe
Inv. Nr. 1866

Der Reiz dieses Prunkgefäßes liegt in der gelungenen Kombination zweier Medien, in ihrer perfekten Verschmelzung zu einer ästhetischen Einheit. Der der Kanne aus braunem Jaspis entwachsende Drache wird von einer auf dem goldenen Deckel des Gefäßes knieenden Nereide an die Kette gelegt. Dem Goldaufsatz des Deckels antwortet ein Fuß aus Gold, auf dem Jupiter, Juno, Pluto und Amphitrite zwischen Steinbockköpfen – der Halterung der Fassung – ihr Lager gefunden haben.

Paulus van Vianen, der bedeutendste Goldschmied des Prager Hofes, mußte hier seine Invention an einem bereits vorgegebenen Stück aus der Werkstatt der Miseroni (entstanden 1590) versuchen. Die Kanne war ursprünglich ohne Goldfassung konzipiert, verlangte aber auf Grund einer Beschädigung nach einer Verdeckung des Ansatzes zwischen Drachenkopf und Gefäßkörper. Die Lösung des Meistergoldschmiedes läßt Steinschnitt und Fassung zu einer Symbiose verschmelzen – eines scheint das andere sowohl formal wie inhaltlich zu bedingen. Reizvoll wird aber gleichzeitig der Gegensatz der weichen Geschmeidigkeit des matt goldig schimmernden Nereidenleibes, der durch seinen eleganten Linienfluß besticht, zu der aufgebrochenen Form des gefleckten Drachenkopfes in den Vordergrund gerückt. Die Schöne und das Ungeheuer, dieser Gegensatz zwischen Grauen und Erotik, in der sinnlichen Oberflächenbehandlung des Objektes unmittelbar greifbar gemacht, entspringt der manieristischen Begeisterung für erotisch gefärbte Themata und handwerkliche Virtuosität.

Rudolf II. beruft 1603 mit Paulus van Vianen einen Meister seines Faches an den Prager Hof. Dieser schafft unter dem Einfluß des Prager Kunstkreises hier sein Hauptwerk, seinen Figurenstil dabei stark dem Figurenideal eines Bartholomäus Spranger oder Hans von Aachen angleichend.

Literatur: Seibt 1985, S. 277 f – Hernmarck 1978 SS

OTTAVIO MISERONI (gest. 1624)

57
Moosachatschale nach 1600

Jaspachat, Fassung gold, emailliert;
Höhe 17,1 cm, Breite 14 cm
Wien, Kunsthistorisches Museum,
Sammlung für Plastik und Kunstgewerbe
Inv. Nr. 1987

Einer ovalen Achatschale entwächst, sich plastisch entwickelnd, ein fischleibiges Meerwesen, das, sich deutlich hell von der Maserung der Schale abhebend, sie gleichzeitig wieder in weicher Schlingbewegung zu umfangen scheint. Virtuos wird der Kontrast von sprödem Material und weichem Linienfluß des Nereidenkörpers auf die Spitze getrieben, Schale und Figur als sich gegenseitig Bedingendes und gleichzeitig voneinander Getrenntes in Schwebe gehalten. Der Meister, der diese Spannung zwischen der natürlichen Schönheit des Materials und der Raffinesse seiner artifiziellen Gestaltung scheinbar mühelos hervorzurufen weiß, ist Ottavio Miseroni, ein Mailänder Glyptiker. Die Kunst des Steinschnittes, die die für das manieristische Konzept der Kunstkammer wichtigen Pole der Naturalia und Artefacta so virtuos verband, mußte sich auch am Hofe Rudolfs II. glanzvoll etablieren. Ottavio Miseroni folgt als Einundzwanzigjähriger 1588 Rudolfs Ruf nach Prag und gründet hier die Prager Schule, die vor allem Schalen und Gefäße für die kaiserliche Kunstkammer hervorbringt.

Sein Stil zeichnet sich durch besonders geschmeidige Formgebung und subtile Oberflächenbehandlung aus, die in ihrem sinnlichen Reiz an das schimmernde Inkarnat eines Aktes von Joseph Heintz erinnert und damit ganz dem Kunstgeschmack des Rudolfinischen Hofes entsprach.

Die Schale aus Moosachat, deren Fassung der Hofwerkstatt entstammt, ist nach 1600 entstanden und steht wohl am Beginn von Miseronis Experimenten mit der vollplastischen Kleinskulptur aus Halbedelstein, einer besonderen Eigenart des Mailänders.

VIII. 57

Literatur: Seibt 1985, S. 284 – Scheicher 1979, S. 167 ff – Distelberger 1978 SS

ANTIK, GEFASST IN PRAG, UM 1600

58 Farbabbildung S. 134
Onyxschale

Gold, transluzides Email;
Höhe 12,6 cm, Durchmesser 14 cm
Wien, Kunsthistorisches Museum,
Sammlung für Plastik und Kunstgewerbe
Inv. Nr. 1808

Die antike Herkunft der Schale muß Rudolf II. ebenso gereizt haben wie die wunderbar klare Zeichnung des vielfarbig schimmernden Onyx. Rudolf liebte den Besitz kostbarer Steine, da er in ihnen „die Größe und unsagbare Macht Gottes, der in so winzigen Körperchen die Schönheit der ganzen Welt vereint und die Kräfte aller anderen Dinge eingeschlossen zu haben scheint", bewundert. Er will „einen gewissen Abglanz des Schimmers der Göttlichkeit immerdar vor Augen haben" (Anselmius Boeth de Boot).

Die in der Prager Hofwerkstatt angefertigte Fassung der antiken Kostbarkeit adelt ihren Wert in der gekonnten Verarbeitung von Gold und transluzidem Email.

Die geheimnisvoll scheinenden Zeichen der Steinmaserung erhalten in der Rätselhaftigkeit des Mischwesens, das den Henkel bildet, einen wirksamen Akzent. Der sinnlich schwellende Leib der sich zum Henkelrund wölbenden geflügelten Frauenfigur endet in zwei verschlungenen Drachenschwänzen. Dieser grausige Kontrast des tierischen Unterleibes zu der geschmeidig weichen Körperlichkeit und dem rätselhaft lockenden Lächeln des sphinxischen Wesens, steigert die erotische Brisanz des Dargestellten.

Die Verbindung von Kostbarkeit und sinnlichem Reiz entspringt deutlich dem manieristischen Geschmack des Prager Hofes.

Literatur: Ilg 1895, S. 21 – Scheicher 1979, S. 167, 168 – Boethius de Boot 1609 SS

VIII. 59

CASPAR GRAS (1590–1674)

59
Reiterstatuette mit austauschbarem Kopf

Bronze; Höhe 60 cm
Wien, Kunsthistorisches Museum,
Sammlung für Plastik und Kunstgewerbe
Inv. Nr. 6025

Die Statuette gehört zu einer Gruppe fast völlig identischer Reiterporträts, von denen fünf das Kunsthistorische Museum in Wien besitzt. Alle Dargestellten entstammen dem Hause Habsburg und sind größtenteils identifizierbar (Inv. Nr. 6020 als der jugendliche Ferdinand III.; Inv. Nr. 5989 als Ferdinand III. in fortgeschrittenem Alter; Inv. Nr. 6000 als Leopold I.; Inv. Nr. 5995 als Erzherzog Ferdinand Carl oder Sigmund Franz). Die vorliegende Statuette jedoch ist nicht eindeutig zu bestimmen.

Das Kuriosum dieser Reiterstatuetten sind ihre abnehmbaren und somit austauschbaren Köpfe. Die fast völlige Identität der Statuetten zeigt an, daß alle einem Grundmodell folgen und anschließend auf Vorrat angefertigt wurden. Das machte die beliebige Verfügbarkeit der Köpfe notwendig, die je nach Bedarf eingesetzt werden konnten.

Das Vorbild zur Konzeption einer Reiterstatue mit Wechselkopf dürften jene Imperatorenstatuen des 3. Jahrhunderts nach Christus sein, die eine Auswechselbarkeit der Köpfe durch den notorisch schnellen Wechsel der Soldatenkaiser notwendig gemacht hatten.

Der formale Typus geht auf die florentiner Giambologna-Nachfolge zurück.

Literatur: Ausst.-Kat. Master Bronzes 1986, Nr. 66a SS

DEUTSCH, 1582

60
Husar als Trinkgefäß
Kopf von Reiter und Pferd abnehmbar

Silbervergoldetes Trinkgefäß,
Beschauzeichen und Meistermarke 12;
Höhe 53 cm, Länge 25 cm
Wien, Kunsthistorisches Museum,
Sammlung für Plastik und Kunstgewerbe
Inv. Nr. 6853

Angesichts deutscher Trinksitten (vgl. Kat. VIII. 51) ist es nicht weiter verwunderlich, daß selbst die Porträtstatuette des Markgrafen Carl von Burgau als Trinkgefäß benützbar ist. Das Gefäß dürfte anläßlich der zweiten Hochzeit seines Vaters Erzherzog Ferdinands II. von Tirol mit Anna Catherina Gonzaga von Mantua 1582 in Innsbruck entstanden sein. Carls Anwesenheit in einem „Aufzug auf ungarische Art" in husarischem Kostüm geht aus einer malerischen Wiedergabe im Hochzeitscodex (Inv. Nr. 5270), der das Festprogramm deutlich schildert, hervor. Auch das Wappen auf dem Schild des mit Lanze und Säbel bewaffneten Husaren weist diesen als Carl von Burgau aus.

Literatur: Ausst.-Kat. Curiositäten 1978, S. 19 – Thomas 1978 – Kris 1932, I, Nr. 75 SS

VIII. 60

VIII. 61

NIEDERLANDE, 1610

61
Messer mit Elfenbeingriff

Silber, Buchsholz; Länge des Messers 25,1 cm, Länge der Scheide 21,8 cm
Wien, Kunsthistorisches Museum, Sammlung für Plastik und Kunstgewerbe
Inv. Nr. 4259

Die hölzerne Scheide, die das Messer birgt, ist en relief geschnitzt und weist verschiedene niederdeutsche Inschriften auf, die Klinge des Messers trägt einen gekrönten Anker und die Jahreszahl 1610. Das Verblüffende an diesem Messer ist jedoch sein Heft, das mit gravierten, vielfach zu öffnenden Silberplatten umgeben ist, die in seinem Inneren geschnitzte Elfenbeinkunstwerke und einen Rosenkranz verbergen.

Der intendierte Überraschungseffekt, den die zutage tretenden Elfenbeinschnitzereien erzeugen sollen, entspringt ebenso manieristischer Denkweise wie die in diesem Heft versuchte Verwirklichung einer Miniaturkunstkammer, die wertvolle Schätze birgt und ähnlich wie der Kunstschrank eine auf Komplexität ausgerichtete Verknüpfung christologischer wie mythologischer Ikonographie aufweist.

Die Silberplatten des Heftes zeigen die den Tageszeiten zugeordneten Gottheiten Saturn (Aurora), Jupiter und Mars (Meridies), Venus und Sol (Vesper) und Merkur und Luna (Nox), während die Elfenbeinszenen im Inneren vom Sündenfall über die Vertreibung aus dem Paradies bis zur Kreuzigung ein christliches Programm umfassen.

Literatur: Ausst.-Kat. Curiositäten 1978, S. 24 SS

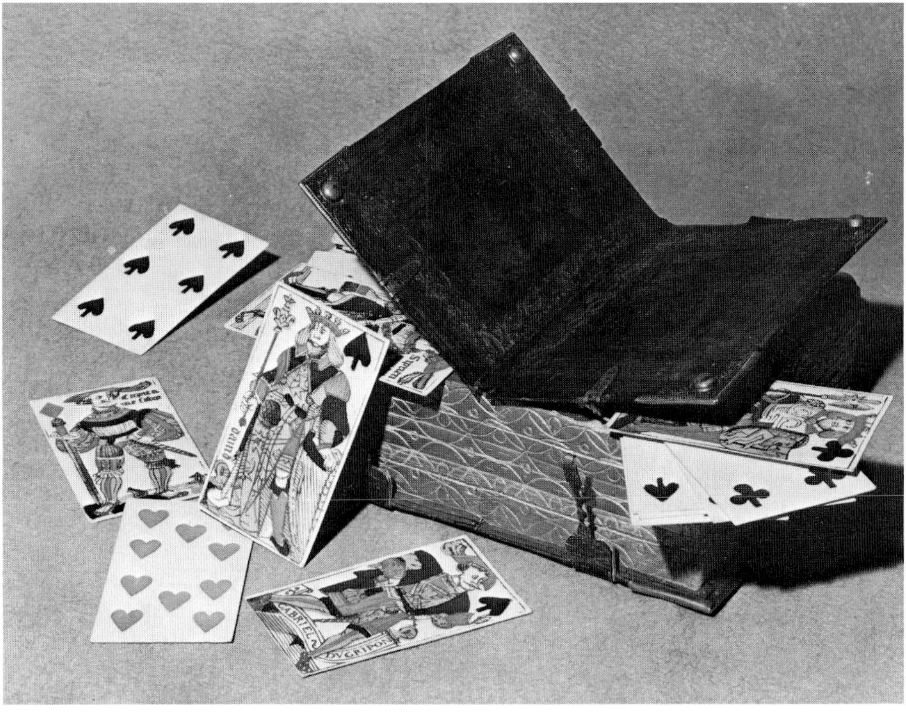

VIII. 62

DEUTSCH, UM 1582

62
Vexier- oder Liederbuch

Länge 20,7 cm, Breite 16,5 cm
Wien, Kunsthistorisches Museum, Sammlung für Plastik und Kunstgewerbe
Inv. Nr. 5410

Das Ambraser Liederbuch, lange Zeit nur wegen seiner Liedersammlung beachtet, stammt aus dem Besitz Erzherzog Ferdinands von Tirol, der es möglicherweise selbst in Auftrag gegeben hat. Die Tatsache, daß der Band Ferdinands Interesse erweckte, läßt bereits vermuten, daß nicht die Liedersammlung allein Grund für seine Aufnahme in die erzherzogliche Kunstkammer war. Das Buch ist ein Vexierbuch, ein Siebenfachband – der einzige bis jetzt bekannte auf siebenerlei Arten zu öffnende Band –, der in seinem Inneren allerhand Kuriositäten birgt. Das Buch läßt sich sowohl ganzformatig in der Schnittzone als auch mittels seiner vier Halbdeckel öffnen und enthält ein Spielbrett für Puff und Tric Trac, ein Kartenspiel, ein Notizbuch mit leeren Blättern, die bereits erwähnte Liedersammlung und einen Wiederabdruck eines großen Jagdbuches von 1582. Die „livres feints'', die ihrer äußeren Form nach Bücher vortäuschen, ohne es wirklich zu sein, entspringen dem Gefallen an allem Ungewöhnlichen und vor allem Unvermuteten, das ein Ding birgt. Diese Lust am Spiel mit der Täuschung erfaßt alle Gebiete des Kunsthandwerkes, auch die Buchbinderei, die jene Mehrfachbände hervorbrachte. Die Entstehungszeit des vorliegenden Bandes ist durch die Datierung der im Band enthaltenen Drucke (1582) und das Todesdatum Ferdinands (1592) eingegrenzt, die stilistischen Merkmale sprechen für eine Entstehung in den achtziger Jahren des 16. Jahrhunderts.

Literatur: Köster 1975 SS

AUGSBURG, VOR 1619

63
Mäher mit Sense

Automat aus Ebenholz, Silber, zum Teil vergoldet, Email, Halbedelsteine;
Höhe 35 cm
Wien, Kunsthistorisches Museum, Sammlung für Plastik und Kunstgewerbe
Inv. Nr. 870

In einem ebenholzgerahmten Glaskästchen steht in einer von Vögeln bevölkerten Gartenlandschaft ein Schnitter, der, setzt man das Spielwerk im Sockel des Kästchens in Betrieb, das Gras des Gartens zu mähen beginnt. Automaten dieser Art entstanden ursprünglich in Zusammenhang mit wertvollen Uhren, die im 16. Jahrhundert einen festen Bestandteil des Inventars der Kunstkammer bildeten (vgl. Kat. VIII. 38), jedoch im Laufe der Zeit von diesen getrennt und zum reinen Selbstzweck wurden. Die Halsuhr des Augsburger Uhrmachers Georg Schmidt (1580–1630), die die Bekrönung unseres mechanischen Spielzeuges bildet, erinnert noch an die ursprüngliche Verbindung.

VIII. 63

Die Wertschätzung, die derartigen Automaten entgegengebracht wurde, spiegelt sich im vorliegenden Beispiel in der Verwendung kostbarer Materialien wie Halbedelsteinen und Kameen wider. Gleichzeitig wurde das mechanische Werk mit mythologischen oder anderen ikonographischen Anspielungen befrachtet, wie hier in der Verbindung von Zeitmesser und Schnitter wohl mit dem Gedanken des „memento mori".

Als Autor für das aus dem Inventar Kaiser Matthias' II. von 1619 stammende Kästchen dürfte einer der beiden „Landschafts- und Muggenkünstler" Veit oder Achilles Lagenbucher in Frage kommen.

Literatur: Kat. Wien 1966, Nr. 320 SS

PADUA, ANFANG 16. JAHRHUNDERT

64
Taschenkrebs

Bronze, Reste von schwarzer Bemalung, braune Patina; Höhe 13 cm
Wien, Kunsthistorisches Museum, Sammlung für Plastik und Kunstgewerbe
Inv. Nr. 5922

Das Verfahren des bereits aus der Antike bekannten Naturabgusses erfährt bei Cennino Cennini neue Bedeutung. In seinem „Trattato della Pittura" (um 1390) erklärt er die vollkommene Naturwiedergabe zu einer entscheidenden Komponente der Kunst. Ist hier der Naturabguß im Sinne einer wissenschaftlichen Kunstauffassung zu verstehen, so verschiebt sich der Schwerpunkt im 16. Jahrhundert in Richtung einer bereits bei Aristoteles formulierten Theorie jenes dialektischen Prinzips, das das Schöne in seinem Gegenteil erkennt. Die Betrachtung der perfekten Abbildung ekelerregender und „allerverdächtigster" Tiere sei demnach „lustgewährend" und zugleich „höchster Genuß für den Philosophen" (Aristoteles, Rhetorik, 1, XI, 23). Ganz in diesem Sinne erobern die Abgüsse von Fröschen, Kröten, Taschenkrebsen oder Schlangen als „Scrivania" das Studiolo des gebildeten Humanisten und Kunstliebhabers bzw. die Kunst- und Wunderkammern der Fürsten.

So ist auch im vorliegenden Beispiel der Abguß des Krebses auf seinen Scrivaniadienst hin umgearbeitet. Die Rückenschale wird als aufklappbarer Deckel gebildet, der die Füllung des Tierkörpers mit Tinte oder Streusand ermöglicht (vgl. das Jugendstiltintenfaß aus dem Besitz von André Breton, Kat. XIV. 23).

Literatur: Ausst.-Kat. Natur und Antike 1985/86, Nr. 261 – Ausst.-Kat. Italienische Kleinplastiken 1976, Nr. 133 – Planiscig 1924, Bd. 4, Nr. 64 SS

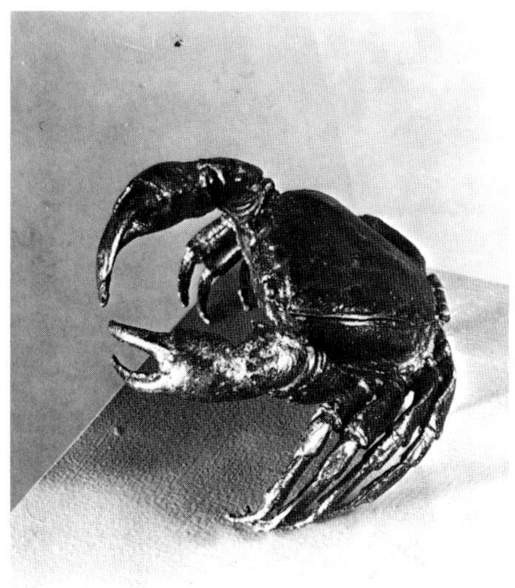

VIII. 64

OBERITALIEN,
2. HÄLFTE 16. JAHRHUNDERT

65
Drei Naturabgüsse

65 A
Zwei Eidechsen

Bronze; Höhe 18 cm
Wien, Kunsthistorisches Museum, Sammlung für Plastik und Kunstgewerbe
Inv. Nr. 5920

Die Eidechse, schon bei Cennini und Ghiberti ein beliebtes Motiv für den Naturabguß, wird nun in der zweiten Hälfte des 16. Jahrhunderts im Kampf wiedergegeben. Die Kombination zweier Tiere in einem schönlinigen Bewegungszusammenhang, ihr künstliches Arrangement, verrät noch deutlicher als bei den Schlangen die ordnende Hand des Künstlers. Damit tritt die Absicht, den Abguß als kostbares Ausstellungsobjekt verstanden wissen zu wollen, in den Vordergrund und verschafft ihm einen wichtigen Platz in der fürstlichen Kunstkammer.

VIII. 65 A

Literatur: Ausst.-Kat. Italienische Kleinplastiken 1976, Nr. 137 – Planiscig 1924, Nr. 62 SS

65 B
Schlange

Bronze; Länge 22 cm
Wien, Kunsthistorisches Museum, Sammlung für Plastik und Kunstgewerbe
Inv. Nr. 5907

65 C
Schlange

Bronze; Länge 18,6 cm
Wien, Kunsthistorisches Museum, Sammlung für Plastik und Kunstgewerbe
Inv. Nr. 5910

Die bis ins kleinste Detail ausgeführten, in verschiedenen Stellungen sich am Boden windenden Schlangen sind ebenfalls Naturabgüsse. Der Ehrgeiz, der bei diesen Exemplaren auf die exakte Wiedergabe der Oberflächenstruktur der Schlangenhaut verwendet wird, ebenso wie das Bemühen nach gefälliger Form des bewegten Tierkörpers hebt diese Beispiele von den frühen, rein naturwissenschaftlichen Exemplaren ab. Hier wird die Naturwiedergabe bereits auf einen Ausstellungszweck hin berechnet. Möglicherweise wurden derartige Exemplare als Briefbeschwerer verwendet.

Literatur: Ausst.-Kat. Natur und Antike 1985/86, Nr. 277, 278 – Ausst.-Kat. Italienische Kleinplastiken 1976, Nr. 136 – Planiscig 1924, Nr. 59 SS

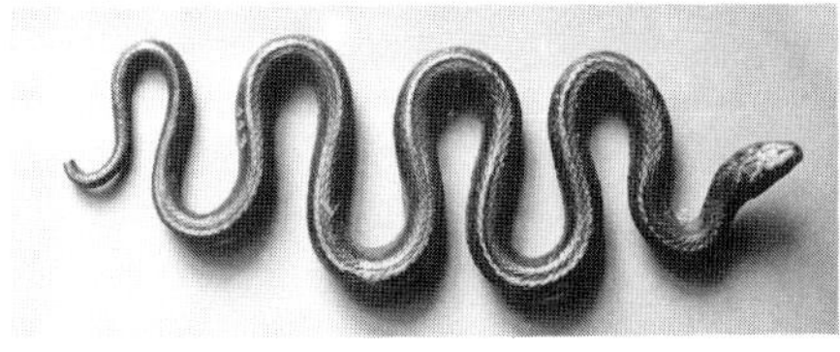

VIII. 65 B

VIII. 66

ANONYM

66
Eppendorfer Alraune

Wurzelstock, aus dem die Gestalt eines Gekreuzigten geschnitten ist, oben bekrönt von einer Krone aus kleinen mit Draht gefaßten Perlen; Höhe 35 cm
Wien, Kunsthistorisches Museum, Sammlung für Plastik und Kunstgewerbe
Inv. Nr. D 148

Die Legende weiß von einer 1482 im Dorfe Eppendorf bei Hamburg gefundenen Alraune zu berichten, deren Ursprung dem frevelhaften Hostienmißbrauch einer faulen Gärtnerin zuzuschreiben sei. Diese habe nämlich in gotteslästerlicher Weise eine Abendmahlshostie heimlich in ihrem verwahrlosten Gemüsegarten vergraben, um sich einen reichen Ertrag zu sichern. Der göttliche Leib habe sich daraufhin durch nächtlichen Lichtschein und Musik zu erkennen gegeben. Er wurde – nun verwandelt in eine Pflanzenwurzel von der Gestalt des ans Kreuz genagelten Christus – geborgen, die lästerliche Frau hingegen zum Tode verurteilt.

Die „Eppendorfer Kohlwurzel" genoß von da an, gefaßt in einer Monstranz in der St.-Johannes-Kirche in Hamburg, hohes Ansehen und Verehrung, die auch die Reformation überdauerten. Die Kunde von der seltsamen Wurzel gelangte bis an den Hof Rudolfs II. Dieser, fasziniert von allem Merkwürdigen und Kostbaren, erbat sie sich vom Hamburger Rat als Geschenk, und tatsächlich gelangte das Stück durch die geschickte Vermittlung des kaiserlichen Gesandten Ehrenfried von Minkewitz 1602 nach Prag in die kaiserliche Sammlung.

Als Kostbarkeit der Wiener Schatzkammer wurde sie 1670 einer naturwissenschaftlichen Untersuchung unterzogen, in Kupfer gestochen und mit einem lateinischen Text mit dem Titel „Rariora Naturae . . . De crucifixo ex radice crambes enato" von Georg Sebastian Jung versehen (Miscellanea Curiosa Medica-Physica . . . sive Ephemeridum . . ., 1. Leipzig 1670, Appendix zu Observatio CXI, S. 24–29).

Die Vorstellung von menschenähnlichen, zauberkräftigen Pflanzenwurzeln gelangte im 15. Jahrhundert aus dem Orient über Italien nach Mitteleuropa. Der Bericht über die Auffindung der Eppendorfer Alraune ist der erste Beleg für diesen in diesem Falle in christlichem Gewand auftretenden Aberglauben.

Literatur: Hävernick 1966, S. 17–23 – Beneke 1887
SS

VIII. 67

DEUTSCH (?),
1. HÄLFTE 17. JAHRHUNDERT

67
Teufel im Glas

Glas, Metall (Blei?); Höhe 6,6 cm
Kunsthistorisches Museum, Sammlungen Schloß Ambras
Inv. Nr. P 6211

Erwähnt 1659 im Inventar des Erzherzogs Leopold Wilhelm (1614–1662) als „Ain khlein viereckhendtes Glasz, oben gespizt, worin ein schwarcze Figur in Gstalt eines Teuffels".

Schlosser zitiert auch eine Eintragung, die von einem „spiritus familiaris in einem Glass, so ehemals von einem besessenen, ausgetrieben und in dieses glas verbannet worden" berichtet. Es handelt sich um ein in ein gläsernes Prisma eingegossenes Metallfigürchen.

Literatur: Schlosser 1978, S. 180 – Scheicher 1979, S. 182
ES

ITALIEN, 17. JAHRHUNDERT?

68
Birne

Marmor; Höhe 11 cm
Kunsthistorisches Museum, Sammlungen Schloß Ambras
Inv. Nr. PA 912

Die naturgetreue Nachbildung von Obst diente wohl der Täuschung fürstlicher Tafelgäste. Ähnliche Exemplare befinden sich in der Kunstkammer des Stiftes Kremsmünster.

Literatur: Kat. Innsbruck 1977, Kat. Nr. 33
ES

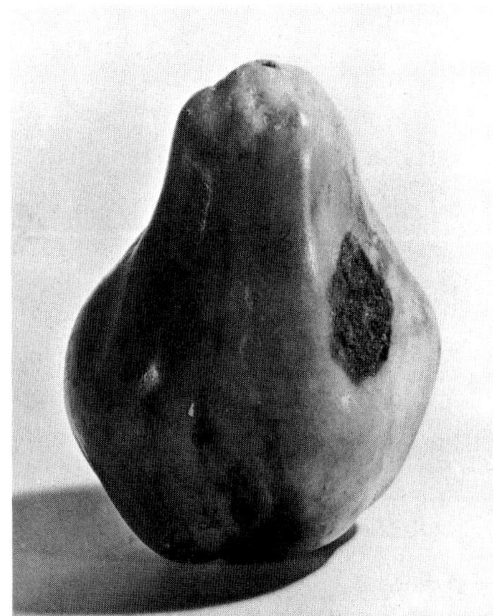

VIII. 68

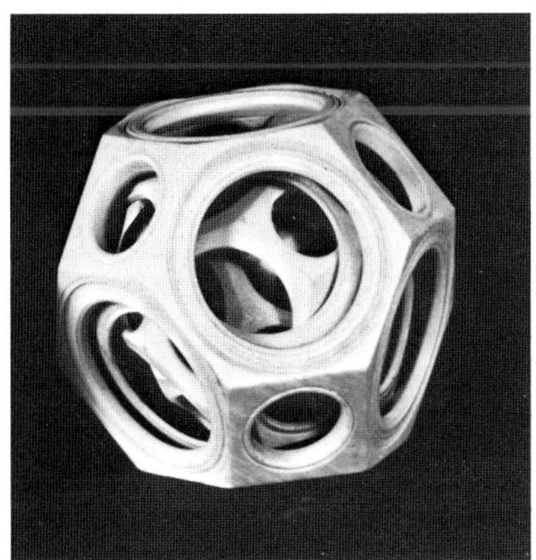

VIII. 69

DEUTSCH, UM 1650

69
Polyeder aus Elfenbein

Höhe 10 cm
Wien, Kunsthistorisches Museum,
Sammlung für Plastik und Kunstgewerbe
Inv. Nr. 3617

Aus einem einzigen Stück sind die ineinandergeschachtelten Polyeder, die im Innersten eine Kugel bergen, gefertigt. Die Freude an einem derartig gedrechselten „Kunststuckh" entspringt dem Drang nach perfekter technischer Beherrschung einer Kunstfertigkeit und der damit verbundenen Überwindung aller Widerstände des Materials. Die „Kontrafettenkugel" oder der Polyeder dienten einzig der Verblüffung des Kunstkammerbesuchers, dem die artistischen Fähigkeiten des Erzeugers ein bewunderndes Staunen entringen sollten. Besonders Elfenbeinarbeiten baute man zu atemberaubend komplizierten Türmen und Aufsätzen zusammen. Diese Drechselarbeiten aus Holz oder Elfenbein erfreuten sich im Norden wie im Süden gleicher Beliebtheit und verführten manchen fürstlichen Sammler dazu, sich selbst in dieser Kunst zu versuchen, „theils um der Cultur ihres Verstandes, theils auch um der Bewegung des Leibes willen". Eigens hierfür eingerichtete Werkstätten besaßen Maximilian I., Erzherzog Friedrich II. und auch Rudolf II., dem sogar ein „ungemeiner Success" in dieser Kunst nachgesagt wurde.

Literatur: Scheicher 1979, S. 23 – Ausst.-Kat. Curiositäten 1978, S. 56 – Drexelio 1730 SS

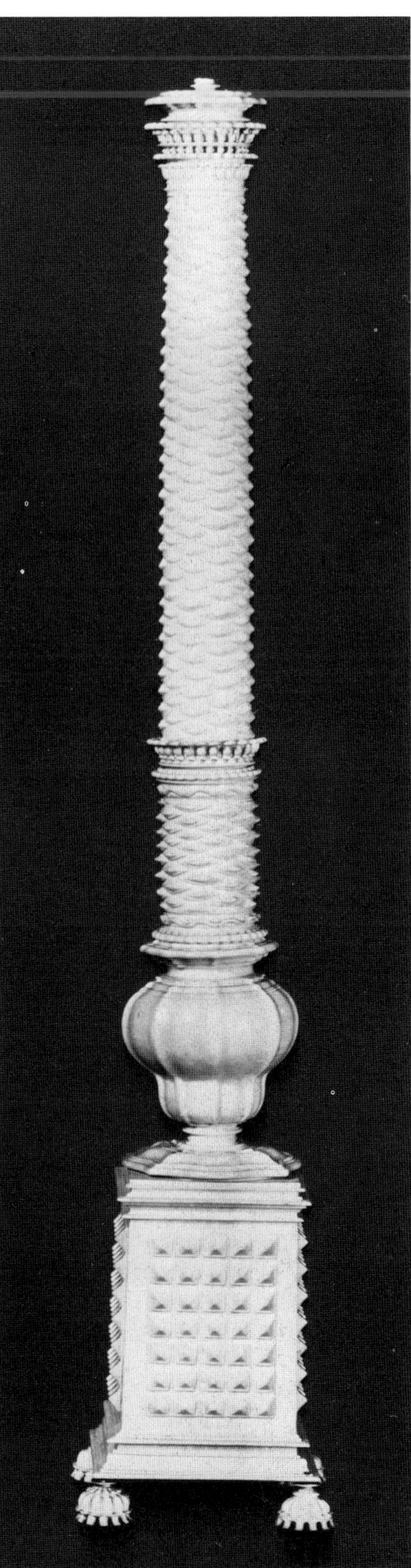

VIII. 70

DEUTSCH, UM 1650

70
Zwei Miniaturschreibzeuge

Elfenbein; Höhe 30 cm
Wien, Kunsthistorisches Museum,
Sammlung für Plastik und Kunstgewerbe
Inv. Nr. 4916–4932, 4669

Auf einem diamentierten Sockel erhebt sich eine facettierte Säule mit zwiebelförmigem Fuß, alles sorgfältig aus Elfenbein gedrechselt – ein Schaustück. Nur dem Eingeweihten eröffnet sich das auf den ersten Blick völlig unvermutete Innenleben des Elfenbeinturmes, der ein komplettes Schreibzeug en miniature enthält. Zirkel, Lineal, Bleistifthalter, Würfellineal und Loth, verbergen sich in der Säule, Notizbuch, Schere, zwei Messer, ein Pfriem, zwei Bleistifte, zwei Hefte und ein Ohrlöffel im Sockel. Der Sinn dieses Stückes liegt nicht so sehr in seiner zweckmäßigen Verwendbarkeit als vielmehr darin, den Betrachter angesichts der Doppeldeutigkeit eines Gegenstandes, der virtuos gearbeitetes Schaustück und praktisch verwendbares Instrumentarium zugleich ist, in verblüfftes Staunen zu versetzen. Deutlich wird dabei die manieristische Lust am Spiel mit Sein und Schein.

Literatur: Ausst.-Kat. Curiositäten 1978, S. 56 SS

VIII. 71

DEUTSCH, 17. JAHRHUNDERT

71
Elfenbeinkunststück

Höhe 50 cm
Wien, Österreichisches Museum für Angewandte Kunst
Inv. Nr. PL 480

Der Reiz von Elfenbeinkunststücken lag vor allem in ihrem mimetischen Charakter. Nicht nur Obelisken, Skelette oder Schreibzeuge wurden en miniature reproduziert, auch seltsam-groteske Bauwerke, wie in diesem Beispiel, fanden verkleinerte Darstellung durch den Drechselkünstler. Unser Kunststück, das aus übereinandergestellten Körben zu bestehen scheint, wird noch von einem Kugelgebilde, das von Dornen durchstoßen ist, bekrönt. Die Miniaturisierung als Probestück eines angehenden Meisters antizipiert die Spielzeuge unserer Tage und illustriert außerdem einen Forscherdrang, der Gefallen an den Extremen des Größenmaßstabes fand. MB

SPANISCH, 1. HÄLFTE 16. JAHRHUNDERT

72
Bezoar

Länge 8,7 cm
Wien, Kunsthistorisches Museum, Sammlung für Plastik und Kunstgewerbe
Inv. Nr. 958

Der Bezoar wurde als „Bad-sahr" (aus dem Persischen übersetzt: Gegengift) von Rudolf II. hoch geschätzt, der weder Mühe noch Mittel scheute, in den Besitz dieser seltsamen Magensteine, die sich als krankhafte Ablagerungen in den Gedärmen bestimmter Wiederkäuer bilden, zu gelangen. Auf dem Herzen getragen galt er als wundersames Mittel gegen die Melancholie, von der Rudolf II. in fortschreitendem Alter häufig heimgesucht wurde. Diese heilbringenden Kräfte machten die Bezoare zu wertvollen Geschenken, die in Gold gefaßt und mit figürlichem Schmuck versehen wurden (so etwa das kostbare Stück des Kunsthistorischen Museums, Inv. Nr. 981). Das vorliegende einfachere Exemplar war als Anhänger bestimmt. Der Goldreif trägt folgende Inschrift: „PIEDRA.BESOHAR.FINISSIMA.PESA.OCHO.ONCA". Die spanische Arbeit stammt aus der ersten Hälfte des 16. Jahrhunderts.

Den systematischen Eifer, mit dem nach diesen kostbaren Mirabilien geforscht wurde, bezeugt die Tatsache, daß der Gesandte Freiherr von Khevenhüller in Spanien auf kaiserlichen Auftrag Handsteine, Edelsteine und Bezoare zu beschaffen hatte.

Die Wertschätzung, die Rudolf II. dem Bezoar entgegenbrachte und damit der magischen Bedeutung einer Naturalie, unterscheidet ihn als emotionaleren Sammler von seinem Onkel Ferdinand II., in dessen Sammlung die Naturalien unter rational wissenschaftlichen Gesichtspunkten eingereiht wurden und bezeichnenderweise der Bezoar keinen Platz fand.

Literatur: Scheicher 1979, S. 16 – Ausst.-Kat. Curiositäten 1978, S. 29 SS

TIROL, 2. HÄLFTE 16. JAHRHUNDERT

73
Gebirgspaß mit Korallen

Korallen, Gips, Holz; Höhe 50,5 cm
Kunsthistorisches Museum, Sammlungen Schloß Ambras
Inv. Nr. PA 999

Es handelt sich um eine Darstellung der Martinswand bei Innsbruck, die zu einer Gruppe von drei weiteren mit Korallen besetzten Gebirgspässen gehört (KHM, Slg. Schloß Ambras, Inv. Nrn. PA 983, 984, 957). ES

VIII. 73

ITALIEN, 1580

74
Korallensäbel (Kordelatsch) für Erzherzog Ferdinand II.

Blankes Eisen, Goldtauschierung, Korallen, Leder und Holz
Wien, Kunsthistorisches Museum, Waffensammlung
Inv. Nr. A 791

Die merkwürdigen und bestaunenswerten Produkte der Natur erreichen ihre größte Vollendung, wenn ihnen der Stempel des Erfindungsreichtums des menschlichen „ingenium" aufgedrückt worden ist. Dieser Gedanke ist im mediceischen Studiolo des Palazzo Vecchio in Florenz programmatisch dargestellt. Meer, Land und Bergwerke liefern das „Rohmaterial", das der Kunsthandwerker in seiner Werkstatt veredelt. Ganz besonders wertvoll wird solch ein Produkt der Natur und des Menschen, wenn es auch noch magische Bedeutung besitzt. Ein typisches Ergebnis dieser Anschauungen ist der Korallensäbel, den Erzherzog Ferdinand II. von Tirol, der Sammler von Ambras, für sich anfertigen ließ. Der Griff dieses Cortellaggio

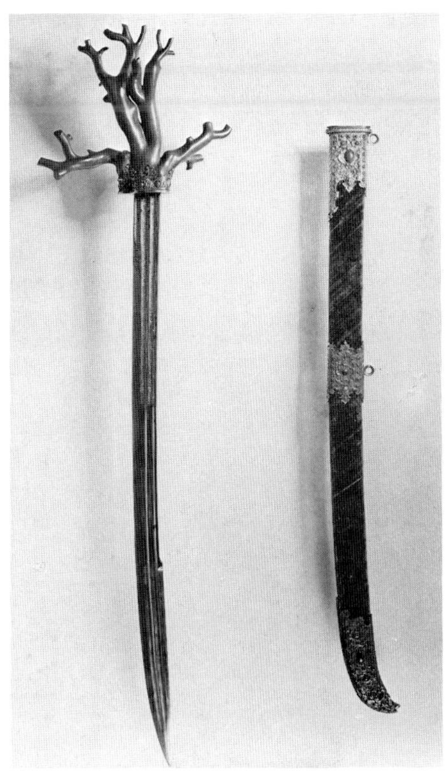

VIII. 74

(großes Messer) besteht aus einem geschliffenen, verzweigenden, roten Korallenast. Das erste Drittel der Klinge ist in Goldtauschierung überzogen. Die leicht geschwungene Klinge steckt in einer mit violettem Samt überzogenen Scheide, deren Mundblech, Schleppeisen sowie Spitze aus reich verziertem, vergoldetem Blech gebildet ist. Im Korallensäbel sind alle Vorlieben des manieristischen Sammlers vereint. Seine Neigung für das Altertum befriedigt die versehentlich für antik gehaltene Form des Cortellaggio genauso wie das Interesse für das Magische, das von der Verwendung von Korallen repräsentiert wird, galten Korallen doch als ein Mittel gegen den bösen Blick. MP

CONCZ WELCZ (gest. vor 1555)

75 Farbabbildung S. 132
Handstein

Höhe 18,6 cm
Wien, Kunsthistorisches Museum,
Sammlung für Plastik und Kunstgewerbe
Inv. Nr. 4136

„Ihr sollt uns schicken, was ihr von ebenmäßigen schönen ziehrlichen handsteinen, es sei von gediegenem Silber, rotguldenerz, auch von allerlei farben, schön wunderbarlichen artigen gezierten gewäxen und gebirgen und was sonst disfalls von seltsamen handsteinen bei diesem bergwerk gebrochen wird, dieweil wir zu solchen und dergleichen handsteinen ein sonder lust und begierd haben." So ein Brief Erzherzog Ferdinands an einen Bergrichter 1574, der seine Vorliebe für die „Lapides Manuales" (was soviel bedeutet wie „eine Handfläche ausfüllen"), die Gesteinsproben, welche ursprünglich als Geschenke der Knappen an den Bergherrn überbracht wurden, deutlich macht. Er besaß die weitaus umfangreichste Sammlung an Handsteinen, die in Ambras im dritten Kasten, der „rott angestrichen" war, aufbewahrt wurden.

Diese Mirabilien „aus der geheimen Werkstatt der Natur" erhielten vor allem in St. Joachimsthal bei zwei Goldschmieden, Caspar Ulrich und Concz Welcz, ihre künstlerische Gestaltung. Die Erzstufen wurden dabei meistens mit silbernen Figürchen und Gebäuden als Bergwerk gebildet, bekrönt von einer Kreuzigung oder Auferstehung Christi. Die Darstellung der Caritas, die das vorliegende Stück schmückt, eine Arbeit des Concz Welcz, mit seinen Initialen CW monogrammiert, ist ein seltenes Motiv. Die große Wertschätzung der Handsteine, die zu einem der begehrtesten Sammelobjekte avancierten, und die steigende Nachfrage führten bis zu ihrer Fälschung.

Literatur: Seibt 1985, S. 256 ff – Scheicher 1979, S. 98 f SS

PARIS, MITTE 19. JAHRHUNDERT

76
Froschduell

Wien, Kunsthistorisches Museum,
Sammlung für Plastik und Kunstgewerbe
(ohne Inventarnummer)

War die Darstellung von Kleintieren oder Insekten im 16. und 17. Jahrhundert mythologisch verpackt (Kat. VIII. 9) oder in den Kontext eines Kunststückes eingebunden (Kat. I. 35), wird nun in dem offensichtlichen Gefallen, dem man einem Paar ausgestopfter Froschleiber entgegenbringt, deutlich, daß sich der geschmackliche Akzent auf die Ebene des Skurrilen und der vordergründigen Verfremdung verlagert. SS

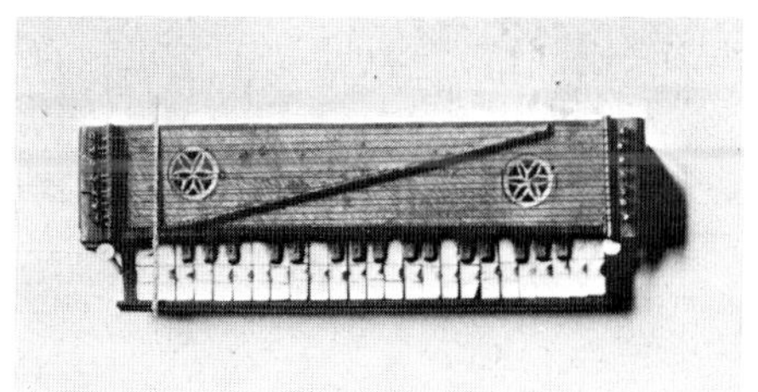

VIII. 77 C

DEUTSCH,
TYPUS DES 16. JAHRHUNDERTS

77
Drei Spielzeuginstrumente

77 A
Modell einer Trompete

Einmal gewundene Miniaturtrompete aus vergoldeter Bronze

Länge 7 cm
Wien, Kunsthistorisches Museum,
Sammlung alter Musikinstrumente
Inv. Nr. 306 – 4013 – A 306

Diese kleine Trompete zählt wie die folgende Laute und das Clavichord zu einer Sammlung von 30 Modellen von Musikinstrumenten, die bereits 1821 in Ambras nachzuweisen sind. Eine Notiz in einem Inventar von 1730 deutet jedoch auf ihre frühere Existenz. Einer Tradition nach soll es sich bei den kleinen Modellen von Instrumenten, die ihrem Typus nach dem 16. Jahrhundert zuzuordnen sind, um Spielzeug der Kinder Erzherzog Ferdinands von Tirol handeln.

Literatur: Schlosser 1980, II, S. 99, Tafel XLIX GSt

77 B
Modell einer Laute

Länge 11 cm, Breite 3,8 cm
Wien, Kunsthistorisches Museum,
Sammlung alter Musikinstrumente
Inv. Nr. 283 – 4019 – A 297

Das mit vier Saiten bezogene Modell einer Knickhalslaute stammt wie das vorangehende Objekt aus Schloß Ambras.

Literatur: Schlosser 1920, II, S. 99, Tafel XLIX GSt

77 C
Modell einer Clavichordes

Länge 12,7 cm, Breite 3,7 cm
Wien, Kunsthistorisches Museum,
Sammlung alter Musikinstrumente
Inv. Nr. 286 – 4016 – A 300

Bei dem sehr stilisierten Modell könnte es sich auch um das eines Spinetts handeln (ebenfalls aus dem Schloß Ambras).

Literatur: Schlosser 1920, II, S. 99, Tafel XLIX GSt

VIII. 78

ANTON SCHNITZER (erwähnt 1579–1598)

78
Kunstvoll gewundene Trompete 1598

Länge 56 cm, Breite 25 cm
Stürzendurchmesser 10,7 cm
Stimmung: Es bezogen auf a_1 = 440 Hz
Wien, Gesellschaft der Musikfreunde

Messingtrompete, feuervergoldet. Stürzenrand und Hülsen aus graviertem Silber. Am Stürzenrand die Kranzinschrift: macht Antoni Schnitzer in Nvrmberg 1598.

Ein nahezu identisches Instrument desselben Meisters aus dem Jahre 1585 befindet sich in der Accademia filarmonica in Verona. Es gehörte einst dem berühmten Trompeter Cesare Bendinelli.

Literatur: Mandyczewski 1912, S. 171 – Van der Meer/Weber 1982, S. 66–70, 126, 127 – Ausst.-Kat. Matthias Corvinus 1984, S. 149, 150, 96 GSt

DEUTSCH, UM 1600

79
Fünfsaitige Diskantviola

Elfenbein, Messing graviert und vergoldet; Gehäuse 7,3 × 2,7 × 0,9 cm
Berlin, SMPK, Kunstgewerbemuseum
Inv. Nr. 4657

Die Viola entwickelte sich Ende des 15. Jahrhunderts aus der mittelalterlichen Fidel und verbreitete sich zuerst in Spanien und Italien. In der ersten Hälfte des 16. Jahrhunderts gelangte sie auch in das Europa nördlich der Alpen, wo sie zum gesellschaftlich hoffähigen Instrument wurde, das auch von hohen Herren gespielt wurde. Als Miniaturinstrument fand sie Eingang in die Kunst- und Wunderkammer, wo miniaturisierte Objekte einen beliebten Sammelgegenstand darstellten, war man sich doch bewußt, wie schwierig es ist, derart kleine Objekte anzufertigen. So besaß Erzherzog Ferdinand von Tirol eine Sammlung von 30 solcher kleinen Musikinstrumente (vgl. Kat. VIII. 77). Wie es einem Kunstkammerstück entspricht, offenbart die äußere Form einer Diskantviola nicht den wahren Kern des Objekts. Bei näherer Betrachtung entpuppt sich die Viola nämlich als Sonnenuhr, die, da die Ganggenauigkeit der komplizierten mechanischen Uhren noch gering war, selbst am Beginn des 17. Jahrhunderts noch den zuverlässigsten Zeitmesser darstellte. Die Sonnenuhr ist, wenn auch kostbar gestaltet, so klein, daß man sich ihren Gebrauch nur schwer vorstellen kann. Vielmehr dürfte sie für den gebildeten Auftraggeber ein Anlaß gewesen sein, über die Zusammenhänge von Sonne, Sphärenmusik, Zeit, Mathematik und Musiktheorie zu philosophieren. MP

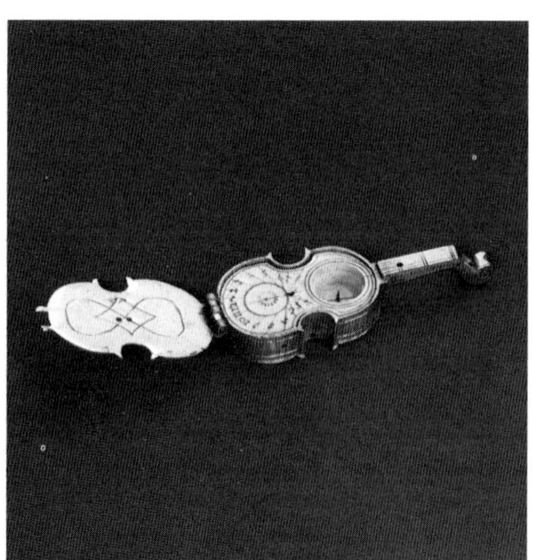

VIII. 79

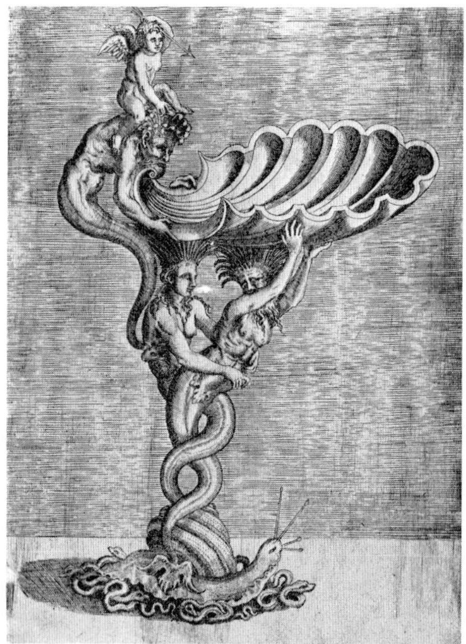

VIII. 80

CORNELIS FLORIS (1514–1575)

80
Pokalentwürfe

Zwei Kupferstiche
Hamburger Kunsthalle, Kupferstichkabinett
Inv. Nr. 50455 und 50460

In der Druckgraphik ließen sich die ausgefallensten Vorstellungen von seltsam geformten Pokalen ungehemmt von technischen Rücksichten darstellen. Cornelis Floris zeigte hier wie auch in seinen großartigen Groteskenentwürfen einen besonders produktiven Erfindungsgeist. Die plastische Ausführung dieser Stücke dürfte wohl nicht das primäre Anliegen des Künstlers gewesen sein. Der manieristischen Formenprogrammatik entspricht auch die Verwandlung der sich umarmenden Muschelträger in Schlangenleiber, die in Schnecke und Schlangen am Fuße des Pokals ihre metaphorische Fortsetzung finden. Amor, der das seltsame Objekt bekrönt, wiederholt das Liebesmotiv des Schaftes. MB

DEUTSCH, 2. HÄLFTE 16. JAHRHUNDERT

81
Narrenzepter

Elfenbein; Länge 37 cm
Nürnberg, Germanisches Nationalmuseum
Inv. Nr. T 1294

Aus der religiösen Vorstellung von der Vergänglichkeit der Welt, von der Gleichheit von Hoch und Niedrig vor dem Auge Gottes entspringt der Gedanke der „verkehrten Welt". Es ist die Frage nach der Unveränderbarkeit der bisherigen Ordnung, die Frage ob gewohnte Machtstrukturen nicht auch ganz anders aussehen könnten. Die Personifikation der verkehrten Welt ist der Narr, in dessen Gestalt das Infragestellen der bestehenden Strukturen institutionalisiert wurde. Mit dieser Person, die von allen verlacht und nie ernst genommen wird, verliert der grundsätzlich mögliche Gegenentwurf zur bestehenden Ordnung seine Gefährlichkeit. Das vom geschnitzten Narrenkopf bekrönte Zepter, die Marotte, war seit dem späten 15. Jahrhundert das Herrschaftszeichen des Anführers der Narrenfeste und das Abzeichen des Hofnarren, der mit ihm zum König der verkehrten Welt wird. Der lange, bunte, mit Glöckchen besetzte Zipfelkragen leitet sich vom gescheckten Narrengewand her. MP

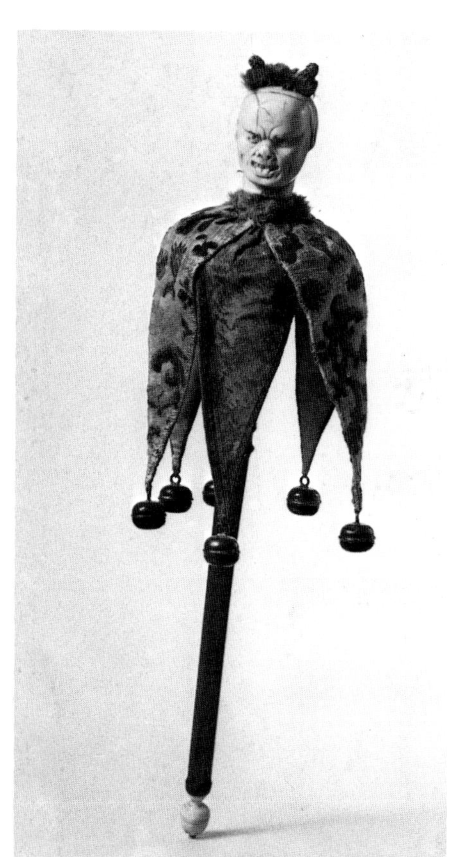

VIII. 81

VIII. 82

SÜDDEUTSCH, UM 1600

82
Hausapotheke

Ahorn- und Birnbaumholz, bemalt;
38 × 40 cm
Nürnberg, Germanisches Nationalmuseum
Inv. Nr. PhM 2033

Die Hausapotheke belegt ein magisch-assoziatives Denken, das sogar in die Naturwissenschaften Eingang fand. Die symbolische Form der Pyramide eignete sich, diese kosmischen Verquickungen im System der vier Elemente darzustellen, die auf den Flügeltüren allegorisiert sind: links Wasser und Luft, rechts Erde und Feuer. Den Elementen werden die „Kardinalsäfte" Blut, Schleim, gelbe und schwarze Galle zugeordnet, die wiederum für die vier Temperamente Choleriker, Melancholiker, Sanguiniker und Phlegmatiker stehen. Geometrische Form, magisches Weltbild und Heilkünste werden so in einem ausgefallenen Objekt miteinander verflochten.

Literatur: Kat. Nürnberg 1977, Nr. 413 MB

DEUTSCH (?), 16. JAHRHUNDERT

83
Kranz

Holz; Durchmesser 24 cm
Wien, Kunsthistorisches Museum,
Sammlungen Schloß Ambras
Inv. Nr. PA 739

Der aus kreuzweise ineinandergesteckten Blättchen bestehende Kranz diente als Pfannenholz zum Abstellen heißen Geschirrs.

Im Inventar der Ambraser Kunstkammer Erzherzog Ferdinands II. von 1596 erwähnt.

Literatur: Kat. Innsbruck 1977, Kat. Nr. 140 ES

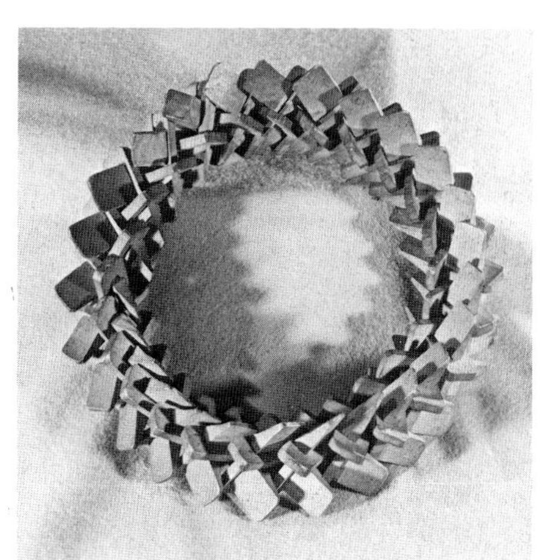

VIII. 83

16. JAHRHUNDERT

84
Baumstamm mit Vögeln

Bronze; Höhe 40 cm
Wien, Kunsthistorisches Museum, Sammlung für Plastik und Kunstgewerbe
Inv. Nr. 6003

„Dreizehend casten, darinnen allerlai metallene pilder. Auf der vierten Stell: Ain von metall gossens vögele, steht auf dem lingen fuesz und helt den rechten uber sich. Mer ain metales vögele ohne fuesz. funf steende gegossne vögelen. Auf der sechsten Stell: Mer ain metal, gegossen wie ain perg.“

Diese dem Ambraser Inventar von 1596 entnommene Textstelle zeigt, daß die Vögel ursprünglich separiert von dem eher wie ein Berg als ein Baumstamm wirkenden Naturabguß aufbewahrt wurden. Erst im Inventar von 1788 werden vier der Vögel mit dem Baumstamm verbunden. Es ist nicht sicher, ob die sehr treffend in ihrer Bewegung beobachteten Vögel nach der Natur gegossen sind. In jedem Fall bleibt die Lust an der Verfügbarkeit der Natur mittels der Kunst, die es vermag, ein flatterhaftes Wesen wie den Vogel in den fürstlichen Kunstschrank zu bannen, spürbar.

Die Erwähnung der Vögel im Ambraser Inventar von 1596 macht die ursprüngliche Zuschreibung an Caspar Gras unhaltbar, da dieser erst später in Innsbruck zu arbeiten begann.

Literatur: Ausst.-Kat. Master Bronzes 1986, Nr. 68 SS

TIROL, UM 1580

85
Ambraser Riesenkarten

Aquarell und Deckfarben auf Papier, auf Karton aufgezogen; 56,2 × 40,5 cm
48 Blatt, 4 Farben: Birnen, Feigen, Äpfel, Orangen, auf der Rückseite das Wappen Erzherzog Ferdinands II. (1529–1596)
Kunsthistorisches Museum, Sammlungen Schloß Ambras
Inv. Nr. P 6565

Im Inventar der Ambraser Kunstkammer Erzherzog Ferdinands II. 1596 erwähnt. Einer Haustradition zufolge benützte die Karten der Ambraser Hofriese (Inv. Nr. GG 8299, Kat. Nr. 398), während dem Zwerg ein besonders kleines Spiel vorbehalten war (nicht erhalten).

Im Spektrum der fürstlichen Kunstkammer gehörten die Riesenspielkarten zu den Mirabilien, einer Kategorie, der alles außerhalb der gängigen Norm Liegende klassifizierte und Artefakten wie Naturalien gleichermaßen einschloß.

Literatur: Ausst.-Kat. Spielkarten 1974 ES

EBERHARD KIESER (ca. 1585–1631)

86
„Der Geistlich Labyrinth“ 1611

Kupferstich; 31,3 × 29,4 cm
Nürnberg, Germanisches Nationalmuseum
Inv. Nr. HB 24707

MATHIAS QUAD (1557–nach 1609)

87
Geistliches Labyrinth 1600–1610 (?)

Kupferstich; 32,3 × 25,5 cm
Nürnberg, Germanisches Nationalmuseum
Inv. Nr. HB 15027

Beide Labyrinthe führen die mythologisch-allegorischen Labyrinthvorstellungen des 16. Jahrhunderts zurück auf christlich-moralisierende Inhalte. Jeweils werden Gebete in die Gänge des Irrgartens eingeschrieben, die im Falle Kiesers einen „Rückgriff auf eine mittelalterliche Interpretation des Labyrinthes als ‚Jammertal‘“ (H. Kern) darstellen, bei Quad aber in einem frommen Wunsch „ut longo tempore (vivas)“ (mögest du lange Zeit leben) enden. Die verschlüsselt-geheimnisvolle Aura des Labyrinthes an sich eignete sich in besonderer Weise als formaler Träger kompliziert aufzulösender Botschaften und fand namentlich in den Heckenirrgärten dieser Zeit eine gebaute Gestalt.

Literatur: Kern 1982, Nr. 393, 394 MB

VIII. 84

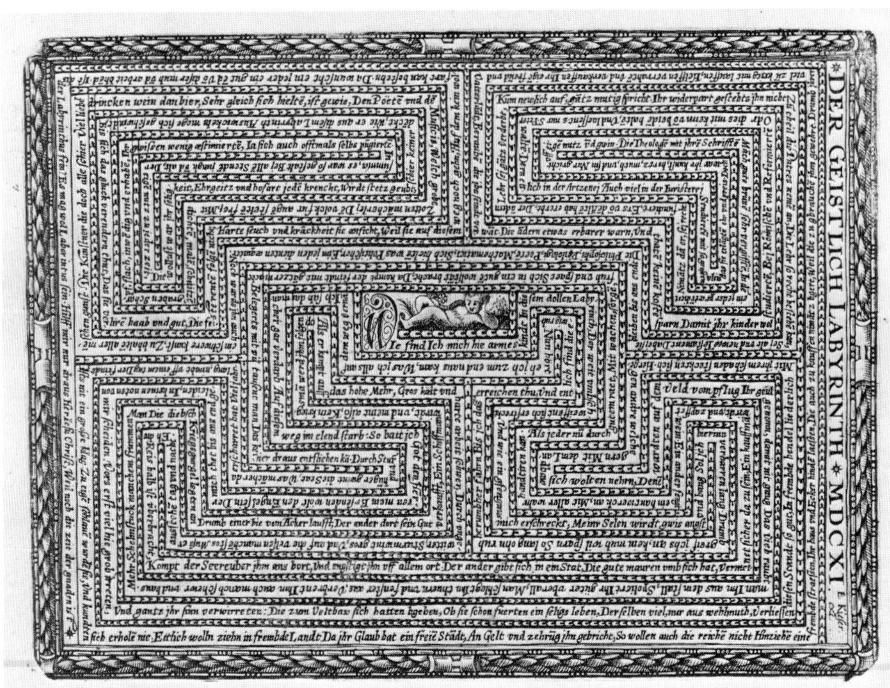

VIII. 86

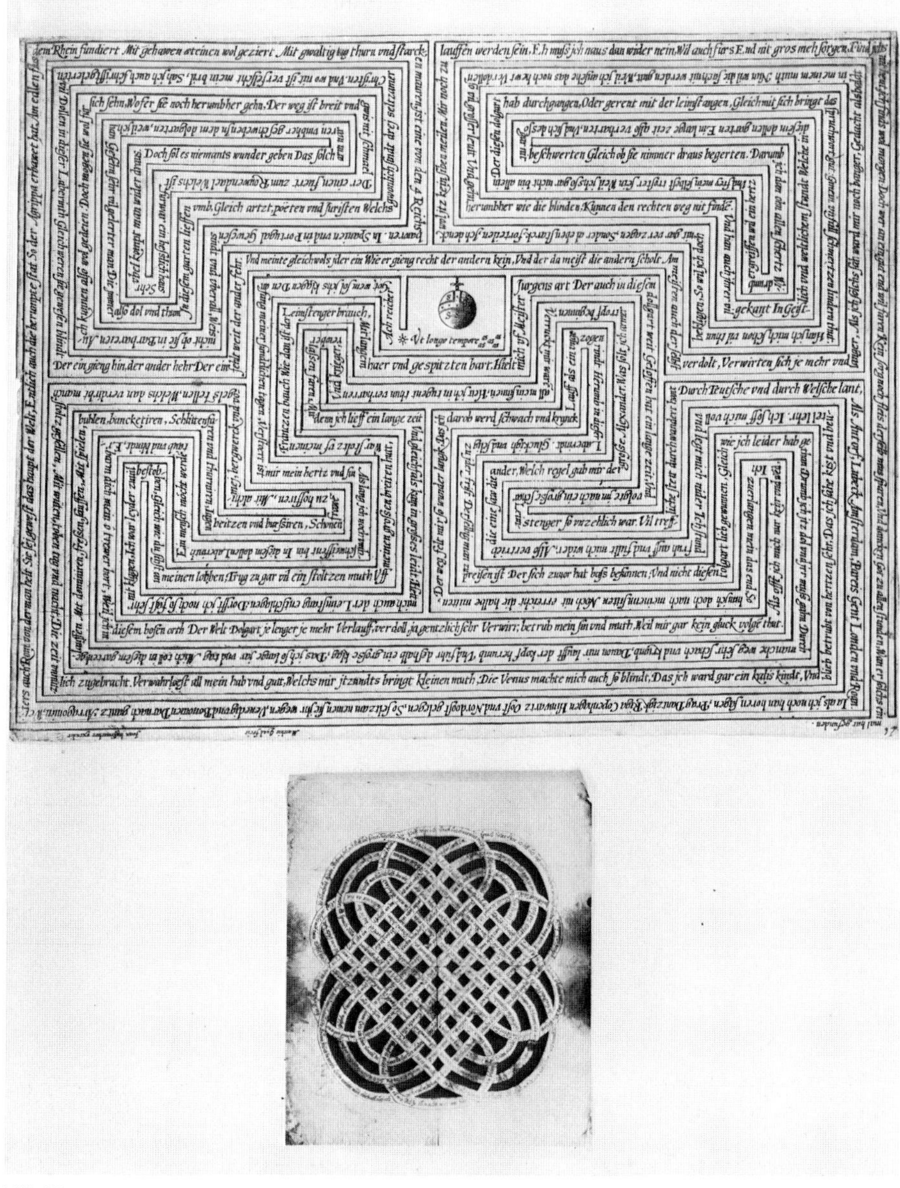

VIII. 87

ÖSTERREICH,
2. HÄLFTE 16. JAHRHUNDERT

88
Vorhängeschloß mit zwei Schlüsseln

Eisen, graviert und geätzt;
42,5 × 40,5 × 12 cm
Wien, Österreichisches Museum für Angewandte Kunst
Inv. Nr. Ei 2

Von der Herkunft dieses überdimensionalen Vorhängeschlosses weiß man nicht mehr, als daß es aus dem Zisterzienserstift Heiligenkreuz stammt und von diesem dem damals neu gegründeten Museum für Kunst und Industrie gemeinsam mit anderen Objekten kurz nach 1864 übergeben wurde.

Türbeschläge und -schlösser wurden schon im Spätmittelalter kostbar und besonders ornamental gestaltet. Sie sollten Zierde sein und auch auf das Besondere und Geheimnisvolle des Verschlossenen und Verborgenen hinweisen, eine Ambivalenz, welche durch die reiche Ornamentik in aufwendigen Techniken unterstrichen wird. Man nimmt an, daß dieses Vorhängeschloß ein Meisterstück ist, an dem Kunstfertigkeit und handwerkliches Können unter Beweis gestellt werden sollen. Dies spricht aber keineswegs gegen eine Verwendung etwa in der Schatzkammer, der Sakristei oder Prälatur.

Auch die beiden Schlüsseln, von denen einer sehr einfach gestaltet ist, während der andere eine kostbare Schmiedearbeit darstellt, könnten auf eine alltägliche Benützung sowie auf eine – seltenere – feierliche Öffnung hinweisen. JW

VIII. 88

Edward Burne-Jones, Das Schreckenshaupt, 1887 (Kat. XII. 2)

Conte Antonio Maria Zanetti, Parmigianinos Madonna dal Collo lungo (Kat. IX. 1)

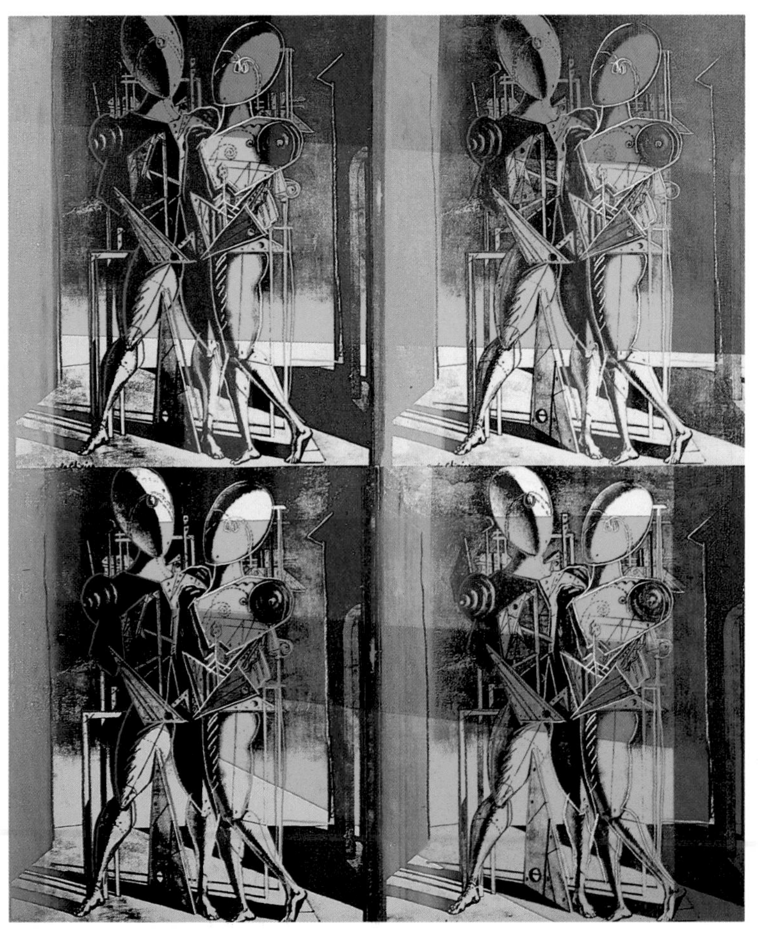

Andy Warhol, Hektor und Andromache, 1982 (Kat. XV. 31)

David Hockney, Selbstporträt mit blauer Gitarre, 1977 (Kat. XVIII. 8)

Sigmar Polke, Zweite Niederländische Reise, 1985 (Kat. XV. 30)

François de Nomé, Brand in den Ruinen, 1623 (Kat. IX. 5)

George Bailey,
Die Kuppel von Sir John Soane's Haus, 1810 (Kat. XI. 19)

Johann Heinrich Füssli,
Thor im Kampf mit der Midgardschlange, 1790 (Kat. XI. 10)

William Blake, The Book of Urizen, 1794/95 (Kat. XI. 18)

Nach Gustave Moreau, Les Voix (Die Stimmen), 1889
(Kat. XIII. 70)

Dante Gabriel Rossetti, The Bower Meadow, 1872
(Kat. XII. 1)

Gustav Klimt, Pallas Athene, 1898 (Kat. XIII. 29)

Alfred Finot (?), Tischlampe in Gestalt einer Najade, um 1900 (Kat. XIII. 51)

Raoul François Larche, Loïe Fuller als Salome, vor 1909 (Kat. XIII. 40)

Johann Loetz Witwe, Vase, um 1901 (Kat. XIII. 78 E)

René Lalique, Schmuckkassette, um 1900 (Kat. XIII. 72)

François-Rupert Carabin, Fauteuil, um 1900 (Kat. XIII. 15)

Venedig, um 1900, Grottenmöbel (Kat. XV. 1)

Carlo Bugatti, Damenschreibtisch mit Stuhl, um 1895 (Kat. XV. 3)

Ernest Barrias, Die Natur enthüllt sich vor den Wissenschaften
1905 (Kat. XIII. 39)

Alfons Mucha, Die Natur, 1899/1900 (Kat. XIII. 31)

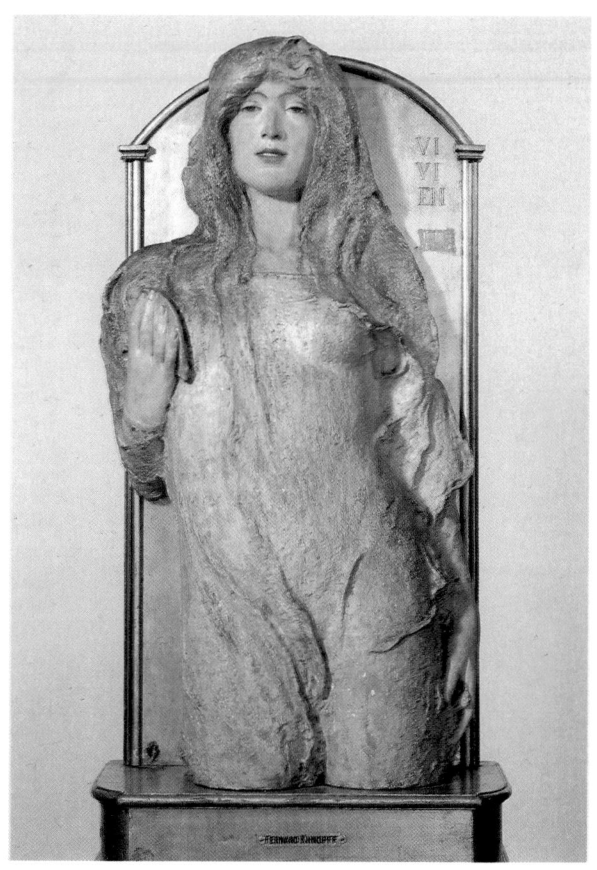

Fernand Khnopff, Vivien. Idylls of The King, 1896 (Kat. XIII. 20)

Victor Prouvé und René Wiener, Bucheinband für Flauberts „Salammbô" (Kat. XIII. 46)

Francis Picabia, Die drei Grazien, 1924–27 (Kat. XV. 16)

Francis Picabia, Vier Spanierinnen, 1924 (Kat. XV. 15)

Pablo Picasso, Studien, 1920/21 (Kat. XIV. 36)

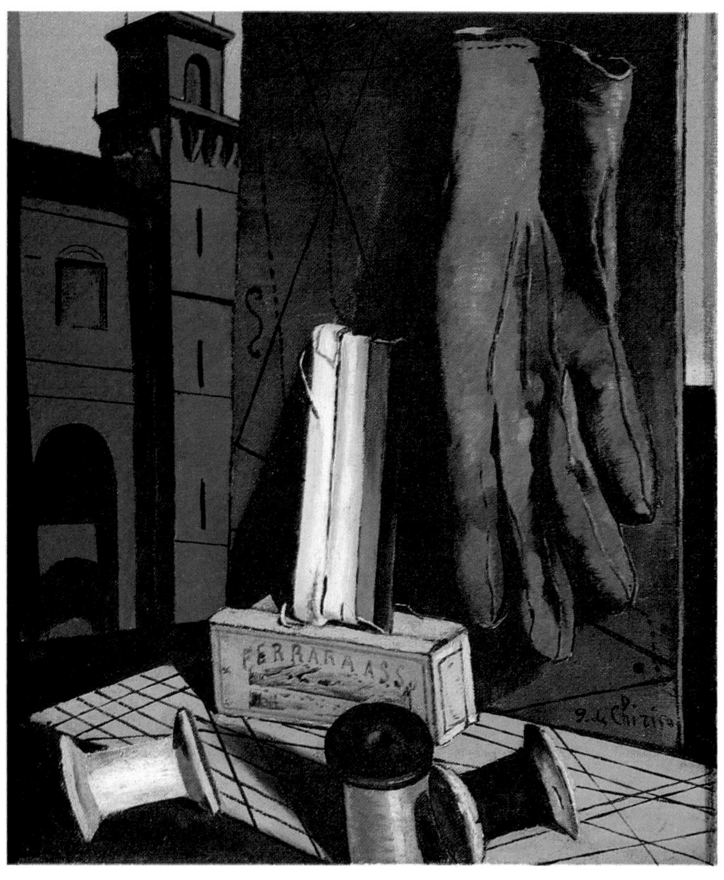

Giorgio de Chirico, Die Unterhaltung eines jungen Mädchens, 1916 (Kat. XIV. 2)

Yves Tanguy, Ich bin gekommen, wie ich versprochen hatte, Adieu, 1926
(Kat. XIV. 40)

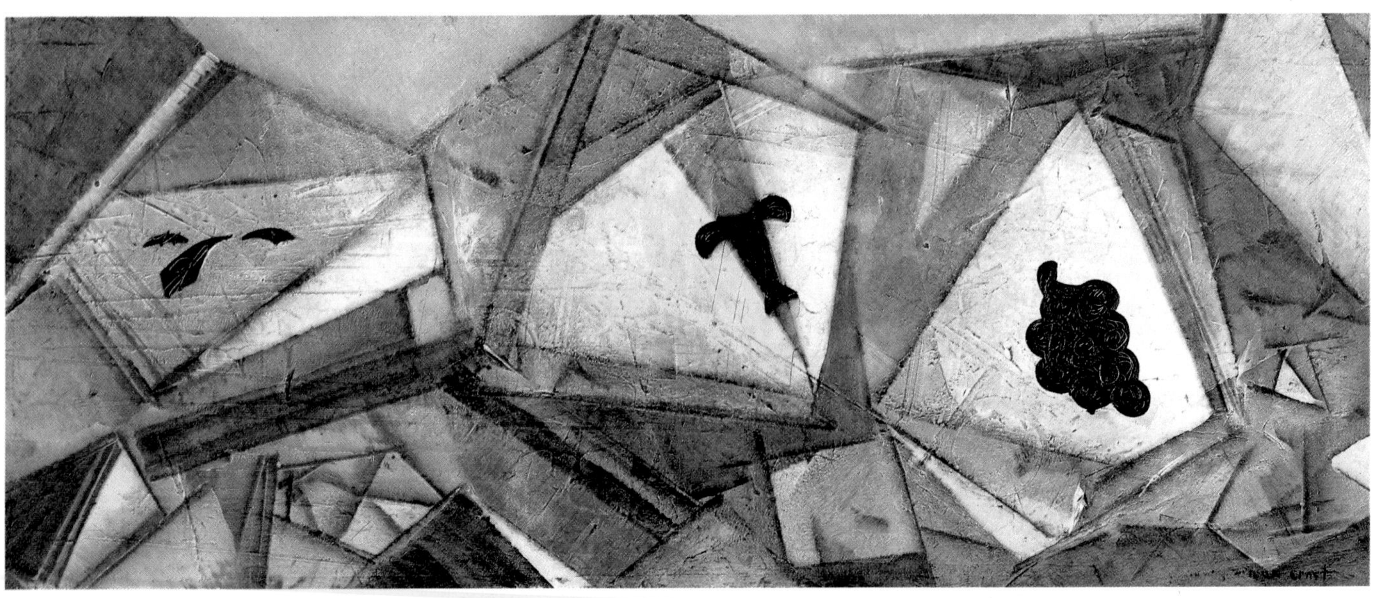

Max Ernst, Drei Philosophen, um 1957 (Kat. XIV. 33)

Max Ernst, Triumph der Liebe, 1937 (Kat. XIV. 31)

Salvador Dalí, Impressionen aus Afrika, 1938 (Kat. XIV. 45)

Paul Wunderlich, Aurora (Hommage à Runge), 1964 (Kat. XVI. 14)

Asger Jorn, Le Barbare et la barbère, 1962
(Kat. XVII. 3)

Paul Delvaux, Heiterkeit, 1970 (Kat. XV. 25)

René Magritte, Das Antlitz des Genies, 1926 (Kat. XIV. 48)

Anton Lehmden, Kriegsbild III, 1954 (Kat. XVI. 10)

Ernst Fuchs, Perseus und die Nymphe, 1976–78 (Kat. XVI. 8)

Wolfgang Hutter, Die Familie, 1948 (Kat. XVI. 13)

Rudolf Hausner, Forum der einwärtsgewendeten Optik, 1948 (Kat. XVI. 3)

Ursula, Das Galgenbild-Environment, 1974–76, 1980 (Kat. XVI. 22)

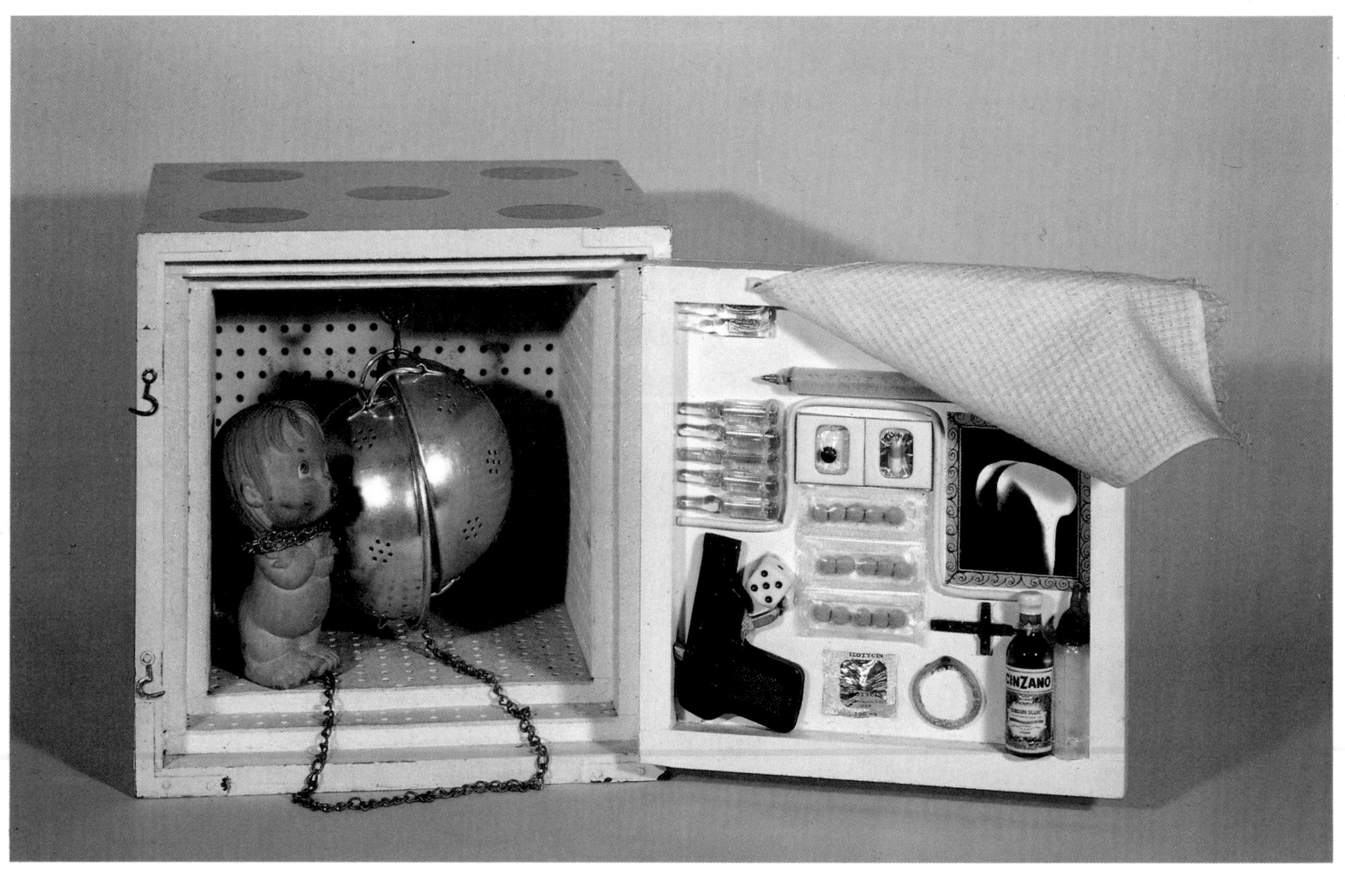

Tetsumi Kudo, Your Portrait B, 1962 (Kat. XVII. 15)

Niki de Saint-Phalle, Stuhl, 1980 (Kat. XV. 28)

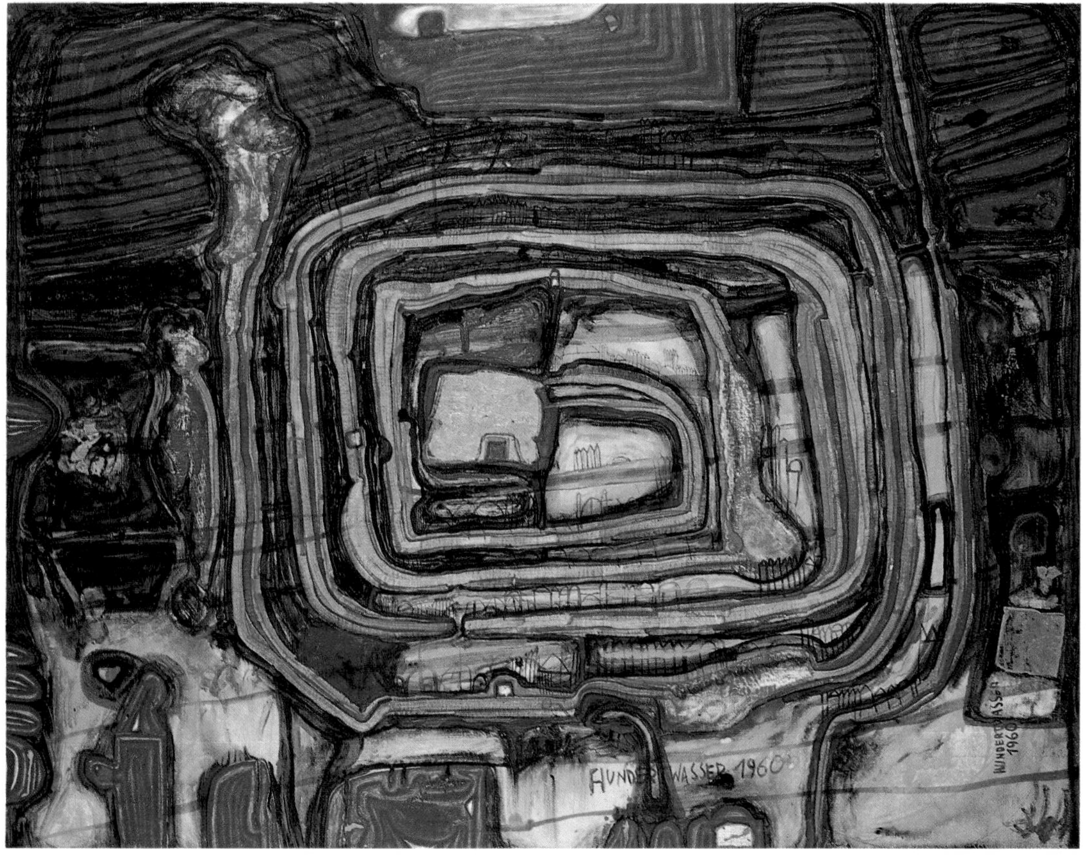

Friedensreich Hundertwasser, Sonne und Spiraloide über dem Roten Meer, 1960 (Kat. XVII. 2)

Man Ray, Pechage 1969–72 (Kat. XIV. 16)

Joseph Cornell, The Sailing Ship, 1961 (Kat. XVII. 1)

Claudio Parmiggiani, Alchemie, 1982 (Kat. XV. 48)

Anne und Patrick Poirier, Der Raum des bannenden Blicks, 1985 (Kat. XV. 47)

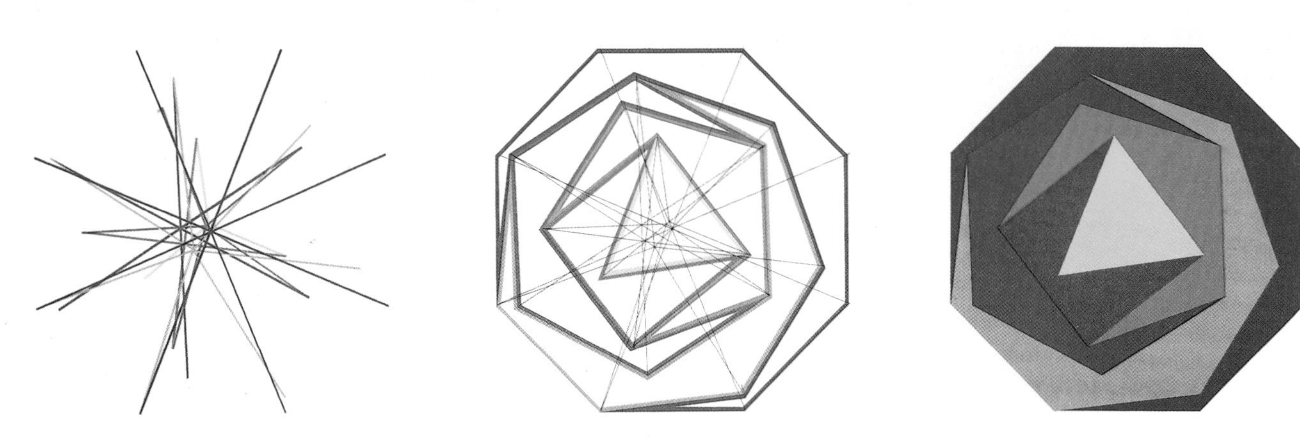

Max Bill, fünfzehn variationen über ein thema, 1938 (Kat. XVIII. 1)

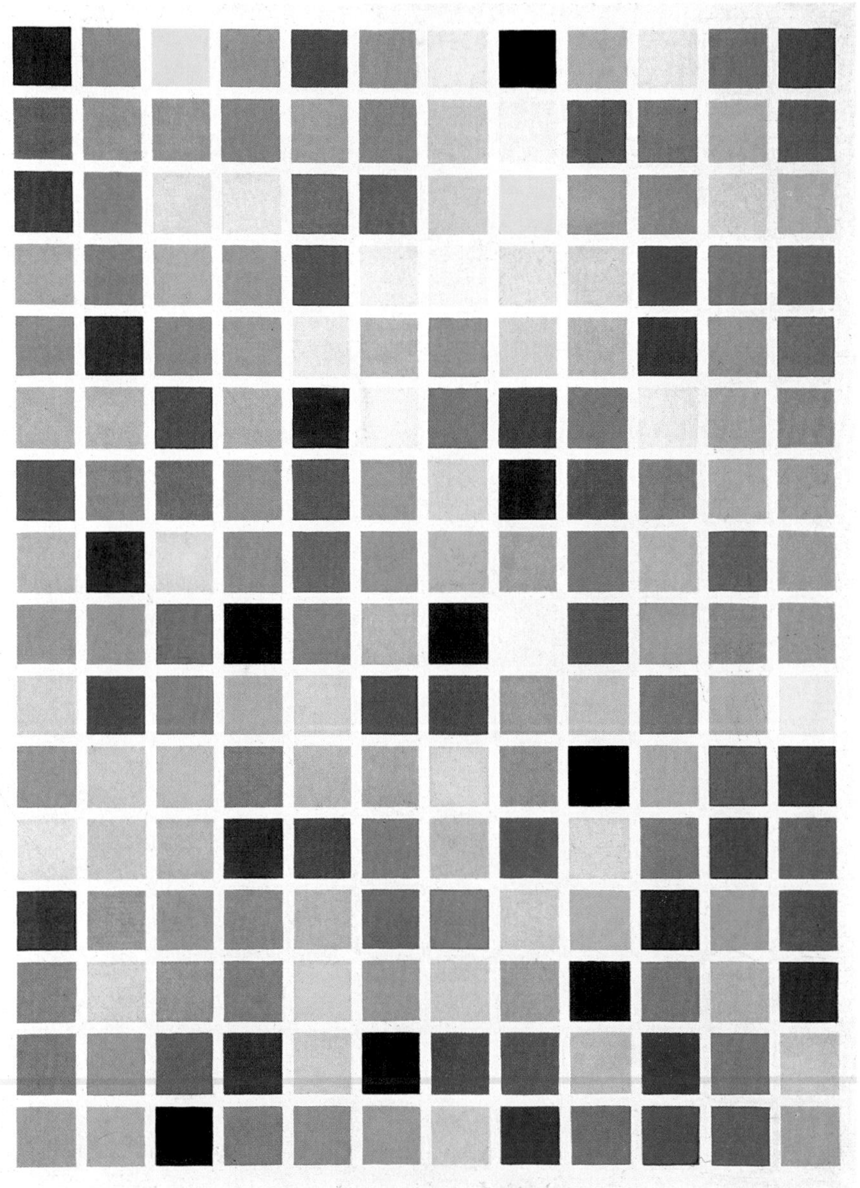

Gerhard Richter, 192 Farben, 1966 (Kat. XVIII. 6)

IX Irrgärten und Ruinen

Zwischenspiel: Wahlfreiheit und Kommerz

„Der Reichtum des heterogen verschiedenartigen künstlerischen Schaffens in den folgenden Jahrhunderten wäre gar nicht zu verstehen ohne diese grundsätzliche Möglichkeit, den Realitätsgrad subjektiv zu wählen und anzuwenden." Dieser Kernsatz von Dvořáks Manierismus-Deutung kann nicht oft genug bedacht werden. Zu den Konsequenzen, die er enthält, zählt der Abbau hierarchischer Rangvorstellungen. Das beginnt damit, daß der Künstler im Gestaltungsprozeß sich der ganzen Variationsbreite zu vergewissern sucht, deren ein bestimmter Formgedanke zugänglich ist. Er denkt in Variationen, er formuliert Verkettungen von möglichen Lösungen, er schlägt Alternativen vor. Dies tut er nicht bloß, um sich über sein subjektives Möglichkeitsspektrum Rechenschaft abzulegen, sondern aus der Einsicht, daß jeglicher Formulierung die Autorität unverrückbarer Endgültigkeit abgeht: Sie ist immer nur Phase eines Prozesses, welcher der Finalität entbehrt, entbehren muß, da die Wahlfreiheit, zum kreativen Prinzip erhoben, keine absolut gültigen Regeln anerkennt.

Welche Folgen das im Produktionsbereich hat, zeigt der Farbholzschnitt. Die Praxis, Holzschnitte mit verschiedenen Farb- bzw. Tonplatten zu drucken, begann um 1510. Sie wurde bald als Möglichkeit genutzt, verschiedene Farbkombinationen wahlweise zu erproben. Burgkmair (zusammen mit Jost de Negker) und Ugo da Carpi leiteten diese Entwicklung ein. Wohin sie führt, zeigen die drei Versionen der Madonna mit Heiligen von Zanetti (Kat. IX. 1) nach Parmigianino. Jede beruht auf einer anderen Farbdominante. Als Handelsobjekte angeboten, übertragen diese Blätter die Wahlfreiheit vom Künstler auf den Betrachter, der ein potentieller Käufer ist. Als solcher von der formalen Strategie bewußt ins Kalkül gezogen, bereitet ihm diese die sprichwörtliche Qual der Wahl. Im Prinzip gleichrangig, stellen die drei Variationen einen Appell an die subjektive Geschmacksentscheidung dar.

Diesem „Möglichkeitssinn" läßt sich heute, wie Warhol (Kat. IX. 2) zeigt, nicht nur eine noch breitere Palette abgewinnen – das Durchspielen mündet letztlich in serielle Abläufe, deren Insgesamt (= alle Farbvariationen, die dem Künstler einfielen) sich dem „Werk" in dem Maße substituiert, in dem es sich als dieses ausgibt. Manche Sammler (Käufer) des Zanetti mögen diesen Prozeß bereits geahnt haben, weshalb z. B. Albert von Sachsen-Teschen alle drei Versionen erwerben ließ. Bei Warhol dient das Angebot eindeutig der Umsatzsteigerung. Im Dutzend wird die Sache nicht unbedingt billiger, doch schlägt sie unausweichlich in das additive Muster um, das im wahrsten Sinne des Wortes flächendeckend auftritt. Im Warholschen Flächenmuster wird das, was früher die Tapete besorgte, mit der Würde eines Statussymbols ausgestattet. Die Dimensionen, die das 16. Jahrhundert dem Möglichkeitssinn eröffnete, werden von der Bilderproduktion in die Reproduktion gezwungen und solcherart verschlissen. Die Wahlfreiheit endet im Konsumzwang.

Häuser der Laune

Das Architektur-Capriccio ist ein Ort der Einbildungskraft, an dem Übermaß und Übermut einander begegnen und einen Gestaltungswillen bezeugen, der sich keiner rationalen Beschränkung unterwerfen will. Die biblischen Wurzeln dieses Nonplusultra sind unverkennbar, sie betreffen einmal Babylon, die gebaute Hybris, welche dem Gottesurteil verfällt, zum anderen deren positives Gegenbild, die Stadt der Städte, das neue Jerusalem. Beide beschreibt die Offenbarung des Johannes mit ekstatischen Sprachbildern. Der Fall Babylons ist der Fall des Hochmuts, der im materiellen Luxus schwelgte – kein Wunder, daß gerade die Kaufleute ihn beklagen: „Weh, weh, die große Stadt, die bekleidet war mit köstlicher Leinwand und Purpur und Scharlach, und übergoldet war mit Gold und Edelgestein und Perlen! Denn in *einer* Stunde ist verwüstet solcher Reichtum!'' (Offb. XVIII, 16–17). (Auch die zerstörerische Tat Simsons befriedigt nicht nur den privaten Rachedurst, sie trifft einen Tempel, der den Rechtgläubigen als Religionsfrevel irritieren mußte – Kat. IX. 7.) Diesen heillosen Trümmerwelten stellt der schreibende Seher am Ende seiner Offenbarungen eine neue Heilsgewißheit gegenüber: das neue Jerusalem, in dessen makellosem Regelmaß die Herrlichkeit des Herrn immerwährende Gestalt angenommen hat: „Und der Bau ihrer Mauer war von Jaspis und die Stadt von lauterem Golde, gleich dem reinen Glase'' (Offb. XXI, 18).

Die Bibel stellt also die Architektur in die Spannung zwischen dem Vergänglichen und dem Immerwährenden, dem Bösen und dem Guten. Ist das neue Jerusalem gleichsam der Schlußstein jeglichen Bauens, so steht die Zerstörung eines Tempels oder einer ganzen Stadt für die Vergänglichkeit, in die der menschliche Größenwahn mündet.

Symbolhaft wird dieser Prozeß von der Ruine bezeugt. Sie nimmt zu Beginn der Neuzeit zwei Bedeutungsdimensionen an, eine ästhetische und eine theologische. Mit der Wiederentdeckung und archäologischen Erforschung der baulichen Reste des Altertums wird das Bruchstück als solches nobilitiert und bildet fortan den Kern der modernen Fragment-Ästhetik, einer letztlich romantischen Einschätzung des Gestaltungsprozesses, derzufolge der Teil mehr aussagt als das Ganze, die Andeutung mehr evoziert als die ausgeschriebene Form. Am Ende dieser Subtraktion kann die gemalte Rückwand eines Gemäldes stehen (Kat. VIII. 6) oder gar jene Immaterialität, welche Keats in seiner „Ode an eine griechische Urne'' beschwört: „Heard melodies are sweet, but those unheard are sweeter . . .'' Parallel zum resignativen Vergänglichkeitspathos bemächtigt sich die christliche Heilslehre der Ruine als Sinnbild der abgestorbenen heidnischen Welt, auf deren „membra disjecta'' der Erlöser seine ganzheitliche Verheißung gründet (Kat. IX. 17). Die Ruine dient auch der moralischen Mahnung: Wer nicht auf das Apostelwort hört, kann kein dauerhaftes Bauwerk zustande bringen, denn er baut auf Sand (Kat. IX. 20).

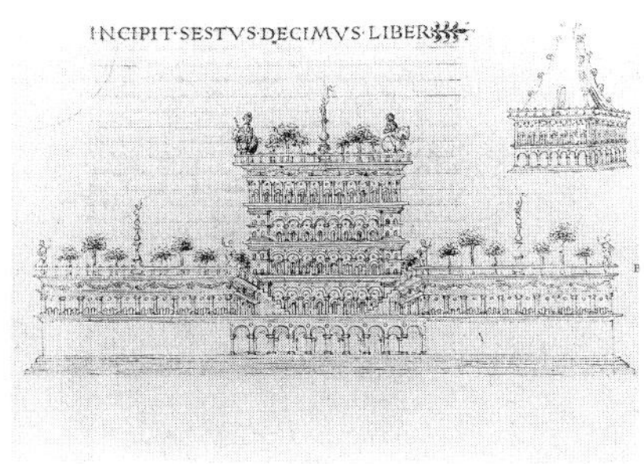

Abb. 1 Filarete, Die hängenden Gärten des Palastes von Plusiapolis (Illustration aus dem cod. magl.), Florenz, Biblioteca Nazionale

Diesen Warnbildern steht ebenfalls am Beginn der Neuzeit ein architektonisches Vollkommenheitsideal gegenüber, das sich am neuen Jerusalem orientiert, jedoch dessen Jenseitigkeit ins Diesseits der Lustbefriedigung verlegt. Filarete (ca. 1400 – ca. 1469) ersinnt für seine Idealstadt „Plusiapolis'' einen quadratischen Lustgarten, in dessen Mitte er künstliche Berge aufführt, aus denen alle Wasser entspringen und wohin sie wieder zurücklaufen. Hängende Gärten, von antiken Statuen belebt, verkünden einen „neuen Geschmack'' (Abb. 1).

In seinem XVIII. Buch entwirft Filarete ein Haus der Tugend und des Lasters, gleichsam das Nebeneinander von Babylon/Sodom und neuem Jerusalem: „Man betritt das Haus durch eine Thür in der Mitte der Vorderseite des quadratischen Baues und gelangt zunächst in ein Höfchen mit zwei anderen Thüren. Über der einen mit der Inschrift: ‚Porta Areti' ist die Tugend gemalt, welcher folgende Worte aus dem Munde gehen: ‚Dies ist der Weg, auf dem man unter Mühsal die Tugend erwirbt.' Sie führt zu einer etwas steilen Treppe, welche 7 Br. hoch in das erste Stockwerk, dann weitere 10 Br. hoch in das zweite Stockwerk des quadratischen Baues leitet – diese Stockwerke enthalten 39 Hörsäle für Wissenschaften; und sie führt ferner zu einer zweiten Treppe, über die man auf die Decke des erwähnten zweiten Stockwerkes und von dort zum Theater gelangt. Neben der Thür Areti befindet sich die Thür Chachia, welche als Schmuck das Laster mit den Worten: ‚Tretet ein zum Vergnügen, das ihr nachträglich beweinen werdet' zeigt und auf einer bequemen, stufenlosen Rampe abwärts führt. Die drei untersten Stockwerke der beiden Cylinder sind nämlich der Ausübung von Lastern gewidmet. Ganz unten befindet sich ein Bordell . . . ''

Dieser Gedanke gibt der Willensfreiheit einen neuen Entscheidungsspielraum jenseits der Verhaltensregeln der christlichen Heilslehre. Dem Menschen werden extrem gegensätzliche Wahlmöglichkeiten angeboten, sein Selbstbewußtsein bemißt sich an dem Gebrauch, den er von dieser Wahlfreiheit macht.

Das sind die weltlichen und die heilsgeschichtlichen Bezugsachsen, denen sich die Architekturlaunen und -träume seit der Renaissance des 16. Jahrhunderts zuordnen lassen. Die Bilder des François de Nomé bezeugen z. B. ebenso babylonische Hybris wie die Wiedererweckung des Kathedralgedankens. Zugleich taucht in ihnen das Architekturcapriccio auf, das sich in der bizarren Schauseite erschöpft (Kat. IX. 3–6).

Zwei Hauptlinien prägen den geschichtlichen Prozeß: die eine (A) steigert die Fragment-Ästhetik ins wuchernde Konglomerat, die andere (B) folgt den Gesetzen konstruktiver Logik.

A. Ruinöse Verwirrarchitekturen (Kat. X. 2) inszenieren eine Welt der Ausweglosigkeit, die den Wanderer mit immer neuen Durchblicken lockt und verwirrt. Heemskerck führt den ruinösen Gebäudeteil wieder in eine fiktive Totalität: Er gibt eine Welt, die man paradox als totales Bruchstück bezeichnen könnte. Fragment reiht sich an Fragment, das Ergebnis dieser Verkettung ist eine Ganzheit aus lauter „membra disjecta'' (Kat. IX. 18). Im Universum seiner „Carceri'' nimmt Piranesi diesen Gedanken wieder auf, indes er in den vier „Capricci'' (Kat. X. 6) eine wuchernde Zwitterwelt von begrenztem Gestaltungsumfang erfindet.

Wo Piranesi Fundstücke zu megalomanen Architektur-Schauwänden aufschichtet, evoziert er nicht bloß das „sic transit gloria mundi", sondern ermächtigt seine archäologisch abgestützte Phantasie zu Erfindungen, in denen Willkür und enzyklopädischer Sammeldrang, bizarre Einzelheit und dröhnender Gesamtduktus sich das letzte Wort streitig machen (Kat. X. 7). Hier entwächst das in Frankreich mit leichter Hand entworfene Capriccio (Kat. IX. 11, X. 15) seiner schmuckstückhaften Überschaubarkeit (die sich immer den Rückweg in den Diminutiv offen läßt!) und gerät in babylonische Dimensionen.

Piranesis manischer Eklektizismus und seine raffende Unersättlichkeit fanden reiche Nachfolge. Besonders im anglo-amerikanischen Raum lösten sie ein Reihe „collagierter" Architekturkompendien aus. Am Anfang steht John Soane (Kat. XI. 19), dessen Londoner Wohnhaus wie eine „Implosion" anmutet, nicht nur weil es Piranesis „objets trouvés" auf engstem Raum ineinanderschichtet, sondern weil sich in den Bilderwänden der Kabinette wieder andere verbergen, die, geöffnet, weitere Bilderwände freigeben, von denen die meisten „collagierte" Architekturcapricci enthalten. Weltarchitektur in einer Nußschale – in dieser verschachtelten Zellenteilung lebte einer der originellsten Eklektiker des ausgehenden 18. Jahrhunderts. Auf Soane folgte Martin (Kat. XI. 16), der wieder die biblische Dimension des Strafgerichts als zusätzliches „frisson" nutzte, in den USA folgten Cole, Field und Cockerell. Schließlich gehören die historisierenden Architekturlandschaften und Pseudostädte der Weltausstellungen in diesen Zusammenhang. Auch der „Triumph Alexanders" von Moreau (Kat. XIII. 12) ist den Hypertrophien Piranesis verpflichtet. Das ferne Indien – „unbekannt und verwirrend", bekennt der Maler – wird auf seine architektonische Summe in Gestalt eines wuchernden Über-Bauwerks gebracht, das eine ganze Stadt in sich vereinigt – Echo der steilen Türme und Kastelle von Filaretes „Sforzinda".

Der Tenor all dieser Architekturphantasien heißt Wahlfreiheit. Dieser Lizenz mußte das Ideal eines in sich geschlossenen Stils zum Opfer fallen. Soane entwirft eine Kirche in einem halben Dutzend verschiedener Stile (Abb. 2). So wird auch die Stilmischung legitimiert. Die „fancy" der Engländer schreckt z. B. nicht davor zurück, für die Mischung gotischer und chinesischer Formen zu plädieren. Solche „happy mixtures" regen auch zur Parodie an: Bentley schlägt einen Gartensessel vor mit einer gotischen und einer chinesischen Hälfte. Ein Scherz vielleicht, aber einer, der auf der Linie anderer „happy mixtures" liegt, in denen die Wahlfreiheit sich Stilmischungen erlaubt. Man denke an das berühmte gotische Portal, dessen eine Hälfte intakt ist, indes die andere, verfallen, von Bäumen und einem rustikalen Stilleben überwuchert wird (Abb. 3).

Läßt sich das, was hier an einigen Beispielen beschrieben wurde, auf einen gemeinsamen Nenner bringen? Oder ist es das Merkmal dieser „Launen", daß wir sie begrifflich nicht eingrenzen können? Diesen Fragen gehen andere voran, die der an früherer Stelle dargelegten manieristischen Problemlage entstammen. Wieder geht es um das Gegen- und Ineinander von Kunst und Natur, Kunsterfindung und Naturnachahmung. Wie ist es um den Anteil des „Natürlichen", wie um den des „Künstlichen" bestellt?

Wir kennen insgeheim gebaute und diskret inszenierte, aber natür-

Abb. 2 John Soane, Acht Kirchen in verschiedenen Stilen, Aquarell, London, Soane Museum

Abb. 3 Richard Bentley, Illustration zu Gedichten von Thomas Gray, 1753

Abb. 4 John Soane, Die Bank von England als Ruine, Aquarell, London, Soane Museum

lich anmutende Felsmassive und Grotten aus den manieristischen Gärten (Kat. VIII. 12, VIII. 16), Entsprechungen der demonstrativen Preisgabe der „Erfindung" an das vorgefundene Material, die auch anderswo zu beobachten sind, z. B. im Handstein (Kat. VIII. 75), in den Naturabgüssen (Kat. VIII. 65) oder in den Aquarellen eines Hoefnagel (Kat. VIII. 20). Auch im 18. Jahrhundert wird das Kunstvermögen in den Dienst der täuschenden Naturnachahmung gestellt, wobei malerische Übersteigerungen – Launen der Natur – den optischen Reiz erhöhen sollen. Solche bizarren Beimischungen gehen auf die Chinamode zurück. Schon Fischer von Erlach bildete in seiner „Historischen Architektur" (1721 ff) künstliche chinesische „Lustberge" ab (Kat. IX. 9A), die als Pasticcios der Natur mit den Wirkungen der Regellosigkeit verblüffen, denn ihr Wuchs scheint nicht voraussehbar, er bietet dem schweifenden Auge Überraschungen, Verirrungen und Verwirrungen, die kein Ende nehmen.

Ein anderes Beispiel der gleitenden, transitorischen Morphologie ist die „Rocaille", in der freilich die Erfinderlaune das Naturvorbild – die Muschel – unverhohlen, doch geistreich ins Künstliche hinüberführt. Die Vieldeutigkeit dieser Mischgebilde verweiblicht das Naturgeschehen: „Fels und Muschel, Koralle und Schilf, Wasser, Schaum und Welle" (Sedlmayr) bilden das organische Ornament, in dem Venus und ihre Gespielinnen – Nymphen und Najaden – sich gleich Naturgeschöpfen tummeln. Da diesen Gebilden das tektonische Rückgrat abgeht, nehmen sie in der formalen Skala des Capriccios einen Extrempunkt ein. Das sprudelnde, quellende Plasma spottet der gebauten Verfestigung, es tendiert zur Kleinform, zum Schmuck- oder Zierstück, also zur handlich-dekorativen Arabeske. Das heißt aber auch, daß die Einfälle dieser Künstler nur so lange verwirren und faszinieren, als sie in Musterbüchern zwischen verschiedenen Bedeutungsdimensionen angesiedelt bleiben. Handelt es sich um Kaminfassungen oder um Tafelaufsätze, um Paläste oder bloß um Kulissen von Festdekorationen? Für keines dieser Gebilde könnte man einen Grundriß zeichnen, ihre Schnörkel und Voluten sind auf die Zweidimensionalität der Schauseite angelegt (Kat. X. 12).

Auch Piranesi und seine Nachfolger erdachten kompendiöse Bauwerke, die – wie die Via Appia (Kat. X. 7) – nicht verwirklicht werden konnten, und dies, obwohl sich der Architektenverstand darin nicht mit dem raschen Aperçu begnügt, sondern seine Kenntnisse fleißig und weitläufig zur Schau stellt. Ruft die zuvor beschriebene Gattung des Capriccios die *Natur* zur Rechtfertigung ihrer Launenhaftigkeit an, so muß jetzt die *Geschichte*, die gebaute, versunkene und zu Palimpsesten geronnene Vergangenheit das Konglomerat der Fundstücke als „Summe" ausweisen. Die Ambition eines Piranesi gibt sich zwar zuweilen mit dem bizarren Einfall zufrieden (Kat. X. 6), im Grunde zielt sie aber auf das hypertrophe Ensemble, auf die Über-Architektur. Indes, auch diese Visionen bleiben Schaubilder.

Die Antwort auf unsere Frage lautet also: Die regellosen (rocaillehaften) Capricci sind Schaufassaden. Ihr Strukturmerkmal ist die der Natur abgesehene lockere, regellose *Wucherung,* die auch künstliche Beimischungen erfaßt. Die anderen, megalomanen und archäologischen Capricci haben ihr Merkmal in der schier endlosen *Häufung.* Beide Male trifft der Blick auf Kulissen (Kat. X. 8), bleibt ihm die dritte Dimension verschlossen – wie sähe der Grundriß eines Meissonier-Entwurfes aus? –, beide Male manifestiert sich – immer virtuos, oft spielerisch enthemmt, dann archäologisch befrachtet – der Geist Potemkins.

B. Nun zum zweiten Prototyp, der konstruktiven Spielart. Auch er findet sich in der „Historischen Architektur'', und zwar gleich zu Beginn in Gestalt eines Bauwerks, dem der Autor maßstabsetzenden Rang zubilligt. Es ist der Tempel Salomons in Jerusalem (Kat. IX. 9B), ein Bauwerk, das der tendenziell diminutiven Welt des Capriccios einen gigantischen Superlativ entgegensetzt. Der Vergleich mit den „Lustbergen'' macht den Unterschied deutlich. Diese gleichen „Vexierbildern'', sie sind private Rückzugsräume und Schlupfwinkel. Der Tempel ist ein öffentliches Bauwerk, eine Stadt in nuce, hier regiert wieder die Verläßlichkeit des rechten Winkels, alles ist Regelmaß, von einigen wenigen Grundmustern getragen. Gewiß steht das Bauwerk mit seinen grandiosen Dimensionen am Rande des noch Machbaren, aber der Baukörper ist in Grundriß und Aufriß überschaubar, nicht Wucherung oder Häufung prägen ihn, sondern die architektonischen Elementargesetze. Hier triumphiert die geometrische Regelmäßigkeit, von der schon das neue Jerusalem geprägt war, welche den Lustgarten von „Plusiapolis'' ebenso beherrschte wie das Hexagon der Abtei von Thelem (Rabelais) und die wir in den Musterbüchern von Gartenlabyrinthen immer wieder antreffen (Kat. IX. 21).

Zu diesem imaginären Stammbaum kommt ein tatsächlich errichtetes Gebäude, das wie der Salomonische Tempel die stereometrische Regelmäßigkeit mit äußerster Konsequenz vorträgt. Die Rede ist von Palladios berühmter Villa Rotonda (Kat. IX. 10). Wenn „manieristisch'' u. a. auch das Bestreben umschreibt, einem bestimmten Formgedanken seine äußerste Tragfähigkeit abzufordern, dann trifft dieses Merkmal hier zu. Die vervierfachte Fassade macht alle Seiten gleichrangig – ein Umstand, der den Betrachter desorientiert und die Villa in ein – dreidimensionales! – Vexierbild verwandelt. Das Problem der systematischen Formalisierung ähnelt dem der zuvor erörterten gleichrangigen Farbholzschnitte (Kat. IX. 1). Wenn, der Logik des Grundrisses folgend, aus einer Fassade vier werden, hebt sich das Thema der einmaligen „Fassade'' ebenso auf wie beim Farbholzschnitt der Begriff des Unikats – es gibt keine Hierarchie mehr. Die Gleichrangigkeit hat die Potenzierung des kubischen Baukörpers zur Folge.

Auf Palladios Vieransichtigkeit und auf den megalomanen Ausmaßen des Salomonischen Tempels beruhen die asketischen Entwürfe der französischen „Revolutionsarchitekten'', die ihr Vokabular mit Würfeln und Kugeln, Zylindern und Kegeln bestreiten (Kat. X. 22–24). Ihre Grundrisse weisen in der Regel gleichrangige Schauseiten auf. Der totalen Systematisierung entspricht der inhaltliche Totalanspruch: diese Bauten schließen sich zu Superstädten zusammen, die innerhalb ihres Radius alle Bedürfnisse ihrer Bewohner befriedigen sollen. „Manieristisch'' bedeutet hier, daß eine Großform zum beherrschenden Schema erhoben wird, dem sich alle Kleinformen unterwerfen müssen. Das Regelmaß mündet in Monotonie. Doch zwischen dem äußeren Erscheinungsbild dieser Architektur und den in ihr gelebten Inhalten klafft eine

Diskrepanz auf: In der totalen Ordnung nistet Anarchie, und wie bei Filarete kommt innerhalb des Systems die Wahlfreiheit zum Zuge. Ledoux plante eine „Maison de plaisir'' auf dem Grundriß eines Phallus, umschlossen von einer kreisrunden Galerie, von der zwölf Pavillons ausstrahlen sollten. In seiner Idealstadt nimmt Ledoux diesen Gedanken nochmals auf. Wieder wählt er einen phallischen Grundriß. Die Jugend soll an diesem Ort zunächst alle Laster auskosten, um sich dann vor dem Altar Hymens zu reinigen. Der Wahlspruch, den Rabelais den Bewohnern von Thelem gewährte – „tue, was du willst!'' –, steht auch über dieser merkwürdigen „Abtei''. Und wie beim Marquis de Sade wohnen Sakrament und Sakrileg eng beisammen.

Aber auch der strenge Geometrismus entbehrt zuweilen nicht der „fancy'', etwa im chinesischen Kiosk und im gotischen Haus von Lequeu (Kat. X. 23). Ein solches Pseudo-Kultgebäude stellt auch das „Haus der Laune'' in Laxenburg dar (Kat. X. 28). Es ist, wie die Abtei von Thelem, ein Lusthaus für – verweltlichte Mönche und Nonnen.

Callot ist ein Sonderfall. Er überträgt die Variationsbreite des Capriccios auf kollektive Schauhandlungen. Er erfindet Ornamente aus Menschen – Spielfiguren, die sich in ständiger, doch wohlinszenierter Veränderung befinden.

Das beginnt mit den obszönen Paarungstänzen, mit den „Balli di Sfessania'' (Kat. IX. 12), die der Verfügbarkeit des Körpers (vgl. Kat. VII) neue Verrenkungen abgewinnen. Neu ist auch das Zeitmoment: Wir merken den Tänzern an, daß sie ihre Posen nur sekundenlang einnehmen. Diese Impromptus steigern sich in den großen Festballetten zu ornamentalen Figuren, die sich öffnen und schließen, auseinanderstrahlen oder konvergieren. Auch hier ist Variation die Grundfigur, der Ablauf wichtiger als eine seiner Phasen. Im Grunde sind diese Spielfiguren am eindrucksvollsten nicht für den Zuschauer, sondern für den Betrachter der Radierungen, denn er sieht alles aus der Vogelperspektive, abgelöst vom tatsächlichen Durcheinander der Tänzer und in die Künstlichkeit des reinen Ornaments verwandelt (Kat. IV. 54). Die Schauhandlungen sind einem konstanten (meist ovalen) Grundriß eingeschrieben, also nicht „Bilder'', sondern „Räume'' und zugleich, allseitig konzipiert, autonome vielgliedrige „Körper'' ähnlich der Villa Rotonda. Wenn Callot Bühnenräume belebt, treten die Ballettfiguren aus den Kulissen hervor und ziehen sich dorthin zurück (Kat. IX. 13). So mischt sich die verästelte Choreographie mit den Baumkulissen zu einem Zwitter aus Kunst und Natur. Ganz und gar „Kulisse'' ist das Miniaturgebirge, das Callot für einen Fächer entwirft (Kat. IX. 11); Vorwegnahme der chinesischen „Lusthäuser'', ist es gleich diesen eine Laune der Natur, die dem ambulanten Spaß dient. WH

IX. 2

CONTE ANTONIO MARIA ZANETTI
(1680–1757)

1 Farbabbildung S. 378
Parmigianinos „Madonna dal collo lungo"

Drei Clair-obscur-Holzschnitte in drei Druckfarben; 24,9–29,3 × 14 cm
Wien, Albertina
Inv. Nr. It I, 4, p. 16

ANDY WARHOL (1928–1987)

2
Marilyn Monroe 1967

Drei vielfärbige Siebdrucke (Serigraphien); je 91,5 × 91,5 cm
Hamburger Kunsthalle, Kupferstichkabinett
Inv. Nr. 1968 a–c

Zu Zanetti und Warhol vgl. S. 402, „Wahlfreiheit und Kommerz".

FRANÇOIS DE NOMÉ
(um 1593 – nach 1640)

Erst unser Jahrhundert entdeckte diesen lange mit seinem jüngeren lothringischen und ebenfalls in Neapel tätigen Landsmann Didier Barra, genannt Monsù (eine Verballhornung des französischen „Monsieur") Desiderio, verwechselten Künstler als einen Geistesverwandten der Surrealisten wieder. Im Gegensatz zu Barras topographisch exakten Stadtansichten malte François Bilder mit phantastischen Architekturen, überladene, irreal beleuchtete Kircheninterieurs, prächtige Gebäude, die einstürzen und in Flammen aufgehen. Den Bildgegenstand als unmittelbaren Ausdruck der Psyche des Künstlers mißverstehend, wurden sie sogar als Werke eines Schizophrenen gedeutet. Sie müssen aber im Rahmen der Gattung der Architekturmalerei – Nomé orientiert sich ebenso an niederländischen Kirchenbildern wie an italienischen Theaterdekorationen – gesehen werden. Die immer wieder verwendeten, zu neuen Kombinationen verbundenen Motive im Œuvre des Künstlers sind nicht eine Folge persönlicher Obsessionen, sondern das virtuos vorgetragene Repertoire eines Spezialisten, der die Beliebtheit effektvoller, Staunen erregender Themen (vgl. etwa die brennende, an Bosch erinnernde Stadt im Hintergrund von Dossos „Traum", Kat. Nr. I. 17) beim Käuferpublikum ausnützen wollte. Angesichts nur weniger gesicherter und datierter Bilder und vieler Nachahmungen ist die Rekonstruktion des Werkes Només mit großen Schwierigkeiten verbunden.

Literatur: Causa 1956, S. 30 ff – Sluys 1961 – Ausst.-Kat. Lorrain 1982, S. 187 ff – Ausst.-Kat. Peinture Française 1982, S. 294 ff HA

3
Phantastische Architektur mit Heilung eines Gichtbrüchigen 1622

Öl auf Leinwand; 89 × 70,2 cm
Rohrau, Graf Harrachsche Familiensammlung
Inv. Nr. 145

Die Komposition folgt einem von Nomé häufig angewandten Schema: eine Säule am linken Bildrand, in ihrem Schatten eine kleinfigurige, nicht eindeutig, vielleicht als Heilung eines Gichtbrüchigen oder eine Almosenspende zu identifizierende Szene, schließlich als das eigentliche Thema des Bildes eine von der Seite verkürzt gesehene, hell beleuchtete Architektur, der die offene, die Höhen pastos in Flecken setzende oder mit dem Pinsel zeichnende Malweise irrealen Charakter verleiht. Das Gebäude mit im Obergeschoß als Loggia geöffnetem Querhaus und Vierungskuppel ist wohl eine Kirche, obwohl nur die Engelsfiguren auf dem Dach auf diese sakrale Funktion hinweisen. Den klassischen Formen der Säulenordnung widerspricht das filigrane Maßwerk der Wimperge über dem Kranzgesims und in den Tambourfenstern. Die Vermischung an der Antike orientierter und gotischer Architekturmotive war in der Baukunst seit dem frühen 16. Jahrhundert nicht gänzlich obsolet, aus Gründen der Einheitlichkeit des Gebäudes wurde sie z. B von Giulio Romano oder Baldassare Peruzzi in ihren Entwürfen für die Fassade der gotischen Kirche von S. Petronio vorgeschlagen; noch im 17. Jahrhundert war sie in den Diskussionen um den Mailänder Dombau aktuell. In diesem Bild Només, der in seinen gleichzeitigen Kirchenbildern auch an die Vredeman-de-Vries-Tradition anknüpfende gotische Innenräume darstellte, dient die „contaminatio" der Stile einem architektonischen „capriccio".

Literatur: Heinz 1960, Nr. 145, S. 53 – Sluys 1961, S. 73, Nr. 38 – Ausst.-Kat. Lorrain 1982, S. 196 f, Nr. 62 HA

IX. 3

4
Phantastische Architektur

Öl auf Leinwand; 95,8 × 79,5 cm
Wien, Akademie der bildenden Künste, Gemäldegalerie
Inv. Nr. 1351

Zwei Ehrensäulen links, ein polygonaler Tempietto mit Kuppel auf rundem Sockel in der linken Bildhälfte und eine perspektivisch in die Tiefe führende Gebäudeflucht rechts bilden eine phantastische Szenerie, aus antikisierenden Strukturen und mittelalterlichen Fragmenten (das turmartige Obergeschoß eines Gebäudes rechts hat ein mit Zinnen bekröntes Obergeschoß und Rosenfenster) zusammengesetzt. Die sich unterhaltenden Staffagefiguren im Vordergrund scheinen nicht das geheimnisvolle Leben zu bemerken, das die Architekturen hinter ihnen erfüllt. Wie in den meisten Gemälden Només wirken die offen gemalten überreichen Reliefs und Skulpturen (derselbe antikisierende Opferzug mit einem Stier wird dreimal variiert) wie durchsichtige, sich bewegende, ständig zwischen Licht und Schatten wechselnde schemenhafte Figuren. Die Realitäts- und Kunst-Ebenen werden mit den Mitteln des Malers spielerisch vertauscht: der als wirklich dargestellte Raum geht über in einen irrealen, aber lebendig scheinenden Raum der Darstellung.

IX. 4

Literatur: Sluys 1961, S. 104, Nr. 82 – Kat. Wien 1972, S. 70 HA

5 Farbabbildung S. 380
Brand in den Ruinen 1623

Öl auf Leinwand; 75 × 98 cm
Privatsammlung Basel/Schweiz

In diesem Bild werden die phantastischen Architekturen Només – wie so oft in seinen Werken – nicht nur durch Licht und Figuren mit irrealem Leben erfüllt, sondern durch eine Katastrophe mit ungeklärt bleibender Ursache zerstört. Wie bei einer Explosion werden im Hintergrund Architekturteile durch die Luft geschleudert, ganze Gebäude stürzen ein, über eine Brücke fliehen Menschen. Der feuerwerksartig aufleuchtende Schein der Flammen hebt auch die Bauten rechts im Vordergrund aus dem Dunkel des geröteten Nachthimmels. Der bittende alte Mann und die Frau am Ufer des Flusses scheinen nicht zu bemerken, was um sie herum vorgeht. Aber auch in den noch intakten, antike Formen mit mittelalterlichen Reminiszenzen (z. B. im Statuenpfeiler ganz rechts) klitternden Strukturen kündigt sich die nahende Vernichtung an. Der mit Trophäen am Dach überreich geschmückte Tempel fällt in sich zusammen. Die gedrehten Säulen unter dem gotischen Baldachin zeigen bereits einen gefährlichen Sprung, aus dem Dach dieses Gebäudes schlagen Flammen, und eine (bronzene?) Säule stürzt vom mittleren Erker herab.

Ähnliche Szenen waren in der europäischen Malerei seit dem späten 15. Jahrhundert, etwa in der „Zerstörung von Sodom und Gomorrha'', beliebt; ob, wie in vergleichbaren Gemälden Només, auch hier eine bestimmte Historie dargestellt sein soll, muß offen bleiben.

Literatur: Sluys 1961, S. 113, Nr. 91 HA

IX. 6

FRANÇOIS DE NOMÉ
(um 1593 – nach 1640) (?)

6
Anbetung der Hirten und Zug der Hl. Drei Könige

Öl auf Leinwand; 118 × 42 cm
Köln, Sammlung O. M. Ungers

Anders als im „Brand in den Ruinen" kann den antiken Architekturfragmenten dieses Bildes, die schräg in die Tiefe führend angeordnet sind (wie in anderen Werken Només zitiert der Turm links im Hintergrund das Castelnuovo in Neapel), eine konventionelle Bedeutung zugesprochen werden. Die Geburt Christi wird seit dem 15. Jahrhundert oft in einer antiken, die unerlöste heidnische Welt symbolisierenden Ruine dargestellt. Die herabzustürzen scheinenden Statuen am Portal des Stalles entsprechen nicht nur der Motivik Només, sie erinnern auch an eine apokryphe Episode aus der Jugendgeschichte Christi: Auf der Flucht nach Ägypten fielen bei seiner Ankunft Götzenbilder von ihren Sockeln. Auf ähnliche Weise sind nur in Només Darstellungen des Salomonischen Tempels die Architekturphantasien dieses Malers auf einen traditionellen Sinn festgelegt (z. B. die „Beschneidung", New Haven, Yale University Art Gallery; „David im Tempel", Würzburg, Martin-von-Wagner-Museum). Im Werk Només sind die in diesem Bild dargestellten biblischen Themen ungewöhnlich. Die Ausstellung wird den Vergleich des in der Fachliteratur nicht erwähnten Gemäldes mit für Nomé gesicherten Werken ermöglichen.

HA

IX. 7

JOHANN HEINRICH SCHÖNFELD
(1609–1684)

7
Simsons Rache um 1633

Öl auf Leinwand; 138 × 201 cm
Wien, Kunsthistorisches Museum, Gemäldegalerie
Inv. Nr. 2666

Oberflächlich betrachtet gehört das Bild zunächst einmal dem Genre des Ruinen-Capriccio an. Aber die Stimmung der Wolkendecke widerspricht dem so vehement wie die Flucht einer Menschenmenge über eine Terrasse: Wir sind Zeugen einer Katastrophe geworden, ohne es sofort bemerkt zu haben, was wiederum für die Natürlichkeit der Schilderung spricht. Erzählt wird die letzte Gewalttat des Simson, der entkräftet, geblendet und als Gefangener vor einer Versammlung der Philister sang, um sie und sich selbst ins Verderben zu stürzen – seine Bitte um die dafür notwendige Wiederkehr seiner alten Kraft wurde erhört: Sänger und Versammlung sind im Steinhaufen zermalmt. Das ist realistischer als die dramatisierten Interieurs der älteren ikonographischen Überlieferung des Themas, denn der natürliche Ort des Betrachters ist draußen und ohne Bedrohung. Dies impliziert aber auch die Rätselhaftigkeit der zeitlichen Verzögerung, in der der Betrachter seiner Augenzeugenschaft inne wird.

Die italienische Architektur ist eher malerischen als gebauten oder entworfenen Vorbildern entlehnt. Ihre Frontalität macht sie zu einer Kulisse. Die Szenerie kann Elemente zeitgenössischer Bühnentechnik enthalten, in jedem Falle greift sie über Callot (Kat. IV. 52, IV. 54–55) auf erzählerische Techniken Carons zurück (Kat. I. 6). Unvergleichlich und neu ist der Einsatz von Maßstab und Farbe.

Literatur: Voss 1964, S. 34 – Pée 1971, Nr. 10 GS

IX. 8

JOHANN HEINRICH SCHÖNFELD (1609–1684)

8
Akademieklasse um 1632/33

Öl auf Leinwand; 132,2 × 96,7 cm
Graz, Alte Galerie am Landesmuseum Joanneum
Inv. Nr. 110

Seit Gründung der Akademie der Familie Carracci in Bologna (im Jahre 1590) gibt es reportageartige Selbstdarstellungen aus dieser Sphäre, zunächst als Zeichnungen, später als Druckgraphik und – mit Schönfeld wohl zum ersten Male – in der Malerei. Der Übergang in diese Disziplin berücksichtigt eine ältere Schicht von graphischen Akademie-Darstellungen: die sachliche und effektvolle Wiedergabe von Dingen und Phänomenen, die dort gelernt werden (seit 1530, vgl. Kat. VII. 25). Schönfelds Gemälde – in Nancy oder Rom entstanden – vereinigt beides in sich: Figur und Gruppenkomposition, Perspektive und sachlich definierte Raumeinteilung, Farbe und „Haltung" (Farbperspektive im Bildraum), Licht und Dunkel. Nach allem, was wir von dem ateliermäßigen Akademiebetrieb aus dieser Zeit wissen, stimmt die Zusammensetzung von unbemittelten Lehrlingen und dilettierenden Personen von „Stand", auf deren Zahlungen der Betrieb weitgehend beruht, genau. Ihre räumlich freie Gruppierung entspricht der Wirklichkeitsnähe, wird aber durch die klare Raumgliederung in der Architektur erst möglich.

Literatur: Ausst.-Kat. Schönfeld 1967, Nr. 2 – Pée 1971, Nr. 2, S. 19f
GS

JOHANN BERNHARD FISCHER VON ERLACH (1656–1723)

9
Entwurf einer historischen Architektur
Wien 1721

9A
Vier chinesische Architekturen

Kupferstiche; je 14,4 × 20,2 cm
Wien, Fachbibliothek für Kunstgeschichte der Universitätsbibliothek
Inv. Nr. 15550

Triumphbogen. Kunoth verweist auf eine holländische Vorlage von 1670, die drei der Darstellungen zugrunde liegt, und betont Fischer von Erlachs Mißverständnis gerade dieses Gebäudetypus: In China sind „Triumphbögen" Memorialbauten zur Erinnerung von Personen, keine Festdekorationen mit Passagenfunktion: Fischers Gewährsmann hat das noch gewußt.

Lustberg. Die künstlichen Nachahmungen felsiger Formationen in China haben das 17. und 18. Jahrhundert fasziniert: „Das Bestreben, mit Hilfe der Kunst die Natur nachzuahmen, wenn möglich, noch zu übertreffen, ist eine schon von Renaissance und Manierismus geforderte Aufgabe" (Kunoth 1956, S. 116). In der chinesischen Ausbildung erfüllt sie sogar ein bildliches Bedürfnis des 17. Jahrhunderts (vgl. Kat. IX. 11); im übrigen steht sie nicht im Widerspruch zu den um 1700 sich wandelnden Aspekten der Landschaftsgärtnerei. Das fruchtbare Mißverständnis eines Belvederes von Palladio (Kat. IX. 10) trifft auch für diese Nachahmungen zu, die nicht nur von außen gesehen sein wollen, sondern zugleich auch bewohnbare und begehbare Architekturen sind: Belvedere und Blickfang zugleich, Kulminationspunkt der Natur und menschliches Gehäuse. Fischer von Erlach war zur Zeit der Entwürfe für diesen universalen Architekturvergleich gerade in England oder von dort zurück (Sedlmayr 1976, S. 124); die ersten Platten waren 1712 gedruckt, und bereits 1730 erschien eine englische Ausgabe. Die „chinesischen" Ansätze in der englischen Landschaftsgestaltung stimmen mit dem bildhauerischen Ansatz Fischer von Erlachs überein (Sedlmayr 1976, S. 23), der die Voraussetzung zu einer malerischen Architekturauffassung schuf.

Pagode. Fischer von Erlachs „Pagode von Sinkicien" ging als „Haus des Konfuzius" von William Chambers (1763) in die Gartenarchitektur ein (Wittkower 1974, S. 188f). Jahrzehnte einer Palladianischen Renaissance gingen dem voraus (vgl. ebenda S. 114ff), die vor allem den Belvedere-Typus der Villa Rotonda bevorzugte. Mittlerweile wurde der englische Landschaftsgarten mit

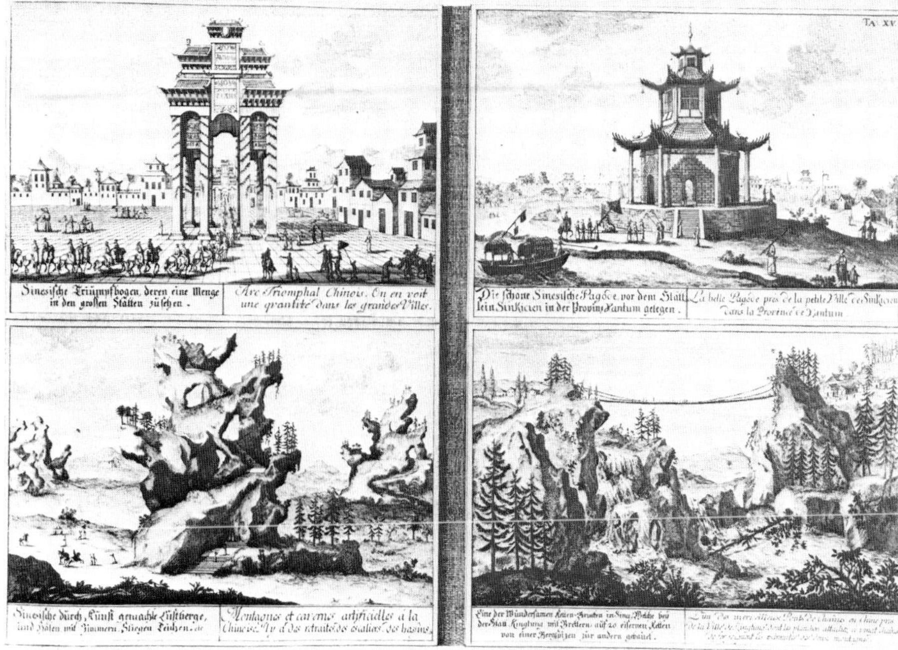

IX. 9A

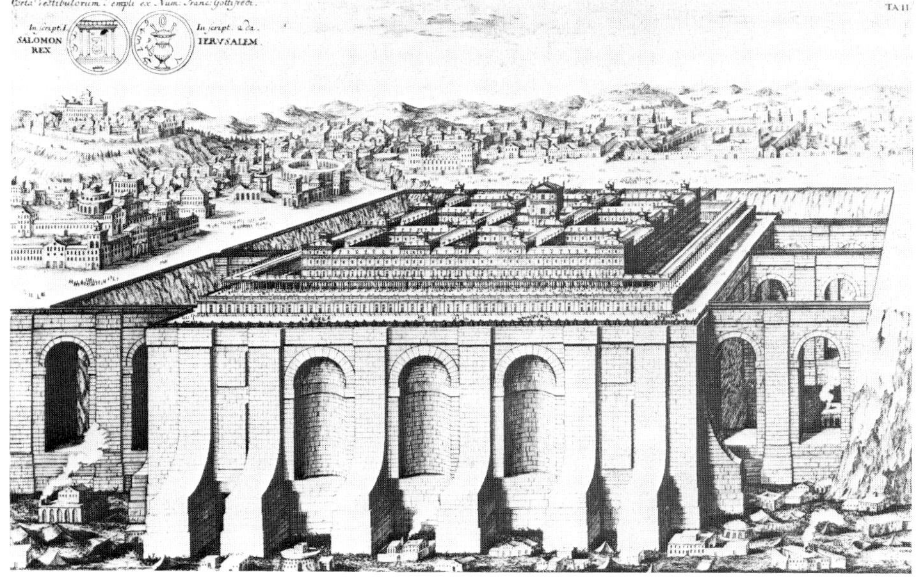

IX. 9B

9B
Rekonstruierte Ansicht des Salomonischen Tempels in Jerusalem

Kupferstich; 26,1 × 41,6 cm
Wien, Akademie der bildenden Künste, Kupferstichkabinett

Fischer von Erlachs Vorbild war die Rekonstruktion des Jesuitenpaters Juan Bautista Villalpanda aus dessen Hesekiel-Kommentar (Rom 1596–1604), der sich auf Hesekiels Vision (Hesekiel 40ff) berief: die Vision als Ursprung historischer Bauideen, wie sie das 17. und 18. Jahrhundert entwickelten. Es war Villalpandas Idee, die Vorstellung des Propheten als gebaute Wirklichkeit zu nehmen, und die Bauhistoriker des 17. und 18. Jahrhunderts sind ihm darin gefolgt; heute sieht man darin eher einen Reflex auf das architektonische Milieu Babylons, wo sich Hesekiel im Exil befand (Zimmerli). In der Tat wirken hier neuzeitliche Vorbilder stärker ein, als den Nachfolgern des spanischen Manieristen bewußt war: der Escorial als Sakralbau (Kloster) und Königspalast, als Stadt einer – auch im sakralen Sinne – höheren Bürgerschaft und als visionäres Weichbild mit idealisiertem Herrschaftsanspruch, entrückt und gegenwärtig zugleich. Fischer von Erlach hat den Blick vom Berge Moria gewählt, der die Anlage gleichsam aus der Vogelperspektive den gewohnten Sehgesetzen unterwirft, über ihren Maßstab aber keinen Zweifel an deren Erhabenheit läßt. Hinzu kommt ein Moment, das die malerischen Konzeptualisten der Architektur des 18. Jahrhunderts entzückt haben muß: die Vertiefung des umlaufenden Grabens, die den Bezug zu den begehbaren Standflächen nur über Viadukte zuläßt, also real wie optisch Distanz schafft.

Literatur: Kunoth 1956, S. 26, 115ff GS

klassischen Ruinen (Hartmann 1981, S. 11ff; Wittkower 1974, S. 130f) und gotischen oder klassizistischen „Lodges" möbliert, die eher Blickfänge als Architekturen waren. Dieser Typus setzte sich international durch, auch und gerade in seiner chinesischen Ausprägung (Wiebenson 1978, S. 95f), vor allem, seitdem mit William Chambers' Traktat von 1779 das Chinesische als neue Klassik entdeckt wurde. Der um 1700 einsetzende Vergleich der Religionen und Weltanschauungen aller historischen und gegenwärtigen Kulturen (Manuel) hat nach den Renaissancen der klassischen Epochen Europas einen ersten außereuropäischen Fixpunkt gefunden, der um 1770/80 zeitweilig mehr wurde als nur ein Modus der Anschauungen und des Denkens: Er erfaßte alle Gattungen des Entwurfs, vom Möbel (Chippendale) bis zur Keramik (Porzellan), vom Stoff bis zur Stukkatur. Aber er sank auch bald wieder zu einem Modus beliebiger Art hinab.

Kettenbrücke. Fischer von Erlachs Kettenbrücke ist, soweit bisher zu sehen ist, seine eigene Erfindung. Ein Vorbild hat sich noch nicht finden lassen. Umso erstaunlicher ist die ingenieurmäßige Modernität des Entwurfs. Erstaunlich auch die Nähe zu dem Brückentypus, der auf Callots „Fächer" (Kat. IX. 11) vorkommt, dessen Berge bereits chinesische Züge aufwiesen.

ANDREA PALLADIO (1508–1580)

10
I quattro libri dell'architettura
Venedig 1581 (1570)
Grundriß und Ansicht der „Villa Rotonda", 1566

Holzschnitt
Hamburger Kunsthalle, Bibliothek
Inv. Nr. III. XVI, Venedig 1581

Der Blick auf Palladios Villa für den päpstlichen Kammerherrn Paolo Almerico ist durch das 18. Jahrhundert verstellt: Goethes von außen kommende Bezüge (von Einem) sind hier ebenso hinderlich wie die Zitate aus der englischen und nordamerikanischen Architektur (Kubelik); alle sehen das Bauwerk als Bestandteil der Landschaft, und so wird es auch heute noch photographiert. Grundriß und Text bringen uns auf den Boden der historischen Wirklichkeit zurück. Der Grundriß verweist auf die Symmetrien palladianischer Sakralbauten, was ein gewisses Licht auf das kosmologische Selbstverständnis des Bauherren wirft (Wittkower). Im übrigen entschuldigt sich der Architekt dafür, daß er diesen Entwurf nicht unter die Landhäuser einreiht, hält er es doch für ein Stadthaus wegen der Nähe zu Vicenza; tatsächlich ist das Vorbild eher in dieser Richtung zu suchen, etwa in Mantegnas Haus in Mantua (Forssmann). Die allseitige Gleichheit in der Grundriß- und Fassadenbildung begründet Palladio mit den Aussichten auf das bebaute Land, das er mit einem Theater vergleicht: Der Rundblick vom Haus aus bedingt dessen Bau; Ackermann schlägt also mit Recht den Terminus „Belvedere" für den Typus vor. Der Blick des in Muße Zurückgezogenen ist das Entscheidende, nicht der Blick auf ihn und sein Gehäuse; nur die Ansehnlichkeit dieses Hauses hat das 18. Jahrhundert dazu verführt, es als „Symbol eines liberalen Weltentwurfs" (von Buttlar) zu sehen, wie es ja wohl auch zu gerne den Spitznamen (Villa Rotonda) übernahm. Die neuplatonische Strenge der Abmessungen und Geometrie sind Ausdruck humanistischen Selbstverständnisses; das 18. Jahrhundert sah darin ein kosmologisches Symbol, das man von außen betrachten und in seiner Harmonie mit der Umgebung sehen und verstehen soll. Das aber war dem 16. Jahrhundert eher fremd.

Literatur: beste Übersicht bei Isermeyer 1967, S. 220f – sonst Wittkower 1952, S. 67 – Kaufmann 1955, S. 7, 12ff – von Einem 1956, S. 185, 188, 194 – Forssmann 1965, S. 50–57 – Ackermann 1966, S. 60ff – Isermeyer 1967, passim – Corpus Palladianum 1968, Bd. I – Aust.-Kat. Palladio 1973, S. 82ff – Streitz 1973, passim – Ausst.-Kat. Palladio 1975, S. 49ff – von Buttlar 1982, S. 31f, 36ff, 67f, passim GS

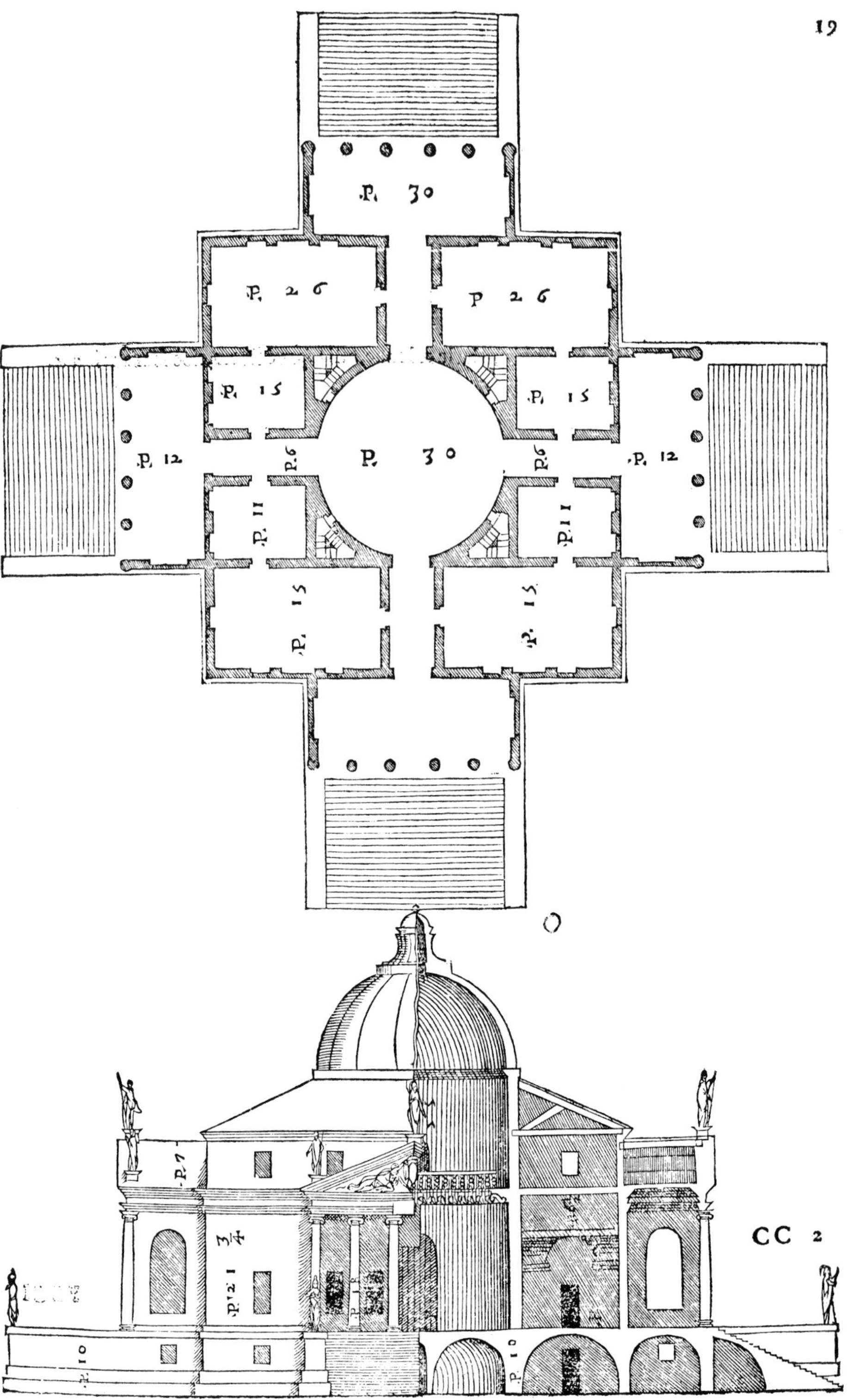

IX. 10

JACQUES CALLOT (1592–1635)
oder Umkreis

11
Fächer um 1620 und später

Metallgriffelritzung, Graphit, Feder in Braun; 22,2 × 30,5 cm
Berlin, SMPK, Kunstbibliothek
Inv. Nr. Hdz. 4821

Die Zuschreibung ist ungewiß und neigt sich zuweilen François Collignon (1610–1657) zu. Berckenhagen sieht die stilistische Nähe zu Callots Landschaftszeichnungen von 1618 gegeben, was auch mit dessen unbestrittenem Fächer von 1619 (Kat. V. 16) übereinstimmt. Allein schon der konzeptionelle Rang dieses Blattes sollte vor einer Abschreibung zu denken geben, auch wenn gegenüber den Landschaften von 1618 bereits Zweifel angemeldet worden sind. In jedem Falle ist die Behandlung des Maßstabes, der Räumlichkeit und der Körperhaftigkeit exemplarisch für die Rocaille des 18. Jahrhunderts. Das muß nicht für eine späte Entstehung sprechen, sondern mag sich aus der Beweglichkeit des Fächers als Bildträger erklären, der nur für Sekunden still steht, um betrachtet zu werden. Dargestellt sind allegorische Personen für Leben und Tod (vorne) und szenische Beispiele der Erfolge, Mühseligkeiten und Gefahren menschlichen Tuns (hinten). Die buchstäblich zu nehmende Dynamik des Gerätes hat nun nicht nur den bewegten Umriß des Bildfeldes zur Folge, sondern dringt in die Bildwelt selber ein: Die Felsen verformen sich zu mehrachsigen Ornamenten, der Bildraum folgt keiner zentralen Perspektive, die sich überall durchsetzt, und der figürliche Maßstab gerät in Schwingungen. Dennoch wird mit der Bizarrerie kein Mutwillen getrieben; vielmehr gerinnt sie zu einer Gestalt, die im 18. Jahrhundert durch die Chinoiserie besetzt werden wird.

Literatur: Berckenhagen 1970, S. 58f GS

IX. 11

JACQUES CALLOT (1592–1635)

12
Balli di Sfessania um 1622

Vier Radierungen aus einer Folge von 23 Blatt; 7,1–7,2 × 9,2–9,3 cm
Alle: Hamburger Kunsthalle, Kupferstichkabinett
Inv. Nr. 33128, -30, -38, -50

Seit Posner (1977) weiß man, daß Sfessania ein maltesischer Moriskentanz ist, der sich über neapolitanische Gruppen der „Commedia dell'arte" in ganz Italien ausgebreitet hat. Callot nahm die drolligen bis obszönen Tanzfiguren zum Anlaß, um sein paariges Urmotiv (vgl. Kat. IX. 14) fortzuentwickeln. Das Ganze ist Karikatur. Doch tauchte der Ausdruck erst später auf: ital. „caricare" = belasten (d. h. hier: einer Linie). Und die heute noch verhöhnende Praxis dieser Gattung setzt die damals internationale Ausbreitung dieser Serie voraus (Juynboll 1934, S. 75ff). Als entscheidender aber erwies sich eine Konsequenz anderer Art, auf die Zahn (1923, S. 44) im Zusammenhang mit dieser Serie aufmerksam machte: „Mit diesem ins Phantastische hinüberspielenden Realismus, dieser halbchimärischen Wirklichkeitsschilderung, in der sich Elemente niederländisch-rücksichtsloser Naturalistik, italienisch-barocker Übertreibung und französisch-rokokohafter Grazie vermengen, legt Callot die Grundlagen des französischen Realismus überhaupt."

Literatur: Meaume 1860, Nr. 641, 643, 651, 663 – Nasse 1909, Nr. 64, S. 38–42 – Levertin 1911, S. 37ff – Bruwaert 1912, passim – Plan 1914, Nr. 280/285 – Zahn 1923, S. 44 – Lieure 1969, Nr. 379, 381, 389, 401 – Ternois 1962, I, S. 54ff, 79, 139, 142ff – Ternois 1962, II, S. 106–110 – Knab 1968, Nr. 356/361 – Schröder 1971, S. 1080f – Russell 1975, S. 59, 67, 74, 77 – Kahan 1976, S. 9–20 – Posner 1977, passim GS

IX. 12

IX. 12

IX. 12

IX. 12

JACQUES CALLOT (1592–1635)

13
Capricci di varie figure
1. Auflage Florenz 1617,
2. Auflage Nancy 1622

Sechs Radierungen;
5,2–6,2 × 6,7–8,5 cm
A Titelblatt
B Der Hirte und die Ruinen
C Der Spaziergang
D Ein Fest auf der Piazza della Signoria
E Die Piazza del Duomo
F Wagenrennen auf dem Platz vor S. Maria Novella
Alle: Hamburger Kunsthalle, Kupferstichkabinett
Inv. Nr. 33372, -74, -77, -87, -88, -84

IX. 13A

IX. 13D

IX. 13C

IX. 13E

Der Titel ist so unprätentiös wie die Darstellungen: Er besagt nicht mehr, als daß es sich um figurale Erfindungen handelt (vgl. Kat. X. 1, 2, X. 6). Aber die zwei Auflagen und – mehr noch – die unzähligen Kopien verraten, welche Bedeutung diese Folge gehabt hat. Dies lag vor allem an Callots bildräumlicher Komposition. Diese setzt ein plastisches Gefüge voraus, das Callot bereits in den beiden Zanni (Kat. IX. 14) erarbeitet hatte. In den „Capricci" wird nun seit Bosse (1645) diese Besonderheit durch eine technische Erfindung Callots erklärt, die ein An- und Abschwellen der Radierlinie erlaubt. Damit wird es schon vor Rembrandt möglich, den Schatten weitgehend an die Linie zu binden und die früher übliche Scheidung von Umriß und Schraffur aufzugeben. So muß es auch die italienische Nachfolge Callots (della Bella, Castiglione) beurteilt haben, als sie sich Rembrandt anschloß.

Literatur: Meaume 1860, Nr. 767, 776, 784, 858, 860, 862 – Nasse 1909, Nr. 36/73 – Levertin 1911, S. 32–40 – Bruwaert 1912, S. 71 – Plan 1914, Nr. 374/405 – Zahn 1923, S. 19, 62 ff – Lieure 1969, Nr. 214/428, 218/432, 222/436, 259/473, 260/474, 261/475 – Ternois 1962, I, S. 79, 139, 144 ff – Ternois 1962, II, S. 45 f – Knab 1968, Nr. 261/295 – Schröder 1971, S. 976 ff – Russell 1975, Nr. 2/8 – GS

IX. 14

JACQUES CALLOT (1592–1635)

14
Die beiden Zanni 1616/17

Radierung; 9,5 × 14 cm
Hamburger Kunsthalle, Kupferstichkabinett
Inv. Nr. 1922-291

Es war Diane Russell (1975), die die korrekte Umbenennung von „Les Deux Pantalons" in „Die beiden Zanni" vornahm. In jedem Falle handelt es sich um Stegreifspieler der „Commedia dell'arte", wie sie als Moriskentänzer auch außerhalb der Bühne ihr Wesen trieben (zum Moriskentanz vgl. Kat. IX. 12). Anthony Blunt (1953) macht darauf aufmerksam, daß die gezierten Bewegungen der Kavaliere im Hintergrund zum Mediceischen Hofstil gehören. Es liegt also nahe, Vordergrund und Hintergrund aufeinander zu beziehen, etwa in der Art, daß die gesittete Choreographie der höfischen Konversation den latenten Zweikampf verhüllt. Denn die Gebärde der rechten Hand der rechten Figur kommt der Verwünschungsgebärde bedenklich nahe, und die linke Figur wendet sich ab wie einer, der nicht gesehen haben will, was er bereits zu genau gesehen hat.

In diesem Figurenpaar kommt Callots Kontrapost zur vollen Reife: Er legt sich nicht nur im Umriß fest, sondern auch in Binnenzeichnung und Lichtführung. Es sind seltsame Mischwesen aus Licht und Schatten; ihre Raumverdrängung findet ihre Grenze in seiltänzerischen Ponderationen, weil diese die vorgeblich solide Körperhaftigkeit in rein dynamische Richtungen auflösen. Die manieristische „Figura serpentinata" hat eine Umdeutung erfahren, die von der äußeren Allansichtigkeit (Larsson 1974, S. 17 ff) auf ein inneres Gesetz verweist, das die innerkörperliche Dynamik überschreitet: „Das Gravitationszentrum zweier gleich schwerer Körper liegt in der Mitte der Achse, die die Schwerpunkte beider verbindet" (Galilei, zitiert nach Feigenbaum-Chamberlin 1977, S. 83). Callot ist es, der im Mediceischen Umkreis Galileis das kompositorische Gesetz formuliert, daß das Verhältnis, das zwischen Rumpf und Gliedern besteht, auch von Figur zu Figur, von fremder Extremität zu fremder Extremität gilt. Der Bildraum selbst wird darüber zum Kraftfeld; er hört auf, eine Leere zu sein, in der nur die Perspektive herrscht.

Literatur: Meaume 1860, Nr. 626 – Nasse 1909, Nr. 22, S. 27 – Bruwaert 1912, S. 71 – Plan 1914, Nr. 129 – Zahn 1923, S. 15 – Lieure 1969, Nr. 173 – Blunt 1953, S. 127 – Ternois 1962, I, S. 108, 119, 191 – Ternois 1962, II, S. 44 – Schmoll 1966, S. 95 – Knab 1968, Nr. 250 – Russell 1975, Nr. 53 – Kahan 1976, S. 23 – Posner 1977, S. 209f GS

IX. 15

JACQUES CALLOT (1592–1635)

15
Erstes Intermezzo 1617

Radierung; 28,8 × 20,6 cm
Hamburger Kunsthalle, Kupferstichkabinett
Inv. Nr. 33124

Der Anlaß war die Hochzeit des Herzogs von Mantua, Ferdinando Gonzaga, mit der Schwester des Großherzogs Cosimo II., Catarina de' Medici, zum Karneval 1617 in Florenz. Zu sehen ist ein Intermezzo am Mediceischen Theater mit den literarisch bezeugten Ahnen der Etrusker, Tyrrhenus und Arnea (Andrea Salvadori nach Hesiod, Herodot und Ariost). Zur theatergeschichtlichen Besonderheit äußert sich Tintelnot (1939), zur kulturgeschichtlichen Fischel (1932): „. . . aus der Welt der Bühne schritt und griff es in den Saal, und beide Elemente mischten sich aus zwei verschiedenen Traditionen: jenem Wunschbild gesteigerter Situation und erhöhten Lebens, das von Bramante und Peruzzi stammend durch Buontalenti in die Jahrhunderte dauernde Form des Renaissancetheaters gebannt wurde, und der bewegten, ins Leben greifenden Wunschgestaltung festlicher Züge, profaner Prozessionen mit heldenhaft und mythologisch verkleideten Wesen . . ." Zur kunstgeschichtlichen Besonderheit wäre zu sagen, daß der Raumbruch gegenüber den Arena-Szenen (Kat. IV. 54, IV. 55) gesteigert ist. Dabei fügen sich Decke und Vordergrund zu einem gemeinsamen Fluchtpunkt hinter dem Hügel der hinteren Bühne; aber die Figuren im Oval des Mittelgrundes – Tänzer wie Zuschauer – gehören einer Raumkonstruktion mit starker Aufsicht an, die erheblich von der Hauptperspektive abweicht. Es ist, als gelte das Fest auch der Relativität des Raumes. Wir sehen hier auch einen frühen Schritt auf die Perspektivstreuung der Rocaille des 18. Jahrhunderts (Kat. X. 12), und es erhebt sich die Frage, wieweit sie im Umkreis von Galilei ein Reflex auf das Gefühl der Relativität ist, welches das Kopernikanische Weltbild um 1600 erzeugt haben muß.

Literatur: Meaume 1860, Nr. 630 – Nasse 1909, Nr. 33, S. 28f – Plan 1914, Nr. 130 – Zahn 1923, S. 17, 40 – Lieure 1969, Nr. 185 – Fischel 1932, S. 110f – Tintelnot 1939, S. 252f – Ternois 1962, I, S. 53f, 58, 189 – Ternois 1962, II, S. 12, 42 – Knab 1968, Nr. 154 – Schröder 1971, S. 38, 955f – Russell 1975, Nr. 59 – Kahan 1976, S. 76ff – Ausst.-Kat. Medici 1980, Nr. 52, S. 110 GS

ANTOINE CARON (um 1527–1599)

16
Die Massaker des zweiten Triumvirats
1562

Holzschnitt; 50 × 76 cm
Paris, Bibliothèque Nationale, Cabinet des Estampes

Antoine Caron hat in den Jahren 1562 und 1566 zwei Massaker der römischen Geschichte dargestellt, die sich mittelbar auf damals gegenwärtige Ereignisse der französischen Religionskriege beziehen: die Massaker im Bürgerkrieg zur Zeit des sogenannten ersten Triumvirats (Caesar, Pompeius, Crassus) im Jahre 52 v. Chr. (1566; Louvre) und die leider nur noch in diesem raren Holzschnitt erhaltenen des zweiten Triumvirats (Octavius, Antonius, Lepidus) von 42 v. Chr.; der aktuelle Bezug unseres Blattes sind die Verfolgungen des katholischen Triumvirates: Montmorency, Jacques d'Albon de Saint-André und der Herzog von Guise von 1561/62. Caron schuf die Formeln für Callots Schrecken des Krieges (Kat. IV. 55). Hilfreich für beide war der manieristische Bühnenraum italienischer Theater; Caron sah ihn in Fontainebleau, Callot in Florenz. Caron hielt sich an den preziösen Stil der Schule von Fontainebleau mit seinen kompositorischen Freiheiten, um das Undarstellbare darstellbar zu machen, wählte aber unter allen römischen Autoren das Vorbild, das nicht nur wegen seiner epischen Beschreibung der Grausamkeiten von Bürgerkriegen sehr großen Einfluß auf die manieristischen Literaturen gehabt hat: Lucan. Carons Sadismus ruft Bilder aus Lucans „Pharsalia" wach, deren Stil Scaliger als Schwulst (tumor) bezeichnete, ein Merkmal, das seinen Einfluß erklären könnte.

Literatur: Ehrmann 1945, S. 196 – Ehrmann 1955, S. 18f – Ehrmann 1986, S. 22 GS

IX. 16

CORNELIS ANTHONISZOON
(1499 – nach 1553)

17
Der Fall des babylonischen Turmes 1547

Kupferstich; 32 × 38 cm
Berlin, SMPK, Kupferstichkabinett

Das Urbild menschlicher Hybris und Vermessenheit ist der Turm zu Babel – sein Einsturz steht für das rechte Maß, auf das der Mensch von Gott zurückverwiesen wird. Fasziniert nicht nur vom allegorischen Tiefsinn der Genesis-Erzählung, sondern vor allem auch von den Motiven des Stürzens, der Trümmer und Ruinen, traf sich die Darstellung des frevelhaften Bauwerks mit den Grunddispositionen des Manierismus. Die „membra disjecta" der vorantiken Architekturfragmente verbinden sich mit den dramatischen Posen der Babyloner zu einem Irrgarten aus Ruinen und Sprachverwirrung, einer wüsten Landschaft, in der die Anhäufung von einander entfremdeten Einzelteilen ein Panorama der Zerstörung ergibt. Diese Darstellung des zerstörten geht jener des (noch) intakten Turmes durch Pieter Bruegel (Wien, Kunsthistorisches Museum) zeitlich voraus und spricht aus, was der spätere Meister nur andeuten wird. MB

IX. 17

MAERTEN VAN HEEMSKERCK
(1498–1574)

18
Die Flucht nach Ägypten

Radierung; 20,7 × 35,5 cm
Hamburger Kunsthalle, Kupferstichkabinett
Inv. Nr. 4012

IX. 18

Maria und Joseph haben das in Ruinen stehende antike Bethlehem verlassen. Noch geht neben dem Esel, auf dem Maria reitet, der Ochse; noch sind im Hintergrunde Szenen des Kindermordes zu sehen. Der Weg führt an einem Mars vorbei; er wird zusammenstürzen, wenn die Gruppe vorbeizieht. Wir haben also auch ein zeitliches „Noch-Nicht"! Die Zeit ist definiert durch Handlungen. Analog ist der Raum definiert durch Figuren und Dinge; übergreifende Züge wie etwa die Perspektive treten hinter dem einzelnen Faktum zurück. Der Raum ist definiert durch Einzelheiten. In diesem einfachen Schema entfaltet sich Heemskercks manieristische Komposition, die seltsam unempfindlich gegen Links-rechts-Probleme ist. Die Einzelheiten leben aus ihren Beziehungen untereinander, stellen sich aber auch überraschend selbst dar: der die Grenze der herodischen Herrschaft markierende Kriegsgott, der Sockel mit den archäologischen Details, die Bäume im Mittelgrund, die Tempel- und Profanarchitektur im Hintergrund, die bewachsenen Ruinen rechts mit Zitaten aus dem römischen Skizzenbuch und den typischen, im Schutt versunkenen Pfeilern und schließlich Baum, Brücke und Fluß im Vordergrund. Die Elemente der heroischen Landschaft sind beisammen; ihnen fehlt noch das, was in der Landschaftsmalerei der Carracci als „antimanieristische" Harmonie erarbeitet werden wird.

Literatur: Kerrich 1829, S. 123 – Wurzbach 1906, Nr. 1 – Hollstein, Nr. 14 – Oberhuber 1967, Nr. 93 GS

EPIFANIO D'ALFIANO
(tätig um 1580 – um 1610)

19
Hades 1589

Radierung; 25,8 × 36,2 cm
London, British Museum
Inv. Nr. 1897-1-13-10

Dargestellt ist eine Zwischenakt-Szenerie von Bernardo Buontalenti (1536–1608) aus Anlaß der Feierlichkeiten am Mediceischen Hof in Florenz zur Hochzeit von Ferdinando de' Medici und Christiana von Lothringen. Tintel-

IX. 19

not beschreibt den Sachverhalt so: „Eine Höllendekoration kam schon bei Vasari vor. Von nun an wird diese Szenerie schauererregender Unterweltsschrecken mit vulkanischen Essen, flammenspeienden Furien, rauchenden Höhlen, lodernden Abgründen eines der beliebtesten Motive der Florentiner Szenographie. Buontalenti teilte die Bühne in eine untere und eine obere Region. Oben in den Wolken saßen die Dämonen des Feuers. Unten in der Höhlentiefe hauste Luzifer zwischen den Chören der Teufel und Verdammten. Eine Magierin fuhr mit einem Drachengespann durch die Lüfte . . . Die ganze Dekoration mit ihren schauererregenden Maschineneffekten muß einen geradezu schulbildend starken Eindruck gemacht haben, wir finden Ähnliches fortan in jeder Festinszenierung." Zwei Dinge sind charakteristisch für das florentinische Milieu dieser Zeit: Wie in der Früh- und Hochrenaissance die stärksten Impulse von der „Gelegenheitskunst" (Warburg 1902, S. 113) ausgingen, übernimmt in der Theatergeschichte des Manierismus das Intermezzo die Führung gegenüber den eigentlichen Akten des Stückes, dem es doch ursprünglich nur dienend zugeordnet war, und analog dazu kommen die stärksten Impulse der Graphik um 1600 nicht aus ihren eigenen Traditionen, sondern aus der Reportage von den darstellenden Künsten.

Literatur: Warburg 1895, S. 264f, 298f – Fischel 1932, S. 103f – Tintelnot 1939, S. 31f – Ternois 1962, I, S. 53, 233 – Shearman 1967, II, S. 108f – Ausst.-Kat. Medici 1980, S. 2–15 GS

IX. 20

HENDRIK GOLTZIUS (1558–1617)

20
Das auf Sand gebaute Haus ca. 1578

Kupferstich; 25,9 × 18,7 cm
Bezeichnet: HG – AEDIFICARE SUPER ARENAM . . .
Wien, Albertina
Inv. Nr. LXXIX, 2, p. 77, Nr. 217

Das Blatt gehört zu einer Serie von zwölf Allegorien des christlichen Glaubens, von denen die meisten von Goltzius ausgeführt wurden (wenn auch nicht unbedingt erfunden, denn er weist an keiner Stelle auf sich als „Inuentor" hin). Der Stich besteht aus einem inneren Rahmen mit zwei kleinen ovalen szenischen Darstellungen und einer Reihe von Bibelzitaten, bekrönt von der Überschrift „AEDIFICARE SUPER ARENAM" über einem Zitat aus Matthäus (7, 26), einer Stelle aus der Bergpredigt, die den „törischten Mann" beschreibt, „der sein Haus auf den Sand baute", so daß Regen, Wasserströme und Winde dieses einfallen lassen konnten, und dessen „Fall (deshalb) groß war". Das Mittelbild zeigt ein Gebäude, dessen Fundamente zur Hälfte ins Wasser absacken, während das schon teilweise zerborstene Dach nach oben hin abhebt. In der Mitte sitzt ein durch seine Kleidung als wohlhabend ausgewiesener Mann vor einem umstürzenden, gedeckten Tisch, umgeben von einer Reihe von ebenfalls auseinanderbrechenden allegorischen Personifikationen: im Hintergrund der „Hochmut" (die Eitelkeit) mit Spiegel und Pfauenfedern geschmückt, im Vordergrund Bacchus und Ceres, Symbole des üppigen Lebens, denen oben links der Wind bereits einen Totenkopf, als Zeichen der Vanitas, der Vergänglichkeit alles Irdischen, entgegenbläst.

Literatur: Hollstein 72 – Strauss 1977, Nr. 62 EH

IX. 21 A

IX. 21 B

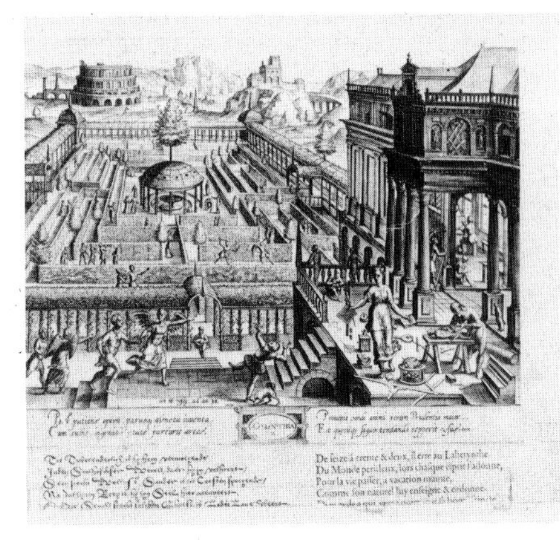

HANS VREDEMAN DE VRIES
(1527–1604)

21
Theatrum Vitae Humanae Antwerpen 1577

21 A
Corinthia (Blatt 2)

Kupferstich; 21,2 × 27,4 cm
Wien, Österreichisches Museum für Angewandte Kunst
Inv. Nr. 139/26

21 B
Ruyne (Blatt 6)

Kupferstich; 21,2 × 27,4 cm
Nürnberg, Germanisches Nationalmuseum
Inv. Nr. K 6753 Kapsel 335

Von Anfang an war die theoretische Reflexion über die – am Vorbild einer bereits vergangenen, nur mehr in Fragmenten überlieferten Welt orientierten – Architektur der Renaissance von dem Bewußtsein geprägt, daß auch die „per definitionem" auf Beständigkeit abzielende Baukunst dem Gesetz der Zeit unterliegt. Alberti beschließt sein Traktat „De re aedificatoria" mit einem Buch über die Gegenmittel zum Verfall der Gebäude. Filarete erweitert den traditionellen Vergleich der Architektur mit dem menschlichen Körper um die Dimension der Zeitlichkeit. Wie der Mensch erkrankt der Bau„körper", er kann zwar geheilt werden, muß aber doch zuletzt sterben. Solche Gedanken sind die Voraussetzungen zur Stichserie von Vredeman de Vries, in der sie allegorisierend mit der vor allem von Serlio ausgeführten Lehre von der Bedeutung der Säulenordnungen verbunden werden. Den jeweils 16 Jahre dauernden Lebensaltern (im Bild unten angegeben) werden die kanonischen fünf Ordnungen zugeordnet. Ihre Hierarchie ist umgekehrt: Vredeman beginnt mit der reichsten Form, der „Composita", die der Kindheit entspricht, und steigt mit zunehmendem Alter zu den einfacheren Säulenarten herab. Die Architektur ist in diesen Blättern nicht alleiniges Thema, sondern Teil von „paysages moralisées" (Panofsky), die das Leben sinnbildhaft in seinen verschiedenen Abschnitten veranschaulichen. Das gesellige Treiben und die künstlerischen und wissenschaftlichen Tätigkeiten der Adoleszenz etwa finden in einem Palast mit korinthischen Säulen und in einem labyrinthischen Garten statt. Abschluß dieser architektonisch instrumentierten Philosophie des menschlichen Lebens ist die sechste, die Todes-Ordnung „Ruyna" (auch Dietterlins „Architectura", vgl. Kat. VII. 54, endet mit dem Entwurf zu einem Beinhausportal). Über dem zerstörten Gebäude, in dem der Greis bereits entschlafen ist, thront Chronos, der Gott der Zeit. Durch den – im Vordergrund dargestellten – Tod beherrscht er die Menschen (Leichen, Knochen und Attribute der Macht sind in der Landschaft verstreut) ebenso wie die Architektur (im Hintergrund zerstört das Feuer Gebäude, überall sind architektonische Fragmente zu sehen). Auch die architektonische Ordnung, lehrt Vredemans Stichfolge, unterliegt der Vergänglichkeit wie der Mensch.

Literatur: Forssmann 1956, S. 156 ff HA

X Capricci und Häuser der Laune

X. 1 A

GIOVANNI BATTISTA TIEPOLO
(1696–1770)

1
Scherzi di Fantasia um 1743

Vier Radierungen aus einer Folge von 23 Blättern; 22–22,6 × 16,3 × 18,7 cm
Hamburger Kunsthalle, Kupferstichkabinett
Inv. Nr. 33884, 2673, 2674, 3010

Die Bezeichnung der Folge „Scherzi di Fantasia" ist posthum; die erste urkundliche Erwähnung fällt ins Jahr 1775, die Titel der Ausgaben stammen aus späterer Zeit. Ursprünglich wurden sie synonym mit den „Capricci" erwähnt (Succi 1985, S. 58), was für die gemeinsame Grundvorstellung spricht: Die spontane Erfindung. „Scherze der Phantasie" wäre eine zwar wörtliche, aber zu flache Übersetzung, „heitere Erfindungen" wieder zu ungenau. Es ist wie das Kreisen um einen wahren Kern, der wegen unserer Bewußtseinslage nie wieder so rein zu säubern ist, wie er sich zu Tiepolos Lebzeiten darbot; daher sei eine adverbiale Konstruktion erlaubt: Aus heiterer Vorstellung erfunden.

1 A
Hirt mit zwei Würdenträgern und einem Knaben mit Schwert

Der Titel ist neu, aber zutreffender als die alten, die nur von zwei Magiern mit Hirten sprechen. Er besagt auch nichts zur Sache, die sich jedem Titel entzieht. Denn was hier vorfällt, ist das bevorstehende Erwachen eines Mannes, der schläft, aber über die ihn anblickende Herde wachen sollte: Der vorderste Würdenträger mit der Trompete sieht ihn zornig und amüsiert zugleich an; die geräuschvolle und rhetorische Explosion wird also nicht frei von Bizarrerie (vgl. Syamken 1965, S. 5) und Sarkasmus sein. Das priesterliche oder magische Gefolge des Würdenträgers drückt sich mit dem Schwert tragenden Knaben in Vorahnung der Explosion am Altar entlang. Das Relief deutet an, daß es sich um eine militärische Berufung handelt. Der Pferdeschädel widerspricht dem nicht gerade. Wie zufällig steht eine Palme am Altar, die einzige in beiden Zyklen. Ihr sagt die Emblematik nach, sie wachse, wenn man sie von oben belaste: „Crescit sub pondere". Die Topik fügt sich also zusammen, ohne zu einer geschlossenen Aussage zu finden. Die Struktur des Rätsels bleibt. Für das an mythologische und biblische Auflösungen gewöhnte Auge des 18. Jahrhunderts ist diese Struktur beunruhigend. Die nach der Harmonie zwischen optischer Wahrnehmung und kontrollierendem Verstand suchende Seele findet keinen Halt im Erlernten: Haarscharf, aber mit unbezweifelbarer Bestimmtheit führt der Weg an den Berufungsgeschichten Davids (Herde) und des Römers Cincinnatus (Pflug) vorbei. Dafür löst sich das Disparate der rätselhaften Struktur in einen komödiantischen „Nonsense" auf und verweist so die Seele auf ihre spontanen Regungen. Statt mit dem Erlernbaren begnügt sich der Verstand mit dem erwachten Bewußtsein, das sich ihm auf die heiterste Weise zeigt.

1 B
Magier in Betrachtung einer Schlange, die sich im Krug windet

Auch dieser Titel ist neu und ersetzt den bisher gängigen: „Sitzender Magier, Knabe und vier Figuren", denn entscheidend für die Wirkung ist die Tätigkeit der Hauptperson: Sie betreibt Leikanomantrie, Wahrsagekunst mit Töpfen. Dazu gehören hier als Requisiten ein Rinder- und ein Pferdeschädel, ein Buch und eine Trompete; dazwischen sitzt ein Käuzchen auf einem Stein und zwinkert uns mit dem linken Auge zu. Das kriegerische Relief im Vordergrund hilft nicht als Schlüssel. Der erkaltete Altar mit Rinderschädel und Schenkelknochen steht in eigentümlichem Gegensatz zu der Schafherde rechts vorne, denn zu einer römischen Suovitaurilia gehört das hier fehlende Schwein. Statt dessen rückt von links hinten ein Trupp von andächtig Fragenden an, zwei Priester oder Magier und ein junges Paar, der hintere Priester mit einem schlangenumwundenen Stab, der junge Mann mit einem Krug, in den er ernst hineinblickt. Der Knabe vorn scheint lediglich eine Assistenzfigur zu sein. Es bleibt zweideutig, ob der junge Mann des Paares oder seine Frau den Krug trägt: Die „visuelle Überlagerung" (Dietz 1977) wird hier inhaltlich genutzt. Obwohl ein szenischer Zusammenhang in Erscheinung tritt, etwa in der Art, daß dem sitzenden Magier Krüge mit Schlangen zugetragen werden, die dieser befragt, löst sich der gewaltige ikonographische Aufwand in ein Nichts auf, es sei denn, man folgt dem zwinkernden Auge des Käuzchens und dem Rat suchenden jungen Paar in eine sexuelle Richtung. Beachtlich bleibt der Abstand vor jeder Pointe. Es ist, als greife Tiepolo auch hier der Erkenntnis Kants voraus, daß „das Lachen" – und damit seine befreiende Wirkung – „ein Affekt aus der plötzlichen Verwandlung einer gespannten Erwartung in Nichts" sei (Kritik der Urteilskraft, 1790, § 54).

X. 1 B

X. 1 C

1 C
Magier mit vier Figuren an einem rauchenden Altar

Der Blick ist gespannt gegen die Windrichtung gerichtet, die aus dem Bildraum des Betrachters, aber weit weg und weit rechts von ihm angegeben wird. Vorn sitzt ein Magier; hinter ihm, nach links gestaffelt, stehen ein nackter Jüngling und ein zweiter Magier, in ihrer Beklommenheit gegenüber dem Magier nach hinten gesteigert. Die beiden hintersten Figuren verfolgen den Rauch des Opferfeuers, wie es dem Winde nachgibt. Der bedeutsame frontale Blick des Käuzchens, das sich im Windschatten des Magiers duckt, unterstreicht die bange Erwartung der Gruppe. Welchen Aufschluß geben Schädel, Papier, Stein und Schwert zu Füßen des Magiers, welchen Aufschluß die Trompete auf dem brennenden Altar? Und warum fehlt die fast obligate Schlange um den Stab des Jünglings? Wir bleiben genau so ratlos, wie die Gruppe, die in ein uns unbekanntes Portentum starrt: Ist es ein Feuer, ein Vogel, ein Gewitter oder ein anderes Vorzeichen, das man mit dem Opfer zu beschwören versucht hat? Und wer legt es aus? Erkennbar ist nur das Gewicht, das diesem Portentum beigemessen wird; es ruft Furcht, Abwehr und Ungewißheit als Reaktionen hervor, menschliche Regungen, die auch ohne Magie zu denken sind. Und damit ist eine Moral ausgesprochen: Die Frage nach der Zukunft ist nichtig, und jede Antwort darauf, ob richtig oder falsch, beeinträchtigt den freien Willen. Wir sehen ähnliche Dinge ausgesprochen in Tiepolos Capricci (Kat. X. 2).

X. 1 D

1 D
Zwei Gelehrte und ein Knabe, die mit einem Zirkel einen halb vergrabenen Globus vermessen

Die Gruppe wird ihrer Tätigkeit nicht recht froh: Der rational vermessende Meister wird bald durch eine Störung unterbrochen, die vom verängstigten Knaben ausgeht, der vor der Schlange erschrickt und für den jetzt schon der stehende Weise Verständnis zeigt. Es ist wie ein Floh, der einen Hund sticht, wodurch sich dieser gestört fühlt und schließlich zum Kratzen entschließt. Hund und Gruppe sind also Gleichnisse ein und derselben Sache: Floh und Schlange stehen für die Zufälle des Lebens, die rationales Handeln irritieren, zugleich aber durch Kratzen oder Nichtbeachten übergangen werden können. Aber jede Sentenz wäre ärger als Karikatur. Denn die Gleichnishaftigkeit hält die leicht karikierte Prosa der Szene in einer offenen Schwebe, die jede Pointe ausschließt. Was gesagt wird ist nur dies: Die Magie der Spontaneität herrscht gleichzeitig mit der Disziplin der Ratio; beide halten sich im Gleichgewicht, auch wenn die eine von ihnen zeitweilig vorzuherrschen scheint, und keine von beiden verdient, allzu ernst genommen zu werden. Der erfindende Geist herrscht über beide, wenn auch dies nur in glücklichen Augenblicken.

Literatur: Nagler 1848, Nr. 12 – Molmenti 1896, S. 16, 6, 22 – De Vesme 1906, Nr. 24, 17, 18, 34 – Sack 1910, Nr. 16, 5, 6, 22 – Rizzi 1971, I, Nr. 19, 8, 9, 25 – Frerichs 1971, S. 239 – Knox 1972, S. 840 – Russell 1972, Nr. 30, 16, 18, 38 – Ausst.-Kat. Tiepolo 1976, Nr. 17, 18, 11, 21 – Ausst.-Kat. Tiepolo 1985, Nr. 65, 71, 78, 67, S. 58–62 GS

GIOVANNI BATTISTA TIEPOLO
(1696–1770)

2
Vari Capricci um 1741/42

Zwei Radierungen aus einer Folge von 10 Blättern; 14–15,5 × 17,2–17,6 cm
Hamburger Kunsthalle, Kupferstichkabinett
Inv. Nr. 3013, 33887

Die Bezeichnung der Folge ist erst mit dem Titelblatt der Ausgabe von 1785 als „Vari Capricci'' bezeugt; vorher sind diese Blätter, aber auch die Folge „Scherzi di Fantasia'', als „capricci'' oder „griffonages'' in die Dokumente der italienischen oder französischen Sammler eingegangen. Wir haben es also mit einer Gattung zu tun, wie sie Callot in die Graphik eingeführt hat und wie sie Baldinucci 1681 erläutert (vgl. Syamken 1965, S. 3–6): Die spontane, ja, voluntaristische Erfindung. Der Geist (ingegno) kommt hier ebenso zu seinem Recht wie die chimärischen Strebungen der Seele. Offen bleibt nach wie vor, wieweit der „concetto'' eine Rolle spielt: Überschätzt man ihn, indem man nach einen literarischen Sinn sucht, oder unterschätzt man ihn, indem man eine erträumte „Laune'' – auch das kann „capriccio'' heißen – unterstellt? Der Zweifel wird als Ferment der Aufmerksamkeit eingesetzt.

Bereits die Bildgestalt, halb Landschaft, halb Vignette, fördert solche Zweifel. Ferner bringt die hoch gestimmte Lichtführung die Erscheinungen fast um ihre Körperhaftigkeit. Der Strich – seit Rosa della Bella und Castiglione eine Lektion Rembrandts, die in Italien verstanden wurde –, halb Darstellungsmittel, halb Dunkelwert für Abwesenheit des Lichts, schwankt ständig zwischen sachlicher Bestimmung und atmosphärischer Zerstreuung der Sinne. Der Bildraum hat die Brüchigkeit und Vieldimensionalität der Rocaille, wodurch die Komposition eine gewisse Zentralität behält.

X. 2 A

2 A
Der Tod hält Audienz

Eine ländlich-ruinöse Idylle mit Grabplatte nimmt Vergils „et in Arcadia ego'' als Motiv auf. Der tiefe Augenpunkt läßt den Blick an der beringten Platte förmlich tot laufen; er lädt zugleich den Betrachter ein, es sich neben dem Tode bequem zu machen. Die Stimmung ist entspannt: Die Audienz findet in einer höflichen und gelockerten Atmosphäre statt. Denn der Furcht gebietende Tod erteilt aus einem Buche, das er blättert, Auskunft, indem er völlig unprätentiös auf dem Erdboden sitzt. Die Kette seiner Würde trägt er schalkhaft auf dem Rücken. Die Fragenden gehen geschmeichelt auf die Ungezwungenheit ein. Nur der Hund darf als natürlich empfindendes Wesen seine animalische Angst zeigen. Die Menschen gehen auf höfliche Distanz – mehr nehmen sie sich nicht heraus: Der Weise und sein Schüler, die Matrone und der Maskierte sind dem Tode fragend zugewandt, der Soldat wendet sich ab. Statt seiner blickt das Haupt der Medusa bannend den Tod an.

2 B
Junger Soldat mit Priesterin und Wahrsager

Das arkadische Motiv des vorangegangenen Blattes wirkt nach. Das Todesmotiv tritt zurück. Die Frage des jungen Soldaten gilt dem Schicksal überhaupt, aber auf dem Altar, der ihm noch als Ablage für Helm und Schwert dient, brennt für ihn noch kein Opfer an die

X. 2 B

Mächte, die sein Schicksal bestimmen. Vor ihm sitzt eine Priesterin oder Seherin mit Krug und Stäben. Ein schlangenumwundener Stab im Vordergrund deutet ein magisches Vorhaben an (Ausst.-Kat. Tiepolo 1985, S. 121). Der Magier hinter dem Soldaten legt ein prophetisches oder sibyllinisches Buch aus. Genauer: Er ist im Begriffe, es zu tun. Denn alles ist noch in der Schwebe. Die sitzende Priesterin ist noch nicht am seherischen Brandopfer tätig, und der Ausdruck des Soldaten ist gegenüber dem Magier indifferent. Der Soldat steht wie ein Herkules am Scheidewege. Der Ausdruck der Medusa auf dem Schild wird hier zum Schlüssel. Ihre Augen drücken Willenskraft bis zum Zorne aus. Die Strahlen des Schildes umgeben sie wie eine Aura. Der Sinn ist wohl der, daß der junge Soldat als Genius und aufklärerisch profanisierter „Miles Christianus" vor der Wahl steht, dem freien „arbitrium" zu folgen oder der heidnischen Furcht vor dem Schicksal nachzugeben, indem er ein Orakel anruft.

Literatur: Nagler 1848, Nr. 13 – Molmenti 1896, S. 87 – De Vesme 1906, Nr. 10/11 – Sack 1910, Nr. 33/34 – Rizzi 1971, I, Nr. 36/37 – Frerichs 1971, S. 234ff – Knox 1972, S. 840 – Russell 1972, Nr. 8/9 – Hartmann 1973, S. 94–99 – Santifaller 1975, S. 331f – Ausst.-Kat. Tiepolo 1976, Nr. 34/35 (um 1743) – Ausst.-Kat. Tiepolo 1985, Nr. 48/49 und S. 19–28 (Datierung) GS

X. 3

GIOVANNI DOMENICO TIEPOLO
(1727–1804)

3
Sphinx mit Köpfen und Fischstilleben
um 1774

Radierung; 19,4 × 29,4 cm
Wien, Albertina
Inv. Nr. HB XXIX, 6, p. 63

Die Radierungen Piranesis trennen zeitlich wie stilistisch die Radierungen von Vater und Sohn Tiepolo – fast drei Jahrzehnte, von denen das letzte bereits im Zeichen des internationalen Klassizismus stand. Die stilistische Nähe zum Vater ist – wie die gleichzeitigen „Stürmer und Dränger" um Füssli in Rom – Absicht im Sinne einer Reaktion und in derselben Tendenz zu verstehen, mit der Giovanni Domenico die Radierungen Giovanni Battistas von 1770 an herausgab. Dennoch sind die drei Jahrzehnte fortschreitender Archäologie (Pompeji und Herkulaneum) und verfestigter Formauffassung nicht mehr wegzudenken: Sphinx und Köpfe haben gegenüber den lichthaltigen Motiven der Radierungen der „Capricci" und „Scherzi" eine neue Festigkeit: Selbst das Kuriose wird als Körper ernst genommen. Die Sphinx kommt daher in sechsfacher Wiederholung, aber auch in sechs verschiedenen Ansichten vor, als handle es sich um die Variation eines Themas wie in der „Flucht nach Ägypten" Giovanni Domenicos von 1753. Die barocke Form der „ars combinatoria" verbindet sich mit den archäologischen Kenntnissen des letzten Viertels des 18. Jahrhunderts. Doch diese Kombinatorik gerät zum Spiel zwischen Architektur, Plastik und bildlicher Vision, indem Gesetze der Statik, der körperhaften Verdrängung von Licht und Raum mit graphischer Fiktion wechseln; nicht einmal die Grenzen der Gattung werden eingehalten, beginnt doch der Bildraum mit einem Fischstilleben mit Pilzen und Wurzeln. Der Zeichner reflektiert in horizontaler wie vertikaler Folge Aspekte neuzeitlicher Bildgestaltung, lehrhaft wie die Zeichenvorlagen von Lairesse und anderen beliebten Handbüchern der Zeit. Es beginnt links oben mit dem Akanthus, der wie ein Schwanz die Sphinx ziert, und setzt sich in der Mitte in einer räumlichen Architekturstudie mit atmosphärischer Wirkung fort. Rechts schließt eine profilorientierte Architekturstudie das Ganze ab, die nach unten räumlich und plastisch (Maske mit Blütenhaar) abgesichert ist. Die fast frontale Sphinx in der Bildmitte scheidet die Hälften und vermittelt zwischen den Raumschichten des Ganzen. Gleichsam als Gegenfigur wendet sich die linke untere Sphinx von uns ab und ist offenbar in eine Konversation mit den nachdenklichen Faunsköpfen verwickelt: Hat sie – dem Mythos entsprechend – unlösbare Fragen gestellt? Der Bildraum erfährt an dieser Stelle eine rätselhafte Tiefe und fiktive Weite.

Literatur: Nagler 1848, Nr. 51 – De Vesme 1906, Nr. 109, 112, 113 – Sack 1910, Nr. 115, 112, 111 – Pignatti 1965, Nr. LXIV – Rizzi 1971, II, Nr. 150, 151, 152 GS

GIOVANNI DOMENICO TIEPOLO
(1727–1804)

4
Trophäen, römische Waffen und Feldzeichen um 1774

Radierung; 21,3 × 27,4 cm
Wien, Albertina
Inv. Nr. HB XXIX, 6, p. 65

Ein ganzer Katalog archäologischer Gelehrsamkeit wird vor uns ausgebreitet, oben in dichter Stauung, wie sie in pompejanischen Wandbildern vorkommt, unten in lockerer Räumlichkeit, wie man sie seit der Renaissance gewohnt ist, nur mit dem entscheidenden Unterschied: Eine wirkliche räumliche Orientierung ist nicht möglich, weil keiner der Fußpunkte angegeben ist – alle Stangen sind vom unteren Bildrand abgeschnitten.

Literatur: Nagler 1848, Nr. 51 – De Vesme 1906, Nr. 109, 112, 113 – Sack 1910, Nr. 115, 112, 111 – Pignatti 1965, Nr. LXIV – Ausst.-Kat. Tiepolo 1970, Nr. 150, 151, 152; 1971, Nr. 154–156 GS

GIOVANNI DOMENICO TIEPOLO
(1727–1804)

5
Satyrköpfe und groteske Köpfe um 1774

Radierung; 66 × 26,9 cm
Wien, Albertina
Inv. Nr. HB XXIX, 6, p. 63

Im Jahrhundert der Physiognomik Lavaters wirkt die antike Topik der Groteske in Italien fort. Fabelwesen und Löwenköpfe, Satyrn und Greise mit Fledermausohren, gehörnte Tartaren und greise Säuglinge (puer senex) hängen wie Maskenbälge an einer fiktiven Wand, die man sich zugleich als Bildraum von unendlicher Tiefe vorstellen kann. Das Wiedererkennen streitet mit einer neuen Seherfahrung, wie umgekehrt die Unsicherheit in den bildräumlichen Verhältnissen mit der scheinbaren Gewißheit über die Natur des schon nicht mehr menschlichen Ausdrucks ringt. Wie zum Hohn wird rechts am vorderen Bildrand durch den liegenden Köcher eine Orientierung angeboten, denn was bringt sie räumlich, wenn sie schon allein maßstäblich Verwirrung stiftet?

Literatur: Nagler 1848, Nr. 51 – De Vesme 1906, Nr. 109, 112, 113 – Sack 1910, Nr. 115, 112, 111 – Pignatti 1965, Nr. LXIV – Rizzi 1971, II, Nr. 154–156 GS

X. 4

X. 5

GIOVANNI BATTISTA PIRANESI
(1720–1778)

6
Grotteschi um 1745

Vier Radierungen;
je 39–39,5 × 54,5–55 cm
Hamburger Kunsthalle, Kupferstichkabinett
Inv. Nr. III. XVIII. Piranesi 1750 (1915/629)

Gleichzeitig mit den spontanen Erfindungen der „Kerker" – anders wird man kaum den berühmten Titel „Invenzioni capricciose di carceri" übersetzen dürfen – radiert Piranesi die sogenannten vier „Grotteschi", ein Titel, den er selbst nicht gab. Sein Titel ist nicht überliefert; Focillon spricht von „Caprices décoratifs". Vielleicht ist es kein Zufall, daß kein Deutungsangebot vorliegt, das sich auf den Urheber der vier Radierungen berufen dürfte.

Der Zusammenhang mit der Rocaille ist erkannt und sinnvoll gedeutet (Bauer 1962, S. 73, und Reudenbach 1979, S. 56); er erklärt auch den Titel „Grotteschi", der sich schon im 18. Jahrhundert eingebürgert haben mag (Fiorillo 1791), denn man unterschied noch nicht zwischen der Groteske des 16. Jahrhunderts und der Ornamentik des 18. Jahrhunderts. Die Frage nach dem Sinn dieser vier spontanen Erfindungen wird also andere als konventionelle Wege gehen müssen.

Norbert Miller (1979) macht mit dem Titel „Idyllen der Eitelkeit", unter dem er der Deutung dieser Blätter ein ganzes Kapitel widmet, den entscheidenden Ansatz: Er unterstellt einen „Concetto" und verweist zugleich auf eine poetische Gattung; er erinnert auch an die Herkunft der Verbindung beider im 17. Jahrhundert unter Vergils Einfluß: Et in Arcadia ego. Wir haben also bildliche Gleichnisse der Vergänglichkeit vor uns.

Das beginnt mit der bildräumlichen Desorientierung, die alle kompositorischen Möglichkeiten der Rocaille nutzt, ohne dem Betrachter die Möglichkeit eines Rückzuges zu geben, etwa in der Art: Dies ist nur ein Ornament. Wie in den „Carceri" wird – allen perspektivischen Freiheiten zum Trotz – die Fiktion einer einheitlichen Bildräumlichkeit, in die sich der Betrachter zu fügen habe, aufrecht erhalten.

Die Objekte lassen nur eine teilweise Identifizierung zu; keines ist in seiner Ganzheit abgebildet. Soweit sie aber identifizierbar sind, lassen sie sich als Herme, Säulentrommel, Vase, Sarkophag, Baum und Pflanze ansprechen, geben aber weder szenisch noch seriell einen erkennbaren Sinn. Immerhin verweisen die Stilleben von Skeletten, Schlangen, Geräten, darunter Pinsel und Palette auf Blatt 3 und Musikinstrumente auf Blatt 4 auf die Vergänglichkeits- und Eitelkeitstopik. Von dieser Topik aus gesehen verflüchtigt sich die Aussage aller Blätter ins fast allgemein Unverbindliche, denn vergänglich ist alles. Die Intensität, mit der die Arbeit des Entzifferns zu leisten ist, steht im peinigenden Gegensatz zum Ergebnis.

Dies scheint Piranesis Absicht zu sein. Denn trotz einheitlicher graphischer und motivischer Dichte wechselt er von Blatt zu Blatt die Szenerie: In Blatt 1 (6 A) scheinen wir vor einem steinigen Abhang zu stehen, in Blatt 2 (6 B) blicken wir aus einer Höhle auf eine entfernte Architektur, oder ist es der Rauch eines Feuers, der uns den Blick wie eine Höhlenöffnung einfaßt? Blatt 3 (6 C) versetzt uns auf einen antiken Friedhof und in Blatt 4 (6 D) läuft sich der Blick aus der Nahsicht buchstäblich an einer Steinfügung zu Tode. In jedem Falle führt die Beschäftigung der Sinne zu einem Nichts.

Die Sinne halten sich an den erkennbaren Gegenständen fest. Doch diese versagen den zu ihrer Befriedigung notwendigen Halt. Denn allein schon ihre dichte und gedrängte Anordnung schließt eine räumliche Orientierung von Objekt zu Objekt aus. Zwar tröstet man sich motivisch über diese Unzulänglichkeit hinweg, etwa in der Art: Eine Ruinenlandschaft macht mit ihrem Schutt solche Szenen möglich. Aber zumindest die stillebenhaften Motive vereiteln solche Versuche, der Poesie die Brücke zum Möglichen zu schlagen. Wie die landschaftlich-vedutenhaften Bildräume in der Vieldimensionalität einer Rocaille ineinander übergehen, so treten sich Innenbildraum eines Stillebens und Außenbildraum einer Vedute gegenüber.

Vor allem die Seherfahrungen werden auf eine harte Probe gestellt: Die enge Verschachtelung der Objekte läßt nicht nur keine räumliche Orientierung im Nahbereich zu, sondern auch nicht einmal eine sinnvolle Ergänzung des Objekts selbst. Die Kunst des Andeutens, seit Rubens souverän in dynamisch erzählten Szenerien geübt, wird subversiv zu einer Kunst des Hinterfragens, Verwirrens und Zerstörens von Sinn und Übereinkunft. Mit der zuweilen unnatürlichen Mehransichtigkeit eines Fragmentes kommt über die Unerkennbarkeit seines Schattens der Verdacht auf, da höre auch das wahrgenommene Objekt selbst auf.

X. 6 A

X. 6 B

X. 6 C

X. 6 D

Literatur: Focillon 1918, Nr. 20–23 – Miller 1978, S. 58–76 – Reudenbach 1979, S. 56 ff GS

GIOVANNI BATTISTA PIRANESI
(1720–1778)

7
Le antichità Romane 1756
Ideal-Ansicht der Via Appia
2. Titelblatt des 2. Bandes

Radierung; 39,5 × 64 cm
Hamburger Kunsthalle, Kupferstichkabinett
Inv. Nr. III. XVIII. Piranesi 1756 (Leihgabe Staatsbibliothek)

X. 7

Die Wahrnehmung des Betrachters wird überwältigt: Sein Blick fängt sich nicht nur an Grabmonumenten, Aschenkästen, Urnen, Büsten und Reliefs uneinheitlicher Maßstäblichkeit und so dichter Folge, daß es unmöglich ist, ihnen im Grundriß einen Platz zuzuweisen; sein Blick wird auch in zwei Richtungen gleichsam in die Irre geleitet – zwei zentrale Perspektiven tun sich auf, wo sich die antiken Straßen begegnen, die Via Appia links und die Via Ardeatina rechts. Beide Straßen sind als Gräberstraßen bekannt.

Der Effekt der überwältigenden Erhabenheit steht im Dienst des antiken Rom. Er wird begleitet von Motiven des Todes, die den zweiten Band der „Antichità Romane", den Band der Grabmonumente, beherrschen. Die Gräberromantik erhält durch Maßstab und Doppelperspektive einen fiebertraumartigen Zug.

Die Ideal-Ansicht ist nur bedingt eine kapriziöse Erfindung: Die Einzelheiten sind identifizierbar (Cressedi 1975, S. 308), das Rekonstruktionsangebot im Sinne der „neuen" Wissenschaft Vicos (1744) ernst gemeint (Murray 1971, S. 58): Die „Erhabenheit" einer historischen Vision war noch nicht ein Zeugnis gegen ihre Glaubwürdigkeit.

Von hier aus erklären sich die Beziehungen zum Manierismus:

Die Raumkonstruktion wiederholt das Schema unendlich vieler Landschaften des ausgehenden 16. Jahrhunderts; sie kommt nicht nur öfter in den Radierungen Piranesis vor, sondern erhält sich noch bis in die großräumliche Architekturdarstellung von Ledoux. Sie scheint die zeichnerische Metapher des 18. Jahrhunderts für Unendlichkeit zu sein.

Die archäologischen Rekonstruktionen sind nicht eigene Forschungsergebnisse oder solche, die im Sinne der Winckelmannschen Methode durch Diskussion mit Zeitgenössischem erarbeitet wurden. Winner weist 1967 Anleihen Piranesis von Onofrio Panvinio (1565) und Pirro Ligorio (1581) nach (Reudenbach 1979, S. 19f). Die Behauptung überlagert die philologische Sicherung. Die Schlagkraft wird dem Effekt anvertraut. Das hat Folgen für die rhetorische Form:

Der Stupor wird durch den Maßstab erzeugt. Die lebende Figur ist unverhältnismäßig klein; sie verliert sich geradezu auf dem Pflaster aus Zyklopen-Steinen. Die Urnen und Aschenkästen, Altäre und Weihreliefs überragen die Figuren bei weitem, so daß die knapp überlebensgroßen Sarkophage zu monumentalen Architekturen werden. Und da der Maßstab unter den Dingen bis hinauf zu den großen Monumentalbauten im Hintergrund im wesentlichen eingehalten wird, ist der Mensch unter ihnen verloren.

Literatur: Focillon 1918, Nr. 225 – Miller 1978, S. 152–170 GS

ITALIEN, 17. JAHRHUNDERT

8
Zwei Ruinenphantasien

Öl auf Leinwand;
117,5 × 87 und 116 × 86,5 cm
Nancy, Musée des Beaux-Arts
Inv. Nr. 522, 523

Die Zuschreibung an die italienische Schule stammt wohl noch aus der Zeit der Zuweisung dieser Bilder als „don de l'État" von 1872. In der Tat ist die Gattung schwer zu definieren und lokalisieren; in jedem Falle handelt es sich um eine dekorative Folge aus der Zeit zwischen 1680 und 1720, die an Theaterdekorationen anknüpft, wie auch die bunten Staffagefiguren zu erkennen geben. Die Architekturen sind „historisch" im Sinne Fischer von Erlachs und protoromantische Erfindungen zugleich. Denn wenn auch Arkaden, Pilaster und Gewölbe an kirchliche Architekturen des 16. und 17. Jahrhunderts anknüpfen und wohl auch Mittelalterliches anklingen lassen, sind es doch im wesentlichen Ruinencapricci unter Einbeziehung römisch-antiker Erfahrungen: Auf den Gewölbeansätzen breitet sich die Natur aus, kein Gebäudeteil paßt sinnvoll zu einem anderen. Die Rekonstruktion eines Grundrisses scheitert ebenso wie die eines einheitlichen Aufrisses. Dabei ist die – später im 18. Jahrhundert auftauchende – Kategorie des „Malerischen" noch wenig hilfreich. Figur und Skulptur verweisen noch zu streng auf ein räumliches Kontinuum in allen drei Dimensionen, nur ist dieses Kontinuum weder einheitlich noch tief. Seine Dimensionen sind eher metaphorisch: Die theatralisch-manieristische Konstruktion von jeweils zwei Raumfluchten „meint" nur Unendlichkeit, sie suggeriert sie nicht wirklich. Im Grunde bleibt alles in körperhafter Nähe, auch der Raum selbst. Und diese Körperhaftigkeit hat wenig mit dem „Malerischen" der zweiten Jahrhunderthälfte gemein. Die Capricci Piranesis stehen dazwischen, und die Architekturen François de Només wirken noch nach (Kat. IX. 3–6).

Literatur: Kat. Nancy 1897, Nr. 173–175 GS

X. 8

X. 9

NOEL HALLÉ (1711–1781)

9
Entwurfsblatt um 1757

Feder und Deckfarben, auf gelblich-hellbraunem Papier; 28,8 × 18,8 cm
Berlin, SMPK, Kunstbibliothek
Inv. Nr. Hdz. 3119

Der Entwurf gilt zwei hochrechteckigen Wandfeldern, die ornamental zu füllen sind. Die ikonographische Folge von Grotesken, wie sie das 17. Jahrhundert kannte, ist noch nicht aufgegeben. Die Zeichnung verflüchtigt sich und macht der Farbe Platz, die seit Watteau einem neuen Schlüssel folgt: Nicht mehr die Nachahmung der Natur wird angestrebt, sondern die künstliche Umsetzung.

Literatur: Berckenhagen 1970, S. 257 f GS

CLAUDE GILLOT (1673–1722)

10
Entwurfsblatt mit 18 Vignetten 1732

Rötel; 22,5 × 16,4 cm
Berlin, SMPK, Kunstbibliothek
Inv. Nr. Hdz. 2469, Bl. 74

Die Bewußtseinslage des 17. Jahrhunderts konnte, soweit sie in die bildenden Künste eingedrungen war, im 18. Jahrhundert nur noch als „malerisch" verstanden werden. Das betraf den Bildgegenstand selbst, der in der Generation der um 1670 Geborenen zu einer erneuten Karikatur führte, nicht selten in Anlehnung an Callot. Es betraf aber auch Bildraum, Lichtführung und Wirklichkeitsdeutung; im Prinzip wurde allem mißtraut, was als gegeben überliefert war. Die Gattung, die triumphal aus dieser Krise hervorgegangen war, das Ornament, ist als Rocaille zur stilistischen Leitform des 18. Jahrhunderts geworden, weil die Widersprüche hier auch formal ausgetragen werden konnten – im Falle Gillots sogar bis zur Abstraktion (vgl. Bauer 1962, S. 10). Das Blatt mit den Vignetten aus der mythologischen Sphäre Neptuns (Wasser) und Plutos (Feuer) ist demgegenüber noch voll von erkennbaren Naturbezügen; aber die jeweilige Kombination ist grotesk. Das kompositorische Grundprinzip einer Vignette, die Konzentration auf einen Punkt, hat hier – zumindest räumlich – zu seltsamen Verwachsungen geführt: Wasserflächen, schwebende Symmetrie-Achsen (Dreizack), Standflächen aus Rauch und trophäenartigen Arrangements dienen als Träger von heraldisch verkürzten Figuren, wie sie sonst nur als Helmzierden in Erscheinung treten. Gegenüber der Emblematik des 17. Jahrhunderts ist der spontane Blickfang entscheidend.

Literatur: Poley 1938, Nr. 265 – Berckenhagen 1970, S. 186 GS

X. 10

JACQUES DELAJOUE (1686–1761)

11
Alternativentwurf für eine Parktreppe um 1730

Feder über Graphik, grau getuscht; 23,2 × 28,2 cm
Berlin, SMPK, Kunstbibliothek
Inv. Nr. Hdz. 2473, Blatt 8

Es gehörte zu den Selbstverständlichkeiten eines Entwurfes für Fassaden, Portale, Fenster, Kanzeln und Tabernakel, daß Alternati-

X. 11

ven angeboten wurden, die lediglich durch eine Symmetrie-Achse getrennt waren. Ein Element der Beliebigkeit tritt hier zum Vorschein, daß dem allgemeinen Bewußtsein von Relativität entspricht (Jäger 1984); es setzte sich vor allem in französischen Architekturzeichnungen durch (Linfert 1931, S. 188ff), von denen diese ein herausragendes Beispiel ist, läßt sich doch nicht einmal klären, ob es sich um einen Bühnenentwurf handelt oder ein Projekt für eine wirkliche Gartengestaltung. Die Architektur wird zum Bilde, das sich der subjektiven Wahrnehmung darbietet (Linfert); die Kategorie des „Malerischen" bemächtigt sich nun auch der Architektur.

Literatur: Tintelnot 1939, S. 225 – Berckenhagen 1970, S. 211 f GS

JUSTE AURÈLE MEISSONIER (1693/95–1750)

12A
Livre de Chandeliers de Sculpture en Argent 1734

Radierung; 36,7 × 22,8 cm
Inv. Nr. K. I. 7730

12B
Titelkupfer und drei Folgeblätter aus der Serie der dekorativen Architekturen 1734

Radierungen; 11,6–14 × 19,2–22,8 cm
Inv. Nr. K. I. 7678 (I III/9)

12C
Sechs Taschenuhrenentwürfe 1734

Radierung; 21,5 × 17,8 cm
Inv. Nr. K. I. 7708 (I III/9)

Alle: Wien, Österreichisches Museum für Angewandte Kunst

Meissoniers Kerzenleuchter und andere „Gebrauchsgegenstände", deren Entwurf er in unseren Blättern vorführt, verblüffen durch ihre exzessive Bizarrerie, die den Rocaillestil an seine äußersten formalen Grenzen treibt. Tafelaufsätze erfahren eine biomorphe Verdrehung und schlangenhafte Verweichlichung. Besinnt man sich auf die kostbaren Tafelgeräte des 16. Jahrhunderts (Kat. I. 11, VIII. 56), die oft mythologische Programme aufweisen, so hat dieses Genre im Rokoko eine Umdeutung erfahren, die manieristische Prinzipien (Verzerrung, Verdrehung, Zerdehnung) noch konsequenter anwendet. Die innere Tektonik der Geräte wird dabei völlig aufgelöst. MB

X. 12A

X. 12B

X. 13

X. 14

JOHANN ESAIAS NILSON (1721–1788)

13
Neues Caffehaus um 1755

Radierung; 18,9 × 28,8 cm
Hamburg, Museum für Kunst und Gewerbe
Inv. Nr. O. 1913-132

In diesem Blatt kehrt sich eine Entwicklung um, die mit dem Fächer von Callot begann (Kat. V. 16). Was in der älteren Rocaille an den Rand trat, wird hier zum zentralen Motiv, hinter dem sich die eigentliche Bildwelt mit Haus und Garten oder Durchblick auf eine Ruinenvedute verbirgt und zugleich vorstellt. Bezeichnenderweise verbindet sich diese Konstruktion mit einer neuen Emblematik mit Titel und Devise mit moralischem Sinn. Bild und Rocaille stellen nur den optischen Denkraum dar, in dem sich das Nachsinnen vollzieht. Die Rocaille, ihrer Herkunft nach eine hybride Form der Palmette (Bauer 1962, S. 6), mit Sicherheit auch eine Spätform des Licht fangenden Tierbalges des 16. Jahrhunderts, insbesondere seiner Gestaltung im Ohrmuschelstil, hat über ihren Umweg in die Nähe der Muschelmotive (Barten 1985) hier zu ihrer abstraktesten Kartuschenform gefunden, offen und geschlossen zugleich.

Literatur: Jessen 1894, Nr. 112, XII – Jessen 1920, Nr. 198 – Kat. Berlin 1894, Nr. 165 – Bauer 1962, S. 61 f – Döry 1966 GS

HUBERT ROBERT (1733–1808)

14
Skizzenblatt mit den Aufnahmen verschiedener antiker Skulpturen
1760–65

Rötelzeichnung; 44,8 × 33,5 cm
Berlin, SMPK, Kunstbibliothek
Inv. Nr. Hdz. 3076

Kein anderes Ambiente war im 18. Jahrhundert für Veduten- und Ruinenmaler inspirierender als Rom. Dieser Beruf kann als eine spezifische Erfindung der Zeit bezeichnet werden, einer Zeit, in der die Académie de France in der Villa Medici Stipendiaten beherbergte, welche die internationale Kunst um 1800 prägten wie sonst niemand: Jacques-Louis David und J. A. D. Ingres sind nur die größten unter ihnen. Robert lernte während seines römischen Aufenthaltes auch Piranesi kennen, dem er wohl etwas von der auch in unserem Blatt vorliegenden, sich auftürmenden und suggestiven Kompositionsweise verdankt. Die Hypertrophie einer „Via Appia" (Kat. X. 7) bleibt jedoch aus, und Robert schildert die berühmten Antiken (Fragmente von der Kolossalstatue Konstantins; Lagernder Nil; Roma Armata und Sphinx) eher verhalten und nüchtern; wenige Jahrzehnte später jedoch sollte Füssli in seiner berühmten Zeichnung des gleichen Motivs über dem verzweifeln, was für Robert noch bloßes Faszinosum war.

Literatur: Berckenhagen 1970, S. 332 MB

X. 15

X. 16

HUBERT ROBERT (1733–1808)

15
Die große Galerie des Louvre als Ruine
um 1798/99

Öl auf Leinwand; 32,5 × 40 cm
Paris, Musée du Louvre
Inv. Nr. RF 1961-20

Der Umbau der großen Galerie des Louvre war noch nicht vollendet, als Robert bereits den ruinösen Zustand als eine ferne Möglichkeit malte; Phantasien dieser Art waren seit der Jahrhundertmitte üblich (Sahut 1979, S. 32), ihre Deutung vielfältig. Zunächst einmal ist es die poetische Ausschöpfung des Möglichen und Wahrscheinlichen, und mit Sicherheit ist es auch ein Blick in die Zukunft mit allen Sensationen, die sich für einen Zeitgenossen daraus ergeben. Darüber hinaus ist es eine der Antike entlehnte Würdeformel (Corboz 1978, S. 51), zugleich aber auch eine sachliche Reflexion, denn Robert entwarf als Architekt den Umbau selbst und malte dazu eine Situationsskizze (Sahut Nr. 84): Die Erosion der Gewölbezone mit den unterschiedlich eingebrochenen Gurtbögen ist statisch glaubwürdig und verrät Verständnis für die angewandten Baumaterialien. Die romantische Vision verbindet sich mit einem Positivismus und Realismus, der für das 19. Jahrhundert typisch werden sollte, sich aber schon in den 1790er Jahren herausgebildet hat. Das Malerische in der Architektur des 18. Jahrhunderts hat eine neue, konkrete und zugleich zeitlich dimensionierte Gestalt angenommen, die natürlich nicht frei zu denken ist von den jüngsten Ereignissen (1789/93), dem Untergang des „Alten" und der daraus resultierenden Schlußfolgerung, daß auch das „Neue" eines Tages einmal vergangen sein wird.

Literatur: Burda 1967, S. 89 f – Rosenberg/Reynaud/Compin 1974, Nr. 750 – Sahut 1979, S. 31 ff, Nr. 85
GS

NACH JOHANN AUGUST NAHL
(1710–1785)
Wahrscheinlich Manufaktur Niderviller
(Niederweiler) in Lothringen

16
Grabmal der Maria Magdalena Langhans
1751

Terracotta-Reduktion des Originals in der Kirche von Hindelbank (Bern), um 1780;
37,8 × 26,3 × 6 cm
Hamburg, Museum für Kunst und Gewerbe
Inv. Nr. 1877.979

Ein konventioneller Grabstein ist von unten her zerborsten, und aus dem Grabe dringen eine Mutter und ihr Kind an die Oberfläche. Unversehrte Jugendlichkeit, mütterliche und kindliche Grazie und eine klassizistische Verhaltenheit in der Naturdarstellung verhindern, daß makabre Empfindungen vorherrschen; ein Gefühl der Rührung setzt sich durch und hat – im Zeitalter der Empfindsamkeit – den Urheber dieser Erfindung zu einer europäischen Berühmtheit gemacht. Wieland hat dieses Grab besungen. Reduktionen aus „terre de Lorraine", Porzellan und Biskuit finden sich noch heute in Paris und den mitteleuropäischen Sammlungen, wie auch dieses Hamburger Stück, das sich hier seit Anfang des 19. Jahrhunderts nachweisen läßt (Museum Röding).

Nahl hielt sich 1750/51 im bernischen Hindelbank auf, um eine großes Grabmal für den Vater des regierenden Schultheißen von Bern zu meißeln. Er wohnte im Pfarrhaus und erlebte den Kindbett-Tod der Pfarrfrau zu Ostern 1751; auch das Kind starb. Persönliches Erleben und Empfindungen der Gleichheit vor dem landesherrlichen Auftraggeber haben Nahl zu dieser Gestaltung und Ausführung gebracht. Eine im 18. Jahrhundert häufig erlebte Tragödie hat damit einen denkmalhaften Ausdruck gefunden, wie er im Zeitalter der Empfindsamkeit nicht sinnvoller und natürlicher erdacht werden konnte. Die Harmonie bezieht die gültigen Lehren des Calvinismus ein, ohne die Gefühle anderer Konfessionen oder gar des Atheismus zu verletzen. Das gilt für die „Auferstehung des Fleisches" (Calvin, Institutiones III, 25, 3) wie für das apokalyptische Gedicht Hallers auf dem Grabstein, das nicht zuletzt auch Poesie der Empfindsamkeit ist.

Literatur: Bleibaum 1933, S. 114 ff – Theuerkauff/Möller 1977, Nr. 92
GS

X. 17

18. JAHRHUNDERT

17
Vanitas

Öl auf Kupfer; 21 × 17 cm
Privatsammlung Basel/Schweiz

Das Bruststück mit zeitgenössischer Drapierung hat alle Eigentümlichkeiten eines Porträts. Die Dreiviertelansicht nach links läßt sogar an ein Gegenstück denken, etwa in der Art eines Bildpaares von Ehe-Porträts. Die Topik des „Memento mori", in der sich das gesunde und blühende Fleisch des Lebens und das Gerippe des Todes begegnen, ist um 1700 bereits zu einer Formel geworden. Neu an dieser Formel ist, daß sie an ein und derselben Gestalt gewissermaßen umkippend in Erscheinung tritt. Dies hat es vorher in der Hochkunst nur in anatomischen Modellen gegeben, deren schaurige Wirkung in Bildern dieser Art genutzt wurde. Mit den Augen des Abbé Dubos gesehen, handelt es sich um einen Vorgang der Anzüglichkeit oder, wie man heute sagen würde: Es geht unter die Haut. Denn die Verbindung von konventionellem Porträt mit allen Paraphernalia des gut situierten „Standes" samt allen Obertönen der „Superbia" und „Luxuria" mit der drastischen Abwesenheit dieser Dinge – auch der Individualität – im Totenkopf läßt alles fragwürdig erscheinen: Leben wie Menschlichkeit.

GS

X. 18

ALESSANDRO MAGNASCO (1667–1749)

18
Don Quixote

Öl auf Leinwand; 74 × 60 cm
Detroit, Institute of Art
Inv. Nr. 36.14

Auf Schreyer geht die thematische Bestimmung zurück, obwohl er ausdrücklich anmerkt, daß Magnasco keine literarische Illustration beabsichtigt hat: Es ist eher das Milieu der ärmlichen Behausung von ehemals wohlhabendem Zuschnitt mit geflicktem Strohsack, ungekochtem Gemüse, zerbrochenem Krug und unbotmäßigem Personal, kurz, der melancholische Hidalgo vor seinem Aufbruch. Doch keine soziologische Schilderung wird gegeben, sondern eine Befindlichkeit des Bewußtseins, dessen „Verrücktheit" die apotropäische Gebärde der scheltenden Gestalt gilt. Die Rolle wird kaum, wie Schreyer meint, ein Roman sein; vielmehr handelt es sich wohl um ein gerolltes Dokument (Rota) zur Ahnenprobe oder zum Besitzstand, in jedem Falle ein Attribut des ritterlichen Standes, wie Schwert, Reiterstiefel, Wams und Golilla (Kragen), die eindeutig auf das zu Magnascos Zeiten bereits historisch gewordene Hofmilieu Madrids um 1620 verweisen. Das Interesse des 18. Jahrhunderts an dieser Romanfigur war das Problem des Wirklichkeitsverlustes (Dubos 1719, I, S.32) in Gestalt des Widerspruchs zwischen literarischer Fiktion und gegebener Wirklichkeit. Die manieristische Spannung zwischen der Kunst als reiner Kunstform und der durch sie dargestellten Wirklichkeit findet im Rokoko Watteaus den gleichen Ausdruck wie die brüchige Spätform des 17. Jahrhunderts in der Malerei Magnascos: Beide sind kunstvoll bis zur Künstlichkeit und wirklichkeitsnah zugleich.

Literatur: Delogu 1931, S. 116 – Schreyer 1936, S. 36 – Geiger 1949, S. 82

GS

X. 19

X. 20

WILLIAM HOGARTH (1697–1764)

19

Analysis of Beauty I

(Zergliederung der Schönheit) 1753
Statuenhof

Radierung; 37,2 × 49,7 cm
Hamburger Kunsthalle, Kupferstichkabinett
Inv. Nr. E 21174

Die Szenerie bezieht sich auf das von Xenophon überlieferte Gespräch zwischen Sokrates und dem Bildhauer Kleiton (Memorabilia III, 10), wo von der Schönheit der Läufer, Ringer, Faustkämpfer und deren „Anschein der Lebendigkeit" in der Skulptur die Rede ist. Das Schlüsselwort des Dialogs, wie ihn Hogarth verstand, ist die „Entsprechung", woraus sich zum einen die absolute Relativität der Schöheit ergibt – die Schönheit eines Ringers muß eine andere sein als die eines Läufers! –, zum anderen die Möglichkeit eines Ideals in der Abstraktion und nur ihn ihr. In den Randfeldern führt Hogarth dazu Beispiele von Schlangenlinien an (Kegellinie, Stuhlbeine und Korsetts), die diesem Ideale nahe kommen. Als Gegensätze führt er Geraden vor, die zur „Belastung" (ital. = caricatura) beitragen oder langweilig sind. Die Schlangenlinie verbindet Punkte, die sich voneinander unterscheiden, aber dennoch durch „Entsprechungen" miteinander zusammenhängen. Dies hat die kunsttheoretische Literatur von Hagedorn bis Lichtenberg verwirrt; erst Justi erkennt den Zusammenhang mit dem Manierismus des 16. Jahrhunderts, und Schlosser begründet ihn durch Einflüsse von Lomazzos Traktat. Hogarths „Analysis of Beauty" steht seit Burkes Hinweis auf die nichtplatonische Überlieferung des Sokrates durch Xenophon (1943) als völlig rationales, sachbezogenes und von allen moralischen Vorurteilen freies Dokument da. Hogarth tritt als konsequenter Kasuist, ja als früher Positivist (Masahiro 1981) in Erscheinung. Und dies erklärt in einem noch platonistisch gestimmten Milieu Hogarts Sarkasmus bis hin zu den „Miserable scratches with the pen, which sell at a considerable rate for only having in them a side face or two" (1753, S. 8, zu den Köpfen unten rechts). Hogarth ergänzt den Begriff der „Entsprechung" (analogy) mit dem der „Angemessenheit" (fitness). Das ist im Falle der Korsetts wörtlich zu nehmen. Sie beziehen sich auf das Xenophon-Zitat, wo Sokrates im Anschluß an sein Gespräch mit dem Bildhauer einem Panzerschmied das Eingeständnis entlockt, daß der Panzer am schönsten ist, der seinem Träger am bequemsten paßt.

Literatur: Hogarth 1753, passim – Lessing 1754, S. 101, 105 – Hagedorn 1762, S. 519ff, 797–859 – Goethe 1896, 4. Abteilung – Lichtenberg 1795, S. 55–87 – Justi 1872, S. 49–54 – Schlosser 1920, I, S. 76 – Burke 1943, S. 151ff – Burke 1955, passim – Paulson 1965, Nr. 195/196 – Paulson 1971, II, S. 153–187 – Larsson 1974, S. 31f – Dobai 1975, II, S. 639–655 – Kemp 1975, S. 120ff GS

WILLIAM HOGARTH (1697–1764)

20

Analysis of Beauty II

(Zergliederung der Schönheit) 1753
Ländlicher Tanz

Radierung; 37 × 49,9 cm
Hamburger Kunsthalle, Kupferstichkabinett
Inv. Nr. E 21175

Diese Radierung demonstriert Hogarths Theorie von der Bewegung und dem körperlichen Umriß, wie beides auf uns wirkt: Die antiken Modelle des „Skulpturenhofes" werden auf lebendige Figuren übertragen. Offenkundig ist die Ironie der Darstellungsform, die mit dem „Unangemessenen" des ländlichen Tanzes in einem aristokratischen Milieu spielt und diesen Mangel – mit Ausnahme des linken vordersten Paares – in Gestalten variiert, die von Alter und Körperbau her kaum zum Tanz geeignet sind. Im hieroglyphischen Schema links oben wird der Mangel an Schönheit in der Abweichung von der „Schlangenlinie" begründet; es liest sich wie ein Figurendiagramm. Die runden Bewegungen des Tanzes aber, wie sie in den choreographischen Zeichnungen darunter erscheinen, gleichen diesen Mangel wieder aus, wie es ja auch in Wirklichkeit geschieht. Die Bewegung im Bilde, ein choreographisches Problem seit Callot (vgl. Kat. IV. 54, 55), wird hier in ein statisches und ein dynamisches Element zerlegt: Die Bewegung erfaßt nicht mehr die Gestaltung der Figur – von nun an wird die Bewegung nur noch von den physikalischen Gegebenheiten her begründet, bis im Futurismus das Problem neu gesehen wird.

Literatur: Hogarth 1753, passim – Lessing 1754, S. 101–105 – Hagedorn 1762, S. 519ff, 548ff, 797–856 – Goethe 1896, 4. Abteilung – Lichtenberg 1795, S. 55–87 – Justi 1872, S. 49–54 – Schlosser 1920, S. 76 – Burke 1943, S. 151ff – Burke 1955, passim – Paulson 1965, Nr. 195/196 – Paulson 1971, II, S. 153–187 – Larsson 1974, S. 31f – Dobai 1975, II, S. 639–655 – Kempf 1975, S. 120ff GS

JOHANN DAVID STEINGRUBER (1702–1787)

21
„Architectonisches Alphabeth" 1773

Wien, Österreichische Nationalbibliothek
Inv. Nr. 166.108 D

Neben dem „Entwurf einer historischen Architektur" Fischer von Erlachs (Kat. IX. 9) und den Traktaten Laugiers und Chambers' in Frankreich und England ist Steingrubers „Architectonisches Alphabeth" eine der bedeutendsten architekturtheoretischen Schriften des 18. Jahrhunderts. Zeigte schon Fischer weitläufige Kenntnis sämtlicher Baukulturen der Welt und Lust an der vergleichenden, enzyklopädieartigen Schilderung ihrer jeweiligen Formensprachen, so führt Steingruber diesen Gedanken der Variation und möglichen Vielgestalt alles Gebauten noch entscheidend weiter. In seinen Entwürfen spiegelt sich eine Verfügbarkeit des Grundrisses, die auf jene der Fassade folgt, wie dies Fischer exemplarisch vorführte. Der Gedanke des Architekten, sein Alleskönnertum über den Grundrissen des Alphabets virtuos zu demonstrieren, erobert den von Flötner (Kat. VII. 6) aufgebrachten Vorstellungen die dritte Dimension. Trotz ihrer scheinbaren Vielgestalt bleiben die Formerfindungen des Experimentators jedoch in den feststehenden Konturen der Buchstaben gefangen – Variation und Norm bilden so ein unentwirrbares Zwitterwesen.

Literatur: Wolpe 1972 MB

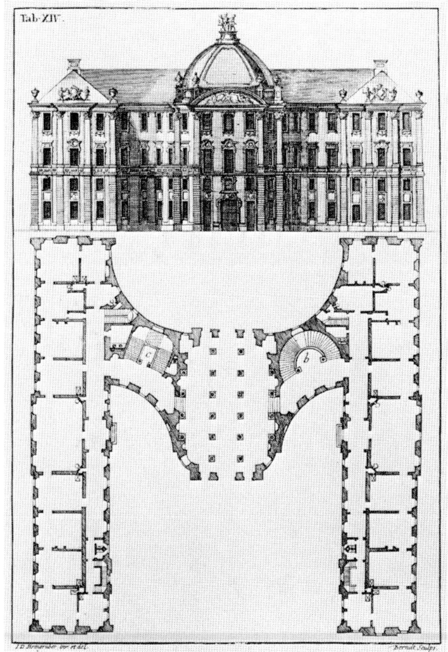

X. 21

X. 22

ÉTIENNE-LOUIS BOULLÉE (1728–1799)

22
Konisches Kenotaph um 1785

Feder, laviert; 40,0 × 63,9 cm
Paris, Bibliothèque Nationale, Cabinet des Estampes
Inv. Nr. Ha 57, Nr. 20

Steinmassen, Maßstab und hermetisch abweisende Geometrie überwältigen simultan wie im meilenweiten Umschreiten die menschliche Wahrnehmung. Ein Objekt, das diese Eigenschaften auf sich vereint, lähmt die Denkfähigkeit des Betrachtenden, ganz gleich, ob es ein Gebirge, ein See oder Meer, eine Ruine oder Pyramide ist. Das 18. Jahrhundert nannte diese Zusammenhänge das „Erhabene". Ihr Einsatz in der Architektur ist neu, um nicht zu sagen revolutionär. Denn hier wird die Architektur als Gleichnis der Natur gebaut (vgl. Fliedl 1978). Ältere Beispiele (Pyramiden, Thermen, Festungen [Bastille]) zielten auf Einschüchterungen anderer Art ab, in der Regel eher metaphysisch als physisch, eher im Sinne eines Glaubens und Gehorsams als im Sinne von physikalischen Axiomen, als deren Summe nun im Zeitalter der Aufklärung die Natur schlechthin gilt. Der Konus – innen nur mit einem leeren, stellvertretenden Grabmal ausgestattet – weist sich mit seiner Lichtführung als ein Körper kosmischen Ausmaßes (Mond) aus. Umringt von Zypressenalleen vermittelt er menschliche Maßstäbe und schafft zugleich Distanz. Umgeben von kleineren Kenotaphen, die ihn wie Stationen einer Arena-Tribüne umstehen, bietet er sich allen Blicken ins Zentrum dar. Er ist Ort patriotischer Heldenverehrung, wenn die Gebeine nicht mehr vorhanden sind.

Das Kenotaph sollte wohl einem der Mitbegründer von Frankreichs Macht unter Ludwig XIV., Marschall Turenne, gelten (vgl. Querschnitt, Bibl. Nat., Est., Ha 57, Nr. 14), der 1675 im badischen Salzbach gefallen ist.

Literatur: Kaufmann 1955, S. 161 – Ausst.-Kat. Revolutionsarchitektur 1970, S. 28 – Pérouse de Montclos 1969, S. 191 ff – Rosenau 1976, S. 106/116 – Etlin 1984, S. 114–120 GS

JEAN-JACQUES LEQUEU (1757–1825)

23
Souterrain des gotischen Hauses
um 1780

Zeichnung, Aquarell; 30,5 × 44,5 cm
Paris, Bibliothèque Nationale, Cabinet des Estampes
Inv. Nr. Ha 80, S. 61

Zu sehen ist das unterirdische Innenleben eines Gebäudes, das sich dem Passanten als neugotisches Haus darbietet. Der freimaurerische Synkretismus des 18. Jahrhunderts tritt hier in seiner Zeit und Raum überschreitenden Fülle entgegen, denn neben den mittelalterlichen Stilmerkmalen – von einem Modus kann nun keine Rede mehr sein! – machen sich solche Ägyptens, Indiens und Griechenlands geltend. Sie vereinigen sich zu einem Programm, das – ganz analog zu Schikaneders Libretto zu Mozarts „Zauberflöte" – dem Roman „Séthos" von Jean Terrasson (1670–1750) folgt: „Wer diesen Weg allein und ohne sich umzusehen zurücklegt, wird durch Feuer, Wasser und Luft geläutert; und wenn er seine Todesfurcht besiegen kann, kehrt er aus dem Schoß der Erde zu-

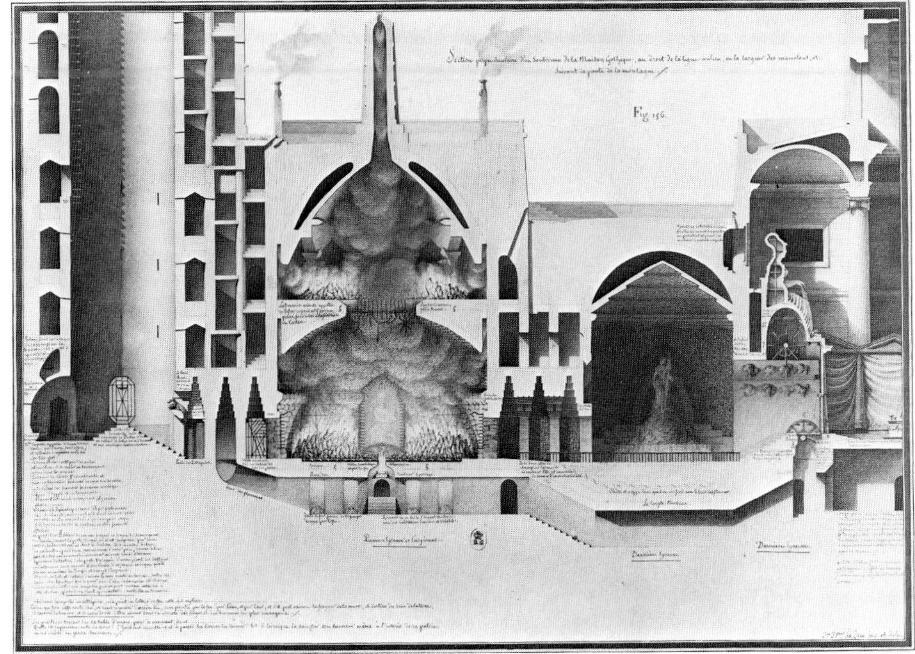

X. 23

rück, sieht das Licht wieder und darf beanspruchen, in die Gesellschaft der weisen und kühnsten Männer aufgenommen zu werden" –, so der Begleittext von Lequeu. Am auffälligsten ist das zweistufige Höhlensystem des Feuers, dessen Personifikation als Statue im Zentrum sitzt, umgeben von Chören mit Folterinstrumenten und Flammen. Der Weg der manieristischen Theaterdekoration über Callots infernalische Seelenlandschaften (Kat. VI. 15) führt zurück in einen architektonischen Apparat. Mittlerweile überholte Vorstellungen vom Isis-Kult werden in indische Höhlenheiligtümer projiziert (vgl. Mitter 1977, S. 106ff, 120ff), deren exotische Erhabenheit Lequeu nutzt. Hat der Proband den feurigen „Tartaros" durchschritten, gelangt er zum Gewölbe des personifizierten Wassers. Nach dieser Prüfung betritt er einen Räderweg, mit dessen Hilfe sich das Heiligtum der Weisheit öffnen läßt; die sitzende Personifikation der Weisheit trägt den Helm der Athene.

Literatur: Ausst.-Kat. Revolutionsarchitektur 1970, S. 204f
GS

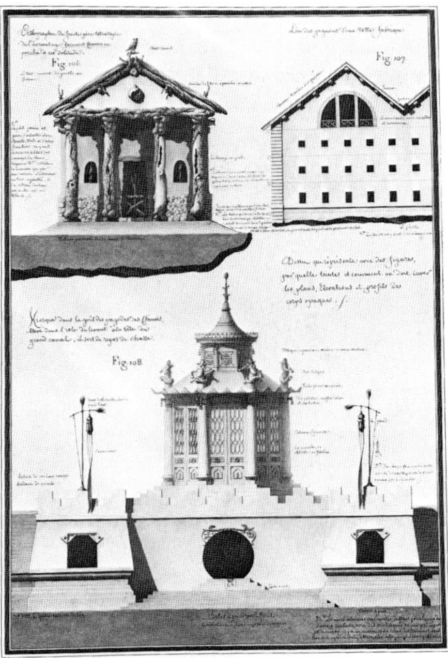

X. 24

JEAN-JACQUES LEQUEU (1757–1825)

24
Eremitage, Fabrik und chinesischer Kiosk

Zeichnung, Aquarell; 44,5 × 31,0 cm
Paris, Bibliothèque Nationale, Cabinet des Estampes
Inv. Nr. Ha 80, S. 36

Drei zu Ende des 18. Jahrhunderts charakteristische Gebäudetypen teilen sich als Entwurfsaufrisse ein Blatt: Zwei Lustbauten und ein Nutzbau. Die „Eremitage" aus natürlich gewachsenen Stämmen bildet die Natur des griechischen Tempels nach, der ja ursprünglich aus einer Holzkonstruktion bestand; sie erfüllt zugleich alle Erfordernisse des Malerischen, wo auch immer sie in einem Park errichtet ist. Darüber hinaus schreckt sie vor keiner Absonderlichkeit in Wuchs und Krankheitsbefall eines Stammes zurück, als sei die Natur selbst in der Karikatur zu ertragen. Der „Chinesische Kiosk" ist ein Nachfahr der Entwürfe Fischer von Erlachs und Chambers' (Kat. IX. 9). Gegenüber den malerischen Ansprüchen der philosophisch-beschaulichen Tempelarchitekturen der ersten Jahrhunderthälfte und den chinoisen Entwicklungen der zweiten Jahrhunderthälfte sind hier Fundament und Zugang auf Distanz bedacht. Das Ruhe-Haus für eine Jagdgesellschaft – so die Intention Lequeus – hebt sich wie eine Bastion mit Zinnen und Fahnenmasten aus dem Grund des von jedermann zu betretenden Geländes. Distanzierende Treppen und Rustika-Fundamente scheinen sich nicht nur in den zivilen Architekturen Lequeus gegen 1789 zu häufen, als wisse man schon um den Preis, mit dem dieser Grad von Privatheit aufrechtzuerhalten ist. Der Aufriß der „Fabrik" ist nur im Fragment zu sehen: Der Giebel von 120° übergreift ein Joch mit Thermalfenstern und winzigen Lichtöffnungen, das sich beliebig vervielfältigen läßt.

Literatur: Ausst.-Kat. Revolutionsarchitektur 1970, S. 178f
GS

FRANZ ANTON DANREITER (gest. 1760)

25
„Die Garten Prospect von Hellbrun"
(. . .) um 1735

Zwei Kupferstiche
Bezeichnet: deß. par F.A.Danreiter – C.Rembshard sculps.
Salzburg, Museum Carolino Augusteum

25A
„Die Neptuns-Grotte in dem Garten zu Hellbrun nächst Saltzburg"

25B
„Das so genante steinerne Theatrum hinter dem Garten zu Hellbrun unweit Saltzburg"

Die Gartenanlage von Schloß Hellbrunn bei Salzburg gehört zu den bedeutendsten Schöpfungen des späten Manierismus in Österreich, sie ist das früheste erhaltene Beispiel einer „villa suburbana" nördlich der Alpen. Der ursprünglich nicht nur auf Schloß und Lustgarten beschränkte, sehr umfangreiche Komplex wurde zwischen 1613 und 1619 für Erzbischof Markus Sittikus errichtet; er umfaßte im Südwesten einen kontemplativreligiösen Bereich mit Einsiedeleien, Kapellen und Kreuzwegstationen, einen mittleren Bereich mit dem „Monatsschlößchen", dem

X. 25A

X. 25B

„Steinernen Theater" und dem exotischen Wildgarten, und schließlich die „Region der Vergnüglichkeit" mit Schloß, Brunnen und Grotten. Wenn auch hier schon gewisse Ansätze einer barocken Denkweise belegbar sind (wie etwa die Zufahrtsachse im geregelten Teil der Anlage), gehört das ganze Konzept sicherlich noch in die Abschlußphase des Manierismus. Das Motto „Numen vel dissita jungit" (Das Geschick vereint auch das Entfernte) in der Supraporte der Festsaaltür im Schloß drückt treffend die Einstellung des Erzbischofs zum gesamten Gartenbereich dieser Villa suburbana aus. Das annähernd gleichzeitige Aussondern und Umfassen von Raumkompartimenten, die nicht ganz regelmäßige Verteilung der Gartenteile, die nicht folgerichtig durchgeführte Symmetrie und die Randstellung des Schloßkomplexes entsprechen noch einer manieristischen Gedankenwelt, deren Wurzeln im Italien des späten 16. Jahrhunderts zu finden sind.

Der hier abgebildete Neptunbrunnen gehört zu einer Enfilade von Wasserspielen, zu einer Grottenstraße, die vom Sternweiher und dem Brunnen Altembs ausgeht und das Schloß mit dem Hauptweiher verbindet. Die Verehrung des Wassers findet auch hier einen ironisch-allegorischen Niederschlag, die herrscherliche Dimension der Wassergottheit ist mit der grotesken Grimasse der wasserspeienden Maske kontrapostiert (Nefzger). Faunisch-närrischer Affekt mischt sich im Neptunbrunnen mit einer gewissen höfischen Eleganz, er ist im wahrsten Sinne des Wortes ein Capriccio.

Das Steinerne Theater im mittleren Bereich des Hellbrunner Landschaftskomplexes gehörte zu den wichtigsten Leistungen der Gesamtanlage. Es ist in zweifacher Hinsicht bedeutend: In ihm hatten die theoretischen Auseinandersetzungen über Kunst und Natur einen anschaulichen Niederschlag gefunden, und auch für die Geschichte des Theaters stellt es ein Dokument ersten Ranges dar.

Ovids Bemerkungen über die Geschicklichkeit der Natur „Kunst zu imitieren" (Metamorphosen, 3.157–62) müssen dem Humanisten gut bekannt gewesen sein, und auch in den vitruvianischen „Szenen" spielen künstlich aussehende Naturformationen eine wichtige Rolle. Die aus einem Steinbruch entstandene Felsengrotte in Hellbrunn war ein idealer Platz für die manieristische Naturbewunderung, die in Italien entstanden ist. Dichter, Reisende und Wissenschaftler haben schon im 16. Jahrhundert die stimulierende Begegnung von Natur und Kunst betont, wie auch Gualterotti über den Garten von Pratolino: „Qui l'Arte, e la Natura insieme a gara ogni sua gratia porge." Im Gegensatz zur „Region der Vergnüglichkeit" wurde im mittleren Bereich der Hellbrunner Anlage der Triumph der Natur über die Kunst gefeiert. Das Steinerne Theater blieb bis zum 18. Jahrhundert ein wichtiger Topos der künstlerischen Auseinandersetzung mit der Natur. Johann Bernhard Fischer von Erlach hatte ihm in seiner Historischen Architektur eine Abbildung gewidmet.

Das Steinerne Theater ist nicht nur ein Zeugnis des ausgehenden Manierismus, sondern auch der Beginn des barocken Spektakels, in dem der Zuschauer durch wunderartige Wirkungen immer wieder überrascht werden sollte. In dieser Welt von Shakespeare, Racine und Corneille, zur Zeit der Opernwerke von Peri, Monteverdi und Cavalli spielte der Felsenbogen in den verschiedenen Bühnenentwürfen eine wichtige Rolle. So ist für den 31. August 1617 eine Opernveranstaltung vor hohen Gästen belegt.

Die Salzburger Naturgrotte, die erste Anlage dieser Art nördlich der Alpen, ist also nicht nur eine außerordentlich bedeutende Leistung der Garten-, sondern auch der Theatergeschichte.

Literatur: Tietze/Martin 1914, S. 159–211 – Donin 1948, S. 151–171 – Nefzger 1980, S. 117–124 – Fagiolo o. J., S. 42–54 – Miller 1982, S. 35–76 – Grewenig 1984, S. 403–466 – Wallentin 1985, S. 127–165 GHa

X. 26

JOHANN FERDINAND HETZENDORF VON HOHENBERG (1732–1816)

26
Ruinenphantasie nach 1772

Radierung; 35,9 × 27,5 cm
Wien, Albertina
Inv. Nr. HB ÖK (Carl Schütz), p. 19, Nr. 33

JOHANN ZIEGLER (1749–1812)
Nach Laurens Janscha (1749–1812)

27
Die Ruine in dem Garten des K. K. Lustschlosses von Schönbrunn um 1792

Radierung; 38,3 × 51,7 cm
Wien, Christian M. Nebehay

Die Römische Ruine im Schloßpark von Schönbrunn gehört zu den interessantesten Bauwerken im Konnex der großen Schloßanlage. Der Akademieprofessor und Hofarchitekt Johann Ferdinand Hetzendorf von Hohenberg war bereits in den sechziger Jahren des 18. Jahrhunderts mit Arbeiten in Schönbrunn betraut worden: Er führte den Umbau des Schloßtheaters durch. 1772 lieferte er einen großen Entwurf für die Gestaltung des Schönbrunner Berges. Dies geschah wohl auf Veranlassung der Kaiserin; jedenfalls aber trug ihm der Plan die Ernennung zum Mitglied der Académie de France in Rom ein, was als besonders hohe Ehre zu werten ist. Der erste Entwurf (heute in der Albertina in Wien) zeigt gegenüber der ausgeführten Form noch wesentliche Unterschiede. Vor allem sollte anstelle der luftigen Bogenstellungen der späteren Gloriette auf dem Hügel ein ziemlich kompaktes Triumphal stehen; die römische Ruine ist als solche noch nirgends erkennbar. Die Planänderungen dürften mit Voraussetzungen in Zusammenhang stehen, die außerhalb Schönbrunns zu suchen sind. Schon früh war bei der Gloriette vermutet worden, daß zu ihrem Bau abgebrochene Teile des Neugebäudes verwendet wurden, nämlich die nordseitigen Galerien der Wandelgänge im Hauptgeschoß (siehe Kat. IV. 60, 61). Anläßlich der Bombenschäden des letzten Krieges wurde deutlich, daß hier Spolien eingebaut waren. Letzte Gewißheit brachten die später im Kriegsarchiv entdeckten Archivalien. Dort heißt es in einem Brief der Kaiserin Maria Theresia vom 29. April 1775 an den Hofkriegsratspräsidenten Feldmarschall Hadik: „Es befindet sich zu Neugebau eine alte Gallerie von steinernen säullen und gesimbsen, welche Nichts Nuzet, sondern villmehr zu beförchten ist, das solche zusam fahlet und unglick verursachen könte. Ich habe entschlossen, solche von dort abbrechen und nacher Schönbrunn bringen zulassen, und die Besorgung dem accademie Professor Hohenberg aufzutragen . . . das die abbrechung nicht gehindert sondern was brauchbar befunden wird, ausgefolget werde . . .“ Ob sich diese Anweisung, wie bisher vermutet, auf die Gloriette bezogen hat, ist fraglich, da diese gemäß ihrer Aufschrift bereits 1775 vollendet war. Das Schreiben könnte aber auch mit der 1778 fertiggestellten Römischen Ruine in Zusammenhang stehen, denn – wie die Untersuchungen am Neugebäude im Sommer 1986 erbrachten – auch dieser Bau ist fast ausschließlich aus Architekturgliedern des Neugebäudes zusammengesetzt. Sensationell ist an dieser Entdeckung vor allem der Umstand, daß die Bauteile vom abgebrochenen Mittelrisalit der Südfront des Simmeringer Lustschlosses stammen (G. Seebach). Von der Existenz dieses mächtigen Vorbaus war bis zum Zeitpunkt der Grabungen nichts bekannt gewesen, weil auch die bildlichen Wiedergaben des Neugebäudes immer nur die nördliche Schauseite zum Gegenstand hatten (vgl. Kat. IV. 61). Die Römische Ruine ist also nicht nur romantische Antikenvision, sondern materialiter eine der interessantesten Renaissancearchitekturen im Donauraum. Dabei dürfte der hier angewendete Typus der klassischen Säulenordnung bereits einen Reflex auf die 1570 erschienenen „Quattro libri dell'Architettura“ des Andrea Palladio darstellen (Kat. IX. 10); die rätselhaften figürlichen Friese der mächtigen Gesimse sind wahrscheinlich als Kryptogramme, also verschlüsselte Inschriften zu deuten. All diese Fragen bedürfen noch einer eingehenden Klärung. Und auch der ideelle Hintergrund der klassizistischen Gestaltung der Schönbrunner Parkanlage wird neu zu überdenken sein. Die Baulichkeiten sind weit entfernt von jenem romantisch-anekdotischen Charakter, den der unbefangene Betrachter in ihnen sehen mag. Vielmehr wurde hier offensichtlich bewußt in der Verwendung real historischer Architekturglieder an die überlieferte Tradition der Vorväter angeknüpft, indem der eigentliche Vorgängerbau Schönbrunns als kaiserlich-habsburgischer Sommersitz, das Neugebäude, nach seiner Preisgabe in den ästhetisch wesentlichen Teilen in Schönbrunn wiederaufgebaut wurde. Daneben mögen hier auch Überlegungen der Sparsamkeit, wie sie bei Maria Theresia nicht selten vorkamen, eine gewisse Rolle gespielt haben. Bei der Römischen Ruine kam eine weitere ideologische Überhöhung hinzu in der Anspielung auf die Antike selbst, die weit über das reale Alter der Steinteile hinausgeht. Ob man hier so weit gehen darf, Zusammenhänge mit der Tradition der Habsburger als Römische Kaiser zu sehen, kann im derzeitigen Stadium der Untersuchungen nicht beurteilt werden.

X. 27

Eine andere Entdeckung an der Römischen Ruine scheint so gar nicht zu der sonst üblichen klassizistischen Antikenauffassung zu passen: Als Bauwerk Hohenbergs war sie zumindest partiell auch farbig gefaßt. Die großen Kapitelle, die Konsolen der oberen Bereiche des Gesimses und das wie Überwucherungen von Hohenberg hinzugefügte Blattwerk waren dunkelgrün, also naturalistisch gestrichen, die Säulenschäfte beigeocker. Diese am Original erstellten Befunde werden durch den aquarellierten Stich Johann Zieglers vage bestätigt. Deutlich erkennbar sind sie jedoch auf der Aquarellvorlage des Stiches von Laurens Janscha in der Wiener Albertina.

Literatur: Hainisch 1949, S. 19ff — EMH

JOHANN FERDINAND HETZENDORF VON HOHENBERG (1732–1816)

28
Haus der Laune 1799

Modell aus Holz, Sägespänen, Sand, Geweben, Papier, Glas, Zinn und Draht; angefertigt vom Tischler Ignatz Witzmann und vom Maler Johann Zugner; vollendet am 15. Oktober 1799. Auf fünf in Vierpaßform ineinander verzapfte Tische gestellt, 123 cm hoch, im Maßstab von 1 : 12 ausgeführt. Mit Öl- und Wasserfarben außen und innen bemalt, z. T. mit Kupferstichen ausgestattet. Vollkommen zerlegbar. Repariert 1849, restauriert 1876, restauriert und vollkommen wiederhergestellt 1966; 200 × 220 × 267 cm
Wien, Historisches Museum der Stadt Wien
Inv. Nr. 163.802

Dieses kuriose und viel umrätselte Bauwerk wurde ursprünglich für den kaiserlichen Lustgarten Laxenburg nach den Entwürfen des Architekten Johann Ferdinand Hetzendorf von Hohenberg errichtet; seine Entstehungszeit ist im Gegensatz zum Modell nicht eindeutig geklärt. Das originale Janscha-Aquarell, nach dem der bekannte Janscha-Ziegler-Stich gemacht wurde (Hist. Mus. d. Stadt Wien, Inv. Nr. K 110 – 21.260), ist derzeit nicht auffindbar. Auch die handschriftliche Datierung „1792“ auf einem dieser Stiche, die Gasselseder 1938 noch gesehen haben will, ist heute schon verschwunden. So muß es offen bleiben, ob das Modell eine nachträgliche Abbildung oder eine vorausgehende Vorstellung des originalen Bauwerks darstellte. Dieses bestand nur sehr kurz; 1809 von den französischen Soldaten verwüstet, wurde das Laxenburger Haus der Laune 1812 von Architekt Ludwig Pichl in ein biederes

„Lusthaus im Eichenhain" umgewandelt, dessen Ruinen heute noch sichtbar sind.

Das Modellbauwerk – das nach den Zeugenaussagen der zeitgenössischen Beschreibungen ziemlich genau der Originalarchitektur entspricht – besteht aus einem zweigeschossigen überhöhten Oktogon mit flachem Zeltdach und eingeschossigen kubischen Anbauten an den vier Schrägseiten. Auf diesen Anbauten befinden sich vier selbständige Gebäude: der Pavillon „Ochsenmühle", die Felsengrotte, die sog. Volière und der Festungsturm mit den Palmenbäumen. Auf der Rückseite des Oktogons ist über einer Apsis ein Türmchen angebracht. Als Bekrönung des Daches, das mit Honigfladen und Wachs, Zuckerhüten und Pinienzapfen geschmückt ist, dient ein Maibaum, ursprünglich mit Luftballons versehen. Die gemalte Außendekoration ist sehr merkwürdig: Am Erdgeschoß sind neben den Felsen ruinenhafte Baudekorationselemente in „gotischer" und „ägyptischer" Art angebracht. Hier herrscht noch eine verspielte Festigkeit, die im Obergeschoß durch unarchitektonische Erntesymbole abgelöst wird. Aufgehäufte Getreidegarben bilden eine Rustika, Faßböden einen Fries und Hunde sowie Katzen eine umlaufende Scheinbalustrade. Auffallend ist, daß diese stoffliche Gestaltung strenger wirkt als die aus herkömmlichen Baumaterialien geformte Unterzone; damit wird die Labilität des Erscheinungsbildes gesteigert. Maßwerk, Mascarons, Schädel, Tiere und Pflanzen bereichern die überaus groteske Dekoration.

Auch das Innere des Modells enthält eine Reihe von Überraschungen. Sämtliche Zimmer sind sorgfältigst ausgestattet und zeigen eine funktionale Vielfalt, die auf den ersten Blick schwer auf einen gemeinsamen Nenner gebracht werden kann. Neben dem Großen Spielsalon und dem Treppenhaus im Turm gibt es ein Landschaftszimmer mit Waldansichten, ein mit Noten austapeziertes Musikzimmer, eine Bibliothek, ein Bad, ein Blaues Zimmer, eine Teufelsküche, ein Strohzimmer, ein Kupferstichzimmer mit zahlreichen kleinen aufgeklebten Veduten und schließlich den als Keller ausgestalteten Dachboden. Die Wände sind überall mit Wasserfarben zart bemalt, die Parkettböden sind sogar Einlegearbeiten.

Das Haus der Laune hat kurz nach seiner Entstehung großes Aufsehen erregt: Gaheis hat es schon 1801 ausführlich gewürdigt und in ihm das Bild des Ehrgeizes, „ein Meisterstück von komisch-allegorischer Dichtung" gesehen. Auch den aus Hellebarden gestalteten Gartenzaun deutete er: „Wer kann sich einen Launichten nähern, ohne verwundet zu werden?" Trotz alledem konnte aber keine einheitliche Erklärung für das ganze Bauwerk gefunden werden: „. . . jemand aus der Gesellschaft wollte das Gebäude als eine sinnliche Darstellung des österreichischen Characters ansehen, ein anderer für das Bild des Hoflebens, noch ein anderer für eine Satyre auf das menschliche Leben überhaupt; und jeder hatte gute Gründe dazu . . ." C. J. Weber besuchte das Haus der Laune 1805 und hielt es für einen „architektonischen Tristram Shandy, Hudibras und Don Quixotte" bzw. für den „Repräsentanten des Wiener Geschmacks am Burlesken". Er und Gaheis konnten noch die zahlreichen lebensgroßen Figuren beschreiben, die das Innere des Gebäudes bevölkert haben (ein zeitungslesender Abbé, eine badende Frau, ein Pudel, verschiedene Affen und Teufel etc.). Die Baronin Du Montet führte alle diese Extravaganzen auf die junge Kaiserin, Maria Theresia von Bourbon, geborene Prinzessin von Neapel zurück. Sie war „launenhaft, ihre Beschäftigungen waren seicht und ihre Unterhaltungen oft gewöhnlicher Natur". . . . „Sie hatte in Laxenburg . . . ein Lusthaus erbauen lassen, dessen ganze Einrichtung die Vernunft auf den Kopf stellen sollte."

X. 28

Wenn man die einzelnen Elemente des Hauses der Laune auseinanderlegt, so hat man die ganze ikonologische Palette des englischen Staffagegartens im späten 18. Jahrhundert vor sich, die um diese Zeit schon heftig kritisiert und oft verspottet wurde. Auch launische „verrückte" Häuser kamen in einzelnen österreichischen Gärten vor, wie etwa das Haus „Zum Muthwill" im Garten der Gräfin Paar in Hütteldorf um 1790

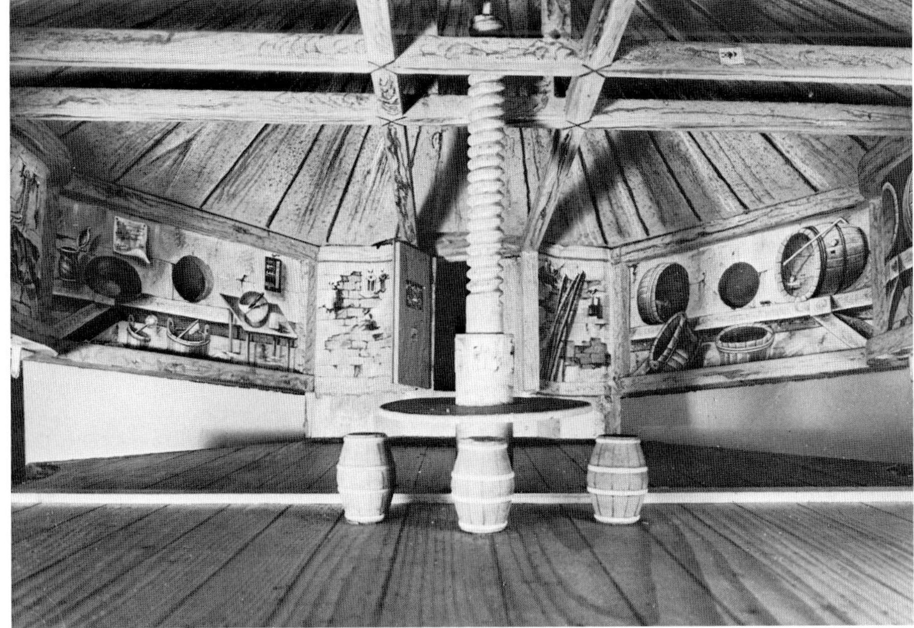

X. 28

X. 28

X. 28

oder das Holländische Haus mit Apostelkeller im Garten des Freiherrn Mack in Kalksburg. Die Tradition reicht auch hier bis zum Manierismus zurück, man denke nur an das „Schiefe Haus" in Bomarzo.

Im letzten Jahrzehnt des 18. Jahrhunderts erreichte Österreich eine noch nie gesehene typologische Vielfalt von Gartenfabriques. Lusthäuser, ländliche Hütten, Gartenmöblierung für Spiele, romantisch-gotisierende Anlagen, Baumarchitekturen, Einsiedeleien, Grotten und Meiereien brachten eine Vermehrung der Funktionen des Gartens im Vergleich zum Barock oder Rokoko zum Ausdruck. Mit Felsen verbundene gotisierende oder ägyptisierende Ruinen und Grotten sollten die Vergänglichkeit thematisieren, die Genese der Architektur aus der Natur veranschaulichen; Meiereien (holländische oder Schweizerhäuschen) weisen auf die Diskussion über das Verhältnis von Schönheit und Nützlichkeit hin (so erhielten landwirtschaftliche Bauten manchmal besonders repräsentative, fast sakrale Umrahmungen, wie dies in den Plänen von Lequeu oder Grohmann belegbar ist); sakrale Architekturen wurden oft profaniert bzw. durch den Einfluß der Freimaurerei uminterpretiert (Kapellen, Einsiedeleien oder Grotten wurden Stätte einer neuen Naturreligion). Allein die äußere Gestaltung des Hauses der Laune umfaßt schon eine Reihe von diesen Ideen: Ruinenarchitektur als Hinweis auf die Vergänglichkeit, gelöschte Fackel und die Mumien bei der Apsis des Turmes als Hinweis auf den damals sehr verbreiteten freimaurerischen Okkultismus, die Erntesymbole als Hinweis auf die Meiereien, die eine frühromantische Verehrung der Landwirtschaft belegen. Auch das Innere des Hohenbergschen Bauwerkes enthält eine fast lexikalische Aufzählung der damaligen Gartenlustbarkeiten: Neben Spiel (Billard) und Musik erscheinen Keller, Bad und Küche mit derben Späßen, sowie Räume der Landschaftsentzückung (Wald- oder Baumzimmer, Kupferstichkabinett), Bibliothek (als Verspottung der Wissenschaft) und schließlich Strohzimmer (wahrscheinlich als Abbild von primitiven Hütten). Der Architekt hatte also fast alle diese damals üblichen Gartenstaffagen in ironischer Form zusammengeschmolzen und kritisiert. Das Ergebnis war eine groteske Synthese. Einige Jahre später besuchte Graf Pückler-Muskau den Garten von Schönau bei Baden und machte sich lustig über die Lächerlichkeit der Gartenfabriques, die etwas vortäuschen, was sie eigentlich nicht sind.

Die Idee von verrückten Architekturen war auch im ganzen 18. Jahrhundert nicht neu; gerade ab 1770 fand eine intellektuelle Auseinandersetzung über das Haus des Prinzen Palagonia in Sizilien statt, die der Kaiserin Maria Theresia, die ja aus Neapel stammte, auch bekannt gewesen sein muß. Diese Villa der „verkehrten Welt" aus der Zeit um 1740 wurde von vielen aufgeklärten Reisenden (wie auch von Goethe) heftig diskutiert. Der bizarre Geschmack des sizilianischen Prinzen, die absurde Gartendekoration aus unzähligen Mischwesen auf den Mauern, die derben Späße in der Ausstattung der Innenräume waren also wohl ein Gesprächsthema auch am Hof von Neapel, der damals mit Sizilien unmittelbar verbunden war.

C. F. Flögel, der 1788 eine „Geschichte des Groteskkomischen" verfaßte, kennt u. a. ein russisches Beispiel aus dem Jahr 1725, wo bei der Wahl des Papstes „Strohnost" ein Haus als komisches „Conclave" eingerichtet wurde. Das burleske Theater und dessen Inszenierungen mögen außerdem bei der Entstehung des Hauses der Laune Pate gestanden haben. Man könnte es gewissermaßen als „Extemporieren" in der Architektur auffassen. Die Wiener Burleske hatte im 18. Jahrhundert eine letzte große Phase gehabt, die rationalen Aufklärer haben sie wegen ihrer Unregelmäßigkeit bekämpft (1769 wurde in Wien auf Intervention von Sonnenfels als Theaterzensor das Extemporieren in allen kaiserlichen Theatern verboten), in der Romantik wurde sie jedoch wieder aufgegriffen und fand schon im späten 18. Jahrhundert leidenschaftliche Verteidiger. Wenn man bedenkt, daß die französischen Unterschriften der beiden Janscha-Ziegler-Stiche für das Haus der Laune einmal als „maison burlesque" und einmal als „maison de caprice" übersetzt wurden, sind die Verbindungen zum Theater noch wahrscheinlicher.

Die Bedeutung des Hauses der Laune in Laxenburg – dessen Modell glücklicherweise noch erhalten ist – liegt in kulturgeschichtlicher Hinsicht darin, daß hier erstmals in Österreich eine intellektuelle Architektur-Karikatur geschaffen wurde, die im Freiraum „Natur" das Weiterleben des im 18. Jahrhundert stark in Frage gestellten Hofnarrentums sicherte. Die verkehrte Welt abseits des zeremoniellen „ennui" sollte den Wunsch nicht nach rationaler, sondern nach irrationaler Freiheit zum Ausdruck bringen, der letztendlich im neuen kritischen Vermögen der Aufklärung wurzelte.

Literatur: Flögel 1788, S. 111–158 – Gaheis 1801, S. 165–194 – Klarwill o. J., S. 20 – Weber 1834, Bd. II, S. 348f – Gasselseder 1938, S. 23–31 – Lohmeyer 1942 – Hainisch 1949, S. 20f – Promies 1961, S. 83–90 – Pötschner 1969, Nr. 106, S. 2–14 – Zykan 1969, S. 50–52 – Lepenies 1969, S. 79–117 – Hartmann 1981, S. 219f GHa

JOSEF DANHAUSER (1805–1845)

29
Hirschgeweihmöbel

Vier Bleistiftzeichnungen; 17,5 × 21,9 cm
Wien, Österreichisches Museum für Angewandte Kunst
Inv. Nr. 8971–XVIII/Z/326–329

Danhauser, Sohn eines Möbelfabrikanten, fühlte sich einer höheren Berufung als jener des Vaters verpflichtet. Nachdem er jedoch durch dessen plötzlichen Tod dazu gezwungen war, das Geschäft zu übernehmen, modifizierte sich der pathetische Frühstil des Malers zu einer häuslich-satirischen Ausdrucksweise. Aus Hirschgeweihen und ähnlichen „Trophäen" Möbel zu entwerfen, entspricht einem unterschwelligen Geschmack des Vormärz an weidmännischen Symbolen, deren Verfremdung als Architekturdekor und Wohnungsausstattung wohl noch einen tieferen Sinn als bloße Ironie haben dürfte. In jedem Fall aber zeigen die Entwürfe eine starke Anlehnung an die Konstruktion von Objekten aus Mirabilia im 16. Jahrhundert, wie das etwa der aus den Knochen eines Dickhäuters gebaute berühmte „Elefantenstuhl" aus Kremsmünster belegt. MB

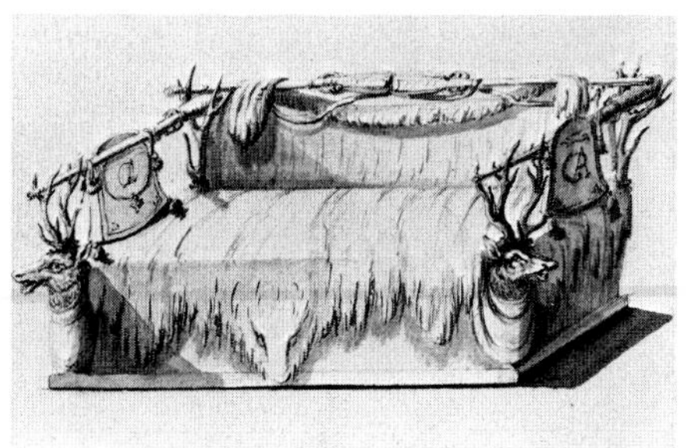

X. 29

X. 30

CARL PETER JOSEPH NORMAND (1765–1840)
Nach Antoine-Laurent-Thomas Vaudoyer (1756–1846)

30
Haus für einen Kosmopoliten 1785

Kupferstich; 37,1 × 48,5 cm
Berlin, SMPK, Kunstbibliothek
Inv. Nr. 1982, 30 AOZ

Im Haus des Kosmopoliten verbinden sich die Weltsphären in Gestalt eines privaten Wohnhauses, das jedoch eher wie ein Tempel anmutet: Die auf ein ehrfurchtgebietendes Treppenpodest gestellte dorische Säulenordnung trägt eine Weltallkugel, das Gesimse mit Tierkreiszeichen umfängt den Ball wie ein Äquator. Daß dieser aus der reinen Form gewonnene Entwurf – er lehnt sich an Kugelhäusererfindungen Boullées und Ledoux' an – kein Tempel, sondern ein Privathaus ist, zeigt der Schnitt durch das Gebäude: Salons, Schlafzimmer und Nebenräume sind in ausgeklügelter Austeilung in die Kugelform eingepaßt. Auch die Verquickung der sakralen Form mit profanen Zwecken bzw. das Auftreten des Profanen im Gewand des Weihevoll-Kultischen sind im Grunde manieristische Denkformen, die aus der Hingabe an den Concetto, an die reine Idee, resultieren. Vaudoyer entwarf sein Kugelhaus auf Säulen für den in Rom lebenden Sammler Debracq, der den Titel dieses Capriccio für seiner Lebensweise angemessen hielt.

Literatur: Ausst.-Kat. Revolutionsarchitektur 1970, Nr. 141 MB

JOHANN FERDINAND HETZENDORF VON HOHENBERG (1732–1816)

31
Grotte artificielle au jardin du Baron de Fries a Voeslau
(Künstliche Grotte im Garten des Barons Fries in Vöslau) 1777

Kupferstich; 44 × 65 cm
Bezeichnet: dess. et gr. par Ch. Schütz – 1777
Wien, Akademie der bildenden Künste, Kupferstichkabinett
Inv. Nr. 23143

Die historischen Pläne aus dem frühen 19. Jahrhundert zeigen uns, daß die Gartenanlage nach französischem Barocksystem errichtet wurde, trotzdem hoben die Zeitgenossen ihre Naturverbundenheit hervor. Sie bezogen sich anscheinend auf zwei zunächst isolierte Bereiche, nämlich auf die künstliche Grotte und auf den Gartenraum des Mausoleums. Erst im zweiten Jahrzehnt des 19. Jahrhunderts wurde der Garten fast vollständig zu einem englischen Park umgestaltet. Der Vöslauer Felsenberg wurde jedoch sofort nach seiner Entstehung als eine moderne Schöpfung – nach Henry Homes' Grundsätzen – gepriesen. Gaheis, der diese Anlage als Eremitage bezeichnete, bemerkte 1800 dazu folgendes: „Es ist schwer, diese Anlage durch Worte nur einiger Maßen zum Anschaun zu bringen, weil man nicht weiß, was man der Kunst oder der Natur zuzuschreiben hat." Schultes schrieb sogar (Ausflüge nach dem Schneeberg in Unterösterreich, 1807), daß dieser Park „das Bild der Gottheit im Tempel der Natur" darstellt. Auf unserem Stich sieht man den künstlichen Felsenberg im Gartenparterre inmitten eines großen Rondeaus stehen, er wurde aus mehreren pittoresk geformten Felsenformationen errichtet, Grottentore, Steintreppen, Brücken, Wasserfälle und Brunnenanlagen beleben sein Äußeres, und auf der Höhe erscheint eine ruinöse Architektur, bestehend aus einem zweigeschossigen schlichten Haus mit Anbau und Turm. Links davon sieht man kleinere Torbauten, durch die der Felsenweg weiterzuführen scheint. Der 1777 entstandene Stich und die späteren Beschreibungen lassen sich nur schwer in Einklang bringen; Gaheis spricht schon um 1800 von der Verwilderung des Felsenberges.

Künstliche Felsengärten und Grotten- bzw. Ruinenlandschaften waren häufig ein integrierender Bestandteil der englischen Staffagegärten, die am Kontinent im letzten Drittel des 18. Jahrhunderts eine Blütezeit erlebten. Hohenberg griff hier einerseits auf die Tradition der Felsenlandschaften des Manierismus zurück, in denen der Triumph der Natur über die Kunst gefeiert wurde (man denke hier an das Steinerne Theater des Gartens Hellbrunn bei Salzburg, das noch Fischer von Erlach zu

X. 31

den Fragen „was Kunst und was Natur" veranlaßte, die um 1800 wieder gestellt wurden), andererseits aber auch auf die chinesischen Felsengärten, die um 1770/1780 durch englische und französische Publikationen als Idealbild im Sinne der Überraschung, des Kontrasts und des neuen Szenenbegriffs verbreitet wurden. Die Vöslauer „künstliche Grotte" wird man vielleicht am besten mit den Bayreuther Felsenwerken (Garten Sanspareil) vergleichen können, die, etwa dreißig Jahre früher entstanden, das herkömmliche Barockkonzept der Gärten durch solche landschaftliche Überraschungseffekte zu durchbrechen versuchten.

Hohenbergs Verdienst liegt vor allem darin, daß er die Diskussion bezüglich Natur und Kunst – die in Österreich seit dem 17. Jahrhundert bruchstückhaft geführt wurde – mit einem sehr anschaulichen frühromantischen Beispiel wieder belebte.

Literatur: Gaheis 1801, S. 101–112 – Hainisch 1949, S. 40ff – Hartmann 1981, S. 84ff – Ausst.-Kat. Architekten auf dem Lande 1986 GHa

ANTONIUS DE PIAN (1784–1851)

32
Architektonisches Alphabet Buchstabe E

Bleistift, Feder, laviert, Höhungen;
36,6 × 31,5 cm
Wien, Akademie der bildenden Künste, Kupferstichkabinett
Inv. Nr. 16.582

Nach Steingrubers Architekturalphabet (Kat. X. 21) wird der Gedanke der normierten Variation auf Grundlage der lateinischen Buchstaben nun in ein anheimelnderes Ambiente versetzt. Die Gestalt des Letters bildet nicht mehr den Plan des Gebäudes, sondern seine vertikale Stütze. Er wird nur mehr als scherzhaftes Zitat in eine Umgebung biedermeierlich-älplerischen Charakters versetzt. Darin drückt sich zwar die Erinnerung an die trotz aller Vielgestalt bestehende Beherrschung des künstlerischen Denkens durch sterile Formkorsette aus, eine Erinnerung, die jedoch der aufklärerischen Strenge eines Boulée (Kat. X. 22) entbehrt und in nestroyhafter Inszenierung die Norm durch den Sieg des Menschlichen sprengt. MB

X. 32

DEUTSCH, 1. HÄLFTE 19. JAHRHUNDERT

33
Zwei deutsche Stockgeigen

90 × 16,5 cm, 85,6 × 16,3 cm
Wien, Gesellschaft der Musikfreunde
Berlin, Musikinstrumentenmuseum
Inv. Nr. 4031

Im Wiener Stück ist eine Violine in einen Spazierstock aus Mahagoni eingebaut: flach gewölbte Resonanzdecke ohne Hohlkehlen, vier Stimmnägel, die mit einem Vierkant-Stimmschlüssel gedreht werden können; Streichbogen mit Schraubfrosch ohne Schub und Bahn. Im Berliner Exemplar birgt der Hohlraum im Stockinnern den Bogen und den Stimmschlüssel. Der Griff dient beim Spiel als Kinnhalter.

Literatur: Otto 1975, S. 78 GSt

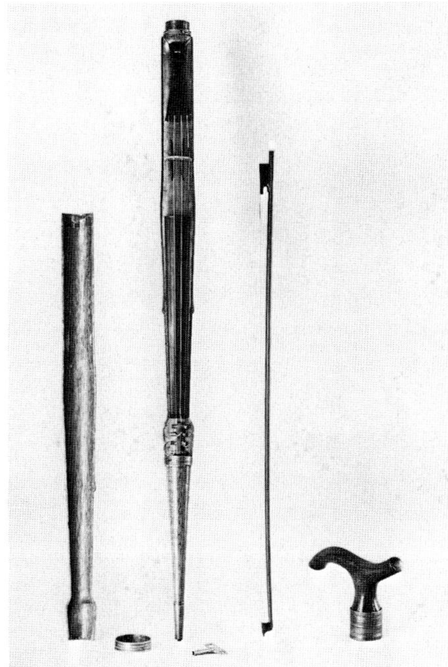

X. 33

ELIAS BAECK (1679–1747)

34
Zwei Anamorphosen: Asia und Europa
1740

Aquarelle auf Karton; je 29,5 × 35 cm
Paris, Musée des Arts Decoratifs
Inv. Nr. CD 2699

Hundert Jahre nach Matthias Stom (Kat. VIII. 7), der einen heiligen Hieronymus verzerrte, bedient sich Baeck in seinen Anamorphosen der vier Erdteile. Der Neuigkeitswert und die inhaltliche Signifikanz für ein experimentierendes Zeitalter sind verloren gegangen, der Triumph der Naturwissenschaft über das alte Tafelbild vergessen. Nun findet die Dehnungstechnik Eingang in spielzeughafte Bereiche, wo sie der visuellen Unterhaltung dienstbar gemacht wird. Auch der emblematische Charakter der Kontinente-Allegorien ist auf die Erlebnisabfolge von Sehen-Erkennen-Erheiterung berechnet, eine Erheiterung, die von ebenso unkomplizierter Technik wie Motivik erzeugt wird. MB

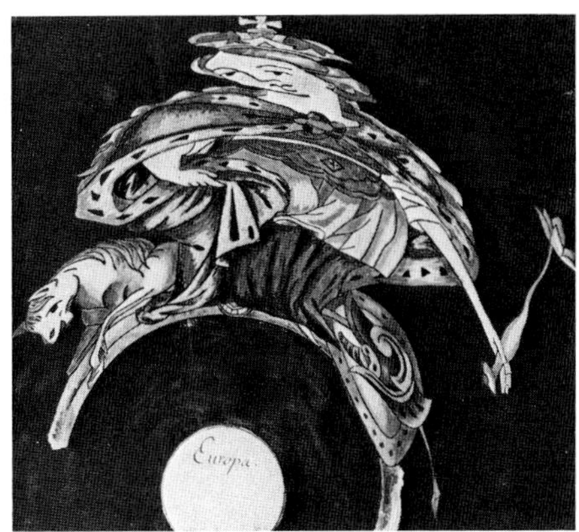

X. 34

Zu X. 34 (America)

XI Nachtgedanken

„Der Subjektivismus fordert die Akademie, so paradox es klingt", bemerkte Riegl 1901 in seinen Vorlesungen über die Entstehung der Barockkunst. Weniger paradox mutet die Umkehrung dieses Satzes an: Die Akademie fordert den Subjektivismus. Den Spannungen, die diesen gegenseitigen Herausforderungen entspringen, verdankt die europäische Kunst seit dem 16. Jahrhundert den programmatischen Dialog von Regel und Regelverstoß.

Im 18. Jahrhundert verschärft sich dieser Gegensatz überall dort zum Konflikt, wo die barocken Übereinkünfte aufgekündigt werden. Der deutsche Sturm und Drang rebelliert gegen das von Winckelmann ausgerufene Ideal der edlen Einfalt und stillen Größe, hinter dem ein geglättetes Bild des Altertums steht. In Spanien, wo Mengs diese Geschmacksregeln einführte, steht Goya gegen die platte Vernünftigkeit des akademischen Kanons auf. In Frankreich fällt die Protestrolle den „Revolutionsarchitekten" zu (Kat. X. 22–24). Sie setzen die Formelemente der klassischen Architektur in Superlative um, in denen das Übermaß über das Maßhalten triumphiert. In England attestiert Sir Joshua Reynolds in seinen Akademiereden (1769–1790) dem „großen Stil" noch einmal seine vorbildliche Würde, wofür ihn bald darauf William Blake (Kat. XI. 17, 18) als Heuchler und Unterdrücker der Künste beschimpft. Beide berufen sich auf Michelangelo als den Vater der modernen Kunst, doch gehen sie dabei von gegensätzlichen Positionen aus. Reynolds empfiehlt Michelangelos Formenrepertoire der einübenden Nachahmung, er setzt auf Lehre und Fleiß. Blake hingegen sieht in Michelangelo die höchste Verkörperung des Genies, ein inkommensurables Ereignis, das sich der kunsthistorischen Ausmünzung entzieht („Genius dies with its Possessor and comes not again till Another is Born with It."[1]).

Füssli, der zum Engländer gewordene Schweizer, verkörpert beide Seiten dieser Michelangelo-Verehrung (Kat. XI. 3–13). Für ihn ist der Maler der Sixtinischen Decke sowohl der Schöpfer einer neuen Formensprache, die nachzuahmen er nicht müde wird und deren Vorbild er als Lehrer an der Royal Academy preist, als auch ein Titan, der ganz und gar seinem Eigensinn gehorcht. Goethe, der mit dem um acht Jahre älteren Freund das Sturm- und Drang-Erlebnis teilte, charakterisierte ihn 1797 so: „Naturell. Frühere Bildung. Italienische Einwirkung. Studien, welchen Weg er genommen. Manier in allem, besonders der Anatomie, dadurch auch der Stellungen. Malerisch, poetisches Genie. Charakteristisches. Gewisse Idiosynkrasien des Gefallens, der Liebhaberei. Mädchen in gewissen Formen. Lage. Wollüstige Hingelehntheit. Wirkung Shakespeares, des Jahrhunderts, England. Miltonische Galerie." Auf seiner 2. Schweizer Reise (1779–1780) hatte Goethe in Zürich Werke von Füssli gesehen, die ihn stark berührten. Er äußerte sich wiederholt darüber in Briefen an Lavater. Für ein Denkmal, das diese Reise festhalten sollte, wünschte er sich einen Entwurf Füsslis: „Vielleicht sind ihm, der alles mit Feuer und Geist durcheinanderarbeitet, die einzelstehenden Figuren widrig, er bringe sie zusammen auf eins, wenn er will, allenfalls nehme er statt des Vierecks eine runde Form . . ." Goethe gestattet Wahlfreiheit.

Mit dieser Empfehlung zeigt Goethe, daß er das formschöpferische

1 William Blake, Poetry and Prose, Hrsg. Geoffrey Keynes, London 1956, S. 801 (Anmerkungen zu Reynolds' Discourses)

Temperament seines Freundes erkannt hat. Dieser ist ein Meister des „Durcheinanderarbeitens'', wobei er sich mit Vorliebe kurvilinearer Rhythmen bedient, die auf die linea serpentinata der Manieristen zurückgehen. An Füsslis Linienführung fällt auf, daß sie zur abstrakten Formel neigt, d. h. nicht bloß ihre Gegenstände vereinfacht, sondern sich unterwirft. Das ist der Unterschied zu dem Umgang mit der „Schönheitslinie'', den Hogarth in seiner „Analysis of Beauty'' (Kat. X. 19, 20) empfiehlt: Sie soll nicht als einziges Formenprinzip, sondern in Verbindung mit anderen verwendet werden. Füssli widerspricht dieser im Grunde klassischen Regel, die nichts anderes als den Grundsatz der „Einheit in der Mannigfaltigkeit'' verkündet. Sein Widerspruch entspringt der manieristischen Obsession, alles auf einen Formnenner zu bringen. Dieses Zusammenschmelzen „auf eins'' hat schon Goethe gesehen, ebenso den Primat des Zeichens gegenüber dem Bezeichneten, wenn er es Füssli freistellt, als Grundfigur ein Viereck oder eine runde Form zu wählen. Mit dieser Wahl ist die Entscheidung über den Gesamtduktus der Komposition gefallen.

Daraus folgt, daß eine bestimmte Grundfigur auf verschiedene Inhalte projiziert werden kann. Diese Einsicht formulierte schon Reynolds als Rat an die Studenten der Royal Academy: Sie sollten sich, von Tintorettos und Michelangelos Beispiel geführt, darin üben, den Zweck (purpose) einer Gestalt zu ändern, ohne deren Haltung zu ändern. Füssli weiß dieses Verfahren virtuos zu handhaben: Er verfügt über ein Repertoire linearer Grundmuster bzw. Formeln, denen er die verschiedensten Inhalte unterwirft bzw. unterschiebt. Wie er dabei die Anweisung von Reynolds im Sinne seiner manieristischen Grundhaltung zuspitzt und zum Vorwand artistischer Schaustellung macht, zeigt ein Wettstreit, den er mit dem Bildhauer Banks 1770 in Rom austrug: „Sie entwickelten gemeinsam eine Künstlerische Übung, die darin bestand, daß man über fünf willkürlich gesetzten Punkten, welche die Positionen von Kopf, Händen und Füßen angaben, Figuren zeichnete, die dann naturgemäß ungewöhnliche Haltungen erhielten, welche schwierige anatomische und Verkürzungsprobleme mit sich brachten.''[2] Kannten die beiden die ineinander verschränkten Akrobaten des Juste de Juste? (Kat. VII. 4, 5). Die Spielregel, der sich Füssli und Banks unterwarfen, bedeutet Beschränkung. Innerhalb dieser Beschränkung aber soll sich beliebiges Kombinieren entfalten. Die anatomische Erfindung wird dadurch *befreit,* daß sie sich einer Regel *unterwirft,* die willkürlich gesetzt wird. Solcherart lernt das Formwissen in Prozessen denken. Das Thema „Mensch'' verwandelt sich in eine Kette von Variationen, deren jede bloß *eine mögliche* Lösung präsentiert. Nichts anderes tat Max Bill, als er 1938 „fünfzehn variationen über ein thema'' erfand (Kat. XVIII. 1).

Merkwürdig: Füssli lehnte die ihm doch „wahlverwandten Manieristen'' (Schiff) ab, immer wieder pries er den „wahren Komponisten'' und stellte ihn dem „bloßen Zusammensetzer von Figuren''[3] entgegen. Sein eigenes künstlerisches Handeln blieb jedoch nur zu oft vom ostentativen Zitieren und „Stückeln'' geprägt. Wir sehen einen Künstler am Werk, dessen destillierende und amalgamierende Kraft über die gesamte Bandbreite klassischer und antiklassischer Formprägungen gebietet, dem es aber häufig daran gebricht, die Elemente verschiedenster Her-

2 Schiff 1973, S. 80

3 Heinrich Füssli, Briefe, Basel 1942, S. 80

kunft zur homogenen Gestalt zu vereinigen. Er führt Zitatcollagen vor, die sich unschwer in ihre Bestandteile auseinandernehmen und neu kombinieren lassen. Ging es ihm dabei um „witzige Vermischungen" (Novalis)? Wohl kaum. An seinen eigenen Absichten gemessen, markiert Füssli einen Endpunkt: Ein letztes Mal wird das gesamte formale Bildungsgut der mediterranen Tradition aufgeboten – mit dem Ergebnis, daß die enzyklopädische Fülle sich als total verfügbar erweist. Darin steckt die Verführung zum „frisson nouveau", das nach immer neuen Zusammenhängen verlangt. Wo alles mit allem verknüpft werden kann, gibt es keine erfüllte Bindung, keinen Ruhepunkt. Das ist der circulus vitiosus, der Füssli zum Gefangenen seiner Möglichkeiten macht.

Diesem rastlosen Suchen und Erproben entspricht im theologischen Wertgefüge das Aufbegehren Satans, der die göttliche Ordnung umstößt und sich dabei der vielfältigsten Verführungskünste bedient. Wie dem Künstler, der auf seine Wahlfreiheit pocht, ist ihm alles verfügbar, hat er Macht über „alle Reiche der Welt und ihre Herrlichkeit" (Matthäus IV, 8). Und wie der Variationskünstler, ist er fortwährend auf der Suche nach dem Neuen, Noch-nie-Dagewesenen. Beide haben sich selbst zur Unerlöstheit verurteilt. Beide sind Gefangene der Verzweiflung, die Kierkegaard als Merkmal der „ästhetischen Lebensanschauung" erkannte: „Du schwebst beständig über dir selbst, aber der höhere Äther, das feinere Sublimat, worin du dich verflüchtigst, das ist das Nichts der Verzweiflung. Unter dir siehst du eine Mannigfaltigkeit von Kenntnissen, Einsichten, Studien, Bemerkungen, die nur leider keine Realität für dich haben. So benützest du sie, kombinierst du sie nach freier Laune, um das Lusthaus des Geistes, worin du dich gelegentlich aufhältst, so geschmackvoll wie möglich herauszuputzen."[4]

Ein Künstler, der vieles weiß und alles wissen will, muß in Satan einen Verbündeten sehen. Doch nicht dies allein prädestinierte Füssli zum Interpreten von Miltons „Paradise Lost": „als enttäuschter Rebell und pessimistischer Geschichtsphilosoph" (Schiff) heroisierte er den gefallenen Engel und gab ihm die tragischen Züge der Verzweiflung. Satan, der mit der Sünde, seiner Tochter, den Tod gezeugt hat, verbündet sich mit beiden, um das Menschengeschlecht zu vernichten. Wie Füssli „Satan und Tod, von der Sünde getrennt" darstellt, zielt er auf den ästhetischen Zauber aus Wollust und Grausamkeit, den dieses destruktive Bündnis ausstrahlt. Wieder wird der Mars-Venus-Akkord deutlich, der die Schönheit aus gegensätzlichen, widerstrebenden Grenzerfahrungen hervorgehen läßt.

Dieses Gestaltungsprinzip hat William Blake mit geradezu religiöser Inbrunst zum Ausdruck gebracht: „Opposition is true friendship", verkündete er in seiner Dichtung „Die Hochzeit von Himmel und Hölle" (1793). Blake gab der Faszination, die Satan (seit Milton) auf das englische Geistesleben ausübte, eine dialektische Wendung: Das Böse rief er als das Gute aus, den Zerstörer machte er zum Energiequell des Lebens: „Ohne Gegensätze kein Fortschritt. Anziehung und Abstoßung, Vernunft und Energie, Liebe und Haß sind der menschlichen Existenz notwendig. Aus diesen Gegensätzen entspringt, was die Religiösen Gott und den Teufel nennen. Gott ist das Passive, das der Vernunft gehorcht, das Böse ist das Aktive, aus Energie hervorgegangen. Gott ist der Himmel, das

4 Sören Kierkegaard, Bekenntnisse, München 1914, S. 262

Böse die Hölle.'' Blake lehnt den Gott der Gesetze und der Gebote ab, für ihn führt das Übermaß zur Weisheit, und „Energy is Eternal Delight''.

Anders als Blake, der aus den ihm zugänglichen Mythen seine subjektive Heilslehre formte, folgte John Martin (1789–1854) der biblischen Rollenverteilung, nicht ohne freilich den „Herrn der Welt'' und dessen Hybris in Bezug zu setzen zum Ehrgeiz seiner Gegenwart, der in den Jahren nach den napoleonischen Kriegen sich anschickte, die britische Hauptstadt in ein pandämonisches Babylon zu verwandeln (vgl. Kat. XI. 16). Doch auch er erliegt der Megalomanie, deren Arroganz er geißeln will, und inszeniert riesige Architekturen, Katastrophen und Weltuntergänge für das Sensationsverlangen des neuen Publikums, das nach grellen Effekten verlangt.

Martin war nicht nur malender Prophet der Wiederkehr alttestamentarischer Strafgerichte, als Erfinder suchte er nach Lösungen für die Existenzprobleme der modernen Großstadt. So entwarf er 1827 eine Wasserleitung, welche London mit reinem Wasser versorgen sollte, danach beschäftigte ihn die Hochwasserregelung im Hinblick auf eine Sicherung und Neugestaltung des Themse-Ufers. Als Martin diese Projekte erarbeitete, war Goethe in Weimar dabei, letzte Hand an seinen „Faust'' zu legen. Wußte er von Martin oder von Brunels Projekt eines Themse-Tunnels, als er seinen Helden ausschickte, dem Meer Neuland abzugewinnen? Mit dieser sozialen Tat will der Greis sich aus dem Pakt mit dem Teufel befreien, den er einst schloß, um alle Herrlichkeit der Welt zu genießen. In der Tat befriedigte Mephisto nicht nur seine Wißbegier, sondern auch seine Lustbegier. Doch die Geliebte, die er ihm zuführte, offenbarte sich als eine Schönheit aus Gegensätzen – ähnlich wie Füssli die gelassene Sinnlichkeit seiner Frau einem Medusenkopf konfrontierte (Kat. XI. 8) –: Im Tod verwandelte sich ihre mädchenhafte Anmut in ein lebloses Zauberbild, ein „Idol'', das der wissende Mephisto warnend so kommentiert:

> Ihm zu begegnen, ist nicht gut:
> Vom starren Blick erstarrt des Menschen Blut,
> Und er wird fast in Stein verkehrt;
> Von der Meduse hast du ja gehört.

Diese Vision hat Delacroix illustriert (Kat. XI. 20).

Schon 1788 war Goethe in Rom der dissonanten Schönheit der Gorgo gewahr geworden. Stand ihm dieses Erlebnis wieder vor Augen, als er genau 40 Jahre später die Faust-Lithographien von Delacroix zu Gesicht bekam? Sein anerkennendes Urteil umkreist nochmals den Zwiespalt, der ihn an der Medusa Rondanini fasziniert hatte: „Herr Delacroix scheint hier in einem wunderlichen Erzeugnis zwischen Himmel und Erde, Möglichem und Unmöglichem, Rohestem und Zartestem, und zwischen welchen Gegensätzen noch weiter Phantasie ihr verwegenes Spiel treiben mag, sich heimatlich gefühlt und wie in dem Seinigen ergangen zu haben.'' Der alte Goethe ging mit Delacroix freundlicher um als mit seinem Jugendfreund Füssli, dem er 1817 durch den Mund Johann Heinrich Meyers den „wilden Stil'' und den Hang zu „grauerlichen Szenen'' vorwarf. WH

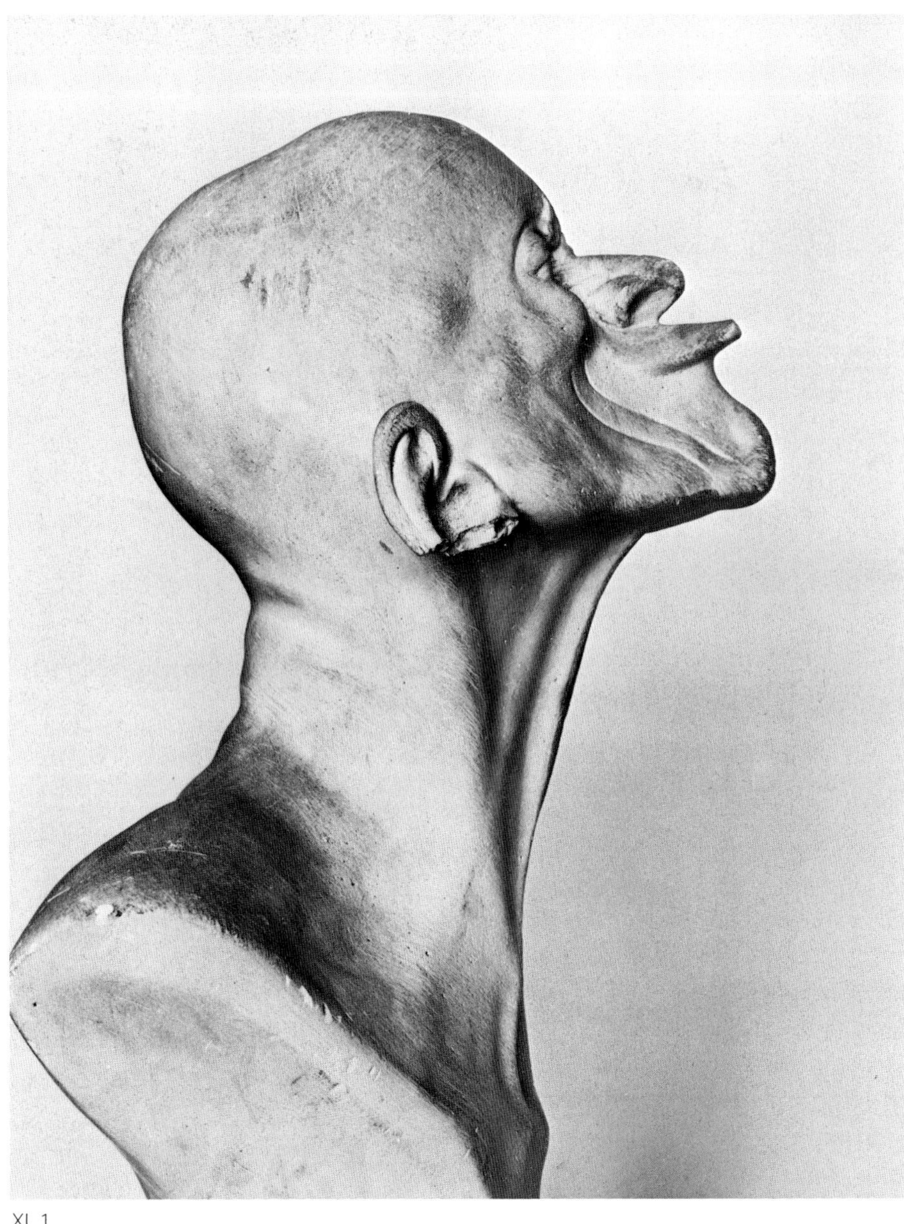

XI. 1

FRANZ XAVER MESSERSCHMIDT
(1736–1783)

1
Zweiter Schnabelkopf um 1770/77

Gips; 43 × 26,5 × 24 cm
Wien, Österreichische Galerie
Inv. Nr. 5706

Der Mund eines Kahlköpfigen ist in einer Weise geschürzt, die ihn zum Schnabel werden läßt. Damit ist die menschliche Anatomie verlassen. Und dennoch folgt sie diesem Organ, das nicht einmal den Säugetieren zuzuordnen ist, in einer formalen und ausdrucksmäßigen Bündigkeit, wie sie dem 18. Jahrhundert eigentlich nur im Bereich der Ornamentik gelang. Damalige Gegenwart und Nachwelt nahmen daher an, es handle sich um eine Vision, wie sie sich nur automatisch in einer menschlichen Vorstellung zusammensetzen kann.

Was auch immer die beiden „Schnabelköpfe" Messerschmidts mit Poesie im Sinne des 18. Jahrhunderts zu tun haben, sie überschreiten die Grenzen des Wahrscheinlichen. Da selbst die verkrampftesten der „Charakterköpfe" noch innerhalb dieser Grenzen liegen, zögert man, die „Schnabelköpfe" dazuzuzählen. Seit Nicolai gelten sie als Dokumente von Messerschmidts Halluzinationen, habe dieser doch selbst bekannt, ein Geist habe „ihn gezwickt, und er habe ihn wieder gezwickt, bis die Figuren herausgekommen wären". Weder im Widerspruch zu dieser Deutung noch zu der Zugehörigkeit zu den „Charakterköpfen" ist der durch Wolfgang Wurzbach (1867) überlieferte Titel dieser Köpfe als „Ausdruck des Hohnes, mit einem Zuge des Verlangens nach dem Verhöhnten". Denn Nicolai ergänzt Messerschmidts Ausspruch über den Geist, „ich will dich doch endlich wohl zwingen", mit dem Bekenntnis des Künstlers, „er wäre darüber beynahe des Todes gewesen". Versucht man eine moderne Deutung, dann hat wohl der Künstler das regrediente Bild seiner Halluzination dadurch gebannt, daß er es in ein progredientes Bild verwandelte, ihm damit also die Herrschaft über seine ungesteuerten Erregungsabläufe nahm (vgl. Sigmund Freuds Traumdeutung). In den Augen seiner aufgeklärten Zeitgenossen hat er damit drei Tabus gebrochen: Er stellte das Undarstellbare dar, verzichtete darauf, zu gefallen, und verweigerte eine allgemeine Aussage lehrhaften Inhalts. Heute beeindrucken der souveräne Umgang mit der Anatomie und die Bündigkeit von Form und Ausdruck: Sie haben die Intensität einer Vision über nunmehr zwei Jahrhunderte konserviert.

Literatur: Nicolai 1785, S. 417f, 420 – Kris 1932, II, S. 210ff, 216, 227 – Kris/Kurz 1934, S. 91 – Kris 1952, S. 140f – Białostocki 1960, S. 375 – Wittkower 1963, S. 128ff – Baum 1980, Nr. 240 – Pötzl-Malíková 1982, Nr. 72, S. 82 GS

FRANZ XAVER MESSERSCHMIDT
(1736–1783)

2
Variation zu „Des Künstlers ernste Bildung" um 1770/77

Gips; 44 × 26 × 27 cm
Wien, Österreichische Galerie
Inv. Nr. 5667

Die Büste, die ein Ungenannter von 1793 als „Des Künstlers ernste Bildung" bezeichnete, gehört zu denjenigen „Charakterköpfen" Messerschmidts, die Friedrich Nicolai (1785) als „ganz ernsthaft in antikem Stile" und „mit einer bewunderungswürdigen Richtigkeit und Wahrheit gearbeitet" von denjenigen

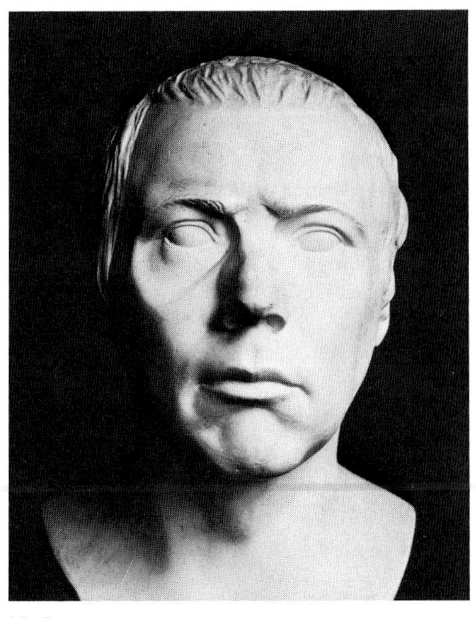

XI. 2

unterschied, die Messerschmidt vor allem im 20. Jahrhundert berühmt gemacht haben (vgl. Kat. XI. 1; Zitat nach Kris 1932, S. 227). Für Messerschmidt unterliegt dieser Kopf mit seinen selbstbildnishaften Zügen dem Topos der Melancholie, wie sie dem Dichter, Künstler, Denker und Edelmütigen zukommt; das geht ganz eindeutig aus den Charakterköpfen „Der sanfte ruhige Schlaf'', „Der Melankolikus'', „Der Edelmütige'', „Der Zuverlässige'', „Der Feldherr'' und „Ein Gelehrter, Dichter'' hervor (vgl. Pötzl-Malíková Nr. 74, 80, 88, 93, 108 und 111). Nicolai aber beklagt sich darüber, daß Messerschmidt „auf diese Köpfe mit einer Art von Verachtung'' gesehen hat und damit „auf die großen und edlen Kräfte, welche Gott in die Natur gelegt hat''. Demgegenüber blickte Messerschmidt seine physiognomischen Studien mit dem manischen und leidenden Ausdruck „mit einem solchen Wohlgefallen an, mit welchem ich (Nicolai) kaum seine edlen natürlichen Köpfe betrachten konnte'', und er schließt: „Ich versuchte umsonst, von ihm die Ursachen einiger ganz seltsamer Grimassen zu erfahren.'' Messerschmidt wird gespürt haben, daß Nicolai seinerseits „mit einer Art von Verachtung'' auf den vorklassizistischen Modus der Darstellung chimärischer Seiten der Seele sah, die Messerschmidt noch in der Werkstatt seines Onkels erlernt hatte, im Jahrzehnt des Durchbruchs von Füssli, Sergel, Blake und Ledoux aber in eine neue, sachliche Formensprache zu übersetzen versucht hat.

Literatur: Kris 1932, II, S. 203 – Baum 1980, Nr. 227 – Pötzl-Malíková 1982, Nr. 98, S. 71 GS

JOHANN HEINRICH FÜSSLI (1741–1825)

3
Rosalinde und Celia beobachten Orlandos Ringkampf mit Charles 1777
(Shakespeare, Wie es euch gefällt, I, 2)

Feder und Tusche; 27,5 × 17,5 cm
London, Victoria and Albert Museum
Inv. Nr. Dyce 781

Vom dunkel getuschten Hintergrund scharf abgesetzt, wirken die Töchter der beiden feindlichen Brüder wie Portalfiguren – halb Kunstwerke, halb belebte Wesen. Die sparsam elegante Linienführung wurde mehrmals mit Bandinelli (vgl. Kat. VII. 26) in Verbindung gebracht. Zur zeichnerischen „sprezzatura'' kommt eine inhaltliche Pointe. So ausgeprägt ist die Aufmerksamkeit der beiden Damen, daß der Betrachter bedauert, von ihrem Anlaß ausgeschlossen zu sein.

Literatur: Schiff 1973, Nr. 469 – Ausst.-Kat. Füssli 1974, Nr. 34 WH

XI. 3

XI. 4

XI. 5

JOHANN HEINRICH FÜSSLI (1741–1825)

4
Samuel erscheint Saul bei der Hexe von Endor 1777

Feder, laviert; 25 × 26,5 cm
Bezeichnet: Roma Sept. 77
London, Victoria and Albert Museum
Inv. Nr. Dyce 777

Die Szene geht auf 1 Samuel 28 zurück. In seiner Bedrängnis sucht der verkleidete Saul eine Wahrsagerin auf, die sich zunächst weigert, ihm zu gehorchen und den „heraufzubringen'', den er sehen möchte. Als er Samuel zu sehen wünscht und dieser erscheint, ruft sie im Zorn: „Warum hast du mich betrogen? Du bist Saul!'' Der mächtige Samuel ist ein strenger Ratgeber. Als Saul aus seinem Mund erfährt, der Herr werde am kommenden Tag das Lager Israels in die Hände der Philister geben, fällt er in Ohnmacht.

Füssli hat in dieser kapitalen Zeichnung die komplizierte Erzählhandlung zu höchster Anschaulichkeit gebracht. Links der mächtige ruhige Samuel, rechts der schreckensstarre Saul, in der Mitte die Hexe, Zorn sprühend und energiegeladen: alle drei in einem Raumdunkel, das den Schicksalsatem des Beschwörungsaktes spürbar macht. So bedeutend diese Erfindung ist, so zahlreich sind ihre formalen Quellen. Schiff hat nachgewiesen, daß Samuel auf den Gott in Michelangelos „Erschaffung der Eva'' zurückgeht. Die Hexe kommt von einer Knieenden auf Tibaldis „Predigt Johannes des Täufers'', Saul schließlich ist der sterbenden Bacchantin auf einem antiken Marmorrelief nachempfunden. Letztere Filiation ist zu ergänzen: die Bacchantin regte auch Goya (Capricho 9) zu einer Paraphrase und David zu einer Kopie an.

Literatur: Schiff 1973, Nr. 372 – Ausst.-Kat. Goya 1980, S. 78, 443 WH

JOHANN HEINRICH FÜSSLI (1741–1825)

5
Die Töchter des Pandareos um 1795
(Homer, Odyssee XX, 60–78)

Feder, Tusche, laviert, mit Deckweiß gehöht; 52 × 63 cm
Zürich, Kunsthaus
Inv. Nr. 1940/142

Pandareos raubte den goldenen Hund, der das kretische Zeusheiligtum bewachte. Zeus nahm an ihm tödliche Rache, verschonte aber die Töchter. Vorne der in den Umriß von Furcht und Schmerz gepreßte Vater, büßend oder gar schon versteinert. Seine sich räkelnden Töchter ficht das nicht an. Offenbar findet ihre Indifferenz den Beifall der vier Göttinnen auf dem Wolkenbett, die Schiff treffend so charakterisiert: „links die doktrinäre Artemis, vorne das kokette Dämchen Aphrodite, rechts die neugierige Athena und im Hintergrund die behäbige Matrone Hera''. Damit ist nicht nur zum ersten Mal die antike Götterwelt ,,mit unverhohlenem Spott ihrer Hoheit entkleidet'' – zwischen den Geschöpfen auf dem Lotterbett (vgl. Schiff Nr. 539ff) und den Göttinnen bahnt sich eine Komplizenschaft an. Mit diesen ironischen Anti-Pathosformeln entscheidet sich Füssli für die Ausdrucksentlastung, die zur Medusa-Zeichnung von 1799 führt (Kat. XI. 8).

Literatur: Schiff 1973, Nr. 984 – Ausst.-Kat. Füssli 1974, Nr. 79 WH

JOHANN HEINRICH FÜSSLI (1741–1825)

6
Kampf der Giganten gegen den Olymp
1770–72 (Ovid, Metamorphosen I, 151)

Bleistift, aquarelliert; 55,5 × 66 cm
Zürich, Kunsthaus
Inv. Nr. 1983/771

Zeus schleudert den Blitz gegen die den Olymp bestürmenden Giganten. Schiff vermutet in den beiden Gestalten im Mittelgrund Otos und Ephialtes, zwei Zutaten Füsslis, die dem zürnenden Gott einen starken formalen Widerpart bieten. Der Schildbewehrte ist ein Amalgam aus drei Gestalten Michelangelos – dem Jonas, dem Hamann und dem Christus des Jüngsten Gerichts – und dem Roßbändiger vom Montecavallo, den Füssli mehrmals kopierte (Schiff Nr. 634–636). Packend ist die Mittelszene durch zwei Figurenblöcke gefaßt, in denen Füssli aus der Motivwiederholung den Druck rhythmischer Verdichtung gewinnt.

Literatur: Schiff 1973, Nr. 404 WH

JOHANN HEINRICH FÜSSLI (1741–1825)

7
Die Hexen zeigen Macbeth Banquos Nachkommen 1773–79
(Shakespeare, Macbeth V, 1)

Feder und Tusche, laviert; 36 × 42 cm
Zürich, Kunsthaus
Inv. Nr. 1916/17

Für Macbeth greift Füssli auf seine Studien nach dem Roßbändiger vom Montecavallo zurück. Schiff erkannte im Zug der Erscheinungen den Einfluß Cambiasos (Kat. VII. 53), von dem Füssli mehrere Zeichnungen besaß. Der schreckgebannte Macbeth trennt die beiden schroff gekoppelten Bildzonen: links die helle, ätherische Vision der Zukunft, rechts das Furioso der Nachtgeschöpfe mit ihren gewagten, schrillen Gebärden.

Literatur: Schiff 1973, Nr. 458 – Ausst.-Kat. Füssli 1974, Nr. 31 WH

XI. 6A

XI. 7

XI. 8

JOHANN HEINRICH FÜSSLI (1741–1825)

8

Mrs. Fuseli, sitzend vor einem Kamin, darüber ein Reliefmedaillon mit dem Kopf einer Medusa 1799

Pinsel und graue Tusche, Bleistift, Aquarell; 33,6 × 19,9 cm
Nürnberg, Germanisches Nationalmuseum
Inv. Nr. 3399 a

Auf dem Medaillonrahmen steht ein griechisches Zitat (aus Pindar), das den Vergleich der Gattin mit „der schönwangigen Medusa Haupt'' anspricht. – Schon in einem Frontalporträt zeichnete Füssli sie, Jahre zuvor und ohne es zu wissen, als Medusa (Schiff Nr. 1086). – Später hat er unsere Zeichnung domestiziert und Medusa weggelassen (Schiff Nr. 1654). Schiff führt auch andere Gorgo-Zeichnungen an (Nr. 1442, 1447, 1448), von denen jedoch keine die Ambivalenz erreicht, die das Nürnberger Blatt auszeichnet. Nimmt man die Rückseite dazu – sie zeigt Mrs. Fuseli im Profil, den Zeigefinger an die Lippen legend (Schiff Nr. 1119) –, so haben wir es mit einem Porträt-Triptychon zu tun. Füssli zeigt seine Partnerin als Kunstwerk, in Konversationshaltung und im fragend-befehlenden Profil. Den Schweigegestus übernimmt er von älteren Porträtdarstellungen (Schiff Nr. 849, 850).

Literatur: Schiff 1973, Nr. 1118 – Ausst.-Kat. Füssli 1974, Nr. 120 WH

JOHANN HEINRICH FÜSSLI (1741–1825)

9

Sieglinde, die Mutter Siegfrieds, geweckt durch den Streit des guten und des bösen Genius um ihren kleinen Sohn
1809–1814

Öl auf Leinwand; 71 × 91,5 cm
Privatsammlung Basel/Schweiz

Das Thema kommt im Nibelungenlied nicht vor, es ist Füsslis Erfindung, die ihm erlaubt, mit Hilfe behender Naturdämonen das germanische Heldenepos in eine shakespearesche Zauberwelt zu entführen. Sieglindes Eleganz geht mühelos in die Draperien über, auf denen ihr kleiner Sohn liegt, und steigt in züngelnder Kurve in den guten Genius auf, der wie ein Himmelsbote zur Hand ist, um den teuflischen Bösewicht, der nicht nur den Formenfluß stört, abzudrängen. Dennoch ist dieser Eindringling der wesentliche Geschehnisauslöser: ein Fremdkörper, ohne den die Harmonie ihres prickelnden Reizes entbehrte.

Literatur: Schiff 1973, Nr. 1490 WH

XI. 9

JOHANN HEINRICH FÜSSLI (1741–1825)

10 Farbabbildung S. 381
Thor im Kampf mit der Midgardschlange
1790

Öl auf Leinwand; 131 × 91 cm
London, The Royal Academy of Arts

Füssli bezog das Sujet aus Mallets „Northern Antiquities" (II, 1770): Thors Kampf mit der Midgardschlange, der Verkörperung der Weltmeere, endet tragisch. Wohl tötet er die Schlange, geht aber an ihrem Gifthauch zugrunde. Füssli zeigt den triumphierenden Heldengott und denkt dabei wahrscheinlich auch an Michael, den Drachentöter. Germanisches und Christliches verbinden sich mit einem antikischen Körperpathos (vgl. Füsslis Herkules, Schiff Nr. 1371). Von Manieristen wie Tibaldi mag Füssli sich für die jähe, gewaltsame Konfrontation der Kampfpartner Anregungen geholt haben, auch das Beispiel Michelangelos war bestimmend. Füsslis Eigentum ist jedoch die ironische Instrumentierung dieser Sprachmittel. Am Heck des Bootes hockt der Riese Eymer wie ein Kraftprotz, den der Mut verlassen hat. An der äußersten Peripherie des Bildes verfolgt Wotan den Zweikampf – mehr ein kauziger Zuschauer als oberster der Götter. Lohnt es sich, daß Thor für diese beiden Greise in den Tod geht und sich aufopfert? Es ist, als wollte Füssli, der Künstler-Heros, diese Frage an sich selber, an sein Publikum und seine Kritiker richten, die in öffentlichen Ausstellungen dem Diktat der Mode und der Eitelkeit huldigen. Hat er nicht Caravaggio als einen Maler gepriesen, dem das Dunkel Licht gab und der es mit der Gewalt von Blitzen in einer Sturmnacht handhabte? (Schiff, S. 242) Füssli war dieses Gemälde so wichtig, daß er es der Royal Academy für ihre Diploma Gallery vermachte.

Literatur: Schiff 1973, Nr. 716 – Ausst.-Kat. Füssli 1974, Nr. 62 – Ausst.-Kat. Goya 1980, Nr. 437 (Sigmar Holsten) WH

XI. 11

JOHANN HEINRICH FÜSSLI (1741–1825)

11
Queen Mab
(Shakespeare, Romeo und Julia, I, 4)

Öl auf Leinwand; 71,5 × 91,5 cm
Basel, Sammlung Carl Laszlo

In einem Monolog, der sich in seherische Trance steigert, schildert Mercutio die wunderbaren Einfälle der Queen Mab, bis Romeo ihn unwirsch unterbricht: „Peace . . ., Thou talk'st of nothing!" Doch der Begeisterte fährt fort: „True, I talk of dreams, which are the children of an idle brain, Begot of nothing but vain fantasy."

Diesen schwebend leichten Ton hat Füssli getroffen. Sein Spuk ist heiter und graziös. Die Feenkönigin berührt mit ihrem Zauberstab die Schlafende, indes zwei „Fairies" sich auf dem Toilettetisch zu schaffen machen: eine betrachtet sich im Spiegel, eine andere prüft eine Perlenkette. Doch ganz oben entflieht ein düsterer Alp. Auch wenn Füssli die anmutigen Register seiner Kunst zieht, fehlt nicht das Moment der Bedrohung. Was heftig beginnt, scheint gewaltsam zu enden: Der Traum verschmilzt alle Ebenen des Wünschens und Fürchtens. Die Fluchtwelt, die er eröffnet, führt in dunkle Ungewißheiten.

Literatur: Schiff 1973, Nr. 1496 WH

JOHANN HEINRICH FÜSSLI (1741–1825)

12
Freie Kopie der Leda von Michelangelo

Kreide; 45,5 × 58,5 cm
Basel, Öffentliche Kunstsammlung, Kupferstichkabinett
Inv. Nr. 1914.132.32

Michelangelo war Füsslis künstlerisches Zentralgestirn, dem er viele seiner Pathosformeln entnahm, so auch die dem männlichen Figurenideal nahe stehende „virago" (vgl. auch Heinses Roman „Ardinghello", 1787). Die Kopie nach Michelangelos „Leda" (vgl. Kat. III. 19) verrät geringes Interesse, ja sogar Unsicherheit in den Extremitäten, dafür ist umso prägnanter das V durchdacht, welches Leib und Oberschenkel bilden und in das der Schwan so eingelassen ist, als wüchse er gleich einem „Glied" aus dem Schoß hervor. In der Schnabel-Mund-Berührung deutet sich ein oraler Begattungsakt an.

Literatur: Schiff 1973, Nr. 682 WH

XI. 12

XI. 13

XI. 14

JOHANN HEINRICH FÜSSLI (1741–1825)

13
Zwei Mädchen, am Kajütenfenster stehend 1779

Bleistift, Feder und Pinsel; 22,7 × 18,5 cm
Basel, Öffentliche Sammlung, Kupferstichkabinett
Inv. Nr. 1914.287

Faßt man das dunkle Geviert des Kajütenfensters als Rahmen auf, so reagiert Füsslis labile Figurenanordnung auf diese statische Vorgabe mit einer ambivalenten Grenzüberschreitung. Die beiden Frauen sprengen das abstrakte Feld, sie leben mit ihren Haltungen den physischen Widerspruch gegen ein bestimmtes Ordnungsprinzip, dessen sie doch bedürfen, um ihre mutwillige Extravaganz vorführen zu können. Doch dieses Vorführen verharrt in der Andeutung einer intimen sexuellen Beziehung, die, wenn überhaupt, hinter den Kulissen stattfindet.

Literatur: Schiff 1973, Nr. 553 WH

NACH JOHN MARTIN (1789–1854)

14
Satan wird vom Speer Ithuriels getroffen

Öl auf Leinwand; 48 × 69 cm
Basel, Sammlung Carlo Laszlo

Im vierten Gesang von Miltons „Paradise Lost" versucht Satan, in das Paradies einzudringen, wird aber von zwei Engeln, die Gabriel ausgeschickt hat, daran gehindert. Einer der beiden, Ithuriel, berührt ihn mit seinem Speer und stellt damit seine Falschheit bloß (IV. Buch, 810f). Im Hintergrund Adam und Eva in ahnungsloser Umarmung. Der Künstler arbeitet mit den Posen der Übermenschen, die Blake und Füssli dem Vokabular Michelangelos entnommen haben. Das Bild dürfte nach einem Schabkunstblatt Martins entstanden sein, dessen Intensität es nicht erreicht. WH

JOHN MARTIN (1789–1854)

15
The Creation 1831

Radierung und Schabkunst
Hamburger Kunsthalle, Kupferstichkabinett
Inv. Nr. 1976/92

Zu „Creation" vgl. S. 444ff, XI. „Nachtgedanken".

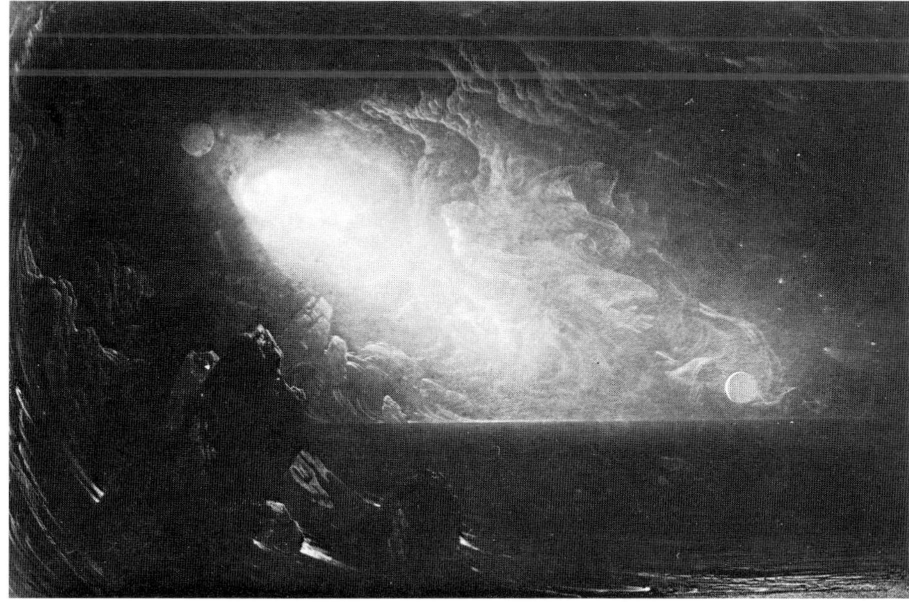

XI. 15

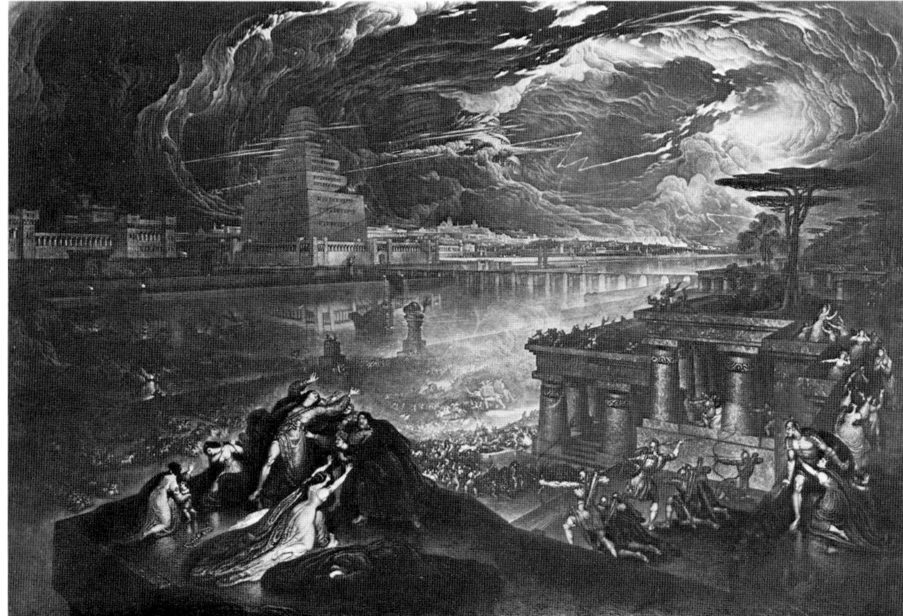

XI. 16

WILLIAM BLAKE (1757–1827)

17
Die dritte Nacht
Illustration zu „The Complaint, and the Consolation, or Night Thoughts" von Edward Young, London 1797

Hamburger Kunsthalle, Bibliothek
Inv. Nr. III. XIX, Blake 1797

Narcissa, die Heldin der dritten Nacht, entflieht der Schlange und greift, selbst bestirnt, zu den Sternen. Bindman hat die Gestalt auf das mit der Sonne bekleidete Weib der Offenbarung (12. 1) bezogen: „Der Mond unter ihren Füßen und auf ihrem Haupt eine Krone von zwölf Sternen." Verweist der barocke Madonnentyp mit der Mondsichel und der zertretenen Schlange auf die Befreiung Marias von der Erbsünde, so ist Blakes Narcissa ein Geschöpf, das diese Befreiung gegen den katholischen Priesterstand durchzusetzen versucht. Ihr Freiheitsanspruch bedient sich der ekstatisch gesteigerten Schönheitslinie, der linea serpentinata, die als erotisches (vgl. Kat. XIII. 14), kosmisches und vitalistisches Symbol die Phantasie der Jugendstilkünstler beflügeln wird. Blakes Kunst gelangte durch die Vermittlung eines Präraffaeliten in die Geschmacksaura des letzten Jahrhundertendes: Dante Gabriel Rossetti (Kat. XII. 1) war an der Drucklegung von Gilchrists „Life of William Blake" mitgestaltend tätig. WH

XI. 17

JOHN MARTIN (1789–1854)

16
Der Untergang von Babylon 1831

Schabkunst; 46,7 × 72 cm
Berlin, SMPK, Kupferstichkabinett

Martin stellte 1819 ein Gemälde „Der Untergang Babylons" aus, dessen Sensationserfolg ihn bewogen haben dürfte, dem Bildgedanken als Schabkunstblatt zu weiterer Verbreitung zu verhelfen. Die Graphik ist von einer Katastrophenstimmung erfüllt, der gegenüber das Gemälde nur ein erstes Wetterleuchten darstellt. Martin lenkt den Blick des Betrachters auf eine Klagegruppe, die ihn zur Identifikation mit den Betroffenen auffordert, ehe er in die Raumtiefe ausschweifen darf, in der sich das Strafgericht vollzieht. Alle Register des dröhnenden Schreckens werden gezogen: Der Raum weitet sich in kosmische Dimensionen – ein Spektakel, das sich auf Byron und Turner bezieht, aber schon Griffith (Intolerance) und F. Lang (Metropolis) ankündigt.

Literatur: Simmen 1980, Abb. 56 – Feaver 1975, Abb. 27 WH

WILLIAM BLAKE (1757–1827)

18 Farbabbildung S. 381
The Book of Urizen 1794/95
Aufgeschlagen: Preludium to the first book of Urizen

Farbige Reliefradierung, mit Wasserfarben übergangen; 25,7 × 17,3 cm
Wien, Albertina
Inv. Nr. KS-C-391

Das anmutige „Vorspiel'' ist ein jubelndes Unisono, das von den Konflikten der Dichtung noch nichts ahnen läßt. Für Bindman ist das „Book of Urizen'' (Urizen = your reason) die Genesis in Blakes „Bibel der Hölle'', welche von der Vernunft als dem Spaltprinzip handelt, das die ursprüngliche Ganzheit der Menschen zerstückt hat. Blakes Linearismus überbrückt den Abstand zwischen Wort- und Bildzeichen: Ein und derselbe Duktus formuliert die Buchstaben, läßt sie in Ranken ausschweifen und steigert sich über Flammenzungen zu menschlichen Gestalten. Bildgeschehen und Textablauf bilden ein sich gegenseitig steigerndes Ganzes, das einem einzigen Formprinzip gehorcht. Doch das gilt nicht für alle Illustrationen des Buches: andere sind nicht der schwebenden Anmut, sondern der von Michelangelo entlehnten „terribilità'' verpflichtet. WH

GEORGE BAILEY (tätig um 1810)

19 Farbabbildung S. 380
Die Kuppel von Sir John Soane's Haus in London 1810 (13 Lincoln's Inn Fields)

Farbphotographie (Das Original befindet sich im Londoner Soane Museum, dessen gesamter Bestand dem von Soane verfügten Ausleiheverbot unterliegt)

Piranesis „Via Appia'' (Kat. X. 7) wird hier in den senkrechten Behälter eines Londoner Stadthauses verwandelt. Soanes Assistent Bailey hob den „Dome'' vom Gebäude ab und stellte ihn in einen Freiraum, dessen leicht bewölkter Himmel das Architekturgebilde mit dem Atem der Zeitlosigkeit umgibt. Nie zuvor wurde das archäologische Fundstück dermaßen sakralisiert, wurde das Bruchstück zu einer solchen Ganzheit „collagiert''. Der provozierende Reiz dieses Konglomerats erschließt sich jedoch erst dem Besucher des Hauses, der auch heute noch Wechselbädern ausgesetzt ist, die ihn aus der sachlichen Gegenwart etwa der Bibliothek oder des Frühstückszimmers hinüberlocken in verschachtelte Räume, überfüllt mit Hunderten von Gegenständen, in denen die tektonischen Gesetze aufgehoben scheinen, da einerseits die gehäuften Abgüsse Eigenleben annehmen, andererseits die Wände sich als mobil wie die Seiten eines Buches erweisen. WH

XI. 20

EUGÈNE DELACROIX (1798–1863)

20
Gretchen erscheint Faust 1828

Lithographie; 26 × 35 cm
Hamburger Kunsthalle, Bibliothek
Inv. Nr. III. XIX Delacroix 1912

Delacroix' Legende bezieht sich auf die „Walpurgisnacht''. Mephisto warnt Faust: „Laß das nur stehn! Dabei wird's niemals wohl . . . Von der Meduse hast du ja gehört''. Die Formerfindung dürfte auf Goyas „Caprichos'' zurückgehen. Das Zauberbild Gretchens zeigt eine Meduse, die, als wäre sie an ihrem eigenen Gegenbild erstarrt, noch im Tode Schönheit ausstrahlt. Das Geschlinge aus Würmern, Drachen und Molchen läßt die Kenntnis der „Medusa'' von Rubens vermuten (Kat. I. 23).

Literatur: Delteil 1924, 3, 72 – Ausst.-Kat. Delacroix 1964, Nr. 381 – Ausst.-Kat. Goya 1980/81, Nr. 481 WH

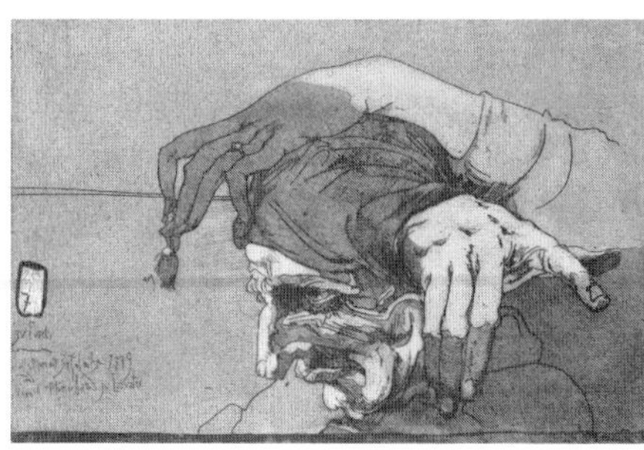

XI. 21

HORST JANSSEN (geb. 1929)

Der Alp – Variationen zu Heinrich Füssli

Vier Blätter aus einer Suite von 29 Radierungen (Normalausgabe, Ex. 29/30) 1973/74

Janssens Interesse an Füssli traf mit der großen Ausstellung zusammen, welche die Hamburger Kunsthalle 1974/75 dem Künstler widmete. Die Faszination ereignete sich auf verschiedenen Ebenen, schließt aber immer die Lust am Weiterdenken, Verschärfen und Zuspitzen ein. WH

21
Zu Lavater 1974

Radierung; 25,4 × 38,3 cm
Bezeichnet: 20 2 74 – zu Fuseli alter Mann mit Zipfelmütze 1779 Frauen und Männerhand zu Lavater
Hamburger Kunsthalle, Kupferstichkabinett
Inv. Nr. 1986/40.2

Janssen kombiniert zwei Zeichnungen Füsslis (Schiff Nr. 507, 583). Das Blatt „Frauen- und Männerhand, gekreuzt'' diente als Vorlage für eine der Illustrationen zur englischen Ausgabe von Lavaters „Essays on Physiognomy'' (1792). Janssen läßt die Zipfelmütze des alten Mannes (Füsslis Vater?) weg und verwandelt die weibliche Hand (mittels einer Zutat an den Fingerspitzen) in deren Ersatz: Die Frau setzt dem Manne die Narrenkappe auf. WH

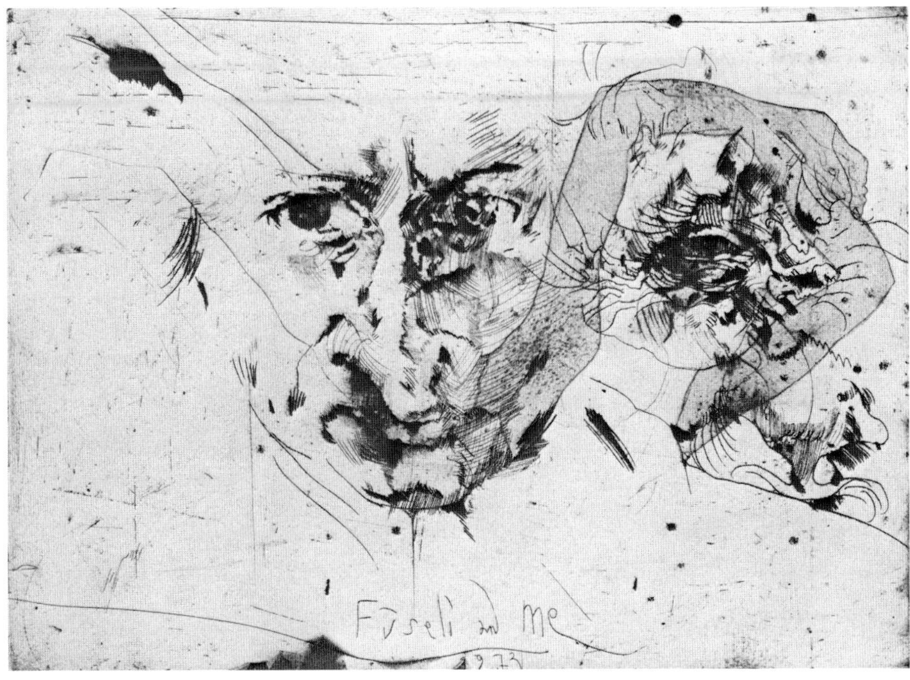

XI. 22

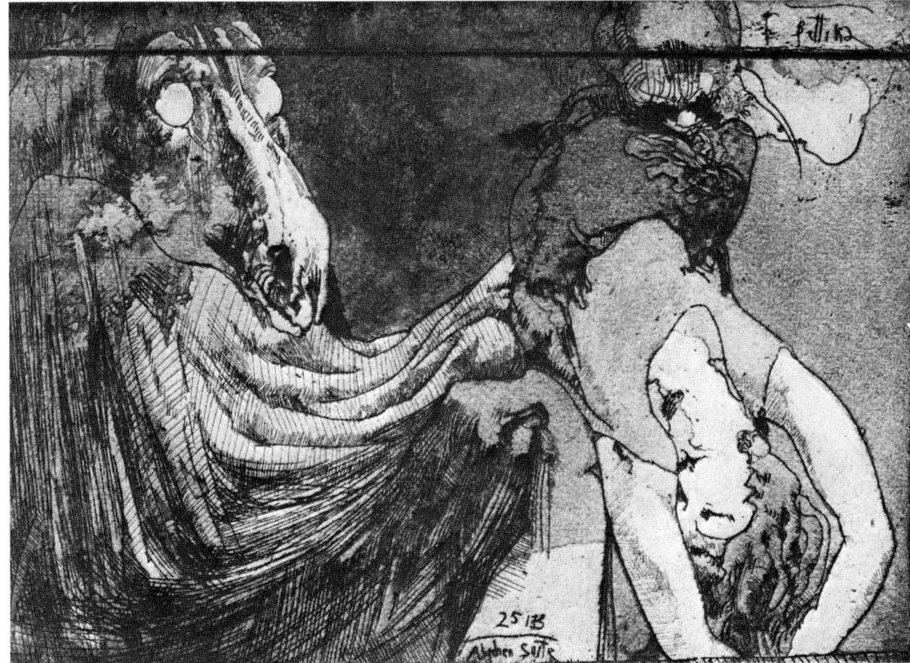

XI. 23

22
Fuseli and me 1973

Radierung; 22 × 29,5 cm
Bezeichnet: Fuseli and me 1973
Hamburger Kunsthalle, Kupferstichkabinett
Inv. Nr. 1986/40.9

Als Vorlage diente die Zeichnung Schiff Nr. 1743. Janssen, ein Selbstseher von schonungsloser Blickschärfe, mußte sich durch Füsslis lauernd prüfenden Blick gebannt und herausgefordert fühlen. Er antwortete, das Vorbild übersteigernd, mit ätzender Eindringlichkeit. Aus Füsslis Kinnpartie schält sich ein greifender Arm heraus, der bald einen Partner findet, mit dessen Hilfe er ein krösiges Auge freundlich umfängt. Dem Scharfblick wird die Besessenheit zur Erlösung. WH

23
Alpchen 1974

Radierung; 16 × 22,4 cm
Bezeichnet: F Bettina – 25/73 – Alpchen Suite
Hamburger Kunsthalle, Kupferstichkabinett
Inv. Nr. 1986/40.22

Im Diminutiv steckt die Distanz zum Vorbild, dem berühmten „Nachtmahr" in Detroit (Schiff Nr. 757). Janssen nimmt die Verwüstung, wo Füssli sie als non plus ultra setzt, in die Unordnung zurück: Das Pferd und der hockende Alp sind bloß Schnörkel, verglichen mit der Biegung, die der Leib der Frau hinnehmen muß. Hierfür greift Janssen auf das kleine Gemälde in Frankfurt zurück (Schiff Nr. 928). Der Nach-Denker zieht gleichsam die Summe aus Füsslis formaler Skalenbreite. WH

24
The Debu Tante 1974

Radierung; 22,6 × 39,5 cm
Bezeichnet: zu Fuseli – nach Fuseli. the debu Tante 1798 – 21 2 74
Hamburger Kunsthalle, Kupferstichkabinett
Inv. Nr. 1986/40.23

Bei Füssli (Schiff Nr. 1444) sitzt die Debutantin hinter einer Art Paravent. Daraus werden bei Janssen drei Gitterstäbe. Die Assistenzfiguren verwandelt er in zwei katzenartige Geschöpfe, deren eines die Flügel einer domestizierten Medusa trägt. Ein männlicher Würmling – Janssens Zutat – nähert sich der Stickenden, die hübscher ist als bei Füssli. Indem Janssen den Titel spaltet, läßt er in der Anfängerin bereits deren künftiges Schicksal als Matrone ahnen. WH

XI. 24

HORST JANSSEN (geb. 1929)

27

Nichts trennt sich ganz – nach Goya
6. Nov. 1972

Blei- und Farbstift; 31 × 20 cm
Bezeichnet: 6 11 72 HJ nichts trennt sich ganz oder disparata desordenado nach Goya
Hamburg, Gerhard Schack

Bei Goya (Disparate 7, G.W. 1581) ein fratzenhafter mannweiblicher Zwitter inmitten ähnlicher Lemuren. Janssen isoliert das Paar und gibt der uns anblickenden Gestalt die Züge des Frauentyps, der oft in seinem Werk auftaucht. Dies auf die beiden Jahreszahlen 72 und 73 bezogen, wird der bevorstehende Jahreswechsel zur privaten Wendemarke, die das Dunkel in ein Licht übergehen läßt, dem gleichwohl Ungewißheit anhaftet. Dafür spricht auch die von Janssen interpolierte Beischrift: „nichts trennt sich ganz."

Literatur: Schack 1977, Nr. 146 WH

HORST JANSSEN (geb. 1929)
Nach Johann Heinrich Füssli (1741–1825)

25

Zwei Mädchen, aus dem Kajütenfenster blickend 17. 8. 1972

Feder und Tusche; 33,5 × 23 cm
Bezeichnet: hier vermutete Klinger Verrat am Schultergelenk

26

Zwei Mädchen, aus dem Kajütenfenster blickend 1972

Bleistift und Farbstift auf hellblauem Papier; 33,5 × 23 cm

Beide: Hamburg, Gerhard Schack

Janssen läßt das maritime Beiwerk weg, das den Titel von Füsslis Zeichnung (Kat. XI. 13) rechtfertigt, und konzentriert sich auf das Ineinander der beiden Leiber, die aus einer Wurzel kommen, so daß der eine vom anderen Besitz zu ergreifen scheint. So wird die erotische Komponente zugespitzt. Die angefangene 2. Fassung zeigt, daß Janssen noch einen weiteren Schritt riskiert, um den linearen Extrakt dieses Duos makellos herauszuarbeiten. Der Hinweis auf Klinger bezieht sich auf eine andere Zeichnung Janssens (Schack 48).

Literatur: Schack 1977, Nr. 220, 221 WH

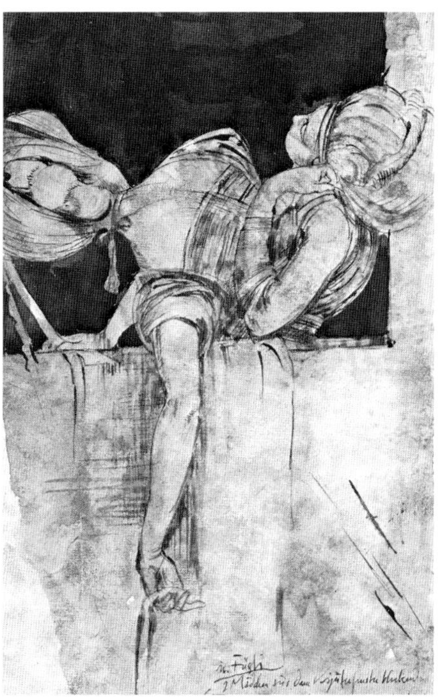

XI. 25

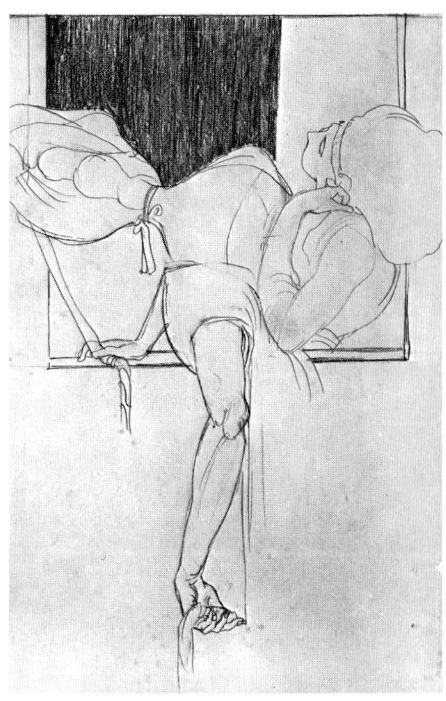

XI. 26

XI. 27

XI. 28

HORST JANSSEN (geb. 1929)

28

Schreitendes Paar – nach Bellange
18. August 1972

Feder laviert; 27 × 17 cm
Hamburg, Privatbesitz

Der genaue Blick erkennt drei Gestalten, sie bilden die Mittelgruppe einer Zeichnung von Bellange (Louvre, Inv. Nr. 23712), die für die „Erweckung des Lazarus" (Robert-Dumesnil 6) verwendet wurde. Entwirft Bellange eine Art Figurenfries, so gibt Janssen eine linear gebündelte Dreigestalt, die sich nicht in ihre Bestandteile auflösen läßt. Hell-Dunkel-Markierungen lassen die Köpfe noch puppenhafter erscheinen. (Als Vorbild diente die Reproduktion der Zeichnung in dem Band Meisterzeichnungen des Louvre – Die französischen Zeichnungen, München 1968, Nr. 13.)

Literatur: Schack 1977, Nr. 132 WH

ARNULF RAINER (geb. 1929)

29

Lippenspitz statt Nasenspitz 1975/76
(Messerschmidt-Überzeichnung von „Der Nieser")

Graphit, Tusche laviert auf Photo; 60 × 50 cm
Wien, Sammlung des Künstlers

30

Der alte Sauger 1976
(Messerschmidt-Überzeichnung von „2. Schnabelkopf")

Kreide auf Photo; 59,3 × 48 cm
Hamburger Kunsthalle
Inv. Nr. 1986/1

„Die Überzeichnungen von Reproduktionen von Franz Xaver Messerschmidt entstanden aus einem Willen zum Dialog. Ich hatte es satt, immer nur mich selbst zu überzeichnen", schrieb Arnulf Rainer 1977. Daß er bei seiner Suche nach Dialogpartnern auf Messerschmidts Werke stieß, liegt nicht nur an der vergleichbaren Arbeitsweise der beiden Künstler – Erproben der Mobilität und Ausdrucksvielfalt eines, meist des eigenen, Gesichts –, sondern auch an seinem Interesse an der Kunstproduktion unter dem Einfluß einer Geisteskrankheit, wie sie Messerschmidt nachgesagt wurde. Rainers Absicht ist es, sich an Messerschmidts „Wahnwitzmischungen" zu messen, einen „Wettlauf, um Unterschiede zu messen", zu inszenieren, aber auch in der Intensität der Ausdrucksmöglichkeiten noch über die Vorlage hinauszugehen: „Ich hoffe, daß es mir gelungen ist, Franz Xaver Messerschmidt in eine deutliche Entfaltung und Verwandlung hineinzuziehen, mit einer starken Irritation und Steigerung zu überzeichnen. Natürlich wollte ich kein historizistisches Aufwärmen oder (wie Janssen) ein Paraphrasieren von Meisterwerken. Als letztes Glied einer historischen Kette kann man direkter ins Fürchterliche, Neubedrohende (Neoabstruse) ausholen" (Rainer 1971).

Literatur: Kern 1977, Nr. 29 – Ausst.-Kat. Rainer 1980/81, S. 123 MF

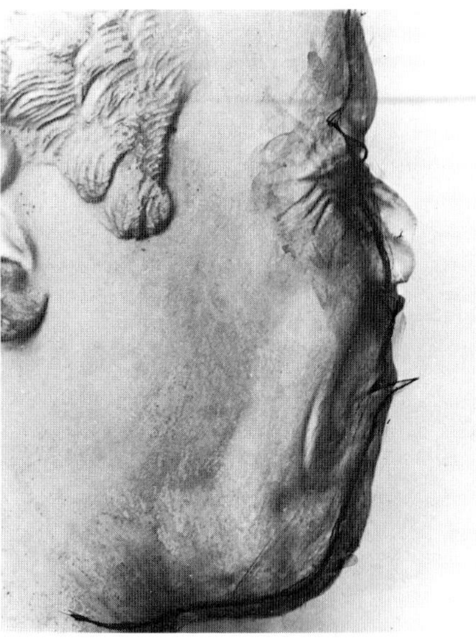

XI. 29

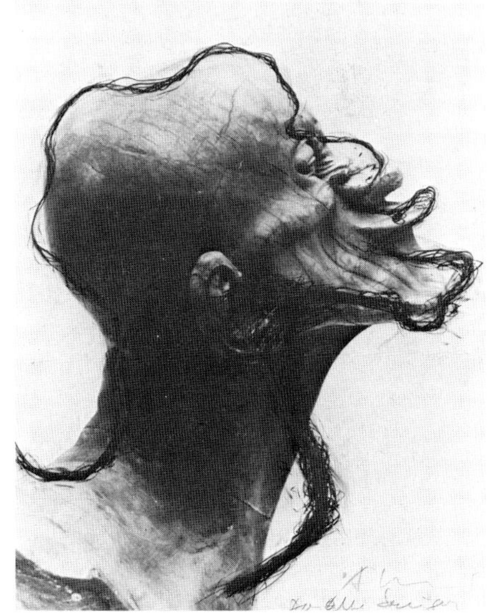

XI. 30

XII Schreckenshäupter

Flämisch, 17. Jahrhundert, Kopie nach der Medusa Leonardo da Vincis, Florenz, Uffizien

Delacroix' Gretchen-Medusa (Kat. XI. 20) ist das letzte Wort der europäischen Romantik zu unserem Thema. In den folgenden Jahrzehnten wird sich die Malerei mehr und mehr der Wirklichkeitsaneignung zuwenden und die literarische Vorstellungswelt vernachlässigen. Dies gilt vor allem für den Kontinent. In England verläuft die Entwicklung anders: Die Prä-Raffaeliten – eine 1848 gegründete Künstler-Bruderschaft – beginnen ihren Protest gegen den akademischen Leerlauf mit Bildern voll krasser Stofflichkeit, denken aber in der Tradition des religiös-patriotischen Historienbildes der deutschen Nazarener (William Holman Hunt, Ford Madox Brown, John Everett Millais). Schon in den fünfziger Jahren vollziehen sie die Wendung zu einer von Mythen und Legenden durchwirkten Gedankenmalerei, die an die Tradition von Füssli, Blake und deren Nachfolgern anknüpft.

Eine 1799 entstandene Zeichnung von Füssli erweist sich als exemplarischer Ausgangspunkt für die Impulse, die das Medusenthema in England und auf dem Kontinent im 19. Jahrhundert erfahren wird. Als der 58jährige Maler seine junge Frau vor einem überlebensgroßen Kopf der Medusa porträtierte, dürfte ihn der Gegensatz zwischen zwei erotischen Welten beschäftigt haben (Kat. XI. 8). Die eine, häusliche, stand ihm alltäglich zu Gebote, die andere existierte in seiner Vorstellung als Angst- oder Wunschbild. Die Distanz zwischen Wirklichkeit und Idol, die diese behutsame Kontrastkoppelung anzeigt, trennt auch die beiden Wege, auf denen dann bis zum Ende des Jahrhunderts die Wiederentdeckung der schrecklichen Schönheit der Gorgo verläuft. Der eine führt ins abstoßende Schreckbild, der andere verklärt den bösen Kopf zu melancholischer Schönheit. Die grelle, mit illusionistischen Mitteln arbeitende Wiedergabe des abgeschlagenen Hauptes, das gleichwohl noch im Tode Unheil bringt, kann sich auf den Medusen-Schild Caravaggios berufen (Kat. I. 23a). Auch das seinerzeit dem Leonardo zugeschriebene Bild in den Uffizien mag mit seiner handgreiflichen animalischen Staffage die Phantasie angeregt haben (Abb.). Shelley hatte 1819 vor diesem Gemälde ein Schockerlebnis, das er zum Anlaß nahm, den dissonanten, zwiespältigen Schönheitsbegriff der Romantik zu beschreiben:[1]

> Und von seinem Haupte, wie aus einem einzigen Körper, wachsen wie (. . .) Gras aus feuchtem Felsen / Haare, die Schlangen sind, und sie ringeln sich und fließen herab, / und ihre langen Strähnen rollen sich ineinander, / und in endlosen Verflechtungen zeigen sie / ihren metallischen Glanz, als wollten sie / der Marter und dem Tode im Innern Hohn sprechen, / und sie zersägen die feste Luft mit ihrem gezackten Unterkiefer.
>
> Und von einem Stein daneben blinzelt eine giftige Eidechse / träge in die Gorgonenaugen; / indessen in der Luft eine geisterhafte Fledermaus, ihrer Sinne / beraubt, toll vor Überraschung, / aus der Höhle flattert, welche das entsetzliche Licht gespalten hatte, / und sie hastet daher wie eine Motte, welche / der Kerze entgegenfliegt; und der Mitternachtshimmel / flammt auf wie ein Licht, grauenhafter als Dunkelheit.
>
> Das ist die stürmische Anmut des Schreckens: / Die Schlangen strahlen ehernen Glanz aus, / der durch die unentwirrbare Wirrung entzündet wird / und die Luft mit vibrierendem Dunst erfüllt: / ein (. . .) ewig beweglicher Spiegel / all der Schönheit und all des Schreckens – / ein Frauenantlitz mit Schlangenlocken, / das im Tode von jenen feuchten Felsen gen Himmel starrt.

„Tis the tempestuous loveliness of terror" – in dieser Formulierung steckt bereits Rilkes Wort, wonach das Schöne nichts ist als des Schrecklichen Anfang . . .

1 Vgl. Mario Praz, Liebe, Tod und Teufel. Die schwarze Romantik, München 1963

Neben Böcklin und Strathmann schlug auch Trübner diesen Weg der Verhäßlichung ein: Er malte ein Modell mit strähnigen Haarschlangen, dem die Zunge heraushängt (Karlsruhe, Privatbesitz). Bei Rops (Kat. XIII. 7–11) und Klinger (Kat. XIII. 1–6) wurde aus der Gorgo eine Mänade, die in rasender Wildheit ihr Zerstörungswerk ankündigt oder vollbringt. Stuck (Kat. XIII. 13, 14) und Klimt (Kat. XIII. 25–29) verteilten das Bannbild wieder auf zwei Ebenen: Pallas Athene, die Göttin, die Medusa köpfen half, trägt nun deren Fratze als apotropäischen Schutz ihrer Jungfräulichkeit auf der Brust.

Von der abstoßenden Dämonisierung unterscheidet sich das Bestreben, die Gorgo von dem Fluch zu befreien, mit dem Zeus ihren Fehltritt bestraft hat, und ihr wieder eine Ahnung ihrer ursprünglichen Schönheit zurückzugeben. Diese „bellezza medusea" (Mario Praz) ist einerseits in strengen, rätselhaften Idolgestalten anzutreffen, anderseits vermenschlicht sie sich in Frauengestalten, welche die Künstler aus ihrem zeitgenössischen Umkreis auswählen. Im Hinblick auf Füsslis Zeichnung bedeutet das, daß das Alltägliche mythisiert wird, zugleich aber tritt Medusa aus ihrer künstlichen Fassung heraus und wird zum Prototyp eines träumerischen Schönheitsideals, dessen Zauber aus der Mischung von sehnsüchtiger Erwartung und spröder Unnahbarkeit herrührt (vgl. Khnopff, Mucha und Klimt).

Dieser Schönheitskult kommt aus England. In den Gemälden der englischen Prä-Raffaeliten kündigte sich die Sublimierung des Grauenhaften ins Mysteriöse schon in den fünfziger Jahren an, als das radikale Wahrheitsverlangen von der harten Dingfeststellung abrückte und sich der Deutung intimer psychischer Zustände zuwandte. Rossetti (Kat. XII. 1) und Burne-Jones (Kat. XII. 2–6) waren die Entdecker der Seele, die in der Einsamkeit ihrer verdrängten Triebe inne wird. Die Merkmale melancholischen Nachsinnens verschmelzen mit sinnlicher Passivität zu einem Grundton, der es den Menschen versagt, zu handeln, da sie ihr Verlangen zelebrieren müssen. Die erlesenen Gebärden stilisieren auch das gelebte Leben. Wenn Henry James eine präraffaelitische Dame in ihrer Häuslichkeit beschreibt, ersteht vor unserem Auge kein Mensch, sondern ein Kunstwerk: „Denk dir eine hochgewachsene magere Frau in einem langen, gürtellosen Gewand aus mattem Purpurstoff, mit einer Masse krausen, schwarzen Haars, aufgetürmt und in großen Wellen auf ihre Schläfen fallend, ein dünnes, blasses Gesicht, ein paar seltsam trauriger, tiefer, dunkler Swinburnescher Augen, mit großen, dicken, schwarzen, schrägen Brauen, die in der Mitte zusammenwachsen und seitwärts unter ihrem Haar verschwinden, einen Mund wie die Oriana in unserer illustrierten Tennyson-Ausgabe . . ."[2] In dieser Evokation sind auch die Frauen von Khnopff und Klimt enthalten.

Hier ist es notwendig, einige Bemerkungen zu den manieristischen Sprachmerkmalen dieser Stilkunst einzufügen. Die Prä-Raffaeliten, mit denen alles anfing, schlossen sich gegen Routine und Formelhaftigkeit zusammen. Ihren Wahrheitsanspruch fanden sie zunächst in den Malern des 15. Jahrhunderts verwirklicht, in jenen „naiven" Vorläufern Raffaels, deren Sprache sie noch frei von Kunstregeln und Normen glaubten. Im ersten Ansatz verschrieb man sich ganz dem Besonderen und Einmaligen, jener „minuteness and particularity", welche die klassische Lehre

2 Günter Metken, Die Präraffaeliten, Köln 1974, S. 188

etwa eines Reynolds dem Maler untersagte. Hunt, Brown und Millais belegen in ihren ersten Bildern, wie schwierig es ist, anerzogene Kunstgriffe zu verlernen. Schon Reynolds hatte darin das eigentliche Problem der „Modernen'' erkannt. Die Alten, sagte er in seiner Dritten Akademierede, hatten fast nichts zu verlernen, ihre „manners'' (!) kamen der Einfachheit sehr nahe, die Modernen jedoch müssen, um der Wahrheit ansichtig zu werden, den Schleier entfernen, mit dem die Zeitmoden sie umhüllt haben.

So gesehen ist jede Stilisierung eine Kunst der Verhüllung, die nicht die blanke Wahrheit ausspricht, sondern deren Überhöhung zum Gleichnis. Daraus resultiert eines der Merkmale des manieristischen Formdenkens: Vieldeutigkeit. Im Bildgeschehen vermengen sich verschiedene Bedeutungsschichten. Das führen die Prä-Raffaeliten vor Augen, indem sie ihr Interesse von Handlungs- auf Meditationsthemen verlagern, die häufig fragend ein Rätsel umkreisen. Dazu bedienen sie sich berühmter Vorbilder. Ihre pristine Unschuld dauerte nicht lange. Holten sie sich anfangs ihre Formstützen aus dem Quattrocento, von Botticelli, Piero di Cosimo und Crivelli, so richtete sich später ihr Blick auf Michelangelo und seine Nachfolger. Sie durchsetzten ihre Bildgedanken mit Anspielungen und Zitaten und wählten dabei bewußt nur bestimmte Sprachhöhen ihres Vorbildes. Michelangelos Helden büßen ihre trotzige Vitalität ein zugunsten verwunschener Gesten, die auf Entsagung hindeuten.

Am Höhepunkt dieser Entwicklung, im „Schreckenshaupt'' von Burne-Jones (Kat. XII. 2), wird der Medusen-Blick ambivalent. Die tötende Macht scheint ihm genommen: „Die Liebenden (Perseus und Andromeda) schließen ihren Bund unter dem Zeichen des ‚erlösten' Medusenhauptes, das ihnen feierlich milde und mit geschlossenen Augen im Spiegel des Brunnens begegnet.''[3] Gab Füssli seiner Frau und der Gorgo je eigene, unverwechselbare Ausdrucksmerkmale, so nähert Burne-Jones das mythische Idol der bang fragenden Haltung der Andromeda an. Die beiden sind nicht Gegentypen, sondern Schwestern, verschiedene Ausprägungen der „femme fatale'', die dem Mann ein Rätsel ist. Khnopffs „Maske'' (Kat. XIII. 21) ist gleichsam die Synthese dieser Spannung, eine beinahe Mensch gewordene Medusa, deren Schlangenhaar sich in ein Flügelpaar verwandelt hat. Für sie und ihresgleichen gelten die letzten Zeilen des Sonnetts, mit dem Rossetti sein Gemälde der „Astarte Syriaca'' erläuterte und gleichzeitig mit einem rätselhaften Bedeutungsgewebe durchwirkte:

Orakel, Amulett und Talismann
Ist's von der Liebe starkem Zauberbann –
Und ein Geheimnis zwischen Sonn' und Mond[4]

WH

3 Kurt Löcher, Der Perseus-Zyklus des Edward Brune-Jones, Stuttgart 1973, S. 30

4 Metken (cit. not. 2), S. 84

DANTE GABRIEL ROSSETTI (1828–1882)

1 Farbabbildung S. 382
The Bower Meadow 1872

Öl auf Leinwand; 83,5 × 66 cm
Manchester, City Art Gallery

Die Landschaft, um 1850 in Knole Park gemalt, war ursprünglich für „Dante und Beatrice im Paradies'' bestimmt. Als Modelle saßen Mrs. Stillmann und Alexa Wilding. Das Bild erzählt von einer Begegnung, ist aber zugleich die genaue Umsetzung berichtender Malerei in eine handlungslose Ikone. „Bower'' bezeichnet einen „locus amoenus'', einen Ort der Zurückgezogenheit, letztlich ein Schlafzimmer. Alles das trifft sich in der lautlosen Poesie der Abgeschiedenheit. Eine junge Frau läuft über die Wiese auf einen Pavillon zu, den Tauben beschützen und zugleich als den Wohnraum ihrer Partnerin ankündigen. Aus dem Hintergrund springt die Handlung in den Mittelgrund, wo die beiden Frauen einander zu einer Tanzfigur gefunden haben. Danach erreicht die Handlung, wieder sprunghaft und abrupt, den Vordergrund, wo die beiden Gestalten sich um ihre Tanzfigur zum Gefäß schließen, ohne einander jedoch zu berühren. Umso signifikanter ist die Beinahe-Berührung der beiden Hände genau in der Mittelachse der Komposition, dadurch wieder zurückgenommen, daß jede Hand in ein Saiteninstrument greift. Das berühmte Wort von Keats – „Heard melodies are sweet, but those unheard are sweater ...'' – könnte diesem Verstummen und der Divergenz der Blicke als Motto gedient haben. Rossetti verteilt das Bildgeschehen auf drei Phasen – das Suchen, das Finden, das Distanz-Gewinnen, wobei er die formalen Gewichte so verteilt, daß in der letzten Phase alle anderen aufbewahrt, sprich: aufgehoben sind.

Literatur: Surtees 1971, Nr. 229 WH

EDWARD BURNE-JONES (1833–1898)

2 Farbabbildung S. 377
Das Schreckenshaupt (The baleful Head) 1887

Öl auf Leinwand; 155 × 130 cm
Stuttgart, Staatsgalerie
Inv. Nr. 3110

Der Perseus-Zyklus von Burne-Jones stellt die umfangreichste bildkünstlerische Deutung des Medusenstoffes dar. Er umfaßt acht Gemälde, die allesamt 1971 von der Stuttgarter Staatsgalerie erworben wurden. Den Stoff verdankte der Maler dem „Earthly Paradise'' (1868) von William Morris, der darin „The Doom of King Acrisius'' erzählte. Akrisios hatte eine Tochter, Danaë, der sich Zeus in Gestalt eines Goldregens verband. Aus dieser Begegnung ging Perseus hervor. Da ein Orakel dem Akrisios weissagte, er werde von der Hand seines Enkels sterben, setzte er Perseus und dessen Mutter in einer Kiste auf dem Meer aus. Beide fanden Zuflucht bei Polydektes auf der Insel Seriphos. Bei einem Gastmahl stellte Perseus dem Polydektes ein Gastgeschenk frei. Dieser verlangte das Haupt der Medusa, die, von Pallas Athene verbannt, in einer Wüste lebte. Hier beginnt Burne-Jones. Wir folgen der Darstellung von Löcher. Perseus wird berufen, Pallas Athene gibt ihm den Spiegel, in dem er die Gorgo gefahrlos ansehen kann; die Grazien weisen ihm den Weg, die Nymphen rüsten ihn aus, er entdeckt Medusa und enthauptet sie. Auf der Flucht entdeckt er die an einen Felsen geschmiedete Andromeda, die Geisel eines Meerungeheuers. Er tötet die Drachenschlange und befreit Andromeda, der er danach zum Beweis seiner göttlichen Abkunft das abgeschlagene Schreckenshaupt vorzeigt. Mit diesem Bild endet der Zyklus. Medusa stiftet – in einer völlig neuen Rolle – den Einklang zwischen den Liebenden. Das Schreckliche (mit Rilke zu reden) gerät unter den milden Glanz des Schönen: „Bald sah sie (Andromeda) das Haupt sich erheben so schön und schrecklich (!), das, weiß und grausig, noch jetzt kaum tot schien neben dem Bild ihres eigenen schönen Antlitzes.'' Medusa ist eine ... Scheintote.

Literatur: Löcher 1973, Nr. 11 WH

EDWARD BURNE-JONES (1833–1898)

3
Kompositionsentwurf zu „The Doom fulfilled'' (Die Erfüllung des Schicksals) 1875

Gouache; 33 × 33,4 cm
Bezeichnet: Andromeda – Perseus
Chicago, The Art Institute, Geschenk von James Viles
Inv. Nr. 1922.5522

Perseus erlegt das Meerungeheuer und befreit Andromeda. Der Entwurf bezieht sich auf das vorletzte, dem „Schreckenshaupt'' (Kat. XII. 2) unmittelbar vorausgehende Bild

XII. 3

des Zyklus. Von der gemalten Fassung unterscheidet ihn, daß Andromeda in den linearen Rhythmus der Seeschlange stärker eingebunden ist. Ihrer Fesseln bereits ledig, wird sie von dem Monstrum nicht umfangen, ist aber wie ihr Befreier Teil des Lineargeschlinges, das gleich einem Initial die gesamte Bildfläche kurvig durchgliedert. Auch das quadratische Format läßt an das „Incipit" einer Buchseite denken. Als Ganzes ist der Entwurf mehr aus einem Guß als das Gemälde, in dem Andromeda ebenso schön wie unbeteiligt posiert. Dennoch haftet auch hier der Gefangenen etwas Unerlöstes an: Befreit, zeigt sie sich an dem Geschehen unbeteiligt. In dieser Distanz steckt wieder der manieristische Formgedanke der Kompositschönheit. Zwischen der Gelassenheit des Opfers und der Anstrengung des Befreiers liegt der Abstand, der früher schon Venus von Mars trennte.

Literatur: Löcher 1973, Nr. 9f WH

EDWARD BURNE-JONES (1833–1898)

4
Zwei Frauenköpfe 1874

Bleistift; 75 × 32 cm
Bezeichnet: EBJ 1874
Hamburger Kunsthalle, Kupferstichkabinett
Inv. Nr. 1922/157

Wie in „Bower Meadow" (Kat. XII. 1) ist der direkte Dialog vermieden: So nah die beiden Köpfe einander sind, fehlt ihrer Begegnung doch das Siegel der problemlosen Intimität. Der Profilkopf ist von abwartender Indifferenz gezeichnet, indes der andere die sehnsüchtige Erwartung andeutet, hinter der Botticelli steht und die später bei Picabia (Kat. XV. 15–18) in die Parodie der Sentimentalität umschlagen wird. Nur an einer Stelle verschmelzen die hart voneinander abgesetzten Köpfe miteinander: dort, wo sich die kräuselnden Haare zu einer Wellenbewegung verbinden, die von einem Kopf in den anderen hinüberspielt. WH

XII. 4

EDWARD BURNE-JONES (1833–1898)

5
Kopfstudie für eine der Grazien in „Venus Concordia" 1895

Bleistift; 37 × 31,5 cm
Bezeichnet: E B-J 1895 for one of the Graces in VENUS CONCORDIA
Hamburger Kunsthalle, Kupferstichkabinett
Inv. Nr. 1953/48

Ein Pastell in Carlisle (Ausst.-Kat. Präraffaeliten Nr. 164) läßt den Hamburger Kopf als den der linken Grazie erkennen. Eine Studie für die gesamte Komposition befindet sich in der Whitworth Art Gallery, University of Manchester (Nr. 158). Die Venus Concordia sollte mit der Venus Discordia das Fest des Peleus flankieren und die Predella einer dreiteiligen „Story of Troy" bilden. Burne-Jones ließ das Triptychon, an dem er seit 1870 arbeitete, bei seinem Tod unvollendet zurück.

Der Kopf hat die spröd herablassende, leicht verächtliche Schönheit des Frauentyps, den Burne-Jones Quattrocentisten wie Botticelli und Mantegna entnahm.

Literatur: Metken 1974, Abb. 94 – Ausst.-Kat. Präraffaeliten 1973/74, Nr. 162 WH

XII. 5

XII. 6

EDWARD BURNE-JONES (1833–1898)

6
Weibliche Kopfstudie 1895

Bleistift; 44,5 × 33,5 cm
Bezeichnet: EBJ for the CAR OF LOVE 1895 N° XIV
Hamburger Kunsthalle, Kupferstichkabinett

Studie für das 1870 begonnene Bild „The Car of Love". Burne-Jones hatte Mühe, den ihn bedrückenden Bildgedanken zu Ende zu bringen. Das 1895 datierte Gemälde befindet sich im Victoria and Albert Museum. Acht Paare ziehen den schwerfälligen Liebeswagen. Ihre Gesichtszüge – das verraten auch die Einzelstudien – sind von Anstrengung und Qual geprägt. Unfroh wollte Burne-Jones auch die allegorische Gestalt der Liebe: Ihre Herrschaft gründet auf Macht, nicht auf freier Wunscherfüllung. Vielleicht dachte Burne-Jones an ein Gegenbild zum Triumphwagen, den Dante im Purgatorio (XXIX) beschreibt. WH

AUBREY BEARDSLEY (1872–1898)

7
Zwei Athenerinnen in Not 1896

Tusche (Lichtdruck); 26 × 17,8 cm
London, Victoria and Albert Museum
Inv. Nr. E 298-1972

Eine von acht Zeichnungen, die Beardsley für einen Privatdruck „The Lysistrata of Aristophanes" (Leonard Smithers, London 1896) schuf. Reade bezieht die Zeichnung auf folgende Textstellen: „Ich fand (klagt Lysistrata) eine andere, die an einem Seil hinunterrutschte, . . . und wieder eine andere zog ich gestern an den Haaren von einem Sperling weg, als sie gerade zum Hause des Orsilochus hinunterfliegen wollte." Lustgewinn durch Reibung, das ist die Formel, auf die man die Bemühungen der beiden Damen bringen könnte. Die am Seil Hängende nimmt das Motiv eines Carracci-Stiches wieder auf (Kat. V. 45). Im Frisuren-Ornament knüpft Beardsley an Füssli an. Der formale Dreiklang aus Linien, Punkten und schwarzen Flächen ist seine Kennmarke.

Literatur: Reade 1967, Nr. 467 WH

XII. 7

XII. 8

AUBREY BEARDSLEY (1872–1898)

8
Siegfried 1892/93

Tusche, laviert; 40 × 28,6 cm
London, Victoria and Albert Museum
Inv. Nr. E 578-1932

Diese Illustration zu Wagners lyrischem Drama schenkte Beardsley dem von ihm bewunderten Burne-Jones. Der Drachentöter ist weniger mit seinem Opfer als mit sich selbst beschäftigt, ist weniger eine Figur als eine Figurine. Die bizarren Pflanzen wetteifern mit der aggressiven Animalität des Untiers. Beiden fehlt es an bedrohender Elementarkraft. Siegfrieds geknickter Körperwuchs erinnert an den (gefallenen) Engel von Th. Th. Heine (Kat. XIII. 44). Die Flußlandschaft in der Ferne wurde von Reade mit Pollaiuolos „Marter des hl. Sebastian" (London, National Gallery) verglichen. Aber auch sie ist ein künstliches Gebilde, das man sich in keiner dreidimensionalen Wirklichkeit vorstellen kann. Graziös und fragil, sind Mensch, Tier, Pflanzen und Landschaft die Erfindungen eines geschickten Ziseleurs, der seine Vorliebe für das Spitze und Züngelnde unverhohlen ausspricht.

Literatur: Reade 1967, Nr. 164 WH

AUBREY BEARDSLEY (1872–1898)

9
Der Liebesspiegel 1895

Tusche; 27,5 × 15,2 cm
London, Victoria and Albert Museum
Inv. Nr. E 1966-1943

Entwurf für das Frontispiz des Gedichtbandes „The Thread and the Path" von Mark André Raffalovich (David Nutt, London 1895). Die Zeichnung sollte das Gedicht „Set in a heart as in a frame Love Liveth" illustrieren, wurde aber vom Verleger zurückgewiesen, der in der Gestalt einen Hermaphroditen erkannt hatte. Beardsley gehört in der Tat zu den Wiederentdeckern des Androgyns als Symbol der „zusammengesetzten" Schönheit am Ausgang des 19. Jahrhunderts. Er errichtet dieser Entdeckung einen Altar, indem er die Herzform einem Kandelaber für zwei Dutzend Kerzen einfügt. Reade sieht darin Anleihen bei deutschen Pokalen des 16. Jahrhunderts.

Literatur: Reade 1967, Nr. 386 WH

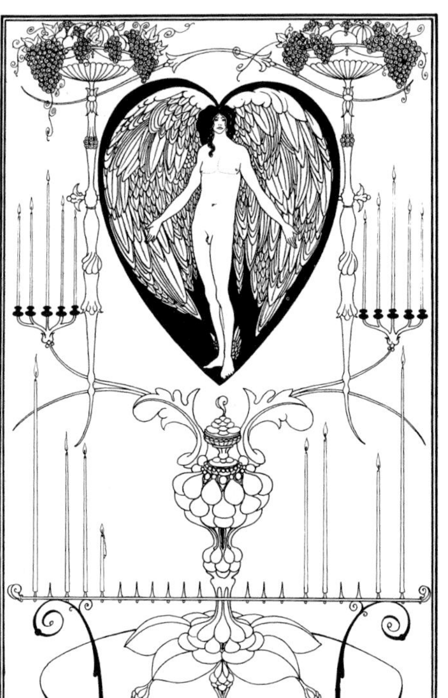

XII. 9

AUBREY BEARDSLEY (1872–1898)

10
Die Litanei der Maria Magdalena 1891

Bleistift; 20,3 × 15,2 cm
Chicago, The Art Institute, Charles Deering Collection
Inv. Nr. 1927.2258

Die Zeichnung entstand nach Beardsleys Besuch bei Burne-Jones (Kat. XII. 2–5). Was er dort an kalligraphischer Sorgfalt und sensualistischer Anmut sah, setzte er in eine spröd-ironische Handschrift um, die den Wohlklang mit Dissonanzen durchwirkt. Der lineare Spott trifft aber nicht nur die Pharisäer, sondern auch Maria Magdalena, die das Schauspiel ihrer Verzückung bietet – niemand ist hier so recht glaubwürdig, am ehesten noch die Assistenzfigur am rechten Rand, die Beardsley auch für einen Engel der Verkündigung verwendete (Reade Nr. 21). Das Thema ist apokryph.

Literatur: Reade 1967, Nr. 20 WH

XII. 10

XII. 11

AUBREY BEARDSLEY (1872–1898)

11
Salome mit dem Haupt Johannes des Täufers 1894

München 1947 (Nachdruck)
Hamburg, Privatbesitz

Als Zeichnung wurde die Komposition „J'ai Baisé ta Bouche Iokanaan'' 1893 in der ersten Nummer der Zeitschrift „The Studio'' veröffentlicht. Sie erregte Aufsehen und trug Beardsley von John Lane den Auftrag ein, Wildes „Salome'' zu illustrieren. Die luxuriöse Buchausgabe erschien 1894.

Die befriedigte Mordlust vereint Täterin und Opfer zu einer Aug-in-Aug-Situation, der etwas Beschwörendes anhaftet. Es ist, als wollte Salome dem blinden Schädel des Täufers wieder Leben einhauchen. Er gleicht einer männlichen Gorgo – die Rollen scheinen vertauscht: Die „femme fatale'' nimmt Rache an ihrem Gegner, der im Tod ihr Partner wird. Diesem Rollentausch entspricht die Verwandlung des Blutes in Lilien, Symbol der Reinheit und Unberührtheit. WH

XII. 12

MAX KLINGER (1857–1920)

12
„Ein Leben'' (Opus VIII) 1884
Verführung. Blatt 4 des Radierzyklus

Radierung und Aquatinta; 41 × 20,6 cm
Hamburger Kunsthalle, Kupferstichkabinett
Inv. Nr. 29049

Der fünfzehn Blätter umfassende Zyklus behandelt in Anlehnung an den Roman „Albertine'' des Norwegers Christian Krohg das Schicksal einer „gefallenen'' Frau, deren Lebensweg über die Prostitution ins Verderben führt. Klinger mischt die Sprachhöhen des Traumes mit denen des Capriccios, die der Reportage mit jenen der Allegorie. So entsteht ein Bedeutungspalimpsest, das in seiner Gesamtheit die Merkmale der Stilmischung bzw. -koppelung trägt. Die den bürgerlichen Moralvorstellungen widersprechende „Verführung'' setzt auf den Stolz, mit dem schon die Eva des 1. Blattes (Singer 127) die ihr bevorstehende Apfel-Erfahrung zur Schau trägt – was Klinger mit dem Wort der Schlange aus 1 Mose 3.4, 5 unterstreicht: „Ihr werdet mit nichten des Todes sterben, sondern eure Augen werden aufgetan!'' Die Verführung ist ein Impuls des gegenseitigen

Ergreifens, wobei die Radierung den das Geschlecht des Mannes erregenden Griff der Frau (wie ihn die Vorzeichnung im Ausst.-Kat. Klinger 1984, Nr. 53 zeigt) wieder zurücknimmt. Die zur Muschel stilisierte Woge bildet den noblen Auftakt, die Schnecke am Meeresboden, der das Paar zustrebt, verkörpert den dunklen Bodensatz der Sinnlichkeit.

Literatur: Singer 1909, 130 – Ausst.-Kat. Klinger 1984, Nr. 194 WH

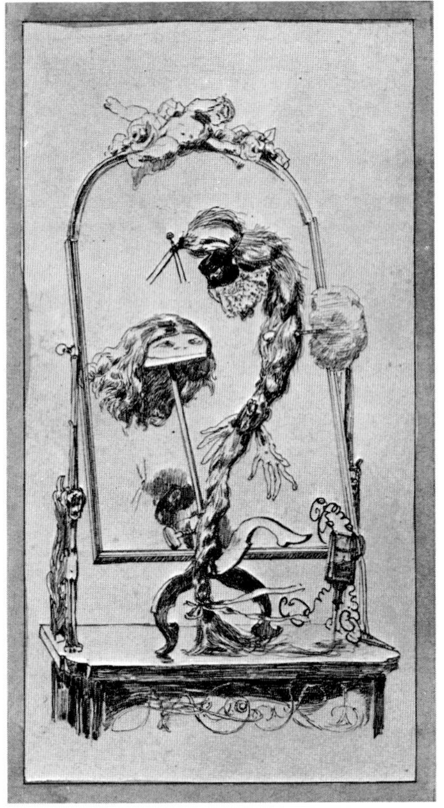

XII. 13

MAX KLINGER (1857–1920)

13
Tanzender Toilettentisch und Spiegel 1878

Federzeichnung; 14,4 × 8,1 cm
Hamburger Kunsthalle, Kupferstichkabinett
Inv. Nr. 1963-230

Eine stilkritische Sonde würde dieses Blatt zwischen dem „zweiten Rokoko'' und dem Jugendstil einordnen – zwei durchaus akzeptable Koordinaten, denn Klinger trifft in diesem Capriccio wie kein anderer den Ton der tänzerischen Verwandlungsfreude, und zugleich nimmt er die Linearismen des Jahrhundertendes vorweg, um sie ins Dämonische zu steigern, ohne ihnen die spielerische Komponente zu nehmen. Der Spiegel ist eine Art Bildrahmen, vor dem eine flirrende Boa mit Maske gleich einem Insekt auf eine andere, plattgedrückte Maske zusticht, aus deren Dreifuß frech ein tänzerisches Bein hervorsticht. Eine umgestürzte Flasche trägt die rätselhafte Aufschrift „Kotai Bréonie''. Klinger unterläßt es, seine Marionetten im Spiegel präzise zu verdoppeln. Die toten Requisiten haben sich verselbständigt und führen sich selber auf. Oder ist es das Leben, das in sie zurückgeflohen ist? WH

MAX KLINGER (1857–1920)

14
Widmungsblatt an ein Freudenhaus 1879

Tusche, Feder; 28,5 × 24 cm
Bezeichnet: Dédié à une maison de tolérance
Hamburger Kunsthalle, Kupferstichkabinett
Inv. Nr. 33905

XII. 14

Auf engstem Raum sind in einem Linienlabyrinth die Freuden und Leiden miteinander verschlungen, denen Klinger diese Zeichnung widmet. Ein lüstern-listiger Fuchs dreht an einem Schraubstock, der ein Herz preßt, so daß Blut in eine Schale tropft. Dieses Ritual wird von den wirbelnden, kräuselnden Formbewegungen mehr unterschlagen als betont. Links züngelt eine Schlange um einen Arm, der eine Geißel hält, rechts hält ein Arm einen Spiegel, der eine nackte Frau zeigt. Stacheln, Dornen, Rosen und Weintrauben, dazu noch ein larvenhafter Kopf, verbinden sich zu einer Arabeske, in der das Anmutige sich mit dem Makabren trifft – eine riskant „zusammengesetzte'' Schönheit. WH

XII. 15

ARNOLD BÖCKLIN (1827–1901)

15
Schild mit dem Haupt der Medusa 1887

Gipsrelief, bemalt; Durchmesser 60 cm
Zürich, Kunsthaus
Inv. Nr. 1828

Dem von Böcklins Schwiegersohn Peter Bruckmann modellierten Rundschild ist das Vorbild Caravaggios (Kat. I. 23 a) anzumerken. Das Motiv beschäftigte Böcklin auch im Wandbild für das Treppenhaus des heutigen Basler Museums für Natur- und Völkerkunde. 1878 entstand ein heute verschollenes Medusen-Gemälde.

Der Rundschild führt wieder die Frontalität, also ein archaisierendes Sprachmittel, in die europäische Kunst des ausgehenden 19. Jahrhunderts ein. Böcklin leitet damit das „bannende Bild" ein, das im Werk von Munch (Kat. XIII. 17), Klimt u. a. neue, noch radikalere Ausdruckszonen gewinnen wird. Munch bestätigt diese Beziehung, wenn er in einem Brief an Johann Rohde schreibt: „. . . Böcklin, von dem ich beinahe meine, daß er höher als alle Maler der Gegenwart steht . . ." (Jb. d. Stiftung Preuß. Kulturbesitz, 1966, S. 229) Bekanntlich hat Meier-Graefe dieser Wertschätzung den schnellen Prozeß gemacht. Er warf Böcklin vor, die Flächengesetzlichkeit des gerahmten Bildes geleugnet zu haben. Auf den ersten Blick scheint der Medusen-Schild dieser Kritik recht zu geben. Doch Meier-Graefe übersieht, daß solche Grenzüberschreitungen das Bild aus der kontemplativen in die appellative Sphäre hinüberführen, in der sich das 20. Jahrhundert frei bewegen wird: Die bemalte Leinwand wird von Multimaterialität abgelöst. Böcklins „Medusa" bringt das mythische Schreckbild an die Schwelle, wo es den Tod erleidet, den es hervorruft.

Literatur: Andree 1977, Nr. 324 – Ausst.-Kat. Symmetrie 1986, Nr. 105 WH

CARL STRATHMANN (1866–1939)

16
Kopf der Medusa 1895

Mixtechnik auf Pappe; 54,5 × 58,5 cm
Bezeichnet: C. Strathmann 1895
Basel, Sammlung Carl Laszlo

Im achteckigen Mittelfeld sitzt ein Gorgonenhaupt, dessen greller Blick und kantige Physiognomie bereits die Sprachmittel der Expressionisten ankündigen, indes das Schlangenhaar und vollends das beschaulich friedliche Flächenornament des Umfeldes noch der Stilkunst angehören. Dieser Stilbruch wird besonders deutlich in der Schlange, die den Nasenrücken bildet und der starrenden Fratze eine groteske Pointe aufsetzt. WH

XII. 16

CHARLES SELLIER (1830–1882)

17
Weiblicher Profilkopf 1865–70

Öl auf Leinwand; 56 × 45 cm
London, Piccadilly Gallery

Im sanft konturierten Profil drückt sich eine Wendung des Modells aus, deren Ziel dem Betrachter verborgen bleibt. Doch auch die Dargestellte nimmt dieses mit ihrem „œil interne" (Lammenais) wahr – in einer trancehaften Beziehung, die zwischen Subjekt und Objekt die Brücke der romantischen „Innenschau" knüpft. Sellier findet eine anschauliche Formel für einen künstlerischen Wahrnehmungsakt, der ein Abwesendes evoziert, indem er sich seiner Benennung verweigert. Das ist der symbolische Gestus, den Mallarmé preist: „Einen Gegenstand benennen, heißt dem Gedicht drei Viertel des Vergnügens rauben, das im Glück des allmählichen Erratens liegt. Andeuten – das ist der Traum."

Literatur: Kat. London 1972, Nr. 320 WH

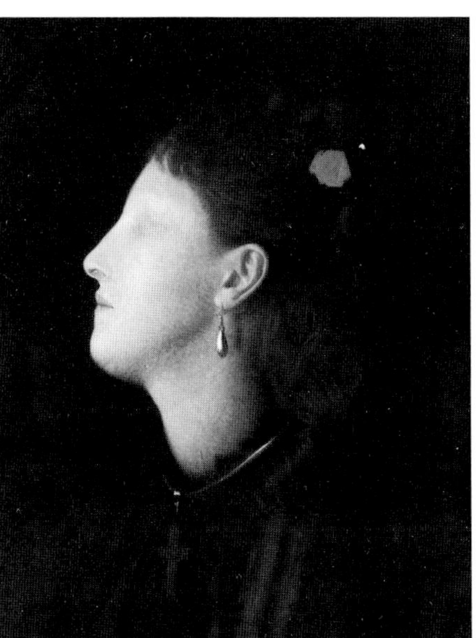

XII. 17

JAN TOOROP (1858–1928)

18
„O Grave, where is thy Victory?" 1892

Kreide; 62 × 76 cm
Bezeichnet: Jan Toorop 92
Amsterdam, Rijksmuseum, Rijksprentenkabinet
Inv. Nr. 60:243

Der Titel bezieht sich auf 1 Korinther 55: „Der Tod ist verschlungen in den Sieg. Tod, wo ist dein Stachel? Hölle, wo ist dein Sieg?" Die Zeichnung gehört zu den berühmtesten Schöpfungen der spiritualisierten Linienkunst der Jahrhundertwende. Die Schlangenlinie ist ihrer verführerischen Sensualität entkleidet und zur immateriellen Chiffre geworden, in der die Schwerelosigkeit der Erlösung zum Vorschein kommt, die hinter dem irdischen Jammertal wartet. Dieses trägt die Züge von Schmerz, Qual und böser Lust. Dunkle verbissene Gestalten lauern am rechten Bildrand und wollen sich des Toten bemächtigen, der bereits in die reine Welt der Seraphim hinübergleitet. Ihr Haar bildet den tröstenden Tenor, der das ganze Blatt bestimmt: Sein matter Rhythmus führt in das Dunkel des Grabes. Über diesen weitausgreifenden S-Kurven sollte nicht übersehen werden, daß den Greifarmen der Menschen das von links eingreifende kahle Geäst antwortet – Natur als feindselige Macht. Ohne diese Dissonanz entbehrte die Zeichnung der Spannung zwischen Eurhythmie und stacheliger Aggressivität. Man hat hervorgehoben, daß Toorops „Sylphiden" nicht immer trösten (wie hier), sondern ambivalent sind. Manchmal verkörpern sie auch das Böse.

Literatur: Kat. Paris 1977, Nr. 40 WH

XII. 18

XIII Die nackte Wahrheit

Abb. 1 Bartolomeo da Venezia, Weibliches Brustbild (Lucrezia Borgia?), 1. Hälfte 16. Jahrhundert, Frankfurt, Städelsches Kunstinstitut

In einem Aufsatz des jungen Hofmannsthal über die Internationale Kunstausstellung in Wien (1894) finden sich treffende Beobachtungen zur modernen englischen Malerei. Zwei seien herausgegriffen. Die eine erkennt als Domäne dieser Maler „die dämmernden Tiefen des einsamen Seins'' und spricht damit metaphorisch von den Bezirken des Innenlebens, in die bald danach Sigmund Freud eindringen wird, die andere betont das Transitorische dieser Gestaltenwelt: „. . . die kosmischen Gewalten, die Herren des Traumes und des Todes, Pan, der unreif geborene Gott, aus dem Unterleib der Erde geschnitten, nicht Mensch, nicht Tier, nicht Mann, nicht Weib . . .'' Das transitorische Denken und Sehen des Jahrhundertendes schwelgt in Zwischenwelten. Die Geschlechter treffen sich in einer androgynen Zwitterzone, als deren Vorbild die rätselhaften Gestalten Leonardos bewundert werden. Ein Kenner der Ambivalenz, J. K. Huysmans, widmet dem Androgyn des Städel (Abb. 1) eine Beschreibung, die ein Psychogramm sämtlicher Ausschweifungen der Renaissance enthält. Noch die berühmte Abhandlung über „Eine Kindheitserinnerung des Leonardo da Vinci'' (1910) zeigt Freud im Bann des Fin-de-siècle-Ästhetizismus, der bis in die Wurzeln seines Kunsturteils reicht. Es geht um die Funktion der Kunst als „Ersatzbefriedigung''. In Burne-Jones' Perseus-Zyklus ist der Held weniger ein Täter als ein Schauender, und in den erotischen Tagträumen von Khnopff, Klinger oder Klimt ist der Voyeur angesprochen, der die Kontemplation dem Geschlechtsakt vorzieht. Zu ähnlicher betrachtender Passivität wird Leonardo von Freud stilisiert: Er sieht ihn als den Künstler, dem die Verdrängung seiner Libido zu einem umfassenden Denkinteresse geriet.

In Freuds Nachlaß fand sich ein kurzer Aufsatz über „Das Medusenhaupt'', der das mythische Bannbild zu einer Metapher des männlichen Sexualverhaltens umdeutet: „Kopfabschneiden = Kastrieren. Der Schreck der Medusa ist also Kastrationsschreck, der an einen Anblick geknüpft ist. Aus zahlreichen Analysen kennen wir diesen Anlaß, er ergibt sich, wenn der Knabe, der bisher nicht an die Drohung glauben wollte, ein weibliches Genitale erblickt. Wahrscheinlich ein erwachsenes, von Haaren umsäumtes, im Grunde das der Mutter.'' Ein Blickpunkt, der im Forschertrieb des Leonardo eine Sublimation des Sexualtriebes feststellt, mußte auch im Kunstgebilde eines Medusenhauptes verborgene, verdrängte Triebbedürfnisse aufdecken. Freud entzaubert das Faszinosum der Gorgo, indem er deren Bannung als verschleiernde Metapher des Psychischen demonstriert. Der Bann wird als männliche Projektion entlarvt, das Grauen als Abwehrreaktion auf das verstümmelte weibliche Geschlechtsorgan. In diesem Grauen steckt das, was Spector[1] als den viktorianischen Widerwillen Freuds „gegen den genitalen Aspekt der Sexualität'' bezeichnet. Deshalb entstellte er die Medusa zur Fratze, die, von Pallas Athene als Schutzemblem getragen (vgl. Kat. XIII. 29), der Abwehr „sexueller Gelüste'' dient.

Indem er die Medusa aus einem weiblichen Körperteil ableitet, gibt Freud zu erkennen, daß er die künstlerische Form für einen Ersatz und eine Verschleierung hält – Spector spricht von einem „Zuckerguß'' –, die den eigentlichen Inhalt beschönigend entstellt, was letztlich besagt, daß dem Kunstwerk der Wahrheitsgehalt einer schönen Lüge zukommt.

1 Jack J. Spector, Freud und die Ästhetik, München 1972

Im Medusenhaupt wird die „grauenerregende Wirkung'' des weiblichen Genitales „von seiner lusterregenden isoliert''. Zwar erfüllt sich der Künstler in den Augen Freuds seine Wunschphantasien, indem er sie zum Kunstwerk umformt, doch so, daß er „das Anstößige dieser Wünsche mildert, den persönlichen Ursprung derselben verhüllt, und durch die Einhaltung von Schönheitsregeln den anderen bestechende Lustprämien bietet.''[2] Man könnte die schlangenhafte Pseudo-Medusa von Diez (Abb. 2) als gezeichneten Hohn auf die Kunstlüge auffassen, welche in der „Einhaltung von Schönheitsregeln'' – in diesem Fall der S-Linie – ihren Ursprung hat. Solche Kritik machte sich schon im Lager der Stilisten als Selbstkritik bemerkbar: Sie diente der Entzauberung des formalen Pathos. Schiff notierte zu Füsslis Zeichnung der „Töchter des Pandareos'' (Kat. XI. 5), die Göttinnen wirkten wie Gestalten Offenbachs. Der parodierte Eros ist in der Hochkunst des 19. Jahrhunderts kaum anzutreffen, er wurde erst zu einem Thema, als die Prä-Raffaeliten das Liebesthema sakral überhöhten. Aubrey Beardsley nahm sich den blasphemischen Einspruch heraus: Seine Linienkunst ließ die Stilisierung umschlagen in bösen Spott, in dekorative Capricci oder in Laszivität, die mit dem Vulgären liebäugelt (Kat. XII. 7–11). Auch Klinger wählte hie und da einen respektlosen Ton, etwa indem er die Requisiten der Schönheit chaotisierte (Kat. XII. 13) oder – umgekehrt – den Einblick in ein Freudenhaus in eine graziöse Arabeske verwandelte (Kat. XII. 14).

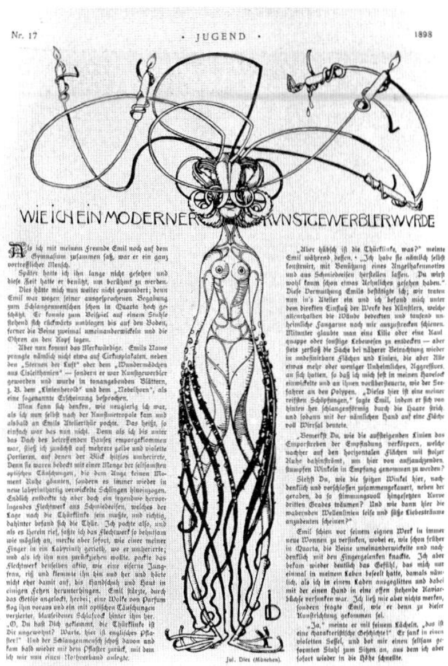
Nr. 17 · JUGEND · 1898

WIE ICH EIN MODERNER KUNSTGEWERBLER WURDE

Abb. 2 Julius Diez, „Wie ich ein moderner Kunstgewerbler wurde'', Illustration aus „Jugend'' (Münchner Illustrierte Wochenschrift für Kunst und Leben) 1898

In Freuds Mißtrauen gegenüber der „Kunstlüge'' steckt ein Kern, der ernstgenommen zu werden verdient. Dieses Mißtrauen beschließt die Reihe der Denker des 19. Jahrhunderts, die dem Kunstwerk im Namen der Wahrheit den Kampf ansagten. (Es genügt, an Kierkegaard und Tolstoi zu erinnern.) Wenn Wahrheit an eindeutige Aussagen gebunden ist, dann geraten notwendig alle jene Kunstwerke in den Verdacht der Lüge (bzw. Entstellung, Maskierung etc.), denen Vieldeutigkeit als konstitutionelles Merkmal anhaftet. Vieldeutig ist eine Linie, die gleichzeitig verschiedene Sachinhalte bezeichnet, ein Gebrauchsgegenstand, der seinen Zweck verhüllt, eine Gruppe von Kunstgebilden, deren Grenzen unscharf sind. Vieldeutig sind die Transitorien, von denen schon die Rede war. Vieldeutigkeit ist das zentrale Merkmal der Fin-de-siècle-Kunst, die auf das Kennwort Jugendstil oder Secession hört (Kat. XIII. 1–6, XIII. 25–29).

Das Instrument dieser Verschmelzung von Formen und Bedeutungen ist die „arabesque pure'' (Maurice Denis), die von der isolierten Fläche eines Bildes auf eine ganze Raumwand und von dieser auf den dreidimensionalen Gegenstand übergreift. 1897 forderte Van de Velde: „Ein einzelnes Möbel erscheint nur dann als Einheit, wenn alle sozusagen fremden Teile wie Schrauben, Scharniere, Schlösser, Griffe, Haken nicht selbständig bleiben, sondern in ihm aufgehen . . .''[3] Hevesi setzte diese Morphogenese fort: „Schränke, Türen, Kanapees, Sitzbänke, Betten sind mit Vorliebe zusammengebaut, als förmliche Kombinationsmöbel, die zusammen ein untrennbares Stück Zimmer bilden. In einem Gastzimmer für zwei Personen haben z. B. die beiden Betten eine gemeinsame Rückwand, aus der sich zwischen ihnen ein Doppelnachtkästchen hervorbaut. Ausziehen kann man freilich mit solchem Hausrat

2 Spector (cit. not. 1), S. 112

3 Henry van de Velde, Zum neuen Stil, München 1955, S. 60

nicht, es gehört zum Hause, in das es hineingewachsen ist.''[4] So entsteht die von Van de Velde gepriesene „Symphonie'' des Gesamtkunstwerks, die Adolf Loos bald darauf der Lüge bezichtigen und mit seinem Hohn überschütten wird. Er schildert einen armen, reichen Mann, der zum Gefangenen der von seinem Architekten geplanten Totalschönheit wird: Selbst eine Streichholzschachtel muß er immer dort hinlegen, wo der Architekt dafür einen Platz vorgesehen hat. Der Arme merkt: „Jetzt heißt es lernen, mit seinem eigenen Leichnam herumzugehen.'' Dieses ästhetische Mausoleum denunziert Loos im Namen der existentiellen Nöte, die sich der formalen Glättung durch die stimmige „Symphonie'' entziehen: „Schildert einmal, wie sich geburt und tod, wie sich die schmerzensschreie eines verunglückten sohnes, das todesröcheln einer sterbenden mutter, die letzten gedanken einer tochter, die in den tod gehen will, in einem Olbrichschen schlafzimmer abspielen und ausnehmen.'' Einen Künstler gab es damals, der dieser Forderung nachkam: Edvard Munch. Aber er demaskierte zwar das „Sterbezimmer'', zugleich versetzte er Eros, Tod und die von ihnen ausgehenden Ängste in die andere Wahrheit der Mythenwelt, in der Medusa und ihre Schwestern regieren (Kat. XIII. 17–19). Wie Redon und Rops (Kat. XIII. 7–11) und Kubin (Kat. XIII. 34, 35) versagte er der alles umfassenden ästhetischen Lebenskultur der Jahrhundertwende den Tribut, ohne sich damit jedoch des Rechtes zu begeben, die „conditio humana'' im Sinnbild und im Gleichnis darzustellen. WH

4 Ludwig Hevesi, Acht Jahre Secession, Wien 1906, S. 109 (Reprint Klagenfurt 1984)

XIII. 1

MAX KLINGER (1857–1920)

1
Zeit und Ruhm (Vom Tode. Zweiter Teil, Opus XIII, Blatt 11) 1898

Radierung; 45,5 × 27,7 cm
Bezeichnet: M. Klinger. 8.3.90
Hamburger Kunsthalle, Kupferstichkabinett
Inv. Nr. 29030

Ein Mannweib mit dem Schlangenhaar der Medusa tritt eine verführerische Sirene nieder: Die unerbittliche Zeit zerstört den menschlichen Ruhm. Traditionelle allegorisch-mythische Gestalten bereichert Klinger um neue Symbolbedeutungen. Nur scheinbar affirmativ geht er auf den Zeithorizont des waffenklirrenden Wilhelminismus ein; gerade nicht ein Ruhm à la „Preußens Gloria" wird verherrlicht. Klinger gibt ihm das Gewand der machtlosen Schönheit, der ihr Sprachrohr, die Trompete, nicht mehr zur Verfügung steht: sic pereat gloria mundi.

In krasserer Weise als im Anfangs-„Akkord" der „Brahmsphantasie" (Kat. XIII. 5), der in aller Zerrissenheit die Harmonie schon beinhaltet, geht die Zeit, ihre zweischneidige Axt geschultert, im Verbund mit der Natur über die Eitelkeit des Menschen hinweg; erst das Schlußblatt der Folge, „An die Schönheit", zeigt diesen, von allem weltlichen Tand entblößt, in Einheit mit einer erhabenen Natur oder zumindest sie ersehnend.

Klinger selbst hat geäußert, daß der Zyklus „Vom Tode II" überwiegend Resultat einer intensiven Lektüre von Schopenhauers „Parerga und Paralipomena" sei.

Literatur: Winkler 1984, S. 145–148, Abb. 158 – Ausst.-Kat. Klinger 1984, S. 285f, Abb. 269 – Ausst.-Kat. Eva 1986, S. 274f, Nr. 191 PTh

MAX KLINGER (1857–1920)

2
Vertreibung (Zelt, Opus XIV, Blatt 45) 1915

Radierung und Aquatinta; 23 × 18 cm
Bezeichnet: MK (ligiert) 15
Hamburger Kunsthalle, Bibliothek
Inv. Nr. III. XIX. Klinger 1915

Wie im Falle von „Zeit und Ruhm" (Kat. XIII. 1) präsentiert sich, auf dem vorletzten Blatt einer Folge, eine Medusa. Wieder ist, nun in monströser Weise, der geschürzte Knoten der traumhaft-mythischen Handlung geplatzt. Die Scheinharmonie der vorangehenden Szenen wird bereits in Blatt 44 („Entsetzen") jäh durchbrochen: Aus der Begrüßung des Volkes durch das junge Herrscherpaar (Blatt 43) resultiert die Hinrichtung einer Frau. Nun wendet sich diese gegen den Mann und jagt ihn über einen (von Sonne oder Schnee?) gleißenden Berghang hinab,

XIII. 2

den abgeschlagenen Kopf als metamorphotisch verändertes Gorgonenhaupt vor sich hertragend, hinter sich vier Schlangen schwingend, eine Frau ohne Schatten. Der Mann taumelt gesichtslos dem Untergang entgegen. Am „Ende" (Blatt 46) fehlt er; zwei Frauen, die eine aktiv, die andere passiv schwebend, bieten sich den Obsessionen des Mannes, sei er Künstler oder Betrachter, verweigernd dar.

Diese späteste Stichfolge Klingers entstand – in Buchform mit Versen Herbert Eulenbergs – in der Zeit, als sich die Trennung von der Schriftstellerin Elsa Asenijeff abzeichnete, die ihm über 15 Jahre lang Modell, Muse und Geliebte gewesen war. Sein Kulturpessimismus verschärft sich auch im Angesicht des begonnenen Weltkriegs und findet keine versöhnliche Synthese mehr. Von den beiden Geschlechtern, die sich im „Zelt" der Leidenschaften liebten und verführten, quälten, folterten und mordeten, bleibt das weibliche deformiert, aber triumphierend übrig.

Literatur: Beyer 1930, S. 376 – Dückers 1976, S. 130f, Abb. S. 110 – Winkler 1984, S. 149ff, Abb. 161 – Ausst.-Kat. Klinger 1984, S. 286ff, Abb. 327 PTh

MAX KLINGER (1857–1920)

3
Ängste (Paraphrase über den Fund eines Handschuhs, Opus IV, Blatt 7) 1881

Radierung; 14,3 × 26,8 cm
Hamburger Kunsthalle, Kupferstichkabinett
Inv. Nr. 29071

Eine Analogie zu Goya, dessen graphisches Werk Klinger eingehend studiert hat, drängt sich auf: Der Schlaf der Vernunft gebiert Ungeheuer. Dem Träumenden, dem sich eben noch der Handschuh als Objekt seiner Begierde vor rosengekrönten Brandungswellen dargeboten hat (Blatt 6: „Handlung"), kommt dieser nun, übergroß, am Kopfende seines Bettes bedrohlich nahe, gefolgt von einer – auf das Triebleben verweisenden – Flutwelle, in der, neben greifenden Geisterhänden, entsetzt reagierenden Männern und einem alten Weib, das grinsend seine langen, spitzen Brüste vorweist, zum ersten Mal auch das dämonische Vogelmonster auftaucht, das für den endgültigen Entzug und die Auflösung des Traums sorgen wird (Blatt 9, Kat. XIII. 4). Die Hinterwand zerfließt und gibt den Blick auf den Mond, Urbild weiblicher Symbolik, frei, nach dem die Kerze, das Phallussymbol, leckt. Bereits zwanzig Jahre vor Freuds „Traumdeutung" ist das Vokabular der Tiefenpsychologie voll ausgebildet: Klinger konnte es Karl Albert Scherners Buch „Das Leben des Traumes" (1861) und einem Berliner Vortrag von Hermann Siebeck, „Das Traumleben der Seele" (1877), entnehmen.

Das Symbol des Handschuhs übernahm seinerseits Giorgio de Chirico (Kat. XIV. 2) von Klinger, den er außerordentlich schätzte (s. S. 538ff).

Literatur: Singer 1909, Nr. 119 – Dückers 1976, S. 134 – Pfeifer 1980, S. 38–42 – Ausst.-Kat. Klinger 1984, S. 279, Abb. 152 PTh

MAX KLINGER (1857–1920)

4
Entführung (Paraphrase über den Fund eines Handschuhs, Opus VI, Blatt 9) 1881

Radierung und Aquatinta; 11,9 × 26,9 cm
Hamburger Kunsthalle, Kupferstichkabinett
Inv. Nr. 29073

1878 hatte Klinger nach einem persönlichen Erlebnis unerfüllter Liebe eine Folge von Federzeichnungen geschaffen, die er drei Jahre später druckgraphisch umsetzte. Dadurch wurde der spontanzeichnerische Zugriff artifiziell mit dem Anspruch auf Allgemeingültigkeit ausgestattet.

Das vorletzte Blatt der Folge krönt diejenige Traumphase, die in Blatt 7 (Kat. XIII. 3) übergegangen war in einen Alpdruck, und leitet gleichzeitig über zur Schlußszene mit Amor, der seinen Köcher mit Pfeilen weggelegt hat angesichts des einsam unter dornigem Rosenstock liegenden Handschuhs. In der vorliegenden Darstellung findet dessen Entführung statt. Ein häßlicher, fledermausartiger Vogel, der (auf Blatt 8 mit dem trügerischen Titel „Ruhe") unter einem aus vielen Handschuhen gebildeten Vorhang lauerte, hat sich seiner bemächtigt und den Raum unbeschadet durch das geschlossene Fenster hindurch verlassen.

Was dem Traumtier gelingt, wird für den Träumer zum schmerzhaften Erlebnis, das sein Erwachen bewirken wird. Seine Arme greifen durch die zersplitternden Scheiben hinter dem Ungeheuer und dem geliebten Gegenstand her (die herabfallenden Glassplitter sind in der Vorzeichnung noch nicht vorhanden). Der fast die ganze Bildbreite einnehmende Vogel entgleitet den Händen, den spitzen Schwanz bedrohlich gegen den Beraubten zurückgerichtet. Die gleiche Stoßrichtung der Arme zeigt jedoch auch den Aspekt der unrechtmäßigen obsessiven Inbesitznahme durch den Träumenden an, dem hier in gleicher Weise heimgezahlt wird und der sich zunehmend dessen bewußt wird. Der Handschuh als Pars-pro-toto-Fetisch entschwindet ihm hinter der Blütenhecke seiner Wunschträume in die Nacht hinein.

Literatur: Singer 1909, Nr. 121 – Pfeifer 1980, S. 39, 42, Abb. 21 – Dückers 1976, S. 134 f, Abb. S. 127 – Hartleb 1985, Nr. 3
PTh

XIII. 4

MAX KLINGER (1857–1920)

5
Accorde (Brahmsphantasie, Opus XII, Blatt 1) 1894

Stich, Aquatinta und Schabkunst;
27,7 × 39,1 cm
Hamburger Kunsthalle, Kupferstichkabinett
Inv. Nr. 1917/46

XIII. 5

„Auf dem Meere ist ein Gerüst aufgebaut; Wellen und Schaum bedecken es. Auf ihm sitzt ein Pianist vor einem Klavier. Er trägt einen schwarzen Anzug, er spielt so, als ob er in der Wärme und der Ruhe eines Konzertsaales wäre. Neben ihm sitzt eine Frau. Hinter beiden hängt ein vielfältiges Segel. Es bewirkt einen geheimnisvollen Horizont. Unten im Wasser hat ein Triton alle Mühe, eine gewaltige Harfe zu tragen, die der Wind ihm gegen die Stirn drückt. Meerfrauen spielen auf dem Instrument.

Auf dem Meere kreuzt eine Barke, eine Art von ‚cutter'. Schräg im ungestümen Wind liegend, fährt sie schnell einem unbekannten Ort entgegen. Im Hintergrund bilden hohe Felsen ein Becken. Geschützt von Winden und Stürmen liegt das Meer dort ruhig und dunkel. Weiß leuchtet der Marmor einer Villa." (Giorgio de Chirico, Il convegno, 1920.)

Klinger, selbst leidenschaftlicher Klavierspieler und Verehrer Brahms', baut das Titelblatt der Folge von 41 Stichen zu einem gewaltigen symphonisch-synästhetischen Akkord auf, der zwischen zwei Polen der Ruhe entfesselt wird. Der Pianist in Schwarz auf dem festgefügten dunklen Gerüst löst ihn aus, seine hellgekleidete Muse leitet ihn weiter; die leichte Neigung der vom Wind erfaßten Harfe verstärkt sich in der Schräglage des Segelschiffs, dessen Ziel, das entfernt an Böcklins „Toteninsel" erinnert, weit hinten sichtbar ist. Ein weißer quergelagerter Bau mit Assoziationen an die Walhalla überhöht das im Schatten der Bucht liegende dreibogige Hafengebäude.

Das Thema der durch Leiden und Tod errungenen Erlösung, wie sie sich etwa bei Schopenhauer äußert, scheint anzuklingen.

Diese in Malerei umgesetzte Musik wird unterstützt durch die Macht der Elemente. Das sturmgepeitschte Meer beruhigt sich nach hinten hin, die Wolken brechen hinter dem schweren Vorhang hervor, werden aber nach links oben abgedrängt, die schroffen Felsen und Bergmassive nivellieren sich zu einem sanft abfallenden Hochplateau, während das Licht die Oberhoheit innehat: Die

Frauengestalt weist auf eine Lichtquelle hin, die neben den Noten am rechten Rand aus dem Dunkel aufleuchtet, gibt deren Schein über ihr helles Kleid an die unruhigen Reflexe auf Wasser, Wolken und Felsen weiter, die sich sammeln im Focus des fernen Tempels. Äußerste Kontraste vereinigen sich zu einer erhabenen Harmonie.

Literatur: Singer 1909, Nr. 184 – Mayer-Pasinski 1981 – Ausst.-Kat. Klinger 1984 – Winkler 1984 PTh

XIII. 6

MAX KLINGER (1857–1920)

6
Die neue Salome, 1893

Verschiedene Marmorsorten; Höhe mit Sockel 104, ohne Sockel 88 cm
Ehemals bezeichnet: MK 93, Signatur entfernt
Leipzig, Museum der Bildenden Künste
Inv. Nr. 25

„Der große, gesammelte Ausdruck unserer Lebensanschauung fehlt uns. Wir haben Künste, keine Kunst", klagt Klinger 1891 in seinem Aufsatz „Malerei und Zeichnung". Sein Bemühen um das Gesamtkunstwerk findet im 1902 vollendeten „Beethoven"-Monument mit der Aufeinanderhäufung von Material und Symbolik einen so beeindruckenden wie zwiespältigen Niederschlag und Höhepunkt.

Die neue Salome, deren erste Entwürfe um 1887 entstanden, eröffnet die Reihe der polychromen plastischen Bildwerke Klingers. Weniger die biblische Gestalt ist Gegenstand der Darstellung – aus einer Unzahl von literarischen Vorbildern, von Flaubert bis Pèladan, von Huysmans bis Wilde, die die Salome geradezu zur Symbol- und Modefigur der Zeit um die Jahrhundertwende machten, entwickelt Klinger seine eigene Sicht dieses dämonischen Vamps eines dekadenten Zeitalters: zurückhaltend, aber berechnend, als Siegerin über die Männerwelt.

Der von ihrem Gewand umhüllte, zur Maske erstarrte Kopf des Alten ist nicht mehr der des standhaften Mahners Johannes, sondern Sinnbild des erfahrenen und doch übertölpelten Mannes – er wird ergänzt durch den ebenso machtlos ergebenen eines Jünglings, dessen Bernsteinaugen verloren in die Ferne starren, während diejenigen der Verführerin den Betrachter fixieren, ohne daß sie selbst sich festlegen ließe.

Obwohl Klinger ein Pariser Mädchen zum Vorbild nahm, transformierte er das konkrete Modell in einen überzeitlich-psychologisierenden Zustand.

Literatur: Dückers 1976, S. 118f, Abb. S. 101 – Winkler 1984, S. 183f, Abb. 169, 179 – Ausst.-Kat. Klinger 1984, Nr. 1, Taf. 2, Abb. S. 140, 246 (Zitate) PTh

FÉLICIEN ROPS (1833–1898)

7
Guerrière (Die Kriegerin) 1882

Radierung; 21,1 × 14,7 cm
Bezeichnet: Guerrière – FR 1882 – Je veux peindre PALLAS qui scait bien la manière / D'emporter par assaut une place; – GUERRIÈRE / Habile à manier et sabre et coutelas / Fille du GRAND JUPIN, valeureuse ès combats ! / (. . .)
Hamburger Kunsthalle, Kupferstichkabinett
Inv. Nr. 28274

„Glaub' mir, die ‚ehrbaren Leute' sind bösartiger, banaler und serviler als die anderen – und sie sind vor allem weniger ehrbar!"

Dies Credo schrieb der Belgier Rops 1879 an seinen Landsmann und Autor des Romans „La Légende d'Uylenspiegel", Charles de Coster. Es beleuchtet schlaglichtartig seine Auffassung, dem katholischen Sittenkodex, der auch seine Erziehung geprägt hatte, den Spiegel vor- und eine Ethik des Bösen entgegenzuhalten, für die ihm u. a. Äußerungen der Kirchenväter und der „Hexenhammer" Pate standen.

Auch Athene, die kriegerische Göttin der Weisheit, bleibt von einer solchen Weltsicht nicht verschont. Der Krieg, den sie – laut Rops' Gedicht – siegreich führt, ist derjenige zwischen den Geschlechtern. Aber sie gewinnt ihn fremdbestimmt: Die Eule auf ihrem Kopf, vergleichbar den Chimären Moreaus (Kat. XIII. 12), aber auch dem Traumungeheuer Klingers („Entführung", Kat. XIII. 4) oder Rops' dürrer Teufelsgestalt auf dem Rücken der „Sphinx" (Kat. XIII. 11), ist nicht mehr Weisheits-, sondern nur noch satanisch veränderter Nachtvogel; er scheint die profanisierte Göttin gleichzeitig sexuell zu inspirieren wie sie auszusaugen.

Diese robuste Streiterin verfehlte ebensowenig wie ihre Ropsschen Gefährtinnen ihre Wirkung auf das Publikum: Sie weckte den Wunsch, mit offizieller Entrüstung getarnt einen begehrlichen Blick unter die Gürtellinie und den Ladentisch des Kunsthändlers zu werfen.

Literatur: Hassauer/Roos 1984, S. 119 – Camiro 1928, 198 – Mascha 1910, 778 – Exsteens 1893, 414 PTh

XIII. 7

FÉLICIEN ROPS (1833–1898)

8
Le bonheur dans le crime (Die Seligkeit im Verbrechen), Les Diaboliques, Nr. 3
1886

Photogravure; 22,6 × 15,6 cm
Bezeichnet: LE / BONHEUR – DANS LE / CRIME – Félicien Rops
Hamburger Kunsthalle, Kupferstichkabinett
Inv. Nr. 28390

„Les Diaboliques" hieß programmatisch die Novellensammlung von Jules Barbey d'Aureville, zu der Rops 1879 die ersten Illustrationen schuf. 1886 gab er sie in größerem Format auch als Einzelblätter heraus.

„Sex and crime" war schon immer das Erfolgsrezept, mit dem Autoren und Illustratoren Aufsehen erregen konnten. Selten aber geschah das so ungeschminkt wie bei Rops.

Der Geist eines ermordeten Mädchens greift vergeblich an einem Sockel empor nach dem nackten, inmitten einer Strahlenglorie sich küssenden Mörderpaar. Die Umklammerung durch die Schlange hat keine Wirkung mehr: Sie liegt tot am Boden, abgelöst von einem lasziv lächelnden Medusenhaupt mit seinen vielen Schlangenhaaren, das zum Schutzschild für das liebende Paar wird.

Treffend formuliert Joris-Karl Huysmans in seinem Rops-Aufsatz („Certains", 1889): „Auf vollendeten Blättern zeichnete er das Übernatürliche der Perversion, das Jenseits des Bösen." Verführung und Verbrechen werden gegen den Strich gebürstet und glorifiziert: ein Paradies des Grauens.

Literatur: Brison 1970, Abb. 133 – Hassauer/Roos 1984, S. 151 (zitat) – Ausst.-Kat. Rops 1985, Nr. 173 – Mascha 1910, 856 – Exsteens 1893, 1067 PTh

XIII. 8

FÉLICIEN ROPS (1833–1898)

9

L'Idole (Das Idol), Les Sataniques, Nr. 3 1882

Vernis mou; 23,9 × 16,5 cm
Bezeichnet: F.R. – N° 3. L'Idole
Hamburger Kunsthalle, Kupferstichkabinett
Inv. Nr. 28301

„Auf einem anderen Blatt, ‚Das Idol', empfängt die Frau – wieder die Frau – ihren Gott, einen Satan, eine Art Hermes auf steinernem Sockel, abermals schreckerregend mit seinem lächelnden, lasziven Gesicht, gemein mit seiner niedrigen Stirn, der gebrochenen Nase, dem Bocksbart, den zottigen, triefenden Lippen. Er steht da, aufrecht, in einem Marmorhalbrund, umrahmt von zwei Phallen, deren Unterleib hermaphroditisch zwischen Bocksbeinen endet. Zur Rechten erregt sich ein Elephant mit seinem Rüssel.

Und die Frau hat das Monster besprungen;

XIII. 9

sie umschlingt es wild mit leidenschaftlicher Bewegung, bleibt haften an diesem Unterleib, der sie durchbohrt, fixiert ihren schauerlichen Liebhaber mit starren Augen, deren Wonne entsetzt" (Joris-Karl Huysmans, Certains, 1889).

Nicht gebunden an eine literarische Vorlage, läßt Rops in „Les Sataniques" seinen obsessiven Phantasien freien Lauf, gespeist aus denjenigen kirchlich-inquisitorischen Quellen, die das Weib als vom Teufel besessen darstellen.

Huysmans fährt in seinem Essay fort: „Diese kopulierende Kreatur hat etwas von einer diabolischen Theresa an sich, hat etwas von einer besessenen Heiligen im Gebet, wie sie den höchsten Augenblick erwartet, der in unvergeßliche Enttäuschung umschlagen wird." In den weiteren Blättern der Folge („Le sacrifice" und „Le calvaire") wird sie auf einem Altar auf tierische Weise vergewaltigt und von einem erigierenden gekreuzigten Beelzebub stranguliert werden.

Literatur: Ramiro 1928, 225, Mascha 1910, 659, Exsteens 1893, 785 – Brison 1970, S. 51 – Hassauer/Roos 1984, S. 124 u. 148 (Zitat) – Ausst.-Kat. Rops 1985, Nr. 359 PTh

FÉLICIEN ROPS (1833–1898)

10

Naturalia um 1875

Photogravure; 28,6 × 20,4 cm
Bezeichnet: NATURALIA – Naturalia / non sunt TURPIA – Les vices de l'homme, si pleins / d'horreur qu'on les suppose (. . .) / Ch. Baudelaire – Dux malorum Fœmina! – (Senèque le Tragique)
Hamburger Kunsthalle, Kupferstichkabinett
Inv. Nr. 28409

„In Belgien keine Kunst; die Kunst hat sich aus dem Land zurückgezogen. Keine Künstler, Rops ausgenommen." Das schrieb Baudelaire 1864 in sein Arbeitsheft über seine

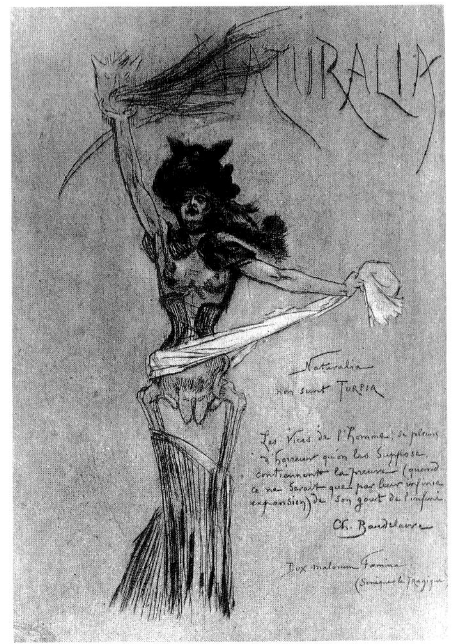

XIII. 10

Belgienreise. Rops, der u. a. Baudelaires „Fleurs du mal" und „Les epaves" mit Radierungen versah, bedient sich hier ebenfalls eines seiner Gedichte: „Naturgaben sind nicht unsittlich", hält er dem prüden Publikum entgegen, ohne zu vergessen, mit einem Ausspruch Senecas auf die Verbindung der Frau mit dem Bösen hinzuweisen.

In diesem Zirkelschluß der Umwertung aller Werte wird die Entscheidung zwischen Gut und Böse schließlich hinfällig. Die Frau mit dem verführerischen nackten Oberkörper reißt die Theatermaske vom Gesicht, aus der das Wort NATURALIA herausflammt, läßt alle Hüllen fallen und präsentiert sich mit ihrem Unterleib als – ebenfalls lüsternes – Skelett. Eros und Thanatos beherrschen als schöne Horrorvision und einziger „goût de l'infini" die Welt.

Literatur: Hassauer/Roos 1984, S. 134 (Zitat) – Ausst.-Kat. Rops 1985, Nr. 98 – Mascha 1910, 919 – Exsteens 1893, 1024 PTh

FÉLICIEN ROPS (1833–1898)

11
Le Sphinx Les Diaboliques (Frontispiz)
1886

Vernis mou; 24 × 16,5 cm
Bezeichnet: F.R.
Hamburger Kunsthalle, Kupferstichkabinett
Inv. Nr. 28275

„Auf eine Sphinx in der klassischen hieratischen Haltung, ausgestreckt, starr und fest die Brüste, die Tatzen nach vorn gestreckt, die Schenkel angelegt, gleitet die Frau. Sie ist nackt. Sie umschlingt den Hals des Tieres, zieht sich hinauf an sein Ohr, fleht es an, ihr endlich das übernatürliche Geheimnis ungeahnter Genüsse und neuer Sünden zu enthüllen. Lasterhaft und schmeichelnd reibt sie ihr Fleisch gegen den Granit des Monsters, versucht es zu verführen, bietet sich ihm dar wie einem Mann, dem sie Geld entlocken will, bleibt Dirne, selbst noch in dieser entrückten Szenerie, selbst in der Majestät dieser nicht abzustreifenden Nacktheit einer Göttin oder einer Eva.

Während sie flüsternd den Hals der unbeweglichen Sphinx umschlingt, lauscht Satan – im schwarzen Anzug, Monokel im Auge, zwischen den beiden aufgerichteten Flügeln sitzend, die wie zwei ausgekehlte Sicheln vom Rücken des Monsters emporsteigen. Er lauscht aufmerksam dem Geständnis delirierender Hoffnung, der Obsession dieser Seele, die er sicher in seiner Gewalt hat'' (Joris-Karl Huysmans, Certains, 1889).

Dem geheimnisvoll-erotischen Mischwesen und dem blühenden Frauenkörper gegenüber ist für Huysmans dieser Teufel „der gezähmte Fin-de-siècle-Satan, stumm und sauber, hartnäckig und zäh; er ist nicht mehr perfekt, ist verbraucht, alt''. Und dennoch ist das Weib in seinen Diensten tätig.

Angesichts einer als verlogen deklarierten bürgerlichen Moral kann für den diesem Bürgertum selbst zugehörigen Rops eine Emanzipation der Frau nur innerhalb des Gesichtskreises des Bösen stattfinden.

Literatur: Mascha 1910, 846 – Exsteens 1928, 426 – Brison 1970, Abb. 50 – Hassauer/Roos 1984, S. 151 (Zitate) u. Abb. 104 – Ausst.-Kat. Rops 1985, Nr. 170
PTh

XIII. 11

XIII. 12

GUSTAVE MOREAU (1826–1898)

12
Le triomphe d'Alexandre-le-Grand
(Der Triumph Alexanders des Großen)
um 1885–1892

Öl, Aquarell und Tusche auf Leinwand;
155 × 155 cm
Bezeichnet: Gustave Moreau – ALEXANDRE
Paris, Musée Gustave Moreau
Inv. Nr. 70

„Das kleine Tal, in dem sich ein riesiger und wunderbarer Thron erhebt, verkörpert das Land Indien schlechthin: seine Tempel mit den phantastischen Giebeln, die furchterregenden Götzen, die heiligen Wasser, Labyrinthe voller Schrecken und Geheimnisse, diese ganze fremde und verwirrende Zivilisation, die Pagoden tragenden Elefanten, in die sich geheiligte Bajaderen einschließen, dieser ganze geheimnisumwitterte und beunruhigende Reichtum, Priester, phantastische Götzen, Seherinnen, Zauberinnen, dieses ganze gespenstige und schweigende Volk, das sich unterwirft. Im Hintergrund große blaue, in Rosa getauchte Berge und Felsen in der Gestalt von Architekturen. In dieser üppigen und mit Wohlgerüchen vergifteten Vegetation hält der junge Grieche dem besiegten König sein Zepter als Zeichen der Gnade und absoluter Herrschaft entgegen. Die vollendete griechische Seele strahlt in die unerforschten Weiten aus, die Geheimnis und Traum bergen'' (Gustave Moreau, in: L'assembleur de rêves, hrsg. v. P.-L. Mathieu, 1984, S. 107).

Die kleinen Menschen vor einer riesigen Landschafts- und Gebäudekulisse können an Altdorfers „Alexanderschlacht'' (und die „Susanna im Bade'') erinnern. Doch wo dieser eine Welt- und Überschaulandschaft entwirft, schweift Moreau ins Imaginäre. Daß er die „vollendete griechische Seele'' mit „Geheimnis und Traum'' konfrontiert, bricht jede Klassizität auf.

Auf das alexandrinische Zeitalter als frühe Epoche manieristischer Prägung weist mehrfach Gustav René Hocke hin. Und erscheint nicht jener rätselhafte, um 1593 in Metz geborene François de Nomé, dessen Spur sich um die Mitte des 17. Jahrhunderts in Neapel verliert, mit seinen hypertrophen Darstellungen zusammengesetzter oder in Zerstörung begriffener Bauten (Hocke, Abb. 198–203) wie ein ferner Vorfahr Moreaus?

Perspektive als Ornament ist eines der Kennzeichen des Gemäldes: sie ist klar gezeichnet, aber völlig abstrus. Ihr linearer Stil bindet gerade die Tiefenfluchten an die Bildfläche an als kulissenhafte Dekoration. Der Raum wird Traumzeichen, erschließt sich in immer neuen Dimensionen wie hinter einer Glasscheibe.

Gegenüber Moreaus eigener Beschreibung stellt sich die Frage: Wer hat eigentlich wen bezwungen? Es scheint so, als sei der strahlende Eroberer Alexander völlig von dieser geheimnisvollen Welt gefangengenommen.

Literatur: Hahlbrock 1976, S. 85 u. 125, Abb. 26 – Mathieu 1976, S. 180, Abb. S. 204 – Ausst.-Kat. Moreau 1986, Nr. 106 PTh

FRANZ VON STUCK (1863–1928)

13
Pallas Athene 1898

Öl auf Holz; 77 × 69,5 cm
Bezeichnet: Franz Stuck – (Originalrahmen mit Inschrift:) Pallas Athene
Schweinfurt, Sammlung Georg Schäfer

Als Hofmannsthal 1893 den Maler einen „Mythenbildner" nannte, waren ihm nur dessen von Versuchung und Sünde beherrschten Anfänge bekannt. Vielleicht kannte er die 1892 entstandene Medusa (Voss 74/192), die dem Grafen Pallavicini in Wien gehörte und heute verschollen ist. (Stucks Vorbild war die Medusa Rondanini in der Glyptothek, von der die Stuck-Villa heute noch einen Abguß besitzt.) Hofmannsthal rühmte Stuck als geistreichen Gebrauchsgraphiker, und es ist merkwürdig, daß ein Thema wie die „Pallas Athene" seinen Ursprung in einem Plakat für die VII. Internationale Kunstausstellung in München hat. Das Plakat gab den Anstoß zu Stucks Gemälde und dem von Klimt (Kat. XIII. 29). Beide entstanden 1898. Klimt nimmt es mit den archäologischen Tatsachen genauer, zugleich wendet er mehr Sorgfalt auf die auratische Würde. Seine Göttin ist mehr Ikone als die von Stuck, der in dem Bild offenbar, ähnlich Füssli (Kat. XI. 8), eine private Botschaft unterbrachte, denn als Modell der Pallas Athene diente ihm seine Frau. Erstmals wurde das Bild in der Ausstellung der Münchner Secession 1898 gezeigt.

Literatur: Voss 1973, Nr. 183/337 WH

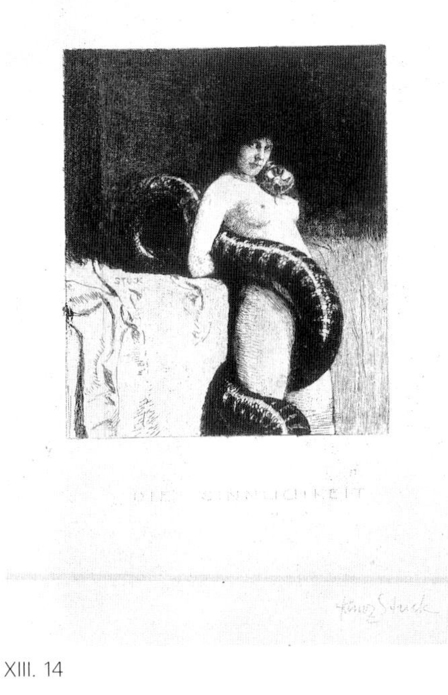

XIII. 13

XIII. 14

FRANZ VON STUCK (1863–1928)

14
Sinnlichkeit um 1889

Radierung; 21 × 17,3 cm
Bezeichnet: Die Sinnlichkeit – Franz Stuck
Hamburger Kunsthalle, Kupferstichkabinett
Inv. Nr. 1026

Vor bald hundert Jahren entstanden, nahm diese Radierung den biblischen Mythos kühn zum Vorwand, um zwischen Frau und Schlange eine sündenlose Partnerschaft herzustellen. Klinger deutete dies schon im dritten Blatt seiner radierten Folge „Eva und die Zukunft" an. Die Suggestivität des Blattes beruht auch heute noch darauf, daß offen bleibt, ob die Schlange die „ewige Eva" verkörpert oder ihr Befriedigung verschafft. Tut sie dieses, wird der Mann entbehrlich, ist sie jenes, gilt ihm – dem Betrachter – der fixierende Blick. Nach der Erprobung des Themas im privaten Bereich der Graphik hat Stuck es in mehr als einem Dutzend Gemälde von 1891 bis 1912 zu Tode gemalt.

Literatur: Bierbaum 1924, Abb. 14 WH

FRANÇOIS RUPERT CARABIN (1862–1932)

15 Farbabbildung S. 385
Fauteuil 1893

Holz, Eisen; 120 × 66 × 70 cm
Bezeichnet: R. Carabin
Strasbourg, Musée d'Art Moderne de la Ville de Strasbourg

1889 bekam Carabin den Auftrag, einen Bibliotheksschrank „nach seinem Geschmack" herzustellen. Für den Bildhauer und Mitbegründer der „Société des Artistes Independants" (1884 gemeinsam mit Seurat, Signac und Dubois-Pillet) war der Anstoß zu einer Reihe eigenwilliger Möbelkreationen gegeben, für die die hier gezeigte als typisch bezeichnet werden kann.

Während er beim erwähnten Bibliotheksschrank nackte Frauenfiguren auf dem Kasten sitzend applizierte, wird der weibliche Akt bei den späteren Kleinmöbeln Stühle, Hocker, Tische und kleine Schränke stützend eingesetzt; jedoch nicht als Karyathiden, vielmehr als Freiplastiken, deren „unbequeme Haltung" ausgenützt wird, um beispielsweise einen Sessel zu bilden. Auch die Katzen – sie bilden bei unserem Fauteuil die Armlehnen – scheinen zufällig vorbeigekommen zu sein, die Mäusejagd erweckt ihr Interesse.

Bemerkenswert scheinen die zeitgenössischen Beschreibungen von Carabins Möbeln, die stets sehr kühl und nüchtern die Haltungen der Aktfiguren beschreiben.

Literatur: Ausst.-Kat. Carabin 1974, Nr. 11 JW

VICTOR PROUVÉ (1858–1943)

16
La Nuit (Die Nacht) 1894

Bronze; 45,5 × 79 × 48 cm
Bezeichnet: V. Prouvé / 1894
Nancy, Musée de l'École de Nancy

Eines der Hauptwerke des Jugendstil-Symbolismus in der Plastik – so charakterisieren die beiden Autoren des Münchener Kataloges die „Nacht", nachdem sie ihr eine eindringliche Beschreibung gewidmet hatten: „Die braunschwarz patinierte Bronze zeigt eine büstenartige Personifikation der Nacht, die im Sturm durch Wolken zu schweben scheint. Das wie im Mondlicht aufglänzende Antlitz mit geschlossenen Augen und wissendem Lächeln ist verschlossen und geheimnisvoll wie eine Sphinx der Lüfte. Im langsträhnigen nach hinten flatternden Haar blitzen Sterne auf und nisten viele Gestalten, die das Geschehen im Schatten der Nacht symbolisieren: Schlaf, Traum, Sehnen, Liebe, Geburt, Eifersucht, Mord und einsamer Erschöpfungstod. Alles ist hier versammelt und verkettet – die Nachtseiten menschlicher

XIII. 16

Existenz. Wie dunkle Wolken fliegen die Haare der Nacht darüberhin, aus denen sich Eule und Fledermaus lösen. In großem Schwung bezeichnet die eigentümliche vielfigurige Gruppenplastik die Sichelform des Nachtgestirns, und das Gesicht der Nacht könnte auch als das des Monds im Sinne spätmittelalterlicher Monddarstellungen (Mondsichel mit Frauengesicht) verstanden werden. Zur Symbolik der Nacht rechnen auch die Mohnpflanzen mit Stengeln, Blättern und Kapseln am Bug der ‚Galionsfigur' des phantasievollen bronzenen Nachtschiffs, das auch als ‚Coupe', als schalenartiger Aufsatz bezeichnet wird."

In dieser Eigenschaft entfaltet die „Nacht" ihren raffinierten Überraschungsreiz: zwischen Vorder- und Seitenansicht gibt es keinen Übergang. Wer die meduseischen Züge der „Nacht" betrachtet, ahnt nichts von dem Gefolge, das sich dahinter verbirgt. Dasselbe gilt für die Seitenansicht, die wieder die Hauptgestalt unterschlägt. Solche Konfrontationen entsprechen der bipolaren manieristischen Formenspaltung.

Literatur: Ausst.-Kat. Nancy 1900, 1980, Nr. 366 WH

XIII. 16

EDVARD MUNCH (1863–1944)

17
Die Urne 1896

Lithographie; 49,5 × 59 cm
Hamburger Kunsthalle, Kupferstichkabinett
Inv. Nr. 1927/184

Der brennende, von der Frontalität getragene Blick gehört einem Zwischenwesen an, das als Urne zugleich Leib und Denkmal ist: Grabstätte und drohendes, verschlingendes Dunkel. In diesem Geschöpf-Gebilde steckt die Frau des Gemäldes „Asche" (1894), die ihre Arme wie die Henkel eines Gefäßes über dem Kopf zusammenschlägt. Aber auch an das frühe Selbstporträt (1891/92, Munch-Museum, Oslo, M 229) ist zu denken, das hinter dem Maler eine medusenähnliche Maske zeigt. Ob das Urnenweib nichts als Bedrohung ist, läßt sich schwer entscheiden. Gegenüber den schmerzgekrümmten Gestalten des Vordergrunds nimmt sie sich fast wie eine Tröstung aus. Ein Triumph des Geistes über den physischen Tod?

Literatur: Timm 1969, Taf. 42 – Schiefler 63 WH

XIII. 17

EDVARD MUNCH (1863–1944)

18
Liebespaar in Wellen 1896

Lithographie; 32,2 × 43 cm
Hamburger Kunsthalle, Kupferstichkabinett
Inv. Nr. 1925/330

XIII. 18

Das fließende Haar der Frau umschlingt den Kopf des Mannes und wird wieder von den tödlichen Wellen umfangen. Haar und Wellen bilden eine Art „Heiligenschein", wie er auch Munchs „Madonna" rahmt. Hinter dem Bildgedanken dürfte Klingers Radierung „Untergang" stehen. Wo der deutsche Graphiker einen photographischen Reporterblick auf einen Ertrinkenden wirft, betont Munch das Gleichmaß des Elements, das die Menschen gelassen wieder zu sich nimmt und mit ihrem Tod versöhnt. Sofern der Frauenkopf einem von Schlangen durchwachsenen Medusenhaupt gleicht, steckt in ihm die Rückverwandlung der Bedroherin in die Naturgewalt, der ihr Mythos entsprungen ist.

Literatur: Timm 1969, Taf. 47 – Schiefler 71 WH

EDVARD MUNCH (1863–1944)

19
Vampir (Harpyie) 1894

Kaltnadel; 29,9 × 29,9 cm
Hamburger Kunsthalle, Kupferstichkabinett
Inv. Nr. 1925/74

Die Harpyie saugt gleich dem Vampir das Blut aus dem Leib der Toten. Munch verbindet diese Metapher des tödlichen Eros mit Gedanken über den Auftrag des Künstlers. Trygve Nergaard (in: Ausst.-Kat. Edvard Munch, Symbols and Images, National Gallery of Art, Washington 1978, S. 134) schlägt folgende Deutung vor: Das zeichnende Skelett im Hintergrund bezeichnet die in der Tradition erstarrte Kunst. Die Harpyie ist die Kunst, die über den Tod triumphiert. Sie ergreift die Leblosigkeit, nährt sich von ihrem Blut und schafft daraus das Leben eines neuen Kunstwerks. Auf den Mythos der Gorgo übertragen, bedeutet das: Nur der Künstler bannt den Schrecken, der ihm ins Auge zu sehen vermag. Der Bärtige ist der Maler Christian Krohg, eine künstlerische Vaterfigur, mit dessen Werk der junge Munch sich auseinandersetzen mußte.

Literatur: Timm 1969, Taf. 35 – Schiefler 34 a/II WH

XIII. 19

FERNAND KHNOPFF (1858–1921)

20 Farbabbildung S. 387
Vivien Idylls of The King 1896

Polychromierter Gips; Höhe 98 cm
Wien, Österreichische Galerie, Leihgabe im Museum moderner Kunst
Inv. Nr. ÖG 4431

Hevesi hat von dieser zutiefst gleichgültigen „Berückerin" eine köstliche Beschreibung gegeben, die dem männlichen Gegenüber die Rolle des Dümmlings überläßt: „Mitunter steigert sie (Khnopffs Sinnlichkeit) sich zu dämonischem Vollblut, wie in der farbigen Statue ‚Vivien', präraffaelitischen Angedenkens. Ein behexender Genußkopf auf einem Rumpf, der sich im Tanze wiegt. Die Figur ist in der Schenkelmitte abgeschnitten, aber auch halbe Dämonen tanzen ... Vivien ist die niedliche Hexe, die in Tennysons ‚Königsidyllen' Merlin das Zauberbuch wegnimmt. Es ist auf eine Muschelschale geschrieben und sie preßt es im Tanz an die Brust. Dieser langsam mystische Tanz, bloß mit dem Torso, und dazu dieses Spiel des offenen Mundes und der Nasenlöcher, ... was sie ihm in dem Moment sagt, die Berückerin, ist sehr einfach. ‚Imbécile!' sagt sie ihm" (Hevesi, Acht Jahre Secession, Wien 1906, S. 35). „Vivien" gehört mit Munchs „Madonna" zu den Altarfiguren, deren der Eroskult der Jahrhundertwende bedurfte. Sie ist Ikone und doch auch dank der Mehrfarbigkeit ein zum Scheinleben erwecktes Geschöpf Pygmalions. „Vivien" wurde nach der Ausstellung in der Wiener Secession (1898) für die Staatlichen Sammlungen erworben.

Literatur: Ausst.-Kat. Khnopff 1979, Nr. 281 WH

FERNAND KHNOPFF (1858–1921)

21
Maske 1897

Gips, farbig gefaßt; 18,5 × 28 × 6,5 cm
Hamburger Kunsthalle
Inv. Nr. 1986/4

Der Darmstädter Katalog spricht ohne Vorbehalt von einer Hermes-Maske. Als 1898 auf der Khnopff-Ausstellung der Wiener Secession ein fast identischer, heute verschollener Kopf zu sehen war, blickte Hevesi der Maske auf den Grund: „In Brüssel war diese Maske, die bloß ein Gipsmodell ist, voriges Jahr in El-

XIII. 21

fenbein, Goldbronze und blauem Email auf einer Säule aufgepflanzt und wirkte wie eine moderne Medusa. Er liebt ja die Medusenhäupter.'' (Acht Jahre Secession, Wien 1906, S. 32.) Der Kopf ist jenem von Burne-Jones verwandt, gleich dem er wieder aus dem Tod in das Leben zurückkehrt (Kat. XII. 2). Khnopff konzentriert sich auf den Kopf, als wollte er dessen Abgetrenntsein hervorheben, aber da das Antlitz die zu vermutende Verletzung unbeschädigt überstanden hat, wendet sich sein Ausdruck in den einer makellosen Ikone, der Spannung von Drohung und Bedrohtwerden rätselhaft enthoben. Als der Kopf in Wien ausgestellt wurde, dürfte seine Frontalität ihre Wirkung auf Klimt nicht verfehlt haben.

Literatur: Ausst.-Kat. Khnopff 1979, Nr. 298 – Ausst.-Kat. Symmetrie 1986, Nr. 106 WH

FERNAND KHNOPFF (1858–1921)

22
Schlafende Medusa 1896

Pastell; 72,4 × 28 cm
London, Privatsammlung

Eine Somnambule, die ein rätselhaftes Wächteramt wahrnimmt. Sie ist der Todesvogel, der sich selbst zum Epitaph wird, die schöne Schläferin, die böse Träume heimsuchen. Oder eine Schwester der Eule Minervas, die erst abends ihren Flug beginnt. Hevesi sah in ihr einen schönen Beweis für Khnopffs Art, „Fabelhaftes mit einem Realismus vorzutragen, daß man es am liebsten gleich glauben möchte'' (5. April 1900, in: Acht Jahre Secession, Wien 1906, S. 258).

Literatur: Ausst.-Kat. Khnopff 1979, Nr. 282 WH

XIII. 22

FERNAND KHNOPFF (1858–1921)

23
Das Blut der Medusa 1898

Farbstift; 21,2 × 13,4 cm
Bezeichnet: FERNAND KHNOPFF
New York, Barry Friedman Ltd.

Die vom Tod gezeichnete Schönheit ist makelloser denn je, doch zum Idol erstarrt, indes die Schlangen mit phallischer Gier das Blut, aus dem Pegasus Gestalt annimmt, saugen und zugleich befruchten. An der Stirn vom Blattrand abgeschnitten, schwebt Medusas doppelt verletzte Ganzheit wie die Metapher einer Schönheit, die im Fragment ihre Erfüllung findet.

Literatur: Ausst.-Kat. Khnopff 1979, Nr. 318 WH

XIII. 23

FERNAND KHNOPFF (1858–1921)

24
Die silberne Tiara 1909

Pastell; Durchmesser 25 cm
London, Privatsammlung

Sorgfältig aus der Mittelachse gerückt, greift dieser Kopf auf die ganze mit Moreau anhebende Tradition der verwunschenen Prinzessinnen zurück. Das Rundfenster macht den Betrachter zum geheimen Beobachter dieser Unnahbarkeit.

Literatur: Ausst.-Kat. Khnopff 1979, Nr. 462 WH

XIII. 24

XIII. 25

GUSTAV KLIMT (1862–1918)

25
Liebe 1895

Öl auf Leinwand; 60 × 44 cm
Bezeichnet: GUSTAV KLIMT. MDCCCVC
Wien, Historisches Museum der Stadt Wien
Inv. Nr. 25.005

Klimt verwandelt das Triptychon in ein „Mehrfeldbild'' (Hofstätter), das sich auf zwei Realitätsebenen verteilt. Das Mittelfeld wird von zwei je halb so breiten goldenen Seitenleisten feierlich gerahmt. Mit dem Goldgrund kontrastieren blaßrote Rosen. Diese Spannung aus Naturnähe und Abstraktion greift Klimt im Mittelfeld nochmals auf, indem er über dem Liebespaar visionäre Köpfe auftauchen läßt, in denen sich die Lebensalter widerspiegeln. Eine gemalte „Collage'' also im Sinne sowohl des psychologischen Palimpsests, von dem Freud später sprechen wird, wie auch der Verflechtung verschiedener Sprachhöhen zu einer „zusammengesetzten'' Schönheit.

Literatur: Novotny/Dobai 1967, Nr. 68 WH

GUSTAV KLIMT (1862–1918)

26
Nixen (Silberfische) um 1899

Öl auf Leinwand; 82 × 52 cm
Bezeichnet: GUSTAV KLIMT
Wien, Zentralsparkasse und Kommerzialbank

Hevesi verglich das Bild mit dem Porträt einer Dame: „. . . in schwarzer Toilette, mit flimmernden Pailletten, eine schwarze Boa um die Schultern.'' In den „Nixen'' macht Klimt die Naturgeschöpfe sichtbar, die sich in den vornehmen Damen der Wiener Gesellschaft verbergen. Ihre Boas verwandeln sich in Fischleiber, aus denen der Kopf halslos gleich einer Qualle hervortaucht. Doch diese Naturgeschöpfe sind Zwitter: Wie Andersens kleine Meerjungfrau sehnen sie sich nach der Menschenwelt. Darüber hinaus trägt ihr Umriß noch an anderen mythischen und legendären Verführerinnen, an den Sirenen etwa und der Loreley.

Literatur: Novotny/Dobai 1967, Nr. 95 WH

GUSTAV KLIMT (1862–1918)

27
Nuda Veritas 1899

Öl und Goldgrund; 252 × 56,2 cm
Bezeichnet: GUSTAV KLIMT
Wien, Theatersammlung der Österreichischen Nationalbibliothek

Die „nackte Wahrheit'' ist Klimts Umdeutung des Sündenfalls. Die wahrscheinlich von Khnopffs „Vivien'' (Kat. XIII. 20) angeregte Gestalt verkörpert die Kompromißlosigkeit, die das Schiller-Zitat programmatisch anspricht: „Kannst Du nicht allen gefallen durch deine That und dein Kunstwerk – mach es Wenigen recht. Vielen gefallen ist schlimm.'' Klimt bezieht sich offenbar auf das dritte Blatt von Klingers Zyklus „Eva und die Zukunft''. Dort hält die Schlange der Frau den Spiegel vors Gesicht. Klimt zeigt das Reptil, überwunden, zu Füßen der Wahrheit, die in ihrer Nacktheit ihre Botschaft entdeckt. Davon geht eine bannende Wirkung aus, die der Zeigegestus mit der Glaskugel (die auch ein Spiegel sein könnte) noch unterstreicht. Sofern wir in diesem Gerät uns selbst reflektiert sehen, wäre es geeignet, eine Medusa, die hineinblickt, in Todesstarre zu versetzen.

Wieder mischt Klimt die Realitätsschichten: Der diaphane Körper wird von gegenstandslosen blauen Farbschleiern umflossen, die Blumen im Haar kontrastieren mit den stilisierten Spiralgewächsen, die in einem anderen Bild als dreidimensionale Rahmenornamente auftauchen (Kat. XIII. 28).

Literatur: Novotny/Dobai 1967, Nr. 102 WH

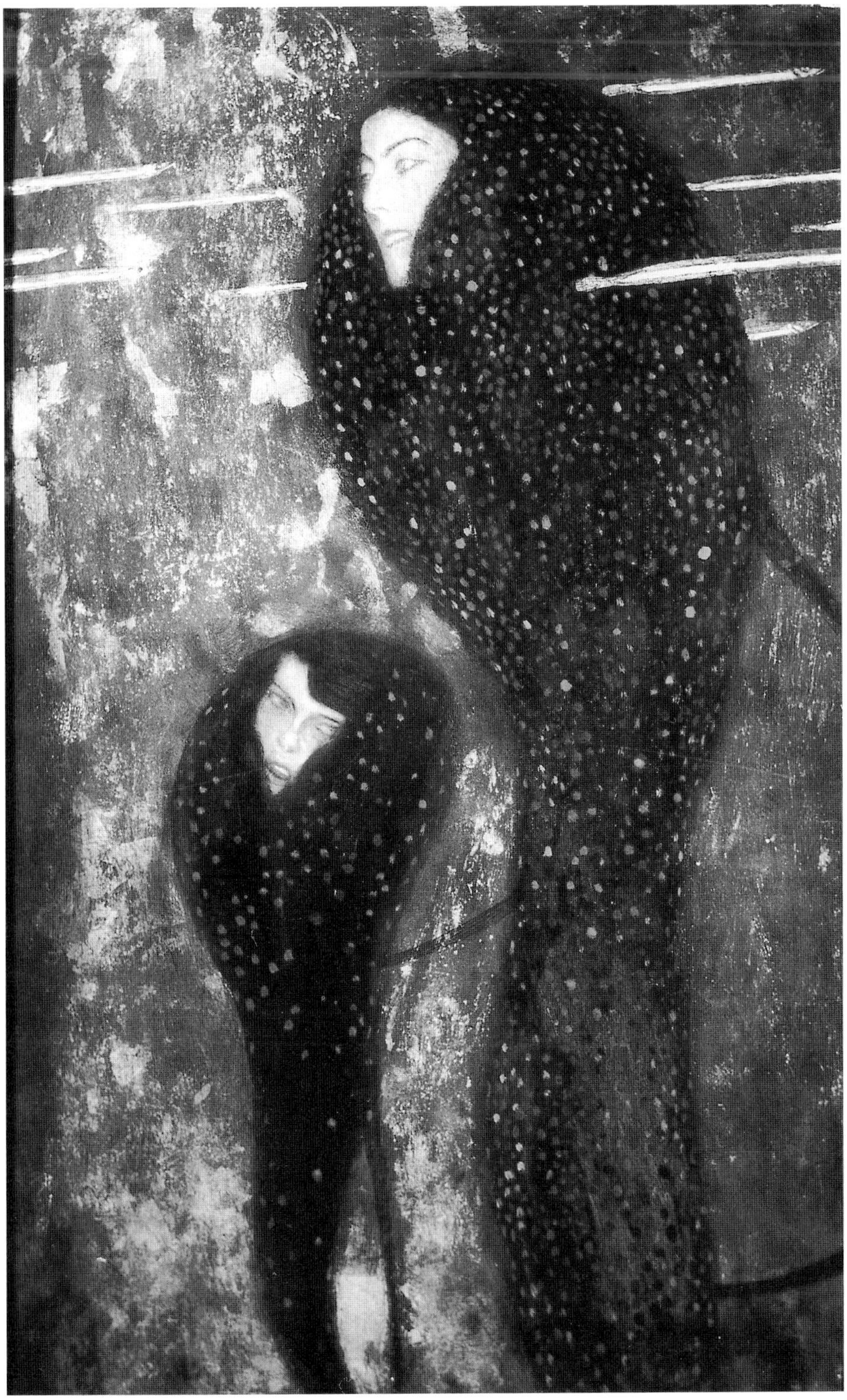

XIII. 26

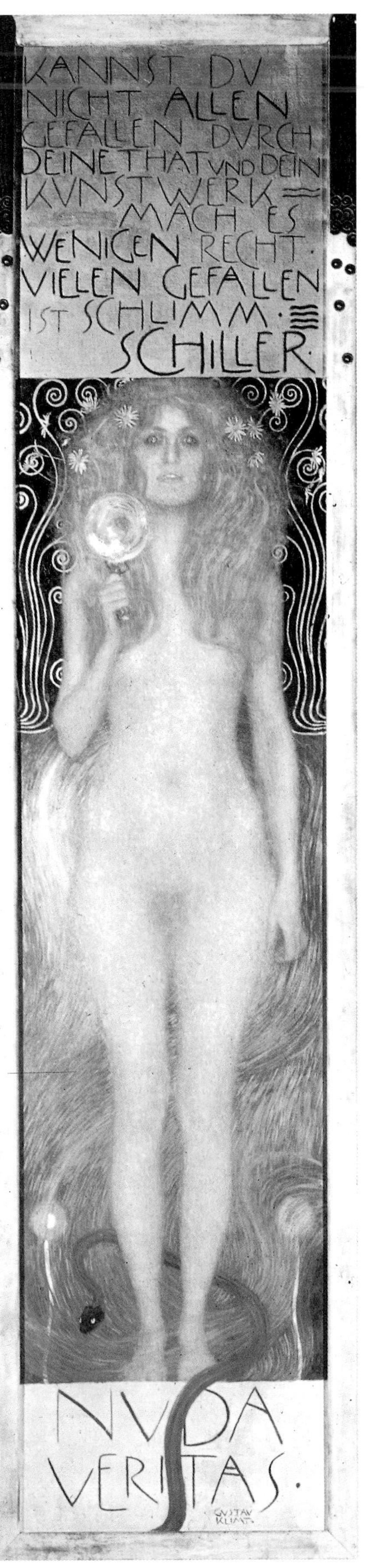

XIII. 27

XIII. 28

GUSTAV KLIMT (1862–1918)

28
Judith I 1901

Öl und Gold auf Leinwand (Den Rahmen mit dem Titel entwarf einer der Brüder des Malers); 84 × 42 cm
Bezeichnet: GUSTAV KLIMT
Wien, Österreichische Galerie
Inv. Nr. 4737

Das Bild, manchmal auch als „Salome'' bezeichnet, zählt zu den berühmtesten „Ikonen'' der femme fatale in der europäischen Malerei der Jahrhundertwende. Darüber hinaus zeigt es die Merkmale der Realitätsmischung – denen die „zusammengesetze'' Schönheit ihren Reiz verdankt – in magistraler Form. Der Körper der Frau – hauchzart und durchsichtig – geht in dem ornamental geschmückten Schleier in ein zweidimensionales Flächenmuster über, das sich im Hintergrund zum archaisierenden Goldgrund zusammenschließt. Der breite Halsreif schneidet den Kopf ab und versetzt ihn inselhaft in eine goldene Fassung. Ihre eigene Hoheit nimmt dieser Gestalt den Lebensatem. Der geköpfte Holofernes wird vom Maler in effigie noch einmal senkrecht halbiert.

Literatur: Novotny/Dobai 1967, Nr. 113 WH

GUSTAV KLIMT (1862–1918)

29 Farbabbildung S. 383
Pallas Athene 1898

Öl und Gold auf Leinwand (Den Metallrahmen entwarf Georg Klimt); 75 × 75 cm
Bezeichnet: GUSTAV KLIMT 1898
Wien, Historisches Museum der Stadt Wien
Inv. Nr. 100.686

Klimt wurde von dem Plakat angeregt, das Stuck für die VII. Internationale Kunstausstellung, München 1897, entworfen hatte (vgl. Kat. XIII. 13). Hevesi überliefert die konsternierte Reaktion des Publikums, als das Bild im Herbst 1898 auf der II. Ausstellung der Wiener Secession gezeigt wurde. Die Entrüstung richtete sich vor allem auf die Gorgo, mit der die Göttin ihre Jungfräulichkeit schützt: „Tausend Falkenaugen haben sofort erkannt, daß das Medusenantlitz . . . das nämliche ist, das schon auf dem Anschlagzettel der Secession (Kat. XIII. 57) im Frühjahr das Hohngelächter von ganz Wien hervorgerufen hat. Diese ‚Fratze', wie man sie nannte, mit hervorgestreckter Zunge ist zwar die genaue Nachbildung der ältesten antiken Medusengesichter, sie ist mit ihrem vollen authentischen Archaismus gegeben, aber die guten Leute der neunzehn Bezirke hielten das für eine kindische Ausgeburt des secessionistischen Wahnwitzes zu puren Sensationszwecken.'' (Acht Jahre Secession, Wien 1906, S. 81.) Warum sollte Klimt, des Spottes seiner Kritiker überdrüssig, bei der „Fratze'' nicht tatsächlich an deren Schreckwirkung gedacht haben? In der Nike-Statuette tritt uns die „nackte Wahrheit'' (vgl. Kat. XIII. 27) als Attribut der Göttin entgegen, deren Schutz Wissenschaft und Künste überantwortet sind.

Literatur: Novotny/Dobai 1967, Nr. 93 WH

MARGARET MACDONALD MACKINTOSH (1865–1933)

30
Zwei Mädchen (The Dew)

Getriebenes Silber; 124,5 × 30,5 cm
Glasgow Museums and Art Galleries
Inv. Nr. E.1981–168

Die Schwestern Margaret und Frances Macdonald eröffneten 1894 nach dem Besuch der School of Arts in Glasgow eine eigene Werkstätte, in der sie ihre Entwürfe in Metall und Stuck sowie Schmuck und Stickereien verwirklichten.

Noch vor ihrer Zusammenarbeit mit Mackintosh – besonders intensiv ab 1900, dem Jahr der Hochzeit – bis um 1903 – findet sich in der Arbeit Margaret Mackintoshs das Thema der Mädchen im Rosenhain. Es

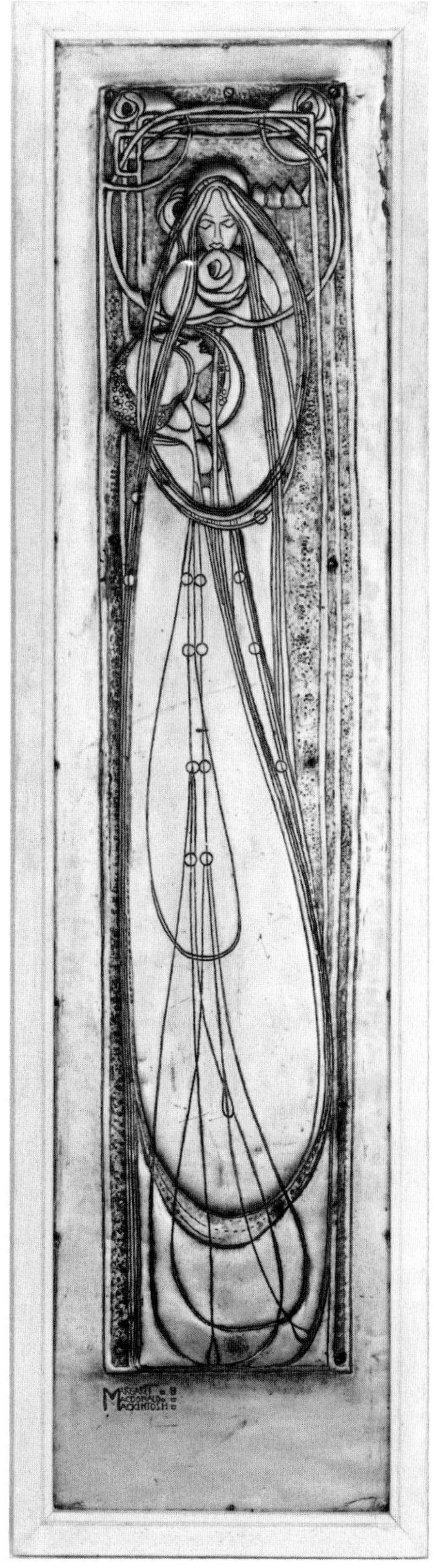

XIII. 30

sind sinnlich melancholische Kompositionen unter dem Einfluß von Beardsley und der Symbolisten, in denen die Körper in große Schwingungen und geometrische Formen aufgelöst werden. Die kleinen Köpfe – en face und im Profil – sind in ein dichtes Liniennetz aus Haar und Rosenblüten eingebunden, was den Kontrast zur Leere der flächenhaften Gewandgestaltung erhöht. Der Einfluß japanischer Druckgrafik, die gerade in Glasgow hoch geschätzt wurde, ist evident.

Oft werden bei Margaret Mackintosh Mädchen und Rosenblüten gleichgesetzt. Die inhaltliche Deutung dieser Bilder ist nicht ganz klar, sie dürfte jedoch in der Nähe des „Dornröschen-Themas" anzusiedeln sein. Treibarbeiten wie diese finden sich des öftern in Möbeln von Mackintosh eingearbeitet, ein inhaltlicher Bezug zum Möbel ist jedoch ebenso wenig gegeben wie bei der Aufnahme dieses Themas in den Stickereien eines Polsterbezuges.

Literatur: Larner 1979 JW

ALFONS MUCHA (1860–1939)

31 Farbabbildung S. 386
Die Natur um 1899/1900

Bronze, versilbert und vergoldet;
70,7 × 28 × 27 cm
Bezeichnet: MUCHA – PINEDO PARIS
Karlsruhe, Badisches Landesmuseum
Inv. Nr. 76/197

Der etwa lebensgroße Mädchenoberkörper ist eines der wenigen vollplastischen Werke Muchas. Ursprünglich war sie als Bestandteil der Ladeneinrichtung für den Pariser Juwelier Fouquet geplant, wurde dort aber nicht aufgestellt.

Der Silberglanz der Hautfarbe läßt Lichtreflexe sich sammeln, brechen und abprallen, so wie das konzentrierte Gesicht mit geschlossenem Mund und gesenkten Augenlidern einen gleichermaßen anziehenden wie abweisenden Einfluß ausübt. Eine auratische Strenge umgibt die Figur, aufgelockert durch goldene Haarsträhnen, die um die Brüste herumfallen, sich zum Körperkontur hin immer weiter stilisieren und spiralig in den schrägen Rundplatten des Sockels zu enden scheinen, um sofort wieder aus ihm aufzusteigen. Eine endlos kreisende Bewegung verbindet sich mit der Ruhe des diademgeschmückten Kopfes. In das Spiel von Attraktion und Verschlossensein wird der Betrachter magisch hineingezogen. Die Natur ist ein komplexes Artefakt geworden.

Literatur: Mucha 1971, S. 12, Abb. 25/26 – Ausst.-Kat. Mucha 1980, II, S. 196f, Nr. 149 – Ausst.-Kat. museum 1978, S. 117, 120 u. Titelabb. PTh

XIII. 32

CARL STRATHMANN (1866–1939)

32
Die Weltschlange vor 1900

Tusche und Aquarell; 23,2 × 23,2 cm
Karlsruhe, Badisches Landesmuseum
Inv. Nr. 70/99

Eine der bevorzugten Grundfiguren des Jugendstils – die linea serpentinata – wird hier zum Symbol einer mythischen Macht – ähnlich der Midgard-Schlange (Kat. XI. 10) –, die sich als animalische Kraft den Weg in die Freiheit bahnt. Sie ist Hinweis auf den ins Kosmische gesteigerten Trieb, den Stuck mit dem Etikett „Sinnlichkeit" an einen Frauenleib bindet (Kat. XIII. 14). Strathmann ornamentalisiert das Elementare und bringt es in die Nähe eines Tapetenmusters.

Literatur: Ausst.-Kat. Jugendstil 1977, Nr. 139 WH

RICHARD RIEMERSCHMID (1868–1957)

33
Wolkengespenster 1897

Tempera auf Karton, Rahmen geschnitzt und bemalt; 45 × 77 cm (ohne Rahmen)
Bezeichnet: RR (ligiert) 97
München, Städtische Galerie im Lenbachhaus
Inv. Nr. G 14228

Die gespenstisch vorbeihuschende Erscheinung ist in den kühlen Farben der Nacht gehalten, eine optische Täuschung und doch mehr als das. Kein Sujet hat Riemerschmid häufiger gemalt; aus der vielfigurigen Vorstufe einer Walpurgisnacht-Szene vor einer riesigen Mondscheibe ist die Verfolgungsjagd der beiden Geschlechter geworden, der aus der Wolkenwand sich anthropomorph herauslösende Verfolger und die sich im hellen Schein des Mondes auflösende Gejagte. Das schwüle Pathos eines Franz von Stuck (vgl. „Sinnlichkeit", Kat. XIII. 14) wird ironisierend gebrochen, ohne auf die symbolistischen Implikationen zu verzichten.

Der Rahmen setzt nach oben hin die Strahlen des Mondes fort, umgedeutet als Sonnenstrahlen, die das gesamte Bild umgeben.

Die Tageshelle lenkt den Blick von außen auf das kosmisch-magische Geschehen, dessen Wirkung zwischen der Erzeugung wohligen Schauers und psychologisierender Innensicht changiert.

Riemerschmid, seit 1895 mit einer Schauspielerin verheiratet, inszeniert auf verschiedenen Wirklichkeitsebenen ein archetypisches Vexierspiel zwischen Tag und Traum. Er gibt nach der Jahrhundertwende die Malerei zugunsten der angewandten Kunst und Architektur auf und wendet sich ihr erst im Alter wieder zu. Die Problematik seiner Stellung, die zwischen Secession und konservativen Strömungen, Werkbund und Bauhaus-Einflüssen schwankt, zeigt sich auch in der Wahl seiner malerischen Themen, vom Hexensabbath bis zum „Garten Eden" (1900).

Literatur: Rheims 1965, Abb. 157 – Ausst.-Kat. museum 1978, S. 52, Abb. S. 48 – Ausst.-Kat. Riemerschmid 1982/83, Kat. 23c, Farbabb. 1 PTh

XIII. 33

ALFRED KUBIN (1877–1959)

34
Die Friedhofsmauer 1900–03

Tuschfelder, laviert und gespritzt;
43 × 34,2 cm
Linz, Oberösterreichisches Landesmuseum
Inv. Nr. Ha 5362

Die riesige Mauer trennt Leere von Leere. Das Todesinsekt scheint das einzige Lebewesen in der totalen Kahlheit. Kubin zeigt es im Ausschnitt, wodurch das Plötzliche seines Auftauchens in unmittelbare, bedrohliche Nähe zum Betrachter rückt. Dennoch wirkt der zur Umklammerung ansetzende Sturzflug nicht bildsprengend, sondern ist der Flächenordnung des Blattes sicher eingepaßt.

Literatur: Schmied 1967, Taf. 49 WH

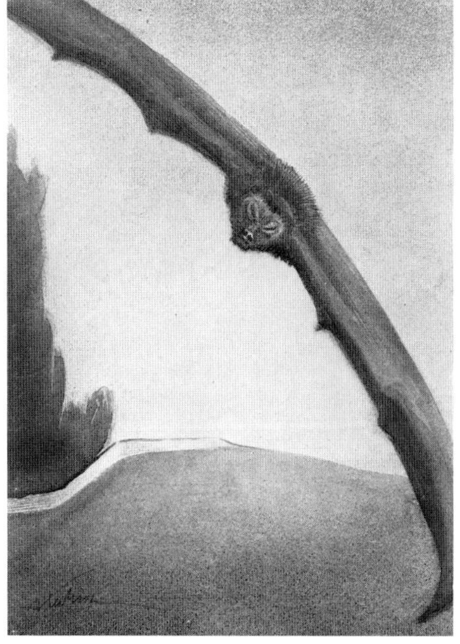

XIII. 34

ALFRED KUBIN (1877–1959)

35
Die Hexe um 1900

Tuschfeder, laviert und gespritzt;
30,2 × 21,2 cm
Linz, Oberösterreichisches Landesmuseum
Inv. Nr. Ha 3160

Wieder nutzt Kubin die Leere als ein Kunstmittel, das die Angst vor dem Ungewissen, Ausweglosen erwecken soll. Der Raum ist unbegrenzt, nur die Koordinaten des Bildfeldes rahmen ihn. Wo, wenn überhaupt, ist der kahle Baum verwurzelt? Die acht Körper scheinen in das Nichts gehängt. Die Hexe, die in diesem Todesritual Regie führt, hebt ihre Arme zu einer Befehlsgeste empor, indes sich ihre Haare sträuben, als wäre sie selbst von Todesstarre befallen.

Literatur: Schmied 1967, Taf. 34 WH

XIII. 35

XIII. 36

LEO PUTZ (1869–1940)

36
Mädchen im Glas um 1902

Öl auf Holz (Rahmen silberbronziert und bemalt); 55,3 × 26 cm
Bezeichnet: Leo Putz
München, Städtische Galerie im Lenbachhaus
Inv. Nr. 12377

Ein gemaltes Lob des Weins vom bekanntesten Vertreter der Künstlergruppe „Scholle" (1899–1911), die sich aus der Münchner „Secession" herausentwickelte.

Das vermeintliche Hauptthema in Form verschiedenfarbiger, durch grobe Glanzlichter hervorgehobener Trauben mit Weinlaub wird jedoch verdrängt auf den kompakten Rahmen.

Das preziöse Bildchen in seiner Mitte zeigt einen Glaspokal, gestützt von zwei Atlanten, die wie trunkene Silene auszugleiten scheinen. Ein weiblicher Akt als Inhalt weist auf den Wein hin. Das Mädchen stützt sich so an der Innenwand ab, daß seine Scham verdeckt ist; zugleich schwankt die Gebärde der linken Hand zwischen Abwehr und Appellation an den Betrachter. Der Kopf des ihn über den Glasrand hinweg anlachenden Geschöpfes macht diesen Bezug eindeutig, verrätselt aber gerade dadurch die Bildthematik. Es erschließt – über die Intention als Bacchantin hinaus – Bedeutungen, die von der antikisierenden Quellnymphe bis zum Nymphchen der modernen bürgerlichen Gesellschaft reichen.

Wein und Weib vermitteln überschäumende Lebensfreude mit latent bedrohlichen Implikationen: der Pokal als Willkommenskredenz mit Käfigcharakter; der scheinbar unbeschwert lachende, durch den Glasrand vom Körper abgeschnittene Kopf; Anzeichen des Voyeurismus im Widerspiel von verlockender Enthüllung und, wenngleich transparenter, Abgeschlossenheit; eine Farbigkeit, die gerade in ihrer Dezenz den bunteren, prall gefüllten Rahmen übertrumpft – all dies schafft eine den Betrachter irritierende Doppelbödigkeit.

Putz hat ab 1900 einige variierende Vorstudien zum gleichen Thema angefertigt; gegenüber dem „Mädchen im Glas" hat das Plakat für die Redoute des „Neuen Vereins" 1908 eine eindeutigere Schlagrichtung: Inmitten einer Rosenband-Rahmung zielt Amor im Glas auf den Beschauer.

Literatur: Ausst.-Kat. museum 1978, S. 53 u. 55f – Ausst.-Kat. Putz 1980, S. 80 PTh

XIII. 37

GUSTAV ADOLF MOSSA (1883–1971)

37
Die gesättigte Sirene 1906

Öl auf Leinwand; 81 × 54 cm
Bezeichnet: GUSTAV ADOLF MOSSA
NICENSIS PINXIT MCMVI
Nizza, Musée des Beaux-Arts Jules Chéret
Inv. Nr. C 3276

Wahrscheinlich von Moreaus „Die Sirene und der Dichter'' angeregt, behandelt das Bild den Gegensatz zwischen Kunst und Tod in der herkömmlichen Rollenverteilung des Jahrhundertendes: Die Frau ist der Tod; in Gestalt eines trügerischen Vampir-Engels hat sie den träumerischen Jüngling vernichtet. Dies geht aus Mossas Begleittext für die Ausstellung 1906 hervor. Wir sehen die Sirene mit dem Puppengesicht nach vollbrachter Bluttat. Der Maler verbindet damit das Ende der Stadt Nizza, deren Türme gerade noch aus dem Meer ragen, von geilen Schweinen, den letzten Überlebenden einer Orgie, erklommen (so Mossas Kommentar). Im Versinken findet die Untergangsvision des Hubert Robert (Kat. X. 15) oder John Soane ihre Fortsetzung, welcher sich die von ihm erbaute Bank of England als Ruine vorstellte (Abb. S. 406). 1910 schrieb Debussy seine „Cathédrale engloutie'', und noch im März 1942 erinnerte André Breton in einem Text über Tanguy (vgl. Kat. XIV. 39, 40) an die alte Vineta-Sage und die untergeganene Stadt Ys, „die legendär dazu berufen ist, aufzuerstehen''.

Literatur: Ausst.-Kat. Mossa 1978, Nr. 13 WH

HECTOR GUIMARD (1867–1942)

38
Kartusche von der Balustrade einer Pariser Métro-Station (Station Gambetta, Typ C 2, 1970 abgerissen) 1905

Gußeisen
Hamburg, Galerie Brockstedt

Die phantastische Wappenschildform ruft Assoziationen an florale Muster hervor, die sich im unteren Teil zu einem großen geschwungenen M verschränken. Vage klingt auch die Umrißform einer Eule an, des Vogels der Nacht, Wachsamkeit und Weisheit.

Die symmetrischen, fabrikfertig gegossenen Gußeisenstücke multiplizierten sich in ihrer Aneinanderreihung rund um die dreiseitig den Treppenabgang umrahmende Balustrade zu einer früher furchterregenden, aber damals wie heute faszinierenden Phalanx. Der „Style Métro'' Guimards hat trotz und wegen seines umstrittenen Verkleidungscharakters Geschichte gemacht.

Als Anfang des 20. Jahrhunderts die ersten Eingänge der Pariser Métro-Stationen errichtet wurden, waren die Bürger der Stadt von Guimards Gestaltung so schockiert, daß 1914 das Programm abgebrochen werden mußte. Mittlerweile betrachten die Pariser die etwa 90 noch verbliebenen Beispiele angewandter Art Nouveau eher mit Stolz und liebevoller Nostalgie. Eine vermittelnde Position scheint kaum denkbar. Die Unruhe, die das schnelle, noch ungewohnte Verkehrsmittel unter der Erde auslöste, bestimmte die Reaktion auf die als unpassend empfundene Dekoration dieser Pforten zum Untergrund, die heutzutage ihre Schrecken verloren haben.

Literatur: Ausst.-Kat. Guimard 1975 – Dunster 1978 PTh

XIII. 38

ERNEST BARRIAS (1841–1905)

39 Farbabbildung S. 386
Die Natur enthüllt sich vor der Wissenschaft

Elfenbein, vergoldete Bronze; Höhe 5,8 cm
Paris, Musée des Arts Decoratifs
Inv. Nr. 12008

Ein Beispiel der polychromen Multimaterialität des ausgehenden 19. Jahrhunderts – vgl. Klingers Salome (Kat. XIII. 6) –, die der Dreidimensionalität eine Lebensnähe verleiht, die sich letztlich der Kostümierung verdankt. Das Leitmotiv der Fortschrittsreligion wird zu einer Symbolgestalt verdichtet, in der die Natur nichts von ihrer mythischen Überlegenheit einbüßt, sondern in dieser Rolle vergöttlicht wird: Sich preisgebend, triumphiert sie. Die große Fassung wurde für das Conservatoire des Arts et Métiers in Paris geschaffen. Sie war einer der größten Erfolge des Salons von 1899 und steht heute im Festsaal des Musée d'Orsay. WH

RAOUL FRANÇOIS LARCHE (1860–1912)

40 Farbabbildung S. 384
Loïe Fuller als Salome vor 1909

Bronze, ziseliert und feuervergoldet;
33,2 × 15 × 13,8 cm
Bezeichnet: Raoul Larche
Darmstadt, Hessisches Landesmuseum
Inv. Nr. 66/8

Die Plastik funktionierte als elektrische Lampe – Beispiel der ambivalenten Koppelung von Kunstsphäre und Zwecknutzung, die Adolf Loos dem Jugendstil vorwarf. Loïe Fuller (1862–1928) verkörperte für die Jahrhundertwende den Tanz als Befreiung und pseudoreligiösen Kultakt. Ihre Schleiertänze zeigten neue Möglichkeiten auf, den menschlichen Körper zu entmaterialisieren und ihm einen erweiterten potentiellen Bewegungsradius zu erschließen. Zu den der Tänzerin entgegengebrachten künstlerischen Huldigungen vgl. den Katalog der Ausstellung „Loïe Fuller: Magician of Light", The Virginia Museum, Richmond 1979. WH

BERNHARD HOETGER (1874–1949)

41
Tänzerin um 1900

Bronze; Höhe 31 cm
Bezeichnet: B. Hoetger
Hamburg, Museum für Kunst und Gewerbe

Der geschmeidige bacchantisch erregte Leib erinnert in seiner Beugung nach hinten an die „Nacht" von Prouvé (Kat. XIII. 16). Die Verwandtschaft beider Bronzen erstreckt sich auch auf die ausladenden Begleitformen. Was der „Nacht" ihr Gefolge, ist der Tänzerin das zum saugenden Trichter geöffnete wirbelnde Kleid, in dem wie in einem Windkanal die Kräfte zusammenströmen, denen der Körper seine Dynamik verdankt. Zwischen den verschiedenen Ansichten der Figuren klaffen (wie bei der „Nacht") Zonen auf, in denen die Form umschlägt und sich stellenweise verrätselt. Das Dionysische des Tanzes ist bei Hoetger noch stärker ausgeprägt als bei Larche (Kat. XIII. 40).

Literatur: Roselius 1974, Abb. 2 WH

XIII. 41

XIII. 42

ÉGIDE ROMBAUX (1865–?) und
FRANS HOOSEMANS (tätig um 1900)

42
Dreiflammiger Leuchter 1900

Elfenbein, Silber, Onyx; Höhe 36 cm
Berlin, SMPK, Kunstgewerbemuseum
Inv. Nr. 00,634

Die Elfenbeinschnitzerei stammt von Rombaux, die Silberarbeit von Hoosemans. Das Glissando der vegetabilen Formen umschließt den Frauenkörper und macht ihn zu einem Naturgewächs. Doch von den Fangarmen geht auch ein bannender Zugriff aus – den die Materialkoppelung betont –, ähnlich den Schlangen im Eva-Mythos des Jugendstils. Die drei flammenartigen Disteln umschließen die Kerzen und bereiten auf deren flackerndes Licht vor. Schon Runge arbeitete in seinem „Abend" mit dem Kontrast von stacheligen Pflanzen und schmiegsamen weiblichen Umrissen (Traeger 281).

Literatur: Kat. Berlin 1985, S. 224 WH

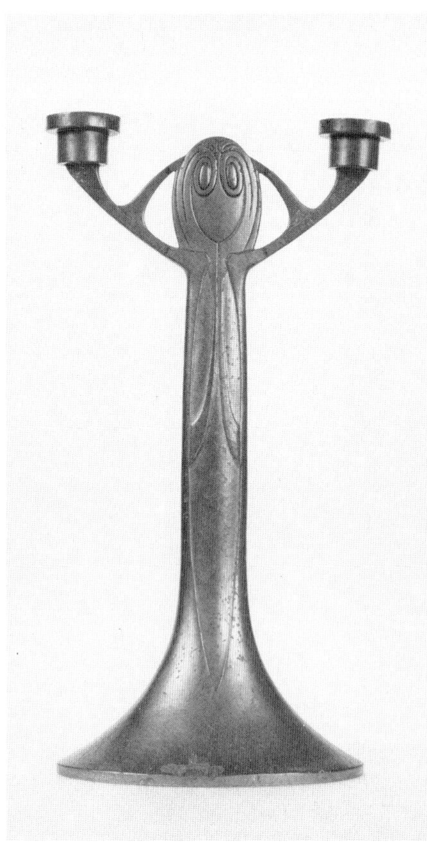

XIII. 43

JOSEPH MARIA OLBRICH (1867–1908)

43
Leuchter um 1901

Zinn, ursprünglich versilbert; Höhe 36 cm
Darmstadt, Hessisches Landesmuseum
Inv. Nr. Kg 65 C 324

Es mag als Phänomen gesehen werden, daß das vergessen geglaubte Zinn um 1900 eine kleine Renaissance erlebte. J. M. Olbrich war wohl der bekannteste Entwerfer für Service, Teller und Leuchter aus diesem Material. Versilberte Zinnleuchter haben eine lange Tradition und finden sich seit dem 17. Jahrhundert vor allem im kirchlichen Bereich. Die Gestaltung des doppelarmigen Kerzenleuchters Olbrichs geht jedoch über die bloße Funktion hinaus. Er ist eine Kunstfigur, die man als weibliche Puppe lesen kann. Die Arme sind zugleich Leuchterarme, der Kopf sitzt in einem stilisierten Oval. Wir entdecken in diesem zu abstrakter Linearität geläuterten und geglätteten Gebilde einen Gegenpol zu Munchs „Urne" (Kat. XIII. 17): Der Vergleich zeigt, wie zwei Sprachmerkmale der Jahrhundertwende – Frontalität und Linearität – verschieden artikuliert werden können.

Literatur: Ausst.-Kat. Olbrich 1983, Nr. 410 JW/WH

THOMAS THEODOR HEINE (1867–1948)

44
Engel 1890–1900

Zinn; Höhe 45 cm
Frankfurt, Museum für Kunsthandwerk
Inv. Nr. 13161

Ein krummbeiniger, gefallener Engel, in dessen luziferischer Schönheit die „gestörte Form" sitzt. Heines satirische Ader setzt sich hier gegen den Jungendstilduktus durch. Zwar sind alle seine Stilelemente vorhanden, aber der Zusammenklang bleibt aus. Dieser Engel wird seine riesigen Flügel nie gebrauchen. Anstatt ihn zu beschwingen, halten sie ihn fest. Sie zeichnen eine Doppelkurve der Kraftlosigkeit in den Raum. WH

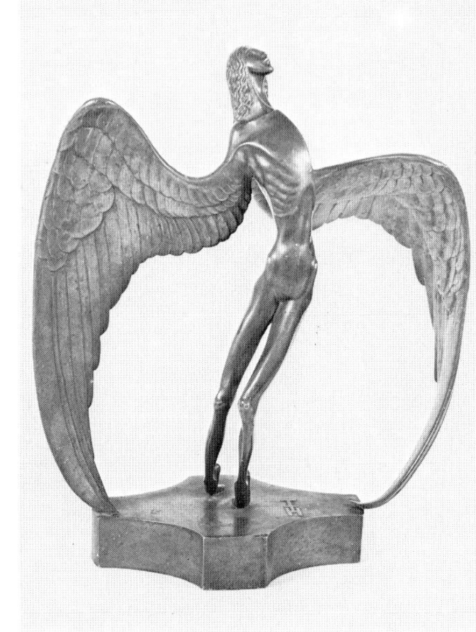

XIII. 44

LÉON GRUEL (2. Hälfte 19. Jahrhundert)

45
Bucheinband zu „Quinze Histoires d'Edgar Allan Poe" Paris 1897

Farbiges Ledermosaik, Lederrelief mit Bemalung
Hamburg, Museum für Kunst und Gewerbe
Inv. Nr. F. 27 (1901-193)

Die Erinnerung an die makabre Friedhofsromantik der besonders in England gepflegten Horrorerzählungen verbindet sich mit dreister Übersteigerung der formalen Gegensätze. Der Kater mag an Poe erinnern, desgleichen der Nachtvogel, aber seine Grimasse verweist in die Kabarettwelt des „Chat noir", wo auf ähnliche Weise mit dem Grausen Scherz getrieben wurde – schwarzer Humor, wie ihn später die Surrealisten wieder entdeckten.

Literatur: Rheims 1965, Abb. 526 WH

XIII. 45

VICTOR PROUVÉ (1858–1943) und
RENÉ WIENER (1856–1939)

46 Farbabbildung S. 387
Entwurf für den Bucheinband für Flauberts „Salammbô"

Aquarell; 42,1 × 35,3 cm
Nancy, Musée de l'École de Nancy
Inv. Nr. JCR 27–28

Den Buchrücken nimmt das Idol Tanit ein, dessen Gestalt ein riesiger Mantel umfließt, durchleuchtet von den Farben der vier Tageszeiten. Prouvé gewinnt so ein „Rückgrat", das sich nach beiden Seiten wie ein Weltenmantel öffnet. Dieser „Zaimph" hält auch die verschiedenen Inhalte des Romans zusammen: Er hat die Macht über Glück und Unglück. An Salammbô erweist er seine tödliche Magie. Sie bringt ihn in ihren Besitz, um Karthago zu retten, doch als sie ihn bei ihrer Vermählung mit Narr' Havas berührt, bricht sie tot zusammen. Prouvé zeigt nicht den Tod, sondern Salammbô und den riesigen Python in gegenseitiger Liebkosung (Kap. X: „Le Serpent"). Die linke Seite nimmt ein flammenumzüngeltes Standbild des Molochs ein, dem die verzweifelten Karthager ihre Kinder opfern. Drei verschiedene Aspekte der magischen Beschwörung also, drei Idole – Moloch, Tanit und die schöne Salammbô, die ihren Körper zum Kunstwerk stilisiert. Mit dem 1863 erschienenen Roman betrat Flaubert lange vor den Malern und Dichtern des Fin de siècle die Welt der ästhetischen ritualisierten Grausamkeit. Dieser Atmosphäre trägt der lederne, mit Gold- und Metallauflagen versehene Bucheinband Rechnung.

Literatur: Ausst.-Kat. Cuir 1985, S. 10–11 u. Nr. 32 WH

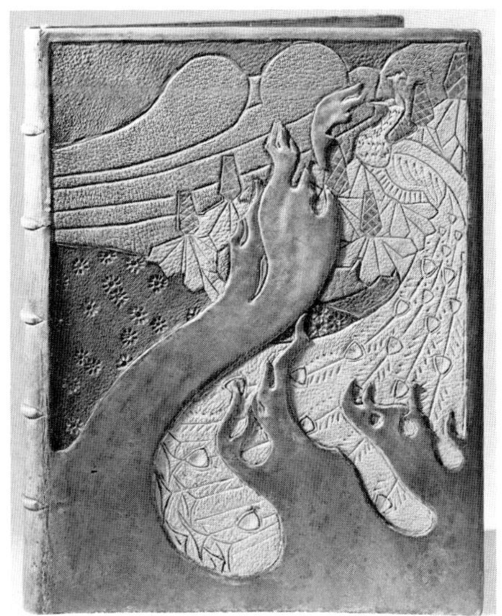

XIII. 47

XIII. 48

JEAN LURÇAT (1892–1966)

47
Ledereinband für die Zeitschrift „art et industrie" Jahrgang 1910

33 × 25 cm
Nancy, Musée de l'École de Nancy
Inv. Nr. 459

Der 1892 geborene Lurçat war Mitarbeiter von Victor Prouvé und kam so wie viele Kunsthandwerker der Zeit von der Malerei. Vor allem für seine Teppiche und Tapisserieentwürfe bekannt, war er aber, so wie in der École de Nancy üblich, vielseitig tätig. Diese Einbandgestaltung für das Organ der 1901 gegründeten Künstlervereinigung weist ihn als einen Flächenkünstler aus, auf den japanische Kompositionen großen Einfluß ausgeübt haben. Der mehrschichtige Aufbau, die fein abgestuften Oberflächenbehandlungen sowie die Farbgebung der einzelnen Flächen erinnern sowohl an fernöstliche Lackarbeiten (Schreibkästen mit Lackreliefs) wie auch an Kompositionen japanischer Farbholzschnitte.

Die dominierende Variation des Wellen-Motivs sowie die Auflösung von figuralen Darstellungen in Flächenornamente lassen Lurçat als einen späten Vertreter des gerade in Nancy gepflegten Japonismus erscheinen.

Literatur: Kat. Cuir 1985, S. 31 JW

JULES-PAUL BRATEAU (1844–1923)

48
Salzfaß 1896

Gold, diverse Materialien
Hamburg, Museum für Kunst und Gewerbe
Inv. Nr. L 900.258 a–e

Das Gerät wird metaphorisch in Handlung umgesetzt. Die Sirene schafft die beiden kleinen Behälter herbei und bietet sie an. Dabei bleibt sie das Zentrum, dessen Anblick genußsteigernd wirkt – wie schon ehedem die „Saliera" des Cellini.

Literatur: Rheims 1965, Abb. 47 WH

XIII. 49

ALFRED FINOT (1876–?)

49
Nymphe um 1900

Bronze; 26,5 × 41 × 24,5 cm
Bezeichnet: A. Finot
Nancy, Musée de l'École de Nancy
Inv. Nr. 259 bis

Finot war Bildhauer, der nicht nur im Kreise der École de Nancy verkehrte, sondern auch in Paris beachtliche Erfolge feiern konnte. Als Kleinplastiker schuf er neben Ziergegenständen und Nippfiguren auch kleinere Gebrauchsgegenstände wie Aschenbecher und Schalen, die mit Najaden, Nymphen und Wassernixen belebt wurden. Es sind stets kleine Gruppen, bei denen die Einheit von menschlicher Figur und Natur im Vordergrund steht: Ein Thema, das gerade in Frankreich lange Tradition hat. Finot verbindet in solchen Arbeiten die klassische Aktdarstellung mit dem Formgefühl der Künstlergruppe um Gallé.

Literatur: Ausst.-Kat. Nancy 1900, 1980, Nr. 379 JW

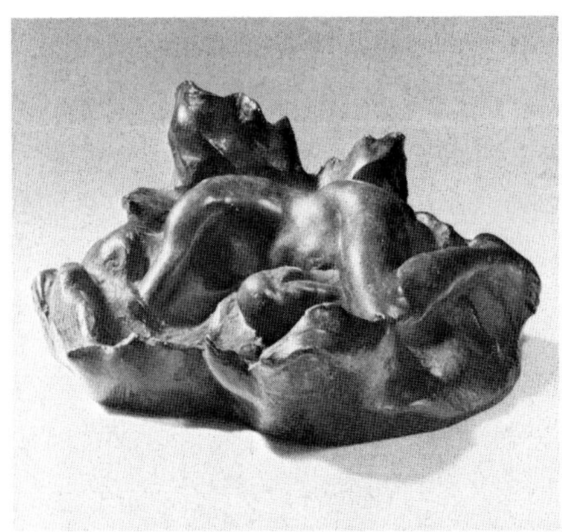

XIII. 50

ALFRED FINOT (1876–?)

50
Kauernder Akt („feuilles mortes")

Bronze; 8 × 17,5 × 12 cm
Nancy, Musée de l'École de Nancy
Inv. Nr. 247

Der weibliche Körper als Symbol für Liebe, die „abgefallenen Blätter" als Versinnbildlichung vergangener Liebe: Finot greift in dieser Kleinplastik das Thema eines alten französischen Volksliedes auf. Im vergrabenen, undeutlich gearbeiteten Kopf verschmelzen die Strukturen des weiblichen Körpers mit der gröberen Oberflächenbehandlung der abgestorbenen Blätter. „Akt als Landschaft" bekommt durch die Interpretation der Hoffnungslosigkeit einen neuen Aspekt.

Literatur: Ausst.-Kat. Nancy 1900, 1980 JW

ALFRED FINOT (1876–?) (?)

51 Farbabbildung S. 383
Tischlampe

Messing, versilbert, Muschelgehäuse; Höhe 9,8 cm
Privatsammlung Basel/Schweiz

Najaden sind Quellennymphen, deren Symbolgehalt alle Bereiche von Leben, Fruchtbarkeit, Geburt etc. betreffen können. Die Gestaltung einer Tischlampe als Najade zu einer Zeit, da die Elektrizität noch in den Anfängen war, mag auf die wärme- und lebensspendenden Eigenschaften des Lichtes anspielen.

Finot hat jedoch in seinen zahlreichen Kleinplastiken und Gebrauchsgegenständen (vgl. Kat. XIII. 49) das Thema des nackten Mädchens in der Landschaft derart verbraucht und bei allen möglichen und unmöglichen Gelegenheiten als Dekor verwendet, so daß eine symbolische Deutung auch bei diesem Objekt schwierig ist. „Lichträgerinnen" als Kerzenhalter sind in der Geschichte des Kunstgewerbes nichts Neues (vgl. Kat. XIII. 40) JW

WILHELM LUCAS VON CRANACH (1861–1918)

52
Weinkanne vor 1903

Glas mit Silbermontierung; Höhe 37,9 cm
Bezeichnet: Monogrammgravur: WLC
Karlsruhe, Badisches Landesmuseum
Inv. Nr. 75/19

Lucas von Cranach war vor allem Maler historischer Gemälde und Entwerfer von Schmuckarbeiten, die ihn, wie in der Literatur immer wieder bestätigt, als eigenwillige Persönlichkeit ausweisen. Der Nachfahre Lucas Cranachs, des berühmten deutschen Malers des 16. Jahrhunderts, schuf jedoch auch Gebrauchsgegenstände aus Metall oder mit Metallfassungen, vor allem für die eigene Familie. Deren Wappentier – die geflügelte Schlange (Drache) wird daher bei all diesen Gefäßen strukturell als Griff o. ä. verwendet.

Weinkannen dieser Art sind im 19. Jahrhundert weit verbreitet – man denke etwa an Dressers Arbeiten – und als solches nichts Außergewöhnliches. Bemerkenswert bleibt jedoch, daß das Familienwappen nicht appliziert wird, sondern „verschlüsselt" im Griff enthalten ist, was für den „Nichteingeweihten" unverständlich bleiben mußte.

Literatur: Bode 1903, Taf. 3 JW

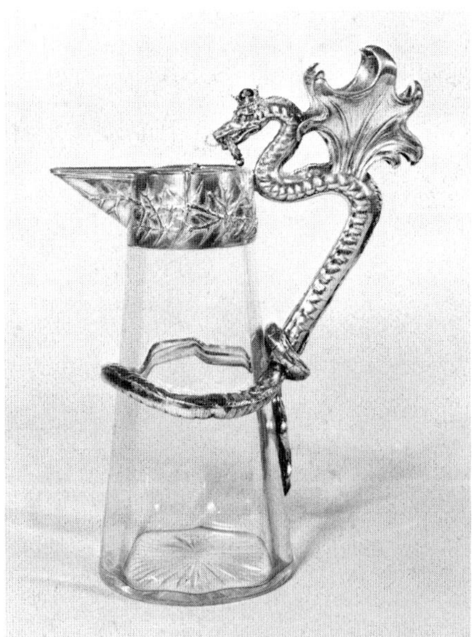

XIII. 52

GUSTAVE MOREAU (1826–1898)

53
Fée aux griffons (Fee mit Greifen) um 1876

Aquarell, mit Gouache gehöht; 24 × 16,5 cm
Bezeichnet: Gustave Moreau
Paris, Musée Gustave Moreau
Inv. Nr. 299

XIII. 53

Bewacht von zwei adlerartigen Greifvögeln ruht innerhalb einer Grotte, vor einer kostbaren Säule, eine nackte weibliche Gestalt, kaum bedeckt mit transparenten Tüchern, den linken Fuß in einen kleinen Tümpel getaucht. Vorn rechts blickt eine kleine bekränzte oder bekrönte Schlangenchimäre mit Frauenoberkörper auf sie. Die Fee – sie trägt eine Art Nimbus – scheint zu träumen; sie erweckt den Eindruck unnahbarer Unschuld. Doch gerade damit verlockt sie jeden Eindringling, wie die schönen Märtyrerinnen mittelalterlicher Legenden. Das Aufrichten von Tabuzonen, seien sie religiöser, sexueller oder welcher Art auch immer, ruft das Verlangen nach ihrer Verletzung umso stärker hervor. Die verführerische Schlange ist in diesem dämmrigen Paradies bereits anwesend und nimmt zur unberührten Schönen Verbindung auf, um sie aus dem Bild heraus weiterzuvermitteln.

Höhle und Säule sind häufig als Uterus- und Phallussymbol interpretiert worden. Die für den – wenn auch unorthodox gläubigen – Christen Moreau so typische Verquickung religiöser und mythologischer Motive, hier durch die Märchenfee bereichert, offenbart im Versuch der Entschlüsselung Verdrängungen des Trieblebens, ohne daß der Rätselschleier des Bildes damit gelüftet wäre.

Literatur: Paladilhe 1971, Abb. 93 – Kat. Paris 1974, II, Nr. 299 – Ausst.-Kat. Moreau 1986, Nr. 68 – Mathieu 1976 PTh

GUSTAVE MOREAU (1826–1898)

54
Fée aux griffons (Fee mit Greifen)

Öl auf Leinwand; 124 × 94 cm
Paris, Musée Gustave Moreau
Inv. Nr. 580

Der Suche Moreaus nach dem Reingeistigen stellt sich immer die weibliche Natur entgegen – eine Synthese konnte ihm daher nicht gelingen. Gerade diese Disparatheit macht die Faszination der Surrealisten angesichts seiner Werke verständlich. Breton, in dessen Sammlung sich ein Bild Moreaus befindet, äußerte gegenüber dem größten Gemälde der vielen Versionen gleichen Themas (die hier gezeigte ist Moreaus letzte Fassung und unvollendet geblieben) den Wunsch, nachts ins Museum einzudringen, „um dort die Fee mit den Greifen im Dunkeln zu überraschen" (zit. nach Ausst.-Kat. Moreau 1986, S. 184).

Literatur: Kat. Paris 1974, II, Nr. 580 – Mathieu 1976, S. 208 – Ausst.-Kat. Moreau 1986, S. 184 PTh

XIII. 55

XIII. 54

GUSTAVE MOREAU (1826–1898)

55
Libellule (Studie für „Les Chimères")
um 1884

Aquarell, mit Gouache gehöht;
22,5 × 33,5 cm
Bezeichnet: Gustave Moreau
Paris, Musée Gustave Moreau
Inv. Nr. 390

„Die von einer Libelle getragene Figur stellt eine dieser zarten, leichten und flüchtigen Geschöpfe dar, die nur davon träumen, daß der Wind sie forttrage." (Gustave Moreau, in: L'assembleur de rêves, hrsg. v. P.-L. Mathieu, 1984, S. 92.)

Scheinbar schwerelos ruht die weibliche Gestalt auf dem Körper der Libelle wie in einer Hängematte. Die zarten Naturfarben der Grün- und Brauntöne erwecken den Eindruck von Idylle. Und doch ist auch hier das Thema der „Fée aux griffons" (Kat. XIII. 53, XIII. 54) und der „Chimère" angeschlagen.

Geplant war das Aquarell als Skizze zum großen, unvollendeten Gemälde „Les Chimères" (1884), in dem alle naturhaften Elemente, die Moreau bedrängten, aufeinandergehäuft sind. Bevölkert ist die phantastische Landschaft von ungezählten Jungfrauen mit ihren reich variierten Chimären, zusammengestückt aus mittelalterlichen Vorlagen und Realitätselementen, ein Jahrmarkt der Obsessionen.

Ohne die Kenntnis des Gemäldes und der Intentionen Moreaus strahlt die Studie eher Harmonie aus. Nur der kleine Oberkörper der Libellenfrau, ihr langer, schlangenartiger Körper und ihre überdimensionalen Flügel weisen auf andere, bedrohliche Schichten unter der Oberfläche hin, die darauf warten, geweckt zu werden wie die Schöne, auf die Gefahr hin, daß das Tier reagiert.

Literatur: Mathieu 1976, S. 160 ff – Ausst.-Kat. Moreau 1986, Nr. 83 PTh

XIII. 56

GUSTAV KLIMT (1862–1918)

56
Allegorie der „Skulptur" 1889

Bleistift, aquarelliert, mit Gold gehöht;
41,8 × 31,1 cm
Wien, Historisches Museum der Stadt Wien
Inv. Nr. 25.014

Die Darstellung schmückte das Blatt 20 der Huldigungsadresse, die dem Erzherzog Rainer aus Anlaß des 25jährigen Jubiläums des Museums von der Kunstgewerbeschule überreicht wurde. Klimt summiert das Erbe der Antike, indem er es zugleich in verschiedene, unterschiedliche Ausprägungen zerlegt. Sie reichen von einer Sarkophagplatte des Kunsthistorischen Museums (Hinweis von H. Kenner) über die Athena Parthenos und die Venus Ludovisi bis zum Dornauszieher – von der Festprozession bis zur Genreszene also. Von der toten Materialität des „imaginären Museums'' der Skulptur hebt sich das zarte Inkarnat der weiblichen Gestalt mit der Siegesgöttin ab. Sie ist, wie das Geschöpf Pygmalions, aus der Leblosigkeit herausgetreten und steht für „wirkliche Wirklichkeit'' (Rilke). Eine Huldigung an die Kunst und an ihren Mäzen, zugleich Stilmischung, Mischung der Höhenlagen, Montage – ein erster Schritt zur Collage. Die literarische Entsprechung bieten Hofmannsthals lyrische Meditationen über das Kunstwerk als Zwischenwelt (vgl. auch Strobl 275, 276).

Literatur: Strobl 235 WH

XIII. 58

XIII. 57

GUSTAV KLIMT (1862–1918)

57
Reinzeichnung für das Plakat der ersten Secessionsausstellung (Theseus und Minotaurus) 1898

Bleistift, Tuschfeder, Deckweißkorrekturen; 130 × 80 cm
Wien, Historisches Museum der Stadt Wien
Inv. Nr. 116.210

Das Kunstmittel der ausgesparten Mitte erschließt Klimt die Begegnung zweier Koordinaten, welche beide Überlegenheit ausdrücken. Theseus, der sich friesartig darstellt, besiegt ein Ungetüm, den Minotaurus, Pallas Athene schützt sich mit dem Apotropaion eines bereits überwältigten Ungeheuers, der Medusa. Daran ließe sich die Frage knüpfen, ob Klimt sich damals schon der grenzüberschreitenden Rolle seiner Kunst bewußt war oder ob er nicht noch im klassischen Gegensatz – männliche Kraft, weibliche Schönheit – befangen war. Beide stießen in Wien auf Widerstand. Mußte sich die Medusen-Fratze den Spott des Publikums gefallen lassen (vgl. Kat. XIII. 29), so geriet Theseus in die Fänge der Zensur. Das Feigenblatt genügte ihr nicht, und „was selbst im Vatikan als völlig genügend gilt, um antike Statuen unanstößig zu machen, und zwar als maulkorbähnliches Blechgehänge angebracht wird, das ist an der Fassade der Wiener Gartenbaugesellschaft, selbst in dürrer Linienmanier gezeichnet, unzulässig. Der Maler war gezwungen, seinen halben Theseus hinter einigen Baumstämmen von hinreichender Dicke (!) zu verstecken, also das ganze Bild zu verderben.'' (Hevesi, Acht Jahre Secession, Wien 1906, S. 13.)

Literatur: Strobl 327 WH

GUSTAV KLIMT (1862–1918)

58
Reinzeichnung der „Tragödie" 1897

Schwarze Kreide, Bleistift, laviert, Gold und weiß gehöht; 41,9 × 30,8 cm
Bezeichnet: Tragödie, Gustav Klimt 1897
Wien, Historisches Museum der Stadt Wien
Inv. Nr. 25.007

Gezeichnet für die Neue Folge der „Allegorien" und zum ersten Mal im Märzheft von „Ver Sacrum" 1898 veröffentlicht. Strobl vermutet hinter der Gesamtkomposition die Anregung durch Rossettis „Astarte Syriaca" (1877) und sieht in der Hintergrunddarstellung den Kampf des Herakles gegen den Cerberus, also eine Szene, die auf den siegreichen Kampf der Secessionisten Bezug nimmt. Im Monstrum des Rahmens mögen auch japanische Anregungen stecken. Die beiden von einem Schlangenleib begleiteten Frauen stehen zwischen den Extremen von Hingabe und Abkehr. Diese dialektische Reaktion auf das Monstrum wird im Mittelfeld der Komposition in die Eindeutigkeit eines unausweichlichen Appells umgesetzt. Die Tragödie tritt uns frontal entgegen und fordert ihr Recht: für sich wie für die Maske, deren Schreckbild sie vor sich hinhält.

Literatur: Strobl 340 WH

ALFONS MUCHA (1860–1939)

59 A
Zweiter Entwurf für einen „Pavillon de l'Homme" Dreiviertelansicht 1897

Zeichenstift und Aquarell auf Karton; 50,1 × 64,9 cm
Inv. Nr. K 31634

XIII. 59 A

XIII. 59 B

59 B
Dritter Entwurf für einen „Pavillon de l'Homme" 1897

Zeichenstift und Aquarell auf Karton; 50,1 × 64,9 cm
Inv. Nr. K 31635

Beide: Prag, Nationalgalerie

Die Beteiligung an der Pariser Weltausstellung 1900 brachte Mucha den wohl größten Ruhm seiner Laufbahn. Er gestaltete den Pavillon der Länder Bosnien und Herzegowina aus, was seinem panslawischen Engagement entgegenkam.

Kosmopolitischer Enthusiasmus äußert sich in seinem Projekt eines Pavillons, der der ganzen Menschheit gewidmet sein sollte. Ursprünglich war er wohl geplant als Umkleidung des bis auf die untere Plattform abgetragenen Eiffelturms, der, zur Weltausstellung 1889 errichtet, vielen Parisern offenbar immer noch ein Dorn im Auge war. Ein nicht mehr erhaltenes, von Mucha selbst angefertigtes Modell zeigt lediglich im Sockelgeschoß wesentliche Änderungen.

Das gigantische Konglomerat aus hockenden und sitzenden Gestalten, Blumenmädchen und -ornamenten, massiven Türmen und Riesensupraporten, ein Gesamtkunstwerk aus Architektur, Monumentalplastik, Malerei und Dekoration, sollte dem Menschen tiefe Ehrfurcht vor seinen eigenen Leistungen einflößen als profanisiertes Pantheon, dessen Kuppel ein Globus bildet, gekrönt von einer mit Flügelgloriole umgebenen, aufstrebenden nackten weiblichen Gestalt.

Dies Denkmal menschlicher Arbeit und Freiheit ist.

Literatur: Mucha 1965, S. 128 ff, Abb. 132 ff – Ausst.-Kat. Mucha 1980, I, Nr. 52 – Ausst.-Kat. Mucha 1980, II, Nr. 133 PTh

ALFONS MUCHA (1860–1939)

60
„Documents décoratifs"
(Vorlage für Tafel 67) um 1900

Bleistift und Deckweiß auf Karton; 60 × 40 cm
Prag, Sammlung Mucha

Anhänger, Broschen, Bänke, Pokale, Statuetten, Kartuschen und vieles mehr – alles, was den Menschen umgibt, sei es Gebrauchsgegenstand oder Luxus, wurde von Mucha in seinem Tafelband „Documents décoratifs" (1902) angeboten, geprägt von seiner künstlerischen Handschrift. Wie Olbrich oder van de Velde versuchte er sämtliche Bestandteile des Interieurs unter einen Generalnenner zu fassen, der als „Style Mucha" weltbekannt wurde. Er versprach sich von dem Musterbuch eine Arbeitsentlastung zu einer Zeit, als er mit Aufträgen überhäuft wurde.

Und die Reaktion der Interessenten? „Ich möchte gern auch so etwas Ähnliches, aber ein bißchen anders" (Mucha 1965, S. 142). Die phantasiereichen Formen schworen das Publikum auf einen Einheitsstil ein, und doch wollte jeder noch seine individuelle Note in einem Unikat verwirklicht wissen. Das war ein Grundproblem des Art Nouveau: daß er den Widerspruch zwischen Individualität und dem Wunsch nach massenhafter Verbreitung nicht in Übereinstimmung bringen konnte. So bereitete er – antipodisch – die viel puristischeren Bewegungen des Bauhaus-Funktionalismus und des „De Stijl"-Konstruktivismus vor.

Literatur: Ausst.-Kat. Mucha 1980, I, Nr. 292 – Ausst.-Kat. Mucha 1980, II, Nr. 260 PTh

XIII. 60

ALFONS MUCHA (1860–1939)

61
„Documents décoratifs"
(Vorlage für Tafel 64) um 1900

Bleistift und Deckweiß; 53 × 42 cm
Prag, Nationalgalerie
Inv. Nr. K 51.030

Auf 72 Tafeln breitete Mucha seine Dekorationskunst aus. Diesmal sind es verschiedene Ansichten und variierte Details eines Schrankes. Florale Motive überspielen die Ecken, Tropfenformen zieren die Handgriffe der Fächer und Türen.

Ist der Paravent Grubers (Kat. XIII. 68) ein Werk mit latent grenzensprengender Kraft, so bilden die „Documents décoratifs" (und das Folgewerk „Figures décoratifs", 1904) eher den klassischen Kanon einer sich dennoch phantastisch-manieriert präsentierenden Kunst, die eine Sehnsucht nach der Natur offenbart, ohne sich ihr unterwerfen zu wollen.

Literatur: Ausst.-Kat. Mucha 1980, I, Nr. 295 – Ausst.-Kat. Mucha 1980, II, Nr. 258 PTh

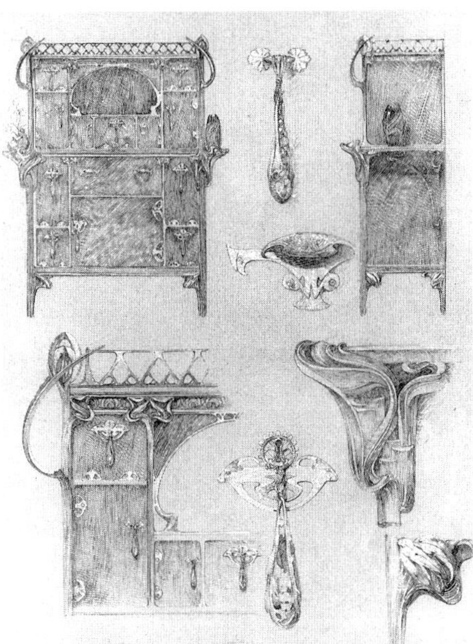

XIII. 61

XIII. 62

ALFONS MUCHA (1860–1939)

62
Studie zu „Le Lys" („Die Lilie") 1897/98
Aus der vierteiligen Serie „Die Blumen"

Reißkohle, schwarze Kreide auf Papier;
123 × 45,4 cm
Prag, Nationalgalerie
Inv. Nr. K 30500

Eine junge Frau hält in der Hand zwei Lilienstengel, deren Blüten ihren Kopf nimbenartig umrahmen. So dekoriert, wird die menschliche Gestalt selbst Blume, Inkarnation und Inbegriff dessen, was die Lilie an symbolischem Ausdrucksgehalt in sich birgt.

In der Endfassung des vierteiligen panneau „Die Blumen" (zusammen mit Nelke, Rose und Iris) wächst dies in Unnahbarkeit anlockende Geschöpf aus Lilienstauden nach oben als vegetative Metamorphose, bei der man nicht weiß, ob die Pflanze das Wesen des Mädchens kommentiert oder umgekehrt.

Wegen des großen Erfolgs wurden die Blumendarstellungen in vielen Versionen reproduziert, schließlich sogar als Kunstpostkarten.

Literatur: Mucha 1965, S. 101 ff – Ausst.-Kat. Mucha 1980, II, Nr. 81 – Rennert/Weill 1984, S. 194 ff, Nr. 49
PTh

ALFONS MUCHA (1860–1939)

63
Studie einer sitzenden Frau 1897

Schwarze Kreide und Aquarell;
49,6 × 43,7 cm
Bezeichnet: Mucha.
Prag, Nationalgalerie
Inv. Nr. K 30410

Dieser unvollendete Plakatentwurf Muchas trägt die typischen Kennzeichen seiner Gestaltung: das Hervortreten einer weiblichen Gestalt aus einer Kreisform. Je nach Bestimmung wurde alles Weitere frei variiert. Die – durch die Signatur in den Rang eines in sich geschlossenen Kunstwerks erhobene – Skizze offenbart einen Einblick in den Entstehungsprozeß einer solchen Vorlage.

Die Frau mit hochgeschlossenem Kragen und lang herunterhängenden Zöpfen empfängt auf ihrem Fauteuil, flankiert von dekorativen, beringten Hundemasken, den Beschauer herablassend und prüfend. In Blick und Gehabe hat sie etwas kalt Abweisendes und doch auch magisch Anziehendes, das ihr Gegenüber festbannt; sie trägt die typischen Züge einer noblen „femme fatale".

Literatur: Ausst.-Kat. Mucha 1980, I, Nr. 50 – Ausst.-Kat. Mucha 1980, II, Nr. 62 – Ausst.-Kat. Mucha 1981, Nr. 23, Abb. S. 36
PTh

XIII. 63

XIII. 64

ALFONS MUCHA (1860–1939)

64
Entwurf zu einem Plakat für „JOB"
1896

Kolorierte Tuschzeichnung auf Papier;
120 × 44 cm
Bezeichnet: JOB
Prag, Nationalgalerie
Inv. Nr. K 30503

Man nehme ein hübsches Mädchen und kombiniere es geschickt mit einem beliebigen Gegenstand der Gebrauchsindustrie; wir kennen das Schema moderner Marktwerbung zur Genüge (und nehmen es kaum mehr bewußt wahr). Genau dasselbe praktizierte Mucha, artifiziell und perfekt, schon vor 90 Jahren. Es scheint, als feiere eine Text und Bild verbindende Barockemblematik fröhliche Urständ, mit dem entscheidenden Unterschied, daß es jetzt nur noch Variationen über das eine Thema gibt, das „Genuß" heißt. Sonst verbindet die Reklameüberschrift für ein Zigarettenpapier und das Sternenmädchen nichts. Der profane Artikel und die kosmologische Vision gehören zum Extremsten, was in einer solchen concordia discors überhaupt denkbar erscheint.

Das elfenhafte, etwas verschüchtert und doch verlockend den Betrachter anblickende Wesen schwebt über der Erdkugel, vor der am unteren Bildrand eine Mondsichel mit der Spitze auf das Herkunftsland Frankreich weist. Der Globus ist umhüllt von nebelartigen Schwaden; diese ziehen zusammen mit Blasengebilden in das sternenübersäte All und verbinden sich mit dem Haar des Mädchens und einer unter ihren Brüsten verknoteten Schleife zu einem ihren Körper umspielenden Gespinst.

Über allem steht abgesetzt der Firmenname, dessen runder mittlerer Buchstabe zu einer nächtlich irisierenden Sonne wird; ihren Kern bildet das Markenzeichen, ein rautenförmiges O. So überstrahlt unterschwellig doch das materielle Produkt die faszinierend-idealistische Szenerie.

Literatur: Ausst.-Kat. Mucha 1980, I, Nr. 21 – Ausst.-Kat. Mucha 1980, II, Nr. 222 – Rennert/Weill 1984, S. 386f, Nr. A. 6
PTh

HECTOR GUIMARD (1867–1942)

65
Projekt für eine Halle (Hôtel Nozal?)
um 1904/05

Blaue Tinte; 52 × 40 cm
Paris, Musée des Arts Décoratifs
Inv. Nr. GP 507

Zehn Jahre nach der Auseinandersetzung mit der Architektur Victor Hortas entwickelt Guimard einen ganz eigenen, manieristischen Stil, dessen Vorstufen aber noch vor der Jahrhundertwende liegen; man vergleiche nur das floral-abstrahierende Beispiel der Titelseite von „Revue d'Art" (Kat. XIII. 67).

Der Plan einer zweistöckigen Halle liest sich wie das Geflecht einer Buchinitiale. Unter der Vorherrschaft der Linie entsteht jedoch ein absonderlich-filigranes, vegetatives Gefüge grottenartiger Raumschluchten, das den – von Zeitgenossen so genannten – „Druiden-Hain" des 1901 erbauten (und 1908 wieder abgerissenen) Konzertsaals Humbert de Romans weiterwuchern läßt in hochstilisiertem Wildwuchs.

Es läßt sich nicht feststellen, ob der Entwurf je zur Ausführung vorgesehen war. Er ist denkbar als Vorraum des ursprünglichen Plans für das Hôtel Nozal, in dem um eine zentrale Halle mit Treppenhaus bizarr anmu-

XIII. 65

tende Wohnräume gruppiert sind. Nach dem Tod des Bauherrn 1903 wurde das Gebäude im Jahr 1905 in viel konventionellerer Weise errichtet; es ist 1957 abgebrochen worden.

Diese Rückkehr zur „klassischen" Symmetrie, die auch bei den „Metró"-Entwürfen Guimards zu beobachten ist (Kat. XIII. 38), bedeutet wohl eine Klärung seiner Formensprache, nicht aber eine Auflösung der komplexen inneren Struktur.

Literatur: Ausst.-Kat. Guimard 1975 – Dunster 1978
PTh

HECTOR GUIMARD (1867–1942)

66
Fünf Detailskizzen für ein Glasfenster
um 1898

A Bleistift, Tusche und blaue Tinte auf Pauspapier, grün gefleckt; 15,5 × 15,5 cm
B Bleistift auf Pauspapier; 15,5 × 15,5 cm
C Bleistift und Tusche auf Pauspapier; 15,5 × 14 cm
D Bleistift auf Pauspapier; 18 × 18 cm
E Bleistift auf Pauspapier; 17,5 × 23 cm
Paris, Musée des Arts Décoratifs
Inv. Nr. GP 533–537

Auf das ganze Interieur und alle Materialien dehnte Guimard seine kurvilinear schweifenden Formen aus, seien es Möbel oder sonstige Gebrauchsgegenstände, sei es in Stein oder Holz, Gußeisen oder Keramik, Mosaik oder Glas.

Die fünf Skizzen stammen aus der Zeit, als Guimard das Castel Béranger plante, ein Mietshaus, in dem er auch ein Büro für sich selbst vorsah. Sie machen deutlich, wie wenig ihm an konkreten Pflanzenmotiven gelegen ist. Die Natur gilt Guimard als vorbildliche Grundlage, der gegenüber die Kunst in Analogie völlig Eigenes schaffen muß, wenn sie vor jener bestehen soll.

Über die knospenartigen, manchmal an Mikroskopvergößerungen von Körperzellen erinnernden Detailformen der Fensterabschnitte legt Guimard das Netz des wohl für die Bleiverstrebungen vorgesehenen Gerüsts, das durchgehend den rechten Winkel und jede Erstarrung vermeidet. Kreis und Gerade bilden das abstrakte Grundmuster für unerschöpfliche Variationen; eine Regel wird thematisiert und umspielt von den Abweichungen, die sich von ihr emanzipiert haben.

Literatur: Ausst.-Kat. Guimard 1975 – Dunster 1978
PTh

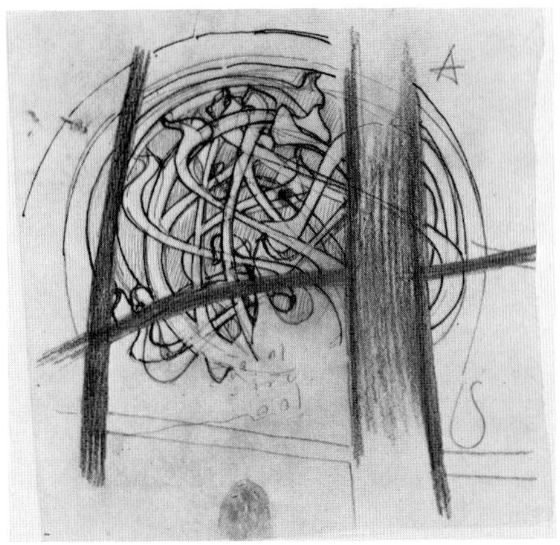

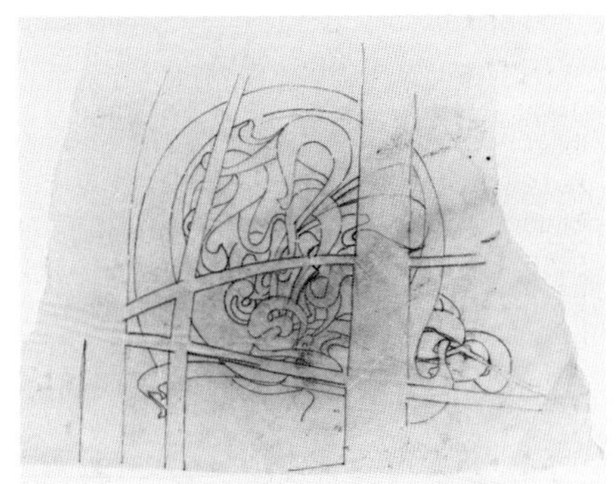

XIII. 66

XIII. 67

HECTOR GUIMARD (1867–1942)

67
Entwurf für den Umschlag der „Revue d'Art" 1899

Tusche und Aquarell über Bleistiftskizze aus Pauspapier; 40 × 26,5 cm
Paris, Musée des Arts Décoratifs
Inv. Nr. GP 526

Wieder sind Baum und Pflanze der Ausgangspunkt, der sich schließlich zum großen Initial unter Einbezug der Schriftzeichen des Zeitschriftentitels entwickelt. Eine quellende Metamorphose überzieht das gesamte Blatt, hinreichend deutlich für die nötige Information, darüber hinaus aber frei assoziierend und Assoziationen weckend; allerdings gesteuert durch das Kalkül des Künstlers, der in der Verkleidung das Wesen seiner Kunst offenbart, darin ganz dem dekorativen Stil seiner Zeit verpflichtet als einer ihrer Protagonisten.

Sieben Jahre lang schmückte diese Illustration das Titelblatt der „Revue d'Art" und prägte ihren Inhalt wesentlich mit.

Literatur: Ausst.-Kat. Guimard 1975 PTh

JACQUES GRUBER (1870–1936)

68
Dreiteiliger Paravent um 1900

Holz und Glas; 170 × 183 cm
Bezeichnet: Jacques Gruber (Relief geätzt)
Münchner Stadtmuseum
Inv. Nr. M 71/1

Gruber, beeinflußt von Moreau und Gallé und Gründungsmitglied der „École de Nancy", hat hier einen dreiteiligen, durch Scharniere verbundenen Paravent gestaltet, der sich in seiner Grundstruktur nicht wesentlich von anderen seiner Art unterscheidet.

Doch die Wahl des Materials und der Schmuckformen sowie die technisch virtuose Umsetzung bewirkt ein dekoratives Verwirrspiel, in dem das struktive Gerüst sich zunehmend nur mühsam gegen die Schwingungen und Wucherungen behaupten kann.

Aus den Eckfüßen entwickeln sich in die Seitenfelder hinein reliefiert ausgeführte, doldenbesetzte Kümmelstauden. Weitere Pflanzen sind als Intarsienarbeit in den Untergrund eingelassen; im unteren Teil Alpenveilchen, nach oben hin Clematisranken, die sich fortsetzen bis in die Aufsatzfelder aus violett getöntem Glas. Auch der Außenrahmen wird von floralen Motiven erfaßt. Zwischen Relief und Intarsien führt der Holzgrund der Paneelen aus japanischer Esche ein Eigenleben als „all-over"-Struktur mit Verfremdungscharakter. Dekorativ-flächige Blumenmuster, räumlich hervortretende Pflanzenmotive und das landschaftliche Assoziationen hervorrufende Innenleben des Baumes eliminieren den Grund zugunsten einer Fülle von Figurationen, die das geometrische Gerüst isolieren und in der Schwebe lassen.

Die Kunst des Dekorativen stößt in Beispielen wie dem Grubers bis an ihre äußersten Grenzen vor. Ahnungsweise scheint vorweggenommen, was der Kubismus und ihm nachfolgende Kunstströmungen in ihren Collagen und Assemblagen in voller Konsequenz verwirklicht haben.

Literatur: Ausst.-Kat. Nancy 1900, 1980 – La Lorraine Artiste 1900, Abb. S. 76, 102 – Le Pays Lorraine, 1/1904, Suppl. on Nr. 22, Abb. S. 353 PTh

XIII. 68

XIII. 69

EMILE GALLÉ (1846–1904)

69
Etagère 1900

Birnholz geschnitzt, reiche Maketrie auf den Stellflächen und der Rückwand mit zahlreichen Holzsorten; 111 × 72 × 36 cm
Bezeichnet: Gallé Expos 1900
Wien, Österreichisches Museum für Angewandte Kunst
Inv. Nr. H 2102

Der Einfluß japanischen Kunsthandwerks und dessen Interpretation mit Hilfe europäischer Techniken kommt bei Gallé, und bei dieser Etagère im besonderen, zum Ausdruck.

Dieses Kleinmöbel übernimmt nahezu wörtlich die Form japanischer Regale mit zueinander versetzten Stellflächen und verschließbaren Fächern und Laden (bei Gallé eine offene Stellfläche mit Rückwand, womit der optische Eindruck „offen–geschlossen" nachgeahmt wird). Dieser Kunstgriff bewirkt eine überraschende Binnengliederung des Gesamtkörpers, beinahe eine „gestörte Form".

Die überreichen Einlegearbeiten wurzeln zwar in der Tradition deutscher und französischer Ebenisten des 18. Jahrhunderts, die differenzierte Behandlung von leicht plastischen Maketriehölzern erinnert jedoch ebenfalls an japanische Lackarbeiten (auch Etageren) bei denen die Holzmaserung, Einlegearbeiten verschiedenster Materialien und Lackreliefs eine in Europa unbekannte Einheit bilden.

Literatur: Behal 1981, Nr. 266 JW

NACH GUSTAVE MOREAU (1826–1898)

70 Farbabbildung S. 382
Les Voix (Die Stimmen) 1889

Schmelzmalerei; 21 × 11 cm
Paris, Musée des Arts Décoratifs
Inv. Nr. 4911

Vorbild dieser Umsetzung war ein Aquarell (Mathieu 1985, 103). Das Thema gehört in den Bereich der Dialoge zwischen dem Dichter und seiner Muse. Seinen Schritt lenkend, trägt die Muse dem Jüngling den Loorbeerkranz als Wegweiser und Ansporn voran. Noch ist er ihm nicht zuerkannt. Im Gleichklang der beiden Köpfe ist die innere Übereinstimmung von Mann und Frau angesprochen, zugleich dürfte Moreau auf Orpheus und Eurydike anspielen. Wie der Sänger seine Gemahlin wieder an den Hades verlor, weil er sich nach ihr umwandte, ist es diesem Dichter untersagt, seiner Muse ins Auge zu blicken. (Das käme einer Umwandlung der Medusa gleich.) WH

RENÉ LALIQUE (1860–1945)

71
Schale um 1899/1900

Opalglas mit Silbermontierung und Halbedelsteinen; Durchmesser: 23 cm
Bezeichnet: Lalique
Wien, Österreichisches Museum für Angewandte Kunst
Inv. Nr. Go 1103

Lalique, gelernter Goldschmied, widmete sich ab ca. 1890 Arbeiten, bei denen er Silber mit Glas kombinieren konnte. Diese Schale ist in mehrfacher Weise interessant: Metall und Glas sind miteinander so verarbeitet, daß das Glas hervorzuquellen scheint. Die Silberarbeit ist also nicht nur montiert, sondern bildet mit der Glasschale eine enge Einheit.

Wirbelmotive, gerade im Zusammenhang mit Glasarbeiten, sind um 1900 weit verbreitet, der Einfluß des Orients scheint evident. Lalique geht aber bei dieser Schale noch weiter: Bei diesen drei „mißglückten" Hähnen, die Halbedelsteine in ihren Schnäbeln tragen, dürfte es sich um eine sehr freie Rezeption des in Asien häufig dargestellten himmlischen Drachens, der der brennenden Perle nachjagt, handeln. Besonders auf Rückseiten chinesischer Bronzespiegeln finden sich diese Motive oft. Gerade ein solches Spiegelmotiv dürfte Lalique als Vorlage gedient haben.

Literatur: Neuwirth 1973, Nr. 218 JW

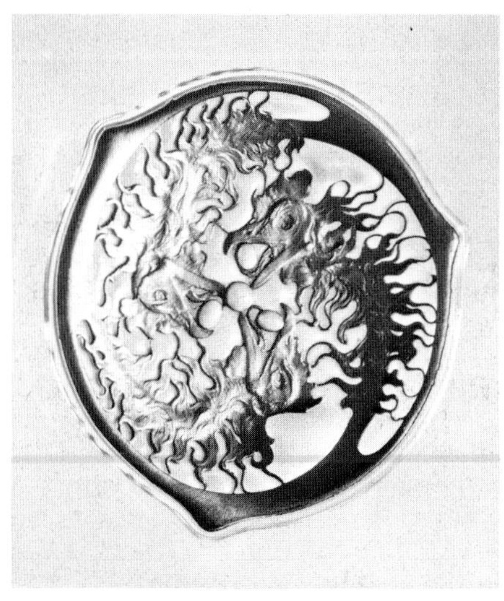

XIII. 71

RENÉ LALIQUE (1860–1945)

72 Farbabbildung S. 384
Kassette um 1900

Holzkassette mit fünf applizierten Glasreliefs; 12,8 × 29,2 × 14,5 cm
Bezeichnet: R. Lalique
Wien, Österreichisches Museum für Angewandte Kunst
Inv. Nr. Gl 3018

In seinen Glasobjekten versuchte Lalique den Schliff durch neue Techniken aber auch neue Anwendung zu beleben. Preßglas in der Serienproduktion bekam ebenso materialgerecht künstlerisches Design (im Gegensatz zur bis dahin üblichen Nachahmung von Kristallglas) wie die Herstellung von Einzelobjekten in verlorener Form oder durch Schliff. Lalique, eigentlich ausgebildeter Goldschmied, trachtete Glas wie Edelmetall zu behandeln und gab ihm dadurch eine bis dahin nicht gekannte Kostbarkeit.

Treibarbeiten ähnlich werden die fünf hinterlegten Glasarbeiten als Schmuck der Kassette verwendet. Auf der Deckelplatte werden vier weibliche Akte, deren Arme und Beine in Laubwerk übergehen, nahezu symmetrisch nebeneinander dargestellt. Ihre Köpfe bilden im Zentrum einen kleinen Hügel. Lalique dürfte bei diesen Darstellungen Waldnymphen im Sinn gehabt haben, die er wie im Panorama zu einander verfließenden Hügelketten in Relief formt.

Literatur: Neuwirth 1973, Nr. 217 JW

XIII. 73

RENÉ LALIQUE (1860–1945)

73
Henkelkanne 1903

Bronze, Glas; Höhe 49,4 cm
Bezeichnet: R. Lalique
Frankfurt, Museum für Kunsthandwerk
Inv. Nr. 13052

Nur in relativ wenigen Werken Laliques werden Metall und Glas so dicht miteinander verarbeitet wie in dieser Kanne. Knorpeliges Dickicht überwuchert den Glaskörper, der wie in großen Blasen aus den Zwischenräumen hervorquillt. Das Astwerk wird belebt von tanzenden und tollenden Faunen, die dem überladenen Gefäß noch mehr Bewegtheit verleihen – ein Gegensatz zur ruhigen Statik einer Kanne. Dies ist ein Kontrast, der in vielen Werken Laliques zu beobachten ist: Dekor wird nicht nur appliziert bzw. von der Form ausgehend gestaltet, sondern im Gegensatz zum Objekt gesetzt. JW

EMILE GALLÉ (1846–1904)

74
Vase in Form eines aufgeklappt stehenden Buches um 1880

Fayence, rötlicher Scherben mit weißer Zinnglasur, darüber braune Glasur; Höhe 16 cm
Bezeichnet: St. Clément AP 30
München, Stadtmuseum
Inv. Nr. K. 80–33

Fayencevasen in Form geschlossener Bücher gibt es schon im 18. Jahrhundert. Vgl. auch die Ambivalenz des Ambraser Vexierbuches (Kat. VIII. 62) und die Buch-Uhr des Hans

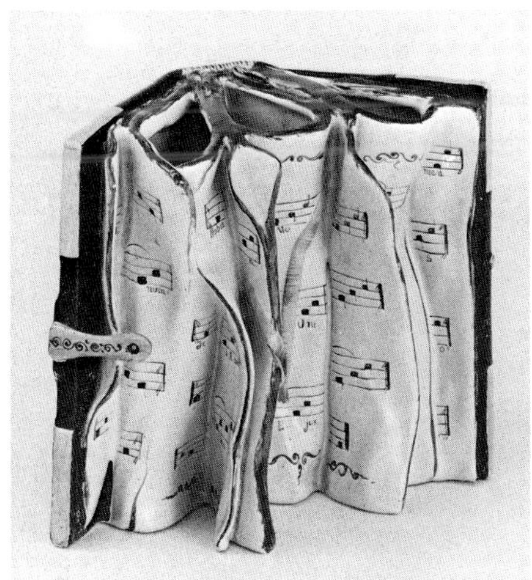

XIII. 74

Schnier im Louvre. In eher gröberer Manier wird ein mittelalterliches Missale nachgeahmt. Gallés Interesse scheint eher dem Volumen eines Buches und dessen Umsetzung zu anderem Zweck (Vase) zu gelten sowie der bewegten Struktur der Blätter.

Gallé schuf einige sehr eigenwillige Vasentypen, unter anderem auch in Tierform. Eine andere „Buchvase" von 1884 mit „japanischem Dekor" wird zwar stets mit einem Paravent verglichen, weist jedoch auf das selbe Interesse hin.

Literatur: Ausst.-Kat. Nancy 1900, 1980, Nr. 119 – Ausst.-Kat. Gallé 1986 JW/WH

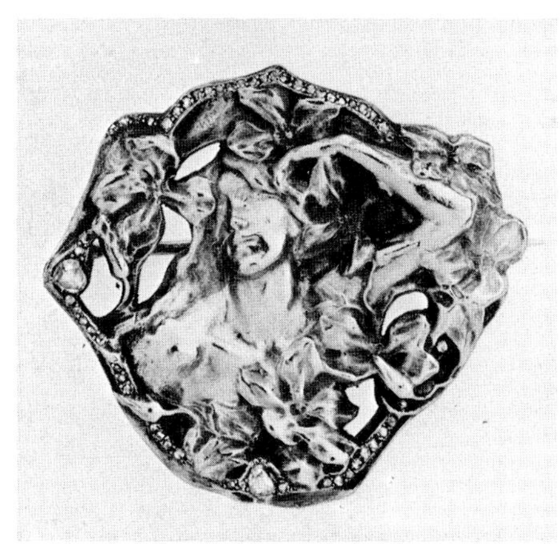

XIII. 75

XIII. 76

VICTOR PROUVÉ (1858–1943)

75
Brosche „La Nuit"

Gold, gegossen und ziseliert mit reichem Diamantbesatz; 3,5 × 4,3 cm
Bezeichnet: 27. Dec. 1890
Darmstadt, Hessisches Landesmuseum
Inv. Nr. Kg. 63: C 115

Victor Prouvé, eines der wichtigsten und vielseitigsten Mitglieder der École de Nancy, hat das Thema „Die Nacht" in verschiedensten Materialien und Variationen dargestellt. Literarisch beeinflußt, kann die Nacht – stets eine weibliche Figur oder Büste – erschreckend und beängstigend sein oder – wie bei dieser Brosche – eine zwischen Blüten schlummernde Schönheit, die von glitzernden Sternen umgeben ist.

Vom Thema her gesehen ist die Verwendung der weiblichen Büste als Schmuckstück in der Zeit um 1900 nichts Außergewöhnliches. Im Zusammenhang von Prouvés Œuvre hingegen ist interessant, daß für ihn ein literarisches Thema sowohl als Vase, Blumenkonsole, Freiplastik oder eben als Brosche darstellbar ist.

Literatur: Ausst.-Kat. Nancy 1900, 1980, Nr. 368 JW

VICTOR PROUVÉ (1858–1943)

76
Schmuckkassette 1894

Verschiedene Materialien;
39 × 49 × 24 cm
Nancy, Musée de l'École de Nancy
Inv. Nr. 379

Der Einfallsreichtum Prouvés wirkt sich auch auf die Kombination unterschiedlichster Materialien und die Verarbeitung mehrerer Kultureinflüsse zu einer neuen Einheit aus.

Die Oberflächengestaltung dieser Kassette ahmt chinesische Tapeten, die Szenen aus dem Alltagsleben erzählen, nach, an den Seitenflächen sind japanische Motive eingestreut. Im materiellen und farblichen Kontrast dazu stehen die palmettenförmigen Fassungen der Standbeine, in denen man ägyptisierende Motive vermuten möchte. Dominierend appliziert ist ein weiblicher Akt auf einem Drachen (geflügelte Schlange), welcher im Zusammenhang mit der Bestimmung als Schmuckkästchen als Versinnbildlichung des Luxus angesehen werden kann. In der Überfrachtung mit kostbaren Materialien und der symbolhaften Figur gibt Prouvé sowohl seiner künstlerischen Bravour als auch inhaltlichen Ansprüchen Ausdruck.

Literatur: Ausst.-Kat. Cuir 1985, S. 54 JW

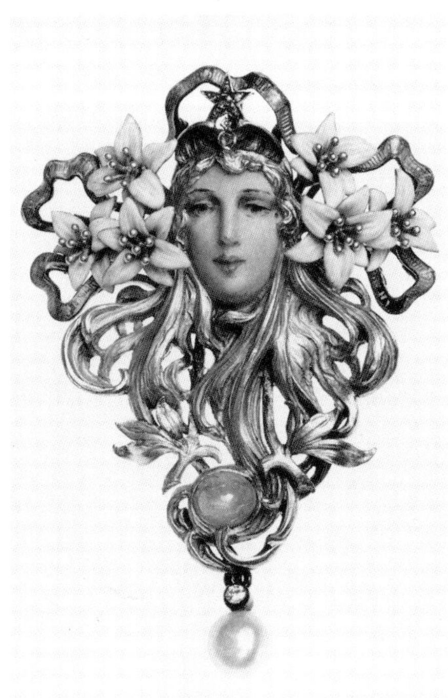

XIII. 77

ALFONS MUCHA (1860–1939)

77
Brosche aus Gold um 1896

Email mit Diamanten, Rubinen, Saphiren und Perle
Darmstadt, Hessisches Landesmuseum
Inv. Nr. Kg 63: C 100

Bei dieser Brosche dürfte es sich nicht um einen originären Entwurf Muchas handeln. Vielmehr wird angenommen, daß der Juwelier Georges Fouquet dieses Schmuckstück nach einem Plakat Muchas anfertigte. Dieses Plakat stellt die Tänzerin und Schauspielerin Sarah Bernhardts als „Prinzessin im Morgenland" (1896) dar.

In dieser Arbeit zeigt sich zunächst die Dominanz der graphischen Flächenkunst gegenüber der dreidimensionalen angewandten Kunst in der Zeit um 1900: Flächenornamente sind auf Gebrauchsgegenstände wie Möbel und Gläser ebenso übertragbar wie auf Schmuckstücke. Genauso verhält es sich mit dem Inhalt des Dargestellten. Das Bild der „femme fatale" war gerade durch Muchas graphische Arbeiten völlig entleert worden. Das erotische Frauenbildnis, dessen scheinbare Kühle durch reich gewelltes Haar unterstrichen wird, ist „verfügbar" geworden, sei es als Sternzeichen, Jahreszeit, Reklame für Seifen und Zigaretten, als Vignette oder eben als Schmuckstück. Die Übereinstimmung mit einer konkreten Person ist für solche Arbeiten nicht von Bedeutung.

Literatur: Ausst.-Kat. Mucha 1980, II, Nr. 210 JW

JOHANN LOETZ WITWE

78A
Schale um 1898
Inv. Nr. Gl. 2008

78B
Rosensprenggefäß um 1898
Inv. Nr. Gl. 2001

78C
Vase um 1901
Inv. Nr. W.I.19

78D
Tulpenvase um 1899
Inv. Nr. Gl. 2017

78E Farbabbildung S. 384
Vase um 1901
Inv. Nr. W.I.11

Alle: Wien, Österreichisches Museum für Angewandte Kunst

Die 1836 gegründete Glashütte in Klostermühle (Böhmen) wurde 1851 von Susanne Gerstner, verwitwete Loetz, erworben und trug seit 1863 die Firmenbezeichnung „Johann Loetz Witwe". Ausgehend von der Tradition böhmischer färbiger Gläser und der Technik der Überfangglasur erzielte man in den achtziger Jahren ähnliches Aussehen und Farbgebung wie Halbedelsteine. Auf der Pariser Weltausstellung 1889 erzielten „Carneolgläser" den Grand Prix, was zu einer weltweiten Berühmtheit dieser „Luxus- und Decorationsartikel" führte.

Der heute bekannteste Typ von Loetz-Gläsern ist das ab 1890 hergestellte „Regenbogenglas". In Form, Farbgebung und Dekor sind diese Gläser dem floralen Stil verhaftet und als typisch für die Zeit um 1900 zu betrachten. Halbedelsteine, Vogelfedern oder auch antike irisierende Gläser mögen als Anregung gedient haben, inhaltlich ist jedoch der florale, sanft schwingende Wellendekor des „Jugend"-Stils bestimmend.

Literatur: Neuwirth 1986 JW

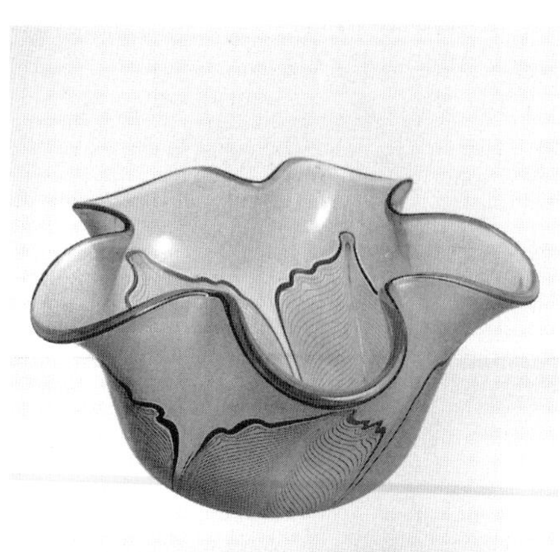

XIII. 78A

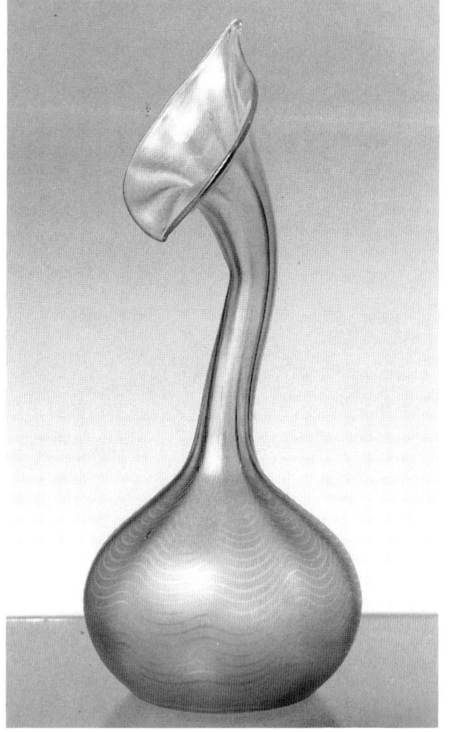

XIII. 78B

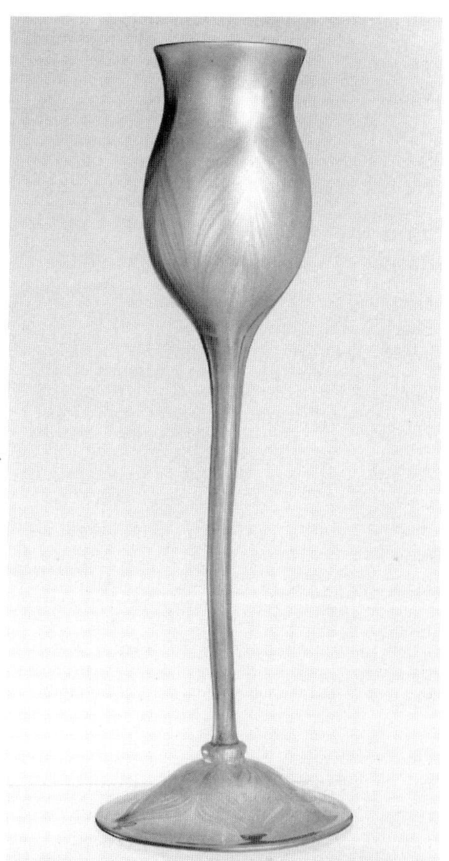

XIII. 78D

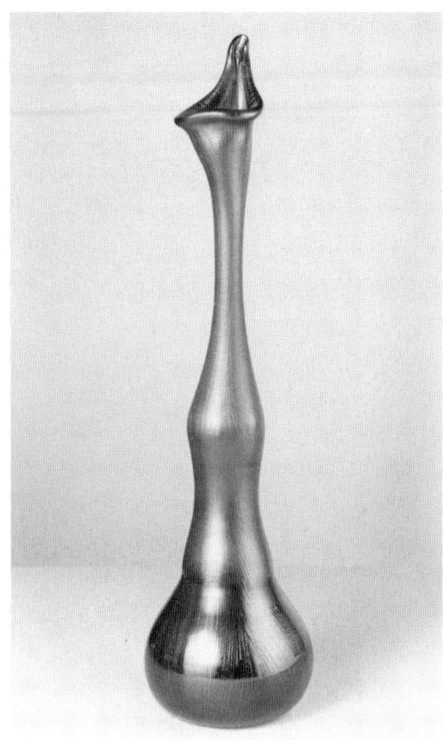

XIII. 79 A

LOUIS COMFORT TIFFANY (1848–1933)

79 A
Vase um 1897

Höhe 39,3 cm
Bezeichnet: o 1434
Inv. Nr. Gl 1982

79 B
Rosensprenggefäß um 1897

Höhe 38,2 cm
Bezeichnet: 01116
Inv. Nr. Gl 189

Beide: Wien, Österreichisches Museum für Angewandte Kunst

Als Sohn des Gold- und Silberschmiedes Charles Lewis Tiffany strebte der 1848 geborene Louis Comfort Tiffany zunächst eine Malerkarriere an. Angeregt durch europäisches Kunsthandwerk auf der Pariser Weltausstellung 1878 gründete er 1879 die Gesellschaft „Louis C. Tiffany and Associated Artists'', deren Aufgabe die Gestaltung des gesamten Wohnbereichs war.

Die in der Folge (1885) gegründete „Tiffany Glass Company'' diente einerseits dem Thema „Gesamtkunstwerk Wohnraum'', andererseits aber auch schon der Produktion von Glasgemälden für Kirchen und öffentliche Gebäude.

Auf der Pariser Weltausstellung von 1889 lernte Tiffany europäisches irisierendes Glas kennen, unter anderem von der Firma Johann Loetz Witwe (vgl. Kat. XIII. 78). Die sofort einsetzende Produktion von irisierendem Glas ging zunächst vor allem an Museen und die Galerie „Art nouveau'' von S. Bing in Paris.

Der Einfluß antiker und islamischer Gläser ist vor allem in den Formen seiner Arbeiten spürbar. Der Dekor jedoch ist bei Tiffany so wie bei Loetz dem floralen Jugendstil verpflichtet.

Tiffany Glass beendet seine Produktion ebenso wie Loetz kurz nach dem Ersten Weltkrieg, als der Zeitgeschmack bereits ein anderer geworden war.

Literatur: Neuwirth 1973, Nr. 225 u. 231 JW

PORTOIS UND FIX – WERKSTÄTTEN

80
Glasschrank 1900

Politiertes Birnbaumholz, verglast, verspiegelt; 190 × 134 × 46,5 cm
Wien, Österreichisches Museum für Angewandte Kunst
Inv. Nr. H 2546

Portois und Fix repräsentieren den „gediegenen'' Wiener Möbelbau der Jahrhundertwende. Der verspielte florale Dekor eines Mackintosh ist noch nicht dominierend und zeigt sich nur in zarten Windungen an Randleisten und kleineren Flächen. Diese Details lassen die nachklingende Gründerzeit noch deutlich spüren. MB

XIII. 80

XIV Anatomien der Begierde

Das „Unbehagen in der Kultur", dem Freud 1930 rückblickend zum Schlagwort verhalf, gärte bereits im Krisenbewußtsein der Jahrhundertwende – in Wien spürbarer als anderswo. Die Wirklichkeit wurde gegen den Traum in den Zeugenstand gerufen: eine Wirklichkeit, größer als die ästhetische Reduktion der Welt und darum unergründlich. Zielscheibe des Unbehagens war das secessionistische Behagen in der Kultur, das aus der Kunst ein (gewiß vornehmes) „Mädchen für alles" machte, welches jedem Zweck eine schöne Maske, jedem Bedürfnis eine erlesene Befriedigung zu bereiten hatte. Die schönen Fassaden wirken mit einem Mal hohl. Ihre Macht steht für die „Versagungen" (Freud), welche die Gesellschaft dem einzelnen im Dienste ihrer kulturellen Werte abverlangte.

Dem jungen Musil erschließt das „scheußliche Durcheinander von Stilblasphemien" eine Erlebnisfülle, die größer und komplexer ist als das Wirklichkeitsdestillat des „stilisierten Jahrhunderts", dessen Stimmigkeit jede „Hinterexistenz" unterschlägt. Alfred Kubin sucht eine „Freistätte für die mit der modernen Kultur Unzufriedenen" jenseits der Fortschrittsklischees. Er erfindet diese Gegenwelt in der Stadt Perle, deren Name ein ironischer Protest ist gegen die kostbare Juwelenschönheit des Jugendstils – in Perle herrschen Chaos und Anarchie. Weininger verspottet die „kunstgewerbliche Lehnstuhlschwärmerei" und die Lüge vom „stilisierten Menschen"; das „Nur-Ästhetische" hat für ihn keinen „Kulturwert". Max Brod nimmt Loos' Polemik gegen Hoffmann und Olbrich auf, wenn er schreibt: „Wir sind einer Konvention imitierter Renaissance entflohen, aber sofort in eine andere Konvention geraten, die bedeutend unangenehmer ist, weil sie ‚guter Geschmack' sein und bleiben will . . ." Wenige Zeilen später packt ihn die Wut: „O Gott, speit niemand aus vor dieser erlesenen Kultur!" Diese Empörung richtet sich – in der Sprache Freuds – gegen die Ideale und strengen Forderungen des „Kultur-Über-Ichs".

Im Konversationston der Nonchalance faßte Schnitzler diese Zivilisationskritik zusammen: „Wir versuchen wohl Ordnung in uns zu schaffen, so gut es geht, aber diese Ordnung ist doch nur etwas Künstliches . . . das Natürliche . . . ist das Chaos. Ja, mein guter Hofreiter, die Seele . . . ist ein weites Land, wie ein Dichter es einmal ausdrückte . . . Es kann übrigens auch ein Hoteldirektor gewesen sein." Dieses Wort des Dr. von Aigner erläutert den Titel der Tragikomödie „Das weite Land". 1910 geschrieben, nimmt das Stück Abschied von der elitären Künstlichkeit des Jugendstils wie von den Verkünderprivilegien des Künstlers – auch einem Hoteldirektor steht ein Weltbild zu! –, doch es empfiehlt keinen neuen, alles zusammenfassenden und überwölbenden Horizont, sondern beläßt die Dinge im – Chaos.

Wieder einmal ist ein Versuch, die Welt, das Individuum und die Gesellschaft auf einen versöhnenden Nenner zu bringen, gescheitert, doch die Diagnostiker dieses Scheiterns – Kraus und Weininger, Musil und Brod, Kubin und Schnitzler – ahnen noch nicht, daß das Chaos, welches sie der Ordnung vorziehen, einen neuen, wenngleich disparaten Möglichkeitshorizont aufschließen wird. Diese Einsicht blieb Max Dvořák vorbehalten. Wir kennen sie aus den Sätzen, mit denen er 1920 die Umwälzungen des 16. Jahrhunderts im Hinblick auf seine eigene Zeit beschrieb: „Man könnte von einer geistigen Katastrophe sprechen, die der politischen vorausging und die darin bestanden hat, daß die alten, verweltlichten, kirchlichen oder profan-wissenschaftlichen und künstlerisch-dogmatischen Systeme und Kategorien des Denkens eingestürzt sind . . . das Ergebnis war ein scheinbares Chaos, wie uns unsere Zeit als ein Chaos erscheint." Dvořák zweifelt an der Richtigkeit dieser negativen Diagnose, weshalb er die Wahlfreiheit und deren Ergebnis, den „Reichtum des heterogen verschiedenartigen künstlerischen Schaffens", zu einem Strukturmerkmal erhebt.

Dvořáks Blick auf das disparate Spektrum verschiedener künstlerischer Sprachhöhen, die der Trennung wie der Vermischung zugänglich sind, hat einen Vorläufer in Sigmund Freud. Um das zu erkennen, müssen wir Freuds Kunsturteil mit den Analysen konfrontieren, die er dem Traum und dem Witz widmete. Freud war ein blinder Seher: Er sah die neuen kreativen Möglichkeiten dort, wo er ihnen keine künstlerische Aussagekraft, also keine öffnenden Impulse zugestehen konnte. In der Kunst duldete dieser professionelle Erforscher des weiten Landes der Seele keine Exzesse. Er bestand auf der „Einhaltung von Schönheitsregeln", denn nur sie bewirken zwischen bewußten und unbewußten Kräften – zwischen Über-Ich, Ich und Es – einen ästhetisch befriedigenden Ausgleich. Dieses Maßhalten nimmt nicht nur in Kauf, daß sich die Form verhüllend über den Inhalt legt, die demaskierende Sonde des Analytikers ist geradezu auf die schöne, entstellende Maske angewiesen, denn sonst käme sie nicht zum Zug. Wo kein schöner Schein etwas verbirgt, sieht Freud den Kunstanspruch nicht gewahrt, sondern von der Häßlichkeit verhöhnt und entmachtet. Das geschieht im Witz und im Traum, also in außerkünstlerischen Bereichen, überdies in Randkünsten wie der Karikatur, der Parodie und der Travestie, die durch ihre herabsetzenden, entlarvenden Strategien von der eigentlichen Kunstsphäre ausgeschlossen sind. Derselbe Kopf, der dem Kunstwerk die ästhetischen Maßstäbe des klassisch-humanistischen Menschenbildes bewahren möchte, betätigte sich gleichzeitig als Pfadfinder auf einem Terrain, das sich vergleichsweise chaotisch ausnimmt. Im Traum greifen die ästhetischen Balanceregeln nicht, kommt kein Ausgleich von Einheit und Vielfalt zustande. Der Traum vernachlässigt die Entweder-Oder-Alternativen, er spottet der Logik und dem Gesetz von Gegensatz und Widerspruch. Er produziert das, was Freud der hohen Kunst versagt: absurde Wort- und Bildkombinationen und Vexierbilder, die allesamt mehrdeutig sind, so daß, „wie in der chinesischen Schrift, erst der Zusammenhang die jeweils richtige Auffassung ermöglicht". Im Transitorium des Traumes erkennt Freud ein fließendes Erfahrungskonglomerat, das umfassender ist als das Trugbild einer geordneten Welt, in der das Ich sich abschirmt. Das „Ich erscheint uns selbständig, einheitlich, gegen alles andere gut abgesetzt. Daß dieser Anschein ein Trug ist, daß das Ich sich vielmehr nach innen ohne scharfe Grenze in ein unbewußt seelisches Wesen fortsetzt, das wir als Es bezeichnen, dem es gleichsam als Fassade dient, das hat uns erst die psychoanalytische Forschung gelehrt . . . " (Das Unbehagen in der Kultur). Wie der Traum basiert auch der Witz auf transitorischen „Scharnieren", auf fließenden Übergängen, Mischwortbildungen, mehrsinnigen Verdichtungen, kurz: auf „janusartiger Doppelgesichtigkeit".

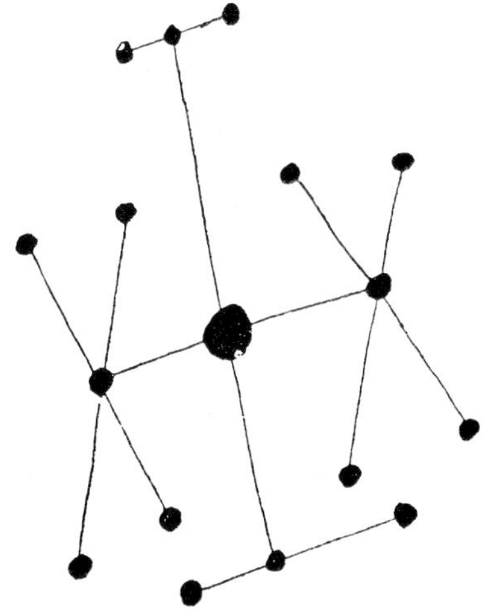

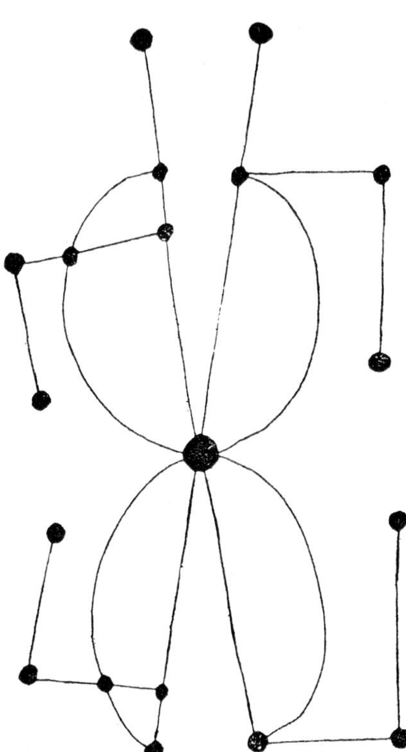

Abb. 1 Pablo Picasso, Illustrationen zu Balzacs „Chef d'œuvre inconnue", 1926

Abb. 2 Kompositfigur, aus metallenen Geräten zusammengesetzt, Illustration aus „La Revolution Surréaliste", Nr. 3, 1925

Freuds Analyse erarbeitet zwei Sphären: Der hohen, von Schönheitsregeln gefaßten Kunst stellt er die gleichsam subästhetische Ausdruckszone des Es gegenüber, in der diese Regeln nicht gelten. Dem ersten Blick bietet sich somit der Gegensatz von Ordnung und Chaos dar. Was geschieht, wenn dieses „Chaos" sich anschickt, in die geordneten künstlichen Bereiche einzudringen, um sie zu sprengen? Muß dann nicht die „Kunst" ihre Vorrechte einbüßen, müssen dann nicht die Künstler ihr Künderamt an die – Hoteldirektoren abtreten?

Diese Zäsur ereignete sich, als Marcel Duchamp den Entschluß faßte, die Malerei, der er sich bislang im kubistisch-futuristischen Fahrwasser gewidmet hatte, aufzugeben, der Ausdrucksgebärde zu entsagen und die Dinge, anstatt sie zu malen, als „gefundene Gegenstände" (objets trouvés) aus ihren gewohnten Zusammenhängen herauszulösen und der nachdenklichen Betrachtung auszusetzen. So stellte Duchamp 1913 das Rad eines Fahrrades auf einen Hocker, 1914 designierte er einen Flaschentrockner zum „ready-made" (Kat. XIV. 6), 1917 sandte er eine um 90° gedrehte Klosettmuschel zu einer Ausstellung ein. Das Wort ready-made wurde von Duchamp erfunden. André Breton versteht unter dem damit bezeichneten Wahlakt eine Geste, die dem anonymen Gebrauchsgegenstand die Würde von Kunstwerken verleiht. H. P. Roche meint, mit der Klosettmuschel wollte Duchamp sagen: „Das Schöne ist da, wo ihr es erfindet." Demnach entdeckte Duchamp das, was Don Quichote in einem Barbierbecken sehen wollte (vgl. Kat. X. 18). Doch solche Deutungen übersehen den Doppelsinn dieser Strategie, der es auch darum geht, die Würde der Kunstsphäre mit Hilfe der Praktiken, die Freud Traum, Witz und Karikatur zuschrieb, aufzusprengen. Aus Doppelsinn, Wortspiel, Verdichtung und Bedeutungsverschiebung wurde bei Duchamp – der von Freud damals nichts wußte – ein ironischer Kunstgriff. Seine anti-ästhetischen Provokationen verhöhnen den Artistenhochmut, der mit den Errungenschaften der subjektiven Handschrift prunkt, und die sakrosankten Wertvorstellungen des „guten Geschmacks".

Doch wird nicht das anonyme Gerät, seiner Gebrauchssphäre entzogen, alsbald mit rätselhafter Würde versehen? Der verfremdete Flaschentrockner wird zu einem besonderen Flaschentrockner. Heute steht er in Museen und Ausstellungen. Einen ähnlichen Würdegewinn haben seitdem alle erfahren, die auf den Spuren von Duchamp Antikunst bzw. die Kunst der Kunstlosigkeit auf ihre Fahnen schrieben. Dieser Musealisierung hatte Duchamp nicht Vorschub leisten wollen. 1962 schrieb er an den Alt-Dadaisten Hans Richter: „Dieses Neo-Dada, das sich jetzt Neuer Realismus, Pop Art, Assemblage etc. nennt, ist ein billiges Vergnügen und lebt von dem, was Dada tat. Als ich die ready-mades entdeckte, gedachte ich den ästhetischen Rummel zu entmutigen. Im Neo-Dada benutzen sie aber die ready-mades, um an ihnen ‚ästhetischen Wert' zu entdecken! Ich warf ihnen den Flaschentrockner und das Urinoir ins Gesicht als eine Herausforderung, und jetzt bewundern sie es als das ästhetisch Schöne." (Indes, mit dem Vorwurf der Ästhetisierung trifft Duchamp sich selbst, denn Repliken der berühmtesten ready-mades wurden mit seiner Billigung in den Handel gebracht. Sein letztes Werk, „Étant donnés", 1946/66, im Museum von Philadelphia ist ein

Gesamtkunstwerk, das die Kunstmittel des Illusionismus einem Doppelsinn zuführt, der an den Voyeur appelliert: Wir blicken durch zwei Gucklöcher in eine Landschaft, in der eine nackte Frau liegt. Die Blickführung erschließt alles, nur nicht die Genitalzone. Duchamp kehrt wieder zur Kunst im Freudschen Sinne der Verschleierung und Veredelung zurück.)

Die „janusartige Doppelgesichtigkeit'', die Freud dem Witz attestierte, kennzeichnet das Wollen der Dadaisten und der Surrealisten. Keimzelle von „Dada'' war das am 1. Februar 1916 von Hugo Ball in Zürich gegründete Cabaret Voltaire. Der Name des Aufklärers sollte Spott und Ironie als Waffen gegen die Diktatur der „Gehirnschubkästen'' legitimieren.

Hans Arp erläuterte, wogegen sich die Stoßkraft dieser Revolte richtete: „Der Dadaismus hat die schönen Künste überfallen. Er hat die Kunst für einen magischen Stuhlgang erklärt, die Venus von Milo klistiert und ‚Laokoon und Söhnen' nach tausendjährigem Ringkampf mit der Klapperschlange ermöglicht, endlich auszutreten. Der Dadaismus hat das Bejahen und Verneinen bis zum Nonsens geführt. Um Überheblichkeit und Anmaßung zu vernichten, war er destruktiv.'' Wo blieb dabei die Kunst? Arp gibt zwei Antworten – „Dada ist für die Natur und gegen die Kunst'' und „Dada ist der Urgrund aller Kunst'' –, die sich zum Januskopf zusammenschließen und besagen: Dada ist gegen die Kunstregeln, Dada will eine neue Ursprünglichkeit. Diese Dialektik macht Arp in seinen „zerrissenen Papieren'' deutlich: Er zerstört ein Formgebilde, um daraus ein neues zu machen. Dieses Verfahren steht in der Tradition der „gestörten Form'' und bildet das konstitutive Merkmal fast aller dadaistischen Aktionen.

Von Anfang an steckt in dieser Dialektik die Tendenz, die von der Wahlfreiheit erschlossenen Gegenpole zu koppeln und in witzig-schokkierenden Vermischungen gegeneinander auszuspielen. Duchamps Mona Lisa mit dem Schnurrbart ist dafür ein frühes Beispiel. Man sieht: die klassischen Vorbilder werden nicht verstoßen, sondern von ihrer klischeehaften Erstarrung befreit. Jahrzehnte später stellte sich das provozierende Auseinanderklaffen der Sprachhöhen als latentes Suchen nach einer Synthese dar: „Die Erkenntnis, daß Vernunft und Antivernunft, Sinn und Un-Sinn, Plan und Zufall, Bewußtsein und Un-Bewußtsein zusammengehören und notwendige Teile eines Ganzen darstellen, darin eben hatte Dada seinen Schwerpunkt.'' So sah es Hans Richter im verklärenden Rückblick: der Dadaismus als ein Balanceakt im Sinne Freuds!

Der Schöpfer der Psychoanalyse würde dieser Sicht nicht zugestimmt haben. Er mißbilligte auch die Praxis der Surrealisten, die in ihm einen Wegbereiter ihrer programmatischen Selbstbefreiung des Schöpferischen sahen und nicht wahrhaben wollten, daß sie damit seiner Theorie von der Kunst als einer „Ersatzbefriedigung'' radikal widersprachen.

1924 ließ André Breton, der geistige Führer der Bewegung, das erste Surrealistische Manifest erscheinen. An der ersten Gruppenausstellung im folgenden Jahr beteiligten sich: Arp, de Chirico, Ernst, Klee, Man Ray, Masson, Mirò und Picasso. 1926 wurde die surrealistische Galerie eröffnet, 1927 trat Tanguy der Bewegung bei, 1930 kam Dalí dazu. 1929 erschien Bretons zweites Manifest. In den dreißiger Jahren

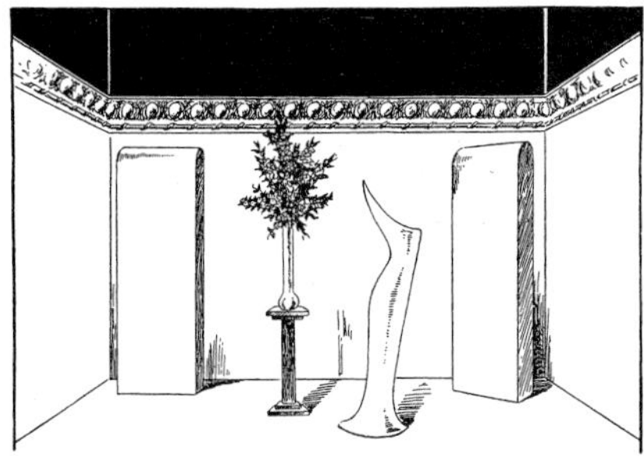

Window plan, from *Koester School Book of Draping*, 1913. See p. 260.

Abb. 3 Schaufensterdrapierungen, aus einem Lehrbuch für Stoffdekorationen, abgebildet im Ausstellungskatalog „Fantastic Art, Dada, Surrealism'', Museum of Modern Art, New York 1936

zeigten sich erste Symptome des künstlerischen Zerfalls und der weltanschaulichen Selbstzerstörung. Die surrealistische Ausgangsposition ist der Versuch, mit Hilfe einer die Kunstregeln entmachtenden totalen Subversion alle Antinomien des Denkens und Erlebens zu überwinden, alle zerstückelten Kategorien des Wahrnehmens und Bewußtseins miteinander zu verschmelzen, kurz, eine größere, umfassendere Wirklichkeit zu setzen, d. h. einen freien „Geistesgrad'' aufzusuchen, „von welchem aus Wirkliches und Imaginäres, Vergangenheit, Hohes und Niedriges, Mitteilbares und Nicht-Mitteilbares aufhören, als Gegensätze wahrgenommen zu werden'' (Breton 1930). Die Analogie zum „Schauspiel einer ungeheuren Disturbation'', das Dvořák im 16. Jahrhundert beobachtete, ist nicht zu übersehen. Doch diese Disturbation wird systematisch durchforscht und gegliedert. Dalí forderte eine „aktive, systematische, organisatorische Einstellung'' gegenüber den „Phänomenen des Irrationalen'', und Breton nannte als Ziel der surrealistischen Revolution die „spontane Neueinteilung der Dinge, gemäß einer gründlicheren und verfeinerten, durch Mittel der gewöhnlichen Vernunft nicht aufzuklärenden Ordnung . . .''

Aus dem Verlangen nach Systematisierung entsprang auch ein pseudowissenschaftlicher Synkretismus, der sich ebenso auf Hegel wie auf Freud, auf Marx und den Okkultismus berief und im „Bureau des Recherches Surréalistes'' seine Forschungsstätte besaß. Die Bejahung spontaner Formen der Mitteilung, wie etwa der automatischen Schreibweise und der Kritzeleien von Kindern und Geisteskranken, ließ einen offenen Kunstbegriff entstehen, der nicht nur die alten Kunstregeln leugnet, sondern deren Verkünder, den genialen Künstlermenschen, um seine Vorrechte bringt. Für den Surrealisten ist jeder begabt.

Mit der „Neueinteilung der Dinge'' geht – in der Nachfolge der ready-mades – deren Neu- bzw. Aufwertung Hand in Hand. Das Fundstück bekommt eine geheimnisvolle Aura, die Banalität wird zum Fetisch. Der Objekt-Fetischismus ist eine der wichtigsten surrealistischen Methoden, sich der tastbaren Wirklichkeit zu bemächtigen und daraus eine vielsinnige „Physik der Poesie'' (Eluard) zu gewinnen. In einem Akt wahllosen Wählens will man eine „totale Revolution des Objekts'' auslösen – doch schon sind die Landvermesser zur Stelle, um das zusammengetragene „Chaos'' in bestimmten Schubladen unterzubringen. Nach Breton (Kat. XIV. 23–24) gibt es folgende Kategorien surrealistischer Objekte: mathematische, natürliche, primitive, gefundene, irrationale, gedeutete, vereinigte, bewegliche Objekte und Ready-Made-Objekte. Das klingt wie das Inventar einer Kunst- und Wunderkammer des 20. Jahrhunderts. Unverkennbar berührt sich dieser Ding-Fetischismus mit animistischen Bräuchen und kann als Säkularisation des Reliquienkultes verstanden werden. Damit hängt auch zusammen, daß die Surrealisten sich lebhaft für Magie und Aberglauben, Totemismus und Okkultismus interessierten.

„Man kann Dichter sein, ohne je eine Zeile geschrieben zu haben . . . Poesie existiert auf der Straße, in einem Schaufenster, überall . . .'' (Tzara). Schroffe Absagen wie diese kommen den Surrealisten schnell von der Zunge, wenn es darum geht, das Kunstwerk von seinem Würdesockel zu stoßen. Gewiß äußert sich darin der Wunsch, die „Künstlichkeit'' aufzuheben und den schöpferischen Akt in Lebensbewegungen aufzulösen: „Wir führen die Kunst auf ihren einfachsten Pol zurück: die Liebe'', sagt Breton.

Doch dieser spontane Vitalismus ist nur der eine Pol. Der andere dient der Gegensteuerung: Er legt Zeugnis ab von dem geradezu enzyklopädischen Bilder- und Wissenshunger, der diese Maler und Literaten antrieb. Sie entdeckten sich ihre weitverzweigten Stammbäume jenseits der gängigen Werttafeln der Kunst- und Literaturwissenschaft. Ihre Geschmackskatholizität war unbegrenzt, doch zeigt sie deutlich die Vorliebe für das Absonderliche und Abseitige, aber dies nicht nur in Werken der „Hochkunst''. Beim Durchblättern der Pariser Zeitschrift „Minotaure'' (1933–39) stoßen wir auf die Trivialbereiche von Kitsch und Werbung, Eluard stellt eine Sammlung pornographischer Postkarten vor, ein Aufsatz entdeckt Caspar David Friedrich (12–13/1939, S. 27), ein anderer Duvet (10/1937, S. 45), ein Essay von Ferdinand Bruckner über das Zeitalter der Angst wird mit der „Medusa'' von Rubens (3–4/1933, S. 66) illustriert. Auch den Jugendstil entdeckten die Surrealisten lange vor den Kunsthistorikern: Dalí begeistert sich für Gaudí (3–4/1933, S. 69) und die Präraffaeliten (8/1936, S. 46), Péret schreibt über Automaten (3–4/1933, S. 29), Harnische (11/1938, S. 54) und Ruinen (12–13/1939, S. 57). Albert Béguin denkt über den Androgyn nach (11/1938, S. 10).

Abb. 4 Pornographische Postkarte aus der Sammlung von Paul Eluard, publiziert in „Minotaure'' 3–4/1933

So entwarfen die Surrealisten ein alle Konventionen sprengendes Universum des Bildes, das zwar den alten Kunstbegriff zerstörte, dafür aber einen neuen entwarf, dessen Offenheit alles das umfaßt, was Dvořák als Merkmale der „ungeheuren Disturbation'' des 16. Jahrhunderts mit den Augen seiner Zeit entdeckt hatte: die Spannung zwischen grobsinnlichen und literarisch ausgeklügelten Themen, virtuosem Artistentum und formalen Abstraktionen. Da für die Surrealisten der Gegensatz abstrakt-figurativ unwichtig ist, sind ihnen auch alle Kunstformen der Vergangenheit zugänglich, wenn sie in ihr Konzept passen. Schon 1922 brachte Max Ernst in seinem „Rendezvous der Freunde'' (Köln, Museum Ludwig) ein Porträt Raffaels unter. Masson führte Gespräche mit Bosch und Ingres – Partnern, zwischen denen man sich kaum einen Dialog vorstellen kann. Für den Surrealisten ist die Tradition kein Dogma, keine Last, sondern eine Versuchung.

So wurde eine Bewegung, die als Bürger- und Museumsschreck gegen die klassischen Kunstmaßstäbe und deren akademische Nachbeter angerannt war, zu einem Kapitel der Moderne, das sich schließlich als die Mündungszone vieler Vergangenheiten verstand. Auf bahnbrechende Weise belegte das 1936 die große Ausstellung „Fantastic Art, Dada, Surrealism'' im New Yorker Museum of Modern Art. Was damals „phantastisch'' hieß, steht in unserer Ausstellung unter manieristischen Vorzeichen. Alfred H. Barr versammelte u. a. folgende Vorläufer: Bosch, Dürer, Baldung, zwei Anamorphosen, den „Stregozzo'' (hier: Kat. VI. 22), den „Traum Raffaels und Michelangelos'' (Kat. VII. 18), Arcimboldo (Kat. I. 3, 4), Christoph und Wenzel Jamnitzer (Kat. VII. 47, 48), Bracelli (Kat. VII. 63), Hogarth (Kat. X. 19, 20), Piranesi, Füssli, Blake und

Redon. Zum Vergleich wurden Arbeiten von Geisteskranken, das „ovale Rad'', Kinderzeichnungen, Werke der Volkskunst, wissenschaftliche Objekte, Fundstücke, Karikaturen und Werbezeichnungen gezeigt. Die „phantastische Architektur'' schloß Beispiele von Gaudí, Guimard und den Merz-Bau von Schwitters ein.

In dem Augenblick, da die Surrealisten in New York das Museum eroberten und – gleichsam als Gegenleistung – sich einer langen historischen Tradition einfügen ließen, unternahm Breton am 1. April 1935 in Prag noch einmal den Versuch, im Hinblick auf die Landkarte Europas den „politischen Standort der heutigen Kunst'' zu bestimmen. Bemüht, den psychischen Automatismus vom Vorwurf des Selbstzwecks zu entlasten, welcher von den Marxisten vorgebracht worden war, stellte er diese Technik nachdrücklich in den Dienst der aufklärerischen „Emanzipation des Menschen'', dazu befähigt, den ungeheuren Fundus zu öffnen, „aus dem die Symbole herkommen''. Er sah Hieroglyphen des Es auftauchen, in denen „Eros und Todestrieb miteinander kämpfen''. Mit diesem Zitat gibt Breton zu erkennen, daß er Freuds Aufsatz über „Das Unbehagen in der Kultur'' gelesen hat.

In Freuds Gegensatzpaar taucht ein Januskopf wieder auf, den wir bereits kennen: die „discordia concors'' von Venus und Mars. Freud spricht vom Ambivalenzkonflikt der beiden „Urtriebe'', des Eros und des Destruktions- und Todestriebes. In diesem „ewigen Kampf'' sieht er das Grundmuster dreier Prozesse abgebildet, nämlich einmal die Ambivalenzkonflikte des Individuums, sodann die des „Kulturprozesses'', „der über die Menschheit abläuft'', schließlich „das Geheimnis des organischen Lebens''. Man kann Freuds Einsichten als die entmythisierte Neuformulierung des Ambivalenzkonfliktes lesen, den schon Plotin erkannt hatte, als er schrieb: „Die wahre Magie ist die Liebe und auch der Haß, die im Universum enthalten sind. Dies ist der erste Zauberer und Meister des Zaubertranks . . . Die ganze Welt durchwaltet eine einzige Harmonie, mag sie auch aus Gegensätzen bestehen.''

Freud nahm sich vor, diese Prozesse zu entzaubern. Die Surrealisten wollten über ihn hinausgehen: Sie nahmen sich die „Schöpfung eines kollektiven Mythos'' vor, der die Kluft zwischen Kunst und Leben überbrücken würde. „Die Atmosphäre der Poesie bei Benjamin Péret oder die der Malerei bei Max Ernst wird künftig die Atmosphäre des Lebens überhaupt sein'', prophezeite Breton 1935, ohne zu übersehen, daß Hitler und seine Helfershelfer dieser Vision im Wege standen. Er und seine Freunde waren auch nicht blind für die „Lebensangst'' ihrer Epoche. Davon zeugen die Werke, die den kollektiven Mythos der Zwischenkriegszeit behandeln: Sie sind konvulsivische Metaphern der Todeserotik, des Ambivalenzkonfliktes von Venus und Mars. WH

XIV. 1

GIORGIO DE CHIRICO (1888–1978)

1
Der treue Diener 1916 oder 1917

Öl auf Leinwand; 38,2 × 34,5 cm
Bezeichnet: G. de Chirico
New York, The Museum of Modern Art
(Vermächtnis James Thrall Soby)
Inv. Nr. 1216.79

De Chirico kehrt das Thema „Bild im Bild" in die Negation um: Sein Bild setzt sich aus Nichtbildern, d. h. leeren oder umgedrehten Keilrahmen und deren Fragmenten zusammen. Den Absprung in dieses Gerümpel von Atelierrequisiten, deren jedes auf ein anderes, dahinter liegendes verweist, bildet ein staffeleiartiges Gerüst, das in seinem unteren Teil sechs Verpackungen ausstellt – die einzigen Eindeutigkeiten in diesem Konglomerat, aber auch sie rätselhaft, vielleicht Süßigkeiten – Erinnerungen von der Art der „Madeleine" Prousts, denen der Maler hier eine Art Denkmal setzt. Ist der verfügbare Bilderrahmen, der sich segmentierend über die „Wirklichkeit" legt, das zentrale Thema des Bildes, so hat de Chirico darin noch eine andere Dimension untergebracht. Er bezieht sich auf den unbetretbaren, zersplitterten Bildraum der Kubisten und setzt ihn in die Poesie der Entfremdung um.

Literatur: Ausst.-Kat. de Chirico 1982/83, S. 176 – Soby 1955 WH

GIORGIO DE CHIRICO (1888–1978)

2 Farbabbildung S. 389
Die Unterhaltung eines jungen Mädchens
1916 (?)

Öl auf Leinwand; 47,5 × 40,3 cm
Bezeichnet: G. de Chirico
New York, The Museum of Modern Art
(Vermächtnis James Thrall Soby)
Inv. Nr. 1215.79

Jean Clair hat de Chiricos Verfahren der Stilmischung von dem der Stiltrennung abgehoben, das er in „totalitären Ideologien" und in „verschiedenen Richtungen der modernistischen Ästhetik" praktiziert sieht. Sofern diese Beobachtung sich auf den Purismus der Kubisten und Konstruktivisten bezieht, ist sie richtig, doch ist nicht zu übersehen, daß die Kompositschönheit, die aus der Mischung der Sprachmittel hervorgeht, schon in Lautréamonts berühmter Definition der Schönheit steckt, wo sie ausdrücklich auf eine der ästhetischen „Summen" des modernen Wahrnehmungsangebots bezogen wird: auf das Schaufenster, das die seltsamsten Nachbarschaften herbeiführt. Es ist auch kein Zufall, daß die surrealistischen Bilderschocks schnell Eingang in die Werbung und in die Auslagengestaltung fanden.

„Stilmischung" bedeutet im Sinne Auerbachs, daß das Banale mit dem Erhabenen zusammenwohnt. Ein Handschuh – Huldigung an Klingers Radierzyklus (Kat. XIII. 3, 4) – hängt belebt–unbelebt vor einem Schnittmuster, davor eine Streichholzschachtel, verschiedenfarbige Bänder und drei Zwirnspulen. Das junge Mädchen ist eine Schneiderin. Links ragt hinter der schmalen Szene, der etwas Gleitendes, Unstabiles anhaftet, das Castello Estense in Ferrara auf – ein ceterum censeo, dessen de Chirico sich häufig bedient, Pathosformel der undurchdringlichen Erhabenheit, zugleich aber auch Versatzstück in einer Welt, die eine neue Bildkategorie herstellt: die Stillebenlandschaft.

Literatur: Ausst.-Kat. de Chirico 1982/83, S. 177 – Soby 1955, S. 114–115 WH

GIORGIO DE CHIRICO (1888–1978)

3
Spielzeug eines Prinzen 1915

Öl auf Leinwand; 55,4 × 25,9 cm
Bezeichnet: G. de Chirico 1915
New York, The Museum of Modern Art
(Schenkung Pierre Matisse in memoriam Patricia Kane)
Inv. Nr. 462.78

De Chiricos „Pittura metafisica" hatte nach des Malers eigenen Worten eine Neubestimmung der Dingwelt zum Ziel: „Es ist die Stille und unsinnliche Schönheit der Materie, die mir metaphysisch scheint, und metaphysisch erscheinen mir die Dinge, die durch Klarheit der Farbe und Genauigkeit ihrer Maße die Gegenstücke zu jeder Wirrnis und Verschwommenheit sind.'' Eine Bestandsaufnahme des Faktischen also, welche die Aura der Zeitlosigkeit anruft. Der Maler findet seine Dinge im alltäglichen Repertoire einer Schneiderin (Kat. XIV. 2) oder in der Spielzeugschachtel eines Prinzen. Solche geometrischen „Capricci'' muten hermetisch an, sie scheinen etwas zu verbergen oder auf Beschwörungsrituale anzuspielen. (Die spiegelschriftlich aufgesetzte „Geheimformel'' läßt sich nicht entziffern.) Das Spielgerät, schwankend auf eine schiefe Ebene gestellt, scheint von einem Mechanismus bewegt – ein Automat? Riesig vor der Kirchenfassade aufragend, läßt es diese zum Baukastenobjekt schrumpfen.

Literatur: Ausst.-Kat. de Chirico 1982/83, S. 164 – Soby 1955, S. 164 WH

XIV. 3

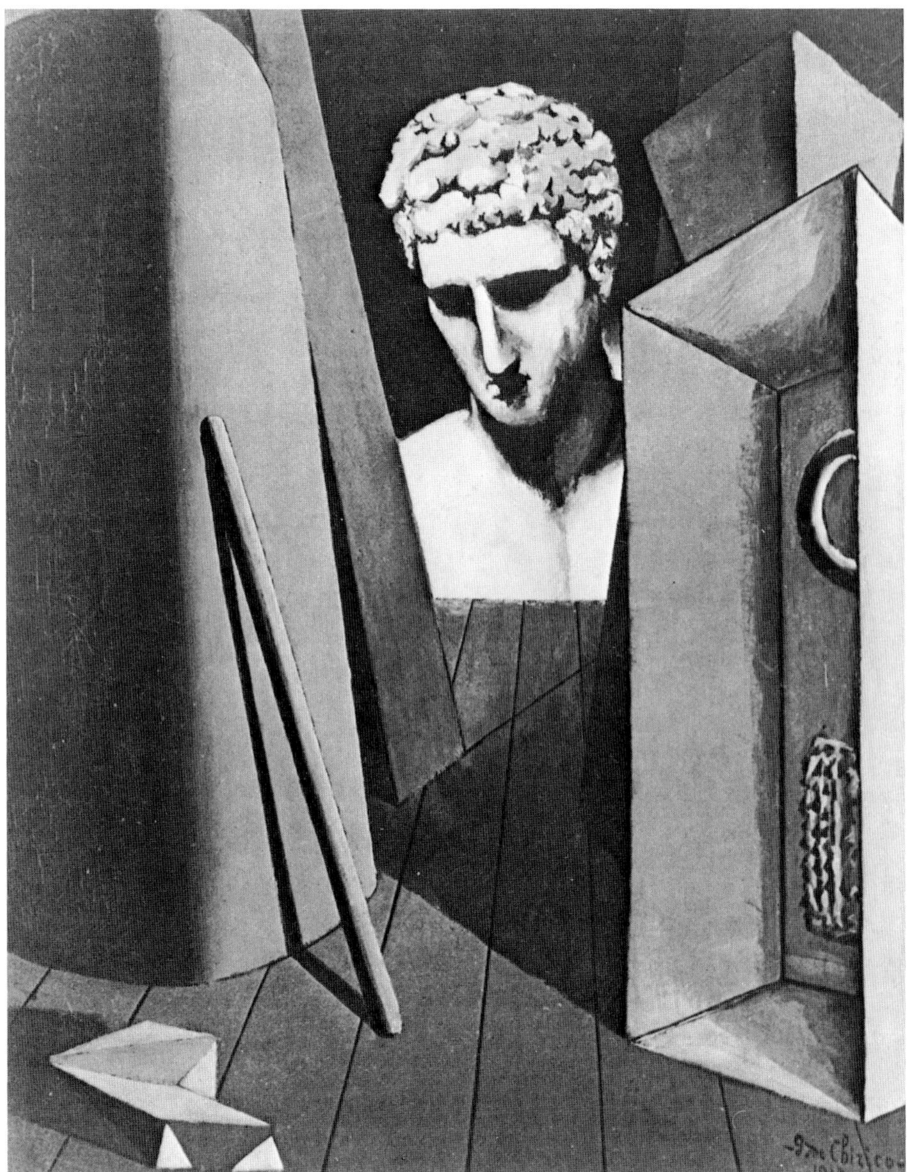

XIV. 4

GIORGIO DE CHIRICO (1888–1978)

4
Hermetische Melancholie 1919

Öl auf Leinwand; 62 ×49,5 cm
Bezeichnet: G. de Chirico 1919
Paris, Musée d'Art Moderne de la Ville de Paris
Inv. Nr. AMVP 1888

Eine andere, verbrannte Version des Themas beschloß den Abbildungsteil von Sobys Buch (1955) über den Maler. In der Tat bezeichnet die „Hermetische Melancholie'' ein Ende und eine Wende. Die Spielrequisiten beengen zwar immer noch den Raum, doch sind sie kulissenhaft zur Seite geschoben und geben den Blick auf einen antiken Jüngling frei, in dem sich die skulpturalen Kunstfiguren der zwanziger Jahre ankündigen, mit denen der Maler auf den Wegen der „italianità'' wieder zur Ganzheit zurückfinden wollte. Dahinter steht die geträumte Hoffnung auf Versöhnung, mit der de Chirico 1919 das Gedicht „Epode'' beschloß:

„Eines Tages werde auch ich ein Statuen-Mensch sein
Gatte Witwer auf dem etruskischen Sarkophag
An jenem Tag in Deine große Umarmung aus Stein
schließe mich, oh Stadt, mütterliche.''

Diese Umarmung wird eine tödliche sein. So gesehen, ist die „Hermetische Melancholie'' ein vorweggenommener Epitaph.

Literatur: Ausst.-Kat. de Chirico 1982/83, Nr. 57 WH

XIV. 5

MARCEL DUCHAMP (1887–1968)

5
Boîte-en-Valise (Die Kofferschachtel)
1938–42

Holz, Papier, Glas, Kunststoff, Photo
83 Einzelstücke in einer Schachtel;
38 × 40 × 8 cm
Wien, Museum moderner Kunst
Inv. Nr. 45/B

„Anstatt etwas zu malen, hatte ich die Idee, einige der Bilder, die mir sehr gut gefielen, im Kleinformat zu reproduzieren, so daß sie nur wenig Platz einnehmen würden. Ich wußte nicht, wie ich das anstellen sollte. Ich dachte an ein Buch, aber diese Idee sagte mir nicht zu. Dann hatte ich die Vorstellung von einer Schachtel, in der alle meine Werke gesammelt wären wie in einem Miniaturmuseum, ein tragbares Museum; deshalb brachte ich es in einem Koffer unter'' (Duchamp, zit. nach Michel Sanouillet, Duchamp du Signe, Paris 1975, S. 160f). Der als Auflagenobjekt konzipierte Behälter hat einerseits den Charakter des Koffers eines Handelsreisenden, er enthält gleichsam Kunstmuster, andererseits ist er – dies wird allerdings nur im geöffneten, aufgebauten Zustand deutlich – eine Art Hausaltar mit der Reproduktion des „Großen Glases'' im Zentrum. Die Miniaturen von drei Ready-mades sind dem zugeordnet: Oben im Bereich der Jungfrau „Paris Air'', ein angeblich mit Pariser Luft gefüllter Glaskolben, unten im Bereich der Junggesellen das „Urinoir'', dazwischen der Überzug einer Schreibmaschine der Marke „Underwood'', den Duchamp einmal mit einem Frauenkleid verglichen hat. Dieses Ready-made sollte auf einem Ständer in solcher Höhe aufgestellt werden, daß der Betrachter eingeladen wird, sich zu bücken und nachzuschauen, was darunter ist.

Auch in der Verkleinerung, in der reproduzierten Form, bleiben die Ideen Duchamps – und um diese ist es ihm stets mehr gegangen als um die realisierten Werke – voll gültig. Das Miniaturmuseum ist trotz aller Verfremdung schon allein wegen der sonst nicht erreichbaren Vollständigkeit dem echten Museum überlegen. Die Schachtel kann und will benützt werden. Bis auf die von Duchamp vorgegebenen Zuordnungen lassen sich die einzelnen losen Blätter zu stets neuen Kombinationen arrangieren und ermöglichen so immer wieder neue Aspekte und Erkenntnisse.

Literatur: Schwarz 1969, Nr. 311 WD

MARCEL DUCHAMP (1887–1968)

6
Flaschentrockner

Höhe 50,5 cm, Durchmesser 48,4 cm
Hamburger Kunsthalle
Inv. Nr. 1987/2
Diese Version des Flaschentrockners wurde von Marcel Duchamp als authentisches Werk anerkannt

Der Originalflaschentrockner wurde 1914 von Duchamp in der Abteilung für Haushaltsgeräte des Pariser Warenhauses „Bazar de l'Hôtel-de-Ville'' gekauft. Im Zuge von Duchamps Übersiedlung nach New York im Jahre 1915 ging nicht nur der Flaschentrockner verloren, sondern auch die von ihm am untersten Ring angebrachte Inschrift. Duchamp konnte sich später nicht mehr an den Text erinnern. Der gekaufte Gebrauchsgegenstand wurde zu einer Inkunabel der „Modernen Kunst''. „Ein Gegenstand wie der Flaschentrockner hat nicht nur einen, sondern mehrere ‚Klänge'; indem Duchamp den Gestaltungsakt eliminiert, verspottet er die Kategorie des Kunstwerks, außerdem ironisiert er den Funktionsrationalismus, der jedes Ding nur an einem bestimmten Platz gelten lassen will. So wird der seiner Aufgabe entzogene Gebrauchsgegenstand zur Verkörperung des Rätselhaften, des Absurden oder des Wunderbaren'' (Werner Hofmann). Darüber hinaus hat Duchamp mit seinen Ready-mades eine Möglichkeit geschaffen, Ideen zu visualisieren, ohne sich der von ihm nicht sehr geschätzten Mühe des Bildermalens zu unterziehen. So erfolgte der Kauf des Flaschentrockners zu einer Zeit, in der Duchamp sich intensiv mit der Möglichkeit der Darstellung des Geschlechtsaktes auseinandergesetzt hat. Der Flaschentrockner, dessen Stacheln dazu dienen sollen, zahlreiche Flaschen aufzuspießen, hat selbst eine phallusähnliche Form. Die in einer Form erkannte Idee, die Schaffung eines neuen Gedankens für ein bereits bekanntes Objekt, ist die wesentliche künstlerische Leistung. Als Werner Hofmann bei Duchamp um ein Werk für das Museum anfragte, schrieb ihm dieser am 25. 12. 1962 zurück, er möge in erwähntes Kaufhaus gehen und sich dort einen Flaschentrockner besorgen. Der vom Objekt befreite Gedanke kann sich auch an diesem wieder festsetzen.

Literatur: Schwarz 1969, Nr. 219 WD

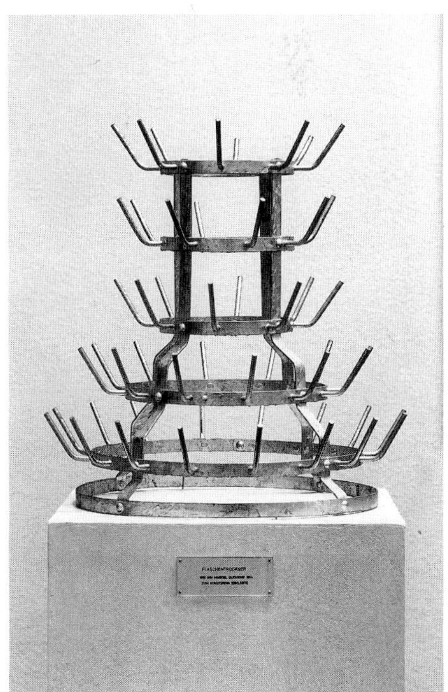

XIV. 6

MARCEL DUCHAMP (1887–1968)

7
Coin de chasteté 1954

Galvanisierter Gips, Kunststoff;
5,6 × 8,5 × 4,2 cm
Paris, Privatsammlung

Das Original dieser Skulptur war das Hochzeitsgeschenk Duchamps an seine Frau. Er selbst meinte später dazu: „Eine Keuschheitsecke, wobei mit Ecke nicht der Ort gemeint ist, sondern eine Ecke, die eindringt" (Pierre Cabanne, Gespräche mit Marcel Duchamp, Paris 1967, Köln 1972, S. 135). Einige Jahre zuvor hatte Duchamp zwei verwandte Skulpturen geschaffen: „Feuille de vigne femelle" und „Objekt-Dard". In fast allen Deutungen werden die erotische Note dieser Arbeiten betont und die Objekte als Negativformen der verschiedenen Teile des weiblichen Geschlechts angesehen. Neuere Forschungen scheinen aber diese Abgußtheorie zu widerlegen (Thomas Zaunschirm, Marcel Duchamps Unbekanntes Meisterwerk, Klagenfurt 1986, besonders der Beitrag von Marc Boehlen, S. 133 ff). Es dürfte sich eher um ein phantasieanregendes „als ob" handeln. „Duchamps Erotismus ist eben auch der Erotismus seiner Betrachter. Wo wir Duchamp gerne hätten, dort stellt er uns selbst hin" (Marc Boehlen).

Literatur: Schwarz 1969, Nr. 338 WD

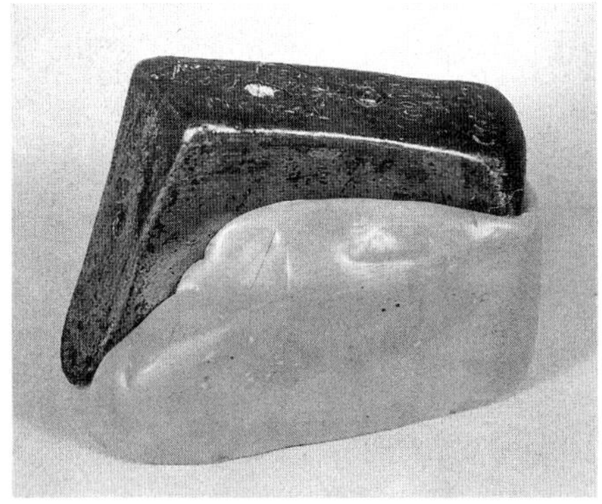

XIV. 7

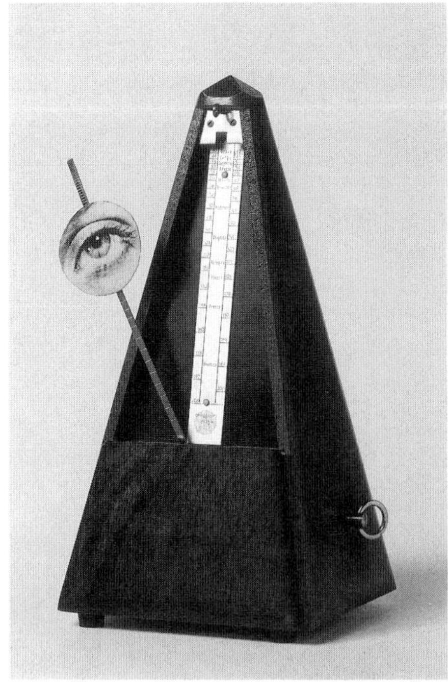

XIV. 8

MAN RAY (1890–1976)

8
Metronom (Unzerstörbares Objekt)
1923/1972

23 × 11 × 11 cm
Hamburger Kunsthalle,
Inv. Nr. 1973/8

Der ursprüngliche Titel dieses Objekts war „Object to be Destroyed". Auf der Rückseite einer Zeichnung, die Man Ray davon anfertigte und Tristan Tzara schenkte, hat er auch eine Gebrauchsanweisung geliefert: „Schneide das Auge aus einem Foto von jemandem, der geliebt wurde, aber nicht mehr gesehen wird. Befestige das Auge am Pendel eines Metronoms und stelle die gewünschte Geschwindigkeit ein. Geh bis an die Grenze der Erträglichkeit. Gut bewaffnet mit einem Hammer, versuche dann das Ganze mit einem einzigen Schlag zu zerstören." Während einer Ausstellung in Paris wurde Jahre später das Objekt tatsächlich zerstört, doch nicht in Befolgung dieser damals nur den engsten Künstlerfreunden bekannten Gebrauchsanweisung, sondern aus Empörung über diese Art von Anti-Kunst. Man Ray war es ein Leichtes, die Arbeit wieder herzustellen. Allerdings gab er ihr, den geänderten Verhältnissen Rechnung tragend, einen neuen Titel: „Unzerstörbares Objekt". Möglicherweise steht auch Man Rays Entscheidung, einige seiner Objekte als Multiples herauszugeben, mit dieser Änderung in Zusammenhang. Eine Entscheidung, die er zu begründen wußte: „Schaffen ist göttlich, vervielfältigen menschlich."

Literatur: Penrose 1975, S. 108 f WD

MAN RAY (1890–1976)

9
Geschenk 1921/1962

17,5 × 9,5 × 5 cm
Paris, Collection Juliet Man Ray

Das verlorengegangene Original wurde von Man Ray dem Musiker Erik Satie geschenkt. Das „Geschenk" ist ein nutzlos gemachter nützlicher Gegenstand: ein Bügeleisen, auf dessen Glättfläche vierzehn Nägel geklebt wurden. Der dadaistische Geist, das Pendeln zwischen berechtigter Kritik und provozierendem Unsinn, wird hier besonders deutlich. Ein Geschenk ist sehr oft unnütz. Es hat keine praktische Funktion, ist meist nur dazu geeignet, irgend wohin gestellt und bewundert zu werden. Ein Schicksal, das es mit sehr vielen künstlerischen Erzeugnissen teilt. Man Ray machte aus einem nützlichen Gegenstand, indem er ihm seine Nützlichkeit raubte, ein Geschenk und einen Kunstgegenstand. Daneben bekam der gewöhnliche Gegenstand durch die kleine Änderung auch einen anderen Sinn: Bei den meisten Betrachtern stellt sich Unbehagen ein; ein ähnliches Unbehagen wie bei Marcel Duchamps nur als Notiz existierendem „reziproken Readymade": „Sich eines Rembrandts als Bügelbrett zu bedienen." Wie groß dürfte erst das Unbehagen bei der Vorstellung sein, Man Rays Bügeleisen auf Duchamps Bügelbrett zu verwenden? WD

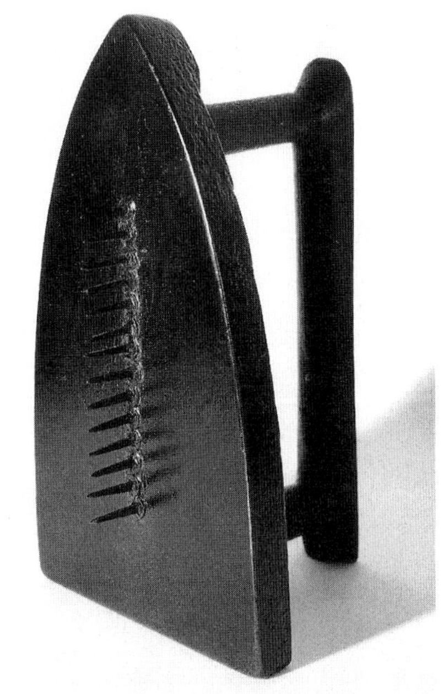

XIV. 9

MAN RAY (1890–1976)

10
Die achte Frau Blaubarts 1964
44 × 27 × 10 cm

11
Selbstporträt 1939/1962
36 × 21 × 12,5 cm
(1969 Edition von 3 Stück)

12
Mire Universelle (Target) 1933/1971
66 × 51 × 20 cm
(1971 Edition von 10 Stück)

13
Herr Messer und Fräulein Gabel
1944/1973
34 × 22,8 cm
(1973 Edition von 13 Stück)

14
Hanteln
(Halteres / Square Dumb Bells) 1944
30 × 20,7 × 7,2 cm

15
Nécessaire à Fumer 1959/1971
23 × 22 × 10 cm
(1971 Edition von 10 Stück)

16 Farbabbildung S. 398
Pechage 1969/1972
36 × 24 × 11,5 cm
(Edition von 12 Stück)

17
Lèvres d'or 1967
38 × 25,5 × 7 cm
(Edition von 7 Stück)

18
Der Vater der Mona Lisa 1968/1980
38 × 23 × 7,3 cm
(1980 Edition von 2 Stück)

19
Enough Rope II 1962
60 × 8 cm

20
Pain Peint 1958/1966
71 × 27 cm
(1966 Edition von 9 Stück)

21
Die Unbekannte aus der Seine um 1960
37,5 × 43 cm

Alle: Paris, Collection Juliet Man Ray

XIV. 10

XIV. 11

Hans Richter, Mitstreiter und Chronist des Dadaismus, meinte über Man Ray: „Seine Erfindungsgabe, offenbar trainiert in jeder Technik, verwandelte (und verwandelt noch heute) seine Umgebung vom Nützlichen ins Un-nützliche. Der Unnützlichkeits-Effekt zeigt uns die Dinge von ihrer, man könnte sagen, menschlichen Seite. Er befreit! Eben weil die Dinge unnütz waren, berührten sie uns und sprachen auf eine lyrische Weise. Der Humor der Unnützlichkeit der Maschine ist von Man Ray entdeckt worden. Die Dinge sind ja auch Wesen wie wir – wesentlich. Dieser Gedanke Man Rays wurde zum Ausgangspunkt eines wichtigen Teils der Neo-Dada-Bewegung unserer Tage" (Dada – Kunst und Antikunst, Köln 1964, 3. Aufl. 1973, S. 101). Ein Pfeifenhalter (Kat. XIV. 15) ist ein ebenso nützlicher Gegenstand wie ein Flaschentrockner (vgl. Kat. XIV. 6). Präsentierte Duchamp den seiner ursprünglichen Funktion enthobenen Gebrauchsgegenstand in purer Form und versah ihn nur mit einem neuen Gedanken, so arbeitete Man Ray im Sinne der surrealistischen Objektkombinationen mit Ergänzungen: Glaskugeln im unteren sowie ein langer Plastikschlauch im oberen Bereich füllen die funktionslos gewordenen Löcher. Die Frage nach dem „Wozu" bleibt aber unbeantwortet. Sinn und Unsinn, Nützlichkeit und Unnützlichkeit sind, wurde einmal erkannt, daß jeder Gegenstand divergierende Bedeutungen erhalten kann, austauschbare Begriffe. So kann jedes Ding, selbst wenn es als das bezeichnet wird, was es ist, allein durch die Versetzung in den Kontext „Kunst" eine rätselhafte Dimension bekommen – Man Ray hat dies mit seinen „Hanteln" demonstriert (Kat. XIV. 14). Die wichtigsten Kunstgriffe, die Man Ray bei seiner phantasievollen Verwandlung der Dinge angewandt hatte, waren: Kontextänderung, verfremdende Kombinatorik und Bearbeitung und vor allem die Titelgebung. So erfahren „Messer" und „Gabel" durch die Hinzufügung von „Herr" und „Fräulein" eine ungewöhnliche – zugleich feierliche wie ironische – Personalisierung (Kat. XIV. 13), „Pain peint" (Kat. XIV. 20) ist nicht nur ein bemaltes Brot, sondern auch ein nur im Französischen mögliches Wortspiel mit verwandten Klängen. Ein ähnliches Spiel mit Worten, Klängen und Bedeutungen bestimmt auch die Arbeiten „Pechage" (Kat. XIV. 16) – Kombination von „Pêche" und „Paysage" – und „Lèvres d'or", ein ledergebundenes Buch (livre), das sich geöffnet als Schachtel entpuppt, deren Deckel innen ein Spiegel ist (Kat. XIV. 17). Die Bedeutung der meisten dieser Arbeiten ist aber nicht auf den Sprachwitz beschränkt. So befinden sich zwischen „Monsieur Couteau" und „Mademoiselle Fourchette" hinter einem Netz verschlossen eine Anzahl von Holzperlen: Der Tisch ist gedeckt und trotzdem kann der Betrachter nicht zugreifen. Beim verlorengegangenen Original, bei dem Man Ray statt der Perlen echte Äpfel verwendet haben soll, dürfte dieser Eindruck noch stärker gewesen sein. Die Qualen des Tantalus (vgl. Kat. VIII. 40) erhalten so ihre zeitgemäße Form, wie auch „Pain peint" von diesem Thema nicht unberührt erscheint. Bei anderen Arbeiten ergibt sich der mögliche Sinn durch leichte Bedeutungsunterschiede zwischen französischem und englischem Titel. So ist „Target" eindeutig eine Zielscheibe, „Mire" aber zuerst eine Meßlatte, eine „Mire universelle" (Kat. XIV. 12) kann aber, verstanden als Generalmaß, als Maß aller Dinge, zur Zielscheibe werden. Die drei Grazien als Inbegriff des klassischen Schönheitsideals, wie auch die einfachen, doch in sich vollendeten geometrischen Formen, konnten für einen Künstler, der dem Surrealismus nahestand, nicht unwidersprochen bleiben.

Als Man Ray die Reproduktion des einzigen von Leonardo da Vinci bekannten Selbstporträts, einer Rötelzeichnung von 1518, durch die Applikation eines Zigarrenstum-

XIV. 12

XIV. 14

XIV. 15

XIV. 17

mels verändete (Kat. XIV. 18), bewegte er sich auf vorbereitetem Terrain. Bereits 1919 hatte Marcel Duchamp die Mona Lisa mit einem Schnurr- und Kinnbart und der Buchstabenfolge L.H.O.O.Q. versehen. Französisch ausgesprochen, ergeben sie einen rüden Scherz gegenüber der berühmten Dame. Möglicherweise deutet der Zigarrenstummel auf die „Wärme", die ein Teil dieses Scherzes ist (H.O. = chaud) und weist durch diese Verbindung der beiden Bilder auf das noch heute rätselhafte Verhältnis zwischen der Mona Lisa und ihrem Schöpfer hin. Sigmund Freud hatte schon 1910 an Hand des Gemäldes eine Selbstverliebtheit des Malers in der „seligen Vereinigung von männlichem und weiblichem Wesen" diagnostiziert.

Auch in anderen Arbeiten hat sich Man Ray mit der Vorbildfunktion berühmter Kunstwerke, der Antike und des akademischen Kanons auseinandergesetzt. So umwickelte er einen weiblichen Torso mit Schnüren und bezeichnete ihn als „Venus restaurée" (1936/71). Eine künstlerischen Studien dienen sollende Modellierpuppe wurde von ihm in einem verschließbaren Holzkasten angekettet und zur „Vierge non apprivoisée" (1964), zur ungezähmten Jungfrau. Letztere Beispiele zeigen aber auch einen weiteren Aspekt: die Vorliebe der Surrealisten für das Abnorme. So ließen sie sich gerne von Schauergeschichten, aufsehenerregenden Morden, unidentifizierbaren Leichen und Ähnlichem inspirieren. Im triebhaften Verbrecher, aber auch im geheimnisvollen Opfer sahen sie verwandte Seelen. Das Schicksal der unverstandenen, da abseits jeder Norm stehenden Außenseiter meinten sie zu teilen. So präsentiert Man Ray die schöne Unbekannte aus der Seine (Kat. XIV. 21) und die achte Frau Blaubarts (Kat. XIV. 10) wie Heilige, die einst für ihren Glauben ihr Leben gaben. Die Frage nach Opfer und Täter, Schuld und Unschuld, Norm und Abnorm wird neu gestellt. Mit der Form seines Selbstporträts (Kat. XIV. 11) stellte sich Man Ray in dieselbe Reihe. Doch selbst diese „schaurigen" Arbeiten sind durch die für den Künstler bezeichnende Ironie und Leichtigkeit gekennzeichnet. Denn auf fast jedes Objekt Man Rays trifft das vom französischen Dichter Francis Ponge geprägte Wortspiel zu: es ist mehr „objeu" als „objet".

Literatur: Janus 1973 – Penrose 1975 – Ausst.-Kat. Man Ray 1966 – Sers 1983 WD

XIV. 13

XIV. 18

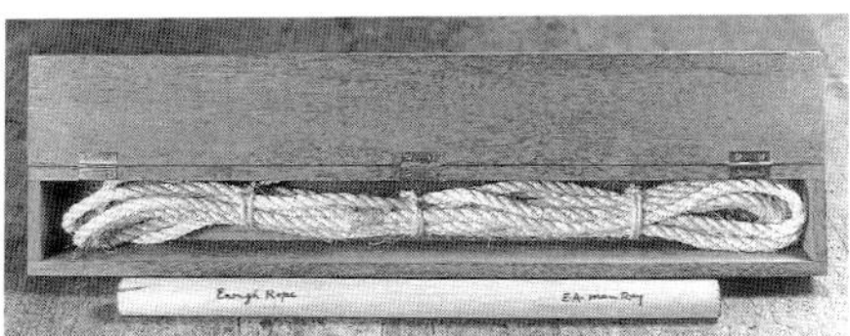

XIV. 19

XIV. 21

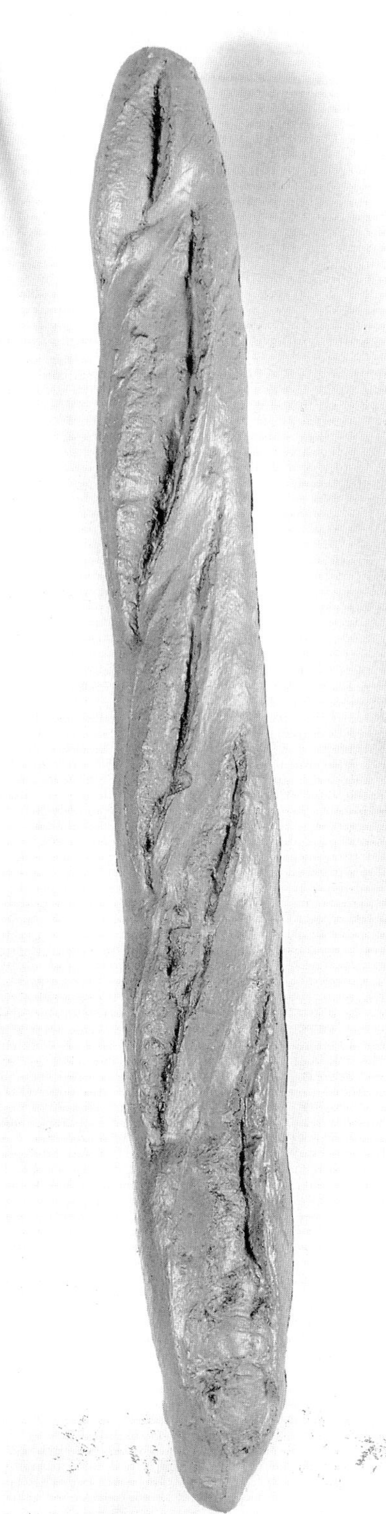

XIV. 20

MAN RAY (1890–1976)

22
Frontispiz der Zeitschrift „Minotaure"
Heft 3–4, Dezember 1933

Wien, Museum moderner Kunst, Bibliothek

Die Photographie Man Rays dient gleichzeitig als Frontispiz der Zeitschrift wie als Illustration eines kurzen Artikels von Man Ray mit dem Titel „L'Age de la lumière".

Bildveröffentlichungen und Textbeiträge der wichtigsten Künstler und Theoretiker machten die von 1933 bis 1939 erschienene Zeitschrift „Minotaure" zu einem der entscheidenden Organe des Surrealismus im Hinblick auf eine Verbreitung der in Paris entwickelten Ideen; regelmäßig veröffentlichten neben Man Ray darin auch u. a. Dalí, Ernst, de Chirico und Breton. Jedes Heft stellt eine Zusammenstellung von Originalbeiträgen verschiedenster Art zu einem Generalmotiv dar: das jeweils eigens entworfene Titelblatt, Aufsätze von Theoretikern zu historischen Themen, Essays von bildenden Künstlern, Bildreportagen in Ateliers, Photozyklen, aber etwa auch Partituren oder illustrierte Berichte von Expeditionen. Das jeweilige Grundthema wird aber nicht wissenschaftlich-didaktisch abgehandelt, sondern in surrealistischem Sinne assoziativ variiert. Damit erinnert „Minotaure" im manchmal scheinbar „unlogischen" Aufbau an die Einteilung der Kunst- und Wunderkammer-Objekte in einzelne Schränke jeweils unter einem eigenen Aspekt (vgl. Wolfgang Drechsler, S. 93ff). MF

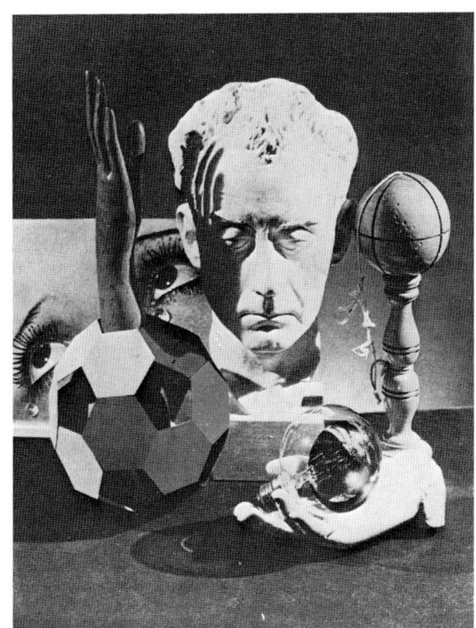

XIV. 22

ANDRÈ BRETON (1896–1966)

23
Vierzehn Gegenstände aus seiner Sammlung

A Ein Konvexspiegel
B Eine gedeutete Wurzel
C Eine Schildkröte mit applizierten Federn
D Der Dialog zweier Steine
E Der geschnitzte Hochzeitsstock eines Fleischhauergehilfen in Ville d'Avray
F Ein gedeuteter Stein
G Eine Pfeife aus Nürnberg
H Eine Wurzel, die sich öffnet
I Ein Schreibzeug mit Tintenfisch
J Blumen-Frau
K Das ovale Rad
L Eine Flasche in Frauengestalt
M Das Objektkästchen eines Geisteskranken
N Ein am 28. August 1953 von Breton in Cirq-la-Popie gefundener und seiner Frau gewidmeter Stein mit der Inschrift „Souvenir du Paradis Terrestre"
Paris, Privatsammlung

Als Lautréamont sein „zufälliges Zusammentreffen" beschrieb, als Rimbaud in der „Alchimie du Verbe" (1873) seinen Geschmack für Ladenschilder und populäre Bilderbögen, für Kinderbücher und dumme Gemälde bekannte, als van Gogh die Poesie der Müllhalden entdeckte, da wurde endgültig die Tür zur Trivialpoesie aufgestoßen, in der „eigentümliche Verknüpfungen" (Novalis) an der Tagesordnung sind. Alles findet überall sein Echo, wird Eluard verkünden. Diese Geschmackskatholizität hat niemand mit größerem Spürsinn als André Breton verkörpert. Ob er Kunstwerke aus Neu-Guinea oder aus British Columbia sammelte, ob er sich für Moreau und für Munch entschied, ein Schreibzeug des Jugendstils oder eine Nürnberger Pfeife auf seinen Schreibtisch stellte, immer griff er nach Gebilden, die in ihrer Gesamtheit die folgerichtige Morphologie des Absonderlichen verkünden, die ihre eigene Gesetzmäßigkeit hat. Man hat Bretons Denken auf Montaigne zurückgeführt, der sich weigerte, die „Heterogenität der Propositionen" (seiner Essays) auf eine Summe zu verpflichten. Eine solche Summe, die keine sein will, sind die vielen hundert Bilder und Objekte, die heute noch die Räume und Wände von Bretons Studio füllen (Abb. XIV. 23a) und es zur wahrhaften Kunst- und Wunderkammer unseres Jahrhunderts machen. WH

XIV. 23a

XIV. 23A

XIV. 23N

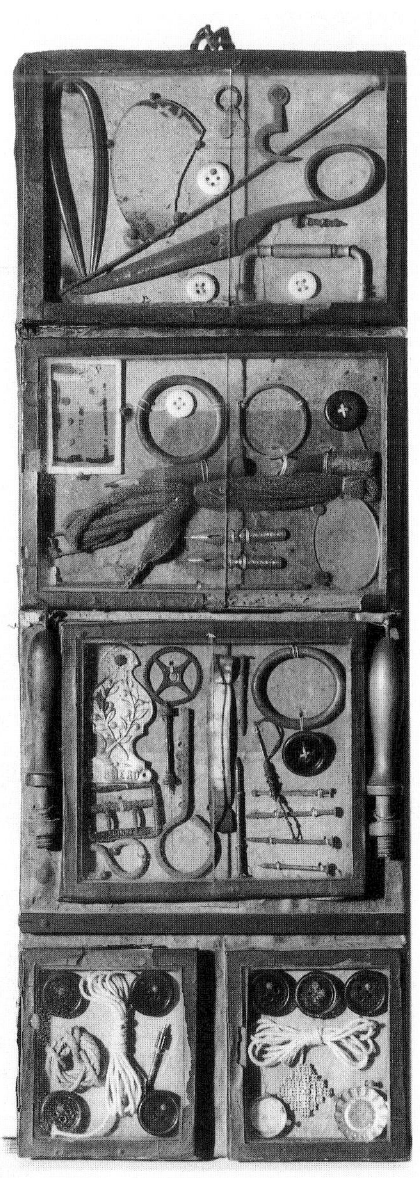

XIV. 23 M

Ihr Bestreben, die Phantasie zu einem Kollektivbesitz zu erklären, führte die Surrealisten zu dem Gesellschaftsspiel, das unter dem Namen „cadavre exquis" in die Kunstgeschichte Eingang gefunden hat. Ein Blatt Papier wurde vom ersten Mitspieler mit einer Zeichnung versehen und dann gefaltet, so daß der nächste an etwas anknüpfte, was ihm verborgen blieb. So entstanden Zeichnungen, die an das „cross-reading" erinnern, das Lichtenberg empfahl: Man lese eine Zeitung quer durch von einer Kolonne in die andere. Die Marseiller Collagen sind als tröstlicher Zeitvertreib von Flüchtlingen entstanden, die sich existentiell wie schöpferisch in einem Niemandsland befanden. Den Deutschen entflohen, waren sie noch keineswegs in Sicherheit, da die Ausreisevisa nach Übersee auf sich warten ließen. WH

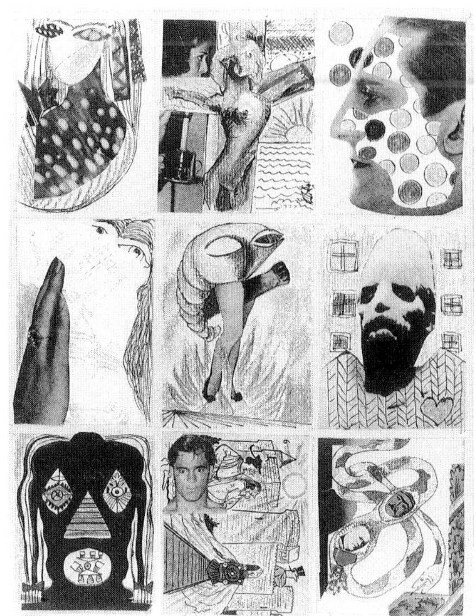

XIV. 24 A

XIV. 24 B

ANDRÉ BRETON (1896–1966)

24
Drei kollektive Collagen

24 A
Collage Marseille 1940
29,5 × 23 cm
Inv. Nr. AM 1980.30 D

24 B
Collage Marseille 1940
(mit Oscar Dominguez und Wilfredo Lam)
23 × 29,7 cm
Inv. Nr. AM 1980.31 D

24 C
Collage Marseille (mit Wilfredo Lam)
22,9 × 29,8 cm
Inv. Nr. AM 1980.32 D

Alle: Paris, Musée National d'Art Moderne, Centre Pompidou

XIV. 24 C

ANDRÉ MASSON (geb. 1896)

25
Porträt André Breton 1941

Feder; 46 × 61 cm
Bezeichnet: André Masson
Paris, Musée National d'Art Moderne, Centre Pompidou
Inv. Nr. AM 1981–605 D

Als die Deutschen Paris besetzten, kam es zum Exodus der französischen Künstler und Intellektuellen nach Südfrankreich, von wo den meisten – nach Monaten bangen Wartens – die Ausreise nach Übersee gelang. Masson lebte damals in einem Jagdhaus in Montredon. Sein Bildnis Bretons ist ein explizites Freundschaftsmonument, das dem geistigen Oberhaupt der Surrealisten seine überragende Rolle bestätigt.

Das Doppelporträt erinnert an einen Januskopf. Janus beschützte die römischen Stadttore. In Kriegszeiten war sein Tempel geöffnet (ursprünglich um den Truppen den Auszug zu erlauben), in Friedenszeiten geschlossen. Offenen und geschlossenen Auges nimmt Breton Krieg und Frieden als Ambivalenzkonflikt von Tod und Eros wahr. Diese mögliche Anspielung Massons auf die Zeitsituation mündet in die Doppelfunktion des Sehers, dem die coincidentia oppositorum gelingt. Im Innern seines Kopfes, der sich gleich einer riesigen Ohrmuschel öffnet, trifft die bewußte männliche auf die unbewußte weibliche Seite. Beide trennt „a vulva-shaped flame" (Lanchner). So wurde im Mittelalter der Höllenrachen mit den Verdammten dargestellt. Masson säkularisiert dieses Thema und macht den Dichter zum Erretter. Ein geometrischer Treppenschacht führt an einen fernen Punkt, wo das Kalkül in Flammen aufgeht.

Literatur: Ausst.-Kat. Masson 1976, S. 159 WH

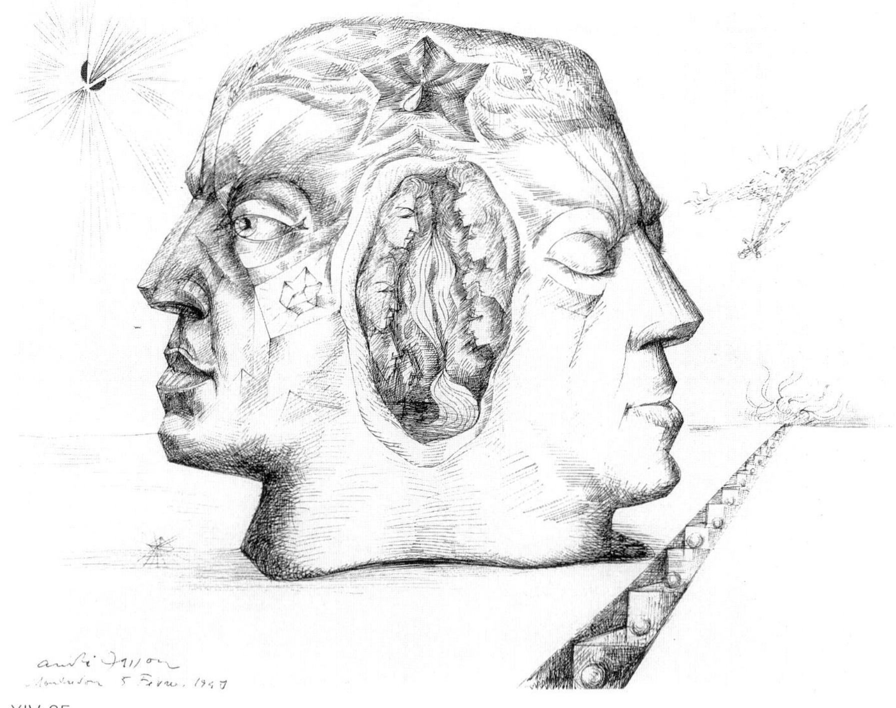
XIV. 25

ELISA BRETON

26
À la lisière du regard 1970
Länge 15 cm

27
„Ne quittez pas" 1972
30 × 25,5 cm

28
Der Schlagschatten
Objektmontage

Alle: Paris, Privatbesitz

Elisa Breton hat Schalen von Tintenfischen mit Gravuren versehen, die aus „Maserungen" Fische und Fischweibchen hervorlocken. Das schmale Oval wird auf die poetischen Metaphern gebracht, die verborgen in ihm stecken.

„Ne quittez pas" lautet die Formel der Telephonistin, wenn der Teilnehmer nicht auflegen soll. Umgedeutet verweist sie auf die Beständigkeit der Wünsche und Gefühle, die diese Frau in ihrem Handtäschchen aufbewahrt und verbirgt.

Literatur: Ausst.-Kat. Wunderkammer 1986, S. 62 WH

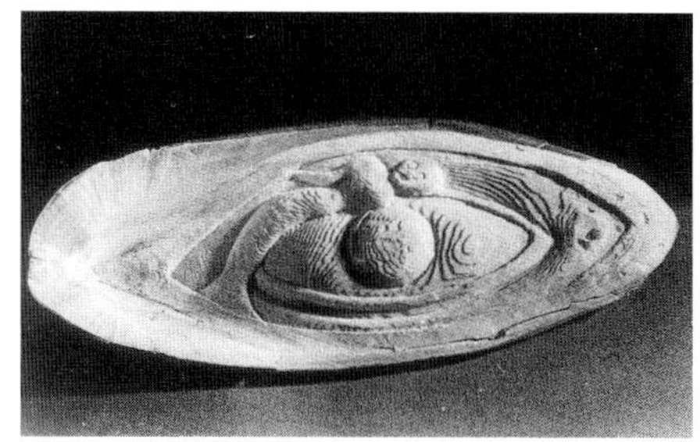
XIV. 26

XIV. 27

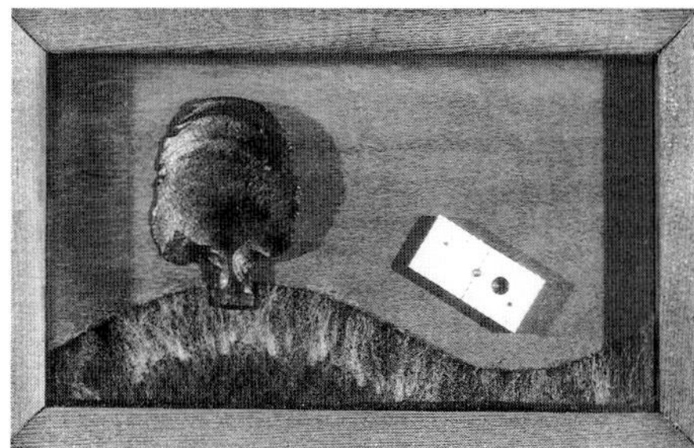
XIV. 28

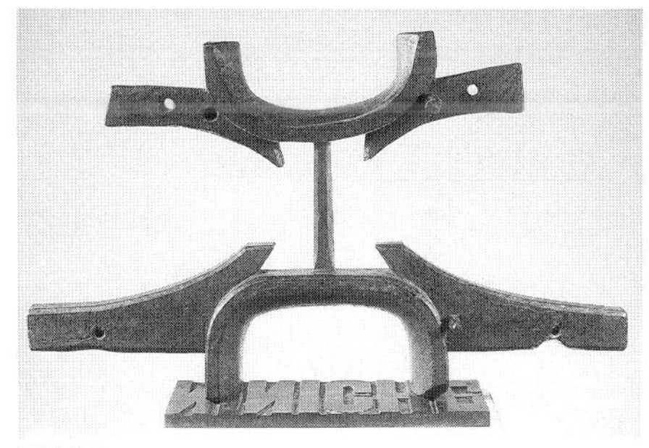
XIV. 29

MAX ERNST (1891–1976)

29
Êtes-Vous Niniche 1955/56

Bronze; Höhe 58 cm
Wien, Museum moderner Kunst
Inv. Nr. 23/P

Max Ernst hat mit seinen Collagen, die er als „Verbindung zweier unverbindbarer Wirklichkeiten auf einer Ebene, die ihnen offensichtlich nicht entspricht'', definierte, einen wesentlichen Beitrag zur Kunst der Verfremdung geleistet. Manche dieser Überlegungen – Mischung der Realitätsgrade, phantasievolle Ausdeutung – sind auch in sein nicht sehr umfangreiches plastisches Schaffen eingeflossen. So meinte Werner Spies zu seinen Skulpturen: „Die Leistung Max Ernsts liegt nicht zuletzt darin, daß er zu einer vollplastischen Skulptur gefunden hat, die modelliert zu sein vorgibt, in Wirklichkeit jedoch ihre Existenz und ihre Morphologie komplizierten Abguß- und Assemblageverfahren verdankt.''

„Êtes-Vous Niniche'' besteht aus einer alten Druckerplatte – auf der spiegelverkehrt das Wortfragment Niniche zu lesen ist – und aus zwei übereinander auf die Platte montierten Ochsenjochen. Durch Umkehrung und Kombination, aber ebenso durch den fragenden Titel wird die einstige Funktion der drei Gebrauchsgegenstände negiert, die neu geschaffene Form wird zur Figur. Vielleicht ist es tatsächlich Niniche?

Literatur: Ausst.-Kat. Ernst 1970 WD

MAX ERNST (1891–1976)

30
Festmahl der Götter 1948

Öl auf Leinwand; 153 × 107 cm
Wien, Museum moderner Kunst
Inv. Nr. 154/B

Die scharfkantigen, in sich verschachtelten Formen des Bildes sind von Uwe M. Schneede mit dem Merzbau von Kurt Schwitters verglichen worden. Günter Metken, dem es vor allem irgendwie „gotisch'' erscheint, meint dazu: „Das Thema des Verschlingens, von den Flugzeugfallen und gefräßigen Insekten her bekannt, wird hier abstrahiert behandelt, more geometrico sozusagen. Die Götter zeigen die glatten Formen, aus denen sich auch Max Ernsts Plastiken zusammensetzen. Ihre Köpfe erinnern von fern an Indianermasken. Sie scheinen Zeremonialkleidung zu tragen, der mittlere dagegen einen Smoking.'' Das Motiv der aus geometrischen Formen zusammengesetzten Köpfe verwendet Ernst auch in den „Drei Philosophen'' (Kat. XIV. 33) und in gewisser Weise auch in den zeitgleichen Skulpturen, vor allem in „Capricorne''. Hier findet sich auch die betonte Frontalität wieder (die der Dreidimensionalität der Figur zu widersprechen scheint).

Literatur: Schneede 1972 – Ausst.-Kat. Ernst 1979, Nr. 285 WD

XIV. 30

MAX ERNST (1891–1976)

31 Farbabbildung S. 391
Der Triumph der Liebe, falsche Allegorie 1937

Öl auf Leinwand; 54,5 × 73,5 cm
Hamburg, Privatsammlung

In einer Landschaft mit niedrigem Horizont steht ein wundersames Gebilde: Eine menschliche Figur ist zwischen zwei Räder gespannt, der Kopf ist eine Mischung aus tierischen und menschlichen Einzelheiten. Dahinter breitet eine weibliche Gestalt Flügel aus. Wie im Traum werden die tatsächlichen örtlichen Verhältnisse unklar, variabel beschrieben: Einmal scheint die Figur auf der anderen wie auf einem flachen Wagen zu stehen, dann wieder scheint sie dahinter über einem Tal zu schweben.

Die Assoziation mit den mit großem Aufwand an Material und Menschen inszenierten Festzügen des 16. Jahrhunderts, deren phantastische Wirkung auf die Zeitgenossen bezeugt ist (vgl. Kat. V. 14), regte zu folgender Deutung des Bildes an: „Der Titel klingt an ein Stück von Marivaux an, kann aber auch, ins Gegenteil verkehrt, die ‚Trionfi' der italienischen Renaissance meinen. Die beiden Räder, auf die ein Monster gespannt ist, wären dann der Rest eines solchen Triumphwagens. Das andere Fabelwesen, Viktoria, Siegesengel, hat einen Flügel, der als Sense endet: Chronos als alles, auch die Liebe zerschneidende Zeit oder ist der Kampf der Geschlechter gemeint?'' (Günter Metken, in: Ausst.-Kat. Ernst 1979, Nr. 252) WD

MAX ERNST (1891–1976)

32
Mobiles Herbarium 1920

Gouache, Tusche, Bleistift, Übermalung eines Drucks; 14,3 × 21,3 cm
Bezeichnet: Max Ernst
Köln, Privatsammlung

„Urpflanzen'' im Sinne der Wandlungsfähigkeit, die Goethe diesem Prototyp zubilligte, zugleich aber jenseits jeder Festlegung auf florale Gestaltkategorien und -gesetze – Ernst übt in solchen Blättern seinen mikroskopischen Blick, der der Natur seine eigene Launenhaftigkeit als Möglichkeitsform unterschiebt.

Literatur: Spies/Metken 1975 WH

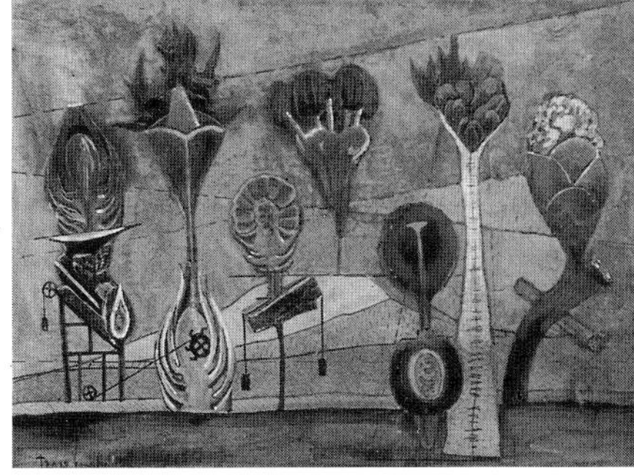
XIV. 32

MAX ERNST (1891–1976)

33 Farbabbildung S. 390
Drei Philosophen um 1957

Öl auf Holz; 31 × 76 cm
Köln, Privatsammlung

Die „Lehre des Philosophen'' steht für Ernst zwar an Weisheit hinter der „Nacktheit der Frau'' zurück, dennoch hat er die nach Mustern des 16. Jahrhunderts verfremdeten geometrischen Spitzköpfe immer wieder formal abgewandelt, da die kalte Stereometrie seiner Vorliebe für Stereotypen entgegenkam. In den drei Köpfen stecken Euklid (1945), der blinde Schwimmer (1946), Albertus Magnus (1957), das Schild für eine Kristallschule (1957) und das Diptychon für eine Piratenschule (um 1958). Die zu Gesichtern umgeformten Polyeder stehen zueinander wie die Tänzerinnen im „Aporischen Ballett" von Hausner (Kat. XVI. 4), sie bieten verschiedene gleichrangige Denksysteme zur Wahl an. WH

PABLO PICASSO (1881–1973)

34
Kopf 1958

Bronze nach dem Original in Holz;
50,5 × 21,8 × 19,5 cm
Paris, Musée Picasso
Inv. Nr. MP. 358

Der Kopf als Schachtel ist die banalisierte Form des eingeschlossenen Dunkelraums, dessen Öffnung der „Mund der Wahrheit" bewacht. (Vgl. dazu W. Hofmann, „L'Orateur von Man Ray", in: Jahrbuch der Hamburger Kunstsammlungen 17/1972, S. 143.)

Picasso riegelt den offenen Hohlraum durch einen Nasenbügel ab, auf dem zwei Knöpfe die Augen markieren. Darunter ein Querriegel, der Mund. Dahinter wuchernde, quallige Formen, deren Unbestimmtheit mit der kategorischen Härte des „Kastens" kontrastiert, die den äußeren Rahmen bestimmt.

Literatur: Spies 1971, 539 (II) – Kat. Paris 1985, Nr. 358 (Abb. 404) WH

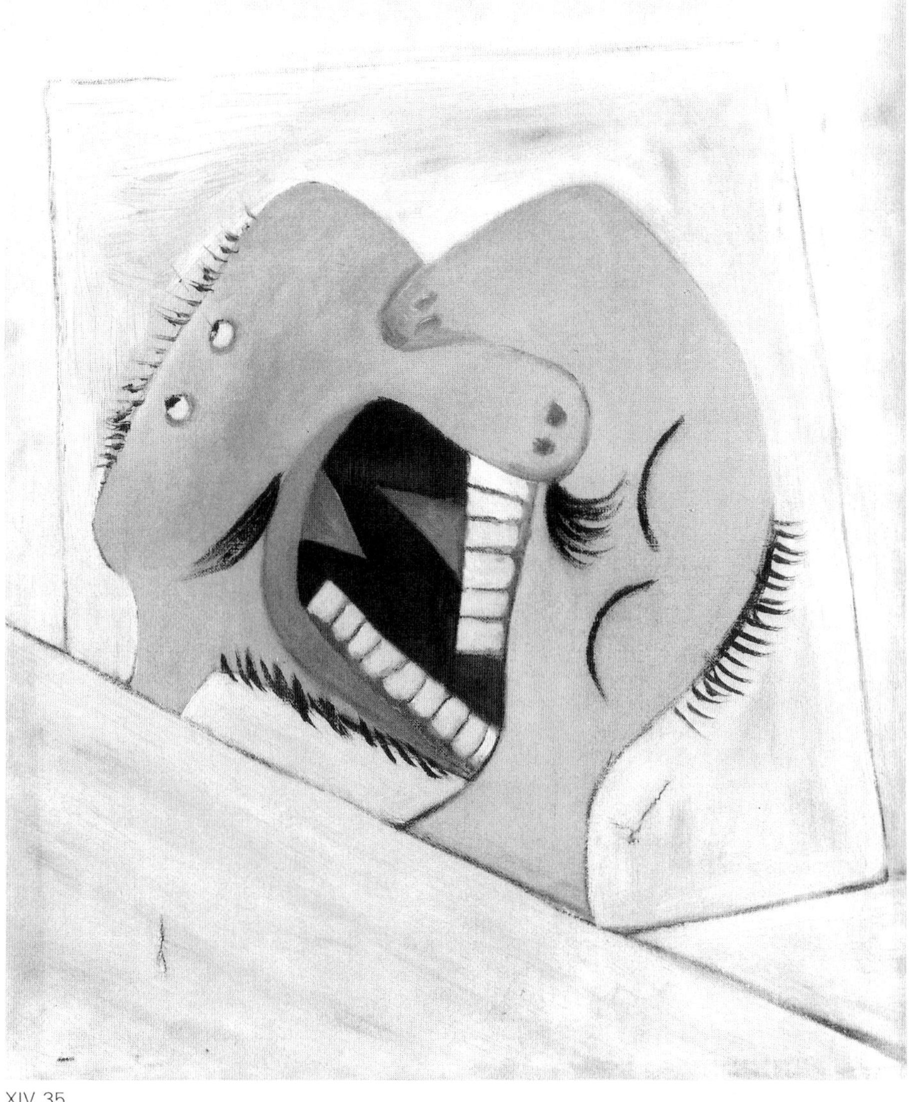

XIV. 35

XIV. 34

PABLO PICASSO (1881–1973)

35
Der Kuß 1931

Öl auf Leinwand; 61 × 50,5 cm
Bezeichnet: 12–1–XXXI
Paris, Musée Picasso
Inv. Nr. MP. 132

Ein Kompositkopf, der den Januskopf – vgl. etwa Vasaris „Prudentia" (Kat. V. 19) – aus dem Gegeneinander in ein Ineinander zwingt, woraus eine wilde Verbissenheit resultiert. Zahnreihen wie Schneidwerkzeuge, die eine Mundhöhle aufreißen, welche beiden Teilen des Kopfes gemeinsam ist. In ihrem Dunkel vermengt sich das Männliche mit dem Weiblichen. Die Verklammerung scheint unauflösbar, dennoch haftet ihr etwas von einem raschen Einfall an. Ein schrilles Capriccio, das Zuccaris „Höllenmaul" und die Monstren von Bomarzo ineinander blendet.

Literatur: Zervos 1949, VII, 325 – Kat. Paris 1985, Nr. 132 (Abb. 110) WH

PABLO PICASSO (1881–1973)

36 Farbabbildung S. 389
Studien 1920–21

Öl auf Leinwand; 100 × 81 cm
Paris, Musée Picasso
Inv. Nr. MP. 65

Zweierlei macht diesen Bildgedanken zu einem klassischen Fall für das Beweisverfahren dieser Ausstellung. Der Maler zitiert sich selbst, und er breitet eine Musterkarte der Möglichkeiten aus, die ihm seine „Wahlfreiheit" einbringt. Das Dokumentarische des Verfahrens erinnert an Claude Lorrain und Turner, die jeder in einem „Liber veritatis" über ihre Bilderfindungen Protokoll führten, um Fälschern das Handwerk zu legen. Picassos Vorgehen tendiert zur Paraphrase. Der Studienkopf in der Mitte verweist auf eine der „Drei Frauen am Brunnen" (Musée Picasso, Inv. Nr. 74), das „tanzende Paar" ist die Erstfassung des dörflichen Tanzes, den Picasso zwei Jahre später malt (Musée Picasso, Inv. Nr. 73). In der Hand am rechten Bildrand erkennen wir ein Detail der zwei sitzenden nackten Frauen wieder (1920, Zervos 217, vgl. Zervos 345). Für die spätkubistischen Stilleben lassen sich nur ähnliche Werke ausmachen, z. B. Zervos 414f, 426, 428, 429.

Selbstzitat, Paraphrase und Musterkarte verbinden sich zu einer Montage, die bewußt auf das Nebeneinander verschiedener Sprachhöhen abhebt. So ging Picasso schon 1903 in „La Vie" vor, seinem wichtigsten vorkubistischen Bild, in dem er drei Bildgruppen auf drei Raumzonen verteilte und als Kunstgebilde zueinander fügte (Zervos I, 179). Schon in diesem Bild zerbricht der Raum in heterogene Schichten, die der Sinneswahrnehmung widersprechen, indes die Idee der Lebensalter sie rechtfertigt. Solche Symbolgedanken sind den „Studien" fremd. Hier geht es einfach um den Nachweis, daß dieser Maler, während er noch spätkubistische Muster durchnimmt, bereits die neuerliche Auseinandersetzung mit dem akademischen Lernstoff erprobt – ein Kopf, zwei Hände –, woraus sich die Klassizität der zwanziger Jahre entwickeln wird – ein Idiom, dem übrigens sowohl die körperliche Fülle (Musée Picasso, Inv. Nr. 78) wie die Schmalgliedrigkeit zu Gebote steht, die sich schon – mit deutlichen Anklängen an die Schule von Fontainebleau – 1918 in den „Badenden von Biarritz" einstellte (Musée Picasso, Inv. Nr. 61).

Literatur: Zervos 1949, IV, 226 – Kat. Paris 1985, 65 (Abb. 60) WH

PABLO PICASSO (1881–1973)

37
Männerkopf 1930

Eisen, Messing, Bronze;
83,5 × 40,5 × 36 cm
Paris, Musée Picasso
Inv. Nr. MP. 269

Für Spies handelt es sich bloß um einen „Kopf". Der Schnurrbart dürfte die Autoren des Pariser Museumskataloges zur Festlegung des Geschlechts veranlaßt haben. Dennoch bleibt dieser Physiognomie eine weibliche „Mandorla" gleichsam vorgeschaltet – vielleicht ein Hinweis darauf, daß Picasso mit den Surrealisten die Neigung für den Zwitter teilte, in dem sich verschiedene „Möglichkeitsformen" zur zusammengesetzten Schönheit treffen.

Literatur: Spies 1971, 80 – Kat. Paris 1985, Nr. 269 (Abb. 312) WH

XIV. 37

XIV. 38

PABLO PICASSO (1881–1973)

38
David und Bathseba 1949

Lithographie, von der Zinkplatte;
56 × 76 cm
Hamburger Kunsthalle, Kupferstichkabinett
Inv. Nr. 1951/35

An Cranachs Berliner Bild gleichen Themas, das als Vorlage diente, dürfte Picasso die befremdliche Raumkonstruktion fasziniert haben. Der Vorderraum mit den Frauen steht in keiner Verbindung zu der Brüstung mit den zuschauenden Männern, die unverkürzt nach hinten springt, so daß sich ein Umschlageffekt ergibt, wie ihn die Gestaltpsychologie gerne benutzt, um Wahrnehmungsambivalenzen zu veranschaulichen.

Bei Picasso werden diese heterogenen Elemente zusätzlich gebrochen und ineinander verschachtelt. Er übernimmt gleichsam die Rolle des lüstern blickenden Königs und gestaltet in zehn Variationen immer neue Einblicke in den fürstlichen „Harem", wobei er das Kostüm der Damen bizarr bereichert, die Tellerhüte zu Spindeln verwandelt und aus der Puppenhaftigkeit erotische Verfügbarkeit macht. Für David-Picasso ist das Weib, das „sehr schöner Gestalt" war (2 Samuel 11), Anlaß, ihr seine eigene Schönheitsvorstellung aufzuprägen. Diese Aneignung erstreckt sich über zwei Jahre. Die erste Lithographie entstand im März 1947, die sechste Variante ein Jahr später. Im März 1949 wurde das Thema wieder aufgenommen und im April 1949 beendet.

Literatur: Mourlot 1970, 109 WH

YVES TANGUY (1900–1955)

39
Der Palast der Fensterfelsen 1942

Öl auf Leinwand; 163 × 132 cm
Bezeichnet: Yves Tanguy 42
Paris, Musée National d'Art Moderne,
Centre Pompidou
Inv. Nr. AM 3398 P

Im 1. Manifest des Surrealismus kündigte Breton an: „Die surrealistische Fauna und Flora sind un-sagbar." Diese Einteilung der Erscheinungswelt bediente sich noch der herkömmlichen Unterscheidungsmerkmale. Tanguy befindet sich jenseits der Tier- und Pflanzenwelt in einer Zwischenzone, in der Natur- und Kunstgebilde merkwürdige Zwitter eingehen. Die Raumbühne, nach hinten nicht begrenzt, ist mit scharf artikulierten Gebilden besetzt, deren Dreidimensionalität höchstes illusionistisches Kunstvermögen verrät. Die Objektversammlungen Giacomettis bieten sich zum Vergleich an. Doch diese und andere Anregungen wurden von Tanguy

XIV. 39

in versteinerte Anatomien verwandelt, die gleichermaßen kostbar wie urtümlich wirken. Immer noch wird so der harte, wie von künstlichem Licht beleuchtete Dingzauber angerufen, den de Chirico mit seinen Stillebenlandschaften in die Malerei eingeführt hat: Geräte, für die sich kein Zweck ausmachen läßt, nicht einmal der eines Spielzeugs.

Literatur: Ausst.-Kat. Tanguy 1982, Taf. 83 WH

YVES TANGUY (1900–1955)

40 Farbabbildung S. 390
Ich bin gekommen, wie ich versprochen hatte, Adieu 1926

Öl auf Leinwand, Collage; 100 × 73 cm
Hamburg, Privatsammlung

Die hohen Horizonte de Chiricos (vgl. Kat. XIV. 1–4) verbergen den Absturz in ein Hinterland, das wir nie betreten werden. Daran knüpft der junge Tanguy an. Am fernen Horizont, der einen einförmig leeren Wüstenraum abschließt, taucht die collagierte Gestalt eines Indianers auf – winzig oder riesenhaft, je nachdem, welche Erstreckung unser Auge der Ebene zubilligt. Diese Ambivalenz drückt auch der Titel aus: Der Ankömmling bleibt auf seine Ferne beschränkt, er kann sein Dahinter-Sein nicht überwinden. So ist in seiner Gegenwart auch sein Abschied enthalten. Ein kegelartiger Totempfahl mit zart eingeritzten Mustern, von Rauch umwölkt, steht als Kunststück rätselhaft in einer Urlandschaft. Aus Wolken kommt ein Strahlenbündel, über dem ein Fisch schwebt – vielleicht eine Huldigung an die „heiligen Fische" de Chiricos (1919, Museum of Modern Art, New York) oder an die Prosa vom „auflösbaren Fisch", die Breton dem 1. Manifest des Surrealismus (1924) einfügte. Ebenfalls 1926 malte Tanguy „Genesis". Auch unser Bild ist ein subjektiver Schöpfungsmythos.

Literatur: Wescher 1974, Abb. 113 – Ausst.-Kat. Tanguy 1982, Taf. 12 WH

XIV. 41

YVES TANGUY (1900–1955)

41
Ohne Titel 1927

Öl auf Leinwand; 61 × 50 cm
Paris, Collection Artcurial

Ein exemplarisches Bild: es ist, als wollte sich Tanguy darin der beiden Pole seiner Einbildungskraft programmatisch vergewissern. Der geometrisch-kristallinen Linienarchitektur steht das organische Wuchern amöbenhafter und schlangenartiger Lebewesen gegenüber. Im Rückblick auf Jamnitzer und Palissy nimmt dieser Gegensatz den Grundgedanken der manieristischen Kompositschönheit wieder auf. Tanguy malt aber keine Musterkarte: Seine Kriechwesen dringen in das Liniengerüst ein, indes dieses, von unsichtbaren Landvermessern gelenkt, sich in die Zone des „Planktons" vorzuschieben scheint. WH

HANS BELLMER (1902–1975)

42 A
Die Puppe 1937

Originalphoto; 76 × 50 cm
Bezeichnet: à Henri Parisot son ami Hans Bellmer
Hamburg, Privatsammlung

„Bedeutete es nicht den endgültigen Triumph über die jungen Mädchen mit ihren großen beiseite sehenden Augen, wenn der bewußte Blick ihren Charme sich räuberisch einfing, wenn die Finger angriffslustig und nach Formbarem aus, gliedweise langsam entstehen ließen, was sich Sinne und Gehirn destilliert hatten?" (Bellmer)

Bellmer wäre nicht der Entdecker der Rand- und Abgrunderfahrungen, würde er sich mit dem prometheischen Akt zufrieden gegeben haben, den vor ihm jeder Puppenkonstrukteur nachvollziehen durfte. Die Freude, etwas „Hübsches'' zu machen und darin „das Salz der Deformation'' zur Wirkung zu bringen, reichte für ihn nicht aus. Wie jeder dialektisch denkende Kopf stieß er an den Punkt vor, wo die Erfindung ihre Ingeniosität einbüßt, wo der Mechanismus zerschellt und die Pseudokreatur, die alles kann, in die tragische Hilflosigkeit stürzt – Bruchstück und doch immer noch Kunstgebilde, das sich festhält an der Härte seiner Materialität und nicht die Verzweiflung der Halbherzigkeit kennt, in die der Mensch sich flüchtet. Bellmer rettet sein Geschöpf durch einen Kunstgriff: liegend photographiert, präsentiert sie sich jedoch nicht als kaputtes Spielzeug, sondern in einer sensiblen Rückwendung, die ihr Zerbrochenes wieder zu einem Ganzen verheilt.

Literatur: Sayag 1983 – Alexandrian 1972 – Borderie/Rouse 1975 WH

XIV. 42 A

XIV. 42 B

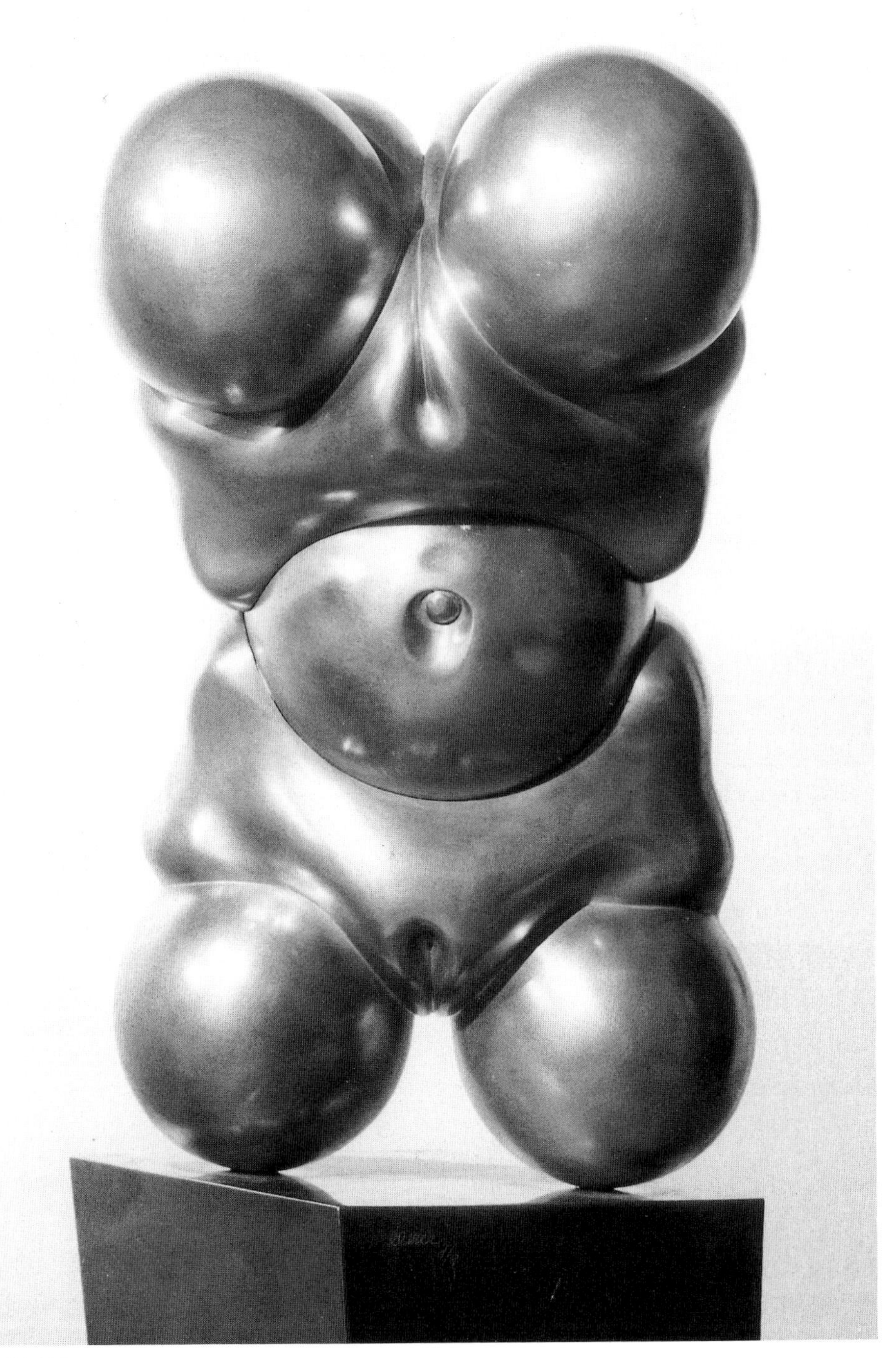

42 B
Die Puppe 1936 (1965)

Aluminium (Auflage von 1965);
46 × 15 × 22 cm
Privatsammlung über Galerie Brusberg, Berlin

Ein Torso, aber nichts weniger als ein Bruchstück, sondern ein Gebilde, welches das von der Phantasie geforderte Wesentliche formal auf den Punkt der größtmöglichen Verdichtung bringt. Was diesem Körper fehlt, ist für die ihm zugedachten Funktionen entbehrlich. Fügsam und geschmeidig, ist dieser Frauenleib kein Pleonasmus, sondern ein dreidimensionales Palindrom – darauf hat schon W. Schmied hingewiesen –, wobei hinzuzufügen ist, daß das sprachliche Palindrom (ein Wort ergibt, von vorne und von hinten gelesen, denselben Sinn) hinter dem erotischen Doppelangebot der „Puppe'' zurückbleibt.

Dies ist die dritte von Bellmers Puppen. Die erste, eine fragile Kreatur in ihrer Beschädigung (Kat. XIV. 42 A), war „wirklich existent nur in den Photos, die Bellmer von ihren Posen machte'' (Schmied). Die zweite, von Gliederpuppen der Renaissance (im Kaiser-Friedrich-Museum) angeregt, trug den Gedanken der Verdoppelung so ausführlich vor, daß sie einem Schausteller das Publikum hätte anlocken können. Die dritte Version ist davon ein knapper Extrakt: ein blanker, glatter Körper, den Gelenke zu einem Apparat der vollkommenen Lusterfüllung machen. Derlei wurde früher schon an Automaten delegiert, ohne daß man sich eingestand, was Bellmer seiner Einbildungskraft abverlangt: „die Frau immer mehr ihrer experimentalen Bestimmung anzunähern.''

Literatur: Ausst.-Kat. Bellmer 1967, Nr. 18 WH

SALVADOR DALÍ (geb. 1904)

43
La nostalgie du cannibale 1932
(Die Sehnsucht des Kannibalen)

Öl auf Leinwand; 47,2 × 47,2 cm
Bezeichnet: Gala Salvador Dalí
Hannover, Sprengel Museum
Inv. Nr. KA 61/1970

Wenn Peter Gorsen von der „kannibalischen Inbesitznahme, der lustvollen Verspeisung des geliebten Objekts" spricht und in der „Identifikation des Schönen mit dem Eßbaren und dem Liebesakt" einen essentiellen Ansatz nicht nur Dalís, sondern überhaupt der Surrealisten sieht, kann in der „Sehnsucht des Kannibalen" eben jene Ästhetik des Kannibalischen mit der Sehnsucht des Träumers und Traumprotokollanten Dalí verbunden werden.

Dalís „Träumereien" waren Tagträume bzw. Träume, die er im Halbschlaf hatte und die in ihm Visionen und Halluzinationen hinterließen. Er begab sich auf den Pfad des Irrationalen, wo er mit Freud als Wegweiser eine „systematische Erkundung dieser unbekannten und dunklen Welt des Unterbewußtseins" (Dalí) vornahm.

Das bekannteste dieser Traumprotokolle war „Dulita", ein erotischer Wunschtraum zwischen Provokation und erotischem Geständnis. Sogar die Surrealisten waren entsetzt, und Aragon nahm dies zum Anlaß, um aus der Gruppe auszutreten.

Zwanghaft verfolgten den Maler und Träumer Dalí einzelne Traumbilder, etwa stand in unserem Fall am Anfang die hypnagogische Täuschung eines Brotes, auf dessen Rücken eine Reihe von Tintenfässern inkrustiert waren. Später verwirklichte Dalí ein Objekt, das in einer Kombination von richtigem Brot mit Bildern von Tintenfässern bestand. Schließlich: „. . . Ende des Sommers 1932, sehe ich, als ich mich überstürzt vom Tisch erhebe, um mich auf den Diwan zu legen, eine Reihe von Tintenfässern, die mit Eiern auf dem Teller ohne den Teller abwechseln. Dieses schon früher dargestellte Bild hat später in einer Landschaft Platz gefunden, und das Gemälde geschaffen: La nostalgie du cannibale" (Dalí).

Die einzelnen Traumbilder/Visionen ergeben in ihrer Abfolge in Etappen die Wunscherfüllung, die in der Umsetzung des Geträumten ins Gemälde besteht. Der Maler als Kannibale entläßt den Betrachter in eine wüstenähnliche leere Landschaft, nachdem er über die absurde Kombination von Tintenfässern und Spiegeleiern verwundert gestolpert ist.

Literatur: Ausst.-Kat. Dalí 1979, Nr. 108 – Moeller 1985, Nr. 110, S. 304 f – Gorsen 1980, S. 213 ff SN

XIV. 43

SALVADOR DALÍ (geb. 1904)

44
Der architektonische „Angelus" von Millet 1933

Öl auf Leinwand; 73 × 60 cm
New York, Perls Galleries

„Nichts scheint mir geeigneter, Lautréamont, vor allem die ‚Gesänge des Maldoror', so ‚wortwörtlich', so wahnhaft zu illustrieren als dieses Bild, das der Maler tragisch-kannibalischer Atavismen und altüberlieferter, schauriger Begegnungen zarter, weicher Fleischstücke von bester Qualität vor etwa siebzig Jahren gemalt hat: ich meine den völlig verkannten Maler Jean-François Millet . . ." (Dalí, 1934) – dessen „L' Angelus" („Abendläuten") Dalí seiner „kritisch-paranoischen Interpretation" unterzogen hatte. In dem bislang als Inbegriff kontemplativer Frömmigkeit gedeuteten Bild – zu sehen ist ein junges Paar, das seine Arbeit auf dem Feld unterbrochen hat und ins Abendgebet versunken ist – deckte Dalí die versteckte Erotik auf; die wesentlichste Aussage dieses Gemäldes war für ihn die der verdrängten Sexualität. Millets „Abendläuten" wurde für den Künstler zum Zwang und regte ihn zu Objekten, Malereien, Gedichten, schließlich auch zu seinem Buch „Der tragische Mythos von Millets ‚Abendläuten'" (1963 in Paris erschienen) an.

Nicht zuletzt in Hinblick auf seine eigene Kindheit und Jugend gab er sich der sexuellen Überinterpretation (Gorsen) hin: Der Vater Dalís schreitet mit dem Kind Dalí unter den erdrückenden, riesenhaften Formen auf die Heimatstadt Figueras zu. Die Obsession der Milletschen Gestalten hat hier eine Übertragung ins Architektonische erfahren, das Zueinander der beiden Figuren übersetzt Dalí in eine konvex-konkave Abstraktion großer Dimensionen.

Die „Interprétation paranoïaque-critique" formierte ein Wahnbild, dessen Untertitel er bei Lautréamont borgte: „Schön wie die zufällige Begegnung einer Nähmaschine und eines Regenschirms auf einem Seziertisch".

Literatur: Ausst.-Kat. Dalí 1979, Nr. 268 SN

SALVADOR DALÍ (geb. 1904)

45 Farbabbildung S. 391
Impressions d'Afrique (Impressionen aus Afrika) 1938

Öl auf Leinwand; 91,5 × 117,5 cm
Rotterdam, Museum Boymans-van Beuningen

„Es ist unter allen Büchern unserer Zeit das ‚poetisch ungreifbarste', hat also auch die größte Zukunft. Die wunderbar entwertete Metapher streift die Grenzen ‚geistiger Debilität'. Die Vergleiche, die gemacht werden, gehen von ganz plötzlichen, unmittelbaren, zufälligen anekdotischen Ähnlichkeiten aus . . ." – gemeint hat Dalí hier Raymond Roussels „Nouvelles Impressions d'Afrique", das nicht nur von Dalí, sondern überhaupt von den Surrealisten sehr geschätzt wurde. Dalí deutete es als geträumte Reisebeschreibung neuer paranoischer Phänomene. Afrika war für den Künstler ein sehnsuchtsvoller, oft präsenter Wunschtraum. Er selbst war nie in Afrika gewesen, konnte jedoch seine Phantasien anläßlich eines Aufenthaltes in Sizilien, das ihn an Afrika erinnerte, auffrischen. „Impressions d'Afrique" entstand in Rom, wo sich der Künstler auf Einladung des Dichters Edward James aufhielt, auf dem Forum Romanum. Just dort setzte er seine Vision „Afrique" ins Gemälde um und parodiert sie als Maler vor der Staffelei – unter einem Porträt der stets präsenten Gala –, der den Betrachter abwehrt und ihn außerhalb seiner wahnhaften „Impressionen" stehenläßt.

Wenn Dalí den irrationalen Inhalt von Roussels Werk gemeinsam mit dessen methodischem Ansatz bewunderte, dann vor allem in Hinblick auf seine eigene Theorie, die er 1935 in „La conquête de l'irrationnel" („Die Eroberung des Irrationalen") so definierte: „Spontane Methode irrationaler Erkenntnis, die auf der kritisch interpretierenden Assoziation wahnhafter Phänomene beruht. Das Vorhandensein aktiver, systematischer, für Paranoia typischer Elemente garantiert den entwicklungsfähigen, schöpferischen, für die paranoisch-kritische Aktivität typischen Charakter."

Literatur: Ausst.-Kat. Dalí 1979, Nr. 251 – Descharnes 1962, S. 170 SN

XIV. 44

ANDRÉ MASSON (geb. 1896)

46
Der Mann und die Frau 1958

Öl auf Leinwand; 140 × 110 cm
Paris, Musée National d'Art Moderne, Centre Pompidou
Inv. Nr. AM 3991 P

In den späten 50er Jahren greift Masson wieder auf die schnellen Linearismen zurück, denen der sich selbst lenkende Automatismus der Surrealisten den Anspruch auf Unmittelbarkeit gab. Freilich wird dieser Anspruch, wenn man näher hinblickt, nicht eingelöst, er dient vielmehr der subtilen Chiffrierung einer Ausdrucksabsicht, die Rubin schon im Masson der New Yorker Emigration und in den Arbeiten der zwanziger Jahre nachgewiesen hat (Ausst.-Kat. Masson 1976, S. 49). Bereits damals ging es Masson um die „resolution of opposites", um die Einheit von Mann und Frau, Mensch und Tier. Eine Zeichnung wie die „Erfindung des Laby-

XIV. 46

rinths" (Abb. bei Rubin 1972, S. 50) breitet das System an Kürzeln, Schnörkeln und Verflechtungen aus, mit dem Masson das Neben- und Miteinander von Mann und Frau in unserem Bild instrumentieren wird. Die kalligraphische Ader seiner Kunst tritt hier in den Dienst eines Flächennetzes, das über weite Strecken Füllmuster entwickelt, gleichsam potentielle Formbuchstaben, aus denen sich schließlich das Menschenpaar konstituiert – nicht Körper gegen Körper, sondern Energie gegen Energie, offen und zur Verzahnung bereit. (Kein Zweifel, daß hinter diesen Antinomien jene der Manieristen stehen.) Masson setzt, wenn wir ihn richtig deuten, die Akzente um. Die feste rechte Gestalt könnte das „männliche" Prinzip verkörpern – die linke – weibliche? – ist offener, dynamischer, folglich auf die Geschlechtsmerkmale weniger festgelegt. Es gibt in ihrem Lineament aufragende Formen, die an die phallischen „Liebesvögel" erinnern. WH

XIV. 47

MERET OPPENHEIM (1913–1985)

47
Tisch mit Vogelfüßen 1939

Holz, Blattgold, Messing; Höhe: 64 cm
Wien, Museum moderner Kunst
Inv. Nr. M/20

Ein Tisch steht auf zwei hageren Vogelbeinen mit kralligen Füßen aus Messing, die Tischplatte aus vergoldetem Holz wiederum weist Spuren eben dieser Vogelbeine auf, deren Krallen sich ins Holz einzeichnen. Die absurde Kombination von Vogel und Tisch im Bereich eines Objektes hat ebenso den Tisch verändert wie das Prinzip Vogel in die Nähe eines Tisches gerückt.

1932 kam die damals 18jährige Meret Oppenheim aus Bern nach Paris, wo sie bald Kontakt zu den Surrealisten hatte. André Breton forderte sie auf, sich an einigen Ausstellungen der Surrealisten zu beteiligen; sie stellte 1936 das „Déjeuner en fourrure" aus, eine in Pelz gehüllte Tasse, der Breton in Gedanken an Manets „Déjeuner sur l'herbe" und an Sacher-Masochs „Venus im Pelz" den Titel gab. Die „Pelztasse" wurde zum Paradebeispiel eines surrealistischen Objekts: In der Verbindung zweier sich fremder Gegenstände hatten diese eine Umwidmung ins Abstruse erfahren.

Ein ähnliches Phänomen liegt auch dem „Tisch mit Vogelfüßen" zugrunde, den die Künstlerin 1939 vorstellte, als sie sich mit Max Ernst, Leonor Fini, Alberto Giacometti und anderen an einer Ausstellung in einer Galerie beteiligte, die René Drouin und Leo Castelli an der Place Vendôme eröffnet hatten. Es war eine der letzten Ausstellungen des surrealistisch Phantastischen; die meisten der Surrealisten waren gezwungen, Paris zu verlassen, und auch Meret Oppenheim sah sich aufgrund der politischen Lage veranlaßt, in die Schweiz zurückzukehren.

Literatur: Curiger 1982, S. 46 und 146 – Ausst.-Kat. Oppenheim 1984/85, S. 24 SN

RENÉ MAGRITTE (1898–1967)

48 Farbabbildung S. 393
Das Antlitz des Genies 1926

Öl auf Leinwand; 74,5 × 65 cm
Brüssel, Musée d'Ixelles, Collection M. Janlet
Inv. Nr. 31

„Schließe dein leibliches Auge, damit du mit dem geistigen zuerst siehest dein Bild. Dann fördere zutage, was du im Dunkeln gesehen . . .“ Diese berühmte Empfehlung C. D. Friedrichs ist eine von vielen, die auf die „Innenschau“ als Erfahrungsquelle hinweisen. Die Pariser Surrealistenzeitschrift „Minotaure“ brachte in der Nr. 12–13/1939 einen Aufsatz über den deutschen Romantiker.

Magrittes blinder Seher steht in einer anderen, mediterranen Tradition, die m. W. zum ersten Mal von Füssi thematisiert wurde, als er sich selbst im Gespräch mit seinem Lehrer Bodmer malte und im Hintergrund eine Büste des blinden Homer anbrachte (Schiff 366). Büsten mit geschlossenen Augen zählen auch zu den rätselhaften Requisiten von de Chirico (Kat. XIV. 1–4).

Magritte verschließt dem Genie die Augen und macht zugleich sein Antlitz zu einer offenen Behausung, deren Durchlässigkeit totale Rezeptivität verrät. Aus gedrechselten Stämmen hervorgewachsen, greifen Äste durch das leere Augenfenster. Der Kopf steht auf einem Brett, das über einer fließenden Leere schwebt. Treiben da unten die Erinnerungen vorüber?

Literatur: Ausst.-Kat. Magritte 1978/79, Nr. 17 WH

XIV. 49

RENÉ MAGRITTE (1898–1967)

49
La Memoire II 1945

Öl auf Leinwand; 45 × 54 cm
Bezeichnet: Magritte
Berlin, Galerie Brusberg

In der ersten Hälfte der vierziger Jahre griff Magritte zu einer weicheren, malerischen Pinseltechnik, wodurch seine Malerei, bislang kühl konstatierend, handschriftliche Merkmale bekam. Die schroffen Konfrontationen wichen atmosphärischer Milde. Damals entstand auch das Bild „La Gorgone“ (1943, Brüssel, Privatbesitz), das riesige Stollen auf Sockeln zusammen mit Vorwegnahmen von Fernsehtürmen zeigt und völlig rätselhaft ist.

Auch unser Bild sperrt sich der Deutung. Der skulpturale Kopf erinnert an de Chirico und an die Jahrhundertwende mit ihren verschlossenen Augen (vgl. Klimt, Kat. XIII. 25–29 und Mucha, Kat. XIII. 59–64). Die Blutspur einer Verletzung macht aus dem Kunstgebilde ein Lebewesen. Wir denken an

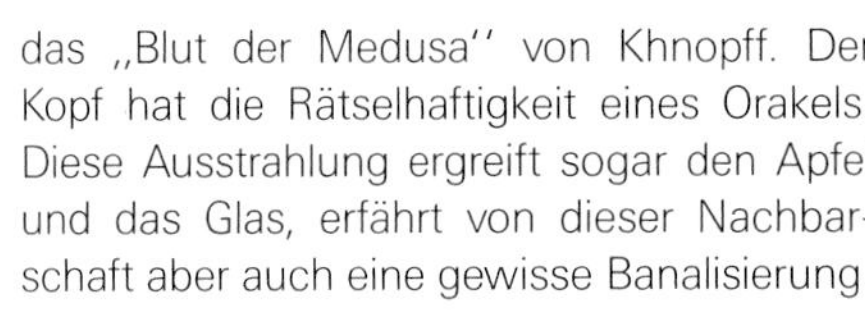
das „Blut der Medusa“ von Khnopff. Der Kopf hat die Rätselhaftigkeit eines Orakels. Diese Ausstrahlung ergreift sogar den Apfel und das Glas, erfährt von dieser Nachbarschaft aber auch eine gewisse Banalisierung. WH

XIV. 50

MARCEL EEMANS (geb. 1907)

50
Die zersägte Frau

Öl auf Leinwand; 92 × 73 cm
Basel, Sammlung Carl Laszlo

Die Sprachmuster der Surrealisten verlaufen zwischen zwei Polen. Der eine vertritt die dionysische Verflechtung, das den deutschen Romantikern abgesehene Grundmuster einer Universalsymbiose – dafür steht Masson (Kat. XIV. 46), der andere steht für die Fragmentierung und deren schneidendste Form, die Zerstückelung. Max Ernst hat dieser Syntax die entscheidenden Formulierungen gegeben. Die belgischen Surrealisten folgten seinem und de Chiricos Beispiel. Das manieristische Thema des verfügbaren Menschen aufgreifend, tragen sie in die vertraute Anatomie den Schock einer Durchbohrung (vgl. Kat. VII. 48) und setzen das Seziermesser an. Eemans entleibt eine Frau zum Kunstgebilde, setzt sie in die membra disjecta um, aus denen die Akademieschüler seit der Renaissance den Funktionsmechanismus des menschlichen Körpers erlernen (vgl. Kat. IX. 8), nicht ohne daß ihnen dabei die Entdeckung des Bruchstücks, der Bruchlinie Lustgewinn erbrachte.

Wie sich im surrealistischen Bildwitz das Makabre oft trivial gibt, läßt diese zersägte Frau ebenso an eine Gorgo wie an eine Jahrmarktsattraktion denken. WH

XV „Permanenter Formweg“

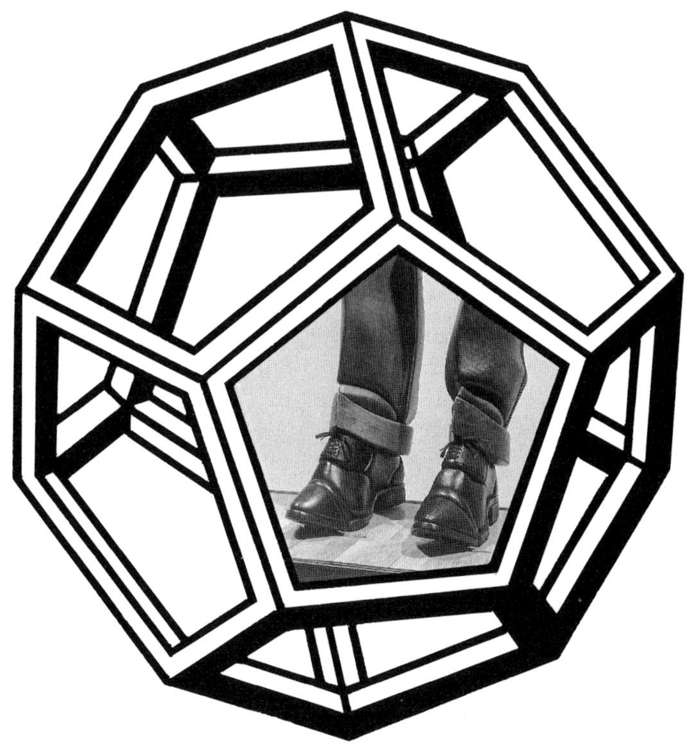

Als Max Klinger 1920 starb, schrieb ihm Giorgio de Chirico einen Nachruf in Gestalt eines Aufsatzes, in dem er den deutschen Künstler als Bahnbrecher feierte: „Klinger war der moderne Künstler schlechthin. Modern nicht in dem Sinne, den man heute dem Begriff gibt, sondern im Sinne eines gewissenhaften Mannes, der das Erbe an Kunst und Denken aus Jahrhunderten und Aberjahrhunderten achtet, der wachen Auges in die Vergangenheit, in die Gegenwart und in sich selbst blickt." Gegen welche Modernität wird Klinger hier in Schutz genommen? Es ist die Modernität der „reinen Malerei", die in Cézanne ihren Wegweiser hat.

Indem de Chirico für Klinger Partei ergreift, rührt er an einem Grundkonflikt der Moderne, den er selbst in seiner Kunst aufheben möchte, weshalb die Rolle, die er dem deutschen Künstler zuschreibt, auch seiner eigenen Person gilt. Er hält sich für den modernen Künstler schlechthin. Dieser Anspruch wurde von seinen Pariser Freunden geteilt. So zählte Breton die Bilder de Chiricos, die er zusammen mit denen Picassos um 1914 sah, zu den „entscheidenden Einwirkungen" auf die visuelle Vorstellung jener Jahre. Er begrüßte in ihnen das Entstehen einer „neuen Mythologie". Doch bald gingen die Bewunderer de Chiricos, die künftigen Surrealisten, auf Distanz zu ihrem Idol. Max Ernst malte ihn 1922 auf dem „Rendezvous der Freunde" als klassische Büste, später wird Breton unnachsichtig das nach 1917 entstandene Werk als Absturz in die Banalität bezeichnen und darin zwei Irrwege erkennen, den Versuch „sich zu verleugnen oder grotesk sich selbst nachzuahmen". Als bedauernswerte Selbstverleugnung des Malers gelten auch heute noch seine akademisch-naturalistischen Kompositionen klassischer Themen (Kat. XVI. 1), als Beispiele zynischer Eigenplagiate verwirren die Varianten, Kopien und Fälschungen, die der Maler von seinen berühmten Frühwerken anfertigte. Von dem 1917 entstandenen Bild „Die beunruhigenden Musen" (München, Bayerische Staatsgemäldesammlungen) malte er zwischen 1945 und 1962 achtzehn Versionen – ein Verfahren, das einen Vervielfältiger des Unikats wie Andy Warhol inspirieren mußte (Kat. XV. 31).

Zwei Grundhaltungen machen sich gegenseitig die „Moderne" streitig. Die eine ist uns bereits aus dem Wort von Reynolds bekannt, in dem von der Schwierigkeit des „Verlernens" (to unlearn) die Rede ist. Was Reynolds als die Fähigkeit, überflüssigen Wissensballast abzuwerfen, in seinen Bildungsplan einkalkulierte, wurde später zu einem Dogma, das schließlich in Rimbauds Forderung gipfelte: „Es gilt, absolut modern zu sein!" (1873). Diese Sicht blickt nur in die Gegenwart und in die Zukunft, für die Vergangenheit ist sie entschlossen blind. Marinetti verkündete im 1. Futuristischen Manifest (1909), ein Rennwagen sei schöner als die Nike von Samothrake. Gegenüber diesem Tabula-rasa-Denken behauptet sich jener andere Zweig der Moderne, dem Künstler wie Klinger und de Chirico angehören, den heute Parmiggiani, Spoerri, Stenvert, Pistoletto, die Poiriers und – zuweilen auch – Polke verkörpern (Kat. XV. 48, 22–24, 33–35, 49, 44–47, 30). Die Erinnerung wird hier nicht beiseite geschoben (bzw. verdrängt), sondern zu einer zentralen Erfahrungsquelle des schöpferischen Prozesses. Dieser Erfahrungshunger hat den längeren geschichtlichen Atem, denn er setzt recht eigentlich mit den Anfängen des modernen Bewußtseins in der Renaissance ein und erfährt seine erste kritisch-prüfende Brechung in den Jahrzehnten des Manierismus. Die Rückgriffe auf das Altertum dienten ja nicht nur der Speicherung archäologischen Wissens, sie bewirkten nicht bloß eine empirisch nachprüfbare Formensprache, sondern gewährten Eintritt in mythische Dimensionen, welche während des Mittelalters ihren Eigensinn eingebüßt hatten. Es zählt jedoch zu den Merkmalen dieser Wiedergeburt der Antike, daß sie kaum je fugenlos die Distanz zu überbrücken vermochte, welche das vom Christentum geprägte kulturelle Über-Ich von dem der Alten trennt: Immer bleibt das Bewußtsein mehrerer Ebenen spürbar, ein kultureller „Ambivalenzkonflikt", den nicht einmal die Selbstverleugnung der Klassizisten aufzuheben vermochte. Das Denken in raum-zeitlichen Möglichkeitsformen spielt sich auf „permanentem Formwege" ab. Diese Formulierung ist André Thomkins entlehnt (Kat. XVI. 56). Sie besagt, daß die künstlerische Erfindung, will sie ihre Möglichkeiten ausschöpfen, einer Kombinatorik verfällt, die nie zur Ruhe kommt.

Wie vielschichtig und disparat die Entdeckungen sind, die der Einstieg ins Vergangene eröffnet, hat Freud sehr schön am Beispiel der Ewigen Stadt beschrieben. Er stellt sich vor, daß alle baulichen Entwicklungsphasen, die der Name Rom zur historischen Einheit verbindet, eine archäologische „Collage" bilden, vergleichbar einem physischen Wesen, in dessen Gegenwart alle früheren Entwicklungsphasen fortbestehen. Das Palimpsest der Stadt Rom entbehrt folglich der stilistischen Einheitlichkeit, es ist ein Produkt der *Stilmischung,* gleichwie die Schichten des seelischen Lebens keinen kohärenten Umriß aufweisen: Wie jene auf die Entschlüsselung durch den Archäologen angewiesen sind, warten diese auf die Enträtselung durch den Psychoanalytiker. Aus dieser Erwägung ließe sich eine Psychoanalyse der Auerbachschen Termini (s. S. 19f) ableiten. Man könnte vermuten, daß sich im Gesamtkunstwerk (z. B. des Jugendstils), sofern es für Stilreinheit eintritt, Symptome von Kollektivverdrängungen niederschlagen.

Es ist bezeichnend für Freuds nüchternen Blick, daß er seiner Palimpsest-Phantasie an einem entscheidenden Punkt Einhalt gebietet: „Es hat offenbar keinen Sinn, diese Phantasie weiter auszuspinnen, sie führt zu Unvorstellbarem, ja zu Absurdem. Wenn wir das historische Nacheinander räumlich darstellen, kann es nur durch ein Nebeneinander im Raum geschehen, derselbe Raum verträgt nicht zweierlei Ausfüllung."

De Chirico beweist das Gegenteil. Was Freud als „müßige Spielerei" aus der Hand gibt, ist für ihn ein Kunstgriff der Erinnerung, ein permanenter Formweg, der das Ineinander von Vergangenheit und Gegenwart veranschaulicht. Davon handeln die Bilder seines entscheidenden Jahrfünfts (1913/14–1918; Kat. XIV. 1–4). Sein Vorbild entdeckt er in Klinger, der es fertigbrachte, in *einem* Bild „Szenen aus der Gegenwart und antike Erinnerungen" zu integrieren. Deshalb fasziniert ihn die „Entführung" (Kat. XIII. 4) und faßt er die Beschreibung der „Accorde" (Kat. XIII. 5) so zusammen: „Das Bild ist Traum und zugleich Realität. Wer es betrachtet, meint die Szene schon einmal gesehen zu haben. Er kann sich aber nicht an das Wann und Wo erinnern." Vorwegnahmen

William Marlow, A Capriccio, St Paul's and a Venetian Canal, London, Tate Gallery

dieser Raum-Zeit-Collagen finden sich in den Architektur-Capricci. So versetzte der Engländer Marlow St. Paul's Cathedral an den Canale Grande (London, Tate Gallery; Abb.).

De Chirico dekretierte bereits vor dem Ersten Weltkrieg: „Damit ein Kunstwerk wirklich unvergänglich sei, muß es ganz und gar die menschlichen Grenzen überschreiten – der ‚bon sens' und die Logik müssen ihm fernbleiben. Auf diese Weise wird es dem Traum und der kindlichen Mentalität nahekommen.'' De Chiricos Stadtlandschaften und Stilleben gehören einer Welt an, die durch und durch disparat und unvertraut ist. Ähnlich dem „Meta-Ironiker'' Duchamp (der sich selbst so nannte) entdeckte der italienische Maler den „non-senso della vita'' und nahm sich dessen palimpsestartige Darstellung in der Malerei vor. Dahinter steht auch die berühmte Dingkoppelung aus Lautréamonts „Chants de Maldoror'' (1869). Von einem Jüngling heißt es dort, er sei schön wie das zufällige Zusammentreffen einer Nähmaschine und eines Regenschirms auf einem Seziertisch. Lautréamont beschreibt eine Schaufensterwelt, in der sich die seltsamsten Nachbarschaften zutragen. In diesem Konglomerat hat de Chiricos Weltbühne ihren Ursprung: Er verdichtet es zur disparaten Summe der Zusammenhanglosigkeit – ein Paradoxon, das lauter „membra disjecta'' als Teile einer poetischen Ganzheit beschwört, die von antiken Fundstücken bis zur banalen Streichholzschachtel reicht. (Wir erinnern uns: letztere war für Loos winziger, doch unantastbarer Bestandteil der Strategie des Gesamtkunstwerks. Bei de Chirico wird sie in die Freiheit der Verfremdung entlassen, vgl. Kat. XIV. 2.)

Die stummen Requisiten dieses Welttheaters stellen den Betrachter vor die Wahl: entweder sieht er sie als Metaphern des Absurden oder er entnimmt ihnen einen disparaten Schönheitsbegriff, der auf Lautréamonts Definition beruht. Diese wieder sagt nichts grundsätzlich Neues, denn wir wissen, daß schon einige Denker der Renaissance die Schönheit als ein Zusammengesetztes bestimmten. Bereits damals standen antike Versatzstücke in den Ateliers zur Wahl (Kat. VII. 25), erprobte sich der Kunstverstand an verfremdenden Zitat-Collagen. Diese verfügbaren Warenmuster verfielen später der akademischen Ausmünzung, die de Chirico in seinen Stilleben-Landschaften verfremdend wieder aufhob. Aber vielleicht ging es ihm nicht nur um das frappierende Nebeneinander von Kulturattrappen und Schaufensterpuppen. In der Verfremdung mag sich auch der Konflikt verbergen, dem Marcus Geeraerts im 16. Jahrhundert noch eine mit lebenden Figuren besetzte Bühne entwarf (Kat. VII. 34): Der Künstler sieht die Welt seiner Phantasie zwar von klassischen Mustern getragen, aber in der Auseinandersetzung mit der alltäglichen Misere bedrängt und eingeengt.

Der doppelte Boden der Verfremdung, auf dem de Chirico sich in den Jahren bewegte, „in denen ihn die Inspiration wie keinen anderen überschüttete'' (Breton 1943), bildet die Plattform, auf der sich seit siebzig Jahren – bald nostalgisch, bald ironisch – die spurensichernde Wiederentdeckung des Altertums abspielt. Was dabei ans Licht tritt, sind Bruchstücke, keine heilen Ganzheiten, wie sie die Antikenbegeisterung eines Winckelmann beschworen hatte. Nicht „edle Einfalt und stille

Größe“ bilden den beruhigenden Grundakkord, sondern bizarre, oft schockierende Nachbarschaften entstehen, wie sie schon Soane in seinem Londoner Haus inszenierte (Kat. XI. 19). Allmählich stellt sich ein Dimensionsverlust ein. Künstler wie Ernst, Magritte und Man Ray riskierten die Doppelbödigkeit „zufälliger Begegnungen“. Sie entnahmen der Fragmentästhetik, auf der seit dem 15. Jahrhundert unsere Kenntnis antiker Bildwerke beruht, Metaphern der Rätselhaftigkeit und der Verletzung (Kat. XIV. 48), aber auch der Gewalttat – etwa wenn Man Ray einen Venus-Torso mit einem Strick fesselt. Heute wird der doppelte Boden weitgehend vermieden, steht das Zitat nicht mehr in einem Kontext, der es in Frage stellt: es hat sich in die Aura melancholischer Feierlichkeit zurückgezogen (Kat. XV. 44–49). Hingegen ist ein Bild wie Polkes „Zweite Niederländische Reise“ (Kat. XV. 30) noch gesättigt von den disparaten Schichten, die der frühe de Chirico aufdeckte. Traum und Wirklichkeit, Klischees des Alltäglichen und des Kunstgeschmacks, erlesene und triviale Zitate fügen sich zum Palimpsest zusammen. Wieder erscheint die Welt als ein wissend vereinbartes „riesiges Museum fremdartiger Dinge“, doch wird die Magie aufgehoben in einem vielschichtigen Malakt, der das „Zusammengesetzte“ harmonisiert.

Was blieb, wenn überhaupt, von de Chiricos „Abstieg“? Hat der Maler, als er sich klassischen Themen und einer sensualistischen Formensprache zuwandte (Kat. XVI. 1), tatsächlich seine radikalen Anfänge verraten und sich selbst verleugnet? Wer so urteilt, übersieht, daß der „Ambivalenzkonflikt“ zu den produktiven Spannungen zählt, denen viele Künstler unseres Jahrhunderts den Zweifel an der Möglichkeit verdanken, mit *einer* Handschrift sich ihrer Identität zu vergewissern, umso mehr führen die permanenten Formwege – wie im Anagramm von Thomkins – kreuz und quer durch hohe und niedrige, banale und esoterische Bedeutungsbezirke. Es kommt zu Formbrüchen, die dem Betrachter die Frage abfordern: Wie ist es möglich, daß dieses und jenes Bild ein- und dieselbe Signatur tragen? De Chirico nahm die Wahlfreiheit an, indem er die Sprachhöhen wechselte und das Bildungserbe der mediterranen Welt wieder in seine Rechte setzte. Doch darin steckt ebensowenig Selbstverleugnung wie in dem unbeschwerten Wechsel der Sprachhöhen, den Picasso sich herausnahm (Kat. XIV. 36). Freilich ging de Chirico noch weiter. Als selbsternannter pictor optimus scheute er sich nicht, nachdem er den „bon sens“ verspottet hatte, die Grenzen des „bon goût“, des guten Geschmacks, in Frage zu stellen und die Schamschwelle zu überschreiten, die bislang die elitäre Avantgarde vom Flachland der populären Klischees trennte. Auch Magritte und Picabia kosteten die „Wonnen des Gewöhnlichen“ (Thomas Mann) aus (Kat. XV. 20, 15–18). Seitdem röhren die Hirsche nicht mehr nur in den Eissalons. Doch diese Mißachtung des „guten Geschmacks“ – dem die Moderne ihr ruhiges fortschrittliches Gewissen verdankte –, paßt durchaus in die von den Surrealisten proklamierte Entgrenzung des Kunstbegriffs. Sie hatte ihre Entsprechung in Malern wie Stamkaart, Sarluis, Kalmakoff und Viladrich (Kat. XV. 6, 7, 8 und 12), die den permanenten Formweg bis in die schwarzen Messen (und deren Parodie) ausdehnen. WH

VENEDIG, UM 1900

1 Farbabbildung S. 385
Grottenmöbel

Vierteiliges Ensemble, bestehend aus Schaukelstuhl, Hocker, Gueridon und Tischchen
Privatsammlung Basel/Schweiz

Seit der Zeit des Historismus haben „sprechende Möbel" in Italien unter dem Titel „Stilmöbel" auch heute noch Tradition. Neben der Imitation historischer Einrichtungen gab und gibt es phantasievolle Erzeugnisse, die an keine Tradition gebunden sind und einer meist „neureichen" Käuferschicht angeboten werden, andererseits aber auch von Sammlern als Rarität und Absonderlichkeit geschätzt und gesucht sind.

In einem 1904 datierten Katalog der venezianischen Firma Pauly und Co. wurden neben historischen Objekten, Geweihsesseln (vgl. Kat. X. 29), Sitzgruppen – „imitations des feuilles et fleurs" – und anderen Phantastereien auch Möbel mit der Bezeichnung „genre conquille émail imitation nacre" angeboten. Diese Grottenmöbel dienten einerseits tatsächlich zur Ausstattung von Grotten (und kamen wahrscheinlich so zur traditionellen Datierung „18. Jahrhundert"), andererseits aber für Veranden und Gartenhäuser, wo phantasievollere Möbel stets in Verwendung waren und sind.

Literatur: Himmelheber 1983, S. 3433 ff, Ill. – Kat. Venedig 1904 JW

GEBRÜDER THONET

2
Demonstrationssessel um 1870

Bugholz
Wien, Technisches Museum
Inv. Nr. 8.782

Thonet war zwar nicht der Erfinder der Bugholzmöbel, ihm gelang jedoch die marktgerechte Massenproduktion. Leichtigkeit, hohe Belastbarkeit und Eleganz, die Erschwinglichkeit für jedermann und das selbst heute noch verblüffende Moment, Holz zu biegen, machen die Berühmtheit des Namens „Thonet" aus. Der Demonstrationssessel von 1870 war nicht für die Massenproduktion gedacht; er sollte vielmehr auf diversen Ausstellungen das hohe technische Können der Firma unter Beweis stellen. Aus nur zwei Holzstäben gebogen soll er eine Belastbarkeit von über sechs Tonnen haben (im Gegensatz zu den 1,5 Tonnen eines „normalen" Thonetstuhls). Alle jene Superlative, die der Firma Thonet nachgesagt werden, sind in diesem Sessel vereinigt.

Reich geschwungene Gebrauchsmöbel wie Schaukelstühle, Wiegen oder Zeitungsständer werden von der Firma zwar gerade um 1870 produziert – insofern ist dieser Sessel auch zeittypisch –, unser Demonstrationssessel hat aber keinerlei Gebrauchswert: Als technisches Kuriosum fand er seinen Platz in einem – technischen – Museum.

XV. 2

Literatur: Massobrio o. J. – Wilk 1980 JW

CARLO BUGATTI (1855–1940)

3 Farbabbildung S. 385
Damenschreibtisch mit dazugehörigem Stuhl um 1895

Damenschreibtisch: 93 × 64 × 52 cm
Stuhl: 93 × 31 × 34,5 cm
Hamburg, Museum für Kunst und Gewerbe
Inv. Nr. 1982, 14 u. 15

Carlo Bugatti, 1855 als Sohn des Malers Giovanni Luigi Bugatti in Mailand geboren, schuf seine ersten phantasievollen Möbel als Hochzeitsgeschenk für seine Schwester und den Maler Giovanni Segantini im Jahre 1880. Der Orientalismus seiner Arbeiten unterscheidet sich von zeitgleichen „Orientzimmern und orientalischen Kabinetten" grundlegend dadurch, daß er nicht kopiert, sondern traditionelle europäische Konstruktionen mit orientalischen Formen verband. Das Zitieren von Rosetten und Spitzbögen, die Schräge (aus dem Klappmöbel abgeleitet) und die Verwendung unüblicher Materialien wie Pergament – mit Schriftzeichen auf der Sitzfläche –, Fransen und Troddeln sowie reichlichen Beschlägen aus Buntmetall machen Bugatti zu einem Einzelgänger im europäischen Möbelbau. Dem „talentvollen Witzbold", wie er von der zeitgenössischen Kritik genannt wurde, ging es nicht um symbolbelastete Zitate. Er bediente sich des Formenreichtums des nahen und fernen Orients, um gegen die Kargheit und Nüchternheit europäischer Konstruktionen anzukämpfen.

Seine späte Wiederentdeckung in unserer Zeit mag sich durch so manche Parallele in der „Postmoderne" erklären.

Literatur: Ausst.-Kat. Bugatti 1983, Nr. C 19 u. C 30 JW

ANTONIO GAUDÍ (1852–1926)

4
Stuhl aus dem Haus Calvet 1902

Holz; 96 × 65 × 52 cm
Barcelona, Cátedra Gaudí

Gaudí erwarb sich seinen Ruf in einer sehr beeindruckenden Weise, denn zu seinen Lebzeiten unterwarf er sich niemals dem Diktat der Kritiker, noch ließ er sich mit den nützlichen Cliquen oder Gruppen ein, die im Kollektiv das zu erreichen suchten, was ihnen als Individuum verwehrt blieb. Auch nach seinem Tode ging das Interesse an seinem Werk nie zurück, obwohl die modernen architektonischen Strömungen weit weg von gaudischen Formen und Konzepten liegen.

Das große Geheimnis Gaudís liegt in der zugleich naiven wie scharfsinnigen Betrachtungsweise der Natur. Gaudí beobachtete Blumen und Tiere, ohne in jene berufsmäßige Deformation zu verfallen, die jenen Architekten eigen ist, die die natürlichen Formen an

XV. 4

jene Formen anpassen, die nach Jahrtausende alter Tradition als fundamental und unentbehrlich angesehen werden. Aus dieser Beobachtung zog Gaudí den Schluß, daß die Natur für ihre Schöpfungen eine Geometrie verwendet, die sich von der unter Architekten gebräuchlichen unterscheidet.

Gegenstände im Raum weisen auf diesem Planeten selten Formen auf, die gleichmäßigen, aus ebenen Flächen gebildeten Polyedern ähnlich sind, sondern gewundene Formen, spitze Winkel und eine Gestaltung, die mit der euklidischen Geometrie schlecht in Einklang zu bringen sind, aber in einfachster Weise mit jener verglichen werden können, die man der sogenannten geregelten Geometrie (geometría llamada reglada) zuschreiben kann; das heißt, im Raum gekrümmte Formen, die in ihrer Gesamtheit aus geraden Linien bestehen. Die Berge, die Knochen des Skelettes, die Sehnen zwischen den Fingern einer Hand sind den Formen der „geregelten" Geometrie viel näher als jener üblicherweise in der professionellen Architektur verwendeten.

Zur Entdeckung dieser Geometrie – Entdeckung aus der Sicht des Architekten, und nicht des Mathematikers, da die „geregelte" Geometrie bereits seit dem Ende des 18. Jahrhunderts bekannt war – kam Gaudí durch die Betrachtung der Destillierapparate, die sein Vater in seiner Kesselschmiede in Reus herstellte. Die elegant geschwungenen Formen des glänzenden Kupfers brachten ihn auf diese naturalistischen und vollkommen neuen Lösungen auf dem Gebiete des Bauwesens.

Für die Verwirklichung seines originellen architektonischen Experimentes bediente sich Gaudí immer der in Katalonien gebräuchlichen Bautechniken; er kümmerte sich nicht um neue Techniken, wie Stahlbeton und andere Materialien, sondern setzte in allen Fällen gewöhnlichen Schnellzement, Kalkmörtel, Ziegel und Stein ein.

Dazu kam sein Sinn für Farbe und Glanz, der auch in der Natur immer gegenwärtig ist, und der, ohne danach zu trachten, Kunstwerke nachzubilden, die schönsten Kompositionen hervorbringt. Die Verkleidungen mit Keramikplatten, die Verwendung von farbigem Glas und polychromen Glasscheiben halfen Gaudí, eine spontane und sehr elegante Ausschmückung zu schaffen.

Im Laufe seines Lebens hat Gaudí einen langen Weg andauernder Perfektionierung zurückgelegt, denn er beschritt einen neuen und unbekannten Pfad; man kann sagen, er vollzog den Weg der Architektur nach in der Absicht, nicht die Natur zu übertreffen, sondern sich ihr zu unterwerfen. Die geistige Auffassung der Architektur durch Gaudí geht vom Materialismus der Natur aus, die er als Werk Gottes, des großen Erschaffers der Welt, versteht. JBN

XV. 5

VICTOR BRAUNER (1903–1966)

5
Der Wolfs-Tisch 1939–47

Holz, Pelze; Höhe ca. 100 cm
Paris, Musée Nationale d'Art Moderne, Centre Pompidou
Inv. Nr. AM 1974-27

Der Gedanke, Möbel mit animalischen Formen zu erfinden, läßt sich mehrfach in der Ausstellung nachweisen: einmal handelt es sich um Entwürfe für Möbel mit Hirschgeweihen (Kat. X. 29), dann um geschnitzte Katzen als Armlehnen (Kat. XIII. 15) oder einen Tisch mit Vogelbeinen aus Metall (Kat. XIV. 47). Mehr noch als alle anderen Beispiele widerspricht Brauners Vorschlag der konventionellen Funktion eines Möbels: Sein „Tisch" ist versehen mit der vorderen und hinteren Partie eines ausgestopften Wolfes. Dabei sind aufgerissenes Maul und gekrümmter Schwanz einander über der Tischfläche zugewandt und stehen damit jeder „Verwendung" des Tisches buchstäblich im Weg.

Von der Zusammensetzung der Materialien her ist der „Wolfstisch" verwandt mit Objekten der Kunst- und Wunderkammern, in denen unter anderem auch Teile seltsamer oder seltener Tiere, gefaßt in wertvollen Materialien, Teile von Gebrauchsgegenständen werden konnten. Nicht nur die Ärmlichkeit und Alltäglichkeit des Materials, mit der der Wolfsbalg hier ergänzt wird, unterscheidet das Werk Brauners von den älteren Stücken: Hier wird nicht das Tier Teil eines Gegenstandes, sondern der Gegenstand Teil eines Tieres, dessen Aggressivität durch den Objektcharakter noch unterstrichen wird.

Literatur: Ausst.-Kat. Wunderkammer 1986, S. 66 MF

FRANS STAMKAART (1875–?)

6
Kopf

Kohle; 25 × 31 cm
Bezeichnet: S
Basel, Sammlung Carl Laszlo

Das Geschlecht ist schwer zu bestimmen. Vielleicht ein enthaupteter Schädel des jugendlichen Täufers, wie er, allerdings bärtig, die Johannesschüsseln des 15. und 16. Jahrhunderts schmückte. Vielleicht ein/e Ertrinkende/r oder ein Geschöpf, das, selbst geängstigt, Bedrohung aussendet, umsponnen vom Strudel der eigenen Haare, der sich in eine Lichtaura auflöst. WH

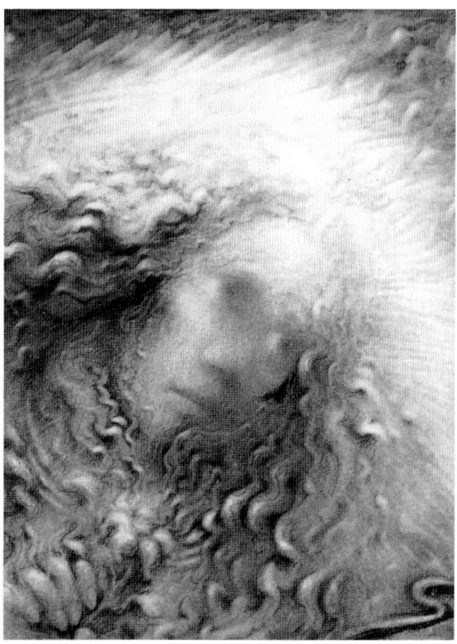

XV. 6

LÉONARD SARLUIS (1874–1949)

7
Orgie (Folterung)

Öl auf Papier; 32 × 23,6 cm
Basel, Sammlung Carl Laszlo

Die Androgynie entfaltet ihre Doppeldeutigkeit in der nackten Rückenfigur, da diese das Geschlecht nicht festlegt. Die Proportionen und die Schmiegsamkeit der Gliedmaßen erinnern an die kleinköpfigen Gestalten von Bellange (Kat. V. 23–28). Sarluis banalisiert das Thema der „nackten Nichtstuer'', das Ingres in seinem „Goldenen Zeitalter'' ausbreitete und dessen Ursprung die Jünglinge im Hintergrund von Michelangelos Tondo Doni (s. S. 302f) darstellen. WH

XV. 7

NIKOLAÏ KALMAKOFF (1873–?)

8
Medusa 1924

Gouache; 63 × 48 cm
Bezeichnet: 1924
Basel, Sammlung Carl Laszlo

Eine Trivialikone der Gorgo, anamorphotisch zum Geschlechtsoval gelängt und von Schlangen begierig umzüngelt – vielleicht eine Anspielung darauf, daß Medusa, vom Meeresgott mißbraucht, nunmehr sich selbst befriedigt. Die leeren, blinden Augenhöhlen wären demnach vaginal zu deuten. WH

XV. 8

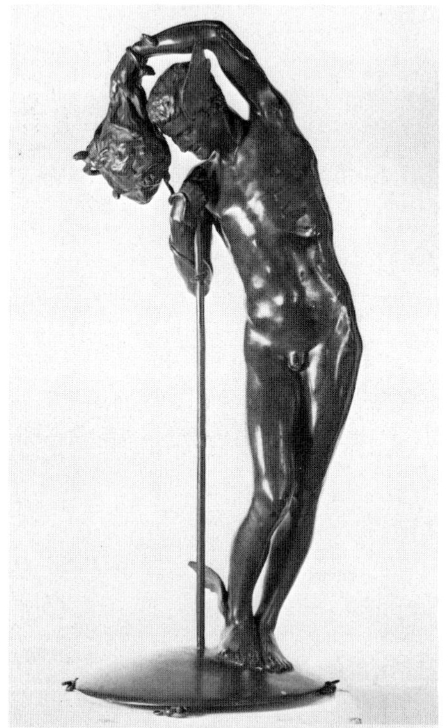

XV. 9

XV. 10

ANTONIO MARIANI

9
Perseus 1910

Bronze; Höhe 75 cm
Bezeichnet: 1910
Basel, Sammlung Carl Laszlo

Perseus als Merkur? Die Vermutung liegt nahe, denn die Gestalt trägt die Merkmale des Götterboten, sie stützt sich auf den Zauberstab, mit dem dieser die Seelen aus der Unterwelt holt oder dorthin verbannt. Doch die Gestalt steht auf einem Rundschild, und mit überlegenem Lächeln zwingt sie die Gorgo, darin ihre Züge zu erkennen. Die männliche Schönheit triumphiert über ihr verstümmeltes weibliches Gegenbild. WH

JOHN DUNCAN (1866–1945)

10
Oedipus 1934

Öl auf Leinwand; 51 × 61 cm
Basel, Sammlung Carl Laszlo

Oedipus tritt der schrecklichen Schönheit der Sphinx entgegen. Er wird ihre Rätsel lösen und die Stadt von dem Ungetüm befreien. Seine Belohnung ist zugleich sein Verhängnis: Er heiratet Iokaste, die verwitwete Königin, ohne zu wissen, daß sie seine Mutter ist. Die Parabel spielt gegen die Überlegenheit des männlichen Scharfsinns dessen Unterlegenheit aus, macht aus dem Sieger über die Frau das Opfer einer anderen. WH

XV. 11

GEORGES ROCHEGROSSE (1859–1938)

11
Oedipus

Öl auf Leinwand; 35 × 26,5 cm
Basel, Sammlung Carl Laszlo

Oedipus, der sich, seinen Frevel erkennend, die Augen ausgestochen hat, wandert mit seiner Tochter Antigone nach Attika. Auf diesem Weg ins Dunkel verwachsen die beiden Gestalten – ähnlich Diana und Orion (Kat. V. 27) – zu einem Umriß der Beschwernis und des Kummers. Die enge Landschaft bietet keinen Ausweg an. WH

MIGUEL VILADRICH VILÁ (1887–?)

12
Perseus mit dem Medusenschild

Öl auf Holz; 120 × 51 cm
Basel, Sammlung Carl Laszlo

Das Bild ist die Huldigung an einen Freund, einen geschlechtslosen Epheben. Wie Perseus trägt auch Medusa porträthafte Züge. Als Ikone einer Männerfreundschaft gesehen, scheint das Bild die These Freuds zu bestätigen, wonach der Mann in der Medusa die Vulva seiner Mutter fürchtet (vgl. S. 13ff, „Einträchtige Zwietracht"). Viladrichs Perseus stellt seine Schönheit konkurrierend mit jener der Medusa zur Schau. WH

XV. 12

XV. 13

GLAUCO CAMBON (1875–1930)

13
Medusenschild 1919

Öl auf Leinwand; 70,5 × 61 cm
Basel, Sammlung Carl Laszlo

Ein Spätprodukt der auf bannende Frontalität zielenden Ästhetik der Jahrhundertwende. Das Entstehungsjahr läßt vermuten, daß der Maler den besiegten „Erbfeind" im Auge hatte. Eine französische Kriegspostkarte (Sammlung D. Spoerri) zeigt eine deutsche Pickelhaube über ein Schlangennest gestülpt. Cambons feierliches Pathos – der Art-deco-Kopf könnte eine Banknote oder eine Medaille schmücken – betont einerseits den Triumph des Siegers, andererseits verbindet sich das Schwert mit dem Schlangenhaupt zu einer zwieträchtigen Einheit, die unauflösbar scheint. WH

XV. 14

FRANZ VON STUCK (1863–1928)

14
Tilla Durieux als Circe 1913

Pastell; 58 × 72 cm
Bezeichnet: FRANZ VON STUCK – TILLA DURIEUX ALS CIRCE
München, Privatsammlung

Die 1880 in Wien als Ottilie Godeffroy geborene Schauspielerin zählte zu den Stars von Reinhardts Deutschem Theater in Berlin. Nach dem Pastell malte Stuck ein Ölgemälde (Berlin, Nationalgalerie). Das Bildthema bezieht sich offensichtlich auf keine Bühnenrolle. Circe (Kirke) ist die auf der Insel Aia lebende Zauberin, welche die Gefährten des Odysseus in Mischgeschöpfe verwandelt. Diese mit Schweinsköpfen ausgestatteten Menschen veranschaulichen die Devise des Aktaeon-Stiches „Dominum cognoscite vestrum" (Kat. V. 10). Stuck sieht Circe weder als Hexe noch als Tiefenpsychologin, sondern als elegante Dame, die den Besuchern ihres Salons einen Willkommtrunk anbietet.

Literatur: Voss 1973, S. 193 – Ausst.-Kat. Zeitspiegel 1986, S. 60 WH

FRANCIS PICABIA (1878–1953)

15 Farbabbildung S. 388
Vier Spanierinnen 1924

Öl auf Leinwand; 101 × 86 cm
Berlin, Galerie Brusberg

Die Mythologie der schönen Spanierin spielt in Picabias Werk eine große Rolle. Er sieht darin nicht nur einen kühl-reservierten Frauentyp verkörpert, sondern den Prototyp der gelassenen Eleganz, den Verzicht auf jene Subjektivität, die es nach Selbstausdruck verlangt. So sind diese vier Frauen jede für sich durchaus leer und klischeehaft gesehen, als wollte der Maler bekräftigen, was er sich schon 1907 als Arbeitshypothese vornahm: „Ich möchte, daß jedes Ding für sich nichts sei, daß aber die Vereinigung aller Dinge einen großen Eindruck hervorrufe.“ In dieser Einstellung zeigt sich der Manierist Picabia: Er setzt den Ausdruck herab, er entlastet die Pinselschrift und läßt die Gestalten isolierte Gesten vollführen und gewinnt letztlich aus der Schwächung der Teile die Verdichtung des Ganzen. WH

FRANCIS PICABIA (1878–1953)

16 Farbabbildung S. 388
Die drei Grazien 1924–27

Öl auf Karton; 105 × 75 cm
Hamburg, Galerie Neuendorf

Picabia, der sich selber als Erfinder von Dada bezeichnete, nahm sich das Recht heraus, seinem eigenen Produkt den Todesstoß zu versetzen. „Dada ist tot, Picabia bleibt“, verkündete er 1927 in einem pamphletartigen Manifest, das die ideologischen Sackgassen seiner Weggefährten – Sozialismus und Kommunismus – verspottet. Wenn heute, im postmodernen Diskurs der „nouveaux philosophes“, eine neue Würdigung Picabias sich anbahnt, dann hängt das wohl damit zusammen, daß die Umkehr, die er schon in den zwanziger Jahren vollzog, etwas von der Doppelbödigkeit einer „nouvelle peinture“ hat, deren desinvolt gehandhabte Wahlfreiheit sich als der Ursprung der Postmoderne in der Malerei zu erkennen gibt. Jahrzehnte später nahm Gerhard Richter wieder die Spielregeln der Als-ob-Malerei auf.

Zur Malerei zurückgekehrt, suchte Picabia häufig die Museen auf. „Die drei Grazien“ gehen auf einen Rubens im Prado zurück, dort nahm Picabia auch Tizians „Venus und Adonis“ zum Anlaß einer Paraphrase. Die Ergebnisse der Auseinandersetzung mit alten Meistern kann man als Stilübungen bezeichnen. Ironisch distanziert, entwirft der Maler Modelle der Geläufigkeit, verschiedene Handschriften erprobend, deren keine das Merkmal unverwechselbarer Subjektivität zugesprochen bekommt.

Literatur: Camfield 1979, Taf. XV WH

XV. 17

FRANCIS PICABIA (1878–1953)

17
Madame Picabia um 1929

Mischtechnik auf Karton; 106,5 × 76 cm
Bezeichnet: Francis Picabia
Hamburg, Galerie Neuendorf

Ein Beispiel für die um 1929 entstandenen Transparentbilder, in denen Picabia verschiedene Sprachhöhen ineinander blendet. Der Puppenkopf mit dem lieblichen Augenaufschlag ist ein gesüßtes Botticelli-Zitat (La Primavera). Die weißen Scheiben stammen aus Picabias Vokabular der frühen zwanziger Jahre („Volucelle I“, Camfield 1979, Abb. 223), auch die Spirale ist ein Selbstzitat (Camfield, Abb. 151). Die Linien schließen sich zum Umriß eines springenden Tiers zusammen. Der parodistische Akzent gibt den Ausschlag: Die „holde“ Schönheit, von Anbetungsgesten auratisch gerahmt, kommt ebenso aus zweiter Hand wie der jugendstilartige Dekor (vgl. Klimt, Kat. XIII. 27, 28), der wie ein billiges Stoffmuster darüber hinwegläuft. Worum es Picabia mit seiner Kunst der Entgleisungen geht, sagt er in einem seiner Aphorismen: „Geschmack ist so langweilig wie gute Gesellschaft.“ WH

FRANCIS PICABIA (1878–1953)

18
Der Arzt 1935

Öl auf Leinwand; 92 × 73 cm
Hamburg, Galerie Neuendorf

Picabia wollte sich auf keine Handschrift, kein Rezept festlegen. Die Fähigkeit, sich zu verändern, war für ihn eine intellektuelle und eine hygienische Notwendigkeit: „Wer saubere Ideen haben will, muß sie so oft wie die Hemden wechseln.“ Mit dem Bildnis eines Arztes schlägt er wieder eine neue Seite auf. Genauer: Er revidiert sich selbst. Das Bild ist, wie Camfield in Erfahrung brachte, die Übermalung eines männlichen Bildnisses mit Totenschädel, das Picabia seiner Tochter geschenkt hatte. Da es ihr nicht gefiel, machte er kurzerhand ein anderes Bild daraus. Der mahnende Zeigegestus ist unterdrückt, der Arzt trägt eine Maske (ein stilisiertes Stundenglas?), über die eine Narrenkappe gestülpt ist, die aber auch an zwei gespreizte Beine denken läßt. Ein Geburtshelfer? Die brillenähnlichen chirurgischen Greifwerkzeuge lassen das vermuten.

Literatur: Camfield 1979, S. 249 WH

XV. 18

XV. 19

KURT SELIGMANN (1900–1962)

19
Die großen Gewässer 1946

Öl auf Leinwand; 81 × 109 cm
Bezeichnet: Seligmann 1944
Basel, Sammlung Carl Laszlo

Auf diesem Lust-Floß versammeln sich die Elemente mit Naturgeschöpfen, Seepferdchen, Schlangen und Mischwesen, zu einem der Feste und Maskenspiele, wie sie an den Fürstenhöfen des 16. und 17. Jahrhunderts mit großem Aufwand inszeniert wurden. Dennoch haftet diesem bunten Mummenschanz auch etwas von einem verlorenen Haufen an, der steuerlos über das Meer treibt. Seligmann lehrte Kunstgeschichte am Brooklyn College. Manche seiner Bilder muten wie das Material eines malenden Kunsthistorikers an, der seinen Studenten zeigen will, daß es einen Manierismus des 20. Jahrhunderts gibt. WH

XV. 20

RENÉ MAGRITTE (1898–1967)

20
Madame Récamier von David 1967

Bronze; Höhe 120 cm
Paris, Musée National d'Art Moderne, Centre Pompidou
Inv. Nr. AM 1976–9955

1967 ließ Magritte einige seiner Bilder als Bronzeobjekte gießen. Dabei ging die Magie der unbetretbaren, dem Tastsinn entzogenen Fläche verloren, dafür gewann die Bildidee in der Dreidimensionalität, unterstützt von der Materialwirkung des Metalls, eine kalte, leblose Dinglichkeit. Das gilt besonders für den Sarg der Madame Récamier, den Magritte bereits 1951 gemalt hatte.

Ein berühmtes Gemälde wird eingesargt, die Poesie des unzugänglichen Behälters, der feierlichen Verpackung, bekommt einen hermetischen Akzent. Es ist, als wollte Magritte dem „cadavre exquis'' ein Denkmal setzen. Überdies spielt er in der Aufbahrung den Freudschen Ambivalenzkonflikt zwischen Eros und Todestrieb aus. Wer die Bronze Magrittes gesehen hat, kann fortan das schöne Modell Davids nicht betrachten, ohne an dessen Tod zu denken.

Literatur: Gablik 1971, Abb. 150 WH

XV. 21

KONRAD KLAPHECK (geb. 1935)

21
Medusa, meine Freundin 1958

Öl auf Leinwand; 55 × 55 cm
Düsseldorf, Sammlung des Künstlers
(Werknummer 27)

Das Bilds hieß ursprünglich „Meine medusenhafte Geliebte". Klapheck bezieht es heute weniger auf private Erfahrungen als auf den Künstlerauftrag, dem Schrecken ins Gesicht zu blicken und ihn in Schönheit zu verwandeln. Er zitiert das berühmte Wort aus Rilkes Erster Elegie: „... denn das Schöne ist nichts als des Schrecklichen Anfang, den wir noch grade ertragen ..." Klaphecks Erinnerung bezog sich auf die Medusa Rondanini (Kat. I. 13), doch als Modell eines mechanisierten Tötungsvorgangs diente ihm eine Adler-Schreibmaschine, die sich im Laufe des Malprozesses in eine Maske verwandelte: „Die Öffnungen des Oberteils wurden zu Augen, die reduzierten Tasten zu Zähnen ..."

Literatur: Ausst.-Kat. Klapheck 1985, Nr. 7 WH

XV. 22

XV. 23

DANIEL SPOERRI (geb. 1930)

22
Verballhornen 1964

Kuhhorn auf die metallene Kugel eines Fischernetzes aufmontiert, auf einem Holzsockel unter Glassturz;
52,5 × 33,5 × 33,5 cm
Wien, Museum moderner Kunst (Leihgabe Sammlung Hahn)
Inv. Nr. 186/P

23
La réalité collée avec la fiction 1965–68

Spiegel, Schuhe und Flauschteppich; Höhe 116 cm, Durchmesser 100 cm
Bezeichnet: Daniel Spoerri D'dorf 1968
Wien, Museum moderner Kunst (Leihgabe Sammlung Hahn)
Inv. Nr. 185/P

24
Krieger der Nacht
13 Bronzegußobjekte auf Marmorsockeln; Sockel 35 × 30 cm, Höhe 70–100 cm
München, Sammlung des Künstlers

Spoerri hat mit seinen „Fallenbildern" den lotrechten Blick auf die Welt der Dinge und ihrer Abfälle gerichtet, sie festhaltend wie ein Detektiv, der einen Tatort besichtigt. Der „objektive Zufall" ist dabei sein Partner. Der um 90° gestürzte Augenschein mußte sich noch andere Umdeutungen gefallen lassen, so die Verdoppelung im Spiegelbild oder im Als-ob-Spiegelbild. Dann kam zur schieren Faktizität der doppelte Boden, den wir immer dann betreten, wenn wir ein Bild beim Wort oder ein Wort bei seinen Bild- sprich: Objektbestandteilen nehmen. Das gilt auch für Redewendungen und Wortwitze, also für jede sprachliche Formulierung, in der eine visuelle Metapher steckt. „Verballhornen" ist überdies eine witzige Verballhornung von Giacomettis „Hängender Kugel" (Sammlung Breton, Paris). Spoerris Phantasie hat ihren einen Pol im Profanen, den andern im Sakralen, dessen Erscheinungsformen sie bis in die Verdinglichung von Fetisch und Idol verfolgt. Dies ist die Ebene, auf der beide Pole übereinkommen und sich wechselseitig steigern. So kam die Strategie der Verfremdung zwanglos zu den hoheitsvollen „Kriegern der Nacht", den Memento-mori-Objekten (Frau Dürer, Samurai, Napoleon und Raccourci) und zu den fünf Greifern, die im Sommer des letzten Jahres entstanden sind. Die aggressive Schärfe dieser Gebilde widerspricht den androiden Robotern, aber auch der Phantasie, die sich mit Weltraumbewohnern abgibt. Spoerris knapper Humor denunziert nichts, und er scherzt auch nicht. Er zeigt den Apparat in seiner schönen, tödlichen Treffsicherheit. WH

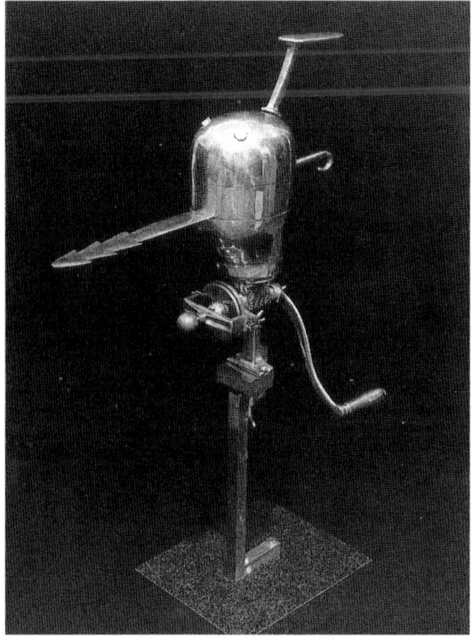
XV. 24

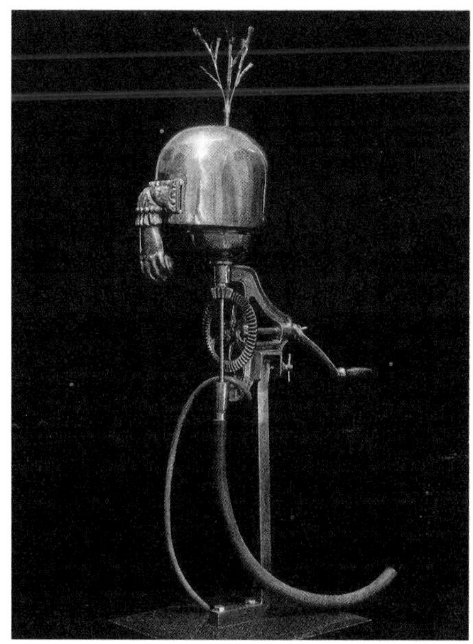
XV. 24

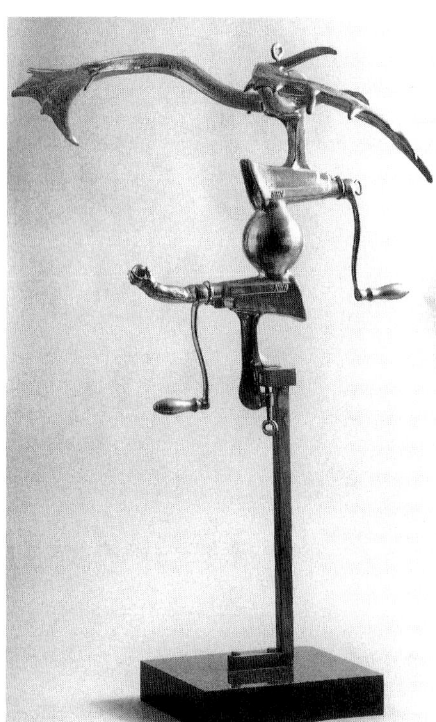
XV. 24

PAUL DELVAUX (geb. 1897)

25 Farbabbildung S. 393
Heiterkeit (Sérénité) 1970

Öl auf Holz; 122 × 152 cm
Brugge, Groeningemuseum

Die frühchristlichen Vorbildern nachgeformte Basilika erstreckt sich in die als „Gegenwart" erkennbare menschenleere Profanzone des Hintergrundes. Wie der Kirche die sakrale Funktion offensichtlich abgeht, fehlt der demütig empfängnisbereiten Frau der erweckende Partner, der Engel der Verkündigung. Die Basilika bildet den Würderahmen dieser Monologhandlung. Ihr antwortet links der stumme pantomimische Dialog zweier halbnackter Frauen, der an die Begegnung von Maria und Elisabeth denken läßt. Zwei Szenen aus dem Leben Mariae, der biblischen Sphäre entzogen, aber dennoch nicht profaniert, sondern mit der sanften Grazie nazarenischer Erotik ausgestattet. WH

SALVADOR DALÍ (geb. 1904)

26
Galas Christus (Le Christ de Gala) 1978

2 Tafeln, Öl auf Leinwand;
je 100 × 100 cm
Privatsammlung

1951 leitete Dalí mit dem „Christ vom heiligen Johannes vom Kreuz" (Glasgow) – als „kosmischer Traum" (Dalí) über der Bucht von Port Lligat schwebend – eine Reihe von religiösen Darstellungen ein. Später brachte

XV. 26

er darin stereoskopische Effekte ein. Zur Betrachtung der beiden fast identischen Tafeln des „Christ von Gala" ist denn auch eine Konstruktion mit einem optischen Gerät nötig, um das schwebende Kreuz im Räumlichen zu erfahren. Der Christ von Gala ist Dalí selbst. Der alternde Maler erinnert sich an sein Leben und Werk in der Symbiose mit Gala. Gala ist überall: Ihr Name in seiner Signatur, als Vision herrscht sie in Bild und Schrift („Gala / du bist nicht eingeschlossen / in den Kreis / meiner Bezugsobjekte / deine Liebe ist jenseits / der vergleichenden armseligen Begriffe / menschlicher Gefühle / denn ich empfinde dir gegenüber nichts / denn Gefühle setzen voraus daß die Liebe fehlt / oder schwach ist / jenseits aller Gefühle aber / verbindet mich die reine einzigartige Vorstellung . . .", aus Dalí: Liebe und Gedächtnis). Sie war die den Künstler heilende und ihn beflügelnde „Gala-Gradiva", eine Rolle, die Dalí mit Freuds „Der Wahn und die Träume in W. Jensens ‚Gradiva'" einstudiert hatte, sie war sein „alter ego". Wenn Walter Benjamin zur Liebe des zweiten prominenten Paares der Surrealisten – Breton und Nadja – meinte: „Die Dame ist in der esoterischen Liebe das Unwesentlichste", gilt dies auch im Falle von Gala, wenngleich die Liebe hier keineswegs in esoterischer Form gehandelt wurde.

Literatur: Ausst.-Kat. Dalí 1979, Nr. 331 SN

NIKI DE SAINT-PHALLE (geb. 1930)

27
Spiegel 1980
Polyester; 100 × 150 cm

28 Farbabbildung S. 397
Stuhl 1980
120 × 80 × 80 cm

29
La Mort 1985
Polyester; 30 × 50 cm

Alle: Paris, Galerie Colette Creuzevault

Nikis Gestalten sind quallige Greifarme, die, wie die Paradiesesschlange, ihren Besitzanspruch auf alles ausdehnen, weil sie alles sein können. Aber diese Gehilfinnen des Teufels haben das unruhige Gewissen der gefallenen Engel, weshalb sie uns nicht aus dem Griff entlassen, der zur Selbstprüfung zwingt. Die Schlange gebietet uns, auf ihr Platz zu nehmen, sie zwingt uns, in den von ihr gefaßten Spiegel zu blicken, der jedem sein Antlitz, vom Schlangenornament gefaßt, zurückwirft, jeden zur Medusa macht. Diesem Erschrecken inmitten bunter Ausgelassenheit gibt die apokalyptische Todesreiterin den Schlußakkord, der keines der munteren Spielzeuge verschont. Der Tod ist im Französischen weiblich, daran erinnerte schon Rilke – „Madame Lamort" – in der 5. der Duineser Elegien. WH

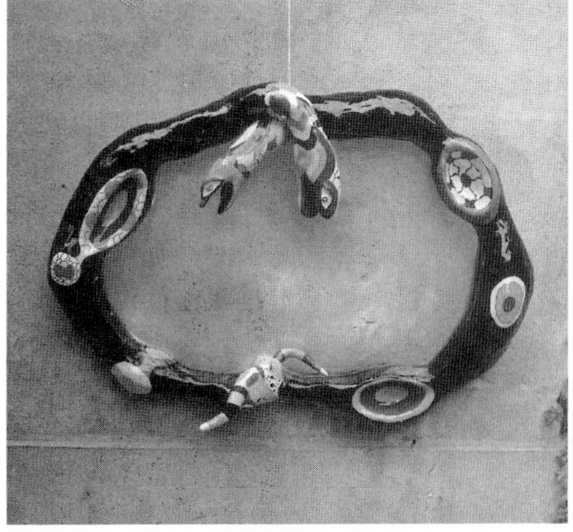

XV. 27

XV. 29

SIGMAR POLKE (geb. 1941)

30 Farbabbildung S. 379
Zweite Niederländische Reise 1985

Dispersion, Lack, Mischtechnik auf Dekostoff; 230 × 452 cm
Hamburger Kunsthalle
Inv. Nr. 5381

In diesem Bild wird eine Summe gezogen. Nicht nur im Titel, der auf Dürer als Wegbereiter anspielt, steckt die Rückbesinnung auf die alten Meister. Polke führt das Spektrum seiner malerischen Möglichkeiten mit großer Gelassenheit vor, indem er mehrere Realitätsschichten ineinanderblendet. Darin zeigt sich, daß Harald Szeemann den Maler in seiner Ambivalenz richtig charakterisiert hat: „Museums- und Galeriemaler und gleichzeitig Verächter der Museen und Galerien . . ."

Die Gliederung des Bildes folgt dem Rhythmus eines Triptychons. Das Mittelstück wirkt wie das Zitat eines niederländischen Genrebildes. Das Rasterschema gibt dieser Szene die Distanz und das Authentische einer Reproduktion. Diese rahmend, entfaltet sich in den beiden „Seitenflügeln" die Malkunst in ihrer ganzen Opulenz. Dazu tragen die reichgeschmückten Zierpilaster bei, kulinarische Embleme des Wohlstandes, deren Vorbilder in einem der vielen manieristischen Musterbücher stecken müssen (vgl. Kat. VII. 41–56). Zwei Lampenschirme nehmen die Farbschlieren auf und setzen sie in farbiges Licht um. Die Sprachhöhen liegen zwischen gestanztem Raster und nebelhaften, durchsichtigen Schleiern. „Summe" bedeutet somit zweierlei: Der Künstler breitet den Besitzstand seines malerischen Könnens aus, und er bringt darin das Behagen der bürgerlichen Welt an sich selbst unter. WH

ANDY WARHOL (1928–1987)

31 Farbabbildung S. 378
Hektor und Andromache 1982

Acryl auf Leinwand; 127 × 116 cm
New York, Privatsammlung

Warhol hat ein halbes Dutzend der berühmtesten Bilder de Chiricos abgewandelt. Jede Phase enthält das Original viermal, also zum Quadrat erhoben. Erhalten geblieben sind jedoch nur die Figuren, die räumliche Disposition ist völlig verändert. Durch willkürlich eingetragene Farbbänder entstehen Flächenzonen einer abstrakten Tektonik, die der ursprünglichen Bildaussage – Einsamkeit, Unbehagen, Ungewißheit des Raumes – entgegenlaufen. Der Maler bedient sich dabei der Technik des Graphikers, dem es der Druckprozeß nahe legt, in vereinfachten Farbzonen zu denken (vgl. Kat. IX. 2).

Warhol stabilisiert de Chirico – ein produktives Mißverständnis, das vielleicht den einzig möglichen Weg der Auseinandersetzung mit diesem Maler andeutet. Der amerikanische Pasticheur beruft sich darauf, daß de Chirico sich selber wiederholte. In der Tat gibt es von den „Musen" achtzehn Repliken, die sich vom Original (in den Bayerischen Staatsgemäldesammlungen in München) nur geringfügig unterscheiden. Warhol schlägt den manieristischen Weg der „Kunst aus Kunst" mit dem Vorsatz ein, dem Original zu der Bandbreite zu verhelfen, die potentiell in ihm steckt. Variationen unter Beibehaltung der Aura des Originals, so könnte man sein Aus- und Ummünzen nennen, denn es ist offensichtlich, daß Warhol auf den hohen Bekanntheitsgrad der Bilder setzt, deren er sich bemächtigt.

Literatur: Ausst.-Kat. Warhol 1985 WH

GIORGIO DE CHIRICO (1888–1978)

32
Die beiden Dioskuren 1974

Öl auf Leinwand; 91 × 72 cm
Bezeichnet: G. de Chirico 1974
Paris, Collection Artcurial

De Chirico hat immer wieder seine eigenen Bilder wiederholt – abgewandelt zwar, aber oft ohne erkennbaren Anspruch auf neue Formulierungen. Er scheint im Kreis zu gehen, dem Bann seiner selbst zu erliegen. Auf seine Art hat er damit auch die Vervielfachung (sprich: Wiederholung) eines Bildgedankens legitimiert, für die später Warhol die quantifizierende Formel fand: „Dreißig sind besser als eines."

Bei den Dioskuren liegt der Fall anders. Als „Duo" tauchten sie erstmals 1915 auf (New York, Museum of Modern Art). In unserem Bild greift der Maler auf eine 1917 entstandene Zeichnung zurück, die mithin länger als ein halbes Jahrhundert auf ihre Umsetzung warten mußte. Ebenfalls 1917 entstand die erste Fassung von Hektor und Andromache (vgl. Warhol, Kat. XV. 31).

Die Puppenanatomie des Mannequins, welche Steifheit mit rätselhafter Verfügbarkeit verbindet, ist in unserem Bild auf eine Plattform versetzt, die gegenüber dem „Duo" und der Zeichnung einen Verlust an Vieldeutigkeit bedeutet: Die beiden Gestalten sind jetzt nicht mehr Zwitter, sondern gemalte Skulpturen.

Literatur: Ausst.-Kat. de Chirico 1983, S. 21 WH

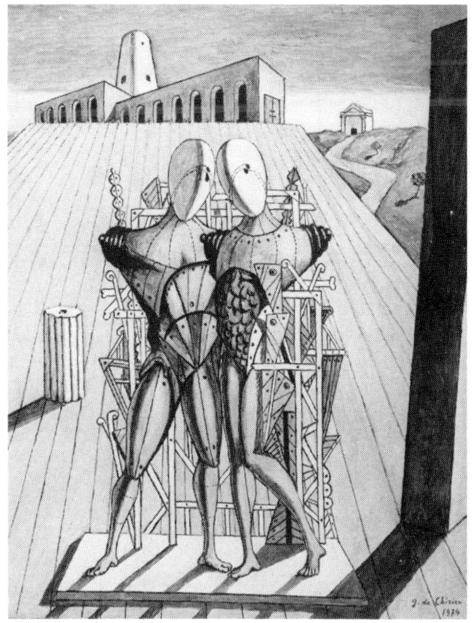

XV. 32

CURT STENVERT (geb. 1920)

33
Memento Mori 1962
Gemischte Technik (Holz, Spiegel, Papier, Glas, Metall); 60 × 60 cm

34
Bronmann Ott 1963
Gemischte Technik (Gußeisen, Horn, Glas, Holz); 40 × 39 × 18 cm

35
Il n'y a qu'un qui est èternel!
(Nur einer ist ewig) 1963
Gemischte Technik (Glas, Holz, Metall); 67 × 50 × 50 cm

Alle: Köln, Sammlung des Künstlers

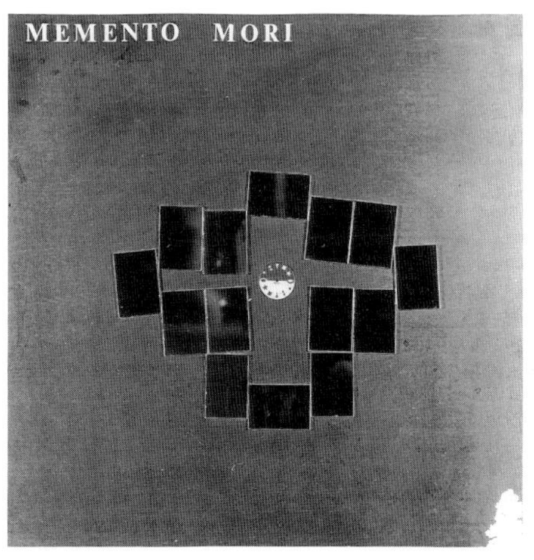

XV. 33

Stenvert selbst hat viel über die Absichten, die er mit seinen Objekten verfolgt, geschrieben: „Während die Objekte anderer Objektkünstler primär Gegenstands-Akkumulationen sind, sind meine wichtigen Objekte primär Bedeutungs-Akkumulationen – und erst sekundär Gegenstandsakkumulationen. Man könnte daher auch eines meiner Objekte mit einer Batterie vergleichen, in der eine bestimmte Aussage gespeichert worden ist, die über das Anschlußkabel ‚Lesen des Titels und gleichzeitiges Betrachten der Gegenstands-Kombination' an den Betrachter weitergegeben wird. Denn genaugenommen sind alle meine wesentlichen Objekte ‚Materialisierungen' oder auch ‚Manifestierungen' meiner Weltanschauung. Und diese Objekte haben ‚Existenzerhellung über das Auge' als erklärtes Ziel: ‚Bewegung' des Betrachters, Veränderung seines Bewußtseins, Verhaltenssteuerung." Stenverts „Funktionelle Kunst", wie er sein Schaffen selbst propagiert hat, will eindeutig sein. Der Deutungsspielraum für den Betrachter, in dem Duchamp eine wesentliche und wichtige kreative Leistung erkannt hat und den die Surrealisten betont offen gehalten haben, wird von Stenvert negiert. Manche seiner Arbeiten hat er über den Titel hinaus verbal festgeschrieben, so auch die Arbeit „Nur einer ist ewig": „Über dem Menschen und über den Gegenständen, die er sich geschaffen hat und die mit ihm der Zeit (Uhr!) unterworfen sind, ‚thront' als Symbol des ewig Bewegten und alles Bewegenden (Gott) ein Metronom als ‚Zeit-Einteiler'."

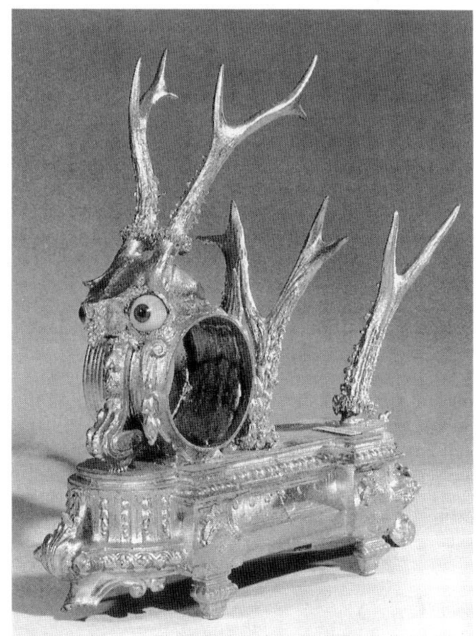

XV. 34

Literatur: Ausst.-Kat. Stenvert 1975 WD

STEPHAN VON HUENE (geb. 1932)

36
Steptänzer 1967

Automat mit Elektromotor; Höhe 110 cm
Idaho, Sammlung Ed und Nancy Kienholz

Siebenmeilenstiefel, die flink und geräuschvoll auf der Stelle treten. Der Scherz, der in diesem Automaten steckt, kommt aus der unerwarteten Beweglichkeit amputierter Gliedmaßen. Dahinter steckt die Fragmentästhetik, die den Teil dem Ganzen vorzieht. Magritte schlug mit seinem ebenfalls 1967 entstandenen „Brunnen der Wahrheit" die Gegenrichtung ein. Er entwarf ein steifes, oberhalb des Knies abgeschnittenes Hosenbein für den Bronzeguß. WH

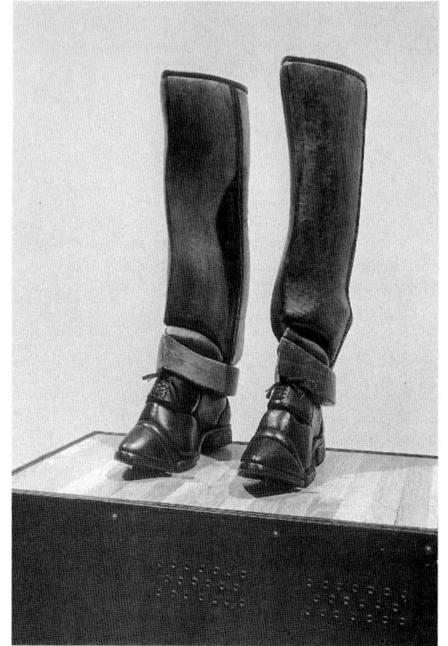

XV. 36

ALFONSO OSSORIO (geb. 1916)

37
Objektkasten 1965–67

Verschiedene Materialien;
Durchmesser 65 cm
Basel, Sammlung Carl Laszlo

Auf den ersten Blick eher an naive Glasperlenarbeiten oder an dicht mit Zuckerstreusel verzierte Lebkuchen erinnernd, erweist sich der Objektkasten Ossorios bei genauer Betrachtung als Arrangement von Gegenständen, die sowohl einzelne als auch in ihrer Verbindung unterschiedliche Assoziationsketten auszulösen vermögen: Muscheln, Tierhörner und Schneckengehäuse verweisen auf Objekte aus Kunst- und Wunderkammern, in denen diese in kostbarer Fassung aufbewahrt wurden (vgl. Kat. VIII. 37); gleichzeitig können die Hörner als Teil einer Verbildlichung des Wortes „Verballhornen" aufgefaßt werden, ein Motiv, das auch Daniel Spoerri als Anregung diente (Kat. XV. 22). Die Bälle und Kugeln wiederum geben durch ihre konzentrische Färbung dazu Anlaß, als „Augen" sowohl an die Symbolik Batailles zu erinnern (vgl. Kat. XVI. 40) als auch den bannenden Blick der Medusa zu evozieren. Dem Rund der Objektansammlung ist – gleich einem Wappenschild – eine „Krönung" aufgesetzt: ein schwarzer Adler (in Gestalt des amerikanischen Wappentieres) sitzt auf einem in rote Farbe (oder Blut?) getauchten Geweih. Vom eher Unverbindlichen wird der Gedankenfluß scheinbar unversehens in Richtung Grausamkeit und Aggressivität gelenkt. MF

XV. 37

XV. 38

HORST EGON KALINOWSKI (geb. 1924)

38
L'Idole Oubliée (Vergessenes Idol) 1958/59

Äste, Blech, Stoff, Hanf, Draht in verglastem Holzkasten; 120 × 93 × 15 cm

39
Ur 1959
Holz, Stroh, Papier, Eisen in verglastem Holzkasten; 105 × 102 × 14 cm

Beide: Karlsruhe, Sammlung des Künstlers

Zur Gestaltung seiner Bildschreine hat Horst Egon Kalinowski diverse Materialien verwendet, z. B. zerknitterte, rostige Blechstücke, Metallteile, Tuch, Leinen, ausgefranstes Korbgeflecht, Holz, Schwämme, Netze, Stroh. Diese abgenutzten und verwitterten Fundstücke unterschiedlicher Herkunft und meist gegensätzlicher Eigenart (hart-weich, glänzend-matt) wurden zueinander in Beziehung gesetzt und so zu einem neuen Ganzen vereint. Denn neben der Poesie dieser Abfallsmaterialien, die Vincent van Gogh schon 1882 erkannte („Heute morgen habe ich den Ort aufgesucht, wo die Straßenreinigung den Müll ablegt. Mein Gott war das schön.") und die Jean Dubuffet zu wesentlichen Werken angeregt hat („Die Erde, der Abfall und der Schmutz, des Menschen Gefährten sein ganzes Leben lang, sollten sie für ihn nicht Wert genug besitzen, und wird ihm nicht ein guter Dienst erwiesen, wenn man ihn an ihre Schönheit erinnert?"), war für Kalinowski auch die mögliche inhaltliche Umdeutung von Interesse. Die in einem Fundstück gegebene Form konnte durch gestalterische Interpretation verstärkt werden. So wird die vom Künstler im Holzstück erkannte Vagina durch die aus Stroh gebildeten Haare auch für den Betrachter deutlich. Das Stroh kann aber auch als verherrlichender Strahlenkranz gesehen werden, wie auch der Titel auf die Urmutter, auf den Ursprung aller Dinge verweist.

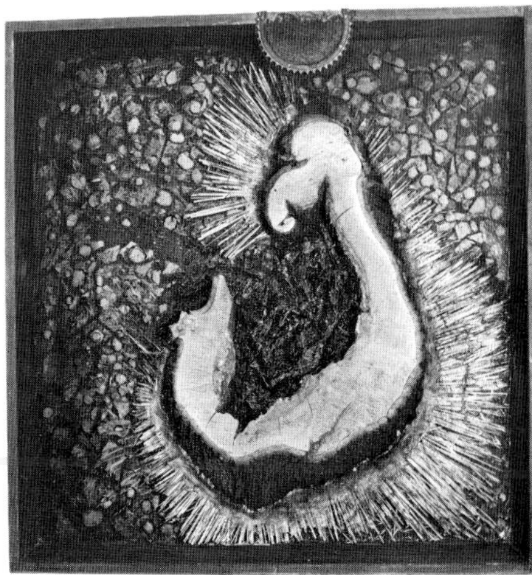

XV. 39

Literatur: Hofstätter/Ludwig 1982 WD

WOLF VOSTELL (geb. 1932)

40
Miss Vietnam 1967

Schaufensterpuppe, Collage, Verbrennung, Ölfarbe; 185 × 40 × 31 cm
Bezeichnet: Vostell 67
Wien, Museum moderner Kunst (Leihgabe Sammlung Hahn)
Inv. Nr. 198/P

Der Titel weist bereits die Interpretationsrichtung: Venus und Mars als Zwitter vereint. Das Auftreten diverser „Missen" zur Unterhaltung der in Vietnam kämpfenden amerikanischen Soldaten ist aus den Illustrierten bekannt. Die Kombination schöner Frauen mit starken Männern ist ein Gemeinplatz mit historischen Wurzeln (Kat. VII. 2). Wolf Vostell hat Zerstörung, Brutalität und Chaos zu den zentralen Themen seines Schaffens gewählt. Er selbst meinte dazu: „Der Betrachter kann und muß zwischen Form und Inhalt differenzieren. Vorgänge, die im Leben grauenhaft und furchtbar sind, haben oft faszinierende ästhetische Ausstrahlung, obwohl der Inhalt und die Folgen des Ereignisses abzulehnen sind." Die an der Vorderseite versengte Schaufensterpuppe behält ihr Lächeln, selbst wenn es zur Grimasse entstellt ist.

Literatur: Kat. Wien 1979, Nr. 353 WD

XV. 40

MARCEL BROODTHAERS (1924–1976)

41
Ma grand mère 1964

Ovaler Holzrahmen, darin in Gips eingebettet: Klobürste, Pumpe, Haare, Muschel, Plastikball und -becher, Kitschengel, Eierschalen; 73 × 47 cm
Paris, Sammlung Liliane und Michel Durand-Dessert

Zur ersten Ausstellung von Marcel Broodthaers 1964 ist ein Faltblatt erschienen, eine farbige Reklameseite aus einer Illustrierten, überdruckt mit folgendem Text: „Auch ich habe mich gefragt, ob ich nicht etwas verkaufen und im Leben Erfolg haben könnte. Seit einiger Zeit war ich für nichts gut. Ich bin vierzig Jahre alt . . . Schließlich kam mir die Idee in den Sinn, etwas Unaufrichtiges zu erfinden, und auf der Stelle machte ich mich an die Arbeit. Nach Ablauf von drei Monaten zeigte ich die Ergebnisse Philipp Edouard Toussaint, dem Besitzer der Galerie St. Laurent. Aber, das ist Kunst, und ich werde gern alles ausstellen. Einverstanden, antwortete ich. Falls ich etwas verkaufe, nimmt er 30%. Das scheinen die üblichen Konditionen zu sein, einige Galerien nehmen 75%. – Worum handelt es sich? Tatsächlich, um Objekte.“ Broodthaers frühe Arbeiten lassen sich unschwer in die damalige Form von Objektkunst, wie sie z. B. von den Nouveaux Réalistes geschaffen wurde (vgl. Kat. XV. 22), integrieren. Die diversen Gegenstände ergeben – fast wie bei den Kompositköpfen Arcimboldos – ein Gesicht. Auch der Einfluß des von Broodthaers hochgeschätzten René Magritte ist zu spüren, allerdings von einer Ironie verwandelt, die – typisch für die späteren Arbeiten des Künstlers – sich auch in dem zitierten Text manifestiert.

Literatur: Ausst.-Kat. Broodthaers 1980 WD

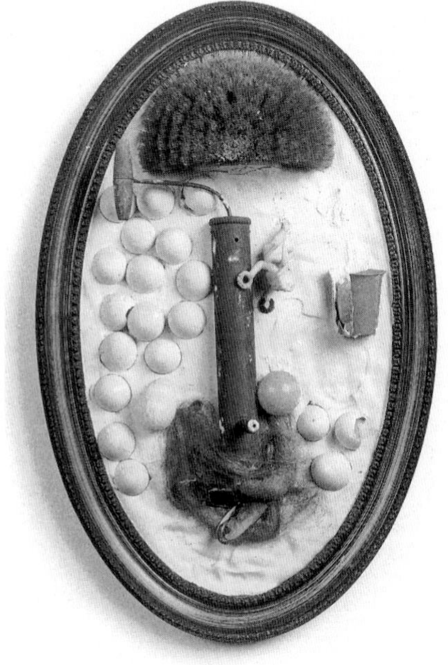

XV. 41

GUNTER HAESE (geb. 1924)

42
Turm 1981/82

Messing- und Phosphorbronze; 205,5 × 24,5 × 24,5 cm
Zürich, Galerie Lopes

Das Gebilde dementiert seinen Titel: Das ist kein Turm, sondern ein zehngliedriges, anscheinend schwereloses Behältnis, in dem das große Thema der biomorphen Formverwandlung im wahrsten Sinne des Wortes durchsichtig gemacht wird. Zehn Episoden aus einer „Histoire Naturelle“ (M. Ernst), die jedoch nicht, wie Goethes imaginäre „Urpflanze“, einer bestimmten genetischen Logik folgen, sondern gleichberechtigt sind. Wieder wird die Variation thematisiert. So viel zur Methode: Die schwebende, vom kostbaren Materialreiz unterstützte Wunderkammer-Atmosphäre dieses „Turms“ erschließt sich nur der direkten Anschauung. WH

XV. 42

WALTER PICHLER (geb. 1936)

43
Tragbarer Schrein 1970

Weidenruten, Zinnplatten, Grasummantelung; 108 × 231 × 62 cm
Wien, Museum moderner Kunst, Leihgabe des BMUKS

In Pichlers Schrein vereinigen sich Elemente der Ironie und Verfremdung zu einem „seltsamen Kult“, der sich tradierter kirchlicher Rituale in persiflierender Absicht bedient. Der Künstler macht der institutionalisierten Glaubensgemeinschaft ihren Alleinvertretungsanspruch alles Religiösen streitig, indem er ihre Zeremonialgegenstände in seine subjektiven und individuellen Gebrauchszusammenhänge stellt. Ein Schrein, in dem gewohnterweise Verehrungswürdiges aufbewahrt wird, verwandelt sich so zum Behältnis autobiographischer Relikte, denen die gleiche Ehrfurcht wie etwa sterblichen Überresten eines Märtyrers entgegengebracht werden soll. Pichler hat einen aus San Marco in Venedig entwendeten Spiegel in dem an einer Stelle aufklappbaren Schrein verborgen, einen Spiegel, der einerseits Zeugnis von einem persönlichen Erlebnis ablegt, andererseits aber auch dem neugierigen Betrachter sein Ebenbild zurückwirft: Wie dem kirchlichen darf auch dem Kult der eigenen Persönlichkeit nicht allzu insistierend nachgespürt werden. Das kubische Gehäuse, dessen grasummantelte sechs Beine an Fetische primitiver Kulturen gemahnen, wird in einer Zwei-Mann-Prozession einhergetragen und

XV. 43

XV. 44

erhebt durch diese „Veröffentlichung'' des verschlüsselt präsentierten Selbst Anspruch auf eine exemplarische Bedeutung des eigenen Innenlebens. Pichler besetzt in feiner Ironie tradierte Formen mit eigenen, auf ihn selbst zurückverweisenden Aussagen: Damit wird ein klassisches Motiv in manieristischer Weise von Subjektivismen usurpiert.

Literatur: Ausst.-Kat. Pichler 1977, S. 47 – Pichler 1983, S. 88 MB

ANNE (geb. 1942) und
PATRICK POIRIER (geb. 1942)

44
Unstabiles Gleichgewicht 1986
Gips; Höhe 300 cm
Paris, Sammlung der Künstler

45
Der Schild des Perseus 1984
Bronze und Marmor; Durchmesser 93 cm
Paris, Banque Paribas

46
Medusa und ihr Ebenbild 1983
Bronze, Wasser; 50 × 82 × 82 cm
Paris, Privatsammlung

47 Farbabbildung S. 399
Der Raum des bannenden Blicks 1985
Kunststoff, Gips, Blattgold, Wasser;
ca. 300 × 300 × 400 cm
Paris, Sammlung der Künstler

Das Werk von Anne und Patrick Poirier ruft versteinerte Erinnerungen wach. So gesehen umkreist es den Zentralgedanken der meduseischen Ästhetik: Die Versteinerung und deren neues Leben nach dem Tod – im ruinösen Verfall. Die Poiriers kennen Freuds Palimpsest-Metapher, sie sind mit der terribilità des Gigantensturzes im Palazzo del Tè ebenso vertraut wie mit Bomarzo, mit Giambologna (Pratolino), mit Piranesi und Hubert Robert. Ihre archäologischen Stadtlandschaften wetteifern mit der Villa Hadriana in Tivoli was die Verwirrung angeht: Sie sind Spielzeuge für Riesen oder Wohnorte für Zwerge.

Der Blick der Gorgo beschäftigt die Poiriers seit vielen Jahren. In Ferrara, der Stadt de Chiricos, stellten sie 1979 im Palazzo dei Diamanti acht Abgüsse von Gorgonenköpfen

XV. 45

XV. 46

aus, die sie antiken Sarkophagen abgenommen hatten. Im „Raum des bannenden Blicks" ist Medusa zum Gestirn geworden. Sie schwebt, vielleicht von Burne-Jones (Kat. XII. 2) angeregt, riesig über einem dunklen Wasserbecken, das ihre Bedrohung aufnimmt und im Spiegelbild in ästhetische Distanz umschlagen läßt. Das Wasser als lebensspendendes Element verhilft dem Pegasus zur Gestalt. Medusa, in den Himmel entrückt, hat sich gleichsam für die Geschöpfe geopfert, die Perseus aus ihrem Blut hervorruft. Diese Lebenskraft ballt sich auf dem Schild Perseus' (Kat. XV. 45) zu wuchernder Fülle, in welcher der Blickbann untergeht.

In der zerschichteten Säule ist die „gestörte Form" in ein Gleichgewicht gebracht, dessen Leichtigkeit den brutalen Eingriff fast vergessen macht. Die Zerstörung ist von keinem Memento belastet (vgl. Kat. IX. 17). Als Herausforderung mögen dahinter die makellosen, keine Funktion erfüllenden Säulen im Hintergrund von Parmigianinos „Madonna mit dem langen Hals" stehen.

Literatur: Ausst.-Kat. Poirier 1986, Taf. XLV – Ausst.-Kat. Poirier 1985 WH

CLAUDIO PARMIGGIANI (geb. 1943)

48 Farbabbildung S. 399
Alchemie 1982

Gipsabguß bemalt, Zweig; Höhe 90 cm
Paris, Galerie Liliane et Michel Durand-Dessert

Parmiggianis Skulptur „Alchemie" erinnert – vor allem im Zusammenhang dieser Ausstellung – unwillkürlich an figürliche Fassungen von Korallen, die sich in Kunst- und Wunderkammern finden (vgl. Abb. XV. 48 a). Wie dort Korallen aus den Köpfen kleiner Gestalten aus kostbarem Material sprießen, wächst hier ein filigraner Ast aus dem Gipsabguß eines griechischen Kopfes. Das Zitat einer manieristischen Plastik ist verbunden mit der Replik einer antiken. Parmiggianis Möglichkeit, Motive aus unterschiedlichsten Kunstepochen zusammenzustellen, hat er selbst charakterisiert: „Das griechische Gesicht bedeutet den Menschen. Es ist das Gesicht aller und nicht das eines Einzelnen. Daraus resultiert . . ., daß ich versuche, einer Statue alle Attribute zu nehmen, damit sie nicht als Venus von Milo etc. erkennbar ist, sondern bloß als weibliche, beziehungsweise männliche Figur. Also nicht als Zitat. Zitiert wird nur menschliche Präsenz. Ich denke auch beim Gebrauch der antiken Fragmente nie an griechische Kunst oder an eine andere Epoche, sondern ausschließlich an mein Bild. Natürlich ist dann alles voll von Tradition, weil ich natürlicherweise sehr viele Bilder aus der europäischen Kunstgeschichte in mir aufgenommen habe. In meinen Arbeiten sehe ich keinen Diebstahl vorhandener Ideen und Vorstellungen, sondern Verweise, wenn auch manchmal unbewußte, auf diesen Bildervorrat." (Parmiggiani, 1983)

XV. 48 a

XV. 49

Literatur: Ausst.-Kat. Traum des Orpheus 1984, S. 64 – Ausst.-Kat. Wunderkammer 1986, S. 22 MF

MICHELANGELO PISTOLETTO (geb. 1933)

49
Herbst 1983–85

Marmor, Polyurethan, Acryl;
270 × 130 × 65 cm
Paris, Galerie de France

Der Gedanke der Kompositgestalt, der aus heterogenen Teilen zusammengesetzten menschlichen Figur, hat durch Pistoletto eine neue Ausprägung erfahren. In seinen neuesten Arbeiten „knüpft der Künstler an die Skulpturen von der Antike bis zu Maillol an. Angesichts riesiger Körperfragmente erinnert man sich an die Reste kolossaler Marmorfiguren in Rom. Fragmentarisch erscheint zunächst auch der Aufbau: Unvermittelt sind Formen zusammengefügt, die ‚archäologisch' betrachtet, einst zu einer anderen Skulptur gehört haben müssen" (Helmut Friedel, in: Ausst.-Kat. Traum des Orpheus 1984, S. 20). Während der Marmor-Torso in seiner Un-Vollendetheit an ein Vorbild zwischen Michelangelo und Rodin denken läßt, könnte man mit den rohen Formen der Kopf-Partie Holzskulpturen eines Baselitz oder Penck assoziieren. Die Zwiespältigkeit der Material- und Formwahl des Künstlers setzt sich fort im zweifachen Bewegungsduktus der Gestalt: Während Körper und Glieder des „Herbst" ein Vorwärtsschreiten andeuten, weisen die zwei kopfartigen Elemente nach hinten: Gott Janus scheint sich hier in mehrfacher Weise zu manifestieren.

Literatur: Ausst.-Kat. Pistoletto 1984 MF

ALESSANDRO MENDINI (geb. 1931)

50
„Marcel Proust"-Fauteuil 1978

Lindenholz, geschnitzt, stoffbespannt, handbemalt; Höhe 107 cm, Sitzhöhe 35 cm
Wien, Österreichisches Museum für Angewandte Kunst
Inv. Nr. H 2797

Der für das Mailänder Studio Alchymia entworfene Stuhl ist eine programmatische Kampfansage der Phantasie und Imagination an die konventionellen, industriell gefertigten Möbeldesigns der sechziger und siebziger Jahre. Die ausschwingenden Formen gemahnen an das Rokoko, die buntschimmernde Handbemalung rehabilitiert ein exquisites Dekorationshandwerk in alten Rechten. Auch der Titel dieses Kunst-Objektes führt über die gewohnten Funktionen eines Möbelstücks hinaus in die traumhaft-versunkene Welt einer anderen Realität.

Literatur: Jensen/Conway 1983, S. 211 MB

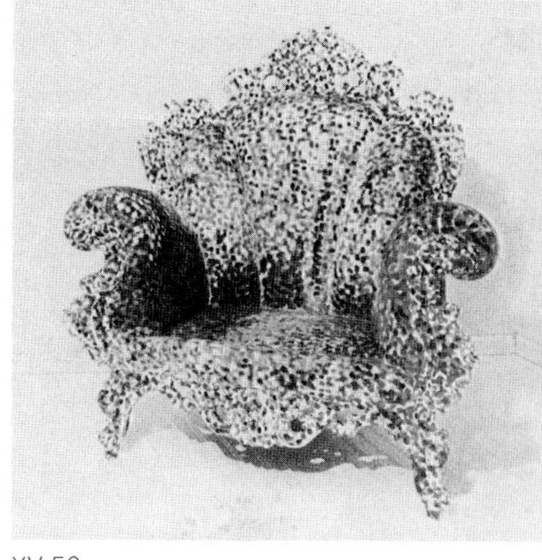

XV. 50

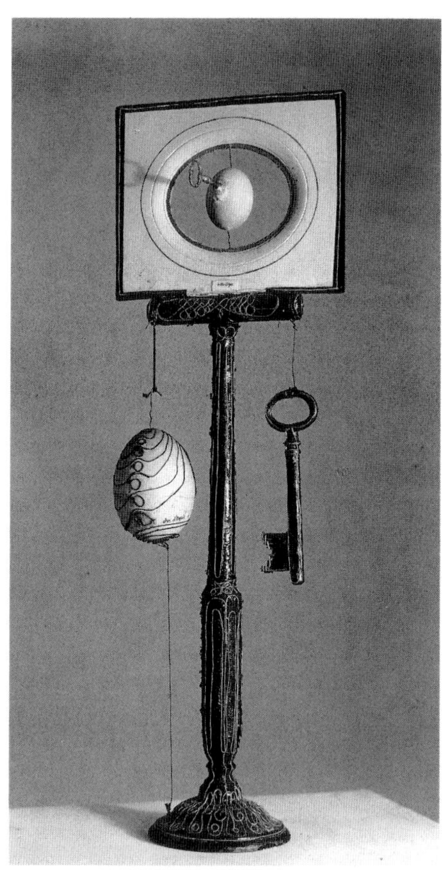

XV. 51

CHRISTIAN D'ORGEIX (geb. 1927)

51
Die Schlüssel der Geburt

Mischtechnik; Höhe 200 cm
Paris, Sammlung des Künstlers

Das Ei sitzt in einem ovalen Rahmen, dessen Umriß dem des Schlüsselgriffs entspricht: Der Schlüssel trägt die Form in sich, die er aufschließen soll.

Die Alchimisten überantworteten das „philosophische Ei" dem Feuer und dem Schwert. Der Leibarzt Rudolfs II. empfahl: „Lerne, was es mit dem Ei auf sich hat, und zerschneide es mit flammendem Schwert. – Es gibt in unserer Welt einen Vogel, der erhabener ist als alle anderen. Nach seinem Ei zu suchen, sei dein einziges Bestreben . . ." Dabei soll man sich der Hilfe von Vulkan und Mars – von Feuer und Erz – versichern (Kurt Seligmann, Das Weltreich der Magie, Stuttgart 1958, S. 132). WH

XVI Kämpfe und Spiele der verwandelten Götter

Die Entgrenzung des Kunstbegriffs kam erst richtig zum Tragen, als die Vorherrschaft der Abstrakten zu Ende ging und mit einem Mal sich das Möglichkeitsspektrum auftat, das schon die Surrealisten der von Cézanne ausgehenden Einbahnstraße entgegengehalten hatten. Die „bonne peinture'' büßt ihre Autorität ein. Dalí wirft Cézanne vor, er habe Äpfel aus Beton gemalt, und Gerhard Richter sagt 1966, er finde manche Amateurfotos besser als den besten Cézanne. Nun war die Stunde der Dingbeschwörung gekommen, die de Chirico schon 1919 angekündigt hatte: „Die alten Völker benutzten unbewußt die metaphysische Macht der Dinge, indem sie sie isolierten und durch magische und unüberwindliche Barrieren einkreisten; der Fetisch, das heilige Bild, der Xoanon der alten Hellenen sind tatsächlich mit Metaphysik geladene Akkumulatoren. Alles hängt von einer gewissen Art und Weise der Einrahmung, der Isolierung ab. Der Primitive macht das unbewußt, er folgt einem vagen mystischen Instinkt; der moderne Künstler dagegen macht es bewußt: er lenkt, er übertreibt sogar, er fälscht und nützt mit jedem Kunstgriff den metaphysischen Schrecken, den er im Herzen der Objekte erblickt hat.'' Noch deutlicher als der Meta-Ironiker Duchamp sprach de Chirico sich für die Magie des Objekts aus. Beide haben sie den Objekt-Fetischismus eingeleitet, der die Multimaterialität zu immer neuen Kombinationen nutzt (Kat. XV. 23, XVI. 23). Die Aussage schwankt zwischen der kecken Verballhornung (Kat. XV. 22) und dem rätselhaften Ritualgerät (Kat. XV. 43). Hinzugekommen ist neuerdings die Ästhetisierung des Abfalls – eine Negation der Negation, die früheren Manierismen abgehen mußte, denn diese Form der Formlosigkeit konnte erst poetisiert werden, als unsere Zivilisation mit ihren Produkten auch deren Abfall herstellte. Vorausblickend schrieb van Gogh schon 1883, als er bei einem Spaziergang auf einen Abfallhaufen stieß: Dieses Gerümpel wäre ein Thema für ein Märchen von Andersen . . .

Das Vertrauen in die rätselhafte, unauslotbare Strahlung der einfachen Dinge gibt sich nicht immer so kunstlos wie in den ersten readymades (Kat. XIV. 6). Wie in den Kunst- und Wunderkammern das belanglose Fundstück neben die raffinierte Materialveredelung geriet, so verteilen sich die Kunstgriffe, die seit den sechziger Jahren angewandt werden, auf Schmückung, Verblüffung, Verkleidung und Verrätselung. Fluxus, Neo-Dada und die Nouveaux Réalistes haben für ihre Verbreitung gesorgt und sich damit den Zorn der Alt-Dadaisten zugezogen. Da gibt sich die rohe Farce als Empörung, da macht Vostell aus der Todeserotik ein politisches Memento (Kat. XV. 40), da werden Spielzeuge und Scherzartikel erfunden (Kat. XV. 27). Ursula baut Schreine aus Spuk und Mummenschanz (Kat. XVI. 22), und im vornehmen Abseits stehen die Reliquienkästchen von Cornell (Kat. XVII. 1). Die zweite und die dritte Dimension tauschen manchmal ihre Spielfiguren aus. Das beweisen die Objekte von Dalí (Kat. XVI. 35, 36) und Wunderlich (Kat. XVI. 62) sowie die Madame Récamier von Magritte (Kat. XV. 20). Die Nähe zum ironisierten Tafelaufsatz ist unverkennbar.

Neben der kostbaren und der anarchischen Multimaterialität behauptet freilich das Tafel- und Staffeleibild seine nur ihm eigene, betont altertümliche Würde, legitimiert von einem verblüffenden Können, das sich den Experimenten verweigert und geradezu ostentativ den alten

Meistern huldigt. Unter den Zeitgenossen gelten Dalí und der feinmalerische Max Ernst (Kat. XIV. 30–33) als Leitfiguren. Am beharrlichsten wird nun schon seit vier Jahrzehnten dort an der Bewältigung des Traditionserbes gearbeitet, wo die Moderne des Vergessen-Wollens immer einen schweren Stand hatte: in Wien, dieser anderen Palimpsest-Stadt, deren „phantastische Realisten" früh ihren Freud lasen und nicht bei den Abstrakten, sondern bei den Malern des Kunsthistorischen Museums in die Schule gingen (Kat. XVI. 3, XVI. 7, XVI. 10, XVI. 13). Für sie hat es, ebenso wie für Delvaux, Wunderlich und Tübke, den Gesetzgeber Cézanne nicht gegeben, was beweist, daß auch Künstler, die sich gegen das Verlernen sträuben, ihrem Gedächtnis Lücken aufzwingen und daß jeder Gewinn mit einem Verzicht bezahlt wird.

Gleichviel: Es geht hier um die alte Frage von Inhalt und Form. Nicht nur die Verfechter der reinen Malerei stellten am Ende des 19. Jahrhunderts das Bildgefüge über seine Sachinhalte – ein Bild ist eine gemalte Sache, bevor es ein Blumenstrauß ist, sagte Maurice Denis –, auch ein nachdenkender Künstler wie Max Klinger glaubte die Malerei auf die Augensinnlichkeit beschränken zu müssen. Das Gemälde sollte nicht mit „Zutaten überphantastischer allegorischer oder novellistischer Art" befrachtet werden. Anders, größer und vielschichtiger, stellte sich ihm der Phantasiespielraum in den zeichnenden Künsten dar. Eine solche Grenzziehung gilt längst nicht mehr. Auch für das 19. Jahrhundert trifft sie nur zu, wenn wir die Malerei auf die verläßliche materielle Wiedergabe der Erfahrungswelt beschränken und Gestalten wie Füssli und Blake, Moreau, Böcklin, Burne-Jones und Rossetti übersehen oder zu Außenseitern erklären. Heute steht, was man früher den malenden Zeichner nannte, längst nicht mehr im Schatten der „reinen Malerei", wie überhaupt Kompetenzzuweisungen auf die verschiedenen Kunstgattungen keine Gültigkeit mehr haben.

Auch das erklärt sich aus der „ungeheuren Disturbation". Eines ihrer subtilsten Ergebnisse – ein ironisches zwitterhaftes „Gesamtkunstwerk" von verlockender Dreidimensionalität – ist das schon erwähnte Alterswerk von Duchamp, „Étant données", das, indem es mit allen Mitteln des Illusionismus eine liegende nackte Frau darstellt, die sich hingibt und zugleich verweigert, die Distanz sichtbar macht, die diese Künstler zum Kern ihrer Aussage machen. Die Frau bleibt in der paradiesischen Landschaft so allein wie der Betrachter, der sie durch die beiden Gucklöcher anstarrt. Duchamp rührt damit an einen Konflikt, der zu den psychologischen Grundmustern des Manierismus seit dem 16. Jahrhundert zählt: die abweisende Hemmschwelle, die sich zwischen zwei Partner legt. Das Motiv der Vereinzelung, das der Versagung entspringt, klingt auch bei Fuchs an, dessen Perseus die anbetende Nymphe nicht wahrnimmt (Kat. XVI. 8), bei Hausner, der den bannenden Blick Parmigianinos zu autistischer Besessenheit steigert (Kat. XVI. 3, 6). Und auf Tübkes riesigem Rundbild in Frankenhausen steht Thomas Münzer, der tragische Held, verzweifelt und allein gelassen inmitten der turbulenten Szenerie des deutschen 16. Jahrhunderts.

Auf den ersten Blick mutet die Position dieser Maler anachronistisch an. Wurden sie überhaupt von der „ungeheuren Disturbation" erfaßt, die alles in Frage stellt? Oder haben sie, auf ihr altmeisterliches Pathos gestützt, mit den Ungewißheiten unseres Jahrhunderts nichts zu tun? Verweigern sie sich nicht dem offenen Kunstbegriff, den die Wahlfreiheit hervorbringt? Oder sind gerade sie die wahren Erben manieristischer Formkultur? Weder noch. Das zur höchsten Vollendung gesteigerte Kunstvermögen scheint zwar ausgenommen von der ständigen Selbstprüfung der Sprachmittel, woraus die Subjektivität ihre produktiven Zweifel nährt, doch gerade im augenfälligen Nachweis des hohen Könnens teilt sich nicht eine inappellable Instanz, sondern der Zweifel an einer solchen mit. Eine Post-Moderne eigener Prägung tritt auf, die sich nicht erst von den Fortschrittsgewißheiten der Moderne hatte abwenden müssen, um ihre Ambivalenzkonflikte zu entdecken. Dennoch, auch wenn Ironie und Selbstkritik offenbar nicht gefragt sind, bleibt alles doppelbödig und in der Schwebe. Verfremdung und Verzerrung erzeugen oft blasphemische Distanz zu erhabenen Gegenständen. In der demonstrativen Überschärfe der Formensprache steckt ihre insgeheime Problematisierung. Will man darin nicht bloß selbstgefällige Schaustellung vermuten, dann geht es hier um höheren Einsatz: Der Künstler spricht mit der Würde und Vieldeutigkeit des Orakels, das sich selbst befragt. Er möchte Sphinx und Oedipus in einem sein.

Dieses manische In-sich-Kreisen formaler Grundfiguren ist nicht nur auf den peniblen Seherblick eines Fuchs oder Hausner beschränkt. Deutlicher noch tritt es dort in Erscheinung, wo die Rätselhaftigkeit – als Merkmal formaler Multivalenz – von gewichtigen Inhalten entlastet ist und sich in den Spielräumen zuträgt, in denen die Wahrnehmung sich selbst zum Thema wird. Wir begegneten diesen verwirrend-entwirrenden Herausforderungen des Scharfblicks schon in den Verschlingungen der Ornamentstecher (Kat. VII. 55) und in den geometrischen Konstruktionen eines Jamnitzer (Kat. VII. 47). Durch gestaltpsychologische Experimente wurde in unserem Jahrhundert das Repertoire der Umschlageffekte erheblich erweitert. Agam und Vasarely haben sich diesem Terrain gewidmet. Ein Aspekt des Umschlagens, der an den manieristischen Umgang mit Buchstaben erinnert (Kat. VII. 42), ist das „verdinglichte" Buchstabenbild, das die Wortbotschaft preisgibt und die Elemente des Alphabets bloß als Flächenfiguren auftreten läßt. Gegenüber der komprimierten Verrätselung geht Indiana (Kat. XVIII. 2) einen Weg, der zum ambivalenten Superzeichen führt: Das Wort LOVE wird vervierfacht und zu einem Weiß-Schwarz-Labyrinth, das an die Buchstaben-Grundrisse des 18. Jahrhunderts (Kat. X. 21) und an die vieransichtige Villa Rotonda (Kat. IX. 10) erinnert. Von Bills mozartischen „fünfzehn variationen über ein thema" (Kat. XVIII. 1) war schon die Rede. Sie zeigen, daß das Variationsprinzip, konsequent angewandt, im Grunde von der geistigen Anmut der Form handelt: Sie ist die Idee, die sich selber zeugt und trägt. Dieser erfinderischen Besessenheit ist immer noch die gebrochene Beziehung des Manieristen zu seinem Formmaterial anzumerken. Was Wörterbücher definitorisch auflisten, was die Syntax zu einem Gebäude verläßlicher Aussagen ordnet, wird als verfügbares Spielmaterial, als „permanenterformweg" (Kat. XVI. 56) erfaßt und durchgespielt – so wie das schon Rabelais, der große Wort- und Sinnverflechter, tat:

Or donné par don
Ordonne pardon
A cil qui le donne,
Et très bien guerdonne
Tout mortel preud'hom
Or donné par don.

So lautet die Unterschrift auf dem Portal von Thelem.

Wenn schließlich die Wahlfreiheit des permanenten Formweges in totale Offenheit und Verfügbarkeit mündet, dann ist ihre extremste Verkörperung ein Meta-Manierist vom Schlage Gerhard Richters (Kat. XVIII.4–7), der seine Fähigkeit, in vielen Sprachen zu sprechen, so kommentiert: „Ich verfolge keine Absichten, kein System, keine Richtungen. Ich habe kein Programm, keinen Stil, keine Anliegen. Ich halte nichts von fachlichen Problemen, von Arbeitsthemen, von Variationen bis zur Meisterschaft. – Ich fliehe jede Festlegung, ich weiß nicht, was ich will, ich bin inkonsequent, gleichgültig, passiv; ich mag das Unbestimmbare und Uferlose und die fortwährende Unsicherheit."

Man hat in dieser Haltung ein dialektisches Paradoxon erkannt und vom Dilemma eines Malers ohne Malerei, aber auch vom Malen der Malerei (J. Harten) und vom Stilbruch als Stilprinzip gesprochen (Honnef). Wenn Richter nur Malerei um ihrer selbst willen betriebe, wäre das nicht neu. Sein Verfahren ist zwiespältig wie die gesamte Post-Moderne, die den Kuchen essen und behalten möchte. Das Bekenntnis zum Uferlosen und die Lust an der Unsicherheit verraten den manischen Drang, alles zu entdecken und zu erproben. Das erinnert an den „frisson nouveau", dem die Romantiker ihre Gefährdungen bis hin zum Scheitern verdankten. Genau besehen, ist davon seit dem 16. Jahrhundert das Bewußtsein der Künstler bestimmt, die wir Manieristen nennen, und dies gerade dann, wenn sie sich auf die Nicht-Festlegung festlegen, wenn sie dem raunenden „Jargon der Eigentlichkeit" das sich selbst in Frage stellende „Als ob" vorziehen. Wer diese Wendung vollzieht, gibt jedoch sowohl den Weg wie das Ziel preis. Vergeblich suchen wir seine Legitimation in der faustischen Wißbegierde. Gefordert ist nicht mehr die suchende Unrast, sondern die Unrast um ihrer selbst willen. Das ist die Indifferenz, deren Ursprung Duchamp erkannt hat: Für den permanenten Formweg kann es keine Lösung geben, da es kein Problem gibt. Der Triumph der Malerei ist von ihrem Elend nicht zu trennen. WH

XVI. 1

XVI. 2

GIORGIO DE CHIRICO (1888–1978)

1
Die Verzauberung des Schweigens
(Italienischer Platz) 1974

Öl auf Leinwand; 70 × 100 cm
Bezeichnet: G. de Chirico 1974
Paris, Collection Artcurial

Der Obsession seines Frühwerkes ausgeliefert, macht de Chirico daraus die Krücke seiner alten Tage, nicht ohne gemäß der Kunst-aus-Kunst-Devise seine Bildmotive gleich Versatzstücken immer neu zu kombinieren. Die ersten seiner italienischen Plätze entstanden 1912. Damals malte er auch eine dem berühmten vatikanischen Marmor nachempfundene Ariadne, deren Sockel den Bildtitel MELANCONIA eingemeißelt zeigt.

Am Horizont, wo die beiden Häuserfronten enden, stellt ein Eisenbahnzug eine schnurgerade Querachse her, Beweis dafür, daß die Gerade die kürzeste Verbindung zwischen zwei Punkten ist. Der Künstler malt ein Paradigma für den modernen Ehrgeiz, Zeit und Raum zu überwinden, und er kontrastiert damit die auf der Vorderbühne liegende Skulptur. Sie ist kein Bindeglied, sondern der Kommunikation entzogen, in einem Raum der Unnahbarkeit untergebracht, der auch ihre zeitliche Ferne evoziert.

Literatur: Ausst.-Kat. de Chirico 1983, S. 13 WH

RICHARD OELZE (1900–1980)

2
Vegetatives 1958

Öl auf Leinwand; 98 × 125 cm
Hamburger Kunsthalle
Inv. Nr. 5049

Der wuchernde Nährboden von Oelzes Bildphantasie ist zwischen Fauna und Flora angesiedelt – dort, wo aus moosiger Weichheit Geschöpfe hervorglimmen, vieläugig und vielgliedrig, dennoch aber nicht mit der Eigenbeweglichkeit ausgeformter Lebewesen begabt, sondern eingebunden in Gliedmaßengeschlinge, die in sanfter bebender Regungslosigkeit verharren. „Vegetatives" ist ein schlieriges Plankton, das der Blick wie ein Labyrinth durchwandert und in dem er überall Keime entdeckt, die zwischen dem Erwachen und dem Absterben angesiedelt sind. WH

RUDOLF HAUSNER (geb. 1914)

3 Farbabbildung S. 395
Forum der einwärtsgewendeten Optik
1948

Tempera und Harzölfarben auf Sperrholz; 64 × 121 cm
Wien, Historisches Museum der Stadt Wien
Inv. Nr. 117.240

XVI. 4

Am gründlichsten hat H. Holländer über Hausners „erste Summe'' nachgedacht. Wir folgen seiner Deutung: Der erste Eindruck, den die tiefe, reich und doch locker besetzte Bildbühne erweckt, betrifft die „unterschiedlichen Realitätsgrade'' der vereinzelten Gestalten. Der Junge, Hausners früheres Selbst, rennt aus dem Bild heraus. Mit dem Ball, nach dem er greift, korrespondiert der Ball in der Raumtiefe, auf den eine Frau mit einem Tennisschläger schlägt – ein Ball oder zwei? Der Bauch der Frau, von zwei männlichen Händen umgriffen, ist wie ein Gestirn. Was hier dunkel, anonym und böse anmutet, findet seine helle Entsprechung in der Frau mit dem Karyatidengestus – ein Wunschbild, das die Züge der Mutter trägt. Im Zentrum die Büste des Vaters als „versteinerte Autorität''. Rechts die bleiche Gestalt eines „umgekehrten Hermaphroditen''. Sie verkündet: „Omne vivum ex ovo''.

Dem ist hinzuzufügen, daß Hausner eine Lebenswanderung vor uns ausbreitet, die das Paris-Urteil umpolt auf das potentielle Gegen- und Nebeneinander dreier verschiedener Prototypen des Weiblichen. Links die zur vollkommenen, rundansichtigen Körperlichkeit erhöhte Mutter-Geliebte (eine Anima?), in der Mitte die flüchtige Gespielin, rechts Sophia, die Weisheit, als androgyne Summe. Die geometrischen Objekte sind die Spielgeräte eines Landvermessers der Psyche.

Literatur: Holländer 1985, Nr. 16 WH

XVI. 5

RUDOLF HAUSNER (geb. 1914)

4
Aporisches Ballett 1946

Tempera, Harzöl auf Hartfaserplatte; 53,5 × 105 cm
Bezeichnet: R Hausner 46 (. . .)
Wien, Sammlung des Künstlers

Aporie bezeichnet ganz allgemein eine ausweglose Situation, also – positiv formuliert – das gleichrangige Angebot verschiedener Möglichkeiten. Hausner thematisiert die Wahlfreiheit in sieben tänzerischen Attitüden, die gleichermaßen der gegenständlichen wie der abstrakten Formensprache verpflichtet sind, ohne eine eindeutige Wahl anzubieten. Im Rückblick handelt das Bild vom Künstler der unmittelbaren Wiener Nachkriegssituation, der sich vor einem Scheideweg befindet. Richtig hat Holländer gesehen: „Die Tanzenden sind eine einzige Gestalt in unterschiedlichen Ansichten.''

Literatur: Holländer 1985, S. 46 WH

RUDOLF HAUSNER (geb. 1914)

5
Adamorphose I 1975/77

Acryl, Harzöllasuren, Novopanplatte mit Papier beklebt; 202 × 150 cm
Bezeichnet: Adam (. . .) R. Hausner 1975–77
Wien, Sammlung des Künstlers

Hausner, zeitlebens mit der ikonenhaften Überhöhung seiner selbst beschäftigt, kehrt zum Bildgedanken der mehrfachen Brechung zurück, den er im Aporischen Ballett (Kat. XVI. 4) ausbreitete: Aus einer Gestalt werden drei Ansichten. Die anamorphotische Verzerrung intensiviert die arretierende Wirkung, die an sich schon von der Frontalität ausgeht. Aufgerastert, wird der Körper in ein Kunstgebilde zerlegt, das seine Physiognomie in dem Maße neutralisiert, wie es ihr eine Scheinvibration auferlegt.

Literatur: Holländer 1985, S. 170 WH

RUDOLF HAUSNER (geb. 1914)

6
Großer Laokoon 1963–67

Tempera und Harzölfarbe auf Leinwand, montiert auf Novopanplatte;
200 × 184 cm
Wien, Privatsammlung

Wieder hat der Priester, dessen Prophezeiung die Bürger Trojas ablehnten, einen vieldeutigen Symbolauftrag (vgl. Kat. VII. 12). Ist sein Versuch, dem Raumschiff zu entsteigen, der Entschluß eines Skeptikers, der diesem neuen allgegenwärtigen „Auge Gottes" (Holländer) mißtraut, gleichwie Laokoon sich von seiner Stadt abwandte? Oder verweist der Gestus des neuen auf die Vergeblichkeit, die auf dem Widerspruch des alten Laokoon lastete? Ist Einsicht in das Unausweichliche letztlich das Los der Weisheit und das Raumschiff bloß eine Metapher für die „Sachzwänge", die uns allenthalben umstellen?

Literatur: Holländer 1985, S. 137 WH

XVI. 6 (Detail)

ERNST FUCHS (geb. 1930)

7
Der Antilaokoon 1965

Bleistift auf Kreidegrund mit Stoff und Papier-Appliken; 200 × 150 cm
Wien, Sammlung des Künstlers

Laokoon, der trojanische Apollonpriester, wurde mit seinen beiden Söhnen erwürgt, nachdem er einen Speer auf das mit griechischen Kriegern besetzte hölzerne Pferd geschleudert hatte. Das hatte ihn für die Trojaner zum Frevler gemacht. – Als die Israeliten in der Wüste mit Gott haderten, schickte der Herr feurige Schlangen unter sie, „die bissen das Volk, daß viel Volks in Israel starb" (4 Mose 21). Doch in der Strafe steckt die Errettung von ihr. Der Herr befiehlt Mose: „Mache dir eine eherne Schlange und richte sie zum Zeichen auf, wer gebissen ist und sieht sie an, der soll leben" (vgl. Kat. I. 30). Die Schlange tötet und belebt. Fuchs sieht Moses in einer titanenhaften Doppelrolle. Er ringt mit den todbringenden Schlangen und ist zugleich der Urkünstler, der das Übel in ein Zeichen der Erlösung umschafft. Der mosaische Anti-Laokoon trägt vorwegnehmend das Herz Jesu auf seiner Brust. Es scheint, daß Fuchs diese Symbiose im Sinne eines Wortes vornimmt, das Blake auf seinen Stich der antiken Laokoongruppe schrieb: „The Old and New Testaments are the Great Code of Art. Art is the Tree of Life. God is Jesus." Die Schlangen verkörpern für Blake das Gute und das Böse. Dieser Energiekonflikt erfüllt auch bei Fuchs ihren Bändiger.

Literatur: Hartmann 1977, S. 140 WH

XVI. 7 (Detail)

ERNST FUCHS (geb. 1930)

8 Farbabbildung S. 394
Perseus und die Nymphe 1976–78

Mischtechnik; 100 × 43 cm
Wien, Sammlung des Künstlers

Der auf metallenen Stelzschuhen stehende Perseus ist keineswegs für Taten ausgerüstet. Er gleicht einer männlichen Sphinx. Seine Unnahbarkeit entspricht der des Jupiter von Ingres, der die sich an ihn schmiegende Thetis nicht beachtet. Die Nymphe bewundert ein schier übermenschliches Standbild, dessen kurzes phallisches Schwert eine todbringende Befriedigung verspricht. Oder wird hier die Opferung Isaaks paraphrasiert? Der Schild, auf dem wir das Antlitz der Medusa vermuten, schützt den Rücken des Perseus, seine nackte Brust schmückt eine kostbare apotropäische Fratze.

Literatur: Hartmann 1977, S. 188 – Ausst.-Kat. Fuchs 1966, S. 95 WH

ERNST FUCHS (geb. 1930)

9
Der Triumph Christi 1962–65

Bleistift auf Leinwand; 200 × 200 cm
Sammlung F. Grohe

Als Fuchs sein Denken und Meditieren auf den Manierismus ausrichtete, führte ihn die „Suche nach dem Schönen ... von den Monstren weg" (Hartmann 1977, S. 133). Zum formalen kam ein religiöser Synkretismus, der sich aus der Lektüre von „Gottsuchern" der verschiedensten Konfessionen nährte. Doch immer stand der „Primat der römisch-katholischen Kirche" unangefochten im Zentrum. Nach einem Besuch des Heiligen Landes empfing Fuchs eine neue Gewißheit: „Die Möglichkeit der Auflösung des alten Zwiespalts von Juden und Christentum durch das Herausschälen der einzigen und ursprünglichen messianischen Hoffnung, die das Volk der Juden so gut wie das Christentum auszeichnet, stand mir vor Augen." Fortan erkennt er als seine Aufgabe: „Das Bild des Messias, die Ikone des Jesus von Nazareth."

Der Triumphator sitzt in der Haltung einer indischen Gottheit in einer Mandorla. Unverkennbar trägt er die Züge des Malers. Das üppige Zierformenlabyrinth dient dem Ausweis von Autorität und Übermacht: zu Füßen des Einhorns liegen die zerschlagenen Symbole der anderen Konfessionen. Der Messias scheint diese unterdrückte Welt nicht in seine Botschaft einzubeziehen. Die Architekturkulissen erinnern an „Die Stadt" (Kat. XVI. 47), doch sind sie jetzt Teile des festlichen Dekorums.

Literatur: Hartmann 1977, S. 136 WH

XVI. 9

ANTON LEHMDEN (geb. 1929)

10 Farbabbildung S. 394
Kriegsbild III (Kämpfende Männer in einer Landschaft) 1954

Öl auf Holz; 73 × 92 cm
Wien, Museum moderner Kunst, Leihgabe des BMUKS

Vier Männer, auf einer Rasenbank zusammengedrängt, deren Vegetation absticht vom schneeigen Weiß des Tiefenraumes, den ein schwarzes Gestirn beherrscht – eine Gorgo der Lüfte. Weit hinten ein Panzer, davor zerborstene Bäume, ein abgestürzter Vogel und der Kopf eines Toten. Die schweifenden Raumdimensionen tragen die Merkmale der Landschaftsräume des 16. Jahrhunderts (vgl. Kat. I. 32): Das wandernde Auge gerät in Tiefen, die sich gegenseitig ausschließen, etwa wenn links der Horizont erheblich höher angesetzt ist als in der rechten Bildhälfte.

Ein Krieg der Einzelkämpfer, besser: der letzten Überlebenden, denen der Maler aus dem Himmel zuschaut, indes ein Vogel ihm die Schädeldecke zerhackt. Mit bedächtiger Hand sind diese Grausamkeiten gemalt, ohne sichtbare Erregung außer jener, die das sorgfältig zu Ende geführte Geschäft des Malens mit sich bringt. Wie sie sich erbarmungslos zerfleischen, erinnern die vier Männer an die mythischen Gewalttäter des 16. Jahrhunderts, aber auch an die Akrobaten des Juste de Juste (Kat. VII. 4, 5).

Literatur: Schmeller 1968, Taf. 20 WH

ANTON LEHMDEN (geb. 1929)

11
Kriegsbild II 1978–80
Öl auf Leinwand; 81 × 120 cm

12
Golem II 1984
Öl auf Leinwand; 200 × 150 cm

Beide: Wien, Privatsammlung

Was Wieland Schmied für frühere Bilder Anton Lehmdens beobachtet hat – „Ein Brausen und Wehen erfüllt nicht nur die Wolken, es geht durch die Erde selbst und wühlt sie auf ..." (Die Wiener Schule. Zwischen Surrealismus und Manierismus, Feldafing 1964) –, gilt auch für viele der jüngeren Werke des Künstlers. Im „Kriegsbild II" werden die Verschlingungen zwischen Erdreich, aufgewirbeltem Staub und Rauch einer Explosion zum unentwirrbaren Liniengeflecht, das fast die ganze Bildfläche einnimmt.

In „Golem II" trägt sich eine Explosion ganz anderer Art zu: In der Art eines Vexierbildes (vgl. Kat. VIII. 3) wird uns eine Land-

XVI. 11

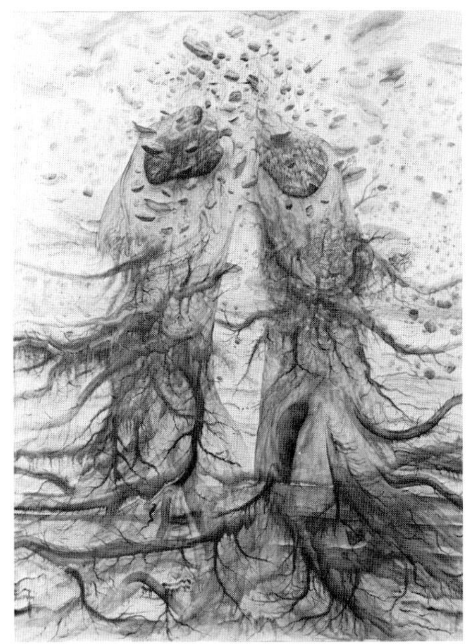
XVI. 12

schaft vorgeführt, die gleichzeitig auch Totenkopf, menschliche Figur oder Baumstämme mit Wurzeln sein können. Aus dem Berggipfel – in einer anderen Deutung: dem menschlichen Kopf – lösen sich Teile des Erdreichs und stürzen über die Bildfläche. Der manieristische Gedanke der Mehrdeutigkeit einer Form manifestiert sich in Lehmdens Bild in überdeutlicher Weise: Keine Partie des Bildes läßt sich eindeutig festlegen, jede ist gleichzeitig mehreren Interpretationsmöglichkeiten offen. MF

WOLFGANG HUTTER (geb. 1928)

13 Farbabbildung S. 395
Die Familie

Öl auf Holz; 40 × 71 cm
Wien, Privatsammlung

Hutter malt eine geistreiche Huldigung an Arcimboldo, dessen starre Kompositköpfe er in eine Gruppenlandschaft verwandelt, an die Kolibris letzte Hand anzulegen scheinen – oder sind sie dabei, die Blätter- und Blütengeschöpfe zu zerpflücken? Die Anregung des manieristischen Malers, die für Hutter mehr bedeutet als für die anderen Wiener Maler, wird in eine Commedia dell'arte umgesetzt, welcher weder Angst noch Zweifel anhaften. WH

PAUL WUNDERLICH (geb. 1927)

14 Farbabbildung S. 392
Aurora (Hommage à Runge) 1964

Öl auf Leinwand; 160 × 130 cm
Hamburger Kunsthalle
Inv. Nr. 5096

Wunderlich richtet einen Röntgenblick auf die große Verkündigungsikone der deutschen Malerei um 1800, Runges „Morgen", und er zeigt, von den giftigen Farben des Absterbens durchglüht, das Gegenteil des Sonnenaufgangs – eine Sonnenfinsternis, die eine Endzeitlandschaft umrahmt, in der schemenhafte, ausgezehrte Vanitas-Kreaturen wie Überreste eines Totentanzes auftreten. Der Kreislauf, in den Runge den Prozeß der Tageszeiten einfügte, scheint gestört, die Bühne für einen Jüngsten Tag aufgerichtet. Wunderlich entzieht sich der Versuchung zum Pathos, indem er seinen großzügig ordnenden Pinsel auf die wichtigsten Formbeziehungen konzentriert, aber alles summarisch angibt und einerseits zergliedert, andererseits unterbelichtet läßt, so daß die Malerei selber am Vorgang des Erlöschens teilhat. WH

PAUL WUNDERLICH (geb. 1927)

15
Dame aux bijoux 1976
Öl auf Leinwand; 81 × 65 cm

16
Chairman 1968
Bronze (5teilig); je 133 × 36 × 40 cm

Beide: Hamburg, Sammlung des Künstlers

Die Dame trägt nicht nur Schmuck, ihr Leib ist ein Schmuckstück geworden. Ihre Schönheit gleicht der, die im Hohen Lied Salomos besungen wird: lieblich und doch hoheitsvoll. Wunderlich steht damit in der über Klimt, Mucha und Moreau bis ins 16. Jahrhundert zurückreichenden Tradition, die den Körper der Frau in ein Geschmeide verwandelt. Diese Verwandlung deckt eine neue Physiognomie auf: Die Brustwarzen verwandeln sich in Perlen, diese in Augen. Ähnlichen Metamorphosen ist der dreidimensionale „Chairman" unterworfen.

Literatur: Ausst.-Kat. Wunderlich 1974, Nr. III/52 WH

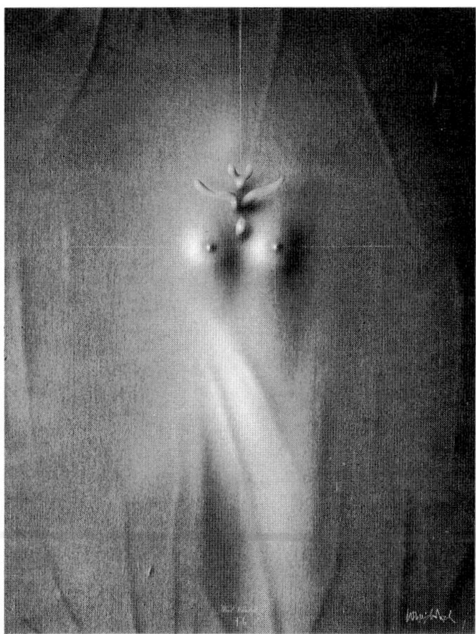
XVI. 15

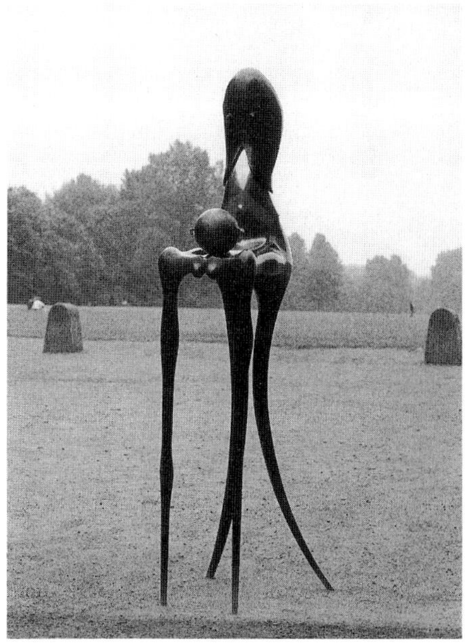
XVI. 16

WERNER TÜBKE (geb. 1929)

17
Studie zur „Göttlichen Komödie"
(Gruppe um Dante, Die Höllenqualen)

Mischtechnik auf Leinwand auf Holz;
41 × 148 cm
Frankfurt/Oder, Galerie Junge Kunst

Als Tübke an den Strandbildern von Ostia arbeitete (Kat. XVI. 18, 19) übertrug er das Italienerlebnis von 1971 auf eine andere Deutungsebene. Der Strand der Freizeitmenschen wurde ihm zum schmalen Ufer der Gefährdeten. Darin hat auch das Selbstzitat seinen Platz: Die Frau im schwarzen Badekostüm tritt hier wie in „Ostia I" auf. Überhaupt ist der Zusammenhang zwischen beiden Bildern nicht zu übersehen. Die Hölle ist die Verzweiflung der Selbstzufriedenen. Oder, mit den Worten Kierkegaards, denen ein Maler wie Tübke die Legitimation seines gesellschaftlichen Auftrages entnehmen könnte: Jede ästhetische Lebensanschauung ist Verzweiflung.

Literatur: Emmerich 1976, Abb. 44/45 WH

XVI. 17

XVI. 18

WERNER TÜBKE (geb. 1929)

18
Am Strand von Ostia I 1973

Mischtechnik auf Leinwand auf Holz;
80 × 170 cm
Hamburger Kunsthalle
Inv. Nr. 5234

Die Strandbilder nehmen in Tübkes Bilderwelt die Rolle des „tue, was du willst" ein, das Rabelais in der Abtei von Thelem verwirklicht sehen möchte. Diese Freizügigkeit läßt jedem das Seine, doch an ihren Rändern schlägt sie in ihre Kehrseite um. Wie bei den italienischen Manieristen des 16. Jahrhunderts, zu denen Tübke sich bekennt, spielt sich hier alles auf des Messers Schneide ab. Die Menschen, denen es genügt, über ihren Körper zu verfügen, sind gerahmt von einer Frau, die sich fragend an die Brust greift, und von einem Kranken, der in seinem Strandkorb zusammengesunken ist.

Ist es Zufall, daß diese Freizeitwelt von Tübke auf einer Holztafel gemalt wurde, deren andere Seite eine Studie zu einem Wandgemälde in der Leipziger Universität zeigt, das den Titel „Arbeiterklasse und Intelligenz" trägt? Über diese Frage lohnt es sich nachzudenken. Wir nutzen die Koinzidenz zur Verdeutlichung des Zwiespalts, der einen Künstler stimuliert, der sowohl die freizeitliche Arabeske wie die Verabredung zum Kollektiv zu den Aufgaben seiner Kunst rechnet. In die Schlußfassung des Leipziger Wandbildes sind viele der Freizeitgesten eingegangen, anders gesagt: Sie sind dort gesellschaftlich aufgehoben.

Literatur: Emmerich 1976, Abb. 48 – Beaucamp 1985, Abb. 1–3 – Ausst.-Kat. Tübke 1976, Nr. 147 WH

WERNER TÜBKE (geb. 1929)

19
Am Strand von Ostia II 1974

Mischtechnik auf Holz; 91 × 65 cm
Leipzig, Sammlung des Künstlers

„Pontormo, Bronzino, natürlich Greco, die relativ späte Pietà im Mailänder Castello Sforzesco – das sind für mich quasi Arbeitsleistungen und Kollegen hier und heute in der X-Zeitachse" schrieb Tübke 1979 im Katalog der Hannoveraner Ausstellung „Nachbilder". Er meint, ihm fehle die Fähigkeit zur historischen Distanz. Mag sein, aber um so erfahrener ist er, wenn es darum geht, seine Zeitgenossen in die fragende Nachdenklichkeit der Bronzino-Menschen zu verwandeln. Ihr Körperdialog dementiert dann nicht nur die Badeanstalt „Battistini" – vermutlich eine Ostia-Erinnerung –, sondern auch das Rollenspiel der Entspannung, das der Strand seinen Benutzern vorschreibt. Reliefhaft aufragend, sind Mann und Frau keine Freizeitmenschen, sondern mit Fragen konfrontiert, die schon das erste Menschenpaar beschäftigten.

Literatur: Ausst.-Kat. Tübke 1976, Nr. 151 WH

XVI. 19

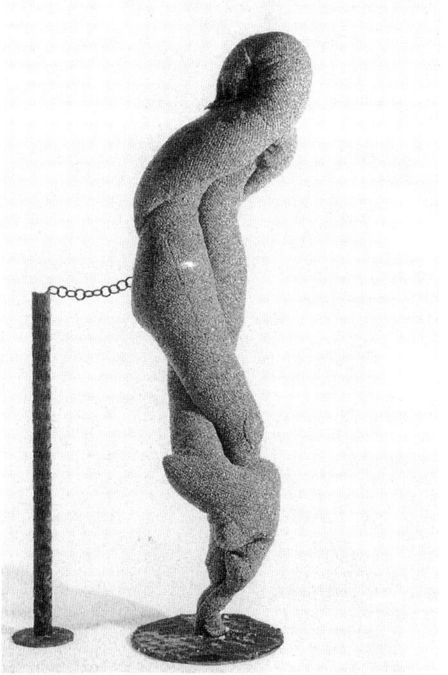

XVI. 20

DOROTHEA TANNING (geb. 1912)

20
De quel amour 1970

Stoff, Fell, Metall
Paris, Musée National d'Art Moderne, Centre Pompidou
Inv. Nr. AM 1977–574 o. A.

Dorothea Tannings aus Stoff geformte, an eine pelzüberzogene Stange gekettete Figur ist das Produkt einer überquellenden Phantasie, die die schon seit den dreißiger Jahren dem Surrealismus nahestehende amerikanische Künstlerin aus ihren Träumen schöpft. Diese Alpträume entstehen in Reaktion auf das tägliche Leben: „Ich glaube nicht, daß ich die tagtägliche Gewalt ohne meine dunkle Sicht ertragen könnte." Das der Traumwelt entsprungene amorphe Wesen hat aber auch irdische Verwandte: Mit Hans Bellmers Puppen (Kat. XIV. 42 A, B) teilt sie die Vieldeutigkeit, das Thema der gefangenen Venus mit Man Ray. Thema und Form evozieren aber auch Erinnerungen an Skulpturen des 16. Jahrhunderts, an die Gefangenen von Michelangelo und, betrachtet als figura serpentinata, an den „Raub einer Sabinerin" von Giambologna (vgl. Kat. VII. 2). WD

BEN JAKOBER (geb. 1930)

21
BC 7 1986

Bronze; 33 × 21 × 17 cm
Malakoff, Sammlung Pablo Reinoso

Schein und Trug sind wesentliche Elemente im Schaffen von Ben Jakober. Die scheinbar

Jahrhunderte, ja Jahrtausende alte Schutzmaske wurde erst kürzlich vom Künstler geschaffen. Künstlich patiniert läßt sie der Grünspan als antikes Fundstück erscheinen und regt zu Deutungen an, denen die Geschichtlichkeit eines Objekts zugrunde liegen müßte: Der vorgetäuschte Alterungsprozeß manifestiert sich insbesondere in der Öffnung, die der archaisierenden Form quasi aufgesetzt ist, und die auf den ersten Blick als logische Augenhöhle einer Maske wirkt, dann aber durch die Art der Zerfransung des Materials sich eher als jene Stelle einer Schutzwehr lesen läßt, die einmal durchbohrt, verwundet worden ist. WD

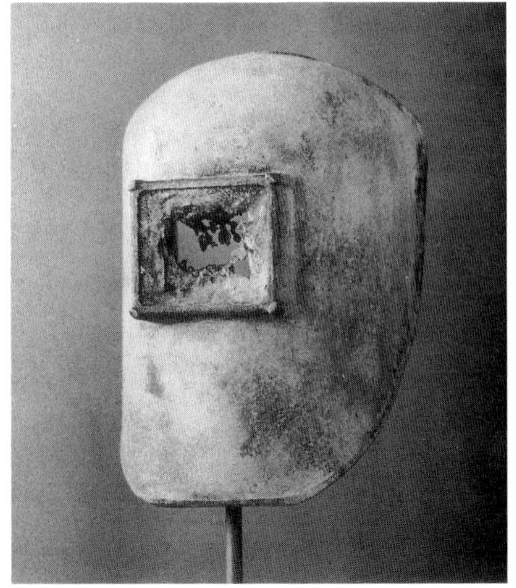

XVI. 21

URSULA (geb. 1921)

22 Farbabbildung S. 396
Das Galgenbild-Environment
1974–76, 1980

Ein Holzbild mit Galgen (210 × 151 cm), daran hängend ein Holzbild (doppelseitig, 41 × 30 cm), 1 Podest (102 × 153 × 35 cm), darauf ein Schwankobjekt (56 × 58 × 42 cm), 1 Schädel, 1 Muschel, 3 kleine Köpfe, diverse kleine Objekte, Öl auf Holz, Pelz-Assemblage
Bremen, Privatsammlung

Ein Hausaltar für die schwarzen Messen, zu denen sich die Hexen auf dem Galgenberg zusammenfanden. Auf dem Podest stand in einer früheren Phase der Arbeit ein Puppenköpfchen mit Silberhaar, dessen blutige Taufe sich die Spukgestalten augenscheinlich vorgenommen hatten. Diese verlief so, daß Eltern ihre Kinder der Sabbatrunde darbrachten, „lebendig oder tot, je nach dem Wunsche der betreffenden Hexe, ob ihr Kind noch einmal getauft oder gekocht und von der gottlosen Versammlung verzehrt werden solle''. Von Kurt Seligmann erfahren wir weiter, daß, wer neu hinzukam, ob alt oder jung, die höllischen Taufriten über sich ergehen lassen mußte (Das Weltreich der Magie, Stuttgart 1958, S. 200). Ein Rest von diesen sadistischen Orgien ist in Ursulas Galgenbild aufbewahrt, aber von den bunt wuchernden Phantasiebildern und der Stoffentfaltung überlagert und umgelenkt ins Skurrile eines Mummenschanzes. Die Gorgo wird zur böslustigen Alten. WH

BERNARD SCHULTZE (geb. 1915)

23
„Kadaver-Glocken-Migof'' 1987

Deckenschirm; 30 × 200 × 200 cm
1 Migof-Teil; 80 × 290 × 100 cm
1 Migof-Teil; 90 × 310 × 80 cm
4 Migof-Einzelteile; je 25 × 90 × 30 cm
insgesamt 200 × 360 × 260 cm
Environment, realisiert zur Ausstellung „Zauber der Medusa'' im Wiener Künstlerhaus

Schultze wäre ein Phantast zu nennen, liefe sein Blick nur durch die Dickichte der Vieldeutigkeit, um daraus Anspielungen, Metaphern und Rätselbilder zu locken. Seine zerfasernde Neigung, vom Keim einer Form bis in deren Delta vorzudringen, begreift jede Wucherung als Möglichkeit zwischen Tod und Leben, als Symptom des Verfalls wie der eigenwilligen Zeugung. Dieser Balanceakt bringt eine zerbrechliche Schönheit in steter Todesnähe hervor, aber auch eine Schwermut, die sich der vitalen Aggressionen zu erwehren hat. WH

XVI. 23 (Modell)

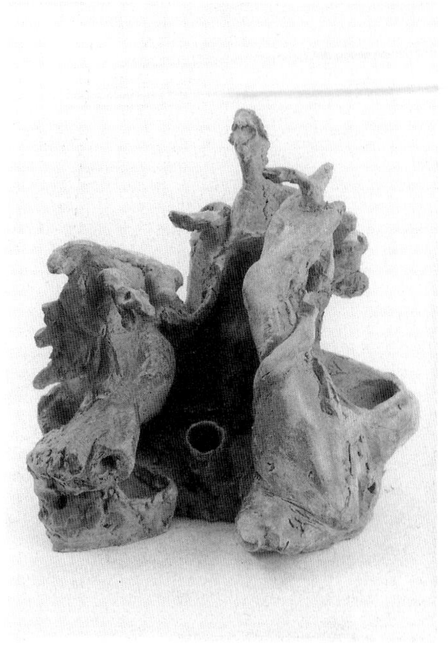

XVI. 24

SIEGFRIED ANZINGER (geb. 1953)

24
Laokoon II 1986

Ton; Höhe 49 cm
Wien, Galerie Krinzinger

In der berühmten, 1506 in Rom wiedergefundenen hellenistischen Figurengruppe der Bildhauer Hagesandros, Polydoros und Athenodoros (vgl. Kat. VII. 12) wird Laokoon als Mann mit außerordentlichen physischen Kräften geschildert, der nur durch die Macht der Götter von den Schlangen besiegt werden konnte. Nicht zuletzt durch den Aufsatz von Gotthold Ephraim Lessing („Laokoon, oder über die Grenzen der Malerei und Poesie'', 1766) ist Laokoon fest verankertes Bildungsgut. Das solcherart vorgeprägte Bild wird durch die Arbeit von Siegfried Anzinger gestört. Laokoon, der Priester und einsame Seher von Troja, dessen Warnungen vor dem hölzernen Pferd von seinen Landsleuten mißachtet wurden, wird auf den Boden der – wahrscheinlicheren – Tatsachen zurückgeholt. Er wirkt nicht mehr als heldenhafter Kämpfer, sondern als Sinnbild der Ohnmacht. Die pathetische Haltung ist aufgegeben, der Körper unter dem Anprall zerstörerischer Kräfte zerstückelt. Die Fragmente ergeben kein Ganzes, der Fuß und die Hand, die sich verzweifelt zu wehren suchen, sind wesentlicher als das einst erkennende, nun jedoch fast überflüssige Haupt. Wie aus der amorphen Tonmasse geboren, wird der Mensch auch enden.

Literatur: Ausst.-Kat. Anzinger 1986 WD

XVI. 25

ARNULF RAINER (geb. 1929)

25
Wachstum – Fülle 1950

Bleistift; 208 × 76 cm
Wien, Museum moderner Kunst, Leihgabe des BMUKS

Arnulf Rainers Absicht in seinen frühen Zeichnungen war es nach eigenen Worten, „hinabzutauchen in jene Tiefsee, wo auch der Wahnsinn haust. Unendlicher Reichtum, konvulsivische Schönheit, unglaubliche Wesen, Könige, Wälder, Gärten, Prinzessinnen, Architekturen, Edelsteine, Wolkenkinder, alles prächtiger als in Eurer Kultur habe ich dort gesehen''. (Arnulf Rainer, Schön und Wahn, 1967, in: protokolle 1967, S. 187.) Die „Beute'', die der Maler in dieser neuen Erfahrungswelt macht, bietet sich dem Betrachter der Zeichnungen als überquellend-vieldeutiger Formenreichtum dar. Zwar scheint der Zeitpunkt des Festhaltens der vegetabil-qualligen Wesen willkürlich, ihre Ausdehnung, ihr Volumen aber sind unzweifelhaft: Rainer „bannt eine verwunschene Welt in einem Schwebezustand, der das Gleichgewicht hält zwischen vexierbildartiger Dingverflechtung und Transparenz der räumlichen Beziehungen'' (W. Hofmann, Fragmentarisches über Rainer, in: Ausst.-Kat.Rainer 1968). Die Dingverflechtung, die überbordende Formenfülle, erinnert an den horror vacui von Arbeiten Geisteskranker, etwa von Wölffli, für die Rainer sich schon früh begeisterte; gleichzeitig aber weckt die Komplexität der Raumgestaltung den Gedanken an manieristische Architekturvisionen, etwa eines Piranesi (Kat. X. 7). MF

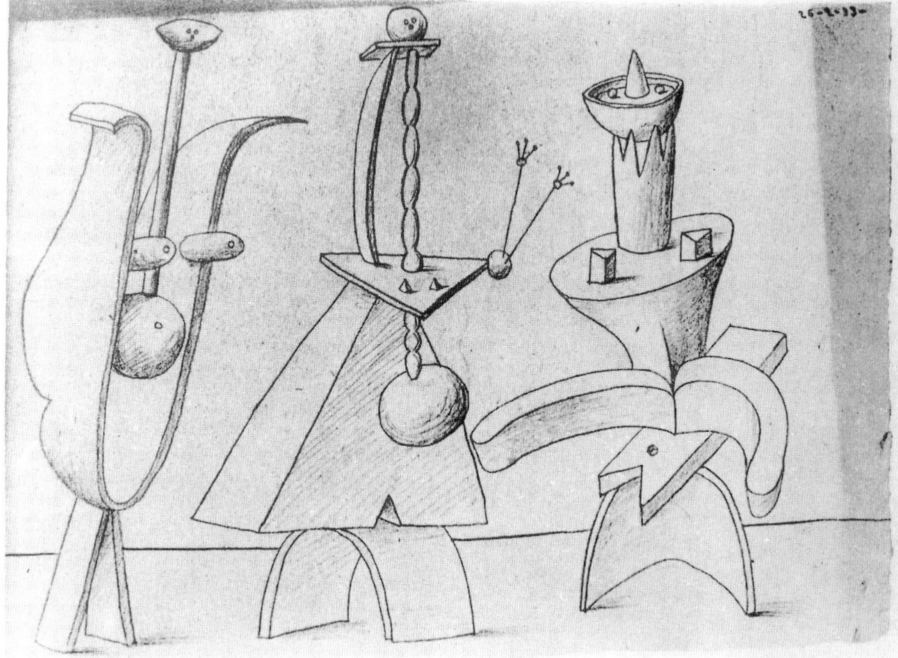

Zu XVI. 26, 27

PABLO PICASSO (1881–1973)

26
Drei Frauen VIII 28. Feb. 1933
Bleistift; 19,8 × 27 cm
Inv. Nr. MP 1090

27
Drei Frauen X 1. März 1933
Bleistift; 19,8 × 27 cm
Inv. Nr. MP 1091

Beide: Paris, Musée Picasso

Zwei von dreißig Zeichnungen einer „Anatomie'', die 1933 in der ersten Nummer des „Minotaure'' (vgl. Kat. XIV. 22) veröffentlicht wurden. Das Zusammensetzspiel verweist in die dritte Dimension. In der Tat beschäftigte sich Picasso damals, von Gonzales angeregt und angeleitet, mit Metallplastiken. In der „Anatomie'' steht ihm eine noch breitere Klaviatur zur Verfügung: Er kann Stangen mit Kissen, Stelzen mit Schachteln koppeln, aber auch einen Stuhl seiner Phantasie einverleiben. Alle Elemente sind versetzbar, und da sie ihre Kombinatorik offen legen, kann man sie – in effigie – auch wieder auseinandernehmen. So willkürlich Picasso das Thema des menschlichen Körpers zu instrumentieren scheint und so ostentativ er dabei auf organische oder knochenähnliche Formbuchstaben verzichtet – die entscheidenden Beziehungen bleiben gewahrt: Beine, Rumpf, Schoß und Brüste behalten ihre tektonisch-konstitutive Rolle. Die Analogien zu manieristischen Kompositkörpern sind offenkundig, ob es sich dabei um tatsächliche Einflüsse handelt, ließ sich noch nicht feststellen.

Literatur: Kat. Paris 1985, 524, 525 – Ausst.-Kat. Picasso 1980, I, S. 310 (dt. Ausg. Nr. 619, 620) WH

ANDRÉ MASSON (geb. 1896)

28
Studie für die Ermordung des Doppelgängers 1941

Tusche; 49,3 × 63,9 cm
Paris, Musée National d'Art Moderne, Centre Pompidou
Inv. Nr. AM 1981.606.D

Es gibt im Werk von Masson eine morphogenetische Seite, die sich von Goethes Idee der Urpflanze nährt. 1940 entstand das imaginäre Bildnis „Goethe und die Metamorphose der Pflanzen'' (Privatbesitz, Mailand), das den organischen Wachstumsgedanken bis in den Kopf des Mannes verfolgt, der ihn 1786 auf seiner Italienreise erschaute.

Der andere Pol von Massons Einbildungskraft umkreist die Gewalttat. Beide Aspekte verbinden sich in den Zeichnungen der „Anatomie meines Universums''. Pflanzliche und animalische, menschliche und geometrische Formelemente verbinden sich darin zu Variationsketten, in denen das Wunderbare sich mit dem Grausamen mischt. Man hat von einer „Summa theologica'' gesprochen. Gewiß gelingt Masson eine aus Antipoden zusammengesetzte Schönheit: Der eine heißt Goethe, der andere de Sade.

Unsere Zeichnung gehört diesem Universum an. Die geschmeidigen Gliederpuppen (wir denken an de Chiricos „Mannequins'') verraten die Kenntnis von Bracelli und Cambiaso (Kat. VII. 53, 63), aber auch von Picassos „Anatomien'' (Kat. XVI. 27). Die Schädel sind geometrische Gehäuse, gleichwie im Hintergrund ein Gebäude sich in einen Schädel verwandelt. WH

XVI. 28

XVI. 29

MAX ERNST (1891–1976)

29
„Monstre! savez-vous que j'aime? – Fin du rêve''
Illustrationsvorlage zum „Rêve d'une jeune fille qui voulait entrer au Carmel'' 1929/30

Collage; 14,7 × 17,2 cm
Bezeichnet: max ernst
Berlin, Galerie Brusberg

Die letzte der 79 Collagen, die das vierte Kapitel („Der himmlische Bräutigam'') und damit den ganzen Traum des „Karmelienmädchens'' beschließt. Die von Ernst erfundene Traumerzählung handelt von der Unschuld und ihrem Verführungsverlangen. Das Kloster als der Reinigungsort dient zugleich der Initiation in den Himmel erotischer Freuden.

Die Collage ist das Kunstmittel der „zusammengesetzten Schönheit'' par excellence. Ernst nutzt die Technik, um das Monströse mit dem Lieblichen, die Grimasse mit dem süßen Klischee zu koppeln. Dabei bedient er sich vorgefundener Bilddokumente und Illustrationen aus Zeitschriften und Trivialromanen des 19. Jahrhunderts. Der so erzielte poetische Zauber hat etwas Dokumentarisches, der Traum wirkt authentisch wie eine kühle Protokollaufzeichnung. Der Emotionsverzicht gehört zum surrealistischen Protest gegen den Aberglauben und das Märchen vom „Schöpfertum des Künstlers''. Da dieses vornehmlich in der subjektiven Handschrift seine Kennmarke hat, dient eine anonyme Technik wie die Collage der Entmythisierung des schöpferischen Prozesses.

Literatur: Spies/Metken 1975, Nr. 1666 WH

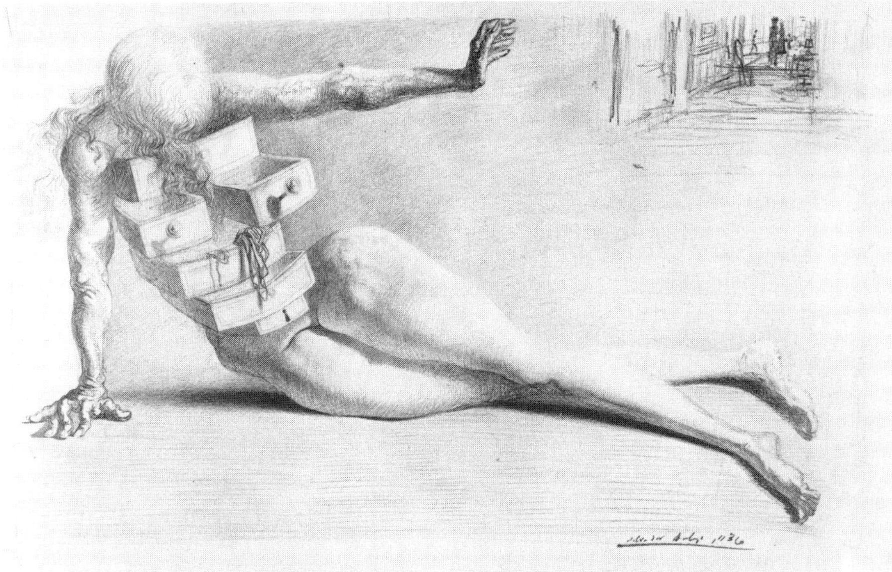

XVI. 31

XVI. 30

RENÉ MAGRITTE (1898–1967)

30
Der Geburtstag (L' Anniversaire) 1959

Öl auf Leinwand; 89,5 × 116,5 cm
Toronto, Art Gallery of Ontario, Erwerb durch Corporations' Subscription Endowment
Inv. Nr. 70/7

Warhol ließ einmal mit Gas gefüllte Kissen durch einen Galerieraum schweben. Ein ähnliches „Happening'' hatte schon Leonardo mit Gedärmen sich einfallen lassen: Er „blies sie auf, bis sie das ganze Zimmer füllten und man in eine Ecke flüchten mußte'' (Vasari). Galt es damals, die Fürstenlaune mit immer neuen Scherzen zu unterhalten, so ist heute das Jet-Set der Adressat solcher Einfälle.

Innenräume waren für Magritte fast immer mit Raumangst besetzt. Was sie ausgrenzten, schien so unheimlich wie das, was sie enthielten. Wenn der Guckkastenraum zu einem undurchdringlichen und unbetretbaren Behälter wird, geraten die Proportionen rettungslos durcheinander. Haben wir es mit einem riesigen Felsen zu tun, um den herum ein Zimmer gebaut wurde, oder mit einem Steinbrocken in einer Puppenstube? Weder noch: Magritte hebt die Verblüffung auf, indem er den Verfremdungsmechanismus (Lautréamonts „zufälliges Zusammentreffen''!) in einen beruhigend schlichten Titel münden läßt, der ein ruhiges, ungefährdetes Beisammensein nahelegt.

Literatur: Torczyner 1977, Taf. 148 WH

SALVADOR DALÍ (geb. 1904)

31
Stadt der Schubladen 1936

Bleistift; 26,5 × 43,5 cm
Bezeichnet: Salvador Dalí 1936
Chicago, The Art Institute

Schon der italienische Manierist Bracelli (Kat. VII. 63) hat Mensch und Möbel verbunden und den Möbelmenschen konstruiert. Dalí baute 1936 einer „Venus von Milo'' aus Gips Schubladen ein und setzte sich intensiv mit dieser Thematik auseinander. In der Folge wurde die Venus zur alten Hexe und posiert im Klischee eines altmeisterlichen Frauenaktes im Gemälde „Der anthropomorphe Kleiderschrank'' (Düsseldorf, Kunstsammlung Nordrhein-Westfalen), zu dem das Blatt in Chicago die unmittelbare Vorzeichnung darstellt. Abgemagert und in die Länge gezerrt, wiewohl noch immer als Frau erkennbar, findet man sie in der „Brennenden Giraffe'' (Basel, Kunstmuseum) wieder.

Den offensichtlichen Zusammenhang dieser Darstellungen mit der Psychoanalyse hat Dalí selbst betont und das Düsseldorfer Bild als eine „Art Allegorie der Psychoanalyse'' bezeichnet. Er unterstrich den „Wohlgefallen am eigenen narzißtischen Geruch jeder unserer Schubladen'', was merklich auf die Psychoanalyse des Narzißmus hindeutet. Peter Gorsen hat hier neben Freud vor allem auf Lacan verwiesen. Freud war seit jeher Leitfaden der Surrealisten. Dalí deutete dessen Wissenschaft ins kreativ Künstlerische um. Freud selbst amüsierte sich über den Spanier, der ihn 1938 in London besuchte. Lacan hingegen interessierte sich ernsthaft für ihn und seine paranoischen Theorien. 1936 legte er seine Arbeit über den Narzißmus vor. In Freuds Aufsatz „Über den Traum'' (1901) wird das Objektinventar unserer Zivilisation auf den Mann und die Frau verteilt. Demnach wird der Frauenleib im Traum von Schränken, Schachteln, Wagen und Öfen vertreten (Ges. Werke, II/III, S. 697). Was der Träumende nach Freud verdrängt, spricht Dalí gleichsam pleonastisch aus, indem er die Frau mit ihren Substituten verbindet.

Bei aller Verehrung für Freud mag bei Dalís Schubladenmetapher (vgl. Kat. XVI. 34) auch der Schalk mitgewirkt haben, ist es doch längst Brauch, die psychoanalytische Sexualsymbolik zu bespötteln. Rätselhafter als die Schubladen ist das verborgene Gesicht der Frau und ihr zwischen Abwehr und Appell schwankender linker Arm.

Literatur: Ausst.-Kat. Dalí 1979, Nr. 200 – Ausst.-Kat. Dada 1984, S. 132 WH/SN

SALVADOR DALÍ (geb. 1904)

32
Zyklop 1968

Glasplastik, Cristallerie DAUM, Nancy
Hamburg, Museum für Kunst und Gewerbe
Inv. Nr. 1969.162

Masson bemerkte einmal, die Surrealisten hätten den Pariser Schaufensterstil umgestürzt. In der Tat gehört die Schaufensterpuppe – in der Nachfolge de Chiricos – zu den Requisiten, die ihrer Zwitter-Poesie von Scheintod und Scheinlebendigkeit entgegenkamen (vgl. Abb. S. 514). Aber auch die Inhalte der Schaufenster verdanken den Surrealisten einen neuen, prickelnden „touch". Vornehmlich Dalí verstand es, seine teigigen, schmiegsamen Formbewegungen in kostbare Gebrauchsplastiken umzusetzen. Da der Zyklop die Signatur im Auge trägt, spielt er wohl auf den Künstler als einen der Einäugigen an, die dem Schmied Hephaistos halfen (vgl. Kat. I. 31). Apoll war ihr schöngewachsener Gegner: Ihm erlag ihre den Regeln spottende Gestalt, ein anatomisches Capriccio. WH

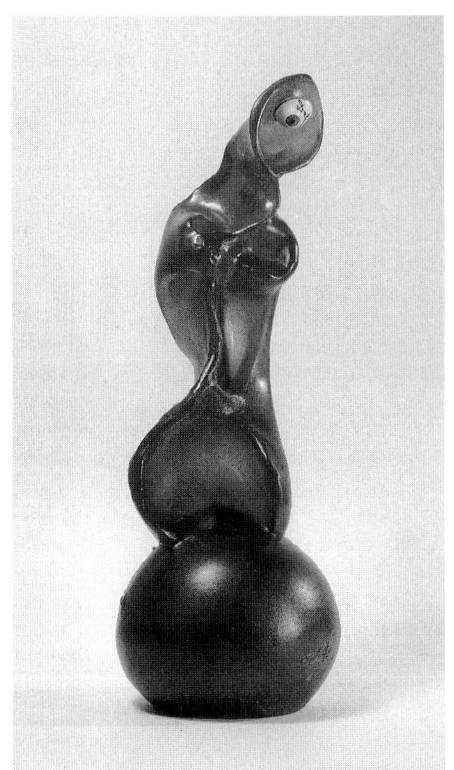

XVI. 32

SALVADOR DALÍ (geb. 1904)

33
L'Important c'est la Rose 1968

Glasplastik, Cristallerie DAUM, Nancy
Hamburg, Museum für Kunst und Gewerbe
Inv. Nr. 1969.163

Ein zerquetschtes Gefäß, dessen elastische Schmiegsamkeit sich der schleimig-zähen Trägheit der beiden Schnecken anpaßt. In der Schnecke – vgl. Klingers „Verführung" (Kat. XII. 12) – verbindet sich die plasmatische organische Form mit einem Kunstgebilde, dessen Spiralform zu den Lieblingsmustern der manieristischen Phantasie zählt. WH

XVI. 34

SALVADOR DALÍ (geb. 1904)

34
Frau vor einer Schubladenbüste 1936

Bleistift; 54,3 × 43,5 cm
Bezeichnet: Salvador Dalí 1936
Privatsammlung

Die unveröffentlichte Zeichnung hängt mit der 1937 entstandenen Schubladen-Büste und dem „Nietzscheaner nach oben" von 1956 (beide abgeb. in Dalí, München 1980, S. 272) zusammen. Eine Frau blickt auf die „Philosophen"-Büste zurück, indes zwei knochige Arme ihre Taille umfangen; ihren dritten Arm hat sie auf der Lehne der Liegestatt zurückgelassen, die noch den weichen Abdruck ihres Körpers gleich einer Halluzination zeigt. Wie wenig sich Dalí an die Freudsche Regel hält, wonach Schachteln und Schränke für den Körper der Frau stehen, zeigt dieses Blatt, das die Verkörperung männlicher Denkanstrengung als ein Behältnis vorführt, das, geöffnet, nur seine eigene Leere (aber keine Lehre) anzubieten hat. Wahrscheinlich deckt sich die Aussage des Bildes mit der Formel, die Max Ernst Jahrzehnte später prägte: „Die Nacktheit der Frau ist weiser als die Lehre des Philosophen." Dalí macht sie, die bei Freud nur Ziel männlicher Projektionen ist, zum Subjekt und zur Trägerin des Unbewußten: „Freud entdeckte auf den schwellenden Oberflächen der Antikörper die Welt des Unbewußten, und Dalí schneidet sich daraus Schubladen." Diese Schubladen möchte er in einen geräumigen Körper stecken, der noch nicht die christlichen Gewissensbisse kennt – in eine Venus etwa: „Diese Skulptur könnte uns von der Psychoanalyse heilen." WH

SALVADOR DALÍ (geb. 1904)

35
Dalí Nike
(Victoire de Samothrace – Lilith) 1973

Auflagenobjekt, Bronze, Silber, Marmor
(Nr. 74 von 80); 30 × 8,5 × 8,5 cm
Hamburger Kunsthalle
(Vermächtnis Dr. Karl Graak)
Inv. Nr. 1985/6

Dalí läßt zwei Silberreduktionen der Nike von Samothrake (Louvre) frontal sich so durchdringen, daß eine schmetterlingsartige Figur entsteht. Dem liegt eine Urform zugrunde, die 1966 nach Dalís Angaben von Miguel Berrocal in Bronze gefertigt wurde (Ausst.-

XVI. 35

Kat. Dalí, Baden-Baden 1971, Nr. 143); damals hieß sie „Nike zweifach – Lilith'', wie die Urmutter des Alten Testaments und in Goethes Faust: Das Ewig-Weibliche? Die Zwillingsfigur hängt mit Dalís „paranoischer'' Metaphorik zusammen, wie er sie von Lorca erlernt haben will; von ihm zitiert Dalí, „daß die Apostel symmetrisch waren, wie die Flügel von Schmetterlingen'' (Musidiak-Schlott 1982, S. 253).

Literatur: Ausst.-Kat. Dalí 1982, Nr. 197 – Idea, Bd. V, 1986, S. 159 GS

SALVADOR DALÍ (geb. 1904)

36
Giraffen-Venus 1973

Auflagenobjekt aus Bronze (teilweise feuervergoldet); 57 × 27 × 9 cm
Hamburger Kunsthalle
(Vermächtnis Dr. Karl Graak)
Inv. Nr. 1985/7

Dalí hat eine Bronzereduktion der Venus von Milo (Louvre) mit einem langen Giraffenhals ausgestattet und mit zwei Schubladen versehen, von denen die untere durch eine Krücke abgestützt ist. Alle Elemente kommen bereits 1936/37 in Dalís Œuvre vor; zumindest zwei von ihnen, die Schubladen und die Krücke, nehmen auf Sigmund Freuds Psychoanalyse Bezug. „Der Schlaf ist ein Ungeheuer, denn der Mensch ist, während er schläft, der schrecklichsten Verbrechen fähig. Um den Schlaf zu ermöglichen, ist ein System von Krücken nötig, die sich im psychischen Gleichgewicht befinden. Wenn eine einzige versagt, erfolgt das Erwachen sofort, und vor allem das Boot würde auf der Stelle verschwinden'' (Ausst.-Kat. Dalí 1982, zu Nr. 27 und 53). Die Giraffe taucht in Dalís Œuvre um 1937 als brennendes Tier auf: „Nach Nostradamus sagt das Auftauchen von Ungeheuern Krieg an. Ich habe das Bild auf dem Semmering bei Wien gemalt, ein paar Monate vor dem ‚Anschluß'. Es hat prophetischen Charakter. Die brennende Giraffe ist das männliche kosmische Ungeheuer der Apokalypse'' (zu Nr. 29). In einem Gemälde des Kunstmuseums in Basel von 1937 vereinigen sich Schubladen in weiblicher Gestalt, Krücken und brennende Giraffe; in dem Auflagenobjekt von 1973 wächst alles zu einer Gestalt zusammen.

Literatur: Ausst.-Kat. Dalí 1982, Nr. 203, S. 8 – Idea V/ 1986, S. 159 GS

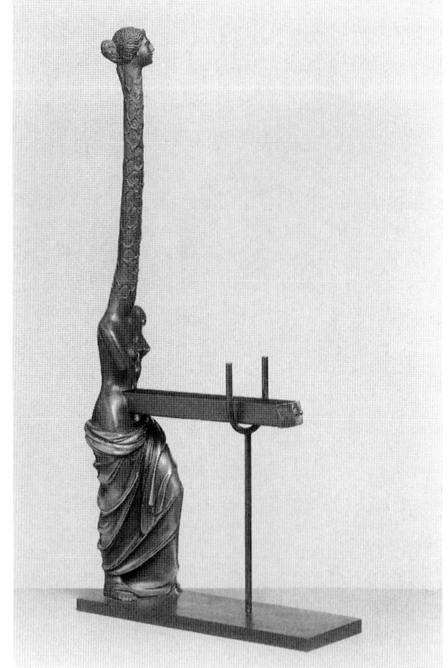

XVI. 36

VICTOR BRAUNER (1903–1966)

37
Martialischer Pessimismus 1932

Feder; 33 × 29,3 cm
Bezeichnet: Victor Brauner 1932
Privatsammlung

Brauners Beitrag zur surrealistischen „Anatomie'' gilt in der Regel statischen, fest konturierten Totems, wird also von diesem Blatt nicht veranschaulicht. Dieses ist ganz allgemein für die von organischen, plasmatischen Formen geprägten frühen dreißiger Jahre repräsentativ. Brauner experimentiert mit den Formaufweichungen, die Dalí und Tanguy als den Schlüssel zur Transformabilität von allem in alles anbieten, doch geht er nicht so weit: Er vermeidet das Schönlinige. Die Deutung des Blattes ist nicht einfach. Der Kriegsgott mit dem zerborstenen Schädel ist ein fragiles Gebilde. Was ihn trägt, ist weder Gestänge noch Gewächs. Ein Vogel, der an den Adler des Evangelisten Johannes erinnert, bläst ihm feurigen Atem ein. Dennoch ist dieser Mars kein starker Mann. Die nackte Rückenfigur könnte einen anarchischen, zum Bombenwurf bereiten Gegenspieler darstellen. WH

XVI. 37

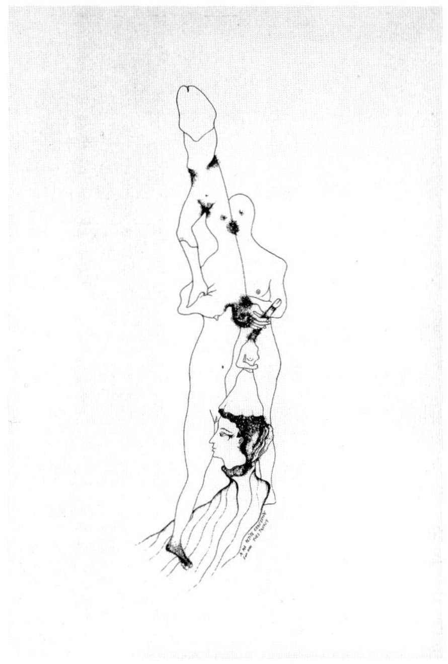

XVI. 38

YVES TANGUY (1900–1955)

38
„A ma petite chaussure son Ami Yves Tanguy'' um 1932

Tuschfeder; 32,7 × 23,7 cm
Hamburger Kunsthalle, Kupferstichkabinett
Inv. Nr. 1987/11

Ein Zwittergeschöpf, das sich in der Art der cadavre-exquis-Zeichnungen trotz des fließenden Duktus in Schichten von unten nach oben lesen läßt. Ein nach links blickender weiblicher Kopf, aus dessen Haarkrause sich zwei Schamlippen herausschälen. Hutähnlich steht auf dem Kopf eine Figurine, auf deren Nacken ein steifer, spargeldünner Phallus sitzt. Das alles wird von einem mannweiblichen Körper gefaßt, aus dessen Mittelvertikale eine Trennlinie hervorwächst, die sich in einen riesigen Schwanz verfestigt, der zugleich einen weiblichen Körper krönt. Die sorgfältige Linearität kontrastiert mit dunklen, moosigen Flecken, die als erotisierte Körperöffnungen zu lesen sind. Selten wurde der Androgyn-Gedanke so verwirrend komprimiert dargestellt. Zu dieser Rätselhaftigkeit gesellt sich jene des Titels: wem galt die Widmung an „meinen kleinen Schuh''? Auf welche Beziehung spielt sie an? WH

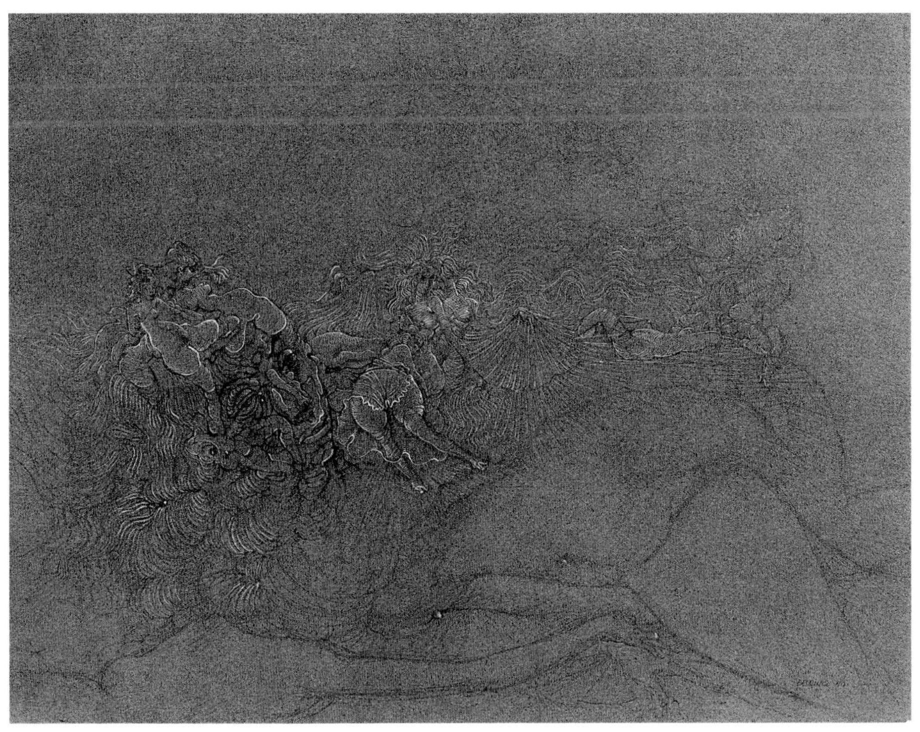

XVI. 39

XVI. 40 A

HANS BELLMER (1902–1975)

39
Arcimboldesker Kopf 1940

Bleistift und weiße Tinte; 25 × 32 cm
Bezeichnet: Bellmer 40
Privatsammlung

Der Kopf als Landschaft, die Landschaft als Kopf – ein vexierbildartiges Wechselspiel, durchwirkt von quirligen, korpuskelartigen Geschöpfen, die lebhaften Umgang miteinander haben. Ähnlich, doch noch unschuldiger trieben es die „Fairies" in der Traumwelt Füsslis. Die Liegende ist Venus. Plissierte Rüschen erinnern daran, daß die Göttin einer Muschel entstieg, und die fließenden Haarwellen geben der Schaumgeborenen die Merkmale des Elements, aus dem sie stammt. Lange vor Bellmer entdeckte schon Dalí die kalligraphische Poesie der Haarlocken in seinem Pastell „La Chevelure" (1927/28). Von der gymnastischen Lebhaftigkeit des erotischen Getändels ist das Gesicht ausgespart. In ihm gerinnen die Gliedmaßenpartikel zu einer versteinerten Physiognomie, in der zwei traurig versonnene Augen sitzen. Die Fülle des kleinteiligen Geschehens schlägt in innere Leere um, der Zeitvertreib gibt das Unbefriedigtsein preis, das ihn anstachelt. WH

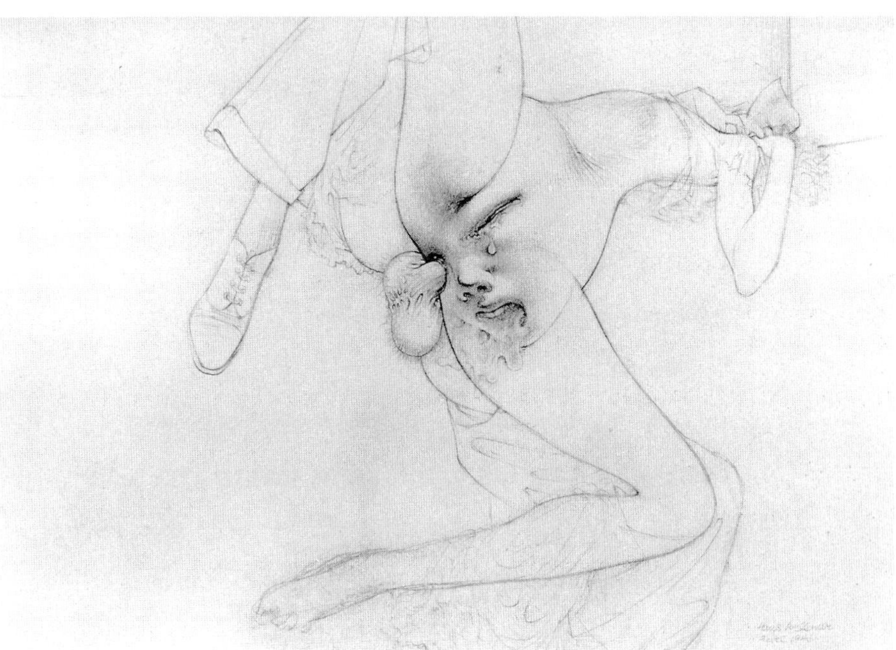

XVI. 40 B

HANS BELLMER (1902–1975)

40
Zwei Zeichnungen zu der Erzählung „L'histoire de l'œil" von Georges Bataille

40 A
Szene in einer Kirche 1946
Bleistift; 25 × 16 cm
Bezeichnet: Bellmer

40 B
Erotische Szene 1946
Bleistift; 16,2 × 24,7 cm
Bezeichnet: Hans Bellmer, Revel 1946

Beide: Privatsammlung

Die Erzählung setzt zwei Rundformen, die in der Tradition des sexuellen Zeichenvokabulars stehen – das Auge und das Ei –, in einen schmerzhaften Wechselbezug, der Befriedigung nur auf komplizierten sado-masochistischen Umwegen herbeiführt. Die Pornographie erfüllt ihren Literaturanspruch in dem Maße, in dem sie den beschriebenen Handlungen einen Grad der Unwahrscheinlichkeit verleiht, der sie zum selbstgenügsamen Körperornament stilisiert. Batailles Anspruch leisten die sechs Illustrationen von Bellmer Genüge, sie sind dem Text an Schärfe und Sublimierung überlegen. Das Blatt mit dem Priester bezieht sich auf die Vergewaltigung eines Beichtvaters in einer Sevillanischen Kirche. Bellmer macht den Priester, der einen tödlichen Orgasmus erleidet, zu einem Vanitasboten, ähnlich dem „Finis Gloriae Mundi'' des Valdès Leal (Sevilla). Bellmer umkreiste fortwährend den tödlichen Eros – „ziehe mein Los immer zeitlose Totenuhr'' –, aber nie hat er die Kurve, die ihm Lust zuträgt, so knapp gezogen.

Wie sehr das andere Blatt der Phantasie des Zeichners entspringt und nicht bloß Illustration ist, macht Bellmer deutlich, wenn er von „zwei riesigen, gewölbten Augen'' spricht, „die sich wie zwei Halbkugeln über dem Rektum öffnen'' – so die Wahrnehmungssteigerung, die eine Dosis Kokain bewirkt (Bellmer, Die Puppe, Berlin 1976, S. 89, vgl. Michel Camus, Bellmer und Bataille, in: Obliques 1975, Hrsg. Borderie/Rouse, S.199).

WH

CHRISTIAN D'ORGEIX (geb. 1927)

41
Zehn Objekte

A Die Opfergabe (Ex voto) 1983
Gips; 30 × 25 cm
B „Oui, ma chère'' (Ja, meine Liebe) 1979
Mischtechnik; 7,5 × 10 cm
C Mandragora 1970
Holz; 20 cm
D Gargamelle (pop. für Schlund, Kohle) 1979
Knochen und Gips; 16 × 9 cm
E „Die häßliche Herzogin'' 1952
Mischtechnik; 21 × 11 cm
F „Elephant Man'' 1979
Bemalte Steine; 13 × 19,5 cm
G „Petroglyphe'' 1970
Bemalter und skulpierter Stein; 12 × 7,5 cm
H „African Prayer'' 1955
Mischtechnik; 44 × 12 cm
I „Napoleone'' 1960
Mischtechnik; 21 cm
J Der Inquisitor 1975
Mischtechnik; 41 × 11 cm

Alle: Paris, Sammlung des Künstlers

Die zehn Objekte sind repräsentativ für die Spannweite der spätsurrealistischen Objektmagie. Die meisten dieser Objekte sollen etwas bannen oder bewirken, Glück bringen oder Unheil abwenden. Petroglyphen heißen in Stein geritzte oder gemeißelte Zeichnungen (G). Der deutsche Titel „Die häßliche Herzogin'' spielt auf Margarete Maultasch (1318–69) an, deren legendäre Häßlichkeit viele physiognomische Groteskbildungen anregte.

Literatur: Holten/Pierre 1975, S. 20 WH

XVI. 41 A

XVI. 41 C

XVI. 41 D

XVI. 41 E

XVI. 42

ALBERT PARIS GÜTERSLOH (1887–1973)

42
Im Irrgarten der Liebe 1960

Gouache; 15 × 17,4 cm
Wien, Privatsammlung

Künstliche Welten, in denen Menschen als Marionetten auftreten. So sind die Szenerien beschaffen, in denen Gütersloh sich der „ironischen Absicht'' verschrieb, „Wichtiges en bagatelle zu behandeln''. Die Grenze zwischen Belebtem und Unbelebtem zu überschreiten, den Menschen auf einen Sockel zu entrücken und das Kunstwerk von eben diesem herunterzuholen, das sind uralte Beschwörungshandlungen, die in diesem Irrgarten durch komplizierte Partnerbeziehungen zusätzlich gewürzt werden.

Literatur: Hutter 1967, S. 65 WH

XVI. 43

ALBERT PARIS GÜTERSLOH (1887–1973)

43
Tanz der Salome 1923

Aquarell mit Deckweiß; 13,5 × 19,5 cm
Bezeichnet: Gütersloh
Wien, Privatsammlung

Gütersloh war der geistige und künstlerische Mentor der Wiener „phantastischen Realisten'' – nicht nur als akademischer Lehrer, sondern auch als geistreich verschmitzter doppelbödiger Causeur und Literat. In seinen miniaturhaften Aquarellen vollzieht sich die Verwandlung der Welt in ein theatrum mundi, das freilich stets den Charakter einer amüsanten Generalprobe hat, bei der Rollentausch noch möglich ist. Manchmal scheint ein Spieler aus einem anderen Stück dazugestoßen zu sein. Die Höhenlagen des Ausdrucks neigen zwar zur Burleske, verhalten sich aber stets ambivalent: Commedia dell' arte mit wienerischem Zungenschlag. WH

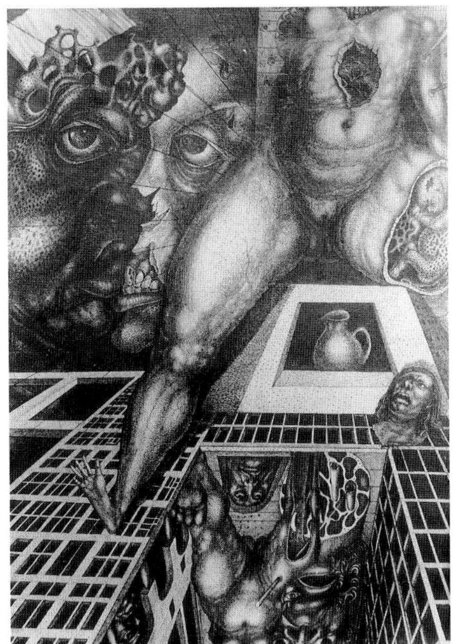

XVI. 44

ERNST FUCHS (geb. 1930)

44
Frau im Spiegel einer Häuserfront 1946

Bleistift mit roter und grüner Tusche;
60,5 × 42,5 cm
Wien, Sammlung des Künstlers

Der aufgerissene, zerschnittene und zerstochene Frauenleib enthält Anklänge an den Laokoon (Kat. XVI. 7) und Michelangelos Hinrichtung Hamans. Zugleich gibt er das Grundmotiv des Blattes an, den Riß, der durch die menschlichen Bewußtseins- und Triebbereiche geht. Das Körperliche – etwa des nach antikem Vorbild im Schenkel eingelassenen Embryos – ist nicht Gegensatz der Rasterarchitektur, sondern deren Entsprechung. Wie diese als „himmelstürzendes oder vom Himmel stürzendes Gefängnis des Menschen'' (Fuchs) gedeutet wird, sind ihre Schächte identisch mit den Verliesen, in denen die Leibhaftigkeit gebannt auf sich selbst starrt.

Literatur: Hartmann 1977, S. 64 WH

ERNST FUCHS (geb. 1930)

45
Kampf der verwandelten Götter 1951/52

Aquarell; 60 × 40 cm
Wien, Sammlung des Künstlers

„Hier tötet das Einhorn als Personifizierung des Todes den Drachentöter, der als Zeremonienmeister dieses Bildes auftritt. Hier tötet das Einhorn meuchlings den Tod. Der Tod als Magier der Verwandlung wird beseitigt, der Heilige (Sebastian) wird frei.''

Der Tod als geistlicher Würdenträger wird der Institution Kirche als einer ihrer Vollstrecker integriert. Diese „Blasphemie'' ist durchaus nicht unüblich. In Kremsmünster wird eine Totenkasel aus dem 17. Jahrhundert aufbewahrt, deren seidengesticktes Rückenbild ein Totengerippe beherrscht, dem alle Stände zu Füßen liegen. Die Vorderseite zeigt einen Totenkopf mit Gewürm und Sanduhr. Der Priester, der diese Kasel trägt, wird zum Verkünder, zum Herold des Todes, zugleich ist er, vom Gerippe umfangen, selber dessen Opfer. Zugleich aber weist der Tod das Welt- und Schöpfungsei in integraler Schönheit vor. In der Mittelachse des Bildes triumphiert es über das geborstene Ei des Drachens, aus dem ein dunkles männliches Geschlechtsidol – ein Lingam – sich befreit. Tötet der Tod den dunklen Eros? Alles ist hier ambivalent: Das geflügelte Einhorn gleicht einem bösen Engel; dem „befreiten Sebastian'' sitzt ein monströses Flügelwesen im Nacken, und der Schweif des Drachens schmiegt sich an seinen Körper. Spiritualität und Animalität sind in dieser Welt des männlichen, todbringenden Eros nicht voneinander zu trennen.

Literatur: Hartmann 1977, S. 96 WH

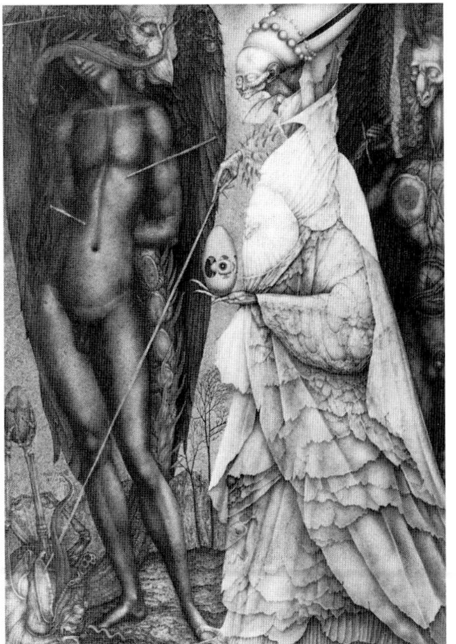

XVI. 45

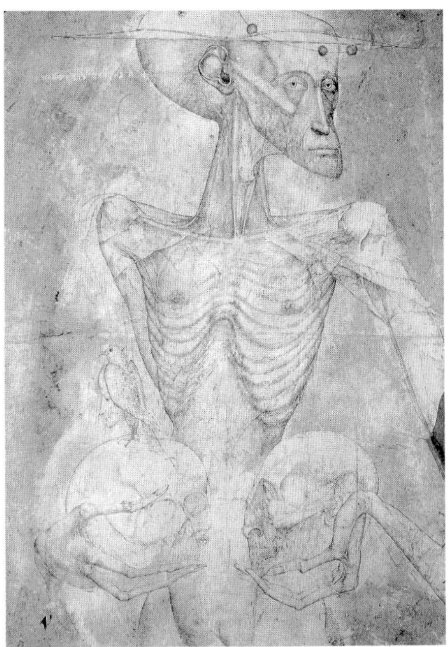

XVI. 46

ERNST FUCHS (geb. 1930)

46
Der Kardinal (Viertes von sechs Blättern des Zyklus „Metamorphosen der Kreatur'') 1949/50

Bleistift; 90 × 62 cm
Wien, Sammlung H. W.

„Fast alles, was ich in den Jahren 1946 bis 1954 geschaffen habe, steht unter dem Eindruck, ja unter dem Diktat personifizierter Angst, dieser Zerstörerin und Verwandlerin. Alles Verwesende übte auf mich eine ungeheure Faszination aus. Alles wurde mir zur heroischen Apotheose des unwiderruflichen Endes: das Skelett als fein ziselierter, kostbarer Schlußstein, im Zenith des Lebensgewölbes'' (Hartmann 1977, S. 50). Kein Kommentar könnte den „Kardinal'' besser erläutern als dieses Wort. Die Zeichnung gehört zu dem Zyklus „Metamorphosen der Kreatur''. Fuchs verarbeitet darin die christliche Vanitas-Botschaft, die damals von katholischen Geistlichen wie Otto Mauer und Diego Goetz mit intellektuellem Feuer verbreitet wurde. Er gab der Zeichnung die altertümliche, besser: alternde Patina eines Fundstücks. Der Zerfallsprozeß hat auch den Bildträger ergriffen. In der ausgezehrten Gestalt steigert sich das subtile Kunstvermögen zu einer behutsamen Detailschärfe, die geradezu dokumentarisch wirkt. Es ist, als wäre der Kardinal – in der Art des Schweißtuchs der Veronika – auf das Papier abgedruckt worden. Das Kunstwerk tritt in die Aura der Reliquie ein.

Literatur: Hartmann 1977, S. 198 WH

XVI. 47

ERNST FUCHS (geb. 1930)

47
Die Stadt II 1946

Bleistift; 90 × 63 cm
Wien, Sammlung des Künstlers

Riesige Architekturen entwerfen divergente Raumachsen, die einander widersprechen. Die Draufsicht rechts unten läßt sich mit der gegenläufigen Schräge des steil nach oben führenden Turmes nicht vereinbaren. Diese gigantischen Bauwerke sind Festungen, aber ihre Nischen erinnern auch an die mediterranen Totenstädte, die in endlosen Nischenreihen Urnen zur Schau stellen. Fuchs besetzt die Nischen mit Gestalten, die an Henry Moore erinnern, einen Bildhauer, der ihn damals fesselte. Nachträglich ist man versucht, dieses Einnischen in Grabkammern als Vorwegnahme des Abschiedes von der „Moderne" zu deuten, den Fuchs später vollziehen wird. Eine lebend-tote Welt der Hybris und der babylonischen Verwirrung, aus der selbst der Seher, dem das Hirn entquillt, keinen Ausweg weist. Ist der vogelartige Dämon (Eule oder Fledermaus?) sein Partner oder Widersacher? Doch das scheinbar Chaotische und Fragmentarische ergibt ein wohlberechnetes Labyrinth, die Stückhaftigkeit folgt einer apokalyptischen Endzeitvision: „Denn ihre Sünden reichen bis in den Himmel und Gott denkt an ihren Frevel", heißt es in der Offenbarung des Johannes über die Stadt Babylon.

Literatur: Hartmann 1977, S. 61 WH

WOLFGANG HUTTER (geb. 1928)

48
Flora I 1946

Bleistiftzeichnung; 56 × 44,5 cm
Wien, Privatsammlung

Zweierlei unterscheidet das Blatt von den arcimboldesken Kompositköpfen. Das Aufgebot an Pflanzen und Früchten ist nur bekrönende Zierde des Kopfes, dessen Umriß einem Gefäß gleicht, und dieser „Pokal" ist defekt, gleichwie das Obst rissig und wurmstichig scheint. Obendrein ist diese Flora blicklos. Alles in allem also eher eine diskrete Vanitas-Mahnung, die daran erinnert, daß Flora auch dem Totenkult geweiht war. WH

XVI. 48

XVI. 49

WOLFGANG HUTTER (geb. 1928)

49
Der Traum 1947

Bleistift; 61 × 52 cm
Düsseldorf, Privatsammlung

Als Zeichnungen wie diese entstanden, waren die jungen Maler, denen später der Begriffszwitter „phantastischer Realismus" (J. Muschik) angeheftet wurde, kaum darüber unterrichtet, wie in Paris oder anderswo im Westen die Surrealisten malten. Man mußte sich sein Zeichenrepertoire selber erschließen. Heute zeigt sich im Rückblick, daß die geistige Verwandtschaft zu analogen Symbolen führte. Der „enthauptete" Kopf mit geschlossenen Augen taucht bei Magritte auf, die Vulva als Einblick bei Masson, das Ei bei Dalí. Wie Hutter diese Traumbilder zu einem Capriccio verschmilzt, gibt er ihnen eine eigene, unverwechselbare Note, eine schwermütige Anmut, an der auch das Geborstene und Zerbrochene – die Leiter, das Ei, das Halsgestänge – teilhaben. WH

XVI. 50

RICHARD OELZE (1900–1980)

50
Der gefährliche Wunsch 1936

Papier auf Holz aufgeklebt; 13,9 × 17 cm
Frankfurt am Main, Städtische Galerie im Städelschen Kunstinstitut
Inv. Nr. S 6 1256

Schon früh entdeckte Oelze in der vegetabilen Wucherung eine bedrohliche Macht. Das verbindet ihn mit Max Ernst (Kat. XIV. 31). Giftige Farben bilden ein Geschlinge aus züngelnder Aggressivität. Die Arme, die am oberen Rand auftauchen, scheinen sich davon befreien zu wollen, doch sind sie in das Plasma eingebunden und letztlich Hilferufe einer verzweifelten Kreatur. WH

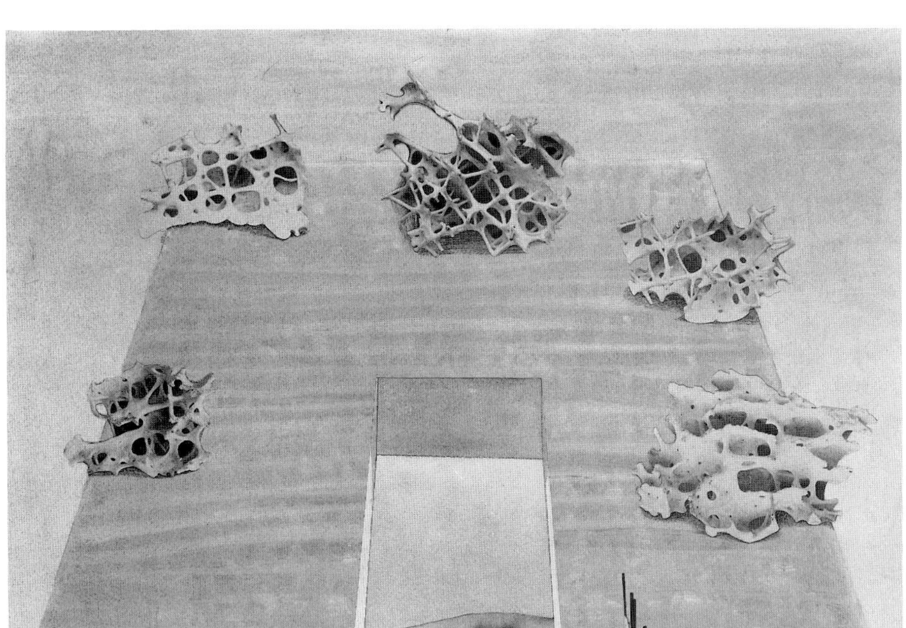

XVI. 51

KURT KRANZ (geb. 1910)

51
. . . bis aufs Mark . . . 1934

Collage; 52 × 72 cm
Bezeichnet: . . . bis aufs Mark . . . – Kurt Kranz 34
Wedel, Sammlung Prof. Kurt Kranz

Als Bauhausschüler lernte Kranz, daß formale Gesetzmäßigkeiten nicht Zustände, sondern Prozesse sind. Seitdem denkt und gestaltet er in seriellen Abläufen. Seine „Mimik-Reihe von Mündern" (24 Fotos, 1930/31) experimentiert mit den Erfahrungen, die Messerschmidt in seinen Köpfen festhielt (Kat. XI. 1, XI. 2).

Zum Gesetz gehört der Widerspruch. Er kommt zustande, wenn das bizarre Naturgebilde als „objet trouvé" in einen Zusammenhang gerückt wird, dem es sich verweigert. „Bis aufs Mark" ist ein Beispiel dafür und belegt zugleich die Entdeckung einer Formenwelt, die später im Werk von Tanquy zur Kennmarke des „Dépaysement" wurde. Kranz setzt die von Essig zerfressenen Knochen vor eine Platte, die zugleich Torwand ist. Das Dahinter ist leer, doch ein ominöser Zeigefinger gibt eine unausweichliche Richtung an. Zusammen mit Titel und Entstehungsjahr lesen wir die Botschaft der Collage als verschlüsselte Warnung. Kranz gibt heute folgenden Kommentar: Rechts „Stahlhelm", „Nazis", „Deutsch-National" – „Deutsch bis ins Mark". Die Hand zeigt nach links. Dort die Arbeiter-Funktionäre: Die nützen euch aus „bis aufs Mark". WH

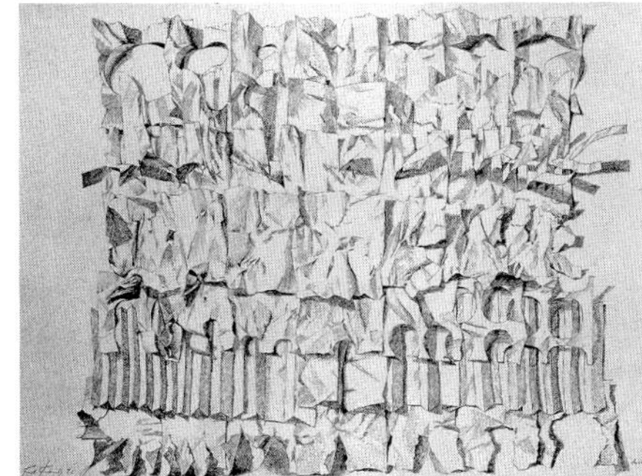

XVI. 52

KURT KRANZ (geb. 1910)

52
„Auslage" 1972

Bleistift; 30 × 40 cm
Bezeichnet: Kurt Kranz 72 Auslage 2
Wedel, Sammlung Prof. Kurt Kranz

Der Trompe-l'œil-Effekt bewirkt eine „Quasirealität", die der Künstler so kommentiert: „Jede Schicht der Zeichnung ist in Progressionen variiert und konsequent durchgeführt. Die freie Erfindung wird durch die Reihe aller Zufälligkeit entkleidet." Das serielle Prinzip wird durch Überlagerungen, Brüche, Löcher und Risse um seine evidente Zielstrebigkeit gebracht. Was hier abläuft, setzt sich aus lauter defekten, destruierten Phasen zusammen, paktiert also mit dem Zufall und den Reizen der Unvorhersehbarkeit. Sieht man jedes Feld als Formbuchstaben, dann nähert sich das Ganze der Palindrom- und Anagramm-Poesie von André Thomkins. Doch in der knisternden Vernetzung der Elemente steht Kranz in der Bauhaustradition – anders, kalligraphisch, verfuhr er 1948 in der Zeichnung „Zug der Sinneswesen" (Kat. XVI. 53). WH

KURT KRANZ (geb. 1910)

53
Zug der Sinneswesen 1948

Bleistift; 50 × 38 cm
Bezeichnet: Kommt–geht – Kurt Kranz 72 13. II. 72
Hamburg, Sammlung Maja Stadler-Euler und Reiner Stadler

Ein Blatt aus der Folge „Bandolina und der Harlekin", die Kranz in den Nachkriegsjahren als work in progress erfand. Die Organe, denen der Mensch seine fünf Sinne verdankt, haben sich zu einem leichtfüßigen Reigen verselbständigt. Alles ist auf das Sehen, Hören, Schmecken, Tasten und Riechen konzentriert – was diesen Wahrnehmungsvorgängen nicht dient, ist überflüssig und wird weggelassen. So entstehen geistreiche Anatomien, die das alte Thema der fünf Sinne sowohl spielerisch verschlüsseln wie von allem Beiwerk befreien – Antworten an die aus Objekten komprimierten Mischgebilde eines Arcimboldo, aber auch „Capricci", in denen Kranz die strenge Wahrnehmungslehre des Bauhauses aus den methodischen Angeln hebt. WH

XVI. 53

KURT KRANZ (geb. 1910)

54
Knopfauge 1970

Assemblage; 34 × 51 cm
Bezeichnet: Knopfauge 1970 Kurt Kranz
Wedel, Sammlung Prof. Kurt Kranz

Schon in der Bauhauszeit spielte Kranz mit der Desintegration: Er zerschnitt oder zerriß Fotos und ließ die Teile durch den Raum wirbeln. In den zu Assemblagen vereinigten Ding-Reihen nimmt er die Möglichkeiten der zeichnerischen Verwandlung zu Hilfe, um Verwandtschaften im Sinne des Novalis-Wortes zu stiften: „Kommen die fremdesten Dinge durch einen Ort, eine Zeit, eine seltsame Ähnlichkeit zusammen, so entstehen wunderliche Einheiten und eigentümliche Verknüpfungen und eines erinnert an alles, wird das Zeichen vieler . . .“ Jedes Zeichen ist multivalent und weist in mehrere Richtungen. Solcherart greifen die drei Formreihen sowohl waagrecht wie senkrecht ineinander, steht neben jeder Verwandlung deren dialektischer Widerruf.

Das Muster aus sieben Knöpfen läßt nochmals an Novalis denken – „Die beste Poesie liegt uns ganz nahe und ein gewöhnlicher Gegenstand ist nicht selten ihr liebster Stoff“ –, aber auch an Kandinskys berühmte Grundsatzerklärung, wonach der gegenwärtigen Kunst „die ganze Vorratskammer zur Verfügung steht, das heißt es wird jede Materie, von der ‚härtesten' bis zu der zweidimensional lebenden (abstrakten) als Formelement angewendet“ (Über die Formfrage, 1911).
WH

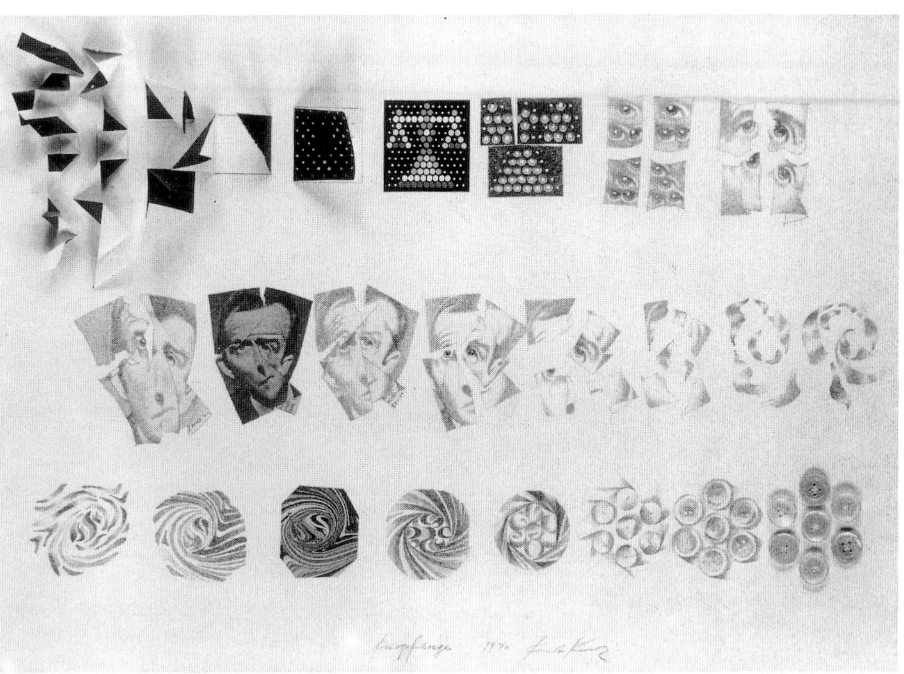

XVI. 54

ANDRÉ THOMKINS (1930–1985)

55
OTTO 1968

Bleistift; 23 × 18 cm
Bezeichnet: OTTO André Thomkins 1968
Köln, Nachlaß André Thomkins

Wie „Anna“ ist dieser Vorname das klassische Palindrom. Die Möglichkeit, ihn in beiden Richtungen zu lesen, regte Thomkins zu visuellen Spiegelungen an. Das Wort OTTO wird zum Bild-Wort eines Gesichts, das in eine Landschaft umschlägt. Wieder einmal ist subtil der Nachweis erbracht, auf den Kandinsky seine Lehre von der Ambivalenz der Zeichen gründete. Wer einen Buchstaben als Ding sieht (und nicht als Zeichen für einen Laut), nimmt darin eine körperliche Form wahr. Thomkins verwandelt die körperliche Form des O und T wieder in mehr oder weniger vertraute Wahrnehmungsinhalte.

Literatur: Ausst.-Kat. Thomkins 1986, Nr. 140 WH

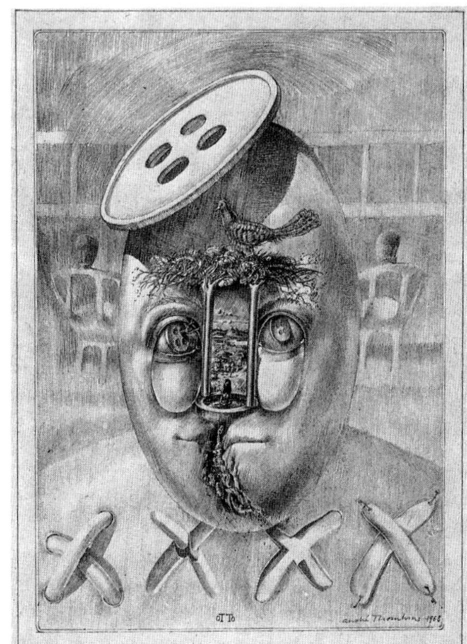

XVI. 55

PERMANENTERFORMWEG
RAMMWENNPFORTEREGE
OPFERWERTMENGENARM
GERNOPFERTAMMENWER
REFORMWEGPERMANENT
AMORFPERMENGENWERT
MENGEWARMERTROPFEN
MENGERNAPFWORTMEER
ERWOGERNTENMAMPFER
ENORMERWERTEMPFANG
NEGEROPFERRAMMTWEN
TROPFWEMMEERGERANN
WAREPERMENGENFORMT
EMPORWERFTGERMANEN
RENNOPFERRAMMTEWEG
FORMPERWARTEMENGEN
EPENFORMREGNETWARM
NARRTWEGFERNEMPOEM

XVI. 56

ANDRÉ THOMKINS (1930–1985)

56
– PERMANENTERFORMWEG – 1969

Feder; 41,5 × 42,7 cm
Köln, Nachlaß André Thomkins

Drei der vier Ränder des Quadrats werden von denselben Buchstaben gebildet:
permanenter / formweg
programme / entwerfen
narrt / weg / fernem / poem
Dazwischen liegen noch einmal fünfzehn Zeilen, in denen Thomkins demselben Buchstabenrepertoire (ein a, vier e, ein f, ein g, zwei m, zwei n, ein o, ein p, drei r, ein t und ein w) weitere mehr oder minder kryptische Sätze abgewinnt:
tropf / wem / meer / gerann
empor / werft / germanen
Der Titel enthält eine Herausforderung und ein Programm: Das Sprachmaterial, in Buchstaben zerlegt, soll einen „permanenten Formweg“ erschließen. Die Ergebnisse der Variationskette sind nicht vorhersehbar. Sie verteilen sich auf verschiedene Ebenen und reichen von der positiven Aussage – „menge / warmer / tropfen“ – bis zum Rätselspruch: „ramm / wenn / pforte / rege“. Manche Wörter kommen mehrmals vor, wodurch deutlich wird, daß ihre Aussage kontextabhängig ist. Die Sprache, in vorgeprägte Mengen bzw. Abschnitte gepreßt, erweist in der Inversion ungeahnte Modulationsmöglichkeiten.
WH

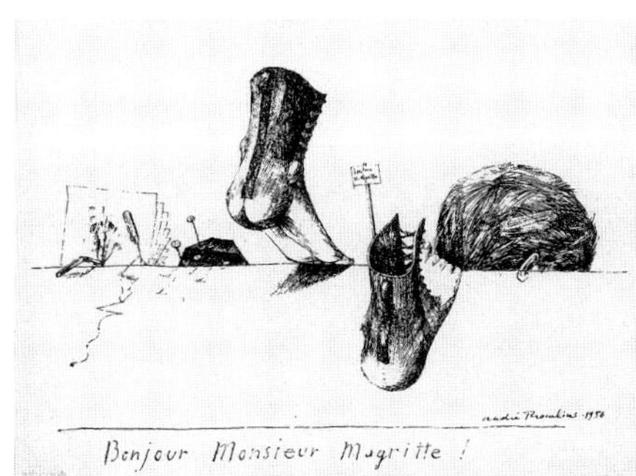

XVI. 57

ANDRÉ THOMKINS (1930–1985)

57
Bonjour, Monsieur Magritte! 1956

Feder; 20,2 × 29 cm
Bezeichnet: André Thomkins 1956 Bonjour Monsieur Magritte!
Köln, Nachlaß André Thomkins

Der Titel spielt auf Courbets „Bon jour, M. Courbet" an, das schon Gauguin zu einer Paraphrase reizte. Auf, vor und hinter einer Linie (die auch als Wand gelesen werden kann) sind verschiedene Requisiten versammelt, die auf Magritte und seine Bilder verweisen: Die beiden Schuhe, die zugleich Füße sind, erinnern an „Le modèle rouge" (1935). Es ist, als wollten sie die „Wand" überspringen – in ein Niemandsland, das uns verschlossen bleibt. Der Kopf, zur Hälfte verborgen, läßt sich so wenig „festmachen" wie der Notizblock, den ein Streichholz entzündet, und die merkwürdigen „Sargnägel" daneben. Der Fuß erinnert an Füssli und H. Robert, das Versteckspiel an die Ratespiele, die Malvasia den Carracci zuschrieb.

Literatur: Ausst.-Kat. Thomkins 1986, Nr. 36 WH

ANDRÉ THOMKINS (1930–1985)

58
– mit Diener aus Wien – 1967

Feder; 13,5 × 13,5 cm
Bezeichnet: André Thomkins 1967
Köln, Nachlaß André Thomkins

Sechzehn quadratische Felder, deren Muster – wie bei Kacheln – kontinuierlich ineinander greifen. Doch dieses Ornament ist keines, sondern ein Liniennetz, in dem der Zeichner Gestalten vexierbildartig einsetzt. Wieder sucht er nach einem „permanenten Formweg" (vgl. Kat. XVI. 56), d. h. nach einem schmiegsamen Liniengerüst, das für verschiedene Figuren durchlässig ist. Das „Gerüst" übernimmt die Funktion eines Alphabets, aus dem sich Wörter herausholen lassen – kurze oder lange, einfache oder zusammengesetzte.

Literatur: Ausst.-Kat. Thomkins 1986, Nr. 136 WH

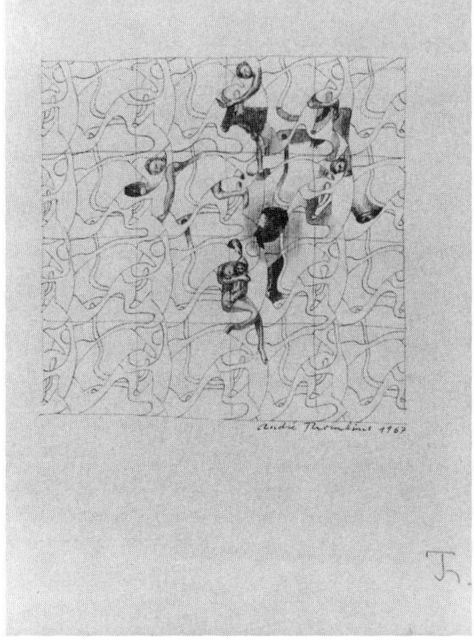

XVI. 58

ANDRÉ THOMKINS (1930–1985)

59
– labyr – 1960

Feder; 19 × 20 cm
Bezeichnet: – labyr – André Thomkins 1960
Köln, Nachlaß André Thomkins

An die verschlungenen Linearismen Klees anknüpfend, breitet Thomkins ein Labyrinth aus Knoten, Schwüngen, Kurven und Lassowürfen aus, von denen sich der Möglichkeitssinn seine Strukturen leihen kann. WH

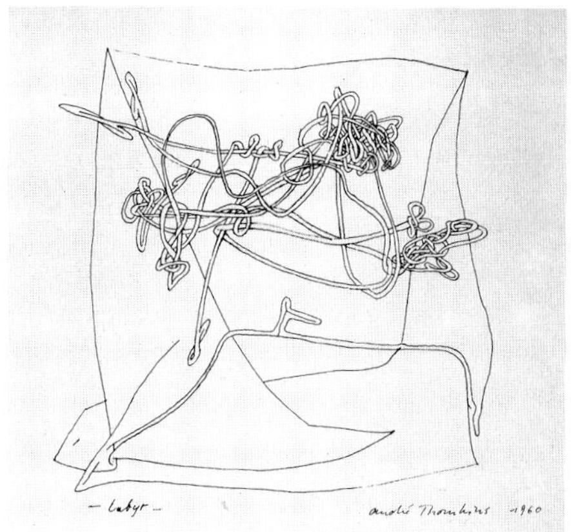

XVI. 59

ANDRÉ THOMKINS (1930–1985)

60
– menschenmöglich – 1964

Feder; 25 × 17,6 cm
Bezeichnet: – menschenmöglich – André Thomkins 1964
Köln, Nachlaß André Thomkins

Nie ist Musils Wort vom „Möglichkeitssinn" (als Entsprechung des Wirklichkeitssinns) einleuchtender auf die Möglichkeitsform Mensch projiziert worden als in den Zeichnungen von Thomkins. Entspricht dem Wirklichkeitssinn ein gewisses Quantum an Eigenschaften, dann ist der Möglichkeitssinn im Mann ohne Eigenschaften verkörpert. Er existiert gleichsam nur als Spielmaterial seiner selbst. Dies ist in unserer Zeichnung auf eine Formel gebracht, die doch jeder Formelhaftigkeit entsagt, denn sie stellt ja nicht ein Defizit, sondern ein Überangebot von Möglichkeiten fest, deren keine jedoch die Entschiedenheit einer Eigenschaft aufweist. WH

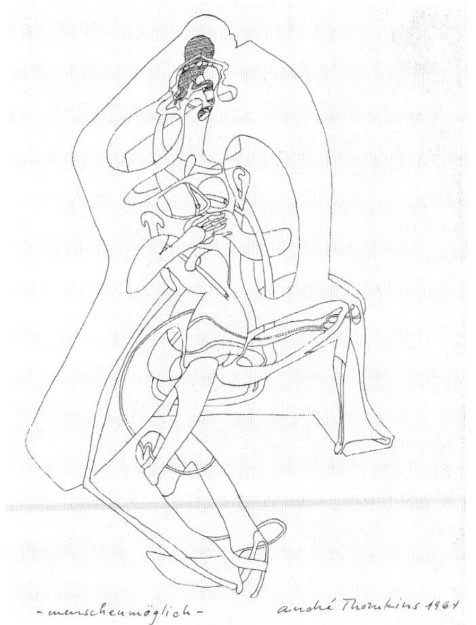

XVI. 60

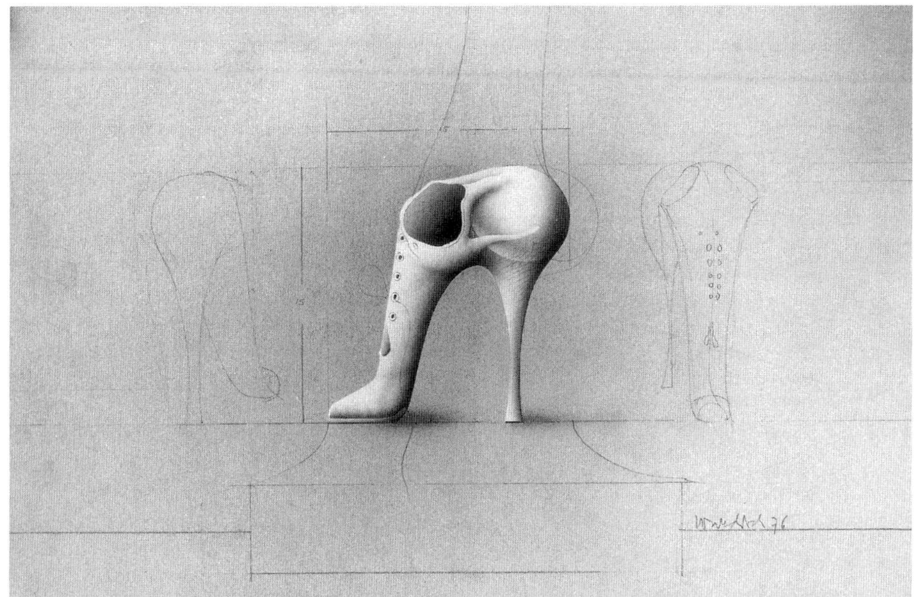

XVI. 61

WERNER TÜBKE (geb. 1929)

64
Flora 1972

Radierung; 32 × 24,6 cm
Hamburger Kunsthalle, Kupferstichkabinett
Inv. Nr. 1976/143

Von den zwei Deutungswegen, die der altitalischen Frühlingsgöttin gelten, wählt Tübke den dunklen, von F. Altheim (Terra Mater, Gießen 1931) vorgeschlagenen. Seine androgyne Flora ist die Schutzgöttin weniger des Wachstums als der Toten, denen sie sich in schöner Neigung zuwendet. Die Treppe führt nicht ins Freie. Flora lebt in einer eng umfriedeten Welt, doch wie ihr Kopf die Mauer überragt, hat es den Anschein, als fiele ihr Blick nicht nur auf das Totenweib, sondern auch in den uns verschlossenen Freiraum.

WH

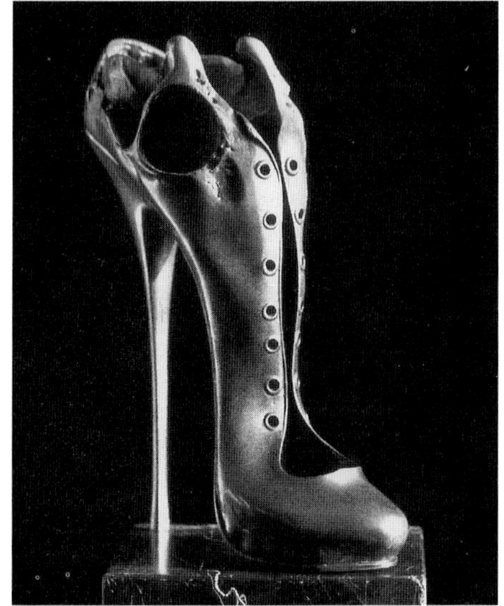

XVI. 62

PAUL WUNDERLICH (geb. 1927)

61
Schuh 1976
Bleistift, Aquarell; 35,5 × 59 cm

62
Schuh 1977
Bronze; 19,5 × 14,5 × 8 cm

Beide: Hamburg, Sammlung des Künstlers

Der „Schuh" ist eine doppelsinnige „Metapher" (Kat. XVI. 63): Ein Kleidungsstück, das, frontal gesehen, den Geschlechtsspalt anbietet, zugleich aber ein Totenschädel ist, dessen Öffnungen uns wie leere Augenhöhlen anstarren. Ein Requisit, ein Attribut der weiblichen Eitelkeit wird zum Symbol der Vanitas. Ein makabrer Augenöffner für Schuhfetischisten.

Literatur: Ausst.-Kat. Wunderlich 1977, Nr. 57, 60 WH

PAUL WUNDERLICH (geb. 1927)

63
Metapher 1973/74

Bronze, vergoldet; 18,5 × 12,5 × 2,5 cm
Hamburg, Sammlung des Künstlers

Der manieristische Umschlageffekt – dem sich das Buch als Objekt geradezu anbietet (Kat. VIII. 62, Kat. XIII. 74) – wird hier mit aphoristischer Schärfe auf den Begriff, d. h. auf den Grundwiderspruch von Geist und Gewalt gebracht. Ein geistreiches Meditationsobjekt, das seitenlange Untersuchungen aufwiegt. Auf dem Buchrücken steht der Name Marx. Ist das, was er verbirgt, Bestandteil der theoretischen Botschaft oder benutzt die Gewalt das Buch als Deckmantel?

Literatur: Ausst.-Kat. Wunderlich 1974, III/14 WH

XVI. 63

WERNER TÜBKE (geb. 1929)

65
Requiem (Tod meines Vaters) 1966

Radierung; 17,5 × 17,5 cm
Hamburger Kunsthalle, Kupferstichkabinett
Inv. Nr. 1986/63

Der Todesgedanke ist in Tübkes Werk immer gegenwärtig. Der private Anlaß wird in dieser Radierung zur Selbstbefragung. Die „Predella" ist der Erinnerung an den Vater gewidmet, dessen letzte Lebensphasen erinnert werden. Darüber eine Büste, in der sich Tübke mit den ihn stützenden Symbolen stoischen Durchhaltens umgibt: Säule, Sockel und Zinnenmauer. Doch die Wendung des Schädels ist dieser Szene nicht angepaßt: Sie gehört eher einem Laokoon an, dessen Schmerz in Zweifel umschlägt.

Literatur: Emmerich 1976, Abb. 10 WH

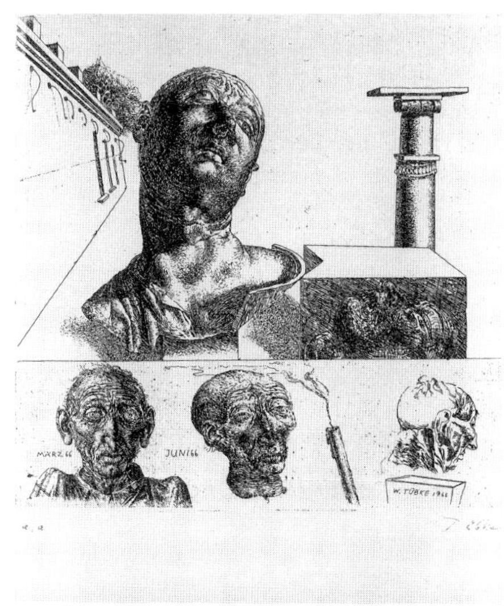

XVI. 65

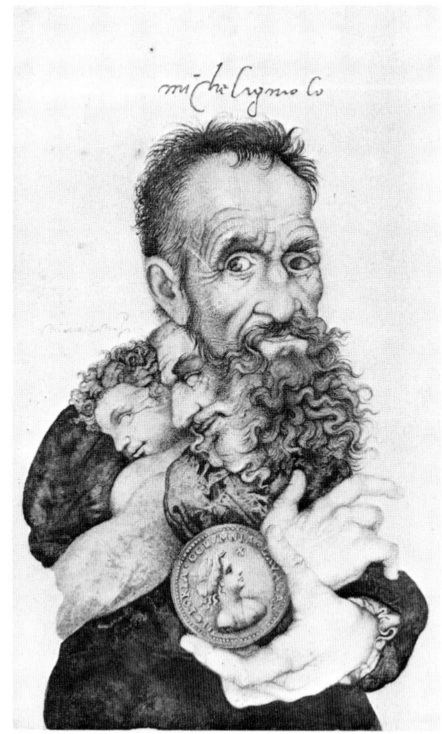

XVI. 66

MICHAEL MATHIAS PRECHTL (geb. 1926)

66
Michelangelo 1983

Sepia, Aquarell und Farbstift;
33,8 × 21 cm
Nürnberg, Sammlung des Künstlers

„Michelangelo" ist ein Blatt aus der Reihe „Köpfe und Gesichter". Allen Porträts sind die Vorstellungsinhalte der Dargestellten eingeschrieben. In der nach außen gekehrten Innenwelt erkennen wir die Tradition der Kompositköpfe (vgl. Kat. I. 3). Michelangelo hält uns eine Medaille mit der Büste der Vittoria Colonna, der fürstlichen Freundin seiner späten Jahre, entgegen. Aus seinem Bart schält sich Gottvater heraus, dem die (noch unerschaffene) Eva über die Schulter blickt – ein Zitat aus der „Erschaffung Adams" der Sixtinischen Decke. Als Vorbild für Michelangelos Kopf diente das dem Jacopino del Conte zugeschriebene zeitgenössische Bildnis.

Literatur: Stölzl 1986 WH

ZBYNEK SEKAL (geb. 1923)

67
Ohne Titel 11. 12. 1985–10. 1. 1986
Pflanzendruck; 20,6 × 27,2 cm

68
Ohne Titel 26. 2.–13. 3. 1986
Pflanzendruck; 37,5 – 24,3 cm

Beide: Wien, Sammlung des Künstlers

Der Einfall könnte von Stifter sein und im „Nachsommer" stehen. Sekal spürt der „Naturwahrheit" nach, indem er Pflanzen wochenlang in eine Druckerpresse legt und ihnen so ihr eigenes Bild entlockt. (Der Naturabdruck, also das Bild, das der Gegenstand von sich selbst zeugt, gehörte zu den Reproduktionspraktiken des 19. Jahrhunderts.) Insofern übt Sekal die „einfache Nachahmung" im Sinne Goethes, doch das der Presse entnommene Bild wird durch Isolierung und Umrißführung zu einem Kompositgebilde in der Art der Köpfe Arcimboldos. WH

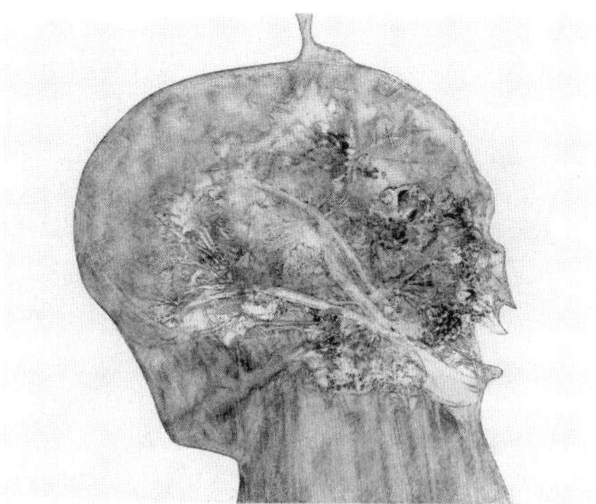

XVI. 67

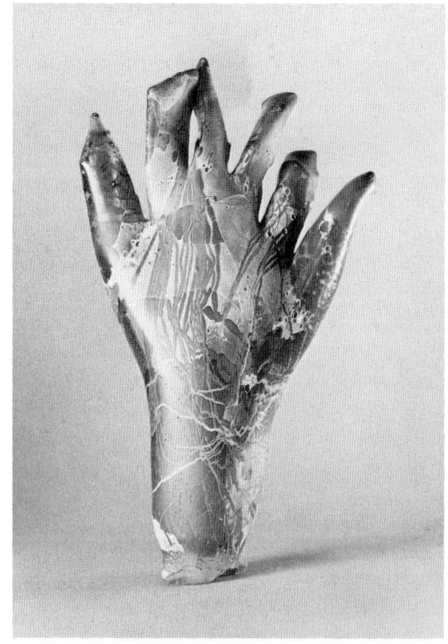

XVI. 69

JEAN PIERRE UMBDENSTOCK

69
Hand 1982

Glas mit applizierten färbigen Täfelchen;
Höhe 33 cm
Paris, Musée des Arts Décoratifs
Inv. Nr. 54428

Umbdenstocks „Hand" entstammt dem Grenzgebiet zwischen Kunst und Handwerk. Die floralen Motive erinnern in Technik und Motiv an die paper weights des 19. Jahrhunderts, die oft Meisterwerke der Glaskunst darstellen. Hier wie dort ergibt sich ein reizvoller Kontrast aus der Härte des Materials und der Zartheit der umschlossenen Formgebilde. Durch die Schmelzdeformationen wird die ornamentale Glätte durchbrochen und verfremdet. MF/MB

WOLFGANG PAALEN (1907–1959)

70
Rauchzeichnung 1937

Kerzenrauchablagerung auf Leinwand;
55 × 46 cm
Bezeichnet: A Georges Hugnet bien amicalement Paalen 1937
Privatsammlung

Kerzenrauch, auf einen Bildträger gelenkt, ergibt schemenhafte Figuren. Dieses an sich banale Verfahren, das (wie das Bleigießen) sich für Gesellschaftsspiele eignet, wurde im Formhaushalt der Surrealisten als Schlüssel genützt, der ungeahnte poetische Welten aufschließt. Der Künstler ist nicht mehr selbstherrlicher Schöpfer, sondern bloß derjenige, der das zufällige Auftauchen von Erscheinungen provoziert. Die Formen selber, so will es die Poetik der Surrealisten, geschehen ohne Plan und ohne Ziel. Wie das Farb-Dripping, das Dominguez „erfand", ist die Rauchzeichnung eine Art „écriture automatique" und den Fundstücken verwandt. Der betont armselige Rahmen und die Verdrahtung geben dem Blatt Objektcharakter und nähern es dem Fetisch an. WH

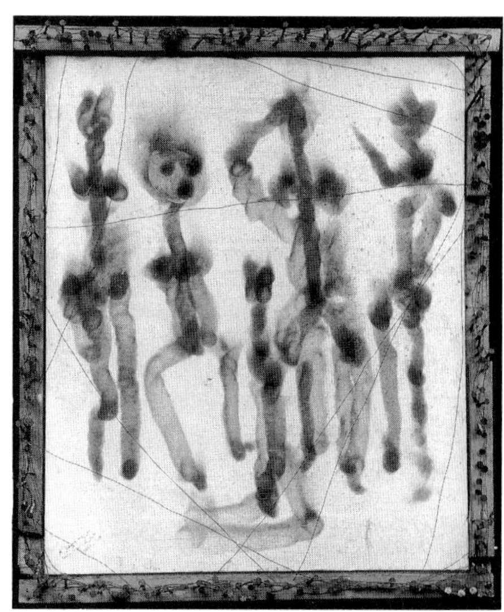

XVI. 70

XVII „Alle Klaviaturen sind legitim"

JOSEPH CORNELL (1903–1972)

1 Farbabbildung S. 398
The Sailing Ship 1961

Diverse Materialien, Assemblage, Collage; 24,5 × 36 × 9 cm
Köln, Galerie Der Spiegel

Cornells Kästchen sind Mikrokosmen: Auf engstem Raum werden in ihnen unterschiedlichste Dinge zusammengebracht, reale Objekte werden mit Abbildungen vermischt, collagierten Gegenständen sind bewegliche Teile zur Seite gestellt, tatsächliche Größenverhältnisse werden in ihr Gegenteil umgekehrt. Das „segelnde Schiff" läßt sich als buntes Bildchen gemeinsam mit einer durchscheinenden Kugel in einem Stielglas unterbringen, daneben hält eine Gipshand in Miniaturformat einen Becher, darüber kann man einen bemalten Ball auf Metallschienen rollen . . . „Vielleicht läßt sich die ‚Box' als eine Art ‚vergessenes Spiel' definieren, als ein philosophisches Spielzeug des viktorianischen Zeitalters, mit poetischen oder magischen ‚beweglichen Teilen' . . .", schrieb Cornell 1960 und bezog sich dabei auf Schaukästchen (Abb. XVII. 1 a), mit denen Kindern im 19. Jahrhundert Unterricht in den Grundzügen verschiedener wissenschaftlicher Disziplinen erteilt wurde. Den Gedanken der Poesie und Magie von Ding-Zusammenstellungen teilte Cornell allerdings mit den Surrealisten – viele der von ihm immer wieder verwendeten Gegenstände – Kugeln, Gläser, Nägel – finden sich auch im Symbolrepertoire von Max Ernst, Marcel Duchamp oder Salvador Dalí. Cornell hat jedoch in seinen „Boxen" auch der Materialstruktur und deren Veränderung durch die Zeit eine wichtige Rolle gegeben. Die Miniaturwelt im Kästchen vereinigt die ewige Harmonie (symbolisiert durch die Kugel) mit der Aggressivität zerstörerischer Akte, die sich in gebrochenen Leisten, eingeschlagenen Nägeln oder abblätternder Farbe manifestieren.

Literatur: Ausst.-Kat. Cornell 1980 MF

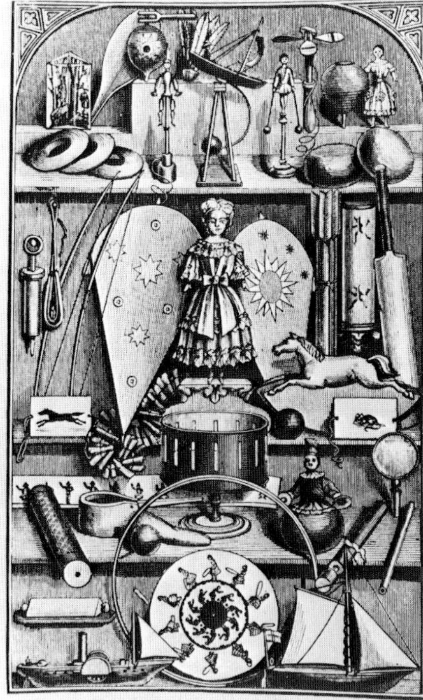

XVII. 1 a

FRIEDENSREICH HUNDERTWASSER (geb. 1928)

2 Farbabbildung S. 397
Sonne und Spiraloide über dem Roten Meer 1960

Öl und Deckfarben auf Leinwand; 114 × 146 cm
Hamburg, Privatsammlung

Hundertwasser gehört in diese Ausstellung, weil er das Motiv des Labyrinths (vgl. Kat. VIII. 86) in der Spirale auf den Doppelsinn gebracht hat. Jede Spirale verläuft in zwei Richtungen: von einer Mitte weg oder auf diese zu. Es ist dem Betrachter anheim gestellt, ob er in das Liniengehäuse hineinwandern oder es verlassen will. Das Doppelmotiv von Aus- und Einkreisung wird von Linien dargeboten, deren selbsttätige Beweglichkeit unerschöpflich scheint. Vegetabile Wachstumsanalogien liegen auf der Hand, doch immer sind in das Organische Überraschungen eingesetzt, Bizarrerien und Extravaganzen, welche die Spiralbewegung hemmen, umlenken, zu Schwellungen stauen oder mit ihrem ätzenden Eigensinn perforieren. Der Anspielungsreichtum, den Hundertwassers Bilder ausbreiten, verläuft auf verschiedenen Sprachhöhen. Das Raffinierte berührt sich mit Primitivismen, die nicht minder erlesen wirken, hauchzarte Farbigkeit kontrastiert mit greller Buntheit, milde Töne der Verwitterung können unversehens an giftige Farbaggressionen geraten.

Literatur: Ausst.-Kat. Labyrinthe 1966, Nr. 34 WH

ASGER JORN (1914–1973)

3 Farbabbildung S. 392
Le Barbare et la berbère 1962

Öl auf Leinwand (Modifikation); 130 × 89 cm
Privatsammlung

Wie aus Trivialbildern der Schock des Unerwarteten aufzucken kann, wie Klischees plötzlich in Rätsel umzuschlagen vermögen, haben de Chirico und die Surrealisten dargetan. 1953 schuf Picasso die Lithographie einer Italienerin (Mourlot 238), indem er eine Chromoreproduktion mit straffen Linien überzeichnete und Randfiguren aus seinem faunischen Repertoire hinzufügte. Auf den ersten Blick scheint es, als habe Jorn in seinen Modifikationen der frühen sechziger Jahre daran angeknüpft. Doch im Grunde liegt ein anderer Sachverhalt vor. Unser Bild ist nicht gemalte Kunsttheorie, aber doch nur vor dem Hintergrund von Jorns Gedanken über Kunst zu deuten, die sich in der Fortsetzung des wilden Denkens von Rimbaud mit den Grenzbereichen von Magie und Verbrechen, kulturellen Aggressionen und Gesetzesübertretungen befassen (vgl. Asger Jorn, Gedanken eines Künstlers, München 1966). Von seinem Landsmann Kierkegaard erfuhr Jorn, daß jede ästhetische Lebensanschauung Verzweiflung ist. Diese Verzweiflung wird zur Klischeeüberwältigung, wenn der Barbar hinterrücks die Berberin umgreift und ihre wilde Schönheit wieder der Magie zurückgewinnt. Dabei wird das Klischee unbeschädigt (anders als später bei Rainer) „aufgehoben" in einer es revitalisierenden Umarmung. Die Berber-Venus und der barbarische Mars bilden eine Kompositschönheit.

Literatur: Ausst.-Kat. Europa/Amerika 1986, Nr. 79 WH

ARNULF RAINER (geb. 1929)

4
Drei Überarbeitungen zu Egon Schiele

4 A
Totes Mädel 1975
Ölkreide auf Druck; 50 × 36 cm

4 B
Aktüberkurvung 1975
(Schieleüberzeichnung)
Ölkreide auf Druck; 36 × 50 cm

4 C
Nackter Schiele 1975
Ölkreide auf Druck; 36 × 50 cm

Alle: Wien, Sammung des Künstlers

Rainers Dialog mit dem Werk anderer Künstler begann 1948 mit der Porträtzeichnung „Wie, van Gogh in Gottes Ohr?", die er als „Selbstverirrung" zerstörte. 1949/50 zeichnete er sich „im Stil des Gemüsearcimboldo als Vincentinkarnation". 1968/69 begannen die Überarbeitungen von Schiele, dann wurden Morandi, Messerschmidt u. a. die Partner eines Dialoges, bei dem das Vorbild das erste, Rainer das letzte Wort hat. Letztlich geht es jedes Mal um eine Mortifikation, die in ihr Gegenteil umschlägt. Das Vorbild wird beseitigt und von Rainers Hand zu neuem Leben erweckt. Kompositschönheit, hervorgegangen aus dem Ambivalenzkonflikt von Eros

XVII. 4 A

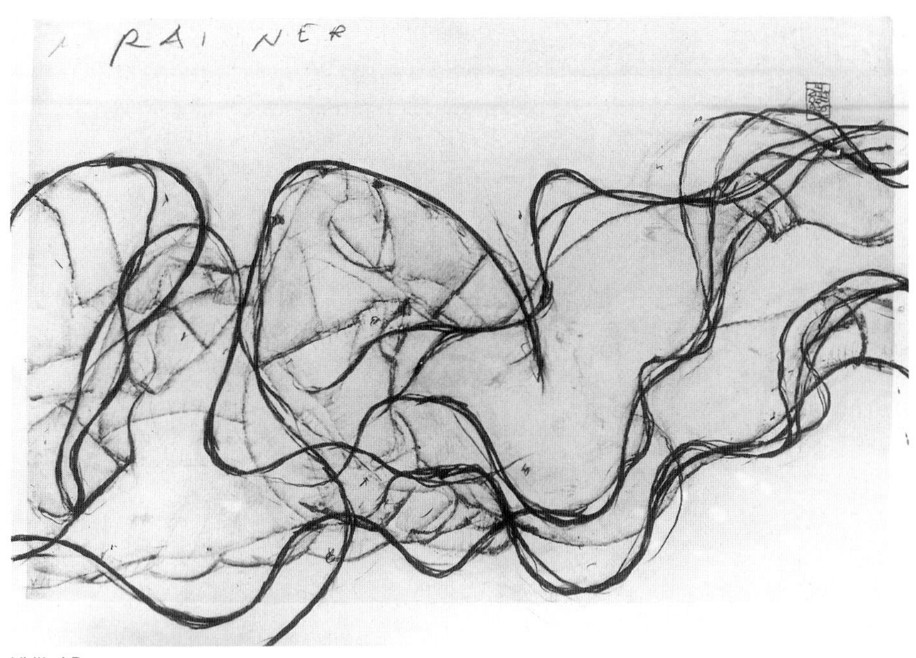

XVII. 4 B

und Todestrieb. Rainer bekennt, daß ihn die „Suche nach einem ‚Superego'" antreibt. Er ist der Künstler, der allen anderen den Lebensatem abpreßt und daraus einen „Überstil" erfindet.

Literatur: Ausst.-Kat. Rainer 1980/81, S. 118 WH

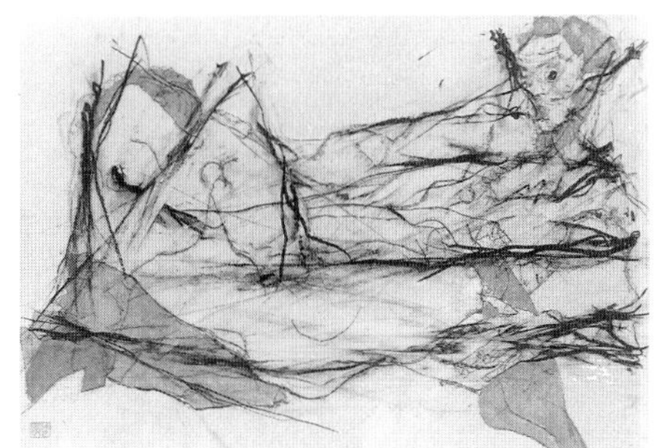

XVII. 4 C

JÜRGEN KLAUKE (geb. 1943)

5
Drei Zeichnungen aus dem Zyklus
„Ein Moment wie ein Zungenschlag"
1977

Tusche und Mischtechnik; je 155 × 90 cm
Sammlung des Künstlers

Das erste Blatt ist bezeichnet: Haltungsschäden. Man denkt an eine schöne Verbeugung. Das dritte Blatt ist bezeichnet: Göttliche Verbeugung – Haltungsschäden.

Neigung, Verneigung, Krümmung, Brechung – das sind die obsessionellen Gesten und Gebärden, in denen sich Klaukes zynisch-aggressiver Widerstand ausspricht. Dieser Widerstand erfindet sich – in der Maske der tragischen Farce – Anatomien der Begierde, graziöse Homunkuli, welche die Handlungsschemata der „Normalität" unterwandern. Auch hinter diesen Kunstfiguren stehen die „Bizzarie" des Bracelli, befreit freilich vom Dialogmotiv und den monologisierenden Möglichkeiten der Selbstbefriedigung zugewandt.

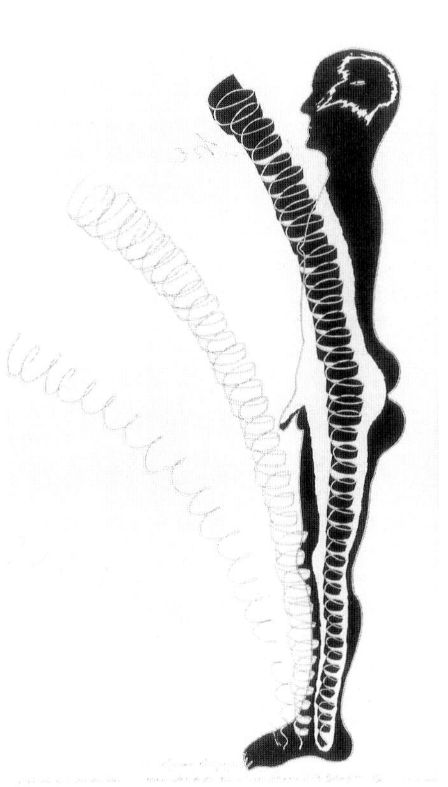

XVII. 5 A

Literatur: Klauke 1986, S. 108 WH

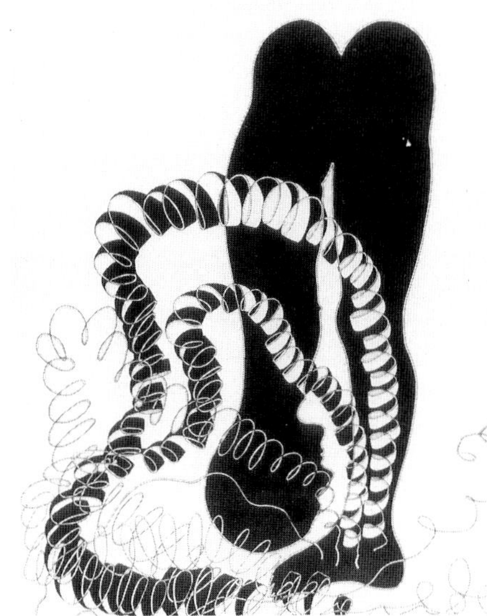

XVII. 5 B

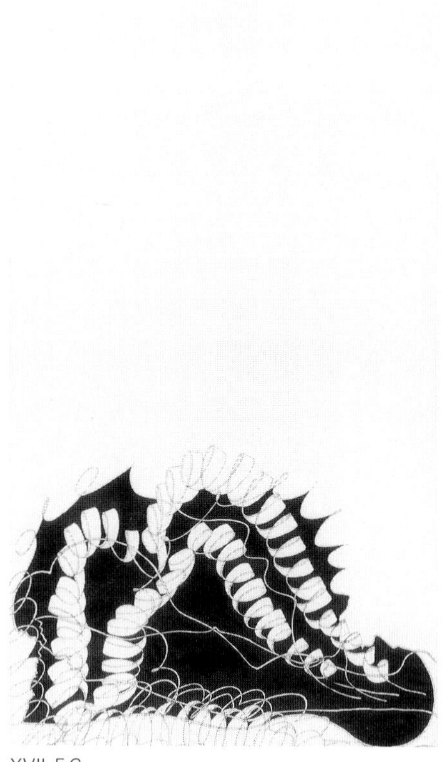

XVII. 5 C

ARMAN (ARMAND FERNANDEZ)
(geb. 1928)

6
Portrait Robot de Ben 1962

Holzkasten mit diversen Gegenständen aus dem privaten Besitz von Ben Vautier und seinem Laden in Nizza;
182 × 34 × 22 cm
Bezeichnet: Arman 1962. Portrait Robot de Ben
Wien, Museum moderner Kunst
(ehem. Sammlung Hahn)
Inv. Nr. 335/B

„Portrait robot" bedeutet Steckbrief. Mit Hilfe der Summe der in einem Kasten versammelten Gegenstände soll eine bestimmte Person gefunden werden. Arman greift dabei einen alten Gedanken auf: Nicht das Aussehen eines Menschen ist für dessen Charakteristik entscheidend, sondern die Dinge sind es, mit denen er sich umgibt. Aus der Fülle der im Kasten versammelten Objekte seien einige herausgegriffen: Farbdosen, Puppen, ein Hut, ein Photo, verschiedene Farbstifte, beschriebene Tafeln und Zettel, ein ausgestopfter Vogel, eine Kaffeemühle. All diese Gegenstände stammen aus dem Besitz des gesuchten Ben. Ben Vautier ist ein Freund Armans und ebenfalls Künstler. In den Jahren der Entstehung seines Porträts hatte er einen kleinen Laden in Nizza, in dem er – dieses Handeln als Kunst definierend – allen möglichen Krimskrams verkaufte. Bekannt wurde Vautier durch seine Schrifttafeln – eine kleine befindet sich im Kasten –, auf die er seine Ideen und Bemerkungen zur Kunst und zur Kunstszene notiert. Armans Steckbrief kann als Weiterführung von Arcimboldos Köpfen betrachtet werden, nur daß hier eine bestimmte Person und nicht ein Element (Feuer) oder Beruf (Koch) charakterisiert wird (vgl. Kat. I. 3 und VIII. 27).

Literatur: Ausst.-Kat. Faszination 1980, Abb. 54 – Kat. Wien 1979, Nr. 5 WD

XVII. 6

SASKIA DE BOER (geb. 1945)

7
Liz Taylor 1969

Polyurethan, Draht, Textilien, Pelz, Haar, Schmuck; 91,5 × 36 × 30 cm
Wien, Museum moderner Kunst
(ehem. Sammlung Hahn)
Inv. Nr. 110/P

Liz Taylor, die weltberühmte Schauspielerin, als Puppe; im Abendkleid, reich mit Schmuck behangen, eine künstliche Erscheinung aus einer künstlichen Welt. Ihr Körper besteht aus Schaumstoff, ihr Skelett aus Draht. Entstanden ist die knapp unter einem Meter große Figur als Auftragsarbeit, als Teil einer für die Sunday Times von de Boer geschaffenen Porträtreihe „Makers of the 20th Century". Das Verlangen, außergewöhnliche, geschätzte, bewunderte Personen im Bilde festzuhalten, sich so ihrer gleichsam zu bemächtigen, bestimmte auch die von Ferdinand II. in Ambras zusammengetragene Porträtgalerie. Selbst die Schauspielerin als besonderes und somit des Porträtiert-werdens wertes Wesen ist keine Erfindung der letzten Jahrhunderte. So kamen auch einige Hofnarren, die Vorläufer dieses Berufes, zu Porträtehren, wie z. B. das wohl berühmteste Beispiel, der „Gonella" von Jean Fouquet (15. Jahrhundert), zeigt.

XVII. 7

Literatur: Kat. Wien 1979, Nr. 12 WD

GEORGE BRECHT (geb. 1925)

8
The Universal Machine 1962–63

Hölzerne Schuhputzkiste, innen diverse Gegenstände; 30 × 56 × 26,5 cm
Bezeichnet: MA/CHINE
Wien, Museum moderner Kunst
(ehem. Sammlung Hahn)
Inv. Nr. 113/P

Eine alte Schuhputzkiste wurde ihrer ursprünglichen Funktion enthoben und durch Bezeichnung zur „Universal Machine", zum phantasievollen Spielzeug eines Mannes, der zu seiner Tätigkeit selbst einmal bemerkte: „Die Worte und Objekte, die in die Gestaltung meiner Werke eingehen, sind stets unabhängig voneinander ausgewählt. Ich bringe sie nur zusammen, um zu sehen, was herauskommt. Meine Arbeit ist Forschung." Auf den österreichischen Philosophen Ludwig Wittgenstein aufbauend – „Es gibt keine Ordnung der Dinge a priori" –, sind die Dinge für Brecht stets in Bewegung und können durch Eingriffe (auch rein gedanklicher Art) verändert werden. Brechts Absicht war die Benutzung der „Universal Machine" durch jedermann: Man lege durch die hintere Klappe irgendetwas hinein und nehme sich dafür durch die vordere wieder etwas heraus – ein Tauschgeschäft mit Zufall. Heute befinden

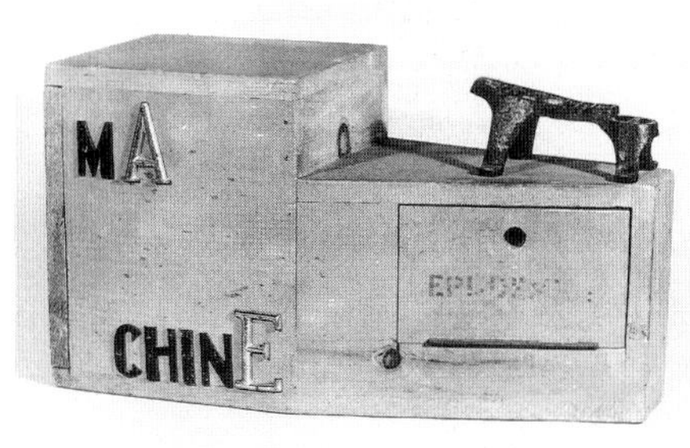

XVII. 8

sich in der Maschine Briefe, Fotos, Zeichnungen und kleine Objekte von verschiedenen Künstlerfreunden Brechts, die die alte Schuhputzkiste seinen Intentionen entsprechend benutzt haben. Durch die Übertragung ins Kunstmuseum mit seiner Bewahrungsfunktion hat die Maschine ihre Spielfunktion eingebüßt – ein Schicksal, das sie mit vielen Werken, die einst zum Gebrauch bestimmt waren und in den Kunst- und Wunderkammern verwahrt wurden, teilt.

Literatur: Kat. Wien 1979, Nr. 13 WD

LOUIS GOODMAN (1905–1973)

9
Ohne Titel ca. 1964–68

Klingel mit japanischem Fächer und Skulptur; 30 × 34 × 8 cm
Inv. Nr. 130/P

10
Ohne Titel ca. 1964–68

Bügeleisen, innen eingegossen Collage mit Kamm und anderen Gegenständen; 22 × 10 × 11 cm
Inv. Nr. 136/P

Beide: Wien, Museum moderner Kunst (ehem. Sammlung Hahn)

Eine der möglichen Funktionen des Künstlers ist die eines Zauberers. Aus alltäglichen Banalitäten, aus Kitsch und Trivialitäten vermag er kleine Kostbarkeiten zu schaffen. Seit Duchamp (vgl. Kat. XIV. 6) kann jeder Gegenstand, wird er nur mit einem neuen Gedanken versehen, zu einem anderen Gegenstand werden. Bei Goodman wird die Glocke zum Sockel, die geöffnete, leere Fischdose zum Reliquienschrein in Form einer Mandorla, ein japanischer Fächer wird ebenso zum Strahlenkranz umgedeutet wie eine ostasiatische Figur zur abendländischen Madonnenstatue. Die Ironie von Goodman beschränkt sich aber nicht nur auf die Hinterfragung der vordergründigen Erscheinungsformen der religiösen Praxis, sondern sie erfaßt auch die Ikonen der modernen Kunst selbst: Man Rays „Bügeleisen" (Kat. XIV. 9) wurde geglättet, es hat seine Krallen (hier der Kamm) wieder eingezogen.

Literatur: Kat. Wien 1979, Nr. 121, 127 WD

XVII. 9

XVII. 10

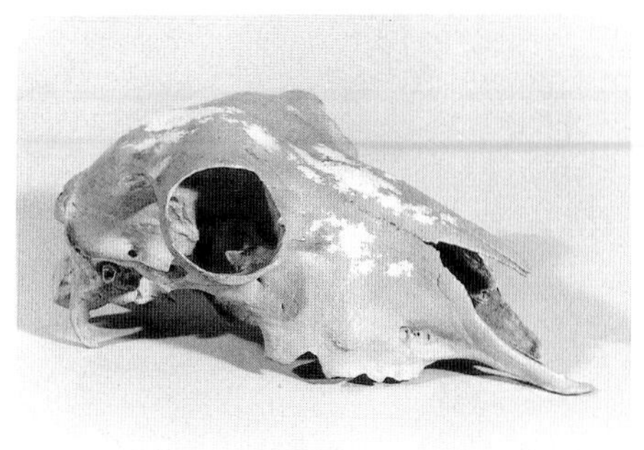

XVII. 11

GEOFFREY HENDRICKS (geb. 1931)

11
Schädel 1967

Tierschädel, Acrylfarbe; 12 × 22 × 9 cm
Bezeichnet: HENDRICKS 1967
Wien, Museum moderner Kunst (ehem. Sammlung Hahn)
Inv. Nr. 140/P

Besonders typisch für die Bestände einer Kunst- und Wunderkammer sind jene Objekte, bei denen „Naturalia" und „Arteficialia" kombiniert, die Naturprodukte durch kostbare künstlerische Ausgestaltung veredelt wurden (vgl. Kat. VIII. 37). Diese Praxis wurde dann mit Vorliebe wieder von den Surrealisten aufgegriffen, wobei sie die Absicht der Veredelung weitgehend durch die der Verfremdung ersetzten. So hat 1932 René Magritte eine Totenmaske Napoleons mit einem Wolkenhimmel bemalt und als „Geburt der Plastik" bezeichnet. Jahre später greift Hendricks diese Gestaltung auf, radikalisiert sie aber zum Mittelpunkt seiner künstlerischen Aussage: Er gestaltete ganze Ausstellungen mit vorgefundenen Objekten, die er jeweils nur durch aufgemalte Wolkenhimmel verändert hatte. Über allen Gegenständen befindet sich, wie es ja auch der tatsächlichen Situation auf der Erde entspricht, der Himmel. Dieser Simplifizierung und Uniformierung entsprechend, verzichtet Hendricks auch auf interpretierende Titel und bezeichnet die Dinge als das, was sie bereits vor der Bemalung waren.

Literatur: Kat. Wien 1979, Nr. 154 WD

DICK HIGGINS (geb. 1938)

12
Symphonie Dispenser 1968

Blechkanister mit durchschossenen Notenblättern; 62 × 65 × 30 cm
Wien, Museum moderner Kunst, Leihgabe Sammlung Hahn, Köln

Destruktion kann im Bereich der Kunst genauso Gestaltungsmittel sein wie Konstruktion. Die aufgeschlitzten und durchbohrten Leinwände von Lucio Fontana, die Verbrennungen bei Alberto Burri oder Wolf Vostell (Kat. XV. 40) legen davon ebenso Zeugnis ab wie die beschossenen Notenblätter von Dick Higgins. Nach diesen im „Symphonienspender'' erzeugten Blättern sollte dann musiziert werden. Die entstandenen Löcher ersetzen die Noten. Den Zufall als Anregungsquelle hat bereits Leonardo da Vinci erkannt, als er empfahl, die Strukturen abblätternder Hauswände zu studieren. Die Dadaisten und Surrealisten erhoben den Zufall zu einem ihrer wichtigsten Mitarbeiter. Higgins und mit ihm noch einige andere Künstler der sechziger Jahre sahen in ihm dann den eigentlichen Gestalter.

Literatur: Ausst.-Kat. Faszination 1980, Abb. 59 – Kat. Wien 1979, Nr. 157 WD

XVII. 12

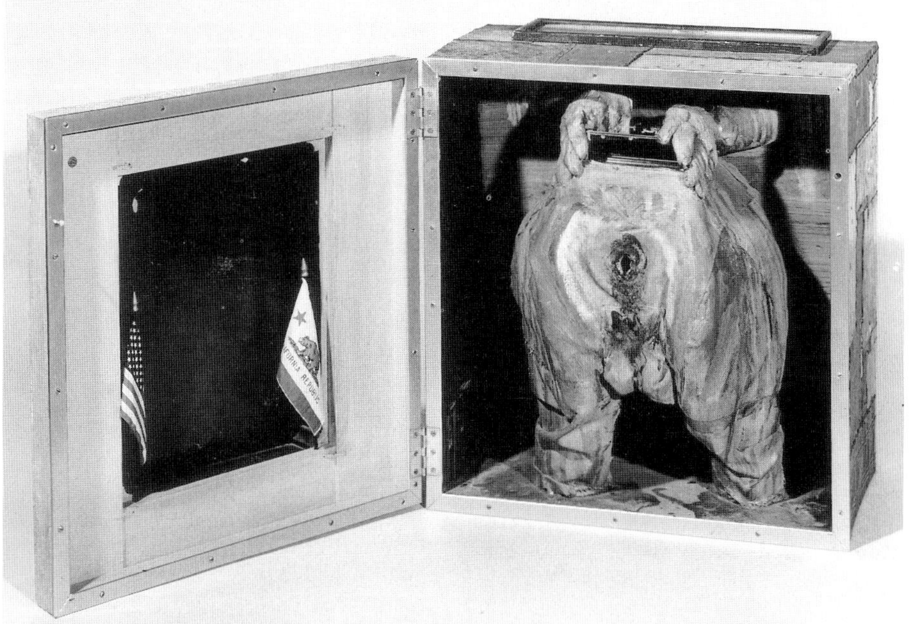

XVII. 13

EDWARD KIENHOLZ (geb. 1927)

13
The Psycho–Vendetta Case 1960

Holzkasten mit Metall beschlagen; Türe des Kastens mit Assemblage; innen Skulptur aus Leinwand, Metall, Leim und Ölfarbe; Spiegeleinrichtung;
58,5 × 56,5 × 43 cm (geschlossen)
Bezeichnet: KIENHOLZ 1960
Wien, Museum moderner Kunst (ehem. Sammlung Hahn)
Inv. Nr. 145/P

Im Inneren des Kastens befindet sich eine Skulptur aus Leinwand, die an das Hinterteil eines Schweines erinnert, darüber eine Spiegeleinrichtung, durch die der Betrachter ins Innere der Skulptur blicken und lesen kann: „If you believe in an eye for an eye and a tooth for a tooth, stick your tongue out – limit 9 times only.'' Kienholz nimmt zu einem aktuellen Problem Stellung: 1960 wurde Cheryll Chessmann in St. Quentin hingerichtet. Dies, nachdem die Urteilsvollstreckung zwölf Jahre lang neu auftauchender Zweifel wegen immer wieder verschoben worden ist. Bejaht der Leser den letztendlich doch vollzogenen Rachegedanken und befolgt er die Aufforderung von Kienholz, so ist seine Zunge direkt vor dem After der Skulptur, und er kann so hautnah erfahren, wie der Künstler über dieses Thema denkt. Zudem verweist der Titel der Arbeit auf einen klassischen Justizirrtum in den USA: Sacco und Vanzetti – Psycho (psychisch) – Vendetta (Rache, der italienischen Herkunft der Opfer wegen) – Case (im englischen: Schachtel aber auch Gerichtsfall).

Literatur: Ausst.-Kat. Faszination 1980, Abb. 64 – Kat. Wien 1979, Nr. 168 WD

ARTHUR KOEPCKE (1928–1977)

14
Restebild aus Vostell's Hinterlassenschaft 1963

Verschiedene Materialien aus dem Besitz Vostells und rotes Farbpulver unter Glas gerahmt; 60 × 70 cm
Bezeichnet: Restebild aus Vostell's Hinterlassenschaft Februar 1963 Köln, Spichernstr. 18 A. Koepcke
Wien, Museum moderner Kunst (ehem. Sammlung Hahn)
Inv. Nr. 448/B

Koepckes „Restebild'' ist Armans „Portrait Robot de Ben'' verwandt (Kat. XVII. 6). Die Dinge sind es, die ihren Besitzer charakterisieren, und seien es nur die nach einem Besuch zurückgebliebenen. So hat vor einigen Jahren ein amerikanischer Soziologe die vollen Mistkübel verschiedener Familien untersucht und daraus auf deren soziale Verhältnisse geschlossen.

Trotz der betonten Nichtgestaltung – die Dinge wurden nur lose in den Rahmen gelegt und mit rotem Farbpulver bestreut – läßt sich auch eine andere Wurzel dieser Arbeit feststellen: der Souvenir- und Fetischkult. Die Haarlocke der Geliebten, der Knochensplitter eines Heiligen und andere Dinge mehr wurden immer wieder verehrt und künstlerisch kostbar ausgestaltet.

Literatur: Kat. Wien 1979, Nr. 172 WD

XVII. 14

TETSUMI KUDO (geb. 1935)

15 Farbabbildung S. 396
Your Portrait B 1962

Weißer Holzwürfel mit Tür, innen Gummipuppe, Sieb, Kette, Spielzeugpistole und weitere Materialien;
30 × 30 × 30 cm
Wien, Museum moderner Kunst
(ehem. Sammlung Hahn)
Inv. Nr. 147/P

In einem aus Holz gebauten Spielwürfel hängt ein Doppelsieb, an das eine kleine Gummipuppe angekettet ist. Die Türe zu diesem Gefängnis ist innen analog zu einer Minibar im Hotelzimmer mit diversen „Genußmitteln" bestückt: Verschiedene Pillen, Injektionen, Alkohol, ein durchlöchertes Präservativ, wieder ein Würfel, eine Pistole, ein Foto einer menschlichen Kehrseite, die zur Puppe gehörende Babyflasche, aber auch ein kleines Kruzifix vereinen sich zum nicht gerade tröstlichen Ausblick auf die Zukunft. Kudo hält mit seinem „Porträt" und ähnlichen Arbeiten der heutigen Konsumgesellschaft gnadenlos den Spiegel vor. Die lange Geschichte der Vanitasdarstellungen (vgl. Kat. X. 17) erfährt durch seine Werke eine weitere Dimension – das Ende ist nicht nur sicher, durch unsere Lebensform wird es noch schneller kommen.

Literatur: Kat. Wien 1979, Nr. 174 WD

YAYOI KUSAMA (geb. 1929)

16
Damenkleid in Silber 1966

Kunstblumen, auf einem Kleid aufgeklebt und silberbronziert; 115 × 57 × 20 cm
Bezeichnet: Kusama 1966
Wien, Museum moderner Kunst
(ehem. Sammlung Hahn)
Inv. Nr. 451/B

Kleidung wie Blumen dienen über ihre natürliche Funktion hinaus dem Schmuckbedürfnis der Menschheit. Auf einem Kleiderbügel als Schauobjekt dargeboten, durch Silberfarbe veredelt, wird aus dem Gebrauchsgegenstand – auch ein Schmuckstück ist ein solcher – ein besonderes Ding. Der ursprünglichen Funktion enthoben, das Fließende, Geschmeidige in metallene Steifheit verwandelt, erscheint das blumengeschmückte Kleid als überflüssiges Relikt, als Sinnbild des Todes. Solcherart ist es den Totenmasken verwandter als den Naturabgüssen des Manierismus (Kat. VIII. 65). Letztere wollten das Leben bannen, das Abbild wie das Relikt sind nur Erinnerung.

Literatur: Kat. Wien 1979, Nr. 180 WD

XVII. 16

ROBIN PAGE (geb. 1932)

17
Space Baby 1962

Fleischwolf, Kinderbüste, Zählwerk und Batterie; 45 × 24 × 20 cm
Bezeichnet: Robin Page. Aug. 1962
Amsterdam, Space Baby
Wien, Museum moderner Kunst
(ehem. Sammlung Hahn)
Inv. Nr. 155/P

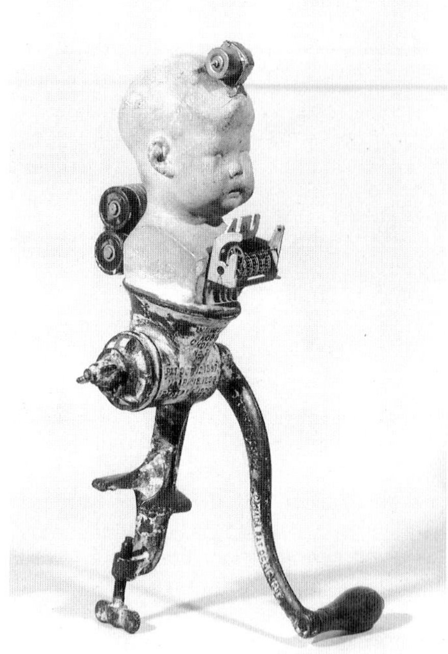

XVII. 17

Den in den Fleischwolf gepreßten Puppentorso, mit Motor, Batterie und Zählwerk versehen, erwartet ein ähnlich schnelles Ende, wie es Tetsumi Kudo mit seinem „Porträt" der ganzen Menschheit prophezeit (Kat. XVII. 15). Gegenüber der eingeschränkten Wahlfreiheit, die Kudo anbietet, sieht Page das Ende jedoch systembedingt nicht nur unausweichlich, sondern sogar normiert. Als Nummer, mit externer Energie versorgt, ist jeder nur eine Figur im Spiel unbekannter Mächte. Die Erlebnisse zweier Weltkriege lassen den Teufel nicht mehr im Glase fassen (Kat. VIII. 67), der Teufel ist frei und fängt die Menschen im Fleischwolf.

Literatur: Kat. Wien 1979, Nr. 211 WD

LUCAS SAMARAS (geb. 1936)

18
Dinner No. 5 1963

Holzbrett, darauf Spiegel, Sektschale mit eingegossenem Kunststoff, mit Schrauben gefülltes und mit bunten Wollfäden überspanntes Plexiglaskästchen, Stecknadeln und andere Materialien;
32 × 31 × 22 cm
Wien, Museum moderner Kunst
(ehem. Sammlung Hahn)
Inv. Nr. 176/P

Ein ovaler Tischspiegel, eine mit Kunststoff gefüllte Sektschale, eine mit glitzernden Steinchen und bunten Fäden verzierte Glasschatulle, in der sich Nägel befinden, wurden von Samaras auf einer mit spitzen Nadeln bespickten Unterlage vereint. Die Sucht nach Schönheit, Genuß und materiellem Reichtum ist trügerisch und birgt die Gefahr der Selbstverstümmelung in sich. Wie Kudo (Kat. XVII. 15) und Page (Kat. XVII. 17) sieht auch Samaras die Menschheit durch diese selbst gefährdet. Gerade bei solch moralisierenden Arbeiten bewährt sich die Kunst der Verfremdung mit ihrer Groteskkombinatorik.

Literatur: Ausst.-Kat. Faszination 1980, Abb. 55 – Kat. Wien 1979, Nr. 285 WD

XVII. 18

XVII. 19

XVII. 20

STEFAN WEWERKA (geb. 1928)

19
Münze 1967

Entlang der Mittelachse durchgeschnittenes und mit Scharnieren aneinandergefügtes silbernes 5-DM-Stück; Durchmesser 3 cm
Bezeichnet: S.W.67
Inv. Nr. 212/P

20
Schnitt: Versatzstuhl 1968

Zersägter Stuhl, die einzelnen Teile verschoben, zusammengeleimt, mit Ölfarbe gestrichen, auf einem schräg abfallenden, mit Velours bezogenen Holzsockel;
Stuhl 86 × 61 × 24 cm,
Sockel 11 × 74 × 36 cm
Bezeichnet unter dem Sitz: SW 68
Inv. Nr. 217/P

Beide: Wien, Museum moderner Kunst (ehem. Sammlung Hahn)

Stefan Wewerka, seiner Ausbildung nach Architekt, hat dem Funktionalismus abgeschworen und die entfunktionalisierende Verfremdung zum Mittelpunkt seines künstlerischen Schaffens erhoben. Ein zerlegter Stuhl, alogisch wieder zusammengesetzt, wird zur abstrakten Skulptur. Der seiner ursprünglichen Bestimmung enthobene Gebrauchsgegenstand wird frei verfügbar; nur eines kann er nach dem Eingreifen Wewerkas nicht mehr: seine alte Funktion wieder übernehmen. Die in zwei Hälften geschnittene Münze hat, obwohl die Teile mittels Scharnieren wieder vereint wurden, ihren tatsächlichen Wert ebenso verloren wie den möglichen für den Numismatiker.

Literatur: Kat. Wien 1979, Nr. 371, 374 WD

MAX BILL (geb. 1908)

1 Farbabbildung S. 400
fünfzehn variationen über ein thema
1938

16 Lithographien; je 30,5 × 32 cm; gedruckt bei Mourlot, Paris Editions „Cronique du jour"
Zürich, Privatsammlung

Bill ging es bei dieser Variationsreihe um den Beweis, „daß die konkrete kunst unendlich viele möglichkeiten in sich birgt". Diese können „je nach persönlichem willen und temperament, auf jedem frei gewählten thema, vollkommen andersartig aufgebaut werden und je nach wahl des themas, ob kompliziert, ob einfach, zu den verschiedensten gebilden führen".

Das Thema zeigt eine kontinuierliche Entwicklung. Variation 1 hebt die Flächenabschnitte voneinander ab. In Variation 2 treten Zirkelschläge zu den Geraden, es entstehen Viel-ecke. In Variation 3 entsprechen die Punkte den Winkeln des Themas. In Variation 4 werden die Eckpunkte der Viel-ecke miteinander zu Sternen verbunden. In Variation 5 sind die umschriebenen Kreise der Viel-ecke mit den Verbindungslinien verbunden. In Variation 6 wird das Thema von Halbkreisen aufgenommen. In Variation 7 sind die eingeschriebenen Kreise in zwei Spirallinien zerlegt, die sich gegenläufig bewegen. In Variation 8 entstehen aus den umschriebenen Kreisen der Viel-ecke Kreissegmente. In Variation 9 bilden die eingeschriebenen und umschriebenen Kreise ein Netz. In Variation 10 entstehen Kreisringe aus den eingeschriebenen und umschriebenen Kreisen. In Variation 11 sind die Schwerpunkte der Viel-ecke (wie in Variation 4) mit den Eckpunkten verbunden, doch sind die Flächen teilweise ausgefüllt. Variation 12 führt Kreisringe aus eingeschriebenen und umschriebenen Kreisen vor. In Variation 13 berühren sich die umgeschriebenen Kreise der Viel-ecke in je einem Punkt, woraus sich graue und weiße Flächen ergeben. Variation 14 ist eine Kombination aus den schwarzen Sternen und den farbig gerandeten Flächen von Variation 1. In Variation 15 entsteht aus den eingeschriebenen Kreisen eine spiralähnliche Bewegung. Diesem Kurzkommentar folgen Max Bills Begleittexte zum Zyklus.

Literatur: Ausst.-Kat. Bill 1976, S. 38 WH

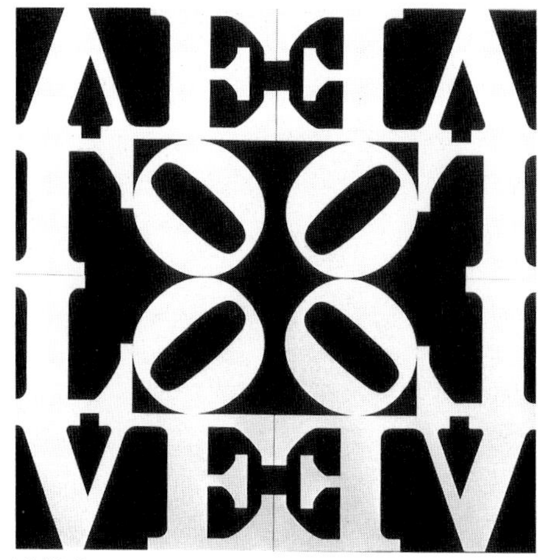

XVIII. 2

ROBERT INDIANA (geb. 1928)

2
Love Rising 1968

Acryl auf Leinwand, 4 Tafeln; insgesamt 370 × 370 cm
Wien, Museum moderner Kunst, Leihgabe Sammlung Ludwig, Aachen

Kandinsky empfiehlt in seinem Aufsatz „Über die Formfrage" (1911), einen Buchstaben als „Ding" anzuschauen, also als ein Zeichen, das nur auf sich selbst verweist. Diesem verfremdenden Blickwinkel verdanken sich seit eh und je die Buchstabenspiele und -labyrinthe (vgl. Kat. VII. 42, XVI. 56). Kandinsky, der Maler, muß eine alte Einsicht der Kalligraphen wiederentdecken. Sein Auge ist auch von Druckfehlern gefesselt, die einen Buchstaben seinem Kontext entfremden und das „Praktisch-Zweckmäßige" entstellen.

Eine solche Entstellung nimmt Indiana mit dem Wort LOVE vor, indem er es in vier Quadraten unterbringt, die er miteinander (also rundum) spiegelt: Jedes verweist auf zwei Nachbarquadrate. Figur und Grund werden gleichwertig und es entstehen neue symmetrische Flächengebilde entweder aus den Buchstaben (E und Ǝ) oder den Zwischenräumen. Dennoch weicht Indiana nicht auf den „inneren Klang" (Kandinsky) dieses Buchstabenlabyrinths aus, sondern hält sich an die Kombinationsmöglichkeiten des scharf konturierten Materials. Das Ergebnis ist ein nahezu palladianischer Grundriß (vgl. Kat. IX. 10), der das veranschaulicht, was das Klischeewort des Titels beim Leser-Betrachter evoziert: einen Dialog gleichgestimmter und gleichrangiger Partner, die sich im Geviert von der Außenwelt isolieren. WH

FERDINAND KRIWET (geb. 1942)

3
Publit (Poem-painting 9) 1965

Öl auf Leinwand; 120 × 200 cm
Dodenburg, Sammlung des Künstlers

Die zerschnittenen (zerbrochenen) Buchstaben sagen sich zunächst von der Laut- bzw. Wortbedeutung los und werden zu autonomen Dingen (vgl. Kat. VII. 42). Doch dann zeigt sich, daß die Verfremdung des Vokabulars eine kühl (d. h. nicht handschriftlich) chiffrierte Aussage enthält. Richtiger: eine beinahe private Botschaft. Das zerklüftete Stakkato gehört einem, der stotternd das Wort HEART BREAK hervorstößt. WH

XVIII. 3

GERHARD RICHTER (geb. 1932)

4
Nase 1963

Öl auf Leinwand; 78 × 60 cm
Hamburg, Privatsammlung

Richters Malerei ereignet sich in einer Kette von Entfremdungsprozessen. Darin spiegelt sich die Spannung zwischen Wahrnehmungsklischees und deren Denunziation. Die Auseinandersetzung mit vorgefundenem Bildmaterial fordert zu dessen Decodierung heraus. So werden z. B. Photographien wegen ihrer Unschärfe ausgewählt und zu flirrenden Bildchiffren umgeformt. Oder ein Detail, wie die Nase, bekommt in der Vergrößerung einen verblüffenden Eigenwert, der sich dem Ganzen (dem Gesicht) substituiert. Diesen Blick kennen wir schon aus Entfremdungspraktiken des 16. und 18. Jahrhunderts. Darin äußert sich Widerspruch gegen die beruhigende Gewißheit, wonach in der Kralle der Löwe, im Teil das Ganze steckt – diese Nase ist kein physiognomisches Indiz, sie hat sich zum autonomen Bildereignis verselbständigt.

Literatur: Harten 1986, Nr. 11 WH

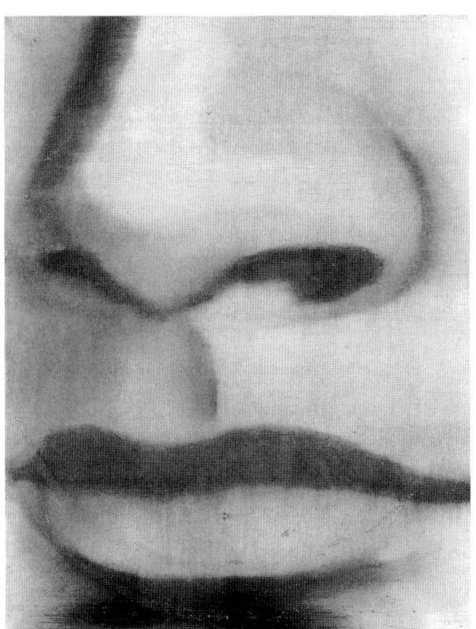

XVIII. 4

GERHARD RICHTER (geb. 1932)

5
Landschaft mit kleiner Brücke
Hubbelrath 1969

Öl auf Leinwand; 120 × 150 cm
Bezeichnet auf der Rückseite: Richter 1969 Nr. 227
Wien, Museum moderner Kunst, Leihgabe Österreichische Ludwigstiftung

Gerhard Richters „photorealistische" Bilder sind nur eine von seinen „vielen Sprachmöglichkeiten" (Kat. XVIII. 6). Für den Künstler stellt die Wahlfreiheit zwischen verschiedenen malerischen Stilen, die er gleichzeitig und gleichwertig in verschiedenen Gemälden einsetzt, nicht die Entscheidung zwischen Gegensätzen dar: „. . . ich möchte . . . den prinzipiellen Unterschied zwischen den ‚puren' Bildern, die sich selbst darstellen, und solchen, die nur etwas abbilden, nicht gelten lassen", formulierte er selbst 1974 in einem Interview mit Gislind Nabakowski (in: heute Kunst, Mailand Juli/August 1974, zit. nach: Harten 1986). Was noch wenige Jahre davor als unvereinbar gegensätzlich von Künstlern wie Theoretikern empfunden und beschrieben wurde, wird von Richter gleichrangig eingesetzt, der Kult der „Ismen", der kunsthistorischen Einordnungsversuche an Hand von Formkriterien, wird ad absurdum geführt.

Literatur: Harten 1986, Nr. 227 MF

XVIII. 5

GERHARD RICHTER (geb. 1932)

6 Farbabbildung S. 400
192 Farben 1966

Lack auf Leinwand; 200 × 150 cm
Hamburg, Privatsammlung

Dem kunsthistorischen Ableitungsdenken entspräche es, Richters Farbtafelbilder mit auf den ersten Blick ähnlichen Rastern von Mondrian zu vergleichen. Die Ähnlichkeit der gemalten Fakten ist nicht zu leugnen, doch wird sie von den jeweiligen Bezugsfeldern in Frage gestellt. Mondrians Damebrett mit 272 Farbquadraten (1919) war der Versuch, ein homogenes Flächenmuster zu testen. Aus diesem Vokabular gewann der Maler alsbald seine Syntax. Richter gibt keinen kunsthistorischen Nachhilfeunterricht, er erteilt seinen Farbtafelbildern keinen klärenden, vorbereitenden Auftrag. Sie sind eine von seinen vielen Sprachmöglichkeiten und stehen für deren Verfügbarkeit.

Wollte der Maler darin tatsächlich, wie angenommen wurde, die geometrischen Farbmuster von Agam und Vasarely „denunzieren"? Wenn ja, dann steckt in dieser Absicht sehr viel Aufwand (das Werkverzeichnis führt Dutzende von Farbtafelbildern auf). Zweifellos regrediert hier die Malerei ironisch auf die Offerte von Lackmusterkarten, was den Schluß ergibt, daß letztlich alles potentiell Malerei ist. Dennoch reicht die Aussage dieser Bilder wieder in die Ungewißheitsrelationen, von denen Richters gesamtes Werk bestimmt ist: Ihre Signatur heißt Beliebigkeit.

Literatur: Harten 1986, Nr. 136 WH

XVIII. 7

GERHARD RICHTER (geb. 1932)

7
Ohne Titel 1968

Öl auf Leinwand; 80 × 40 cm;
Hamburg, Privatsammlung

Richter malt gleichsam in Anführungszeichen. Er nimmt bereits ausgeschriebene Gesten der „modernen" Malerei und setzt sie in die Distanz des Zitats. Sein Informel ist, wie alle seine Malbewegungen, ein Als-ob-Informel. Indem er die wilde Ausdrucksgebärde von ihrem Pathos entlastet und sie depotenziert, hebt er den gestischen Leerlauf in den Bereich malerischer Möglichkeitsformen. Die Moderne gerät auf den Prüfstand: In allen ihren Möglichkeiten ausgemünzt, wird sie zugleich im wahrsten Sinne des Wortes ausgeschlachtet. Was übrig bleibt, sind ihre verfügbaren Formeln. Am geistreichsten hat Sigmar Polke, Richters Freund, diese Distanz in dem berühmten Bild „Moderne Kunst" (1968) thematisiert.

Literatur: Harten 1986, Nr. 194/9 WH

DAVID HOCKNEY (geb. 1937)

8 Farbabbildung S. 379
Selbstporträt mit blauer Gitarre 1977

Öl auf Leinwand; 152 × 182 cm
Wien, Museum moderner Kunst, Leihgabe Sammlung Ludwig, Aachen

Das Selbstporträt ist einer der vielen Belege der intensiven Auseinandersetzung Hockneys mit dem Werk anderer – meist früherer – Künstler. Der Maler setzte eine ganze Reihe von Bildern und Zeichnungen aus – teilweise wörtlichen – Zitaten aus berühmten Gemälden, aber auch aus eigenen Arbeiten zusammen. Entscheidend für Hockneys Umgang mit den Vorbildern ist, daß er sich nicht darauf beschränkt, bestimmte Motive zu übernehmen und zu mischen, sondern vor allem verschiedenartige Stilmittel nebeneinander setzt: Eine geometrisch-abstrakte Linie neben einen illusionistisch durchgebildeten Gegenstand, pointillistische neben kubistische Partien usw. Diese Wahlfreiheit im Hinblick auf die künstlerischen Mittel und das Verwirrspiel, das das Nebeneinander der heterogenen Elemente bewirkt, treibt Hockney in seinem Selbstporträt bis ins Extreme: Er mißachtet die Gebote der Perspektive, der Einheitlichkeit des Lichteinfalls, ja der Schatten unter einem Stuhl erweist sich bei nährem Hinsehen sogar als nicht zu diesem gehörig.

Hockney, der sich quasi „realistisch" inmitten dieser Umgebung darstellt, hat hier eine Art moderne Allegorie auf die Arbeit des Künstlers geschaffen (vgl. Kat. VII. 33), der sich einem praktisch unerschöpflichem Vorrat an abrufbaren künstlerischen Formulierungen gegenübersieht, die ebenso befruchtend wie zu Neuem herausfordernd wirken können, in der Fülle aber vielleicht auch bedrückend auf denjenigen, der nach einer eigenen Bildsprache sucht. In diesem Zusammenhang läßt sich das Zitat eines Kopfes von Picasso im Hintergrund des Bildes durch das Handmotiv als Erinnerung an Dürers „Melancholie" deuten (vgl. „Einträchtige Zwietracht", S. 13ff).

Literatur: Stangos 1980, S. 6 – Hockney 1976 MF

JAMES LEE BYARS (geb. 1932)

9
Der Kopf Platos 1986

Marmor; Durchmesser 21 cm
Köln, Privatsammlung

Lee Byars nimmt die Idee von Magrittes „La vie secrète" (1928, Zürich, Kunsthaus) – eine riesige, in einem Raum schwebende Kugel – und von Giacomettis „Boule suspendue" (1930/31) wieder auf, doch aus einem „objet à fonctionnement symbolique" wurde ein Meditationsgegenstand, dessen Doppelbödigkeit erst bewußt wird, wenn wir das uralte formale Gleichnis der Vollkommenheit auf seinen Titel beziehen. Ein Beispiel dafür, daß die Postmoderne oft nur eine verlängerte Moderne ist. WH

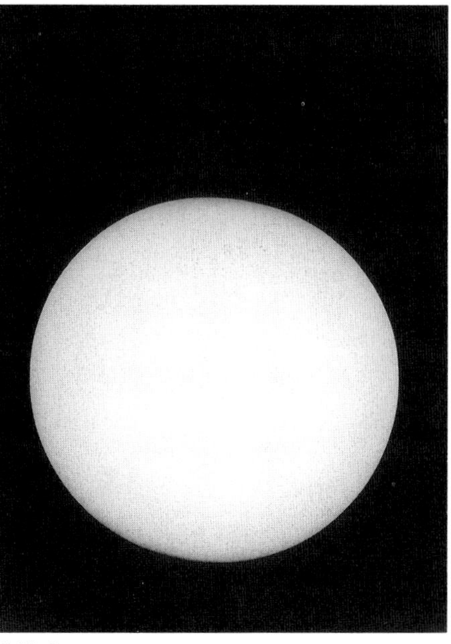

XVIII. 9

XVIII. 10

YAACOV AGAM (geb. 1928)

10
Space Divider

Metall vergoldet; 22 × 18 × 7,5 cm
Bezeichnet: Agam 89/150
Hamburg, Galerie Meißner

Der „Raum-Teiler'' gehört in die Kategorie der Flächenordnungen, die potentiell dreidimensional sind. Die räumlichen Möglichkeiten erschließen sich, wenn die perfekte Grundfigur der drei Rahmen aufgebrochen und um eine Mittelachse in Drehung versetzt wird. Diese „gestörte'' Form ist die eigentliche Form des Gebildes. In ihr stecken zahllose Kombinationen. Im Hinblick auf Gysbrechts Rückansicht eines Gemäldes (Kat. VIII. 6) setzt Agam die Thematisierung des Rahmens fort. Doch indem er den gemalten Bildinhalt tilgt, erhebt er den Rahmen nicht zum Selbstzweck, sondern weist ihm die Aufgabe zu, einen neuen Inhalt – Raum – in seiner immateriellen Qualität und Grenzenlosigkeit sichtbar zu machen. WH

YAACOV AGAM (geb. 1928)

11
Pace of Time (Schritt der Zeit) 1978

Acrylglas/Kunststoff; 72 × 54 cm
Bezeichnet: H. C. 16/18, 25. 5. 1978
Hamburg, Privatsammlung

Agams Mehransichtbilder greifen ein längst bekanntes Verfahren wieder auf, das sich über die Jahrhunderte besonders in volkstümlichen Andachtsbildern großer Beliebtheit erfreute, da es die Möglichkeit bot, etwa das Rätsel der Hl. Dreifaltigkeit als optisches Paradoxon anschaubar zu machen. Zugleich wird so die einansichtige Verzerrung der Anamorphose (Kat. X. 34) korrigiert, denn Agam gewinnt aus der Schrägsicht einen Wahrnehmungsinhalt, der potentiell mehrere andere in sich trägt. Der Umschlageffekt von einer Bildfigur in die andere geschieht nicht abrupt, er wird durch viele Zwischenstufen vermittelt. In der Frontalansicht treffen alle Bildthemen in verwirrender Dichte zusammen. WH

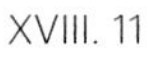

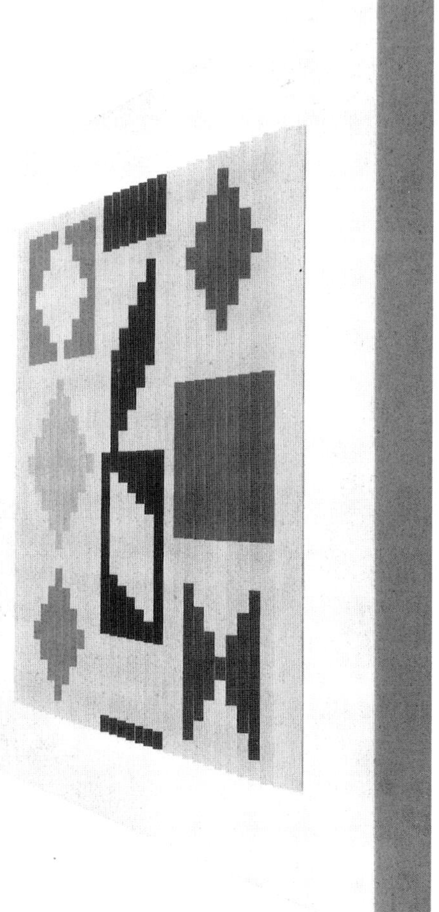

XVIII. 11

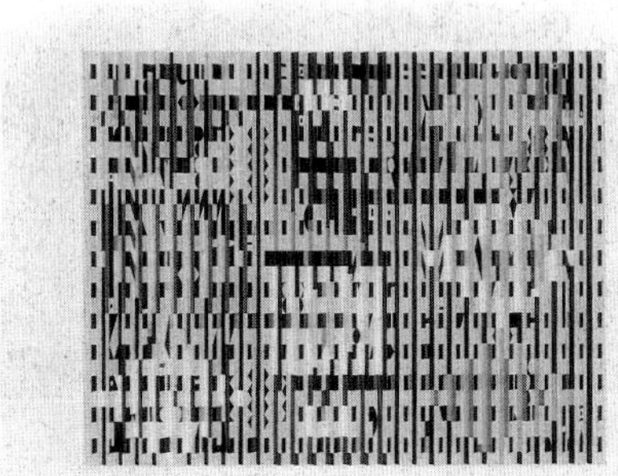

XVIII. 11

XIX „Komplexität und Widerspruch“

CLAES OLDENBURG (geb. 1929)

1
Ventilator an Stelle der Freiheitsstatue auf Bedloe's Island 1967

Bleistift; 66 × 101 cm
Basel, Kunstmuseum, Kupferstichkabinett
Inv. Nr. 1973.35

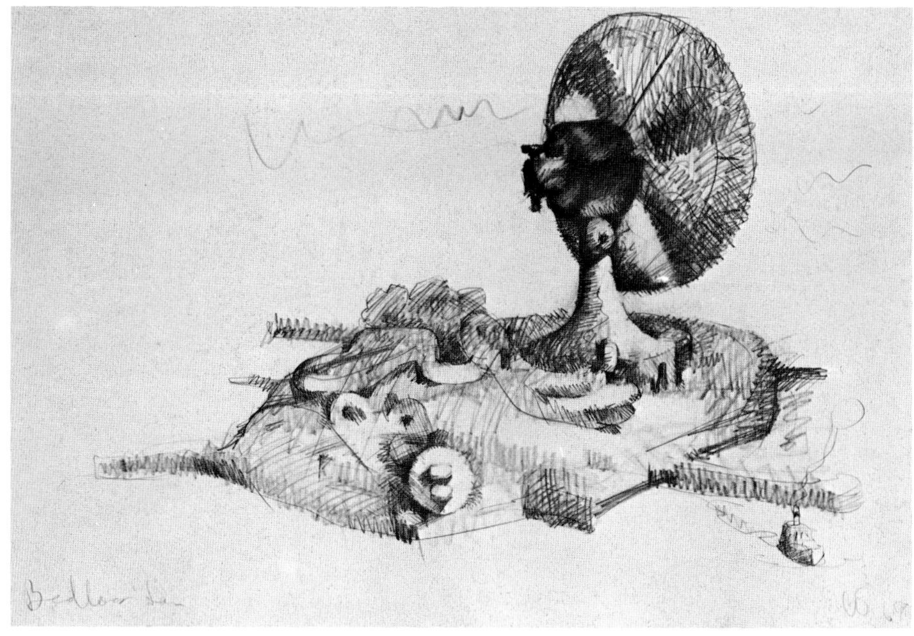

XIX. 1

Das Ventilator-Denkmal Claes Oldenburgs versteht sich als einer jener „Vorschläge zu kolossalen Monumenten in Gestalt von . . .", welche den Künstler in der zweiten Hälfte der sechziger Jahre intensiv beschäftigten. Ein handliches Alltagsobjekt ist es jeweils, das von Oldenburg ins Riesenhafte vergrößert für eine bestimmte städtische Platz- oder Gartenanlage erdacht wird: Eine Flügelmutter für den Karlaplatz in Stockholm, eine Wäscheklammer an Stelle des Chicago Tribune Gebäudes oder ein Teddybär für den New Yorker Central Park; eine geschälte Banane wiederum kann sich der Künstler als Denkmal am Times Square in New York vorstellen, ein Schlagzeug-Monument im Londoner Battersea Park.

Mit seinem Ventilator verkehrt Oldenburg die allgemeingültige, altehrwürdige Gattung „Denkmal" ins sehr Persönliche, Respektlos-Ironische. Weder einem erinnerungswürdigen Heroen noch einer denkwürdigen Idee setzt er ein Monumentum, sondern eben einem Alltags-Objekt mit einer vorstellbaren Alltags-Geschichte. Dieses Objekt wird durch Maßstabverschiebung, ablesbar an der Relation zum spielzeugkleinen Schiff, „überhöht" zum Denkmal seiner selbst. An Stelle der Freiheitsstatue auf Bedloe's Island plaziert, spielt der Ventilator zudem mit dem Anspruch, als neues Wahrzeichen New Yorks, ja als „Substitut von Amerika" zu fungieren; ein Ventilator, Instrument für frischen Wind, ansteckbar und ausschaltbar (!) – als neues Sinnbild der amerikanischen Freiheit.

Sein Riesen-Ventilator soll – so Oldenburg – dafür sorgen, daß „die Arbeiter in Lower Manhattan von einem ständigen Luftzug erfrischt würden. Oder aus der Sicht der Einwohner von Manhattan wäre es die Darstellung des zuverlässig wehenden, leichten Südwestwindes – also der Ventilator als monumentale Erscheinungsform der Natur selbst." Der mechanisierte Wind-Spender wird zur entmythologisierten, gleichsam instrumentalisierten Verkörperung des Naturelementes Luft. Der Künstler seinerseits erhebt sich zum Elementen-Schöpfer; die so entstehende Künstlermythe löst die althergebrachte Mythologisierung der Elemente ab. Wie für jedes „Object Into Monument" gilt generell freilich auch hier: Das Loslösen des Gegenstandes aus dem Kontext des Alltagslebens verleiht dem alltäglichen Objekt die „Aura" des Kunstwerks und macht es zu einem „neuen", fast archaisch-mythisch anmutenden Kultobjekt.

Oldenburgs Selbstzeugnisse geben Aufschluß über die vielschichtigen Assoziationen und Phantasien, die beim Ventilator-Denkmal eine Rolle spielten. Der Künstler 1969: „Das Bananen-Monument für Times Square (1965) führt zum Ventilator . . . Die Metamorphose wurde befördert durch ein frühes Ventilator-Modell . . . mit einer Art von Bananen-Ende. Wenn man eine Banane schält, erhält man die vier Propeller-Flügel des Ventilators. Der Ventilator ersetzt die Freiheitsstatue . . . der Sockel der Freiheitsstatue gleicht ein wenig demjenigen des Ventilators; und die Statue hat diesen stachligen Kopfschmuck . . . Ich habe einen glänzenden schwarzen Ventilator und einen trockenen weißen Ventilator – wie die zwei Engel . . ., die einen begleiten – der weiße Engel und der schwarze Engel . . . Ich entdeckte kürzlich, daß die Windmühle das alte Wahrzeichen von New York ist. Es gab einmal viele, viele Ventilatoren auf den Hügeln rings um die Bucht der Stadt!"

Vom Nahrungsmittel (Banane) zum Staatssymbol (Freiheitsstatue) über das Sinnbild für Leben und Tod (Engelpaar) bis zur Windmühle (New York als holländische Kolonie) knüpft sich die phantasievolle Assoziationskette. Das mehrfache „Sowohl-als-auch", die Ambivalenz von Alltäglichem und Kultischem, von Alltagsobjekt und Kunstgegenstand – alle diese manieristischen Tendenzen finden sich in Oldenburgs Ventilator-Denkmal.

Literatur: Ausst.-Kat. Oldenburg 1975/76, S. 53 u. 63 ff – Haskell 1971 – Rose 1970 PH/MR

HERMANN FINSTERLIN (1887–1937)

2
Vier Architektur-Phantasien 1919–21

Aquarelle; je 12 × 17,5 cm
Frankfurt, Deutsches Architekturmuseum

„Hier hört jede Vergleichbarkeit mit früherer Architektur auf . . . Merkwürdige Pilzformen, seetier- und quallenförmige Gebilde sind in zahlreichen Varianten hinphantasiert . . . Grade Wände sind prinzipiell vermieden. Es ist eine Erweichung des Formgefühls eingetreten, die sich auch aller Raumformen bemächtigt hat." Und: „Es sind phantastische Gebilde", welche „die Baukunst von jeder Rücksicht auf den Zweck erlösen" wollen. So rezensiert man direkt oder indirekt Hermann Finsterlins Architektur-Phantasien, als er sie 1919 in der vom „Arbeitsrat für Kunst" veranstalteten „Ausstellung für unbekannte Architekten" zeigt.

Schon die Zeitgenossen erkennen: In Finsterlins Entwürfen wird „Unbewußtheit anstelle der Bewußtheit gesetzt . . . Das Schaffen aus der Unbewußtheit gestaltet triebhaft und unbekümmert". Mit dieser Interpretation der Bau-Phantasien Finsterlins ist das den Manierismus konstituierende „Gebäude" der Phantasie angesprochen. Phantasie bedeutet Finsterlin alles: Größter Reichtum, größte Allmacht, zugleich aber auch größte Bescheidenheit. Er liefert in einer bestimmten Weise die denkbar radikalste Phantasie-(Manierismus-)Definition. Als das „größte Äquivalent aller körperlichen Triebe und unfehlbarster Ableiter aller passiven Schmerzeindrücke" stellt für ihn Phantasie „Leidlosigkeit" an sich dar. Phantasie ist mehr als Triebkraft künstlerischer Imagination, sie ist die „größte einzig-

XIX. 2 A

XIX. 2 B

XIX. 2 C

ste Kunst" und „Herrschaft des unbegrenzt Geistigen über den Stoff". Entlassen aus der Zweckhaftigkeit, erhält die Phantasie so die größtmögliche Autonomie.

Bleibt für Freud trotz aller notwendigen Triebkontrolle der Trieb wesentlicher Motor der Ich-Bildung, so ist es für Finsterlin die „Unabhängigkeit vom Leibe", welche die notwendige Voraussetzung bietet, um den „Gipfel geistiger Entwicklung" erklimmen zu können. Fast magisch beschwört er seine rigide Theorie der Ich-Bildung durch Trieb-Austreibung, um damit das „allzu Monumentale der größeren geistigen Entwicklung wegen" überwinden zu können. Seine Tätigkeit beschreibt Finsterlin so: „Bauen ist alles, Liebe, Zeugen, Kampf, Bewegung, Leid, Eltern und Kind, und alles Heiligsten heiligstes Symbol."

Finsterlins Entwürfe sind Wunsch-Traum-Bilder, Ausdruck der Regression in die Prägenitalität: Das Haus kann „zum Erlebnis werden, zur lebendigen Marsupialier (= Beuteltier)mutter, die uns liebreich hegt und bildet wie der Saftdom eines Gallwespenbabys, ein Gral, der täglich neu sich füllte mit den Kräften unserer pulsenden Erde". Der ersehnten Rückkehr in den Mutterleib entsprechend, wird man sich „im Innenraum des neuen Hauses . . . als interner Bewohner eines Organismus, wandernd von Organ zu Organ, ein gebender und empfangender Symbiote eines ‚fossilen Riesenmutterleibes'" fühlen.

Literatur: Finsterlin 1920, I, S. 52 – Finsterlin 1920, II, S. 109 – Ausst.-Kat. Gläserne Kette, S. 67 – Ausst.-Kat. Arbeitsrat, S. 95 – Hoffmann 1963, S. 178 f – Ausst.-Kat. Gesamtkunstwerk 1983, S. 343 ff PH/MR

HANS SCHAROUN (1893–1972)

3 A
Kino II um 1922

Aquarell; 32,2 × 24,7 cm
Berlin, Akademie der Künste, Sammlung Baukunst
Inv. Nr. A 9

3 B
Phantasieentwurf um 1922

Aquarell
Hamburger Kunsthalle, Kupferstichkabinett, Leihgabe des Scharoun-Archivs

Hans Scharoun beschäftigt sich – wie andere Künstler des Kreises „Die Gläserne Kette" auch – eine kurze Zeit mit dem Problem der Verwendung organischer, dynamischer Formen in der Architektur. So entsteht um 1922 eine Reihe ganz und gar atektonischer Entwürfe, betitelt etwa „Kino" oder „Musikhalle". Charakteristisch für sie ist eine strikt antirationale und damit auch antiklassische Vorstellung von Architektur, die zudem mit deutlich individuellen Mythen besetzt erscheint. Der Verpflichtung zur funktionalen Form versucht sich der Künstler durch eine „Notwendigkeit inneren Wesens" zu entziehen.

Den Gegensatz zwischen Scharoun als Vertreter einer organischen Architektur und den „klassischen Funktionalisten" erhellt ein schriftlich ausgetragener Disput mit dem Architektur- und Kunstkritiker Adolf Behne; ein Disput, der sich am Entwurf „Kino" entzündet. In einem Brief vom 11. Juni 1923 beschreibt Scharoun seine Architektur bezeichnenderweise als verdauenden Organismus: „Einsaugenden" Eingang, Saal und Ausgang setzt er gleich mit „Rachen, Magen, Hintern". Solche „Organisnurismen", wie er die Scharounsche Fixierung nennt, lehnt Behne ab: „Ein Bau soll organisch sein, aber niemals ein ‚Organismus' im Sinne der lebendigen Natur." Vermeintliche Triebentfaltung kollidiert mit ausgesprochenem Triebverzicht.

Der Auffassung Scharouns, jede Form „ohne Anwendung irgend einer Theorie" begründen zu können, steht Behnes Forderung gegenüber, daß „Architektur unbedingt rationell, bis von Kälte einer Hundeschnauze, sein" muß. Auf die Frage: „Warum muß alles gerade sein" wird gekontert: „Es muß nicht alles gerade sein – wenn das Ungerade begründet ist – aber wir müssen vom geraden ausgehen – sinnlos, ohne zwingenden Grund krumm, schweifend sein, halte ich für etwas . . . peinliches." (Von dieser Kritik an Scharoun wird Behne dann in „Der moderne Zweckbau" (1926) abrücken und versuchen, organische und funktionalistische Architektur zu vereinen.) Im Kern sind damit hier einige wichtige Pro- und Kontra-Argumente des heutigen Diskurses „Postmoderne" versus „Moderne" enthalten.

XIX. 3A

XIX. 3B

Scharouns Entwürfe in ihrer Subjektivität und Antirationalität verschließen sich, wie jedes manieristische Werk, einem klassischen Verständnis von Objektivierbarkeit und Rationalisierbarkeit. Die Polarität von Organismus und Architektur in die Ambivalenz einer organischen Architektur formen zu wollen, muß unweigerlich zum Konflikt mit dem Funktionalismus führen.

Literatur: Pfankuch 1974, S. 38 PH/MR

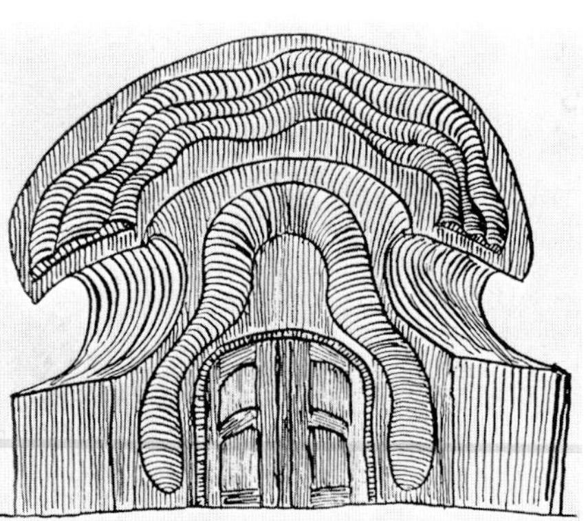

XIX. 4

PAUL GOESCH (1885–1940)

4
Portal

Tuschzeichnung; 32 × 20 cm
Köln, Prof. O. M. Ungers

In diesem Blatt löst Paul Goesch die architektonische Form des Portals in eine organische Form mit ornamentalen Zügen auf, wobei das Ornamentale merkwürdig nicht-ästhetisiert erscheint. Das Unentschiedene zwischen dreidimensionaler und flächiger Gestaltung verstärkt den Eindruck der Ambivalenz von gleichzeitigem Angezogen- und Abgestoßen-Sein. Der Gesamtform wohnt etwas Magisch-Monströses inne, vergleichbar den Höllenmäulern des 16. Jahrhunderts. Jedoch: Die Formfindung hier scheint nicht nur Resultat von Phantasieentfaltung und deren Ästhetisierung, scheint nicht nur Architektur-Phantasie zu sein. Zu deutlich kommt die aus der Traumsymbolik bekannte Bedeutung des Tores als Öffnung des weiblichen Körpers an die Oberfläche, ja beginnt die explizite Vulvazeichnung das Symbolhafte zu ersetzen – Triebwünsche fangen an, den Künstler zu überwältigen.

Die Gratwanderung des Manierismus zwischen extremen Gegensätzen, das dieser Kunst immanente Eintauchen in das Unbewußte bei weitgehendem Ausschalten der Realität, der Rückzug aus dieser Realität in die phantastische Welt des Irrealen und Irrationalen – dies kann manieristische Kunstprodukte in den Grenzbereich zwischen Genialität und Wahnsinn rücken. Freilich, „selbst der durchschnittliche manieristische Künstler überwindet seine ‚Gespaltenheit' durch Gestaltung", so Hocke. Paul Goesch ist in seinem Leben diese Fähigkeit abhanden gekommen. Ab 1921 lebt er wegen Schizophrenie fast ständig in psychiatrischen Kliniken, 1940 wird er dort von den Nationalsozialisten ermordet.

Paul Goesch erfährt eine charakteristische Borderline-Situation in der Einschätzung seines Werkes. Von der Kunstgeschichte werden die nach 1921 entstandenen Arbeiten des ausgebildeten Architekten nicht mehr wahrgenommen, ausgegrenzt eben als Ausdruck der Geisteskrankheit. Jene wiederum, die sich mit der Bildnerei von Geisteskranken beschäftigen, interessieren sich für sein Werk wenig, ihnen ist es zu „professionell". Goesch „war der uninteressanteste von allen mit seiner geklügelten Auffassung und der unangenehmen technischen ‚Ausbildung'" – so etwa Alfred Kubin anläßlich eines Besuches der Prinzhorn-Sammlung; auch Prinzhorn selbst läßt Goesch in seinem 1922 erschienenen Buch „Bildnerei der Geisteskranken" unerwähnt.

Literatur: Prinzhorn 1980, S. 58 u. 204ff – Prinzhorn 1968 PH/MR

WENZEL HABLIK (1881–1934)

5 A
Bergspitzen 1920
Feder auf Pergament; 23,9 × 33,5 cm

5 B
Alpine Architektur Bergspitzen 1920
Feder auf Pergament; 27,8 × 37 cm

5 C
Wohnhaus und Atelier 1921
Bleistift und Farbstifte auf Karton;
65,1 × 50 cm

5 D
Übergangsbauten
Aus dem Zyklus Architektur, Blatt 1
Beton, Keramik, Glas 1925
Radierung; 20 × 25,7 cm

Alle: Itzehoe, Wenzel-Hablik-Stiftung

Wenzel Hablik, um 1920 Mitglied der Künstlergemeinschaft „Die Gläserne Kette", beschäftigt sich schon seit 1902 immer wieder mit der Gestaltung phantastisch-irrationaler Architekturen aus kristallinen Formen. In vielfacher Art besetzt, können diese in ambivalenter Art Metapher sein für Hoffnung und Erlösung, aber auch für den Tod. Ein „düsteres hoch aufstrebendes Schloß" ist dem Künstler – gegenläufig zur konventionellen Farbsymbolik – Zeichen seiner „kühnen stolzen Hoffnungen", ebenso kommt das Bild von „lichten Todesstätten" auf. Gedanklich sicherlich beeinflußt von der Literatur der Romantik sowie von Paul Scheerbart, bezieht Hablik die formalen Anregungen für seine Kristallarchitektur aus der eigenen Steinsammlung.

„Bauen" heißt für Hablik phantasievolles „Kristallisieren". Naturform und Kunstform stehen in engster Beziehung, sind aber nicht ident, denn erst der Künstler als Demiurg kann die sinnvolle Ordnung schaffen. Die Kunstform soll zum Analogen der Naturform werden. Es gibt, so Hablik, „nur einen Weg für den Künstler . . ., nämlich den, die Natur nicht nachzuahmen, sondern es ihr gleichzutun". Dazu aber „ist es nötig, daß es dem Künstler gelingt, die Gesetze, welche millionenfach in den Bauformen der Natur stecken, zu erkennen und für sich und sein eigenes Schaffen gleich gültige zu erfinden." Die beiden Blätter „Alpine Architektur, Bergspitzen" und „Bergspitzen" zeigen, wie kristalline Formationen in Tier- beziehungsweise Menschenköpfe übergehen, diese selbst wiederum sich der kristallinen Struktur anverwandeln. Ein manieristisches „Sowohl-als-auch" von künstlicher Naturhaftigkeit und naturhafter Künstlichkeit entsteht.

XIX. 5 A

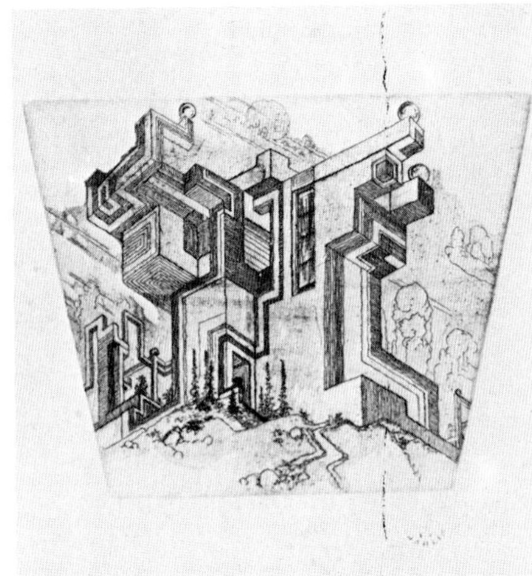

XIX. 5 D

XIX. 6 A

Nicht zufällig stellt Hablik auf einem vergleichbaren Architekturentwurf die Frage: „Wo steht es denn geschrieben? daß ein Haus immer ‚wie ein Haus'! (was ist das?) aussehen muß?"

Literatur: Reschke 1981, S. 12, 82 ff – Hablik 1963, S. 175 ff – Ausst.-Kat. Hablik 1981, S. 15 – Ausst.-Kat. Hablik 1979 – Ausst.-Kat. Hablik 1980 – Feuß 1982 – Feuß 1987 PH/MR

HANS POELZIG (1869–1936)

6 A
„Haus der Freundschaft", Konstantinopel
Projekt 1916
Kohle auf Transparentpapier;
105 × 125,5 cm

6 B
Festspielhaus Salzburg Projekt, 1. Fassung
Kohle auf Transparentpapier;
53 × 115,5 cm

Beide: Berlin, Technische Universität, Bibliothek, Plansammlung

Beide ausgestellten Projekte weisen den Charakter reiner Phantasieproduktion auf. Scheint es doch nur mit und in der Phantasie möglich, allen rationalen Vorstellungen und tradierten Vorläufern widersprechend, ein Festspielhaus für zweitausend Personen als architektonisierten Hügel in Gestalt einer „Stadtkrone" oder als naturgewordene Architektur mit riesigen Treppenanlagen, Terrassierungen und Kolonnaden erstehen zu lassen. Desgleichen: Nur in und mit der Phantasie kann ein Kulturzentrum wie das „Haus der Freundschaft" gleichsam zum mythischen Bild der „hängenden Gärten der Semiramis" beziehungsweise zur Wortillustration von „Treppen-Haus" werden. Und doch entstanden beide Projekte als Wettbewerbsentwürfe: Jenes von 1916 schuf Poelzig für eine von der Deutsch-Türkischen Vereinigung initiierte Konkurrenz, das spätere Projekt auf Einladung der Salzburger Festspielhaus-Gemeinde.

XIX. 6 B

„Ein Festspielhaus in Salzburg" – so Hans Poelzig 1921 – „ist ein Ding ganz für sich, das bei einem empfindenden Architekten wahrhaftig nicht in erster Linie technisch-praktische Erwägungen auslöst. Er wird von selbst geradezu in eine Phantastik gedrängt, die über der ganzen Gegend und über ihren Schöpfungen lagert." Poelzig sieht den Genius loci Salzburgs mit derart „manieristischen Augen", daß eben dieser Genius loci den eigenen manieristischen Intentionen optimal entgegenkommt, er als Wirkungskraft eingeht in das Projekt.

„Wenn der Architekt", sagt Poelzig und meint sich selbst, „Mirabell und Hellbrunn gesehen hat, wenn er das steinerne Naturtheater vor Augen hat, so gerät er zunächst in eine mehr oder weniger gelinde Raserei, die ihn an nichts anderes denken läßt, als wie er dieser Formenwelt etwas Wesensgleiches, ja noch eine Steigerung zufügen kann. Und diese Raserei geht mit ihm durch" – er schafft einen Entwurf für das Festspielhaus, in dem Terrain und Architektur untrennbar miteinander verbunden erscheinen, in einen manieristisch-metamorphosen Komplex verschmolzen. Es entsteht der Eindruck, „als ob eine Art Felshügel durch Grotten und Treppenführungen aufgeteilt und allenfalls der Gipfel architektonisch gefaßt wäre".

Eindeutig Primat hat hier die Kunstform als Antithese zur Zweckform. Manifeste der sechziger Jahre vorwegnehmend, formuliert Poelzig 1921: „Kunst hat nichts zu tun mit dem Zweck, sie ist zwecklos."

Literatur: Posener 1970, S. 85 ff, 142 ff – Heuss 1939 – Ausst.-Kat. Poelzig 1986, S. 51 ff PH/MR

JAROSLAV FRAGNER (1898–1967)

7 A
Studie 1919/21
Lavierte Tuschzeichnung; 21,5 × 28 cm
Bezeichnet: Jar. Fragner

7 B
Studie 1919/21
Lavierte Tuschzeichnung; 16 × 26 cm

Beide: Prag, Privatsammlung

Die zwei Skizzen von Jaroslav Fragner stellen einen Versuch dar, die Masse „von innen nach außen", im Sinne der Architekturtheorie, in Bewegung zu setzen. Sie sind zum Zeitpunkt des Überganges der späten Phase des Kubismus zum Purismus und Konstruktivismus entstanden. Während sich die Kubisten in der späten Phase auf die plastische Gestaltung der Fassade konzentrieren, zeigen die Skizzen von Fragner einen Willen, durch Dynamik den inneren Inhalt und die innere Kraft des architektonischen Raumes auszudrücken. Die Formreduktion zur flächigen bis graphischen Auffassung, sichtbar in der Entwicklung von der ersten bis zu der zweiten Skizze, zielt bereits auf das puristische Konzept. Die Skizzen entstanden während Fragners Studium an der Technischen Hochschule in Prag, und zwar aus Protest gegen den konservativen Unterricht. Aus diesem Grunde wurden sie manchmal auf die Rückseiten von Schulzeichnungen gezeichnet. In dieser Zeit wurde Fragner zu einem Gründungsmitglied der Künstlervereinigung Devetsil (Neunkraftwurzel). Die Vereinigung bildete in der ersten Hälfte der zwanziger Jahre unter der Leitung von Karl Teige das Zentrum der jüngsten Generation der Avantgarde in Prag. Fragner gehörte zur sog. Puristischen Vierer-Vereinigung von Devetsil (gemeinsam mit Eugen Linhart, Karl Honzík und Vít Obrtel). Diese Gruppe suchte seit Anfang der zwanziger Jahre eine neue puristische Konzeption der Architektur.

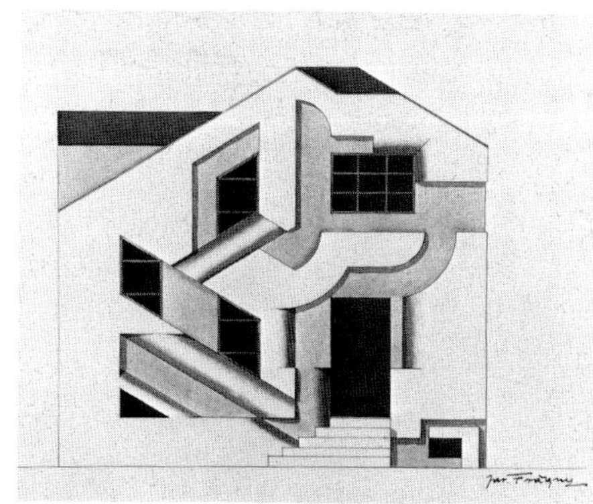

XIX. 7 A

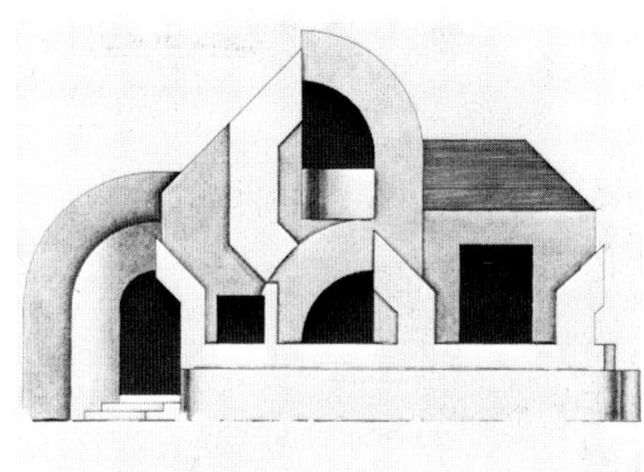

XIX. 7 B

Literatur: Lukeš 1985 – Lukeš 1986, II – Ausst.-Kat. Fragner 1969 – Kubiček/Šlapeta 1967 – Starý 1959 – Šlapeta 1982, II VŠ/ZL

EUGEN LINHART (1898–1949)

8
Zwei Fassadenstudien

Lavierte Tuschzeichnungen; 33,5 × 49 und 52 × 36 cm
Prag, Architekturarchiv des Technischen Nationalmuseums

Die zwei Skizzen Eugen Linharts belegen eine neue Art der Suche nach einer anderen Ausdrucksmöglichkeit in der Übergangsphase des späten Kubismus zum Purismus. Die Fassade war das Hauptproblem der tschechischen kubistischen Architektur, die sich um eine „Vergeistigung" des Bauwerkes mit Hilfe des plastischen Ausdruckes bemühte. In der Zeit des späten Kubismus verfällt dieses Konzept des Dekorativismus, als die Plastizität der Fassade zum Ausdruck der akademischen Auffassung des Raumes und des Grundrisses wird. Die Basis für diese Auffassung bildet eine symmetrische Kette. Linhart – beeinflußt von den protopuristischen Studien Josef Chochols und vom expressiven Kubodynamismus Jiři Krohas und Bedrich Feuersteins – suchte einen Ausweg in der verstärkten dynamischen Auffassung der Fassade, die in der ersten Skizze noch eine Symmetrie vereinigt. In der zweiten Skizze findet der Autor eine asymmetrische Komposition, die bereits die Unterschiedlichkeit der Funktionen andeutet – und sich so – trotz des restlichen expressiven Dekors – der Architektur des Purismus und der neuen Sachlichkeit nähert, die durch das Prinzip „von innen nach außen" diktiert ist.

Linhart und Fragner gelangten zu dieser Architektur, nachdem sie das Werk von Le Corbusier Ende des Jahres 1922 kennengelernt hatten.

Literatur: Lukeš 1986, I – Starý/Kopecký 1950 – Benešová 1978 – Lukeš/Švácha 1983 – Šlapeta 1982, II VŠ/ZL

XIX. 8 A

XIX. 8 B

XIX. 9 A

JOSEF FRANK (1885–1967)

9 A
Rundes Steinhaus, Ansicht
Aquarell; 97,1 × 68,6 cm
Inv. Nr. AZ Frank (Kassette, Nr. 14)

9 B
Grundrisse und Ansichten
Feder in Tusche; 27,7 × 41,9 cm
Inv. Nr. AZ Frank (Mappe, Nr. 98)

9 C
„D-Haus 4“ (Doppelhaus für Dagmar Grill), Ansicht
Aquarell; 36,7 × 59,6 cm
Inv. Nr. AZ Frank (Kassette, Nr. 4)

9 D
Grundrisse und Ansichten
Feder in Tusche; 27,7 × 41,9 cm
Inv. Nr. AZ Frank (Mappe, Nr. 63)

Alle: Wien, Albertina

„Was wir brauchen ist Abwechslung und keine stereotype Monumentalität. Niemand fühlt sich wohl in einer Ordnung, die ihm aufgezwungen wird . . . Was wir brauchen ist eine weit größere Elastizität, aber keine starren Formgesetze, eine Entmonumentalisierung.“ So formuliert Josef Frank sein künstlerisches Postulat, resümierend dargelegt in dem Aufsatz „Akzidentismus“ (1958). Beide Phantasie-Entwürfe, aus der Spätzeit des Künstlers stammend, lösen diese seine Forderungen optimal ein und sind zugleich Manifestationen gegen die „Gleichschaltungstendenzen der Moderne, gegen die Formen-Parade der Neuen Sachlichkeit“.

Über einem freien, regellosen Grundriß wird jeweils ein „elastischer“, unregelmäßiger Baukörper entwickelt. Betonte Asymmetrie unterstreicht die gesuchte Ungebundenheit. Besonders für das Doppelhaus Grill gilt:

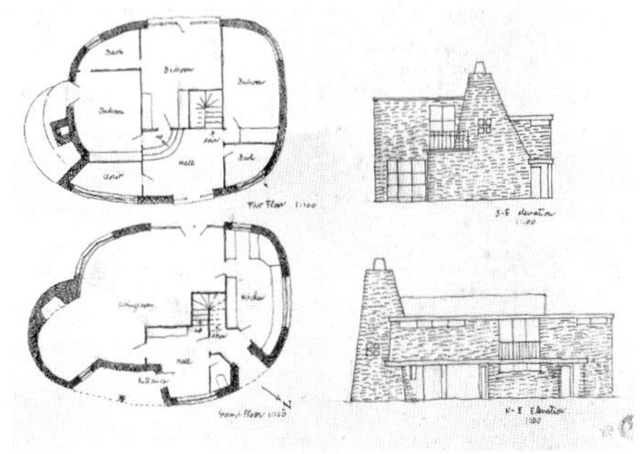

XIX. 9 B

scheinbar „zufällig“ kombinierte Bauteile und uneinheitlich gestaltete Baudetails lassen keine Monotonie aufkommen. Natursteinmauerwerk kontrastiert zu Fassadenputz: Nach außen verlegte Kamine sind locker mit Steinen bestückt und setzen so deutliche Akzente in der geglätteten Fassade. Was der sogenannten Postmoderne die Säule, ist Frank hier das an sich rein funktionale Element des Kamins; an ihm „entzündet“ sich seine antifunktionalistische, antiklassische Phantasie, zeigt sich seine Sehnsucht nach dem Nicht-Nüchternen, Nicht-Puritanischen und damit – nach dem Manieristischen. Phantasievolle Ausformung und fast naive Freude am Dekorativ-Sinnlichen, lange Verdrängtes drängt wieder an die Oberfläche.

Das Phantasievolle, Disharmonische, aber auch das Alltägliche und Sentimentale, läßt sich unter den Frankschen Begriff von Akzidentismus subsumieren. Dieser besagt ja, „daß wir unsere Umgebung so gestalten sollen, als wäre sie durch Zufall entstanden“: Das Geplante soll den Charakter des Zufälligen annehmen, die Zufälligkeit wird geplant. Das Sowohl-als-auch des Manierismus definiert sich in den Phantasie-Entwürfen Franks als Vorhandensein von eingelöstem Kunstanspruch bei vorgegebenem Hintanstellen des Kunstanspruchs. Auratische Wirkung ist Resultat des Negierens der Aura. Ein „auf Grund von Zufälligkeiten entstandenes“ Ambiente „ist nie fertig und kann alles in sich aufnehmen, um die wechselnden Ansprüche seines Bewohners zu erfüllen“. So versteht sich Franks akzidentistische, manieristische Tendenz als Voraussetzung für mehr Individualisierung. In „zufällig“ gewordenen Räumen kann man laut Frank „frei leben und denken“. In diesem Sinne sind seine Phanta-

XIX. 9C

sie-Häuser nicht nur phantasievolle Architektur, sondern auch Architektur für die Phantasie.

In direkter Nachfolge des Frankschen Akzidentismus entwickelt Hermann Czech seine Theorie des Zusammenhangs von „Manierismus und Partizipation". Partizipation, verstanden als Freiheit und Selbstverwirklichung des Benutzers, bedingt – so Czech – den „Sinn für das Irreguläre, Absurde, die jeweils aufgestellten Regeln Durchbrechende" und damit „die Haltung des Manierismus". Denn nur diese ermöglicht, „die Wirklichkeit auf der jeweils erforderlichen Ebene zu akzeptieren".

Literatur: Spalt/Czech 1981, S. 238 ff – Frank 1981 – Frank Symposion 1985, S. 5 – Czech 1977, S. 88 f
PH/MR

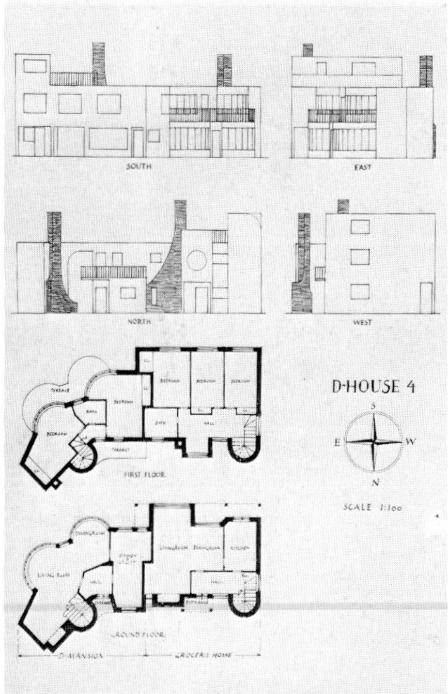

XIX. 9D

XIX. 10A

JOSEF PLEČNIK (1872–1957)

10 A
Slowenisches Parlament, Laibach
Entwurf, Schnitt und Grundriß 1947
Bleistift und Tinte; 73,3 × 60,3 cm
Schnitt, Zentralraum
Transparentpapier, Tusche; 53,3 × 75,6 cm

10 B
Säulenentwurf für Stranje 1954
Transparentpapier, Bleistift, Tusche und Wasserfarben; 27 × 38,5 cm

Alle: Laibach, Architekturni Muzej

10 C
Gedrehte Säule aus dem Stiegenhaus der Handels-, Gewerbe- und Industriekammer Laibach um 1926
Bleistift; 17,6 × 13,3 cm
Laibach, Damian Prelovšek

Josef Plečnik, Schüler von Otto Wagner, ist gleichsam ein „Postmoderner" lange vor der „Postmoderne". Unbeeinflußt vom Internationalen Stil der Moderne der zwanziger und dreißiger Jahre, beharrt er auf seinen Formerfindungen, die weit darüber hinausgehen, alleiniges Resultat von Funktion und Zweck zu sein. Sicherlich anknüpfend an Otto Wagners Prämisse, die Kunstform sei der Zweckform eng verwandt, aber nicht ident mit ihr, verfolgt Plečnik nach seinem Aufenthalt in Wien und in Prag wie auch in Laibach unbeirrt seinen eigenwilligen Weg einer „Architektur für den einprägsamen Ort".

Wohl nimmt der Architekt Formen der sogenannten Postmoderne vorweg, dennoch entgeht er dem Verdikt, „Leerformeln" zu produzieren; bleibt doch meist die Wagnersche Sinnhaftigkeit der Form erhalten. Drei nebeneinander liegende, spitzwinkelig aufeinander zuführende Brücken etwa sind nicht ausschließlich phantasievolle Spielerei, sondern sollen auch – ganz dem Wagnerschen Postulat der „Zeit ist Geld"-Relation entsprechend – den günstigsten, sprich kürzesten Weg garantieren.

Frei von allen zwanghaften Anstrengungen, gegen die „Phantasielosigkeit" der Moderne die eigene Phantasie bemühen zu müssen, gelingt Plečnik eine Architektur, überquellend von künstlerischer Phantasie. Allein seine unzähligen Variationen zum Thema „Säule" beziehungsweise „Pilaster" stehen vollgültig neben den „Inventionen" eines Vredeman de Vries aus dem 16. Jahrhundert: Von der klassisch inspirierten über die vielfach gedrehte, von der überlängten bis zur gedrungenden Säule, nahezu jede in der ungezügelten Phantasie vorstellbare Säule – Plečnik hat sie Realität werden lassen.

Literatur: Ausst.-Kat. Plečnik 1986, I – Ausst.-Kat. Plečnik 1986, II
PH/MR

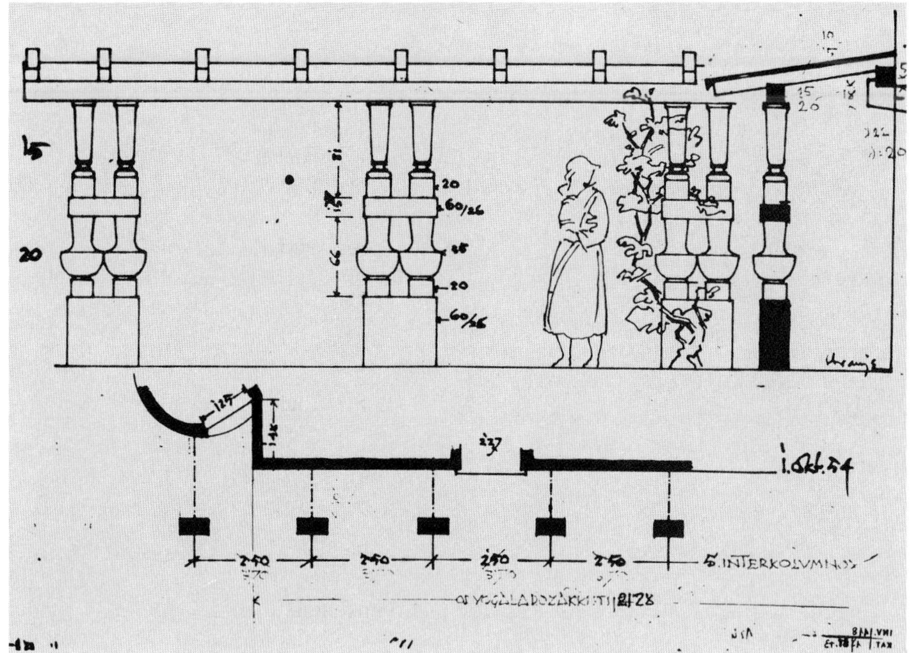

XIX. 10 B

ADOLF LOOS (1870–1933)

11
The Chicago Tribune Column 1922

Wettbewerbsentwurf
Baukörper und Fassadenmodell, 1984/85, Maßstab 1 : 50
Wien, Historisches Museum der Stadt Wien
Inv. Nr. 168.595

Als einer von zweihundertsechzig Projektanten aus zweiunddreißig Ländern beteiligt sich auch Adolf Loos an dem von der Zeitung „The Chicago Tribune“ ausgeschriebenen Wettbewerb, ausgeschrieben mit der Forderung „to erect the most beautiful and distinctive office building in the world“. Um diesem Anspruch gerecht zu werden, greift Loos auf die Säule zurück; eine Formwahl, mit der er zudem auch anspielen kann auf die doppelte Bedeutung des Wortes „column“ – als Säule und Zeitungsspalte. Er intendiert hier, ein Gebäude erstehen zu lassen, das „im Bilde oder in Wirklichkeit einmal gesehen, nie wieder dem Gedächtnisse entschwinden kann“. Ein Monument soll entstehen, gleichsam ein Wahrzeichen, welches nach des Architekten Vorstellung „für immer mit dem Begriffe der Stadt Chicago untrennbar zusammenfallen soll, wie die Kuppel von St. Peter mit Rom und der schiefe Turm mit Pisa“.

Demgemäß erfährt die Säule eine Monumentalisierung. Motivisch ist die freistehende, übergroße Denkmal-Säule wohl in der Tradition verankert; Loos selbst nennt die Trajanssäule und mit ihr die Säule Napoleons auf der Place Vendôme. Hier jedoch erfährt die Säule eine Monumentalisierung ins Hypertrophe: Einem elfgeschossigen Sockel entwächst ein mächtiger Schaft, einundzwanzig Geschosse hoch. Im weiteren Sinne versucht Loos an Hand dieser Riesensäule – auch – die Größe seiner zentralen „Idee“ zu demonstrieren: „Meine Lehre, daß die Ornamente der Alten von uns durch das edle Material ersetzt werden, soll hier in gigantischer Form zum Ausdruck kommen: es soll nur ein Material verwendet werden, schwarzer, polierter Granit.“ So würde die Säule „den Beschauer überwältigen“, ja mehr noch, „es würde eine Überraschung, eine Sensation selbst in unserer modernen und blasierten Zeit geben“.

Das Manieristische dieses Entwurfs des „Klassizisten“ Loos liegt zum einen darin, daß er mit der „column“ Architektur in sehr spezifischer Weise zum Sprechen bringen will, zum andern, daß er ein Bau-Glied zum selbständigen Architektur-Körper verabsolutiert. Zurückgreifen kann Loos hier etwa auf den französischen Revolutionsklassizisten François Barbier und dessen Säulen-Haus für M. de Monville (um 1780, Abb. XIX. 11 a). In der Art, wie eine Kleinform ins Maß(stab)lose monumentalisiert wird, nimmt Loos Lösungen von Hans Hollein und Claes Oldenburg vorweg.

Literatur: Rukschcio/Schachel 1982, S. 562 ff – Chicago Tribune Competition 1980 PH/MR

XIX. 11 (Planzeichnung)

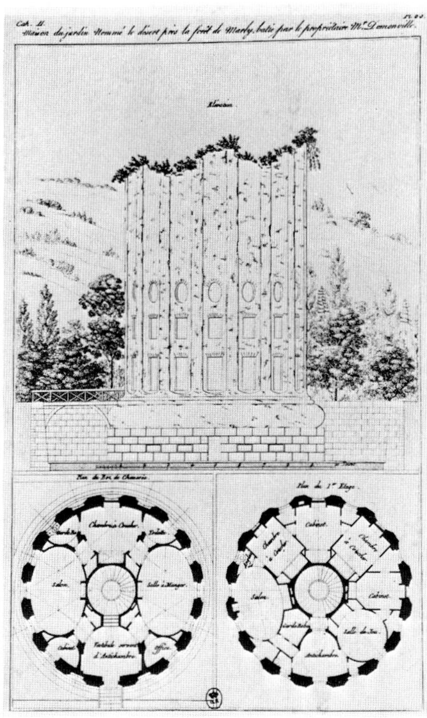

XIX. 11 a

PETER COOK (geb. 1936)

12
Fünf Entwürfe aus der Serie der „Trickling Towers“ 1978/79
Türme von 1980, 1988, 1996, 2000 und 2008

Kolorierte Planzeichnungen
Frankfurt, Deutsches Architekturmuseum

Wie das Werk Abrahams (Kat. XIX. 15) wenden sich auch Peter Cooks Entwürfe nach den ersten aggressiv-technizistischen und provokanten Stadt-Visionen (Kat. XIX. 13) seit ca. 1970 poetischeren Inhalten zu. Der Turm – Urform aller Architektur – wird wie die Säule (Kat. VII. 56) einer Metamorphose unterworfen, die sich nun nicht mehr nur auf die äußere Erscheinung, sondern auf einen ganzen Geschichtsabschnitt bezieht. Ein an die Form eines „space-shuttle“ gemahnender Doppelturm erfährt eine von innen ausgehende biomorphe Wucherung, die ihren Höhepunkt eineinhalb Dekaden nach der Entstehung des Bauwerkes erreicht: Pflanzen- und Architekturgewächse tropfen (to trickle = tropfen) aus der Megastruktur. So geheimnisvoll die Verwucherung entsteht, so spurlos verschwindet sie wieder: Im Jahre 2008 wird der Turm – nunmehr mit zwei Spitzen versehen – wieder seine ursprüngliche Gestalt angenommen haben. Ruinenromantik schwingt hier ebenso mit wie der immer noch intakte Glaube an die Dauerhaftigkeit des Gebauten: „Komplexität und Widerspruch“?

Literatur: Ausst.-Kat. Vision 1986, S. 348–350 MB

XIX. 12

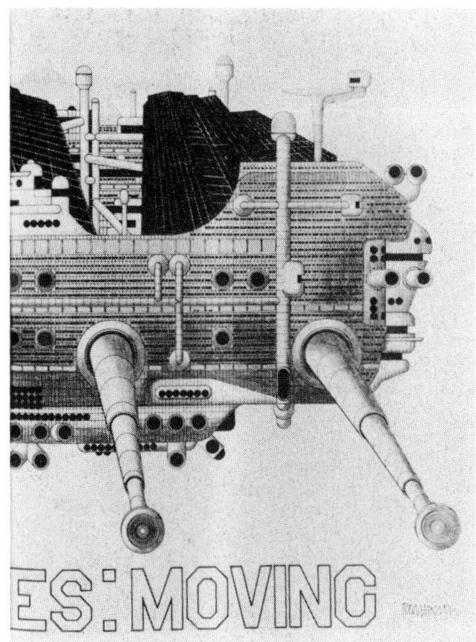

XIX. 13 A (Detail)

XIX. 13 B (Detail)

ARCHIGRAM

13
Zwei Entwürfe zur „Walking City“ 1964

Kolorierte Planzeichnungen
Frankfurt, Deutsches Architekturmuseum

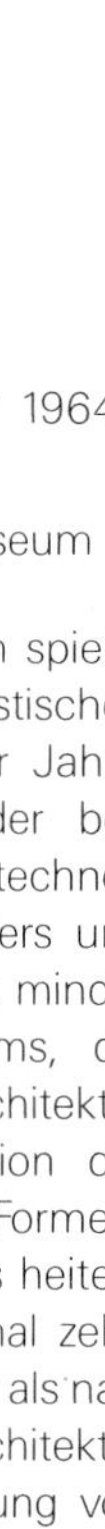

Die „Walking City“ repräsentiert den spielerisch orientierten Flügel der technizistischen Architektenavantgarde der sechziger Jahre. Der bedrohlich-dunkle Unterton, der beispielsweise den österreichischen „technoiden“ (M. Brix) Bauphantasien Pichlers und Holleins anhaftet, fehlt in den nicht minder megalomanen Entwürfen Archigrams, die sich für unbedingte Aktualität der Architektur einsetzen. Dies belegt die Rezeption der Raumfahrtkonstruktionen, deren Formenvokabular in monumentaler Form als heitere Umwelt vorgeführt wird. Nicht einmal zehn Jahre später jedoch fällt der nunmehr als naiv erachtete Denkansatz „Technik = Architektur = Spiel“ einer zynischen Verhöhnung von Ettore Sotsass zum Opfer („Auch eine Utopie“, 1973, abgebildet in Klotz 1985, S. 419, Abb. 621).

Literatur: Klotz 1985, S. 419 – Ausst.-Kat. Vision 1986, S. 329 MB

LEBBEUS WOODS (geb. 1940)

14
Idealstadt Region A(9), Sector 1576 N

Feder, Planzeichnung
New York, Lebbeus Woods, Architect

XIX. 14

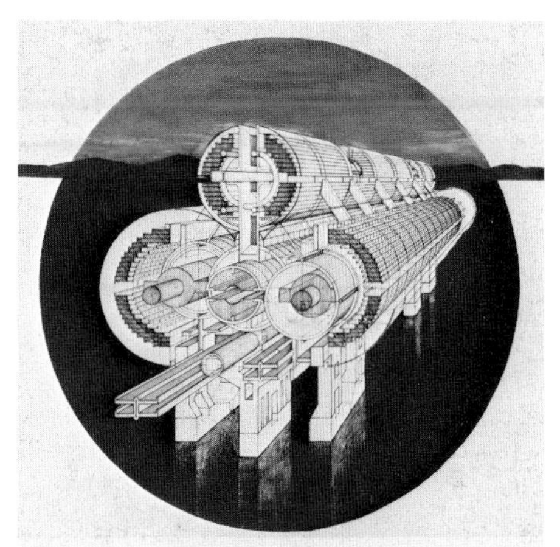

XIX. 15 A

RAIMUND ABRAHAM (geb. 1933)

15 A
Megabridge 1965
Öl, Tusche, Bleistift; 53,3 × 53,3 cm
Frankfurt, Deutsches Architekturmuseum
Inv. Nr. DAM 83/928

15 B
Modelle zum „Haus mit Weg“ und zum „Haus mit Vorhängen“ 1972–76
New York, Sammlung des Künstlers

15 C
Zeichnungen zum „Haus mit Weg“ und zum „Haus mit Vorhängen“ 1972–76
New York, Cooper Union School of Architecture,
New York, Copper Hewitt Museum

Abrahams Entwicklung spiegelt beispielhaft den Weg der neueren internationalen Architektur wider. Wie Archigram (Kat. XIX. 13) und seine österreichischen Freunde und Weggefährten Hans Hollein und Walter Pichler (mit denen er 1967 im New Yorker Museum of Modern Art eine Ausstellung „Visionary Architecture“ bestritten hat) war er von der Möglichkeit fasziniert, Maschinenkonstruktionen in die Architektur einzubeziehen, und entwirft in den sechziger Jahren technoide Gebilde wie unsere „Megabridge“ (Kat. XIX. 15 A). Um 1970 wendet sich jedoch das Blatt zunächst zur Naturbeobachtung und zur Auseinandersetzung mit Landschaft, die 1972 in der Publikation des Buches „Elementare Architektur“ kulminiert, in dem die alpinen bäuerlichen Nutzbauten als achtenswerte Anregungsquelle für modernes Bauen gewürdigt werden. Diese Auseinandersetzung des Architekten mit Landschaft, hinter der letztlich Walter Pichler mit seiner Anlage von St. Martin als Impulsgeber steht, erzwingt als Folge eine Form des Entwerfens, in der rituelle und subjektivistische Aspekte den Ton angeben: In erster Linie rechnet hierzu das erstmals 1949 von Dagobert Frey erkannte „Wegmotiv“, das sich auch in Kultbauten alter Kulturen findet. Unser Modell des für Jonas Mekas entworfenen „Hauses mit Weg“ führt dies exemplarisch vor, das „Haus mit Vorhängen“ bezieht (wie Pichlers „Haus für die Bewegliche Figur“ in St. Martin) die Elemente Licht und Wind durch Verwendung der Materialien Glas und Stoff ein. Jedoch „will ich gewisse Projekte nicht bauen: z. B. das Haus mit den Vorhängen will ich nie bauen, ich will die Vorhänge schweben sehen. Ich möchte die Vorhänge nicht an den Glaswänden hängen sehen. Wie Piranesi müssen wir noch viel klarer festlegen, daß gewisse Formulierungen in der Architektur nur gezeichnet werden können. Anderes kann überhaupt nur in Sprache festgehalten werden, z. B. die utopischen Staatsideen, auch sie sind Architektur“ (Abraham im Gespräch mit Heinrich Klotz).

Literatur: Ausst.-Kat. Revision 1984, S. 15–19 – Klotz 1980/81
MB

ROB KRIER (geb. 1938)

16 A
Morphologische Sammlung von Hausfassaden 1977
Tusche auf Papier; 83 × 59,5 cm
Frankfurt, Deutsches Architekturmuseum

16 B
Entwürfe für Eckhäuser
Lichtpausen koloriert; 29,5 × 26 cm
Wien, Sammlung Rob Krier

Rob Kriers Blätter zu den architektonischen Themen „Hausfassaden“ beziehungsweise „Eckhäuser“ zeigen, wie für den Künstler die jeweilige Problemstellung willkommene Herausforderung ist, ausgehend von einem Grundtypus, einer geometrischen Primärform, eine Vielfalt von Variationen zu erdenken. Es gibt nicht die eine, einzig gültige, allein adäquate Lösung für das gestellte Thema, es gibt deren „unendlich“ viele. Insofern dokumentieren beide Zeichnungen Kriers Absage an die eine verbindliche Formfindung und liefern den Nachweis einer breitgefächerten Entwurfsvariabilität, die durchaus konträre Varianten miteinschließen kann. Charakterisiert sind die morphologischen Sammlungen Kriers durch ein gleich-gültiges, additives Nebeneinander der verschiedenen Modi; gezeigt werden jeweils veränderte Formen, nicht unbedingt aber das transitorische Moment der Formveränderung. Insgesamt kommt das letztendlich manieristische Prinzip der Formenpluralität zum Tragen, für die das Thema Spielraum und Rahmen zugleich ist. Wenn man so will: Was dem 16. Jahrhundert die Variationen zum Thema „Säule“ oder „Geometrischer Körper“, sind Krier die Variationen zum Thema „Hausfassaden“ beziehungsweise „Eckhäuser“.

Die Mannigfaltigkeit von Lösungsmöglichkeiten darf nicht verwechselt werden mit einer Beliebigkeit jeder nur möglichen Lösung. Nicht „anything goes“ steht zur Debatte, sondern eine Konzeption, gewonnen aus dem „Lernen von der Geschichte“. Rob Krier, immer wieder mit der Historie der Architektur und des Städtebaus sich auseinandersetzend, will aus dieser Beschäftigung gewonnene Erkenntnisse fruchtbar machen, will sie einbringen in seine Entwürfe. Dies stellt ihn in die Nachfolge von Camillo Sitte, der ja auch aus dem Studium der Vergangenheit abgeleitete Postulate, dargelegt in „Der Städtebau nach seinen künstlerischen Grundsätzen“ (1889), einer besseren, zeitgemäßeren Architektur dienstbar zu machen trachtet.

Literatur: Krier 1975, S. 1, 48 – Achleitner 1981 – Krier 1982
PH/MR

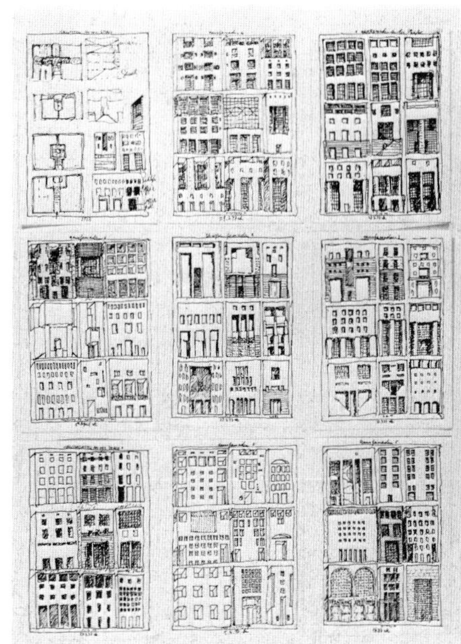

XIX. 16 A

XIX. 16 B

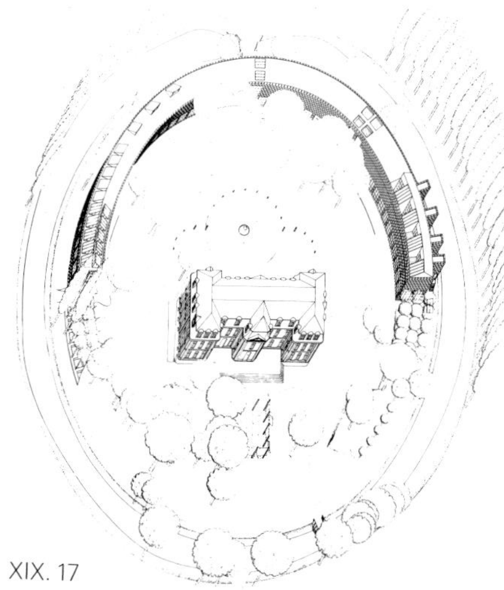

XIX. 17

OSWALD MATHIAS UNGERS (geb. 1926)

17
Museum Morsbroich, Leverkusen Projekt 1975

Axonometrische Zeichnung
Köln, Prof. O. M. Ungers

Der Architektur als Produktpalette von „Bedarfsdeckungsobjekten“ setzt Ungers 1983 sein Credo entgegen: „Thema und Inhalt der Architektur kann nur die Architektur selbst sein“ – und variiert damit indirekt Hans Holleins Aussage von 1963: „Ein Bauwerk ist es selbst.“ Entschieden gegen die Reduktion von Architektur auf reine Zweckerfordernisse sich wendend, hält Ungers fest: „Es ist ... notwendig, über eine Erfüllung der Funktionen hinauszugehen und diese gedanklich zu transformieren, d. h. sie thematisch zu erfassen ... Deshalb ist auch die Suche nach dem Thema für ein Gebäude Inhalt und Voraussetzung des architektonischen Entwurfs.“ Eben diese Suche nach dem Thema sei der „gedankliche und eigentliche kreative Akt“, erst das Thema bestimme „Idee, Inhalt und künstlerischen Ausdruck der Architektur“.

In manieristischer Weise läßt Ungers seine subjektive Vorstellung von Architektur als „Idea“ Architektur-Wirklichkeit werden; oder, um Werner Hofmann zu folgen: Von der Zweckerfüllung „erlöst“, strebt die baukünstlerische Schöpfung in radikalster Weise Eigenwert an und erhebt sich so zum absoluten Wert. Der Architekt als Schöpfer thematisiert die zu entwerfende Architektur, das gefundene Thema determiniert die so entstehende Architektur und macht den Architekten zum Baukünstler.

Der Entwurf für das Museum Morsbroich in Leverkusen visualisiert eines der Themen Ungersscher Architektur: das Prinzip der Transformation. Um ein historisches Schloßgebäude wird ein ringförmiges „Wandgebäude“ angelegt: „Die Raumfolge in diesem Wandgebäude durchläuft eine stufenweise morphologische Transformation von allseitig geschlossenen Zellen über nischenartige Öffnungen und Galerie-Einbauten bis zu einem in Stützen aufgelösten Gerüst, das sich in einem Baumraster fortsetzt, der schließlich in eine vorhandene natürliche Baumgruppe übergeht“ – Transformation also nicht nur auf Architektur selbst beschränkt, sondern wirksam als Prinzip des Ausgleichs zwischen den Antipoden Kunst und Natur. Für dieses Transformationsverfahren bildet rationales, theoretisches Kalkül die Basis, nicht irrational-zügellose Phantasie.

Ungers selbst spricht – implizit – manieristische Tendenzen an, wenn er sein Morsbroich-Projekt kommentiert: „Der Entwurf geht von einem Sowohl-als-auch, von These und Antithese, von einem dialektischen Prinzip aus ... Diese Architekturauffassung ist weder einheitlich noch pluralistisch, weder geschlossen noch offen, weder starr noch frei.“ Immer aber herrscht die Gebundenheit an das Thema, alles muß letztlich dem übergeordneten Thema gehorchen. Der zielgerichtete, kompromißlose Vollzug dieses Grundsatzes bestimmt den Umgang des Architekten mit den manieristischen Tendenzen, legt ihnen damit einen Ordnungsrahmen an. Nicht zufällig gilt denn auch O. M. Ungers „Blick zurück“ einer manieristischen (Säulen-)Ordnung von 1600 mit dem Thema „Verwandlung der Säule“ – dies auf dem Titelblatt seines Buches „Die Thematisierung der Architektur“.

Literatur: Ungers 1983, S. 9, 10, 19 – Klotz 1985, S. 215 ff – Ausst.-Kat. Revision 1984, S. 297 ff PH/MR

ALDO ROSSI (1931)

18 A
Rathaus in Scandicci Projekt 1968
Modell Holz, Pappe, Gips, Metall, koloriert; 88,3 × 52,5 × 11 cm

18 B
Friedhof von San Cataldo/Modena
ab 1971
Gesamtansicht aus Vogelperspektive
Tusche und Spritztechnik auf Transparentpapier; 94,4 × 142 cm

18 C
Mehrteiliges Präsentationsblatt

Alle: Frankfurt, Deutsches Architekturmuseum

Dem jüdischen Friedhof und dem aus der zweiten Hälfte des 19. Jahrhunderts stammenden katholischen Friedhof von San Cataldo fügt Aldo Rossi in seinem Entwurf eine streng axiale, höchst komplexe Anlage an. Der Konzeption des alten Teiles entsprechend, sieht Rossi eine Umfriedung mit Arkadengängen vor. In der dominanten Mittelachse situiert er den Eingangsbau, den Kubus und ein im Grundriß U-förmiges Gebäude, welches den inneren Teil des Friedhofes umschließt; axialsymmetrisch angeordnete Grabkammer-Zeilenbauten reihen sich im weiteren an. Den Endpunkt der Mittelachse markiert der die Gesamtanlage bestimmende Konus.

In sehr signifikanter Weise verkehrt Rossi hier die traditionelle Konzeption eines italienischen Friedhofs: Nicht die Grabstätte für die Nobili, sondern die Begräbnisstätte für die Kriegsgefallenen (im Kubus) und das Massengrab (im Konus) bilden das Zentrum des Komplexes. Die eigentlichen „Grabhäuser“ entwirft Rossi so, daß sie nicht nur im Grundriß, sondern auch im Schnitt ein Dreieck ergeben; das heißt, je kürzer sie sind, desto höher werden die einzelnen Zeilenbauten (Abb. XIX. 18 a).

Die Architektur des Modena-Projekts zeigt alle bereits im Frühwerk Rossis zu beobachtenden architektonischen Charakteristika, nämlich: Reduktion der Baukörper auf stereometrische archetypische Grundformen, streng axialsymmetrische Gesamtanlage und Addition mehrerer autonomer Gebilde.

Oberflächlich analysiert, scheint Rossis Architektur mit ihrer so signifikanten Reduktion der Körper auf einfache stereometrische Formen Ausdruck des Klassizistischen par excellence zu sein. Jedoch: Rossi verwendet diese nicht ihrer Klassizität wegen, sondern wegen der in ihnen aufgespürten und bloßgelegten Ambivalenz. Reduziert auf architektonische Archetypen, sind Kubus und Kegel mehrdeutig lesbar.

So spielt Rossi beim Konus auf die zwei Bedeutungsschichten dieser Form an: Traditionell ein Hoheitsmotiv, von Boullée beispielsweise verwendet für einen monumentalen Kenotaph (Kat. X. 22), gleicht der Kegel auch Formen aus der Industriearchitektur, etwa Schornsteinen. Daß Rossi den Konus zudem als verdichtetes Zeichen für deutsche Konzentrationslager versteht – ein solches bestand 1944 unweit von Modena zur Deportation von Juden nach Auschwitz –, entspricht der politischen Haltung des Architekten.

Literatur: Ausst.-Kat. Revision 1984, S. 229 ff – Klotz 1985, S. 242 ff – Johnson 1982 – Braghieri 1984, S. 54 f, 72 ff – Rossi 1984 – Moschini 1979 – Ausst.-Kat. Rossi 1983 PH/MR

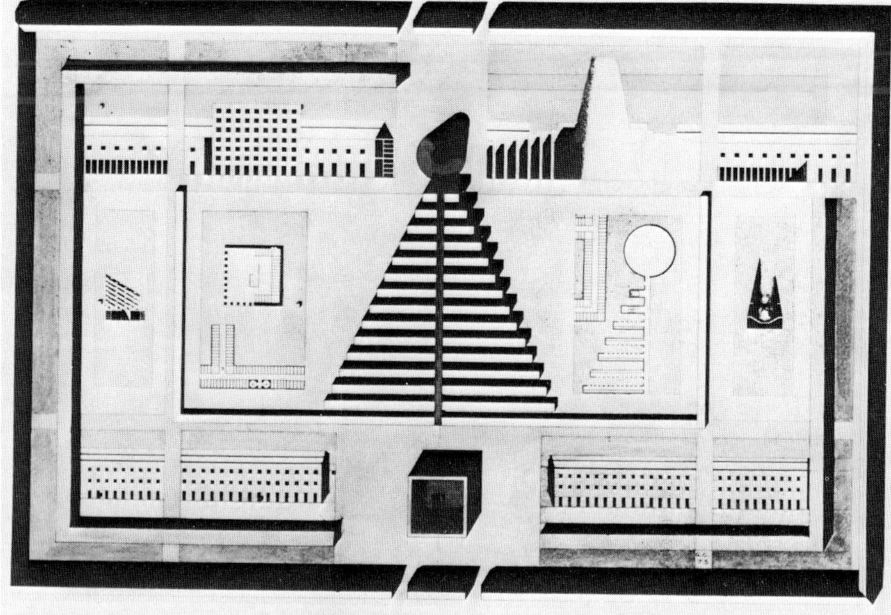

XIX. 18 a

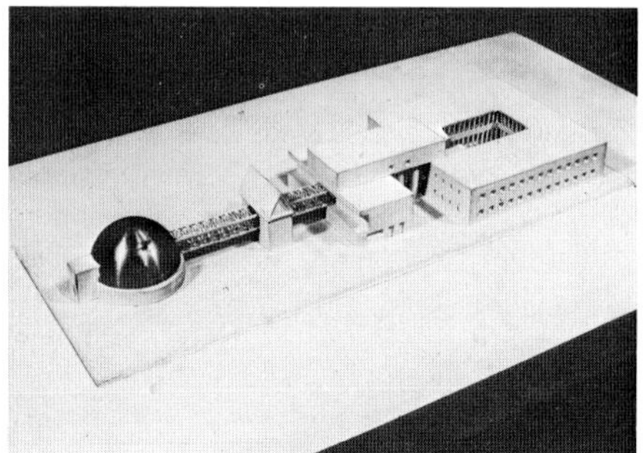

XIX. 18 A

XIX. 18 B

XIX. 18 C

XIX. 19

ARDUINO CANTAFORA

19

„La città analoga" 1973

Radierung; 34,8 × 85,2 cm
Frankfurt, Deutsches Architekturmuseum

Cantafora, Schüler und Mitarbeiter Aldo Rossis, liefert mit seiner „Città analoga" gleichsam das Programmbild der künstlerischen Überlegungen und formalen Vorbilder seines Lehrers. In einer imaginären Zusammenschau versammelt Cantafora vom Pantheon und der Cestiuspyramide über Boullées babylonischen Leuchtturm, das Looshaus am Michaelerplatz bis zur AEG Turbinenhalle von Peter Behrens wesentliche Marksteine der Architekturgeschichte. Zudem fügt er Bauten von Aldo Rossi in das „Ensemble" ein: Prominent in der Mittelachse – gleichsam den Platz beherrschend – Rossis Widerstands-Denkmal in Segrate; dazu als Pendant im Hintergrund der Leuchtturm von Boullée.

In der Tradition einer manieristischen „Scenographia" gibt Cantafora ein analoges Beispiel für Rossis Vorstellung einer „città analoga", die dieser erstmals an Canalettos Ansicht von Venedig im Museum von Parma expliziert: „Auf diesem Bild sind der Ponte di Rialto, wie ihn Palladio entworfen hat, die Kirche Il Redentore und der Palazzo Chiericati einander angenähert und so dargestellt, als handle es sich um eine von dem Maler beobachtete Stadtsituation. So bilden die drei Werke Palladios, von denen eines nur ein Entwurf geblieben ist, ein analoges Venedig, das aus bestimmten für die Geschichte der Architektur und der Stadt wichtigen Bauwerken komponiert wird." Rossis Vorstellung einer „analogen" Architektur ist eine zutiefst manieristische, läßt er doch ein streng klassisches Konzept in sein Gegenteil, nämlich in das Zufällige und Unbeabsichtigte umkippen: Die Elemente der architektonischen Planung sind „im voraus genau bestimmt und formal definiert", aber „deren Bedeutung und eigentlicher Sinn" ergibt sich „erst nach Ausführung der Planung als etwas Unvorhergesehenes und Originales".

Literatur: Ausst.-Kat. Revision 1984, S. 40f – Rossi 1973, S. 9 PH/MR

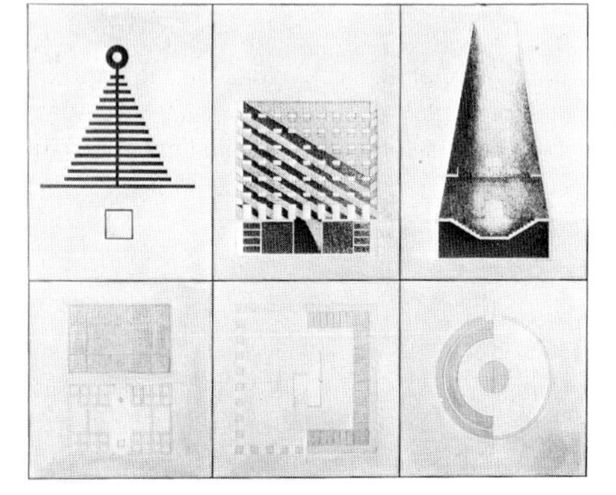

XIX. 20 A

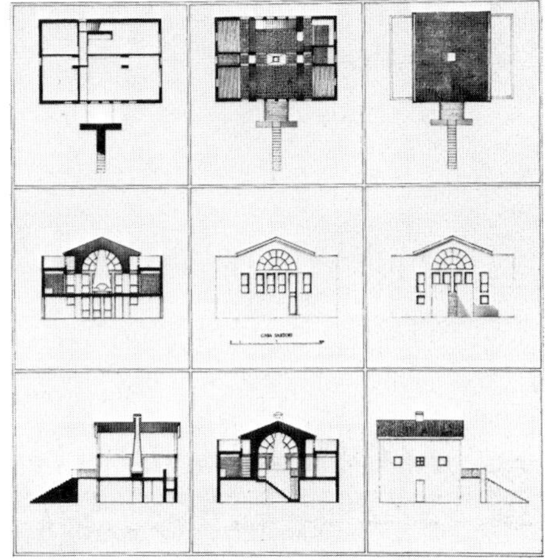
XIX. 20 B

BRUNO REICHLIN (geb. 1941) und
FABIO REINHART (geb. 1942)

20 A
Casa Tonini, Toricella bei Lugano
1972–74
Arbeitsmodell
Wellpappe und Holz; Maßstab 1 : 50
Frankfurt, Deutsches Architekturmuseum

20 B
Casa Sartori, Someo-Riveo 1975–77
Gesamtdarstellung in neun Motiven, Grundrisse, Schnitte, Ansichten und Dachaufsicht

Spritztechnik über Fotokopie; 60 × 60 cm
Frankfurt, Deutsches Architekturmuseum

20 C
Isometrie

Spritztechnik über Fotokopie; 60 × 60 cm
Basel, Sammlung der Architekten

Die Casa Tonini wie die Casa Sartori gehören zu den Prototypen einer in den siebziger Jahren im Tessin entstandenen Villenarchitektur. Beide von Bruno Reichlin und Fabio Reinhart geschaffene Bauten belegen exemplarisch, wie in der zeitgenössischen Architektur mit Vergangenheit umgegangen werden kann, ohne in einen Historismus und dessen Zitatcharakter zu verfallen. Nicht als „gewaltiges Feld abgelagerter Erfahrungen, Entwurfsergebnisse und erprobte Möglichkeiten" verstehen Reichlin/Reinhart die Geschichte, sondern als „Ort, wo sich die Bedeutung der Architektur definiert". Historie gilt ihnen als „Teil der Architekturtheorie".

Reichlin/Reinharts Auseinandersetzung mit der Vergangenheit bezieht sich auf den Topos einer palladianischen Villa, vertreten durch die Villa Rotonda oder deren Nachfolge. Ein solcher Bau als Realisation einer streng geometrischen Idealität dient der Casa Tonini als „Modell". Die Architekten „rekonstruieren" Palladios Intentionen mit dem Instrumentarium ihres theoretischen Zugangs zu Palladio, trachten aber eben nicht danach, sich Palladio zitathaft anzueignen oder ihn mit Ironie zu überwinden. Vergegenwärtigt wird gleichsam die „Idea" einer Idealität, reflektiert wird über elementare architektonische Themen, wie die des Zentralbaues oder der Symmetrie.

Der Mittelraum der Casa Tonini: Zentrum eines Netzes von Achsen und Symmetrien, bis zum Oberlicht hinaufgeführt und als vertikale Raum- und Lichtachse inszeniert, mit Umgang und „Empore" gestaltet und einem Schachbrettfußboden akzentuiert, erfährt so eine besondere „Erhöhung", ja eine Art Sakralisierung. Die Funktion des Raumes ist freilich „nur" die eines bürgerlichen Wohn- und Speisezimmers. Alltägliches Wohnen wird demnach sakralisiert und umgekehrt der festliche Weiheraum profanisiert. Bürgerlich-öffentliche Repräsentationsansprüche und bürgerlich-privates Rückzugsbedürfnis überlagern sich in diesem Raum, der sozusagen Hoheitsraum und Urzelle ist.

Die etwas später entstandene Casa Sartori reflektiert einen weniger stringenten Topos denn die Casa Tonini. Insgesamt wird hier die Ambivalenz weniger programmatisch eingesetzt. Historische Bezüge scheinen in ihrer Zeichenhaftigkeit leichter lesbar, die Unterschiede aber differenzierter durchgestaltet, etwa durch Proportionsverschiebungen und Störung der Achsialität.

Literatur: Ausst.-Kat. Revision 1984, S. 220ff – Klotz 1985, S. 278ff – Reichlin/Reinhart 1974, S. 20f – Reichlin/Reinhart 1979 – Werner 1980 – Fumagalli 1982 PH/MR

XIX. 21 A

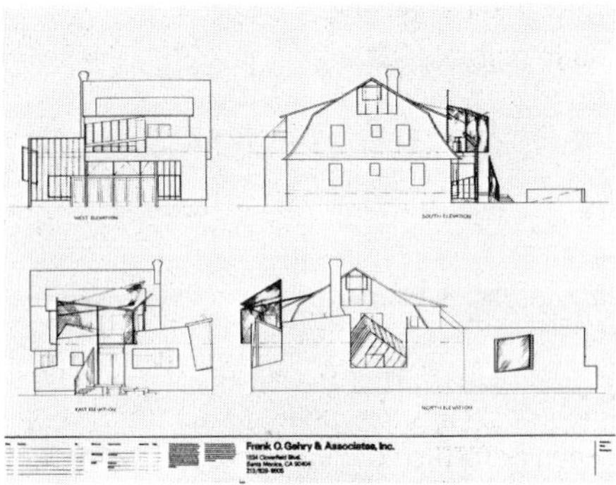
XIX. 21 B

FRANK GEHRY (geb. 1929)

21
Gehry House, Santa Monica, Kalifornien
1977–79

21 A
Modell
Maßstab 1 : 50
Kunststoff, Pappe, Papier, Maschendraht; 89 × 47,5 × 21 cm

21 B
Vier Ansichten des erweiterten Baues
Bleistift; 70,8 × 102,3 cm

Beide: Frankfurt, Deutsches Architekturmuseum

Frank Gehrys Wohnhaus in Santa Monica darf als Manifest der manieristischen Gestaltungsprinzipien des kalifornischen Architekten angesehen werden. Gehry hat hier einen bestehenden Bau von zirka 1920 ummantelt mit einem Zubau; unregelmäßige Elemente verschiedener Materialbeschaffenheit, regellos gegeneinander geschoben, ineinander verschachtelt, scheinen sich gegenseitig zu fragmentieren.

Die Verwendung von gewöhnlichen, billigen, „zufälligen" Materialien wie Wellblech, Sperrholz und Maschendrahtgitter für die Umschalung verstärkt den Eindruck des Improvisierten und des Provisorischen. Damit gleicht sich der Bau in einer Art von Mimikry der Do-it-yourself-Bauweise der Region an. Aber natürlich: Die vermeintliche „casa povera“ ist hier eine von einem Architekten errichtete Architektur und so Ausdruck für eine (Gehrys) programmatische Absage an den Perfektionismus und das Endgültige. Das Antiklassische, gegen die Moderne Gerichtete definiert sich für ihn als bewußter Verzicht auf Ordnung und tradierte Materialästhetik.

Mit dem Moment des Provisorischen findet die Dimension der Zeit Eingang in Gehrys Architektur. Zeit spielt im Sinne von Momenthaftigkeit eine Rolle. Festgehalten ist ja ein bestimmter Zeitpunkt im architektonischen Entstehungsprozeß: Die Hülle stellt sich als „Non-finito“-Architektur und damit als „architecture in progress“ dar. Gehry selbst dazu: „Ich meine, ich war am Unfertigen interessiert – oder an der Qualität, die man in den Bildern zum Beispiel von Jackson Pollock, de Kooning oder Cézanne finden kann, die aussehen, als wäre die Farbe gerade aufgetragen. Die sehr fertige, polierte, in jedem Detail perfekte Art von Architektur scheint mir diese Qualität nicht zu haben. Ich möchte dies an einem Bauwerk erproben . . . Die Struktur ist immer so viel mehr poetisch als das ausgeführte Objekt.“

Die neue Hülle umschließt den alten Kern. „Ich beschloß, ein neues Haus um das alte Haus herum zu bauen“, sagt Gehry; wichtig ist ihm dabei, „das Gefühl zu haben, daß das alte Haus im neuen Haus intakt bleibt“. Der unfertig-chaotische Charakter der äußeren Ummantelung und seine irritativ-aggressive Wirkung haben Abwehrfunktion und damit Schutzfunktion für den „hortus conclusus“ im Inneren. Die private Sphäre wird verhüllt, ja maskiert gegenüber dem Bereich der Öffentlichkeit; der (Bau-)Körper wird „eingepackt in eine neue Haut“. Rückzugsgedanken, Bergungswünsche kommen zum Ausdruck, wobei in typisch manieristischer Verkehrung eben das Provisorische, Unvollendete das schon lange Fertiggestellte, Vollendete bewahren soll. Zum andern lädt die Hülle aber auch ein, ent-hüllt sie und macht neugierig. „Breakthroughs“ stellen Wechselbeziehungen her zwischen außen und innen. Das Überwinden der Barriere des Ungeordneten verheißt dem Näherkommenden Einlösung von Besonderem. Umwege durch das Unvollkommene lassen ihn als Mittelpunkt das Vollkommene ahnen.

Literatur: Ausst.-Kat. Revision 1984, S. 48ff – Andrews 1985, S. 7 u. 134ff – Gehry 1986, S. 31ff – Haag Bletter 1984 – Flanagan 1983 – Goldstein 1980 PH/MR

XIX. 22 A

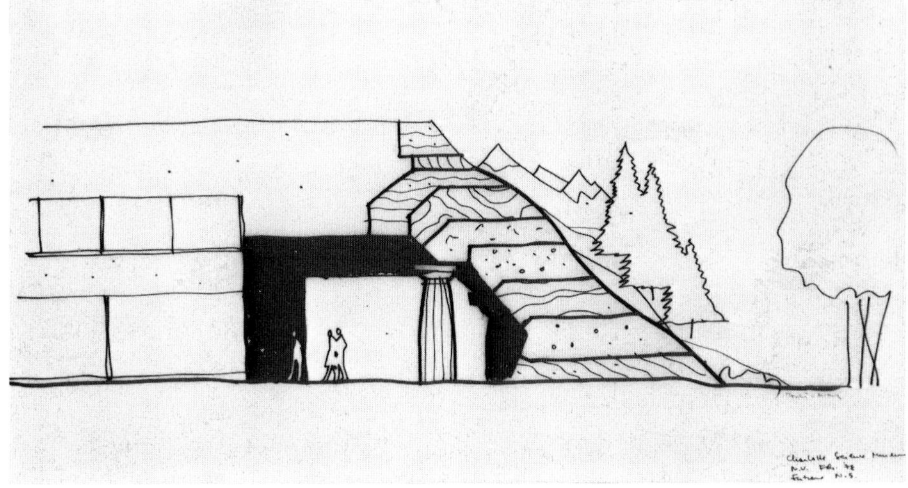

XIX. 22 B

ROBERT VENTURI (geb. 1925)

22
Naturkundemuseum, Charlotte, North Carolina 1978
Projekt

22 A
Ansicht
Tusche; 30,5 × 81,5 cm

22 B
Ansicht des Haupteingangs mit Säule und imitierten Bodenformationen
Filzstift; 45,5 × 89 cm

22 C
Grundrißskizze und Funktionsplan
Filzstift und Aquarell; 45,5 × 76,5 cm

Alle: Frankfurt, Deutsches Architekturmuseum

Dieser nicht ausgeführte Entwurf für das Naturkundemuseum zeigt einen teilweise neutralen Kern – einer Schachtel vergleichbar –, dessen eine Seite an einer gekurvten „Naturlinie“ abbricht und sich von da aus unregelmäßig gestuft zum Boden hin absenkt. Die so gebildeten Terrassen suggerieren einen morphologischen Bodenschnitt und symbolisieren die Abfolge paläontologischer Epochen. Gemeinsam mit dem höhlenartigen Eingang und der mächtigen Dinosaurierfigur auf dem Dach entsteht eine Architektur – aussagekräftig und leicht lesbar. Der aussageneutrale Museumscontainer wandelt sich zur „sprechenden“ Architektur, die deutlich auf ihre Funktion hinweist. Damit rückt Venturis Konzeption in die Nähe der französischen Revolutionsarchitektur des ausgehenden 18. Jahrhunderts. Noch mehr freilich findet hier ein „Lernen von Las Vegas“ und deren „Architektur beziehungsreicher Anspielungen“ statt; „Lernen von Las Vegas“ – so auch der Titel von Venturis Studie, die im selben Jahr wie der Museumsentwurf herauskommt.

Das an sich Gegensätzliche von Trivialem und Erhabenem, von Natur und Architektur zwingt Venturi zu einer komplexen, in sich widersprüchlichen „Sowohl-als-auch“-Einheit. Mit dem Sichtbarmachen des schrittweisen Verwandlungsprozesses von eigentlicher Architektur in künstlich-gebaute Natur (die Terrassen) bis hin zu natürlich-gewachsener, aber vom Architekten mitgeplanter Natur visualisiert Venturi ein manieristisches Phänomen: die Metamorphose. Den Grenzbereich des „Umbrechens“ von Architektur in Natur markiert eine disproportionierte manieristisch-postmoderne Säule, die Säule der Eingangs-Grotte. Freilich: Dieses Kunst-Zeichen hat auch den Charakter eines freigelegten Kunst-Fossils; als solches kann die „neue“, nachklassische Säule auch gelesen werden als alte, vorklassische, ja archetypische Säule schlechthin.

Auch die Metamorphose Architektur-Natur wird von Venturi bei diesem Entwurf für das Naturkundemuseum in den Dienst genommen, um auszusagen: Hier handelt es sich um eine Architektur, in der und mit der die Kunde von der Natur vermittelt wird. Mehr als die „sprechenden“ Details vermag sie darüber hinaus Veränderung und Ablauf, also die Dimension von Geschichtlichkeit, anzusprechen.

Literatur: Ausst.-Kat. Revision 1984, S. 344 – Klotz 1985, S. 147ff – Charlotte 1978 – Klotz 1978 – Venturi 1979 – Venturi 1981, S. 151 PH/MR

SITE (Sculpture In The Environment)

23
„Notch Project“, Sacramento, Kalifornien
1975–77

23 A
Fassadenansichten, Grundriß und Isometrie der Eingangssituation
Tusche; 97 × 87 cm
Frankfurt, Deutsches Architekturmuseum

23 B
Ansichten
Federzeichnung; 33,5 × 41,5 cm
New York, Cooper-Hewitt Museum of Design

Das „Notch Project“ ist eines jener charakteristischen Projekte, welche die Architekturgruppe SITE für die amerikanische Warenhauskette BEST entwickelte. Standardisierten, immer wieder gleichen Verkaufscontainern werden von SITE jeweils neue, unverwechselbare Fassaden-Gesichter vorgeblendet. Beginnend 1971/72 mit dem „Peeling Project“ in Richmond/Virginia, wo die Fassade anfängt sich partiell abzulösen, über die 1975 entworfene „Indeterminate Facade“ für Houston/Texas, bei der Ziegelmauerteile abbröckeln, bis hin eben zum „Notch Project“, dessen „herausgebrochene“ Gebäudeecke allmorgendlich herausgefahren zugleich als Eingang fungiert – immer wird von SITE das Moment der künstlichen Störung und Zerstörung in die Architektur eingebracht. James Wines selbst verwendet für dieses manieristische Prinzip den Terminus „De-Architekturisierung“.

Das Ruinöse hat das Intakte zu individualisieren und – die Aufmerksamkeit des potentiellen Käufers zu erregen; es soll ihn fesseln an die „heile Welt“ des Konsums. Das Moment der Überraschung an der Fassade hat als Versprechen zu dienen, welche Überraschungen erst im Verkaufsraum zu erwarten sind. Individualisierung außen soll glauben machen, daß auch die im Inneren angebotenen Produkte keine Massenware sind.

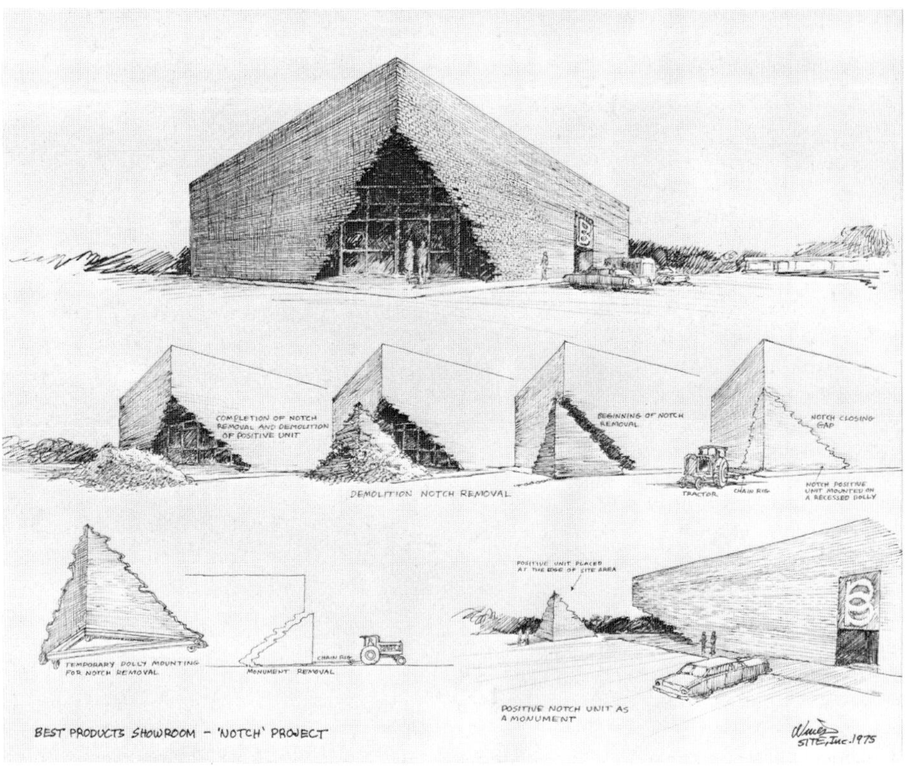

XIX. 23B

So wird hier das Ruinöse als Element der (Mehr-)Wertsteigerung eingesetzt.

„Katastrophen-Fassaden“, die SITE in den siebziger Jahren entwirft, entstehen in Analogie zu den kassenfüllenden Katastrophenfilmen dieser Zeit. Später, nach dem „Notch Project“, geht die Gruppe – dem erwachenden ökologischen Trend voll entsprechend – zu begrünten Architekturlösungen über. Marktkonform also auf die jeweils durch neue Mythen ausgelösten Entwicklungen reagierend, stellt die Gruppe SITE ihre Manierismen der Verkaufsstrategie zur Verfügung. In der Welt der Waren wird die dem Manieristischen inhärente Subjektivität benützt, um scheinhafte Individualität zu produzieren.

Das Blatt aus dem Cooper-Hewitt Museum imaginiert eine reale Destruktion des Kerns, macht scheinhaft das „Notch Project“ zu einer wirklichen Ruine. Schildert es doch, wie aus dem herausgebrochenen Schutt das Positiv der Ecke entsteht, die Ganzheit sich damit wiederherstellt und die so „wiederauferstandene“ Ecke – von einem Traktor herausgezogen – tagsüber zum Monument, zum Denkmal des intendierten Ruinösen wird. Damit die von SITE gewünschte mythische Interpretation präsentierend, dekuvriert das Blatt aber zugleich eine Ambivalenz ganz neuer Art, nämlich jene zwischen intendierter architektonischer Realität und tatsächlich vorhandener Architektur-Realität.

Literatur: Ausst.-Kat. Revision 1984, S. 258ff – Klotz 1985, S. 196ff – Klotz 1980/81 – Fischer 1980/81 – Ausst.-Kat. Best Buildings 1979 – SITE 1980 – Wines 1975 – Phillips 1982 PH/MR

HAUS-RUCKER-CO

24
Treppenhaus Kurfürstendamm/Leibnizstraße, Berlin, 1986/87

A Präsentationsblatt
B Modell
Köln, Sammlung der Architekten

Das „Treppenhaus“ der Gruppe Haus-Rucker-Co ist wirklich ein Treppenhaus – und zwar in mehrfachem Sinne: Es sieht aus wie eine Treppe und weist verschiedene Treppen auf; es ist ein abgetrepptes Haus, aber auch Hülle für eine Treppe sowie Träger für eine unverhüllte Außen-(Haupt-)Treppe. Sozusagen ausgeschnitten aus der Straße und hochgeklappt, hinterläßt es im Boden ein abgetrepptes Negativ seiner Fassadenabtreppung. Und ganz besonders wichtig: Die ausschließliche Funktion des Hauses besteht darin, Treppe zu sein.

Haus-Rucker-Co nehmen hier das „Treppen-Haus“ gleichsam beim Wort. Ihr Projekt wird zur architekturgewordenen Wort-Illustration, indem sie die Begrifflichkeit von „Treppe“ und „Haus“ in Architektur-Sprache umsetzen. Die architektur-linguistische Übersetzung weist in ihrer „Verbildlichung“ auf die Mehrdeutigkeit der möglichen Sinnkombinationen von „Treppe“ und „Haus“ hin. Es entsteht ein Haus mit außenliegender Treppe, zugleich ein teilweise durchsichtiges Treppenhaus, aber auch – an der Hauptfassade – ein abgetrepptes Haus. Wie in einem komplizierten Rätsel steht die mehrdeutige Archi-

XIX. 24 B

tektur für das gesuchte Wort, für den gemeinsamen Oberbegriff.

Das Projekt „Treppenhaus" gibt wohl vor, ein Haus zu sein, hat aber de facto „nur" die Funktion, Treppe zur Aussichtsplattform zu sein, von der man einen „Überblick über das Geschehen in der Stadt gewinnen kann". Der letztendlich minimierten Zweckhaftigkeit steht ein maximierter Kunstanspruch der Architektur gegenüber. Diese Autonomisierung der Architektur – an sich wiederum ein manieristisches Signum – konstituiert sich hier aber auf höchst komplexe Weise, nämlich als subtile Ambivalenz von Kunst- und Zweckform. Denn: Die Kunstform ist Resultat der architektonischen Verbalisierung des Begriffes eines an sich funktionalen Teils des Hauses, eben der Treppe. In sich widersprüchlich, definiert sich die Kunstform damit als architekturgewordener Ausdruck einer Zweckform.

Literatur: Haus-Rucker-Co 1978 – Ortner 1977 – Haus-Rucker-Co 1983 PH/MR

COOP HIMMELBLAU

25 A
Hot Flat II 1980
Bleistift; 90 × 71 cm

25 B
Wohnanlage Wien 2
Arbeitsmodell 1 : 50; 125 × 90 × 59 cm

Beide: Wien, Sammlung der Architekten

Störung und Zerstörung der Form, immer wieder zu beobachtende Merkmale manieristischer Architektur, gehören zu den Gestaltungsqualitäten der Gruppe Coop Himmelblau. Beim Projekt „Wohnanlage Wien 2" etwa werden „zwei ganz normale Baukörper nur ein wenig verdehnt, verkippt, zerbrochen und falsch aufeinandergesetzt"; den Komplex des Wohnprojekts „Hot-Flat" durchbohrt eine pfeilartige Struktur, die Flammen wirft; der „gedehnte" Raum der Reiss-Bar wiederum zeigt einen Riß; Auslagenscheiben eines Geschäftslokals „fallen fächerförmig von außen nach innen". Störung der Form ist – fast anarchische – Zerstörung einer von konventionellen Vorstellungen bestimmten Erwartungshaltung. Destruktion scheint zum eigentlichen kreativen Akt geworden zu sein.

XIX. 25 B

Unangepaßte Architektur also – untermauert von den Statements der Gruppe: „Architektur ist nicht Anpassung. Denn Anpassung und Einordnung sind in der Architektur wie auch im gesellschaftlichen Leben Ausdruck einer unbeweglichen, opportunistischen und verhärtenden Haltung." Aus einer anti-bürgerlichen, der Avantgarde des frühen 20. Jahrhunderts nicht unähnlichen Protesthaltung, gepaart mit einer anti-autoritären Einstellung gegenüber gängiger Architektur resultiert die Forderung nach „Architektur, die blutet, die erschöpft, die dreht und meinetwegen bricht". Denn – so eines der wichtigsten Manifeste von Coop Himmelblau: „Architektur muß schluchtig, feurig, glatt, hart, eckig, brutal, rund, zärtlich, farbig, obszön, geil, träumend, vernähernd, verfernend, naß, trocken und herzschlagend sein."

Architektur wird demnach verlebendigt, beseelt und mit Trieben ausgestattet. Aus dem architektonischen Objekt soll ein „herzschlagendes" Architektur-Subjekt werden, eine Individualität, geprägt von unaufhebbaren Gegensätzlichkeiten, eben: eckig-rund, brutal-zärtlich, aber auch „lebend oder tot", geprägt also von manieristischer Ambivalenz.

Coop Himmelblaus meist nachträgliche Literarisierung ihrer Entwürfe läßt zudem den Schluß zu: Die Verletzbarkeit dieser Architektur begreift sich auch als kathartischer Pfahl im Fleisch der „heilen Welt der Architektur". Die aggressive Verletzung wird zum architek-

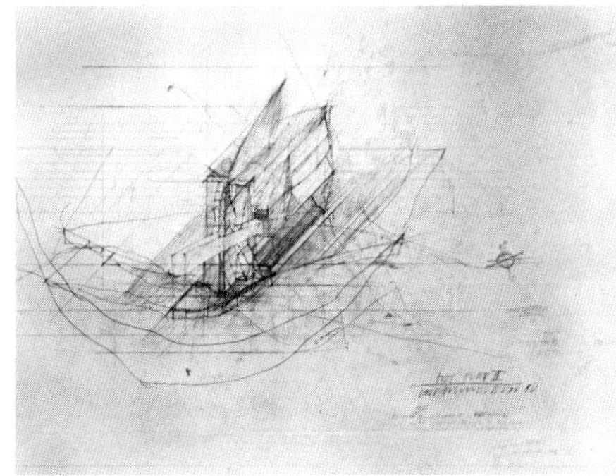
XIX. 25 A

tonischen Zeichen sensibler Verletzbarkeit. Ausschalten der Außenwelt und Eintauschen in die Ich-Welt – um dies zu erreichen, experimentiert die Gruppe etwa mit der Bildzeichnung: „Ein offenes Haus mit geschlossenen Augen gezeichnet. Unabgelenkte Konzentration auf das Gefühl, das der gebaute Raum haben wird." Sich Einlassen auf subjektives Erlebtes, Imaginiertes, auf gerade durch den Kopf Schießendes und unmittelbares Abführen all dessen in den Ent-Wurf führt zur intendierten Verkürzung des Entwurfs-Prozesses auf einen Entwurfs-Moment. So bezeichnen Coop Himmelblau ihre Installation „Architektur ist jetzt" als „kompromißlose Umsetzung des Entwurfs am 5. März 1982", sprechen sie von „explosiven und implosiven Phantasien des Entwurfsmoments". Ausgeprägte Subjektivität und ausgelebte Phantasien – sie gehören zu den signifikanten Merkmalen des Manieristischen.

Literatur: Coop Himmelblau 1983, S. 69, 11, 91, 51, 107 – Ausst.-Kat. Coop Himmelblau 1986 – Feuerstein 1979 – Coop Himmelblau 1979 – Coop Himmelblau 1984 – Coop Himmelblau 1985 PH/MR

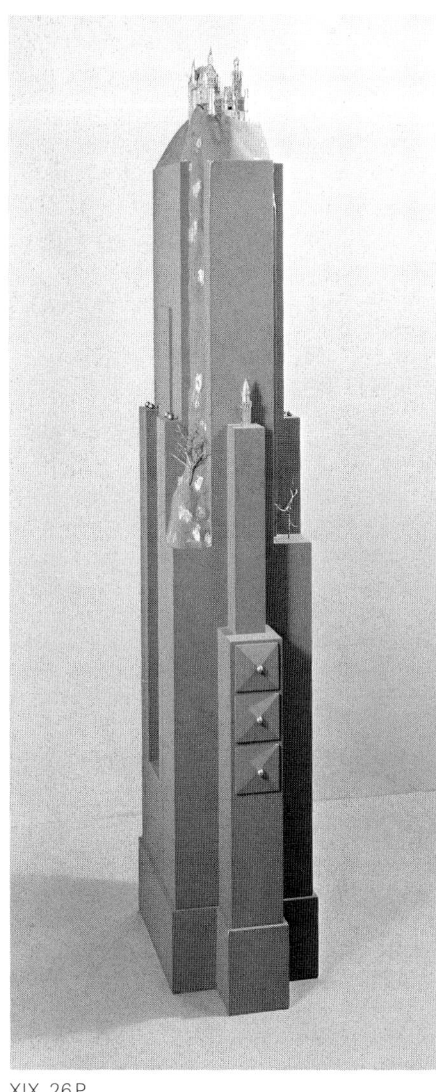

XIX. 26P

XIX. 26C

XIX. 26G

XIX. 26B

HANS HOLLEIN (geb. 1934)

26

A Penis, 2. Fassung 1958
Bleistift; 28,5 × 16 cm

B Stadtstruktur 1959/60
Photocollage; 14 × 24,5 cm

C Stadtstruktur 1963
Photocollage; 19 × 34,5 cm

D Flugzeugträger in der Landschaft
Photocollage; 13 × 40 cm

E Flugzeugträger in der Landschaft
Photocollage; 11,5 × 60 cm

F Überbauung von Salzburg 1960
Photoüberzeichnung; 21 × 33 cm

G Schrattenberg 1966
Photocollage; 21,5 × 30 cm

H „New York bauen mit fünf Sinnen" 1966
Photocollage; 39,5 × 20 cm

I Smart Export 1968
Photomontage; 14 × 21,6 cm

J Schullin I, Fassadenentwurf 1972
Bleistift; 33 × 24 cm

K Schullin I, Türentwurf 1972
Aquafix und Buntstift; 60 × 41 cm

L Mönchengladbach, Turmentwurf 1972/73
Bleistift; 21 × 30 cm

M Mönchengladbach, Turmentwürfe 1972/73
Filzstift; 21 × 30 cm

N Entwurf für die „Strada Novissima" 1980
Filzstift; 21 × 29 cm

O Teil des Environments für den Hof des Palazzo Quarantesi in Florenz im Rahmen der Ausstellung „Umanesimo-Disumanesimo"
Holzmodell; 350 × 15 × 15 cm

P Skyscraper mit Penthouse (Modell für Beck's Munich im Trump Tower, New York)
Modell

Alle: Wien, Sammlung des Architekten

Anhang

ZEITTAFEL
Europa im 16. Jahrhundert
bearbeitet von Gabriele Werner

KÜNSTLERVERZEICHNIS
bearbeitet von Katja Albert

BIBLIOGRAPHIE
bearbeitet von Sabine Stengl

PHOTONACHWEIS

Das Reich Karls V.

1508 Martin Luther wird Professor an der Universität Wittenberg.

1512 Reichstag zu Köln: Einteilung des Reichsgebietes in 10 Landfriedenskreise.

1516 Ferdinand II. von Aragon gestorben. Karl (V. von Habsburg), Enkel Maximilians I. und Marias von Burgund wird spanischer König als Carlos I. (–1556).

1517 (31. Oktober) Luther veröffentlicht seine 95 Thesen.

1518 Beginn der Reformation in der Schweiz mit Ulrich Zwingli als Führer. (1499 hatte sich die Schweiz endgültig vom Deutschen Reich gelöst.)

1519 Kaiser Maximilian I. gestorben. Carlos I. von Spanien wird mit finanzieller Hilfe durch Jacob Fugger, gegen Franz I. von Frankreich, als Karl V. in Frankfurt zum Kaiser gewählt: Vereinigung von Spanien, Burgund, Deutschem Reich und spanischen Kolonialgebieten zu einem Reich, „in dem die Sonne nicht untergeht."

Hans Burgkmair, Karl V. zwischen Tugend und Laster, Holzschnitt, 1512

1520 Karl V. wird in Aachen gekrönt.

1521 Reichstag zu Worms: Luther wird exkommuniziert, da er die Rücknahme seiner Lehren vor Karl V. verweigert. Er wird von Kurfürst Friedrich III. von Sachsen auf der Wartburg in Sicherheit gebracht.
Teilvertrag Karls V. mit Ferdinand I., der die österreichischen Erblande erhält.

Italien

Unbekannter Zeichner, Die Peterskirche im Bau, nach 1561

1506 Papst Julius II. legt den Grundstein für den Neubau von St. Peter in Rom. Der Neubau soll finanziert werden durch den „Peterspfennig" und durch Ablässe.

1509 Julius II. tritt der Liga von Cambrai bei; es folgen: Spanien, England, Ungarn, Savoyen, Ferrara und Mantua. Florenz unterstützt die Liga durch Zahlungen von Subsidien.

1510 Frieden zwischen Venedig und Papst Julius II. unter der Parole: „Befreit Italien von den Barbaren." Zur weiteren Schwächung der französischen Macht verbündet sich Julius II. mit Spanien und erteilt König Ferdinand die Investitur mit Neapel.

1511 Heiliger Bund Julius II. mit Venedig und Spanien gegen Frankreich.

1512 Mit Hilfe von spanischen Truppen errichten die Medici in Florenz erneut ihre Herrschaft; die Republik verliert ihre Freiheit.
–1517 5. Laterankonzil, gegen die ökumenische Kirchenversammlung der schismatischen Minorität des Kardinalkollegiums, das unter französischem Schutz in Pisa tagt.

1513 Frankreich und Venedig schließen eine Offensivallianz gegen die Herrschaft der Schweizer und des Papstes in Mailand zur Wiederherstellung der französischen Macht nach der Vertreibung 1512.
–1521 Das italienische Staatensystem ist aufgelöst und ein Gleichgewicht hergestellt zwischen Frankreich im Norden und Spanien im Süden.

1521 Abschluß einer päpstlich-kaiserlichen Offensivallianz mit dem Ziel, die Franzosen aus Mailand und Genua zu vertreiben. Nach der Wahl Karls V. zum Kaiser steigt die strategische Bedeutung Genuas mit seinen Seestreitkräften. Die „iura imperalia", ein Rechtstitel aus dem Mittelalter, der Ober- und Mittelitalien (bis zu den Grenzen des Kirchenstaates) dem römisch-deutschen Kaiser zuspricht, könnten gestützt auf die spanische Macht erneuert werden.

Frankreich

Matthias Zündt, Porträt König Karls IX. von Frankreich, Kupferstich, 1568

Unbekannter Stecher, Porträt König Heinrichs III. von Frankreich, Kupferstich

1508 Liga von Cambrai: Frankreich, der Kaiser, Spanien, England, Ungarn, Savoyen, einige italienische Staaten, der Papst gegen Venedig.

1511 Heilige Liga: Spanien, Venedig, Schweizer Eidgenossenschaft, Papst, England gegen Frankreich.

1515 Franz I. (Nachfolger Ludwig XII., 1515 bis 1547) überwindet bei Marignano die Schweizer Infanterie und besetzt erneut Mailand, worauf Ludwig XII. 1513 verzichtet hatte.

Haus Österreich

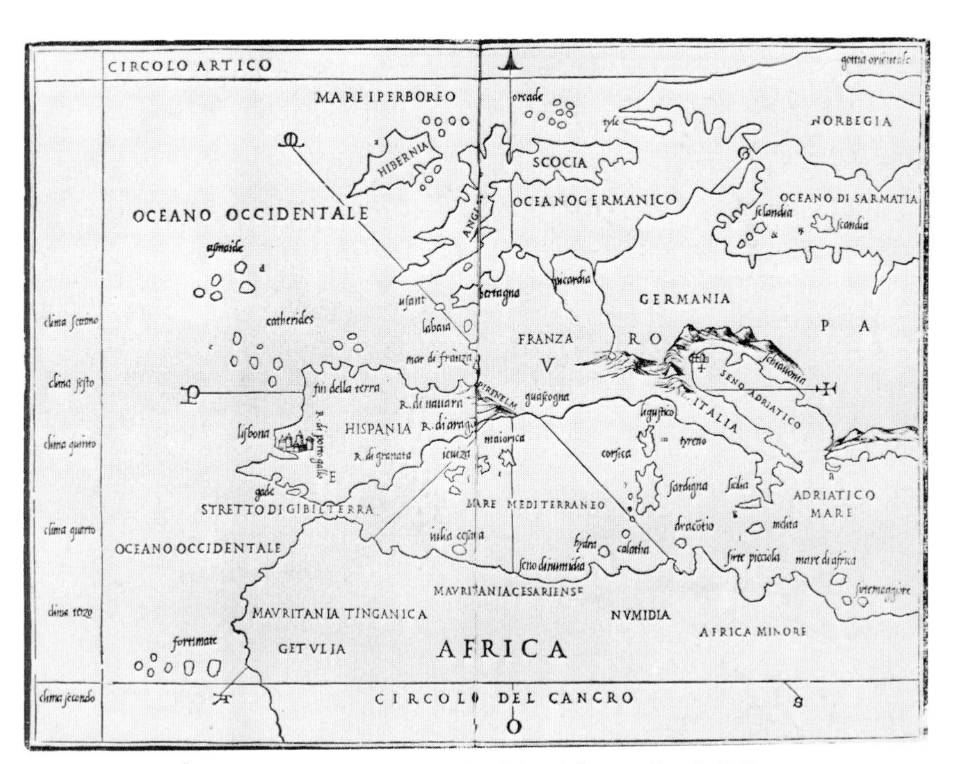

Benedetto Bordone, Übersichtskarte Europas nach der ptolemäischen Auffassung, Venedig 1547

1508 Maximilian I. erklärt sich zum „erwählten römischen Kaiser'', wodurch die Kaiserwürde unabhängig wird von der päpstlichen Bestätigung.

1515 Durch die „Wiener Doppelhochzeit'' sichert Maximilian I. das 1491 erworbene Erbrecht auf die mit der jagellonischen Dynastie verbundenen Länder Ungarn und Böhmen.

1521 Im Wormser Vertrag und in den Vereinbarungen von Brüssel (1522) werden die österreichischen Erblande, Tirol, Württemberg und die Vorlande Ferdinand, dem Bruder Karls V., zugesprochen.

1523 Ferdinand I. verbietet die Verbreitung lutherischer Reformationsschriften.

1524–1526 Beginnend mit dem innerösterreichischen Bauernkrieg 1515 und dem Aufstand der Stände in Wien 1521, kommt es in diesen Jahren zu sozial und religiös motivierten Bauernaufständen, die 1525 im großen Bauernkrieg kulminieren. Die Führer der Bauern sind u. a. Michael Geißmayer, der in der „Tiroler Landesordnung'' ein Staatsmodell auf bäuerlicher Grundlage entwirft, und Florian Geyer, Anführer der Schwarzen Schar. Abgesehen von Teilerfolgen in Tirol wird der Bauernaufstand niedergeschlagen.

Spanien

1517 Karl (V.) übernimmt in Stellvertretung seiner Mutter Johanna von Kastilien nach einem Entmündigungsverfahren die Regentschaft über Spanien. Staatsrechtlich teilt er die Herrschaft mit ihr bis zu ihrem Tod 1555.

1520–1521 Aufstand der „Comuneros'' in Kastilien: Opposition der kastilischen Stände gegen eine absolute Herrschaft der Monarchie Carlos I. in Spanien. In der Schlacht von Villalar unterliegen die „Comuneros'' unter Juan de Padilla den kaiserlichen Truppen.

1524 „Indianerrat'' (Conseja Realy Supremo de las Indias) in Kastilien gegründet, zur Verwaltung der spanischen Kolonien (–1812).

1526 Frieden von Madrid. Franz I. wird gezwungen, gemeinsam mit der Heiligen Liga für die Stabilisation eines abendländischen Friedens einzutreten, um unter der Führung des Kaisers eine gemeinsame Kreuzzugsbewegung neu zu beleben. Der Erfolg eines Kreuzzuges hängt von der Zerstörung der mächtigen osmanischen Seebasen ab. Auf Grund dieser Bedrohung konzentriert sich Suleiman II. auf den Ausbau seiner Seestreitkräfte.

Niederlande (Bürgerkrieg und Gründung der Republik)

Alonso Sánchez Coello, Halbfiguriges Porträt König Philipps II. von Spanien, Madrid, Prado

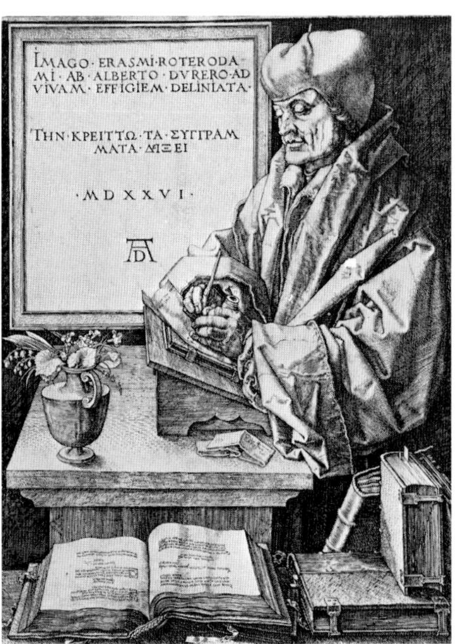

Albrecht Dürer, Erasmus von Rotterdam, Kupferstich, 1526

1555 Karl V. überträgt die Herrschaft über die 17 niederländischen Provinzen Philipp II. Bildung von calvinistischen Gemeinden in den südlichen Provinzen (Flandern und Brabant). Zwar sind die Unruhen, die 1535 durch die Bewegung der Münsteraner Wiedertäufer auch auf die östlichen Gebiete der Niederlande übergegriffen hatten, verebbt, aber gegen 1550 gewannen gemäßigtere Täufer (Menno Simons) wieder neue Anhänger. Es gibt neben vereinzelten reformatorischen Bewegungen und einer Minorität orthodoxer Katholiken mit Philipp II. an der Spitze eine Mehrheit Unendschiedener, die z. T. Postulate der Lutheraner und Calvinisten übernehmen oder als Katholiken mit dem Protestantismus sympathisieren.

Das Reich Karls V.

1524 Beginn des deutschen Bauernkrieges. In Schwaben, Franken, Tirol und Salzburg, im Elsaß und in Thüringen erheben sich die Bauern im Namen des „alten“ und „göttlichen“ Rechts gegen die Herrenmacht. Von Mühlhaus aus verbreitet der Wiedertäufer Thomas Münzer (1525 nach der Schlacht von Frankenhausen hingerichtet) seine chiliastische Verkündung. Gegen die aufständischen Bauern schreibt Luther seine Schrift: „Wider die räuberischen und mörderischen Rotten der Bauern.“

1525 Luthers Schrift: „De servo arbitrio“ (Vom unfreien Willen), geschrieben als Angriff auf Erasmus von Rotterdam, führt zum Bruch mit dem Humanisten.
Der Hochmeister des Deutschen Ordens, Markgraf Albrecht von Brandenburg-Ansbach, bekennt sich zur Reformation; der Ordensstaat wird säkularisiert und bleibt als Herzogtum Preußen unter polnischer Lehenshoheit (–1657/60).

Werkstatt des Lucas Cranach, Die Ablehnung des Papstes durch die Bauern, Holzschnitt, 1609

1526 1. Reichstag zu Speyer. die Reichsstände erhalten freie Hand bei der Ausführung und Auslegung des Wormser Edikts: Reichsacht über Lutheraner und Reformatoren.
–1529 Krieg Karls V. gegen Franz I. von Frankreich.

1529 2. Reichstag zu Speyer. Die evangelischen Reichsstände (Sachsen, Brandenburg, Braunschweig, Anhalt und 14 Reichsstädte) unterzeichnen eine Protestation gegen die Aufhebung des Reichstagsbeschlusses von 1526; sie werden deshalb Protestanten genannt. In Marburg finden Religionsgespräche zwischen Luther und Zwingli statt.

Italien

1522 Kaiserliche Truppen siegen bei La Bicocca und sichern damit den Besitz Mailands; Andrea Doria (1466–1560) unterstützt mit der Genueser Flotte Frankreich.

1524–1525 Schlacht von Pavia. Hier hat sich das Gros der kaiserlichen Truppen nach einem gescheiterten Angriff auf die Provence verschanzt. Die Bedeutung von Pavia liegt nicht in dem punktuellen militärischen Sieg Karls V. und der damit verbundenen Herrschaft über Mailand, sondern darin, daß seine Vorstellung eines kaiserlichen „Dominum mundi“ in Italien trotz des Sieges an dem italienischen Widerstand scheitert und Italien um die Reste seiner Unabhängigkeit kämpft.

Frankreich

1516 „Ewiger Frieden“ mit der Schweiz.
Konkordat von Bologna: Die französische (gallikanische) Kirche erhält relative Selbständigkeit gegenüber dem Papst und wird dem Souverän unterstellt.

1519 Die Wahl Karls V. zum Kaiser bedeutet für Frankreich die Umklammerung des französischen Machtbereiches im Westen durch Spanien und Burgund, im Norden durch die Niederlande und Flandern, im Osten durch Österreich. Hinzu kommt der Verlust der Alliierten Heinrich VIII. von England und Papst Leo X.

1521 Karl V. eröffnet den Krieg um Mailand gegen Frankreich.

1522 Kaiserliche Truppen vertreiben die Franzosen aus Genua.

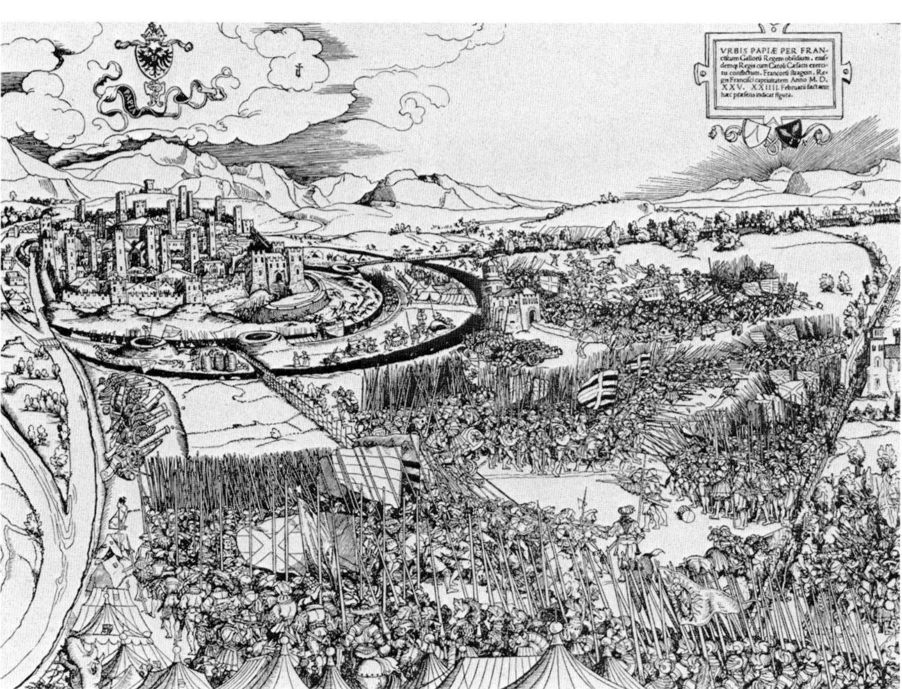

Jörg Breu d. Ä., Die Schlacht von Pavia, Holzschnitt, 1525

1526 Frieden von Madrid. Er enthält den ausdrücklichen Verzicht Frankreichs auf Mailand, Genua, Asti und Neapel, wird aber wenige Monate später von Franz I. von Frankreich (1515–1543) als ungültig erklärt.

1527 Sacco di Roma. Unter Führung des Connétable von Bourbon (seit 1523 im Dienst des Kaisers) stürmen am 6. 5. spanisch-deutsche Landsknechte Rom. Clemens VII. rettet sich in die Engelsburg. Karl V. distanziert sich von den Greueltaten der plündernden Soldateska, benutzt den Papst aber als Geisel für seine politischen Zwecke. Frankreich und England zielen auf eine rasche Intervention in Italien zugunsten des Papstes und verbünden sich mit Mailand, Venedig, Ferrara und Florenz, das im Mai die Herrschaft der Medici gestürzt hatte. Unter der Parole zur Befreiung des Papstes schließen sich die italienischen Kräfte mit den französischen zusammen, um das Land von der kaiserlich-habsburgischen Besetzung zu befreien. Frankreich gilt als Garant des Friedens.

1524 Franz I. besetzt Mailand und verbündet sich mit dem Papst.

1525 Die Franzosen werden in Pavia geschlagen; Franz I. wird gefangen genommen.

1526 Franz I. widerruft den Frieden von Madrid und damit seinen Verzicht auf Mailand, da der Vertrag mit erpresserischen Mitteln und unter Druck unterzeichnet wurde.
Die Siege Karls V. und der Ausbau seines Machtbereiches führen zur Opposition unter seinen Verbündeten und zur Wiederbelebung des Widerstandes in Frankreich.

1529 „Damenfrieden“ von Cambrai, der von Louise v. Savoyen und Margarete v. Österreich geschlossen wird. Franz I. muß die im Vertrag von Madrid zugestandenen Verzichte bestätigen, erhält dafür Burgund zurück.

Haus Österreich

1526 Ludwig II., König von Ungarn und Böhmen, fällt in der Schlacht von Mohács im Kampf gegen die Türken. Damit werden – gemäß den Vereinbarungen von 1515 – Ungarn, Böhmen und deren Nebenländer habsburgisch. Die Übernahme des jagellonischen Erbes bedeutet, daß die Türkengefahr nun auch das Reich betrifft. Am 23. 10. wird Ferdinand gegen den Widerstand der böhmischen Stände zum König von Böhmen gewählt. In Ungarn wählen die Parteien Ungarns, Siebenbürgens und Sloweniens Johann Szapoly (Zápolya) zum König. Die Krönung wird im November in Stuhlweißenburg vollzogen. Einen Monat später wählt die schwächere Partei um Ferdinand I. diesen in Preßburg ebenfalls zum König von Ungarn.

1527 Ferdinand I. setzt mit Waffengewalt seine Ansprüche auf den ungarischen Thron durch. Zápolya, der sich nicht mehr auf die Hilfe der Türken stützen kann, die die von ihnen besetzten Gebiete verlassen hatten, flieht nach Polen. Am 3. 11. wird Ferdinand I. erneut, diesmal in Stuhlweißenburg, gekrönt.

1528 Die Türken weigern sich, die Rechte der Habsburger in Ungarn anzuerkennen und rüsten gegen Österreich.

Hans Sebald Beham, „Der Stadt Wien belegerung . . .", Holzschnitt, 1529

1529 Sultan Suleiman II. überwindet die Festungen Ferdinands I. in Ungarn, ausgenommen Raab, Komorn und Gran. Die Wien vorgelagerten Städte können den Vormarsch der Osmanen auf Wien nicht verhindern. Es gelingt dem König aber mit böhmischer und spanischer Unterstützung, die Stadt zu sichern. Nach mehrmaligen, mißglückten Angriffen müssen die Türken im Oktober abziehen.

Spanien

1529 Vertrag von Saragossa: Spanien und Portugal revidieren die Abgrenzungen der kolonialen Interessenssphären, die 1494 im Vertrag von Torde Sillas getroffen wurden, worin Spanien der westliche Teil des Atlantiks, den Portugiesen der östliche Teil zugesprochen wurde. Die Grenze verlief 370 Meilen westlich der Kapverdischen Inseln. Angriff und Plünderung der Küste von Valencia durch Chaireddin Barbarossa, der in Algier ein muslemisches Staatswesen konsolidierte, in osmanischer Abhängigkeit.

1531 Unter Francisco Pissaro beginnt die Eroberung Perus mit der Vernichtung des Inkareiches (–1533).

Von der neüwen welt
darūß vō den vōlckern andere kauffrē/vñ sind vō vns
gangen/mit dem geding/dz sy zů vns nach fünff tagen
vff das höchst sorgten wider zekummen/ wann wir ie
so lang warteten/vnd also haben sy den weg angriffen
vnnd wir die widerfart zů vnsern schiffen genen.

Illustration aus der deutschen Ausgabe der „Quatuor Navigationes" des Amerigo Vespucci, Straßburg 1509

1534 Tunis wird von Chaireddin Barbarossa erobert. Es stand unter der Herrschaft von Muly Hassan, einem spanischen Verbündeten. Tunis wäre ein spanischer Brückenkopf für eine Intervention im westlichen Mittelmeer und wird 1535 zurückerobert.

1535 Nach der Eroberung von Tunis durch Karl V. ist Frankreichs Handelsmacht, vor allem der Levantehandel, erheblich gefährdet. Abmachung zwischen Frankreich und der Pforte: Die Sonderstellung Frankreichs als Handelsmacht im Osmanischen Reich entspricht der Verpflichtung der Osmanen, diesen Handel mit türkischen Truppen zu schützen. Das bedeutet ein offensives Vorgehen gegen die Sieger von Tunis. Indem Frankreich im Gegenzug den Osmanen an seiner Mittelmeerküste Häfen zur Verfügung stellt, gibt es zum ersten Mal seit Bestehen des Kreuzzugsgedankens ein Bündnis mit dem Kreuzzugsgegner (ausgenommen gelegentlicher Vorstöße Venedigs), womit letztlich der Kreuzzug verhindert wird.

Niederlande
(Bürgerkrieg und Gründung der Republik)

1557 Anläßlich einer Hinrichtung von fünf Täufern kommt es in Rotterdam zu einem Aufruhr. Die spanische Regierung betreibt eine unerbittliche Ketzerverfolgung, die in Erlässen mündet, die noch über diejenigen der Inquisition hinausweisen. Bei Hinrichtungen kommt es immer wieder zu bürgerkriegsähnlichen Aufständen (1562 Valencienne, 1564 Antwerpen).

1559 Graf Egmont wird vom spanischen König zum Statthalter von Flandern und Artois ernannt.

1562 Der niederländische Hochadel schließt sich gegen den wichtigsten Repräsentanten Philipps II., Kardinal Granvella, zusammen. Zu diesem Zeitpunkt entwickelt sich, mit der Kirche im Zentrum, ein politischer Widerstand gegen die spanische Herrschaft.

1564 Kardinal Granvella muß das Land verlassen. Wilhelm von Oranien wird Führer des Hochadels.

1565 Graf Egmont wird als Vertreter des Adels nach Spanien gesandt mit Vorschlägen zur Reform der Staatseinrichtungen, die dem niederländischen Adel mehr Machtbefugnisse zuweisen sollen, sowie einem Protest gegen die Ketzerverfolgungen. In den „Depeschen von Segovia" bekräftigt Philipp II. seine Politik der Häresieprozesse, worauf es zu einem Bündnis zwischen niederem und Hochadel kommt.

1566 Der Adel überreicht der Landvogtin Margarete von Parma eine Bittschrift, die Ketzerfahndung zu suspendieren und gemeinsam mit den Generalstaaten (ständige Interessensvertretung der Provinzen) eine neue Regelung in den Religionsfragen auszuarbeiten. Begleitet sind diese Verhandlungen von Bildersturmbewegungen, als Ausdruck nicht nur religionspolitischer, sondern wesentlich sozialökonomischer Spannungen. In Antwerpen und in Flandern werden katholische Gottesdienste verhindert. Margarete von Parma muß dem Druck des „Zentrums" (gemäßigte Katholiken, darunter Wilhelm von Oranien, der sich 1567 den Protestanten anschließt, Graf Egmont, der sich später der Regierungspolitik beugt, und Graf Hoorne) nachgeben und läßt protestantische Predigten zu.

Das Reich Karls V.

1530 Karl V. wird in Bologna vom Papst zum Kaiser gekrönt. Reichstag zu Augsburg: Confessio Augustana der evangelischen Reichsstände, von Philipp Melanchton (1497–1560) verfaßt, betont das Gemeinsame mit der alten Kirche, gibt aber dem neuen Glauben in den entscheidenden Punkten klaren Ausdruck, wendet sich jedoch zugleich gegen religiöses Sektierertum. Eine Gegenerklärung des Kaisers (Confitatio) führt nicht zur Unterwerfung der Protestanten.

1531 Die evangelischen Reichsstände schließen in Schmalkalden (Thüringen) ein Verteidigungsbündnis – Schmalkaldischer Bund – gegen die Religionspolitik des Kaisers.

1532 Nürnberger Religionsfrieden mit den Protestanten, da ihre Unterstützung im Kampf gegen die Türken unerläßlich ist.

1534–1535 Wiedertäufer (Johann v. Leiden, Knipperdolling, Rothman) errichten das „Neue Jerusalem" in Münster; Rückeroberung durch das Heer des Bischofs von Münster nach 16 Monaten. Die Anführer werden hingerichtet. Veröffentlichung der vollständigen Lutherbibel.

1535 Karl V. erobert Tunis.

1536 Johannes Calvins „Institutio Religionis Christianae", die erste theoretische Formulierung des Calvinismus, wird veröffentlicht.

1538 Die Katholische Liga kämpft unter Führung Bayerns gegen den Schmalkaldischen Bund. In Nizza führt Papst Paul III. (Farnese) getrennte Verhandlungen mit Karl V. und Franz I. von Frankreich.

1541 Calvin wird nach Genf berufen, das zur Hochburg des Calvinismus wird.

1544 Frieden von Crépy, geschlossen zwischen Karl V. und Franz I. von Frankreich. Frankreich verzichtet auf italienische Territorien. Kern dieser politischen Vereinbarungen ist das Versprechen zur Herstellung eines allgemeinen Friedens in der Christenheit, als Vorbedingung für einen Kreuzzug.

1545 Beginn des Tridentiner Konzils (–1563). In der ersten Periode der Tagungen, bis zur Verlegung nach Bologna 1547, werden ohne Beteiligung der Protestanten neue Glaubenslehren formuliert, die eine Kampfansage gegen die Reformation bedeuten, sowie Reformdekrete für die katholische Kirche erlassen, u. a. die Gleichsetzung der Heiligen Schrift mit der kirchlichen Tradition. Das Tridentinum stärkt die katholische Kirche in ihrem Widerstand gegen den Protestantismus, festigt die Stellung des Papstes und schafft die Grundlagen für einen neuzeitlichen Katholizismus.

Italien

1528 Andrea Doria tritt mit der Genueser Flotte zum Kaiser über, als die französischen Verbündeten Neapel von der kaiserlichen Besetzung befreien wollen.

1530 Nach den Kriegen, die dem Sacco di Roma folgen ist die Lage in Italien für den Kaiser und damit die habsburgische Herrschaft gesichert. Frieden von Cambrai.
Alessandro de Medici wird nach zehnmonatiger Belagerung Herzog von Florenz; der republikanische Anspruch von Florenz wird damit erneut zunichte gemacht.

1533 Vermählung Henri von Orléans mit Katharina de Medici, die als Mitgift Pisa, Livorno, Modena, Reggio, Parma und Piacenza in die Ehe bringt, was die Begründung einer französischen Sekundogenitur im Herzen Italiens bedeutet.

1534 Beginn der türkischen Expansion im Mittelmeerraum.

1538 Waffenstillstand zwischen Papst Paul III. (Alessandro Farnese, 1534–1549), Karl V. und Franz I., um die christlichen Mächte gegen die Türken zu vereinigen. Der Vertrag hält zehn Jahre und erklärt die Mächtekonstellation in Italien zum Status quo.

1540 Der Papst bestätigt den Jesuitenorden.

Frankreich

1533 Durch die Heirat Henri v. Orléans mit Katharina de Medici, der Nichte Clemens VII. (1523–1534), erhofft sich Franz I. die Gunst des Papstes zu sichern.

1535 Krieg um Mailand ermöglicht es Franz I., sich Savoyens und Piemonts zu bemächtigen (–1559).

1536 Mit seinem Einfall in Piemont eröffnet Franz I. einen erneuten Krieg gegen den Kaiser. Frankreich schließt mit den Osmanen ein Bündnis, das ihnen Handelsfreiheit und eine eigene Gerichtsbarkeit im osmanischen Reich sichert.

Taddeo Zuccari, Der Einzug Kardinal Farneses, Franz' I. und Karls V. in Paris im Jahre 1540 (Detail), Zeichnung, Wien, Albertina

1539 Die Durchquerung Frankreichs durch Karl V., um gegen die revoltierenden Genter zu kämpfen, ist nur scheinbar Zeichen eines Einvernehmens. Die Kämpfe der spanischen und österreichischen Truppen gegen die Türken sind Kämpfe gegen einen Verbündeten Frankreichs, weshalb Franz I. wieder Kontakt aufnimmt zur Pforte.

1547 Heinrich II. (Nachfolger von Franz I., 1547–1559) wird zum Nutznießer der Niederlage des Schmalkaldischen Bundes, der in ihm einen Bündnispartner sucht gegen die kaiserliche Macht, da sich das deutsche Bündnis als zu schwach erweist.

1552 Um den Farnese Parma zu sichern, bricht Heinrich II. mit Julius III. und gibt damit teilweise dem Druck der Parteien nach, die geführt von den Guise (Nebenlinie des Hauses Lothringen) eine Intervention in Italien fordern. Im gleichen Jahr schließt er jedoch einen Waffenstillstand mit Julius III.
Bündnis zwischen Heinrich II. und deutschen Fürsten (u. a. Moritz von Sachsen); Übertragung des Reichsvikariats über Cambrai, Verdun, Toul und Metz an Frankreich.

1554 Frankreich unterstützt Siena gegen kaiserliche und florentiner Truppen, wird aber nach langer Belagerung (–1555) vertrieben. Mit Hilfe von französisch-türkischen Truppen gelingt in diesem Krieg die Einnahme Korsikas.

Haus Österreich

1531 Friedensverhandlungen Ferdinands I. mit Zápolya und den Türken scheitern.

1532 Sultan Suleiman II. versucht einen erneuten Angriff auf Wien, der aber wegen der starken Präsenz kaiserlicher Truppen im Wiener Gebiet scheitert. Die in Niederösterreich eingefallenen Tartaren unter Führung Kasim Bergs, werden im Wienerwald vernichtend geschlagen.

1540 Trotz der in Geheimverhandlungen beschlossenen Vereinbarungen zwischen Ferdinand I. und Zápolya (1538), die nach dem Tod des Ungarn die Herrschaft der Habsburger über Ungarn sichern sollten, rufen Anhänger nach Zápolyas Tod seinen Sohn Johann Siegmund zum König aus.

1541 Der zweimalige Versuch Ferdinands I., Ofen zu erobern, scheitert mit der Vernichtung des Heeres.

1547 Der König schließt mit Suleiman II. einen Waffenstillstand, der festlegt, daß Österreich jährlich 30.000 Dukaten an die Osmanen zu zahlen hat.

Hans von Aachen, Allegorie auf den Türkenkrieg, Zeichnung, Dresden, Staatliche Kunstsammlungen

1554 Die österreichischen Erblande werden unter den drei Söhnen Ferdinands I., Maximilian (II)., Ferdinand und Karl, dreigeteilt. Die Teilung bedeutet die Verringerung der ständischen Macht, nicht zuletzt wegen der Überschaubarkeit der Herrschaftsgebiete.

1562 Im Vertrag von Konstantinopel verpflichtet sich Ferdinand I. zu weiteren Zahlungen an die Türken und erkauft sich so erneut einen befristeten Frieden.

Spanien

1541 Gescheiterte Intervention in Algier.

1543 Gemeinsame türkisch-französische Flottenoperation gegen das von den genuesisch-kaiserlichen Truppen verteidigte Nizza.

1551 Tripolis, seit 50 Jahren unter der Herrschaft der Spanier, fällt in die Hände der Osmanen.

1554 Vermählung Philipps II. (Nachfolger Carlos' I. 1556–1598) mit Maria Tudor, englische Königin (1553–1558). Mit dieser Heirat scheint die Möglichkeit geschaffen, eine englisch-spanische Hegemonie im Mittelmeer zu errichten und die habsburgisch-spanischen Gebiete in den Niederlanden zu sichern. Diese Pläne scheitern nach dem Tod Maria Tudors (1558), da sich Elisabeth I. nicht auf die Heiratsangebote Philipps II. einläßt.

Schule des Tintoretto, Schlacht bei Lepanto, 1573, Detail aus dem Porträt Sebastiano Veniers, Wien, Kunsthistorisches Museum

Niederlande (Bürgerkrieg und Gründung der Republik)

Franz Hogenberg, Vorstellung des Adels von Brabant bei Margarete von Parma zugunsten der Religionsfreiheit im April 1566, Kupferstich

1567 Spanische Truppen marschieren in Flandern ein, Wilhelm von Oranien und andere emigrieren nach Deutschland. Philipp II. entsendet den Herzog von Alba als Ablösung für Margarete von Parma mit spanischen und italienischen Truppen zur Niederschlagung der protestantischen Bewegung. Er setzt einen „Rat der Unruhen" ein, der nicht nur die Protestanten verfolgt, sondern auch diejenigen Katholiken, die mit der Reformbewegung sympathisieren. Graf Egmont wird trotz seiner politischen Entwicklung gefangen genommen und 1568 hingerichtet.

1568 Wilhelm von Oranien plant einen großangelegten Versuch, den Herzog von Alba zu vertreiben. Hier setzt die Geschichtsschreibung das Anfangsdatum für den 80jährigen Befreiungskrieg der Niederlande von der spanischen Herrschaft (der bewaffnete Widerstand begann 1566).

1572 Wilhelm von Oranien schließt ein Bündnis mit den Hugenotten (Ludwig von Nassau) und den Wassergeusen. Der holländisch-seeländische Widerstand zwingt den Herzog von Alba zum Abzug aus Holland. Der Aufstand gegen den Herzog wird von all jenen getragen, die sich gegen die Tyrannei, den Zentralismus und Absolutismus der spanischen Krone wenden (–1576).

Das Reich Karls V.

1546–1547 Schmalkaldischer Krieg. In der Schlacht von Mühlberg siegt die Katholische Liga unter Karl V. mit Hilfe spanischer Truppen unter Führung des Herzogs von Alba. Der Kurfürst von Sachsen und Landgraf Philipp von Hessen werden gefangen genommen, die Macht des Bundes ist gebrochen. Neuer Kurfürst wird Moritz von Sachsen. Nicht zuletzt wegen der auf dem Reichstag zu Speyer 1544 gewährten Hilfe gegen die Türken und Franzosen und der erneuten Konflikte zwischen Karl V. und Papst Clemens VII. behält der Protestantismus weiterhin seine politische Macht.

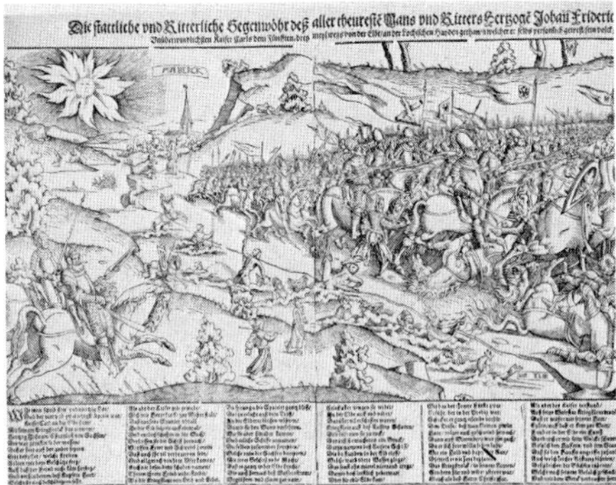

Schlacht bei Mühlberg am 24. April 1547, Holzschnitt

1547 Vereinbarung eines Waffenstillstandes zwischen dem Deutschen Reich und den Türken.

1548 Augsburger Interim: Selbständiger Versuch Karls V., ohne Hilfe des Papstes und des Tridentiner Konzils, die Auseinandersetzung mit den Reformatoren durch eine Kompromißformel zu lösen. Die Konzession an den Laienkelch und die Priesterehe bleiben das einzige Ergebnis.

1551 In Augsburg wird der habsburgische Familienvertrag geschlossen, in dem die Teilung des Imperiums vorgezeichnet ist.

1552 Krieg zwischen Karl V. und Franz I. von Frankreich (–1556). Kurfürst Moritz von Sachsen erhebt sich gegen den Kaiser und kämpft mit Unterstützung der deutschen Fürstenopposition für Frankreich (Fürstenaufstand).
Passauer Vertrag. Die Bekenner der Augsburgischen Konfession erhalten bis zum nächsten Reichstag das Recht der freien Religionsausübung.

1555 Augsburger Reichstag. Augsburger Religionsfrieden im Deutschen Reich: Wechselseitige Toleranz von Katholiken und Lutheranern, nicht gültig für Calvinisten und Reformierte; der Territorialherr bestimmt die Religion (Cuius regio, eius religio). Der Religionsfrieden kommt als Kompromiß zustande und bedeutet einen Verzicht auf den Status quo der Religionseinheit im Reich. Dieser Kompromiß und der Fürstenaufstand dienen zur nachträglichen Begründung für das Abdanken Karls V. als Kaiser und Herzog von Burgund, da sein Plan einer katholischen Universalmonarchie gescheitert ist.

Italien

1545 Konzil von Trient. Der politische Hintergrund ist die zunehmende oppositionelle Strömung innerhalb der italienischen Kirche, die das Ziel einer Kirchenreform verfolgt (unter den Kardinälen Contarrini und Morone) bzw. sich durch die Neubegründung der römischen Inquisition (1542) radikalisiert. Papst Paul III. und Karl V. verfolgen ursprünglich die Absicht, das Konzil mit einem militärischen Vorgehen gegen die deutschen Protestanten zu verbinden. Unter dem Druck der Reichsstände sieht sich der Kaiser aber gezwungen, das Konzil zur Vermittlung zu nutzen. Der Rückzug der päpstlichen Truppen im Kampf gegen den Schmalkaldischen Bund (1547) und die Verlegung des Konzils von Trient nach Bologna führen zu einer Krise zwischen Papst und Kaiser.

Andrea Boscoli, Die Bestätigung des Jesuitenordens im Jahre 1540, Zeichnung, Wien, Albertina

1550 Wahl Julius III. zum Papst. Er verfolgt eine Politik der Zusammenarbeit mit Karl V., wodurch Italien fester denn je dem habsburgischen Universalsystem einverleibt zu sein scheint.

1551 Wiedereröffnung des Tridentiner Konzils nach dem Abbruch 1549.
–1552 Parmakrieg. Ottavio Farnese, Herzog von Parma, unterstellt sich dem französischen Schutz. Für Heinrich II., König von Frankreich (1547 bis 1559), ist dies die erste Möglichkeit, die Ansprüche seines Vaters Franz I. zu erneuern, um die „libération d'Italie" vorzubereiten.

1552 Erhebung Sienas gegen die kaiserlichen Besatzer.

1554 Gescheiterter Versuch des von Pietro Strozzi angeführten Heeres (Franzosen, Sieneser, Florentiner „Fuorusciti"), Florenz einzunehmen gegen den Widerstand von Cosimo de Medici.

1555–1559 Pontifikation Papst Pauls IV. (1555–1559). Französisch-päpstliche Offensivallianz zum Sturze der habsburgischen Herrschaft in Italien. Paul IV. sieht in Karl V. nicht nur den Zerstörer der Freiheit Italiens, sondern auch den Förderer des Protestantismus.

Frankreich

1557 Zugunsten Papst Pauls IV. werden die französischen Interventionen in Italien wieder aufgenommen, diesmal auf Drängen von Katharina de Medici, der „Fuorusciti" (in Lyon ansässige florentiner Bankiers) und des Franz von Guise, der Ansprüche auf Neapel erhebt. Die französischen Truppen unter dem Connétable Montmorency werden vernichtend bei St. Quentin geschlagen.

Franz Hogenberg, Ermordung der Protestanten in Tours im Juli 1562, Kupferstich (Detail)

1559 Vertrag von Cateau-Cambrésis beendet den französisch-spanischen Krieg. Heinrich II. verzichtet, bedingt durch einen drohenden Staatsbankrott, auf Mailand, Neapel, Korsika, Piemont, Savoyen und Burgund und überläßt Italien der spanischen Hegemonie. Zudem scheint für ihn die nationale Einheit gefährdet durch den sich ausbreitenden Calvinismus, dessen Anhänger im gleichen Jahr die erste Nationalsynode in Frankreich abhalten (Confessio Gallikana).

1560 Katharina de Medici übernimmt für ihren unmündigen Sohn Karl IX. die Regentschaft (–1574).

1562 Beginn der Hugenottenkriege in Frankreich. Der französische Protestantismus hatte seit 1538 immer mehr Anhänger bei den Adeligen gefunden, die dem Haus Lothringen feindlich gegenüberstehen (Anton von Bourbon, der König von Navarra, der Herzog von Condé und die Neffen des Connétable Montmorency, Andelot, Coligny, Führer der Hugenotten, und Kardinal Châtillon). Nachdem sich Franz I. in einem Geheimabkommen (1544, Vertrag von Crépy) mit Karl V. verpflichtet hat, das Fortschreiten der Reformation aufzuhalten, kam es zunehmend zu Verfolgungen. 1551 wurde in dem Edikt von Châteaubriant die Verfolgung der Protestanten/Calvinisten allgemein angeordnet. Führer der Katholiken sind die Guise.

Haus Österreich

1564 Johann II. Zápolya von Siebenbürgen (restliches Herrschaftsgebiet von ehemals Gesamtungarn) kämpft mit Hilfe der Türken um das habsburgische Restungarn.
Maximilian II. wird Kaiser (–1576).

1568 Nach dem Tod Suleimans II. schließen der Kaiser und der neue Sultan Selim II. in Adrianopel einen Friedensvertrag unter Beibehaltung der Tributzahlungen, die alle acht Jahre verlängert werden. Johann Siegmund verzichtet auf seine Ansprüche auf den ungarischen Thron.

1571 In der „Assekurationsakte" gewährt Maximilian II. den Protestanten weitgehende Rechte. Die „Religionspazifikation" von 1572 sichert die ständeübergreifende Glaubensfreiheit zu, die in der „Brucker Libell" 1578 erneut bestätigt wird, hier allerdings nur als mündliche Absprache, weshalb die Katholiken das Recht auf protestantische Religionsausübung bestreiten. Kaiser Maximilians kompromißbereite Politik gegenüber den Protestanten begründet sich damit, daß er die protestantischen Stände brauchte im Kampf gegen die Türken. Seine Loyalität gegenüber den Katholiken und dem Papst bekundet er dadurch, daß er zwei Söhne in Spanien erziehen läßt, womit er der konfessionellen Verpflichtung als Kaiser gerecht wird.

1576 Nach der Wahl Rudolfs II. zum Kaiser (1572 König von Ungarn, 1575 König von Böhmen und des römisch-deutschen Reichs) setzt in Gesamtösterreich die Gegenreformation ein, beginnend in Niederösterreich (1580) mit dem Verbot der lutherischen Religionsausübung in Städten und Märkten.

Spanien

1562–1563 John Hawkins bricht das spanische Monopol des Sklavenhandels und verkauft westafrikanische Sklaven auf dem Sklavenmarkt von Hispaniola (Haiti).

1571 Francis Drake plündert mit Billigung der englischen Krone die peruanische Küste. Zwar verschärfen sich die Spannungen zwischen England und Spanien, aber die Befreiungskämpfe in den Niederlanden verhindern einen offenen Krieg.

1573 Nach dem Sieg der Spanier bei Lepanto kommt es zu mehrfach verlängerten Waffenstillstandsabkommen zwischen Spanien und den Osmanen. Die seit Jahrzehnten kaum bestrittene Seeherrschaft der Osmanen im westlichen Mittelmeer, die während des spanisch-französischen Krieges 1542–1544 ein Erliegen des spanisch-italienischen Seeverkehrs erreicht hatte, ist gebrochen.

1580 Annexion Portugals. Philipp II. herrscht über das größte Kolonialreich des Jahrhunderts. Durch die Besetzung der Azoren erhält Spanien einen strategisch wichtigen Stützpunkt zwischen den amerikanischen Kolonialgebieten und der iberischen Halbinsel

1584 Die Ermordung Wilhelms von Oranien führt zur Eskalation des Konfliktes zwischen Spanien und England.

Unbekannter Künstler, Das Standbild des Herzogs von Alba, um 1583

1587 Subsidienvertrag mit Papst Pius V., der die Zahlung von einer Million Dukaten zusagt im Falle einer spanischen Besetzung Englands, die mit Hilfe einer spanischen Kriegsflotte (Armada) und niederländischen Landungsbooten unter Führung Alessandro Farneses geplant wird.

1588 (Mai) 130 spanische Schiffe mit einer Besatzung von 22.000 Soldaten unter Führung Medina Sidomias brechen von Lissabon auf. Alessandro Farnese sammelt Invasionstruppen in den Niederlanden.
(August) Die Invasion scheitert. Die Seeverbindung Spanien–Niederlande ist abgeschnitten, da der Seeweg von den Engländern kontrolliert wird.

Niederlande (Bürgerkrieg und Gründung der Republik)

Franz Hogenberg, Massaker der Spanier in Haarlem im Juli 1573, Kupferstich

1576 Pazifikation von Gent. Erklärung des Friedens und des gemeinsamen Kampfes gegen die Spanier durch die Provinzen. Die Fronten bilden drei Gruppen: als Gegner der spanische König mit seinen Anhängern, der seine Macht in Luxemburg, Holland und Seeland behauptet, als Verbündete die Protestanten und das Zentrum, das in den Generalstaaten dominiert und mehrheitlich katholisch ist.
Don Juan d'Austria wird Landvogt von Luxemburg und den Niederlanden.

1577 Don Juan d'Austria erzwingt das „Ewige Edikt", in dem die vollständige Aufrechterhaltung des Katholizismus und das Verbot des Protestantismus festgelegt werden. Die Bedingungen werden von den Generalstaaten angenommen, woraufhin Holland und Seeland aus der Vertretung ausziehen. Nach Abzug der spanischen Truppen – eine durchgesetzte Forderung der Generalstaaten – tritt Don Juan d'Austria am 12. Mai sein Amt an. Seine bewaffnete Eroberung der Zitadelle von Namur führt jedoch dazu, daß er von den Generalstaaten zum Landesfeind erklärt wird.

1579 Unterzeichnung der „Näheren Union", in der Provinzen aus Holland, Seeland, die Mehrheit der Utrechter Ständevertreter u. a. koalieren. Die Zulassung Gents zur Union bedeutet, daß diese sich hinter den radikal-militanten Calvinismus stellt, was zur Spaltung des Zentrums führt. Nach gescheiterten Verhandlungen Wilhelms von Oranien mit dem Zentrum schließt dieser sich der Union an.
Durch Vermittlung Rudolfs II. kommt es im Frühjahr zu Friedensverhandlungen in Köln, an denen sechs Katholiken und vier Nicht-Katholiken teilnehmen. Das Ergebnis sichert Gewissensfreiheit aber keine Glaubensfreiheit zu, und protestantische Messen sind nur in Holland und Seeland erlaubt. Die Mehrheit der Generalstaaten lehnt die Kölner Friedensvorschläge ab. Das Scheitern der Verhandlungen führt zu einer klaren Polarisierung der Gegner.
Die Katholiken sammeln sich um Philipp II., die Protestanten um die Genter Calvinisten, das Zentrum hat seine Macht verloren.

Das Reich Karls V.

1556 Karl V. dankt als König von Kastilien und Aragon ab und läßt sich in San Yuste nieder, wo er am 21. 9. 1558 stirbt. Gemäß dem Vertrag von 1551 wird der habsburgische Herrschaftsbereich in eine spanische und eine österreichische Linie geteilt. Philipp II. wird König von Spanien und erhält Burgund, Mailand, Neapel, Ferdinand I. die österreichischen Erblande, Ungarn, Böhmen, das Deutsche Reich.

Bartel Beham, Porträt des Königs Ferdinand, Kupferstich, 1531

Italien

1559 Frieden von Cateau-Cambrésis. Nach den Siegen der Spanier unter Führung des Herzogs von Alba, wird der Kriegszustand zwischen Paul IV. und dem Nachfolger Karls V., Philipp II., beendet. Der Papst verspricht die Loslösung von dem französischen Bündnis, wodurch der Kirchenstaat in eine weitgehende Abhängigkeit von Spanien gerät. Aufstand in Korsika (–1567).

1563 Ende des Konzils von Trient. Das Ergebnis ist nicht die Wiedervereinigung der Konfessionen, sondern die Selbstbehauptung der katholischen Kirche. Papst Pius IV. (1559–1565) bestätigt die Reformdekrete; Rom wird geistiges Zentrum kirchlicher Bildung. In der Zeit bis ca. 1566 errichten die Jesuiten zahlreiche Kollegien im deutschsprachigen Raum und in den Kolonialländern, als Stützpunkte der Rekatholisierung und Christianisierung.

1570 Abschluß einer Türkenliga (Spanien, Venedig) auf Veranlassung von Papst Pius V. (1566–1572).

1571 Unter der Führung der Seestreitkräfte durch Don Juan d'Austria siegt die Liga in der Bucht von Lepanto über die zahlenmäßig überlegenen türkischen Verbände in der größten Seeschlacht des 16. Jahrhunderts.

1572–1590 Alle drei Päpste dieses Zeitraums (Pius V., Gregor XIII. [1572–1585] und Sixtus V. [1585–1590]) müssen eine Politik verfolgen, die einen Ausgleich zwischen Spanien und Frankreich anstrebt, zumal durch die Hugenottenkriege für Spanien die Chance wächst, mit Hilfe des Papstes wieder eine „Monarchia universalis" aufzubauen. Um dies zu verhindern, verweigert Sixtus V. die Verurteilung des protestantischen Königs Heinrich IV. in der Hoffnung, dieser kehre in die Reihen der Katholiken zurück.

Frankreich

1572 24. August, Bartholomäusnacht. Zahlreiche der aus Anlaß der Vermählung Margaretes mit Heinrich von Navarra in Paris versammelten hugenottischen Fürsten, unter ihnen ihr Führer Gaspard de Coligny, werden mit tausenden ihrer Anhänger in einem bis über die Grenzen von Paris hinausreichenden Blutbad ermordet. Die Bartholomäusnacht ist der vorläufige Höhepunkt der Hugenottenverfolgung in Frankreich. Mit der Thronbesteigung Karls IX., auf den Coligny einen großen Einfluß hatte, hatte sich auch der Einfluß der Hugenotten vergrößert, die, nach dem Massaker geschwächt, beginnen, sich militärisch und politisch neu zu organisieren.

1574 Karl IX. gestorben. Heinrich III. Valois (seit 1573 König von Polen) wird König von Frankreich. Um die Macht der Guise zu brechen, läßt er 1588 Heinrich von Guise ermorden. Während seiner Herrschaft kommt es zu einem erneuten Aufleben der Religionskriege.

1588 Aufstand in Paris zugunsten der Heiligen Liga, gegen Heinrich III. Nachdem der Papst die Bartholomäusnacht als großen Sieg gegen die Häresie gefeiert hat, unterstützt er die Politik der Guise, die seit 1584 einen Kampf um die Krone führen, nachdem der Herzog von Anjou gestorben war und der zum Protestantismus konvertierte Heinrich von Navarra legitimer Erbe des Throns ist. Die Aufständischen vertreiben Heinrich III. aus Paris und Heinrich von Guise erscheint als alleiniger Herrscher Frankreichs. Er wird am 23. 11. auf Befehl Heinrichs III. umgebracht.

1589 Heinrich III. wird von dem Mönch Jacques Clément ermordet. Heinrich von Navarra wird nach dem Erbrecht König von Frankreich.

1590 Belagerung von Paris durch Heinrich IV., der dem Druck des katholischen Adels, einen Glaubenswechsel vorzunehmen, nicht nachgibt.

1591 Philipp II. beordert spanische Truppen unter Führung des Herzogs von Parma nach Paris. Er versucht, die Heilige Liga und die Generalstände für eine Unterstützung einer Kandidatur der spanischen Infantin Isabella als französische Thronfolgerin zu gewinnen.

1593 Heinrich IV. schwört vom protestantischen Glauben ab. Er läßt sich in Chartres weihen und schwört, die Häretiker zu verfolgen. 1594 kehrt er nach Paris zurück, 1595 erhält er die Absolution durch Papst Clemens VIII.

1598 Toleranzedikt von Nantes. Heinrich IV. schützt die Hugenotten als Minderheit (–1685) mit militärischen Sicherheitsplätzen.

Haus Österreich

Martino Rota, Porträt Kaiser Rudolfs II., 1592, Kupferstich

1585 Die Jesuiten, seit 1551 in Wien, gründen in Graz eine Universität mit dem Ziel, einen offensiven Gegenpart gegen die protestantischen Hochschulen in Deutschland zu bilden.

1587 Staatliche „Reformationskommissionen" setzen die Rekatholisierung in Österreich durch (in Oberösterreich erst 1594), indem sie protestantische Gottesdienste verbieten, die Prediger der Städte verweisen und durch katholische Geistliche ersetzen.

1593 Krieg der Pforte gegen Österreich.
Als Widerstand gegen die gegenreformatorischen Maßnahmen in Ungarn bildet sich eine Gruppe protestantischer Oppositioneller unter Führung des Calvinisten Stephan Bocskai (Nachfolger von Johann Siegmund von Siebenbürgen, König von Polen, nach der Rückkehr Heinrichs III. nach Frankreich). Sie erhalten Unterstützung von den Türken, die seit 1592 ständige Grenzkämpfe mit den Österreichern führen. Die unversöhnliche Haltung Rudolfs II. gegenüber den Oppositionellen, die dennoch im „Frieden von Wien" 1606 die Religionsfreiheit durchsetzen, und seine Nichtaufgabe der Pläne eines erneuten Krieges gegen die Türken, trotz des ebenfalls in Wien beschlossenen Friedens, führen zu dem „Bruderzwist in Habsburg", der erst mit dem Tod Rudolfs II. 1612 beendet wird.

Spanien

Nach Franz Hogenberg, Angriff der spanischen Armada, 1588, Kupferstich

1595 Kriegserklärung Heinrichs IV. von Frankreich an Philipp II., der für die Infantin Isabella Ansprüche auf den französischen Thron erhebt auf Grund seiner verwandtschaftlichen Verbindung als Schwiegersohn Heinrichs II.

1598 Friedensvertrag von Vervins, nachdem Heinrich IV. ein Kriegsbündnis mit Elisabeth I. geschlossen hat.
Selbstverwaltung der Niederlande unter Beibehaltung spanischer Truppen im Land und der Auflage, daß bei einer Kinderlosigkeit der Ehe Alberts und Isabellas, die Niederlande an die spanische Krone zurückgehen.

Niederlande (Bürgerkrieg und Gründung der Republik)

1585 Nach der Eroberung Antwerpens durch den Herzog von Parma, Alessandro Farnese, sind die südlichen Niederlande wieder in der Hand der Katholiken und Stützpunkt der Gegenreformation. Durch die Rückdrängung der Protestanten nach der Eroberung Flanderns und Brabants durch Alessandro Farnese (1584) und der Ermordung Wilhelms von Oranien (10. 7. 1584) sehen sich die Verbündeten gezwungen, Hilfe von Frankreich zu erbitten, die ihnen vom Herzog von Anjou gewährt wird; nach seinem Tod wenden sich die Protestanten hilfesuchend an England.

1589 Philipp II. zieht den Herzog von Parma aus den Niederlanden ab, um ihn im französischen Bürgerkrieg auf Seiten der Liga einzusetzen.
–1598: Innerhalb von zehn Jahren erobern die Protestanten das Gebiet nördlich des Rheins und einen Teil Brabants und konsolidieren die Republik der Vereinigten Niederlande.

Hans Holbein, Porträt des Königs Heinrich VIII. von England, Zeichnung, München, Graphische Sammlung

1509 Heinrich VIII. wird König von England (–1547).

1515 Unter Thomas Wolsey, Kardinal und Lordkanzler, Legatus a latere (päpstlicher Sonderbevollmächtigter), beginnt der Ausbau der Regierungs- und Rechtsinstitutionen (Council and Court of Chancery), die die Grundlage für ein modernes Staatswesen legen.

1527 Liga von Cognac. Heinrich VIII. weicht von dem traditionellen Spanien-Bündnis ab mit dem Ziel, ein europäisches Gleichgewicht zu schaffen gegen die Hegemonie Karls V., die sich nach der Schlacht von Pavia abzuzeichnen droht.

1529 Thomas More (1535 hingerichtet) wird Nachfolger von Wolsey, der gestürzt wurde, weil er eine päpstliche Einwilligung in die Ehescheidung Heinrichs VIII. von Katharina von Aragon nicht erlangen konnte.

1533 Thomas Cromwell – Nachfolger des 1532 zurückgetretenen Thomas More – legalisiert durch den nationalen gesetzlichen Schutz den Bruch mit Rom und dem Papst. Er wurde mit der „Submission of the Clergy" eingeleitet (1532), in der das englische Unterhaus die kirchliche Gerichtsbarkeit für ungültig erklärt. Der König wird anerkannt als „Supreme Head", als Oberhaupt der anglikanischen Kirche. Die Lösung vom Papst leitet die Reformation „von oben" in England ein.

1536 Cromwell läßt als Generalvikar der Kirche kleine Klöster schließen. Die dadurch freiwerdenden Mittel werden der Krone zugeführt.
Pilgrim of Grace: Aufstand in Nordengland zur Wiederherstellung der päpstlichen Jurisdiktion; „häretische" Bischöfe werden abgesetzt. Heinrich VIII. läßt den Aufstand niederschlagen, den Cromwell zur Auflösung größerer Klöster nutzt (–1540).

1537 „Bishops Book." Die eigentliche kirchliche Reformation wird nicht durchgeführt. Sowohl romtreue Katholiken als auch Lutheraner werden hingerichtet, um die in ihrer Tendenz konservative Einheitskirche zu etablieren.

1540 Hinrichtung Cromwells, nachdem er die vierte Ehe Heinrichs VIII. mit Anna von Kleve auf Druck des Königs für ungültig erklären mußte.

1541 Heinrich VIII. macht sich zum König von Irland, nachdem er 1536/37 durch die Einführung der englischen Reformgesetze dem irischen Parlament die Unabhängigkeit genommen hatte.

1547 Die Heiratspläne, die eine Verbindung zwischen Heinrichs Sohn Eduard mit Maria Stuart von Schottland vorsehen, scheitern, woraufhin Heinrich VIII. in Schottland interveniert. Gleichzeitig beginnt John Knox in Schottland eine offensive Reformbewegung mit calvinistischer Prägung.
Nach dem Tod Heinrichs VIII. wird sein unmündiger Sohn Eduard VI. König von England. Es kommt zu einem Widerruf aller Ketzergesetze, was zur Folge hat, daß aus allen Ländern verfolgte Protestanten nach England emigrieren.

1548 Maria Stuart wird mit Franz II. von Frankreich verheiratet. Die Regentschaft in Schottland wird von ihrer Mutter Maria Guise geführt.

1549 Bauernaufstände in Cornwall, Devonshire und Norfolk. Vorangegangen waren der erste gesetzliche Eingriff des Parlaments in die Religionsauseinandersetzungen durch die Autorisierung des „Common Prayer Book" von dem Zwinglianer Thomas Cranmer und ein staatlich gelenkter Bildersturm. Ungeachtet der Religionsstreitigkeiten hat der Aufstand soziale Ursachen.

1553 Nach dem Tod Eduards VI. übernimmt die Katholikin Maria Tudor das Thronerbe. Als Oberhaupt der Kirche setzt sie die protestantischen Bischöfe ab und läßt Reformatoren u. a. Cranmer hinrichten.

1554 Gegen den Widerstand u. a. der Bauern unter Führung Thomas Wyatts, des Councils und des Parlaments setzt die Königin eine Heirat mit Philipp II. von Spanien durch. Sämtliche antiklerikalen und antipäpstlichen Gesetze werden durch ein neu gewähltes Parlament widerrufen. Im Zuge dieser gegenreformatorischen Maßnahmen beginnt 1555 die Ketzerverfolgung zuzunehmen.

1555 Gründung der Muscovy Company zur Unterhaltung einer Handelsbeziehung mit Rußland als Beginn eines bis zu den 80er Jahren wenig forcierten Überseehandels.

1558 Sowohl die Schlacht bei St. Quentin (1557) als auch der Verlust Calais', das seit 1347 unter englischer Herrschaft stand, führen zu einer unterschwelligen Unruhe in England, die von protestantischen Gegnern der Königin geschürt wird. Nach dem Tod Maria Tudors wird Elisabeth I., Tochter Heinrichs VIII. und Anne Boleyns, Regentin (–1603). Sie führt, wegen des spanischen Bündnisses mit Vorsicht, die anglikanische Kirchenreform wieder ein (Uniformitätsakte 1559), nicht ohne Druck der aus der Emigration zurückgekehrten Protestanten (Puritaner).

1559 Nach der Thronbesteigung Elisabeths I. werden die Protestanten in Schottland, die von Perth aus eine militante Reformbewegung anführen, für die katholische Maria Guise zur Gefahr. Bei ihrem Versuch, die Regentin mit ihren französischen Truppen aus dem Land zu vertreiben, kommen ihnen englische Truppen zur Hilfe.

1560 Nach dem Tod von Maria Guise gründet sich in Schottland ein Reformparlament und errichtet bis zur Rückkehr Maria Stuarts 1561 eine republikähnliche Adelsregierung.

1565 Die Heirat Maria Stuarts mit Lord Henry Darnley bedeutet die Kräftigung der gegenreformatorischen Bewegung in Schottland, die von spanischer und päpstlicher Seite aus unterstützt wird und gegen England gerichtet ist, auf dessen Thron Maria Stuart nach kanonischem Recht Anspruch erhebt.

1566 Ein Aufstand, dem eine Parlamentsauflösung durch protestantische Lords folgt, zwingt Maria Stuart zur Flucht. Sie muß 1567 abdanken und begibt sich in den Schutz von Elisabeth I. Von England aus leitet sie die katholische Verschwörung, um ihre Ansprüche auf den Thron durchzusetzen.

1572 Sir Francis Drake setzt die seit 1551 durchgeführten Expeditionen in die Neue Welt mit halbpiratischen Kapermanövern gegen spanische Handelsschiffe fort. Diese Attacken und seine Weltumsegelung 1577–1580 machen ihn zum englischen Nationalhelden. Gleichzeitig baut John Hawkins die englische Kriegsflotte aus.

1577 Elisabeth I. unterstützt Wilhelm von Oranien im niederländischen Befreiungskrieg. Dies hat einen offenen Bruch mit Spanien zur Folge, das 1572 Elisabeth I. gezwungen hatte, Wassergeusen aus englischen Häfen auszuweisen. Die Unterstützung stellt eine Weiterführung der protestantischen Allianzpolitik Elisabeths I. dar.

1584 Sir Walter Raleigh gründet Virginia als erste englische Kolonie auf dem nordamerikanischen Kontinent.

1585 Das Bündnis Englands mit den niederländischen Generalstaaten führt zu einem unerklärten Krieg gegen Spanien. Sir Francis Drake unternimmt eine Kaperfahrt nach Westindien und baut mit Hilfe der englischen Seemacht eine der wichtigsten Handelsverbindungen Englands im 17. Jahrhundert auf.

1587 Hinrichtung Maria Stuarts; eine Entscheidung, die Elisabeth I. seit 1582 hinausgezögert hat und von der sie sich hinterher distanziert.

1588 Versuch einer Invasion spanisch-niederländischer Truppen in England. Nach dem Tod Maria Stuarts erhebt Philipp II. von Spanien Anspruch auf die Kronen Englands und Schottlands.

1589 Unterstützung Heinrichs IV. gegen die spanisch-französische Allianz.

1593 In Ulster kommt es zu einem Aufstand gegen die englische Herrschaft. Die Iren fordern spanische Hilfe an.

1596 Einrichtung einer Sozialfürsorge in England („Poor Law") durch die Gemeinden, die von der Kirche unterstützt werden.

1599 Gründung der East India Company, mit der England im Laufe eines halben Jahrhunderts die wichtigsten Gebiete des Welthandels für sich erschlossen hat: 1579 Gründung der Eastland Company, 1581 Turky Company, 1589 Levant Company.

Aachen Hans von
Maler; geb. 1552 in Köln, gest. 1615 in Prag; ab 1574 Italien-Aufenthalt (Venedig, Rom, Florenz), 1588–1596 für Münchner Hof und Fugger in Augsburg tätig, seit 1596 in Prag als Kammermaler der Kaiser Rudolf II. und Matthias; neben →Heintz und →Spranger Hauptvertreter des Prager Hofstils italienisch-niederländischer Prägung, raffiniert konzipierte mythologische und allegorische Darstellungen, Porträts voll psychologischer Sensibilität
Kat. III. 24, 25, IV. 5, V. 53, VII. 35, 36

Abbate Nicolo dell'
Maler; geb. um 1509 in Modena, gest. 1571 in Fontainebleau; Ausbildung in Modena, Einfluß von →Dosso Dossi, 1547–1552 Aufenthalt in Bologna, Studium der Werke →Parmigianinos, 1552 Berufung durch Henri II. nach Fontainebleau, bedeutendster Mitarbeiter →Primaticcios
Kat. I. 32, III. 8

Abraham Raimund
Architekt und Designer; geb. 1933 in Lienz, lebt in New York; bevorzugte Aussageform ist Architekturzeichnung in lockerem Strichduktus, in den 60er Jahren technizistische Utopien, 1971 Beginn der subjektiv-mythischen Serie „Ten Houses" (poetische Architekturparaphrasen), 1972 Publikation des Buches „Elementare Architektur"
Kat. XIX. 15

Agam Yaakov (eig. Jacop Gipstein)
Multimediakünstler; geb. 1928 in Rishon-le-Zion/Israel, lebt in Paris; Studium in Jerusalem und Zürich, seit 1951 in Paris tätig, experimentiert mit kinetischer Kunst und Op-Art-Effekten mit dem Ziel, den Betrachter zu aktivieren
Kat. XVIII. 10, 11

Alberghetti Alfonso
Bronzegießer aus Ferrara; tätig um 1559–1585 in Venedig, Meister eines der beiden Bronzebrunnen im Hof des Dogenpalastes
Kat. I. 14

Alfiano Don Epifanio d'
Kupferstecher; tätig um 1580 – um 1610; Mönch zu Vallombrosa/Toskana, später Prior von S. Spirito, Florenz; Folge von Festzügen und Dekorationen, genealogische und kalligraphische Stiche
Kat. IX. 19

Amman Jost
Maler, Zeichner, Formschneider und Radierer; geb. 1539 in Zürich, gest. 1591 in Nürnberg; Ende der 50er Jahre begibt er sich auf Wanderschaft, die ihn nach Basel führt, 1577 Nürnberger Bürgerrecht, Reisen nach Augsburg, Heidelberg und Würzburg, 1590 in Altdorf bezeugt
Kat. II. 12, VII. 20

Andreani Andrea
Holzschneider und Verleger; geb. 1540/45, gest. 1623; spezialisiert auf Tonplattenholzschnitt (Clair-obscur–Manier), in Florenz Blätter nach →Giambologna, in Siena nach D. Beccafumi, in Mantua nach A. Mantegna, 1602–1610 ausschließlich als Verleger tätig
Kat. IV. 29, VII. 15

Andreasi Ippolito
Maler; geb. um 1548 in Mantua, dort gest. 1608; Ausbildung bei dem →Giulio-Romano-Schüler L. Costa, später unter Eindruck der Werke →Parmigianinos, 1579 Teppichkartons für den Gonzaga-Hof, 1587 Arbeit an Wandbild im Palazzo del Tè dokumentiert
Kat. I. 27, IV. 46

Angeli Giovanni Battista d' (gen. Angelo del Moro)
Maler, Miniaturist und Radierer; geb. um 1515 in Verona (?), gest. um 1573; tätig in Verona und seit 1557 in Murano; Radierungen großteils nach →Parmigianino
Kat. IV. 56, VI. 20, VII. 39

Anguier François
Bildhauer; geb. 1604 in Eu/Normandie, gest. 1669 in Paris; Schüler von S. Guillain, in Anschluß an Studienreisen nach England und Rom seit ca. 1643 in Paris tätig; Louvre-Dekorationen, Grabmonumente für Pariser Kirchen
Kat. I. 29

Anonyme Künstler
Kat. I. 8, III. 1, IV. 66, 67, V. 40, 41, VI. 37, VI. 41, VIII. 34, VIII. 42, 43, VIII. 58, VIII. 66, 67, VIII. 84, X. 33
Antwerpen Kat. II. 9
Augsburg Kat. I. 8, VII. 3, VIII. 37, 38, VIII. 63
Deutsch Kat. II. 8, IV. 37, IV. 40, IV. 42, V. 73, VI. 4–6, VI. 39, VIII. 8, VIII. 60, VIII. 62, VIII. 67, VIII. 69–71, VIII. 77, VIII. 79, VIII. 83
Florenz Kat. V. 75
Fontainebleau Kat. III. 10
Franco-flämisch Kat. IV. 35
Französisch Kat. II. 6, 7, III. 4, III. 9, IV. 38, V. 15, VIII. 18, VIII. 46
Italien Kat. I. 21, II. 25, III. 1, IV. 15, V. 7, VIII. 68, VIII. 74, X. 8
Katalonien Kat. I. 7
Mailand Kat. V. 63, V. 66
Niederlande Kat. VIII. 32, VIII. 61
Oberitalien Kat. VIII. 65
Österreich Kat. VIII. 88
Padua Kat. V. 62, VIII. 64
Paris Kat. VIII. 76
Prag Kat. II. 22, V. 67, VIII. 58
Prager Hofwerkstätte Kat. V. 67
Spanien Kat. I. 7, V. 66, VIII. 55, VIII. 72
Süddeutsch Kat. VI. 36, VIII. 38, VIII. 53, 54, VIII. 82
Tirol Kat. VIII. 51, VIII. 73, VIII. 85

Anthoniszoon Cornelis
Maler, Holzschneider und Radierer; geb. um 1499 in Amsterdam, gest. bald nach 1553; bedeutender Kartograph, 1541 im Heer Karls V. vor Algier tätig, 1544 Plan von Amsterdam
Kat. IX. 17

Anzinger Siegfried
Maler und Bildhauer; geb. 1953 in Weyer/Steyr, lebt in Köln und Wien; 1971–1977 Studium an der Wiener Akademie der bildenden Künste, Italienreisen; körperhaft-sinnlicher Malstil der „Neuen Wilden" klärt sich allmählich zu komplex strukturiertem Bildgefüge
Kat. XVI. 24

Archigram
Londoner Architektenteam, gegründet Anfang der 60er Jahre von →Cook, W. Chalk, D. Crompton, D. Greene und R. Herron; im Trend der „pop(ular) culture" Propagierung von Mobilität und Kommunikation in Architekturkonzepten, collagehafte Modellutopien für hochtechnisierte, konsumorientierte Freizeitgesellschaft, Herausgabe der einflußreichen Zeitschrift „Archigram"
Kat. XIX. 13

Arcimboldo Giuseppe
Maler; geb. 1527 in Mailand, dort gest. 1593; bis 1552 Ausbildung und Tätigkeit in Mailand, seit 1562 Hofmaler Rudolfs II. in Prag sowie der Kaiser Ferdinand und Maximilian II.; bizarre allegorische Porträts, vermutlich von Karikaturen Leonardos beeinflußt
Kat. I. 3, 4, VIII. 27

Arman (eig. Armand Fernandez)
Objektkünstler; geb. 1928 in Nizza, lebt in Nizza und New York; Ausbildung in Paris, 1959 Erfindung der „Accumulationen" von Alltagsgegenständen in Holz- und Plexiglaskästen, 1960 Mitbegründer der Gruppe „Nouveaux Réalistes", in der Folge „destruktive" Schöpfungsprozesse (Serie von zerstörten Instrumenten)
Kat. XVII. 6

Baeck Elias (gen. Heldenmuth)
Maler und Kupferstecher; geb. 1679, gest. 1747 in Augsburg; nach Studienzeit in Rom und Venedig in Augsburg ansässig, malt und sticht Porträts, Landschaften und zeitgeschichtliche Ereignisse
Kat. X. 34

Bailey George
englischer Architekt; tätig um 1810; Assistent von →Soane
Kat. XI. 19

Bandinelli Baccio
Goldschmied, Bildhauer und Zeichner; geb. 1493 in Florenz, dort gest. 1559 oder 1560; Schüler von F. Rustici, seit 1512 in Diensten der Medici, lebenslange Konkurrenz mit →Michelangelo, dessen Stil er durch etwas trockenen Klassizismus zu läutern sucht, erbitterte Feindschaft mit →Cellini
Kat. II. 11, VII. 21

Barbaro Daniele
Venezianischer Mathematiker und Philosoph; geb. 1514, gest. 1570; Studium in Padua, Publikation eines Vitruvkommentars und eines Perspektivelehrbuchs, Patriarch von Aquileia
Kat. VII. 51

Barbiere Domenico Ricoveri del (gen. Dominique Florentin)
Bildhauer, Maler und Stecher; geb. um 1506 in Florenz, gest. 1565 in Paris; bildet sich am Werk →Michelangelos und bei →Rosso, dem er nach Fontainebleau folgt, 1537–1540 als Stukkateur tätig, arbeitet er sich 1540–1550 zu engerem Mitarbeiter →Primaticcios empor, in Troyes erlangt er gleichzeitig wesentliche Bedeutung als Bildhauer italianisierenden Stils
Kat. IV. 10, VI. 24, VII. 40

Barrias Ernest
Bildhauer; geb. 1841 in Paris, gest. 1905; Schüler von F. Jouffroy, 1861 Rom-Preis; Kompromiß zwischen akademischem Klassizismus und Naturalismus bringt seinen Werken regelmäßige Auszeichnungen auf den Salons zwischen 1870 und 1900 ein, Monumente französischer Persönlichkeiten und historischer Heldentaten
Kat. XIII. 39

Beardsley Aubrey
Illustrator; geb. 1872 in Brighton, gest. 1898 in Mentone; 1891 Bekanntschaft mit W. Morris, in der Folge mit →Burne-Jones, →Rossetti, W. Crane, Verbindung zur Zeitschrift „The Studio" begründet seine künstlerische Laufbahn als Illustrator, Zeichnungen für Th. Malorys „Le morte d'Arthur", O. Wildes „Salome" und A. Popes „The rape of the lock", unter Einfluß des japanischen Holzschnitts äußerste Verfeinerung der Linie, 1897 Übertritt zur katholischen Kirche
Kat. XII. 7–11

Beatrizet Nicolaus
Kupferstecher; geb. 1507 in Thionville/Lothringen, gest. 1565; geschult vielleicht bei →Veneziano, bald eigener Verleger, 1540–1562 in Rom tätig; Technik den →Ghisi nahestehend, Blätter u. a. nach Antiken und →Michelangelo
Kat. IV. 30

Bella Stefano della
Zeichner und Stecher; geb. 1610 in Florenz, dort gest. 1664; Schüler des Hofmedailleurs G. Corte, Eindruck des Werkes →Callots, längere Aufenthalte in Rom (1633–1639) und Paris (1640–1650); vorwiegend Landschafts- und Marinedarstellungen, Radierfolgen, häufig von Mediceischen Hoffesten
Kat. VIII. 12, VIII. 30

Bellange Jacques
Lothringer Maler und Radierer; geb. Ende 16. Jhdt., gest. 1624; 1602–1616 in Nancy als Hofmaler urkundlich erwähnt, zu Lebzeiten hochgeschätzt, von späterer Kunstkritik lange als einer der „ärgsten Manieristen" (Thieme-Becker) verachtet; Ausstattungszyklen im Herzogspalast, seit ca. 1613 Konzentration auf Radierzyklen vorbildlich für →Callot und →Merian
Kat. IV. 14, V. 23–28, VI. 17, 18

Bellmer Hans
Maler und Graphiker; geb. 1902 in Kattowitz/Polen, gest. 1975 in Paris; 1923–1926 Ingenieurstudium in Berlin, 1924 auf Parisreise erste Kontakte mit den Surrealisten, 1938 Emigration nach Paris, Freundschaft u. a. mit →Man Ray, P. Eluard und →Tanguy, Lagerinternierung zusammen mit →Ernst und Wols; traumatische Visionen pornographischer Verschlingungen und „Auswucherungen" entwachsen dem scheinbar unbewußten Zeichenprozeß
Kat. XIV. 42 A, B, XVI. 39, 40

Biard Pierre d. J.
Bildhauer und Kupferstecher; geb. um 1592 in Paris, dort gest. 1661; nach Studienaufenthalt in Italien bald in königlichen Diensten,Skulpturenschmuck für den Jardin du Luxembourg, Reiterstandbild von Louis XIII. auf der Place Royale
Kat. I. 24

Bill Max
Architekt, Bildhauer und Theoretiker; geb. 1908 in Winterthur, lebt in Zürich; Studium an der Kunstgewerbeschule Zürich und 1927–1929 am Bauhaus in Dessau, weiters Impulse von Konstruktivismus und J. Arp, 1932–1936 Mitglied von „Abstraction-Création", 1951–1956 Bau und Organisation der Ulmer Hochschule für Gestaltung zu „Neuem Bauhaus"
Kat. XVIII. 1

Bink Jacob
Maler, Kupferstecher und Medailleur; geb. um 1500 in Köln, gest. 1569 in Königsberg; seit Anfang der 30er Jahre als Hofmaler in Diensten des dänischen Königshauses in Kopenhagen und der preußischen Herzöge in Königsberg
Kat. V. 58

Blake William
Dichter und Maler; geb. 1757 in London, dort gest. 1827; 1765 erste Visionen, 1779 Aufnahme in Royal Academy, Freundschaft mit →Füssli, Eindruck der Werke →Dürers und →Michelangelos, Orientierung am Linearismus der gotischen Skulptur; 1809 führt seine einzige Ausstellung zu Lebzeiten zu einem Skandal; Illustrationen u. a. zum Buch Hiob (1825), in eigenen Dichtungen neuartige Verschmelzung von Text und Darstellung („Songs of Innocence and Experience" 1789 und 1794, „The Marriage of Heaven and Hell" 1790)
Kat. XI. 17, 18

Bock Hans d. Ä.
Maler; geb. um 1550 in Zabern/Elsaß, gest. um 1624 in Basel; Schüler von H. Hug Klauber in Basel, dort seit 1572 ansässig; mythologische Szenen (flämischer Einschlag), Kopist von H. Holbein
Kat. IV. 31, 32

Böcklin Arnold
Maler; geb. 1827 in Basel, gest. 1901 in Fiesole; Studium in Düsseldorf, Genf und Paris, 1850 auf Anraten J. Burckhardts erster Romaufenthalt, 1874 Niederlassung in Florenz, Kontakt zu Kreis von A. Hildebrandt und H. v. Marees; pantheistische Naturauffassung in der heroischen, lichtdurchfluteten Stimmungslandschaft, die seine mythologischen Protagonisten umfängt
Kat. XII. 15

Boer Saskia de
Plastikerin; geb. 1945 in Amsterdam, lebt in London; Studium an holländischen Kunstakademien, reproduziert Menschen aus Alltag und Medien in Form von plastischen Puppen
Kat. XVII. 7

Boillot Joseph
Kupferstecher, Maler und Ingenieur; geb. 1560 in Langres, gest. nach 1603; tätig für Henri IV., Stichillustrationen zu Buchwerken über Architektur und Kriegsgerät
Kat. VII. 56

Bol Hans
Maler und Graphiker; geb. 1535 in Mecheln, gest. 1593 in Amsterdam; im Anschluß an Deutschlandreise seit 1560 als Freimeister in Mecheln ansässig, 1572 Flucht aus der von Spaniern besetzten Stadt zunächst nach Antwerpen, später nach Amsterdam; Miniaturbilder mit Landschaftsdarstellungen und reich bewegter Staffage, u. a. in Tempera auf Pergament
Kat. VIII. 21

Borstorffer Hieronymus d. Ä.
Münchner Gewehrschäfter; gest. 1637; 1589 Meister, vorwiegend für bayerischen Hof tätig
Kat. II. 20

Bos Cornelis
Kupferstecher; geb. in Hertogenbosch, gest. 1556 in Groningen; 1540 Aufnahme in Antwerpener Lukasgilde, 1544 nach religiös bedingter Flucht aus Antwerpen möglicherweise in Haarlem Kontaktaufnahme mit seinem späteren Mitarbeiter →Coornherdt, um 1548/50 Aufenthalt in Rom, vorrangig Blätter nach →Heemskerck, →F. Floris, deutschen und italienischen Künstlern
Kat. III. 19

Boullée Étienne-Louis
Architekt und Bühnenbildner; geb. 1728 in Paris, dort gest. 1799; 1778 Ernennung zum „Controlleur Général des Bâtiments"; als Verächter des Rokoko bemüht er sich um Renaissance des antiken Formenkanons in der Architektur, neben Pariser Hôtel-Bauten schuf er nie verwirklichte Idealentwürfe für öffentliche Gebäude, Kenotaphe, Stadien, etc., begleitet von der theoretischen Schrift „essai sur l'art"
Kat. X. 22

Boyvin René
Kupferstecher; geb. um 1525 in Angers, dort (?) gest. um 1610 (?); erste Ausbildung als Stecher wahrscheinlich an der Münze von Angers, 1545 geht er nach Paris und richtet sich eigene Werkstatt ein, letztes datiertes Blatt stammt von 1580; Porträtstiche von Henri II., zahlreiche Blätter nach →Penni
Kat. I. 25, III. 21, IV. 6, IV. 50, V. 17, V. 34–37, V. 39

Bracelli Giovanni Battista
Maler und Kupferstecher; tätig um 1624–1649 in Florenz und Rom; minuziöser Figurenstil in Anlehnung an →Callot
Kat. VII. 63

Brateau Jules-Paul
Bildhauer und Medailleur; geb. 1844 in Bourges, gest. 1923 in Paris; erlangt Bedeutung für Wiederbelebung von Zinnarbeiten (kostengünstiges Material), auf Weltausstellungen erfolgreich mit Schmuck und feinreliefierten Zinngegenständen
Kat. XIII. 48

Brauner Victor
Maler; geb. 1903 in Piatra/Rumänien, gest. 1966 in Paris; 1930 Niederlassung in Paris, Kontakte zu C. Brancusi, →Tanguy und →Giacometti, 1932 Verbindung mit den Surrealisten, 1938 Beginn der „Chimären"-Serie, später hieroglyphenhafte Archaisierung zu zoomorphen Gestalten von magischer Bannkraft (Kriegsjahre in den Pyrenäen verbracht)
Kat. XV. 5, XVI. 37

Brecht George
Objekt- und Happeningkünstler; geb. 1925 in Halfway/Oregon, lebt in Köln-Sülz; Studium am Philadelphia College of Pharmacy and Science, 1958/59 Zusammenarbeit mit J. Cage an der New School for Social Research, New York, seit 1959 Objekte und multimediale „Events" (Synthese von Avantgarde-Musik und Raumerlebnissen), Mitglied der internationalen „Fluxus"-Bewegung
Kat. XVII. 8

Breton André
Schriftsteller und Kritiker; geb. 1896 in Tinchebray-sur-Orne, gest. 1966 in Paris; während Medizinstudiums besonderes Interesse für Psychiatrie, erste Publikationen unter Eindruck der Werke A. Rimbauds, 1919 zusammen mit P. Eluard und Ph. Soupault Beitritt zu Dada-Bewegung des aus Zürich kommenden T. Tzara, Mitbegründer der Dada-Zeitschrift „Littérature", 1924 Publikation des „Manifeste du Surréalisme", gefolgt von der Zeitschrift „La révolution surréaliste" (1924–1929)
Kat. XIV. 23, 24

Breton Elisa
lebt in Paris
Kat. XIV. 26–28

Briosco →Riccio

Broodthaers Marcel
Objekt- und Environmentkünstler; geb. 1924 in Brüssel, gest. 1976 in Köln; zunächst als Lyriker tätig, seit 1950 Kontakte zu →Magritte, um 1966 erste Objekte und bildnerische Arbeiten, 1968 Gründung des fiktiven „Musée d'Art Moderne, Département des Aigles" mit diversen Sektionen (Wirklichkeits- und Kunstzitate kommentiert durch Buchstaben- und Zahlensystematik)
Kat. XV. 41

Bruegel Pieter d. Ä.
Maler und Graphiker; geb. um 1525 in Breda (?), gest. 1569 in Brüssel; Schüler von P. Coeck van Aelst in Antwerpen, im Anschluß an Italienreise Zusammenarbeit mit dem Antwerpener Verleger H. Cock, 1563 Übersiedlung nach Brüssel; schon zu Lebzeiten hohe Anerkennung für seine moralisierenden Genre-Darstellungen und Landschaften mit religiöser und mythologischer Staffage
Kat. V. 18

Bugatti Carlo
Entwerfer von Möbeln und Kunsthandwerk; geb. 1855 in Mailand, gest. 1940 in Dorlisheim/Niederrhein; Entwicklung eines originellen Phantasiestiles mit orientalischen Anklängen unter Verwendung von Metall- und Elfenbeineinlagen, Pergament etc., 1902 großer Erfolg mit kurvilinear geformten Möbelstücken auf der Turiner Kunstgewerbeausstellung
Kat. XV. 3

Bunel François d. J.
Maler; geb. um 1522 in Blois, gest. um 1595/99; seit 1583 Hofmaler von Henri IV.; Porträtstil in Tradition von F. Clouet, z. T. allegorische oder mythologische Überhöhung der Dargestellten
Kat. V. 2, 3

Burckhardt Martin
Goldschmied; tätig um 1600
Kat. VIII. 48

Burne-Jones Edward
Maler und Entwerfer von Kunsthandwerk; geb. 1833 in Birmingham, gest. 1898 in London; die Freundschaft mit W. Morris seit 1853 und die Prägung durch J. Ruskin und die Präraffaeliten veranlassen ihn, die kirchliche Laufbahn zugunsten der Malerei aufzugeben; Faszination für die mittelalterliche Kathedralkunst schlägt sich in zahlreichen Kartons für Glasfenster nieder, im Auftrag der Morris-Werkstätte Dekorationsentwürfe für Möbel, Musikinstrumente, Mosaiken und Gobelins
Kat. XII. 2–6

Byars James Lee
Performancekünstler; geb. 1932 in Detroit, lebt in New York; in den 60er Jahren als Englischlehrer mehrmals in Japan; in Anlehnung an ostasiatische Traditionen gelangen meditative Stille und Konzentration in seinen Arbeiten zum Ausdruck
Kat. XVIII. 9

Callot Jacques
Zeichner, Radierer und Kupferstecher; geb. um 1592 in Nancy, dort gest. 1635; um 1608/11 gelangt er in Rom unter Einfluß von →Cort und →Ag. Carracci, 1612 Berufung an Florentiner Hof Cosimos II., wo er charakteristischen minuziösen Figurenstil in der Radierung entwickelt, seit 1617 zurück in Nancy wird er führend im Lothringer Kunstleben
Kat. IV. 19, IV. 52, IV. 54, 55, V. 16, VI. 14–16, IX. 11–15

Calvart Denys (gen. Dionisio Fiammingo)
Maler; geb. 1540 in Antwerpen, gest. 1619 in Bologna; anfangs Landschaftsmaler, bevor er in Bologna die Figurenmalerei erlernt, 1570 Romreise (Eindruck der Werke Raffaels, →Vasaris, Seb. del Piombos), seit 1572 bedeutendes Atelier in Bologna
Kat. II. 4

Cambiaso Luca
Maler; geb. 1527 in Moneglia, gest. 1585 im Escorial; Bildung an Werken →Perino del Vagas, Pordenones und Correggios, Hauptschaffen in Genua, Begründer dortiger Schule der Freskomalerei, Aufenthalte in Florenz und Rom bezeugt, 1583 zur Mitarbeit an der Escorial-Ausstattung durch Philipp II. an spanischen Hof berufen
Kat. V. 4, VII. 53

Cambon Glauco
Bildnis- und Genremaler; geb. 1875 in Triest, gest. 1930 in Biella; 1891–1894 Studium an der Münchner Akademie, 1900–1902 Rom-Stipendium (Eindruck der Werke →Böcklins, tätig in Triest und Mailand
Kat. XV. 13

Cantafora Arduino
Architekt, Schüler und Mitarbeiter von →Rossi; 1973 Beteiligung an der XV. Triennale in Mailand
Kat. XIX. 19

Carabin François Rupert
Holz- und Bronzebildhauer, Kunsthandwerker und Entwurfszeichner für die Möbelindustrie; geb. 1862 in Zabern/Elsaß, gest. 1932 in Straßburg; im Anschluß an Ausbildung als Gemmenschneider in Paris als Kunstdrechsler tätig, 1884 Gründungsmitglied der „Société des artistes indépendants" zusammen mit G. Seurat und P. Signac, erlangt Bekanntheit durch bizarre Entwürfe für Möbel und Gefäße, in die üppige Frauenkörper integriert sind
Kat. XIII. 15

Caraglio Gian Jacopo
Kupferstecher; geb. um 1500 in Parma oder Verona, gest. um 1565; 1526 als Meister in Rom erwähnt, vielleicht Schüler von →Raimondi, dessen bedeutendster Nachfolger er ist, 1539 am polnischen Hof als Medailleur und Gemmenschneider tätig, 1558 als hochgeehrter Künstler wieder in Parma ansässig; schon früh sticht er nach den jungen Künstlern →Parmigianino, →Rosso und →Perino del Vaga und trägt so wesentlich zur Verbreitung des neuen Formengutes bei
Kat. IV. 27, V. 33–39

Caron Antoine
Maler, Graphiker und Dekorationsentwerfer; geb. um 1527 in Beauvais, gest. 1599 in Paris; nach Anfängen als Kartonentwerfer für Glasfenster entscheidende Ausbildung seines italianisierenden Stils am Hof von Fontainebleau unter →Primaticcio und →Abbate, seit 1561 als selbständiger Künstler tätig; Staffeleibilder (Allegorien mit Anspielungen auf das Zeitgeschehen), Buchillustrationen, Teppichkartons, Dekorationen für Feste und Triumpheinzüge
Kat. I. 6, IV. 51, IX. 16

Carracci Agostino
Maler, Stecher und Kunsttheoretiker; geb. 1557 in Bologna, gest. 1602 in Parma; aus der Werkstattgemeinschaft der Brüder Annibale und Agostino und des Vetters Ludovico in Bologna entwickelt sich die wegbahnende „Accademia degli Incamminati', in der nach lebendigem Modell und „Natur" gezeichnet, sowie Proportionslehre unterrichtet wird; anfangs Reproduktionsstecher, assistiert Agostino nach Aufenthalten in Venedig und Parma (Studium Correggios) bei großen Freskenzyklen der Carracci in Bologneser Palästen und in der Farnesegalerie in Rom, 1600 Eintritt in Dienste Herzogs Ranuccio I. in Parma
Kat. III. 11, 12, V. 44, 45, VIII. 23, 24

Casa Niccolò della
Lothringer Kupferstecher; um 1543–1547 tätig in Rom; wahrscheinlich Schüler von →Beatrizet; Stich nach →Michelangelos Jüngstem Gericht in 10 Platten, Porträts nach →Bandinelli und →Vico
Kat. II. 11, VII. 21

Castrucci Giovanni
Edelsteinschneider; vermutlich mit Steinschneiderfamilie →Miseroni aus Mailand Ende des 16. Jh.s nach Prag an den Hof Rudolfs II. gekommen, 1610 Ernennung zum Kammer-Edelsteinschneider
Kat. VIII. 10

Cellini Benvenuto
Bildhauer, Goldschmied und Medailleur; geb. 1500 in Florenz, dort gest. 1571; Ausbildung als Goldschmied in Florenz und Rom, Aufträge für Päpste Clemens VII. und Paul III. (1524–1537), für Franz I. in Paris und Fontainebleau (1540–45) und schließlich für Cosimo I. Medici in Florenz, größte Bekanntheit durch abenteuerliche Autobiographie (deutsche Übersetzung von Goethe)
Kat. I. 12

Chirico Giorgio de
Maler; geb. 1888 in Volos/Griechenland, gest. 1978 in Rom; seit 1906 Schüler von →Klinger an der Münchner Akademie, 1911–1915 in Paris Kontakte zum Kreis um G. Apollinaire, nach Militärdienst in der italienischen Armee 1917 zusammen mit C. Carrà Entwicklung der „pittura metafisica", 1920 Rückkehr zu romantischem Neoklassizismus, seit 1924 in Paris Verbindung zu den Surrealisten, Alterswerk beherrscht von zeitlosen Mythologien in akademischem Stil
Kat. XIV. 1–4, XV. 32, XVI. 1

Cimerlini Giovanni Paolo
Kupferstecher; tätig in der 2. Hälfte des 16. Jh.s in Verona
Kat. VI. 20

Coello →**Sánchez**

Cook Peter
geb. 1936 in Southend on Sea; Mitbegründer von →„Archigram", in der Folge zusammen mit C. Hawley Erweiterung der „High-tech"-Ideologie um ökologische Aspekte
Kat. XIX. 12

Coop Himmelblau
Arbeitsgemeinschaft für konzeptionelle Architektur; gegründet 1968 in Wien durch W. D. Prix, H. Swiczinsky und R. Holzer (Mitglied bis 1971); Himmelblau steht für Architektur mit Phantasie, leicht und veränderbar wie eine Wolke; Installationen und Aktionen auf internationalen Ausstellungen, Studien für menschengerechte Wohnformen der Zukunft, realisierte Projekte u. a. Humanic-Schuhgeschäfte und Bars in Wien
Kat. XIX. 25

Coornherdt Dirck Volckertsz
Radierer und Schriftsteller; geb. 1522 in Amsterdam, gest. 1590 in Gouda; Zukunft als Kaufmann gibt er zugunsten der Radierkunst und theologischer Studien auf, wird Humanist und Freidenker; Schriften gegen die Intoleranz der Calvinisten erfordern wiederholt die Ausreise aus Holland; Zyklen nach →Heemskerck vorbildlich für →Galle und →Goltzius
Kat. VII. 23

Cornelis →**Haarlem**

Cornell Joseph
Assemblagekünstler; geb. 1903 in Nyack/New York, gest. 1972 in Flushing/New York; um 1932 Beginn der Malerei, 1939 erste Filmarbeiten und Kontakte zu exilierten Surrealisten; poetische Gefüge trivialer Gegenstände in Guckkästen
Kat. XVII. 1

Cort Cornelis
Kupferstecher und Radierer; geb. 1533 in Hoorn, gest. 1578 in Rom; 1552/53–1565 Tätigkeit bei H. Cock in Antwerpen, Empfehlung zu →Tizian nach Venedig, später in Rom ansässig; vorwiegend Stiche nach italienischen Künstlern
Kat. VII. 25, VII. 33

Coxie Michiel
Maler, Entwerfer von Tapisserien und Glasfenstern; geb. 1499 in Mecheln, dort gest. 1592; Schüler von B. van Orley in Brüssel, lange in Rom, seit 1543 in Brüssel tätig; hochgeschätzt von Philip II. von Spanien bleibt er einer der treuesten Raffael-Nachfolger unter den Flamen
Kat. VII. 8

Cranach Wilhelm Lucas von
Maler, Innenarchitekt und Goldschmied; geb. 1861 in Stargard/Pommern, gest. 1918 in Berlin (Nachkomme des Malers Lucas Cranach); Studium in Weimar und Paris, seit 1893 in Berlin als Porträt- und Landschaftsmaler tätig, Entwürfe für dekorative Ausstattungen der Wartburg, Kunsthandwerk mit naturalistischer Detailgestaltung
Kat. XIII. 52

Dalí Salvador
Maler; geb. 1904 in Figueras/Katalonien, lebt in Cadàquès; seit 1921 Studium an der Madrider Kunstakademie, 1924 Einfluß der „pittura metafisica", 1927/28 in Paris Begegnung mit den Surrealisten und →Picasso, Zusammenarbeit mit L. Buñuel für die Filme „L'Age d'or" und „Un Chien Andalou", 1937 auf Italienreise Eindruck der Werke Raffaels und des Barock, angesichts des drohenden Weltkriegs apokalyptische Symbolbilder, 1940 Übersiedlung in die USA, schriftstellerisch tätig, 1948 Rückkehr in das Franco-Spanien; Dalí siedelt das Reich des Unbewußten innerhalb Grenzen der wissenschaftlichen Perspektive an und klärt es bis zu Detailschärfe
Kat. XIV. 43–45, XV. 26, XVI. 31–36

Danhauser Josef
Maler und Möbelentwerfer; geb. 1805 in Wien, dort gest. 1845; Studium an Wiener Akademie bei P. Krafft, um 1834 Hinwendung zu dramatischer moralisierender Genre-Malerei in naturalistischem, luminosen Kolorit
Kat. X. 29

Danreiter Franz Anton
Zeichner, Gartengestalter und Architekt; gest. 1760 in Salzburg; seit 1728 Oberaufseher über alle Salzburger Hofgärten, deren Aussehen durch seine Stichpublikationen dokumentiert ist
Kat. X. 25

Davent →Meister L. D.

Delacroix Eugène
Maler und Graphiker; geb. 1798 in Charenton-St.-Maurice, gest. 1863 in Paris; entscheidende Bildung an den alten Meistern im Louvre (Veronese, →Rubens, Velazquez), unter Eindruck der englischen Landschaftsmalerei Weiterführung der Farbforschungen J. Constables, 1832 Reise nach Marokko und Algerien – malerische Erschließung des Orients, lithographische Zyklen zu J. W. Goethe und W. Shakespeare; Anführer der französischen Romantik
Kat. XI. 20

Delajoue Jacques
Architekturmaler und Ornamentzeichner; geb. 1686 in Paris, dort gest. 1761; 1721 für Aufnahme in Académie Royale vorgeschlagen; neben Landschaften mit Phantasiearchitekturen und extravaganten Interieurs schuf er Ornamentstichfolgen, die zur Verbreitung der Rokoko-Ornamentik in Europa erheblich beitrugen
Kat. X. 11

Delsenbach Johann Adam
Maler, Zeichner und Kupferstecher; geb. 1687 in Nürnberg, dort gest. 1765; 1718 Ernennung zum Hof-Kupferstecher der Fürsten Liechtenstein in Wien, Veduten ihrer Schlösser und Anwesen (z. T. Bauten →Fischer von Erlachs) in Österreich, Böhmen, Mähren und Schlesien
Kat. IV. 61

Delvaux Paul
Maler; geb. 1897 in Antheit-les-Huys, lebt in Brüssel; 1920–1924 Studium an der Brüsseler Akademie, 1932 Reise nach Frankreich und Italien (Eindruck der antiken Architektur), 1934 auf der Ausstellung „Minotaure" in Brüssel Begegnung mit Werken →de Chiricos, →Dalís und →Magrittes, Entwicklung eines veristisch-surrealistischen Stils
Kat. XV. 25

Dente da Ravenna Marco
Kupferstecher; geb. in Ravenna, gest. 1527 in Rom; tätig 1515–1527 in Rom, Schüler von Marcantonio →Raimondi, den er oft kopiert, Zusammenarbeit mit →Veneziano angenommen, fast ausschließlich Blätter nach Raffael und dessen Umkreis sowie nach Antiken
Kat. V. 50, VI. 23, VII. 12, VII. 26

Desiderio da Firenze
venezianischer Bildhauer und Bronzegießer, 1545 als Gehilfe des T. da Minio bei einem Weihwasserbecken in San Marco dokumentiert.
Kat. V. 76

Dietterlin Wendel
Architekt, Maler und Kupferstecher; geb. 1550 oder 1551 in Pullendorf/Konstanzer See, gest. 599 in Straßburg (?); tätig in Straßburg, 1590–1593 Arbeiten für Herzog Ludwig von Württemberg in Stuttgart, seit 1594 Publikation der Skizzensammlung „Architectura . . ."
Kat. VI. 11, VII. 54

Döhler Wendel von
Kat. VI. 7

Dolendo Bartolomäus Willemsz.
Reproduktionsstecher und Goldschmied; geb. um 1571, datierte Werke bis 1629, tätig in Leiden; Blätter nach Gemälden holländischer und flämischer „Romanisten", mehrere Tafeln für „Perspectiva" des →Vredeman de Vries
Kat. VI. 30

Dossi Battista
Maler; tätig in Ferrara, gest. 1548; lt. Überlieferung jünger als Bruder →Dosso Dossi, Zusammenarbeit mit diesem am Hof der Este, 1520 Reise nach Rom, wo er im Umkreis Raffaels tätig ist
Kat. I. 17

Dossi Dosso (eig. Giovanni di Luteri)
Maler; geb. um 1490 vielleicht in Mantua, gest. 1542 in Ferrara; seit 1514 in Ferrara in Diensten der Este, zeitweise Aufenthalte in Venedig, Florenz, Trient und Pesaro; Verbindung ferrareser Maltraditionen mit giorgionesken Elementen in phantastischen Mythologien ausgefallener Ikonographie
Kat. I. 36

Du Cerceau Jacques Androuet
Architekt und Graphiker; geb. 1510 in Paris (?), gest. nach 1584 in Montargis (?); 1530/33 Aufenthalt in Italien (Veduten römischer Monumente), von architektonischem Wirken nur Entwurfszeichnungen und Stiche erhalten
Kat. IV. 68

Duchamp Marcel
Maler und Objektkünstler; geb. 1887 in Blainville/Rouen, gest. 1968 in Neuilly-sur-Seine; 1913 mit ersten „ready-mades" radikale Absage an traditionelle Kunstästhetik, 1915 in New York Inspirator der Gruppe um A. Stieglitz, die parallel zu „antiartistischem Dada" arbeitet, 1942 Niederlassung in den USA, enge Verbindung zu den exilierten Surrealisten, zusammen mit →Breton Organisation der Ausstellung „Le Surréalisme en 1947" in Paris
Kat. XIV. 5–7

Dürer Albrecht
Maler, Zeichner, Druckgraphiker und Kunsttheoretiker; geb. 1471 in Nürnberg, dort gest. 1528; 1486–1489 Schüler des Malers M. Wolgemut, 1490–1494 Wanderschaft nach Kolmar, Basel und Straßburg, 1494/95 und 1505/06 Italienreisen, Einführung der italienischen Formensprache in die deutsche Malerei und Graphik, Freundschaft mit dem Nürnberger Humanisten W. Pirckheimer, 1512–1518 zahlreiche Aufträge für Kaiser Maximilian, 1520/21 Reise in die Niederlande
Kat. VII. 50

Duncan John
Maler und Illustrator; geb. 1866 in Dundee, gest. 1945 in Edinburgh; 1902–1904 USA-Aufenthalt, Darstellungen aus schottischem und keltischem Sagenkreis in der University Hall, Edinburgh
Kat. XV. 10

Duvet Jean
Goldschmied, Kupferstecher und Dekorateur; geb. um 1485 in Langres, dort gest. nach 1561; Einfluß →Dürers und – nach Italienreise – A. Mantegnas und Marcantonio →Raimondis bei Bewahrung expressiv-gotischer Züge, 1540 bis 1546 Aufenthalt in Genf (sympathisiert vermutlich mit Protestantismus)
Kat. VI. 8, 9

Eemans Marcel
Maler und Schriftsteller; geb. 1907 in Dendermonde, tätig in Brüssel; ausgehend von holländisch inspiriertem Konstruktivismus schließt sich Eemans der typisch belgischen veristischen Surrealismusvariante an bei leichtem Hang zum Naiven
Kat. XIV. 50

Elsässer Sigmund
Hofmaler Erzherzog Ferdinands II. in Innsbruck seit 1579, gest. um 1587; Aufenthalte in München und Schwaz angenommen; Abrisse von Turnieren, Zeichnungen von Reiterrüstungen
Kat. V. 12

Ernst Max
Maler, Bildhauer und Schriftsteller; geb. 1891 in Brühl/Köln, gest. 1976 in Paris; Kunstgeschichtsstudium in Bonn, 1919 Mitbegründer von „Dada"-Köln, enge Kontakte zu Pariser Dadaisten, 1922 Niederlassung in Paris, Erfindung der „frottage" als „dessin automatique" (1925), 1939/40 Internierung im Lager „Les Milles" bei Aix-en-Provence, zusammen mit →Bellmer und Wols, 1941 Flucht in die USA, 1953 Rückkehr nach Paris; Integration von Poesie und feiner Ironie in seine wandlungsreiche Bildsprache
Kat. VIII. 4, XIV. 29–33, XVI. 29

Fäsch Johann Rudolf
Architekt; geb. in Basel, gest. 1749 in Dresden; seit spätestens 1712 in Dresden ansässig, kursächsischer Obrist-Leutnant beim Ingenieurkorps, mehrere theoretische Werke zur Baukunst
Kat. IV. 63

Fantuzzi Antonio
Bologneser Maler und Stecher (lange falsch identifiziert mit Stecher Antonio da Trento); 1537–1550 in Fontainebleau als Gehilfe →Primaticcios bezeugt, 1542–1545 bedeutendes Werk von Aquaforta-Blättern (Einfluß Giulio →Romanos, →Rossos und →Primaticcios)
Kat. V. 9, V. 11, V. 42, VI. 19, VIII. 13

Fiammingo Paolo (eig. Pauwels Franck)
Maler; geb. 1540 (?) in Antwerpen, gest. 1596 in Venedig; seit 1573 in Venedig nachweisbar, wo er zunächst in der Werkstatt Tintorettos gearbeitet haben soll, als Landschaftsspezialist genießt er in Venedig bald hohes Ansehen, 1580–1592 Lieferung mehrerer Bildserien für das Fugger-Schloß Kirchheim
Kat. III. 11, III. 13

Finot Alfred
Bildhauer; geb. 1876 in Nancy, gest. ?, Schüler von →Barrias, gehört zur Schule von Nancy
Kat. XIII. 49–51

Finsterlin Hermann
Architekturzeichner, Maler und Dichter; geb. 1887 in München, gest. 1937 in Stuttgart; nach naturwissenschaftlichen Studien Hinwendung zu philosophisch-mythologisch bestimmtem „umfassenden" Weltbild, Form- und Raumerlebnis der Berchtesgadener Bergwelt, 1919 Kontakte zur „Gläsernen Kette" um B. Taut, Weiterentwicklung von Sozialutopien zu immer freieren Projektionen in expressionistischem Duktus
Kat. XIX. 2

Fiorentino →**Rosso**

Fischer von Erlach Johann Bernhard
Architekt; geb. 1656 in Graz, gest. 1723 in Wien; um 1670 auf Romreise entscheidende Anregungen im Bernini-Umkreis, 1689 Ernennung zum Architekturlehrer Josefs I. und königlichen Hofingenieur in Wien, daneben u. a. für Prinzen Eugen und Fürsten Liechtenstein tätig, Berufung durch Erzbischof Graf Thun nach Salzburg; Fischer zieht die Synthese aus der vorangegangenen italienischen und französischen Baukunst, dynamische Verspannung der Einzelglieder zu Monumentalarchitektur, im Spätwerk verstärkte Hinwendung zu palladianischem Klassizismus
Kat. IX. 9

Flötner Peter
Bildhauer, Graphiker, Maler und Architekt; geb. um 1495 im Thurgau/Schweiz, gest. 1546 in Nürnberg; 1518–1521 in Ansbach bezeugt, seit 1522 vorrangig in Nürnberg tätig (Apollobrunnen 1532), große Bedeutung als Entwerfer von Kunsthandwerk, Möbeln, Plaketten, Raumausstattungen bis in architektonische und ornamentale Details
Kat. VII. 6, 7, VII. 60

Floris Cornelis
Architekt, Bildhauer und Zeichner für den Ornamentstich; geb. 1514 in Antwerpen, dort gest. 1575 (Bruder des →Frans Floris); 1538 in Rom nachweisbar; 1539 Meister der Antwerpener Lukasgilde, Schöpfer des niederländischen Groteskenornamentes
Kat. VIII. 80

Floris Frans (de Vriendt)
Maler; geb. um 1519/20 in Antwerpen, dort gest. 1570 (Bruder von →Cornelis Floris); Lehre bei L. Lombard in Lüttich, 1540/41 Freimeister der Antwerpener Lukasgilde, 1541–1547 Italienaufenthalt (Einfluß →Michelangelos und Tintorettos); Verbindung italienischen „disegnos" mit niederländischen Realismen verhalf seinen Werken rasch zu Anerkennung
Kat. VI. 1, VI. 29

Fragner Jaroslav
tschechischer Architekt; geb. 1898, gest. 1967; Studium in Prag bei J. Gočár, funktionalistische Bauten (Elektrizitätswerk in Kolín 1930) und Rekonstruktionen historischer Architektur (Prager Bethlehem-Kapelle und Karolinum)
Kat. XIX. 7

Franceschi Domenico de
Verleger und Zeichner für den Holzschnitt; 1559–1564 nachweisbar in Venedig
Kat. IV. 53

Francini Thomas de
Brunnenarchitekt; geb. 1571 in Florenz, gest. 1651 in St.-Germain-en-Laye; 1598 Berufung nach Frankreich, Schöpfer der Fontänenanlagen in den Schloßgärten von Fontainebleau, St.-Germain-en-Laye und des Palais du Luxembourg
Kat. VIII. 14, 15

Francken Frans II.
Maler; geb. 1581 in Antwerpen, dort gest. 1642; 1605 Freisprechung zum Meister, Spezialist für minuziöse Darstellung von Gemäldegalerien und Raritätenkabinetten von dokumentarischem Wert
Kat. VI. 2

Franco Battista
Maler, Zeichner, Stecher und Radierer; geb. 1498 in Venedig (?), dort gest. 1561; in Rom Studium →Michelangelos Sixtinischer Decke, weiters in Florenz, Urbino und Venedig tätig
Kat. VI. 25

Frank Josef
Architekt und Entwerfer von Möbeln und Textilien; geb. 1885 in Baden/Wien, gest. 1967 in Stockholm; Studium an der Technischen Hochschule Wien, 1925 zusammen mit O. Wlach Gründung des Einrichtungsgeschäfts „Haus & Garten", 1930–1932 Leitung der Internationalen Werkbundsiedlung in Wien, 1934 Emigration nach Schweden, theoretische Schriften („Architektur als Symbol" 1930)
Kat. XIX. 9

Fuchs Ernst
Maler und Graphiker; geb. 1930 in Wien, lebt in Wien; 1945–1950 Studium an der Wiener Akademie, u. a. bei →Gütersloh, 1949–1961 vorwiegend in Paris, Reisen nach Israel und in die USA; zählt zu den bekanntesten Vertretern der Wiener Schule des phantastischen Realismus, in Visionen mit mythologischen und christlich-apokalyptischen Anklängen verbindet Fuchs altmeisterliche Malfinesse mit jugendstilhafter Ornamentik
Kat. XVI. 7–9, XVI. 44–47

Füssli Johann Heinrich
Maler und Dichter; geb. 1741 in Zürich, gest. 1825 in Putney Hill/London; Theologiestudium, Freundschaft u. a. mit J. K. Lavater und J. H. Pestalozzi, 1764 Übersiedlung nach London, 1770–1778 in Italien Kontakte mit J. J. Winckelmann und A. R. Mengs, Freundschaft mit →Blake, 1799 Professor, später „keeper" an der Royal Academy; Bildzyklen u. a. zu Homer, J. Milton, Dante und W. Shakespeare
Kat. XI. 3–13

Gallé Emile
Entwerfer für Glas, Möbel und Keramik; geb. 1846 in Nancy, dort gest. 1904; Reisen nach England und Italien, seit den 80er Jahren Entwicklung geschmeidiger, transluzider Glastechnik, z. T. mit orientalisierendem Dekor; rasch zu internationalem Ruhm gelangt, richtet Gallé eine große Werkstatt in Nancy ein und entwirft auch intarsierte Möbelstücke
Kat. XIII. 69, XIII. 74

Galle Philipp
Kupferstecher; geb. 1537 in Haarlem, gest. 1612 in Antwerpen; Ausbildung bei H. Cock in Antwerpen, Reisen nach Belgien, Deutschland, Frankreich und Italien, 1570 Meister einer angesehenen Werkstatt; bevorzugte Stichvorlagen sind Werke von →F. Floris, →Bruegel und →Heemskerck
Kat. VI. 29

Gandtner Christoph
Hafnermeister in Meran; aus Innsbrucker Künstlerfamilie, die 1567–1586 urkundlich für Erzherzog Ferdinand von Tirol tätig ist; Scherzgefäße, meist mit Zinnglasur in lebhaften Farben
Kat. VIII. 40

Gaudí y Cornet Antonio
Architekt; geb. 1852 in Reus/Katalonien, gest. 1926 in Barcelona; ausgehend von gotischer und maurischer Architektur sowie von Jugendstilformen entwickelt er einen untektonisch anmutenden, organischen Baustil; Hauptwerk: Kirche der Sagrada Familia, Barcelona 1903–1926
Kat. XV. 4

Geeraerts Marcus d. Ä.
Maler und Stecher; geb. um 1516/1521 in Brügge, gest. vor 1604; 1558 Meister der Malergilde in Brüssel, 1568 Auswanderung nach England, 1577 vermutlich Rückkehr in die Niederlande; Stichfolgen mit Akzent auf der Tierdarstellung
Kat. VII. 34

Gehry Frank
Architekt; geb. 1929 in Toronto, lebt in Santa Monica/California; anstelle technischer Perfektion setzt er neue Architektursprache des Unvollendeten, Provisorischen bei Verwendung billiger Materialien (Einbeziehung des Benutzers in Gestaltung); Umbau des Temporary Contemporary Museum in Los Angeles
Kat. XIX. 21

Gheyn Jacques de II.
Maler, Graphiker, Architekt und Gartenarchitekt; geb. 1565 in Antwerpen, gest. 1629 im Haag; 1585 Schüler von →Goltzius in Haarlem, nach Aufenthalten in Antwerpen und in Leiden, seit 1594 mit Aufnahme in die Malergilde im Haag ansässig
Kat. IV. 26, VI. 13

Ghisi Giorgio
Kupferstecher und Tausiator; geb. 1520 in Mantua, dort gest. 1582; Eindruck der Mantovaner Werke Giulio →Romanos, vor 1549 Romreise, 1549 oder 1550 in Antwerpen für Verleger H. Cock tätig, 1562 in Paris nachgewiesen, in den 70er Jahren Eintritt in Dienste der Gonzaga, primäre Bedeutung für Umsetzung der Fresken Giulio →Romanos, Raffaels, → Michelangelos und →Primaticcios in den Kupferstich
Kat. II. 13, II. 16, IV. 11, V. 47–49, V. 51, VI. 26, VII. 19, VII. 28

Giacometti Alberto
Bildhauer, Maler und Zeichner; geb. 1901 in Stampa/Schweiz, gest. 1966 in Chur; 1922 Niederlassung in Paris, Studium u. a. bei A. Bourdelle, 1930 Anschluß an die Surrealisten, Freundschaft mit S. de Beauvoir, J. P. Sartre, S. Beckett
Kat. VIII. 33

Giambologna (Giovanni da Bologna)
Bronzebildhauer; geb. 1529 in Douai, gest. 1608 in Florenz; Schüler von J. Dubroeucq in Mons, um 1550 Romreise, auf Rückweg in Florenz Einführung bei Francesco de' Medici, 1561 Ernennung zum Hofbildhauer; Giambolognas berühmte Werkstatt in Florenz zieht zahlreiche ausländische Künstler (u. a. →A. de Vries) an, die seinen Stil in Europa verbreiten, Kleinbronzen als diplomatische Geschenke von Medici an verbündete Herrscherhäuser gesandt
Kat. I. 34, III. 2, 3, V. 69–72, VII. 2

Gillot Claude
Maler und Zeichner; geb. 1673 in Langres, gest. 1722 in Paris; 1715 als „peintre de sujets modernes" Aufnahme in die Académie Royale; Arabeskenstiche vorbildlich für die Régence-Dekoration, Bühnen- und Kostümentwürfe
Kat. X. 10

Giulio →**Romano**

Goesch Paul
Architekt und Zeichner; geb. 1885 in Schwerin, 1940 von Nazis ermordet; Architekturstudium in Berlin, Tätigkeit als Regierungsbaumeister in Kulm, zunehmende Abschließung von seiner Umwelt und Beschäftigung mit utopischen Architekturvisionen in Skizzenbüchern und Gouachen, Mitglied der „Gläsernen Kette" um B. Taut, seit 1921 Patient in psychiatrischen Anstalten
Kat. XIX. 4

Goltzius Hendrik
Zeichner, Kupferstecher und Maler; geb. 1558 in Mühlbracht/Venlo, gest. 1617 in Haarlem; Stecherausbildung bei →Coornherdt, seit 1582 eigene Druckwerkstatt in Haarlem, durch K. van Mander Kenntnis der Werke →Sprangers, 1590/91 Italienreise, bis 1600 umfangreiche Stichproduktion, danach Hinwendung zu Historienmalerei
Kat. II. 14, 15, II. 17, III. 15, IV. 8, 9, IV. 12, 13, IV. 18, IV. 22–25, IV. 58, 59, VI. 33, VII. 38, IX. 20

Goodman Louis
geb. 1905 in Baku/UdSSR, gest. 1973 in den USA; Collagen und Objektassemblagen aus Alltagsgegenständen
Kat. XVII. 9, 10

Goujon Jean
Bildhauer, Architekt und Dekorateur; geb. um 1510, gest. um 1565 vielleicht in Bologna, vermutlich aus der Normandie stammend; seit 1544 in Paris Zusammenarbeit mit dem Architekten P. Lescot, 1547 Illustrationen für erste französische Vitruv-Ausgabe, in den 50er Jahren erreicht er mit den Louvre-Dekorationen den Höhepunkt seiner Karriere als Bildhauer, als Hugenotte flüchtet er 1562 aus Paris und stirbt in Italien; wichtige Rolle als Promotor der Klassik in Frankreich
Kat. III. 5, 6,

Goya y Lucientes Francisco José
Maler und Graphiker; geb. 1746 in Fuendetodos/Zaragoza, gest. 1828 in Bordeaux; 1766 Schüler von F. Bayeu, seit 1776 in Madrid Aufträge für Kartons der Königlichen Tapisseriemanufaktur, 1786 Hofmaler, 1799 „Primer Pintor de Cámara"; psychologische Porträts und zeitkritische Radierfolgen
Kat. XI. 26

Graf Urs
Zeichner und Druckgraphiker; geb. um 1484 in Solothurn, gest. um 1527 in Basel; Ausbildung in Solothurn, Straßburg und Basel, wo er seit 1509 ansässig ist, führt (lt. Gerichtsakten) zuweilen zügelloses Wanderleben, zeitweise als Söldner, 1518–1523 Münzschneider in Basel; Einflüsse M. Schongauers, →Dürers und H. Baldungs, scharfzüngige Dokumentation der Gesellschaft der Gegen-Reformation
Kat. IV. 16, V. 29, 30, VIII. 26

Gras Caspar
Bronzebildhauer; geb. um 1585/90 in Mergentheim (?), gest. 1674 in Schwaz; seit 1602 Schüler von H. Gerhard in Innsbruck, tritt er 1613 dessen Nachfolge als „Hofbossierer" Maximilians III. an, 1619 Ernennung zum „Kammerbossierer" durch Erzherzog Leopold V.; bedeutender Repräsentant des →Giambologna-Stils nördlich der Alpen
Kat. VIII. 59

Gruber Jacques
Maler; geb. 1870 in Sundhausen/Elsaß, gest. 1936 in Paris; Schüler von →Moreau, Mitbegründer der „École de Nancy", reformatorische Lehrtätigkeit für angewandte Kunst, Entwürfe für Möbel, Keramik und Glasfenster
Kat. XIII. 68

Gruel Léon
Pariser Buchbinder der 2. Hälfte des 19. Jh.s; Maroquin-Einbände in Lederschnitt und Vergoldung in Anlehnung an französische Renaissance
Kat. XIII. 45

Guerra Giovanni
Maler, Radierer und Architekt; geb. um 1540 in Modena, gest. 1618 in Rom; vielbeschäftigt in Rom für Papst Sixtus V. (dekorative Ausstattungen), weiters Kirchenbauten in Modena
Kat. VIII. 11

Gütersloh Albert Paris (eig. Albert Conrad Kiehtreiber)
Maler und Schriftsteller; geb. 1887 in Wien, gest. 1973 in Baden/Wien; 1909 Ausstellungsdebut in der „Neukunst"-Gruppe neben E. Schiele, 1945 Berufung an die Akademie der bildenden Künste; sachliche Porträts neben üppigen Stilleben von kristallklarer Schärfe, Wiederbelebung der Gobelinkunst
Kat. XVI. 42, 43

Guimard Hector
Architekt, Bildhauer und Entwerfer von Kunsthandwerk; geb. 1867 in Lyon, gest. 1942 in New York; 1884–1898 Konzeption des Mietshauskomplexes Castel Béranger in Paris, um 1900 anläßlich der Pariser Weltausstellung Gestaltung der Métro-Eingänge in vegetabilem Art Nouveau
Kat. XIII. 38, XIII. 65–67

Gundelach Matthäus
Maler; geb. um 1566 in Kassel (?), gest. um 1653/54 in Augsburg; 1609 Nachfolger von →Heintz als Hofmaler Rudolfs II. in Prag, 1615 Übersiedlung nach Augsburg; stilistisch von rudolfinischen Hofkünstlern geprägt
Kat. V. 5

Gysbrecht Cornelis Norbertus
Maler; nachweisbar 1659–1675; 1659/60 Mitglied der Antwerpener Malergilde, 1670–1672 als Hofmaler in Kopenhagen erwähnt; Spezialist für „trompe l'œuil"-Stilleben
Kat. VIII. 6

Haarlem Cornelis (Cornelisz.) van
Maler und Kupferstecher; geb. 1562 in Haarlem, gest. 1638; 1584 zusammen mit →Goltzius und K. van Mander, Gründung der „Haarlemer Akademie", 1588–1620 als Nachfolger →Heemskercks bedeutende Stellung unter Haarlemer Künstlern, zahlreiche Aufträge der Stadt
Kat. IV. 13, IV. 21–25, IV. 33, VII. 30

Hablik Wenzel
Maler, Architekt und Entwerfer von Kunsthandwerk; geb. 1881 in Brüx/Böhmen, gest. 1934 in Itzehoe/Schleswig-Holstein; Studium in Wien und Prag, seit 1907 in Itzehoe ansässig, dekorative, pantheistische Landschaften unter Eindruck der „Brücke"-Künstler und →Munchs, nach dem Ersten Weltkrieg kristalline Monumentutopien, Mitglied der „Gläsernen Kette" um B. Taut
Kat. XIX. 5

Haese Gunter
Bildhauer; geb. 1924 in Kiel, lebt in Düsseldorf; 1950–1957 Studium an der Düsseldorfer Kunstakademie bei B. Goller und E. Mataré; utopisch anmutende, feingliedrige Metallkonstruktionen voll Poesie und Ironie
Kat. XV. 42

Hainz Georg
Maler; seit 1666 in Altona nachweisbar; 1668 Bürgerrecht in Hamburg, 1672 Reise nach Leipzig; Spezialist für Stilleben
Kat. VIII. 2

Hallé Noël
Maler, Zeichner und Stecher; geb. 1711 in Paris, dort gest. 1781; 1737–1744 Romaufenthalt, 1748 Mitglied, 1781 Rektor der Académie Royale, 1771 Inspektor über die königliche Gobelin-Manufaktur, für die er auch Entwürfe liefert
Kat. X. 9

Hausner Rudolf
Maler; geb. 1914 in Wien, lebt in Hinterbrühl/Wien; 1931–1936 Studium an der Wiener Akademie, Reisen in den Nahen Osten, durch E. Jené Informationen über den klassischen Pariser Surrealismus; Mitglied der Wiener Schule der phantastischen Realisten, Projektion von Lebensträumen in Welt des mythischen Helden Adam
Kat. XVI. 3–6

Haus-Rucker-Co.
G. Zamp Kelp und M. Ortner, seit 1967 Zusammenarbeit als Gruppe, leben in Düsseldorf; 1967–1971 Tätigkeit in New York, in Anschluß an →Holleins und →Pichlers Utopien Konstruktion von „Umweltmaschinen", Entwürfe zur ironisch-kritischen Verfremdung traditioneller Architekturensembles
Kat. XIX. 24

Heemskerck Maerten van
Maler und Graphiker; geb. 1498 in Heemskerck/Alkmaar, gest. 1574 in Haarlem; 1527 Eintritt in Werkstatt J. van Scorels, 1532–1537 Italienaufenthalt (Zeichnungen nach Antiken, Studium →Michelangelos, Raffaels und Giulio →Romanos), 1540 Dekan der Haarlemer Gilde, bewegtes Pathos seiner Werke weist Heemskerck als wichtigen Vermittler italienischer Kunst für die nördlichen Niederlande aus
Kat. I. 30, IV. 45, IX. 18

Heine Thomas Theodor
Zeichner, Illustrator, Maler und Schriftsteller; geb. 1867 in Leipzig, gest. 1948 in Stockholm; Studium an der Düsseldorfer Akademie, 1896 Mitbegründung des „Simplicissimus" in München, für den er bis zur Emigration nach Prag 1933 tätig ist, weiters Karikaturen für die „Fliegenden Blätter" und die Münchner „Jugend"
Kat. XIII. 44

Heintz Joseph
Maler; geb. 1564 in Basel, gest. 1609; Lehre bei →Bock d. Ä., seit 1584 in Italien (wohin er im Auftrag des Kaisers 1592/96 zurückkehren wird), 1591 Berufung zum Kammermaler Rudolfs II. in Prag, seit 1598 in Augsburg und Prag tätig; komplizierte Figurenverschränkung in der Bildebene und künstliche Farbigkeit in anspielungsreichen Mythologien und Allegorien
Kat. III. 14, III. 23

Helmschmid Desiderius (di Kolman)
Mitglied Augsburger Plattnerfamilie; geb. 1513, gest. um 1578; Arbeiten für Karl V. und Philipp II.
Kat. IV. 39

Hendricks Geoffrey
Objekt- und Happeningkünstler; geb. 1931 in Littleton/New Hampshire, lebt in New York; Studium an der Columbia University, Teilnahme an Happenings in New York, 1963 am Yam Festival auf der Farm von G. Segal in New Brunswick (u. a. mit →Vostell), Kontakte zu europäischem „Fluxus"
Kat. XVII. 11

Hetzendorf von Hohenberg Johann Ferdinand
Architekt; geb. 1732 in Wien, dort gest. 1816; im Anschluß an Studienzeit, Deutschland- und Italienreisen, 1769 Berufung an Wiener Akademie, 1776 Ernennung zum Hofarchitekten; Architekturphantasien (Grotten- und Ruinenanlagen), zunehmende Strenge und Schlichtheit der Formen begründen seinen Ruf als Hauptvertreter des Wiener Klassizismus
Kat. X. 26, X. 28, X. 31

Heyden Pieter van der
Antwerpener Kupferstecher; geb. um 1530; 1551–1572 für H. Cock und andere Antwerpener Verleger tätig; sticht nach phantastischen Erfindungen →Bruegels und H. Boschs, weiters nach Historien von →F. Floris
Kat. V. 18

Higgins Dick
Happeningkünstler; geb. 1938 in Cambridge/England, lebt seit 1939 in New York; seit 1958 Teilnahme an Veranstaltungen der „Fluxus"-Bewegung, Zusammenarbeit mit J. Cage, Publikationen über Happenings
Kat. XVII. 12

Himmelblau →**Coop** Himmelbalu

Hockney David
Maler und Graphiker; geb. 1937 in Bradford/Yorkshire, lebt in London und Los Angeles, 1959–1962 Studium am Royal College of Art, London, Bühnenbildentwürfe für A. Jarry und I. Strawinsky, seit 1975 wechselnde Aufenthalte in Paris, London, Australien, Indien und New York
Kat. XVIII. 8

Hoefnagel Georg
Maler und Illuminator; geb. 1542 in Antwerpen, gest. 1600 in Wien; angeblich Schüler von →Bol, 1561 Reise nach Frankreich und Spanien, seit 1570 in Antwerpen ansässig, nach 1576 Eintritt in Dienste Herzogs Albrecht V. von Bayern und Italienreise, nach 1591 Berufung durch Rudolf II. nach Prag; Randleisten mit naturwissenschaftlichen Miniaturen und kalligraphischem Ornament
Kat. VIII. 19, 20

Hoetger Bernhard
Bildhauer, Architekt und Kunsthandwerker; geb. 1874 in Hörde, gest. 1949 in Interlaken; 1897–1900 Studium an der Düsseldorfer Akademie, 1900–1907 in Paris Eindruck der Werke A. Rodins, 1911–1919 Mitglied der Künstlerkolonie in Darmstadt (Gestaltung des Platanenhaines auf der Mathildenhöhe)
Kat. XIII. 41

Hogarth William
Maler und Graphiker; geb. 1697 in London, dort gest. 1764; Spezialisierung auf Bilderserien, die, umgesetzt in Stiche, weite Verbreitung finden („Rake's Progress'', „Marriage à la mode''): in lebendiger, kontinentaler Rokokomanier nimmt er Sitten und Moral der „upper classes'' aufs Korn und begründet somit die englische Karikatur
Kat. X. 19, 20

Hollein Hans
Architekt und Designer; geb. 1934 in Wien, lebt in Wien; Studium an der Wiener Akademie bei C. Holzmeister, in Chicago und Berkeley, Gestaltung extravaganter Geschäftslokale in Wien, Museumsbauten u. a. in Mönchengladbach (1972–1982), 1983 Projekt für das Kulturforum Berlin
Kat. XIX. 26

Hoosemans Frans
Goldschmied; tätig um 1900 in Brüssel
Kat. XIII. 42

Hornick Erasmus
Goldschmied und Graphiker; geb. um 1520 in Antwerpen, gest. 1583 in Prag; Ausbildung in Antwerpen, seit ca. 1550 in Augsburg tätig, 1559–1566 Nürnberger Bürgerrecht, seit 1582 Kammergoldschmied Rudolfs II. in Prag
Kat. VIII. 31

Huene Stephan von
Objekt- und Environmentkünstler, Klangforscher; geb. 1932 in Los Angeles (deutscher Abstammung), lebt in Hamburg, 1950–1965 Studium u. a. an der University of California, im Anschluß an Assemblage-Objekte Ende der 60er Jahre Hinwendung zu audio-kinetischer Kunst (Kontakt mit Kaprow), „Klangskulpturen''
Kat. XV. 36

Hundertwasser Friedensreich (eig. Friedrich Stowasser)
Maler und Graphiker; geb. 1928 in Wien, lebt in Wien, Venedig und Neuseeland; 1948 kurzes Studium an der Wiener Akademie, Aufenthalte in der Toskana, in Paris und Nordafrika; dekorative, ornamentale Bildkompositionen in Anlehnung an den Wiener Jugendstil, 1984 Entwürfe für Wiens erstes „Öko-Haus''
Kat. XVII. 2

Hutter Wolfgang
Maler und Graphiker; geb. 1928 in Wien (Sohn von →Gütersloh), lebt in Wien; Studien an der Wiener Kunstgewerbeschule und der Wiener Akademie, Bühnenbild- und Gobelinentwürfe, Wandmalereien; dekorative, exotische Paradieslandschaften surrealistischer Prägung
Kat. XVI. 13, XVI. 48, 49

Huys Frans
Antwerpener Zeichner und Kupferstecher; geb. 1522, gest. 1562; 1546 Mitglied Antwerpener Lukasgilde, vorwiegend als Reproduktionsstecher nach →F. Floris und →Bruegel tätig, meist für Verlag H. Cocks
Kat. VII. 55

Indiana Robert
Maler und Graphiker; geb. 1928 in New Castle/Indiana, lebt in New York; Studium u. a. am Art Institute Chicago, in Edinburgh und London, Anfang der 60er Jahre Entwicklung plakativen Stils im Sinne der Pop Art unter Verwendung monumentalisierter Buchstaben oder Ziffern
Kat. XVIII. 2

Jakober Ben
Installationskünstler und Plastiker; geb. 1930 in Wien, lebt in Panama und Mallorca (britischer Staatsbürger); 1968–1980 „Land Art''-Projekt in den Bergen von Mallorca (Spurensicherung in Käfigen etc.), 1980 Hinwendung zur Skulptur; betreibt Archäologie der modernen Zivilisation
Kat. XVI. 21

Jamnitzer Christoph
Nürnberger Goldschmied, Zeichner und Stecher (Enkel von →Wenzel); geb. 1563, gest. 1618; 1592 Meister, tätig für Rudolf II., 1610 Publikation von Ornament- und Groteskenwerk (italienische Einflüsse lassen auf Italienreise rückschließen)
Kat. V. 13, VII. 48

Jamnitzer Wenzel
Goldschmied und Kupferstecher; geb. 1508 in Wien, gest. 1585 in Nürnberg; 1534 Bürgerrecht von Nürnberg, wo er seit 1543 als städtischer Stempelschneider tätig ist, 1548 Publikation von Perspektivelehrbuch, berühmte Goldschmiedewerkstatt, phantasievolle Synthese klassisch-idealer Züge mit z. T. krassen Naturalismen
Kat. I. 35, IV. 2, VII. 47

Janscha Lorenz
Maler und Graphiker; geb. 1749 in Krain, gest. 1812 in Wien; Studium an Wiener Akademie, z. T. reich staffierte Aquarell-Veduten klassizistischer Prägung, Ansichten von Wien und Umgebung, der Alpen- und Donauregion
Kat. X. 27

Janssen Gerhard
Glasmaler und Radierer; geb. 1636 in Utrecht, gest. 1725 in Wien; seit 1662 Hofmaler in Wien, frühe Versuche in Aquatinta-Technik
Kat. VIII. 9

Janssen Horst
Zeichner und Druckgraphiker; geb. 1929 in Hamburg, lebt in Hamburg; 1946–1951 Studium an der Landeskunstschule Hamburg, Reisen nach Südamerika, Italien und Skandinavien; skurril-satirische Erzählfolgen und Horrorvisionen in lockerer Strichführung ausgesponnen
Kat. XI. 21–27

Jordaens Hans III.
Maler; geb. 1595 (?) in Antwerpen, dort gest. 1643 (?); 1620 Aufnahme in Antwerpener Malergilde, ähnlich →Francken II. spezialisiert auf kleinfigurige alttestamentarische Szenen und Darstellungen Antwerpener Kunstkabinette
Kat. VIII. 1

Jorn Asger
Maler; geb. 1914 in Vejrum/Dänemark, gest. 1973 in Aarhus; Studium bei F. Léger und Le Corbusier, 1938 Rückkehr nach Dänemark, 1947 Beitritt zur belgisch-französischen Gruppe „Surréalisme/Révolutionnaire'', 1948 Mitbegründer der Gruppe „COBRA'', wohnhaft in der Schweiz, in Paris und Italien
Kat. XVII. 3

Juste Juste de
Druckgraphiker; geb. 1505 in Tours, dort gest. 1559; Mitglied bedeutender französischer Bildhauerfamilie Florentiner Herkunft, Gehilfe →Rossos in Fontainebleau
Kat. VII. 4, 5

Kalinowsky Horst Egon
Objektkünstler und Graphiker; geb. 1924 in Düsseldorf, lebt in Paris; 1945–1948 Studium an der Düsseldorfer Kunstakademie, seit 1950 in Paris ansässig, 1958 erste Bildschreine („tableaux châsses), seit 1960 Objekte aus Holz und Leder („caissons''), Entwürfe für Ballettkostüme
Kat. XV. 38, 39

Kalmakoff Nikolaï
russischer Maler; geb. 1873 in Nervi/Riviera, gest. ?; tätig in Petersburg, Brüssel, Südfrankreich und Paris, schaurige, üppig-sinnliche Bildvisionen unter Eindruck G. Flauberts „Salammbô'' und O. Wildes „Salomé''
Kat. XV. 8

Keiser Wolfgang
Kat. IV. 41

Khnopff Fernand
Maler; geb. 1858 in Grembergen/Westflandern, gest. 1921 in Brüssel; 1877 in Paris Eindruck der Werke →Delacroixs und →Moreaus, 1878 auf der Weltausstellung Faszination der Präraffaeliten, 1883 Beitritt zur Brüsseler Künstlervereinigung „Les Vingt'', enge Verbindung zu literarischem Symbolismus von E. Verhaeren und M. Maeterlinck, Beteiligung an Sezessionistenausstellungen in München und Wien
Kat. XIII. 20–24

Kienholz Edward
Environmentkünstler; geb. 1927 in Fairfield/Washington, lebt in Los Angeles; 1954 erste Montagebilder aus Abfallholz, seit 1957 dreidimensionale Assemblagen („Tableaux''), Konfrontation mit Entfremdung und Brutalität der modernen Massengesellschaft
Kat. XVII. 13

Kieser Eberhard
Frankfurter Kupferstecher und Verleger; geb. um 1585, gest. um 1631; 1609 Bürger von Frankfurt, 1612 Kupferstiche für 2. Ausgabe des Krönungs-Diariums Kaiser Maximilians II.
Kat. VIII. 86

Kilian Lukas
Kupferstecher und Radierer; geb. 1579 in Augsburg, dort gest. 1637; 1601–1604 Studienzeit in Italien, in Augsburg tätig für Verlage des D. Custos und seines Bruders →Wolfgang, als Protestant auch politisch engagiert
Kat. VII. 14

Kilian Wolfgang
Kupferstecher und Verleger; geb. 1581 in Augsburg, dort gest. 1662; 1604–1608 Italienreise
Kat. VII. 14

Klapheck Konrad
Maler; geb. 1935 in Düsseldorf; 1954–1958 Studium an der Düsseldorfer Akademie, 1955 erstes Bild mit monumentaler Schreibmaschine, akzentuierte Gegenständlichkeit seiner personifizierten Maschinenporträts bildet klare Absage an abstrakte Tendenzen der 50er Jahre
Kat. XV. 21

Klauke Jürgen
Graphiker und Performancekünstler; geb. 1943 in Kliding/Cochem; Studium an der Kölner Hochschule für Kunst und Design, seit 1970 zeichnerische bzw. photographische Tagebuchaufzeichnungen von Vorgängen und Dingen der Umgebung
Kat. XVII. 5

Klimt Gustav
Maler; geb. 1862 in Baumgarten/Wien, gest. 1918 in Wien; 1876–1883 Schüler der Wiener Kunstgewerbeschule, Einfluß H. Makarts, 1897 Gründungsmitglied und erster Präsident der Wiener Secession, aus der er 1905 austritt, 1903 öffentliche Ablehnung seiner allegorischen Gemälde für die Wiener Universität, Zusammenarbeit mit J. Hoffmann im Palais Stoclet in Brüssel
Kat. XIII. 25–29, XIII. 56–58

Klinger Max
Bildhauer, Maler und Graphiker; geb. 1857 in Leipzig, gest. 1920 in Großjena/Naumburg; Studium in Karlsruhe und Berlin, prägende Aufenthalte 1883–1886 in Paris, 1888–1893 in Rom, 1893 Rückkehr nach Leipzig, Verbindung von naturalistischem Stil mit idealistisch-symbolischen Ausdrucksqualitäten, 1902 Vollendung des Beethoven-Denkmals
Kat. XII. 12–14, XIII. 1–6

Koepcke Arthur
Happeningkünstler; geb. 1928 in Hamburg, gest. 1977 in Kopenhagen; 1958 bis 1963 Führung einer Avantgarde-Galerie in Kopenhagen, Teilnahme an internationalen „Fluxus"-Veranstaltungen
Kat. XVII. 14

Kranz Kurt
Graphiker und Assemblagekünstler; geb. 1910 in Emmerich/Rhein, lebt bei Hamburg und in Südfrankreich; 1930 Eintritt ins Bauhaus (unter J. Albers), 1932 in Berlin Studium bei Mies van der Rohe und H. Bayer, mit dem er später zusammenarbeitet
Kat. XVI. 51–54

Krier Rob
Architekt und Stadtraumgestalter; geb. 1938 in Grevennacker/Luxemburg, lebt in Wien; 1966/67 prägende Zusammenarbeit mit →Ungers in Köln, behutsame Rückführung des funktionalistisch zerstörten Stadtbildes auf historischen Stadtkörper (Rekonstruktion der Strukturen des 19. Jh.s)
Kat. XIX. 16

Kriwet Ferdinand
Mixed-Media-Künstler; geb. 1942 in Düsseldorf; spielerisches Experimentieren mit Buchstaben, Worten und Silbenfolgen (Theaterstücke, transparente Drehscheiben, Hörtexte, Textfilme)
Kat. XVIII. 3

Kubin Alfred
Zeichner und Schriftsteller; geb. 1877 in Leitmeritz/Böhmen, gest. 1959 in Zwickledt/Inn; seit 1898 an der Münchner Akademie Auseinandersetzung mit Werken →Klingers, J. Ensors und →Munchs, 1905 Paris- und Italienreisen, 1909 Publikation seines phantastischen Romans „Die andere Seite" mit eigenen Illustrationen
Kat. XIII. 34, 35

Kudo Tetsumi
Objekt- und Happeningkünstler; geb. 1935 in Osaka, lebt seit 1962 in Paris; 1954–1958 Studium an der Tokio University of Fine Arts
Kat. XVII. 15

Kusama Yayoi
Objekt- und Happeningkünstler; geb. 1929 in Nagano/Japan, lebt seit 1957 in New York; Studium in Kyoto; Serie der Netzbilder, Gestaltung von räumlichen Zusammenhängen in Form von Environments
Kat. XVII. 16

Lalique René
Juwelier, Glas- und Emailkünstler; geb. 1860 in Hay/Marne, gest. 1945 in Paris; 1885 Eröffnung einer Werkstatt für Kunstglas in Paris, Schmuckfertigung für S. Bings „L'Art Nouveau"-Boutique, nach 1902 Entwürfe vorwiegend für Kristallglas mit ornamentalen Gravuren bzw. pflanzlichen und tierischen Reliefapplikationen
Kat. XIII. 71–73

Lallement Georges
Maler und Entwerfer von Teppichkartons; geb. um 1570/75 in Nancy, gest. wohl 1636 in Paris; Einfluß von →Bellange und A. Bloemaert, seit 1601 in Paris Einrichtung einer bald renommierten Werkstatt (Lehrer u. a. von N. Poussin)
Kat. VII. 9

Larche Raoul François
Bildhauer; geb. 1860 in St. André-de-Cubzac, gest. 1912 in Paris; Schüler von F. Jouffroy und A. Falguière, vorwiegend offizielle Aufträge für Büsten und Statuengruppen zur Ausstattung von Repräsentationsbauten, Modelle für die Porzellanmanufaktur von Sèvres
Kat. XIII. 40

Lehmden Anton
Maler und Graphiker; geb. 1929 in Neutra/ČSSR, lebt in Wien und im Burgenland; 1945–1950 Studium an der Wiener Akademie, Reisen durch Italien, Anatolien und Ägypten; in graphisch-minuziöser Technik, basierend auf →Bruegel und den Meistern der Donauschule, entwirft Lehmden weite Prospekte von Endzeitlandschaften
Kat. XVI. 10–12

Lencker Johannes
Mitglied Nürnberger Goldschmiedefamilie; gest. 1585; 1550 Meister, 1567 und 1571 Publikationen von Perspektivewerken, seit 1574 für bayrischen und hessischen Hof tätig
Kat. VII. 41, 42

Leoni Leone
Bildhauer und Medailleur; geb. 1509 in Arezzo, gest. 1590 in Mailand; 1537 kommt er als päpstlicher Münzschneider nach Rom, wiederholt Aufenthalte in Brüssel und Augsburg am kaiserlichen Hof, für den er Marmor- und Bronzebüsten der Habsburger fertigt, weiters Aufträge für Grabmäler in Mailand
Kat. I. 15, 16

Lequeu Jean-Jacques
Architekt und Zeichner; geb. 1757 in Rouen, gest. um 1825; Schüler von J.-G. Soufflot, 1783 Italienreise, seit den 80er Jahren zukunftweisende Architektur- und Ornament-Entwürfe
Kat. X. 23, 24

Ligozzi Jacopo
Maler und Zeichner; geb. um 1547 in Verona, gest. 1626 in Florenz; seit 1575 in Florenz als Hofmaler tätig; naturwissenschaftliche miniaturhafte Aquarelle und Zeichnungen, allegorische Darstellungen, z. T. nach altdeutschen Vorbildern
Kat. IV. 29

Linhart Eugen
tschechischer Architekt; geb. 1898, gest. 1949; 1926–1928 Haus Linhart in Prag: erstes tschechisches funktionalistisches Einfamilienhaus, inspiriert vom Purismus Le Corbusiers
Kat. XIX. 8

Loetz Witwe
westböhmische Glasfabrik in Klostermühle; gegründet 1836, um 1900 internationales Ansehen, Irisierungen und Ein- oder Aufschmelzung von Glasfäden bei formalen und dekorativen Anlehnungen an →Tiffany-Gläser
Kat. XIII. 78

Lomazzo Giovanni Paolo
Maler, Kunstschriftsteller und Dichter; geb. 1538 in Mailand, dort gest. 1600; Schüler von G. Ferrari, in Rom Studium →Michelangelos und Raffaels, nach seiner Erblindung 1571 widmet er sich der Schriftstellerei, grundlegende Traktate zur Kunst des Manierismus
Kat. VII. 31

Loos Adolf
Architekt und Industriedesigner; geb. 1870 in Brünn, gest. 1933 in Wien; Studium in Dresden, 1893–1896 USA-Aufenthalt, von O. Wagners Werk ausgehend Entwicklung eines funktional geprägten, klar strukturierten Stils unter Verwendung hochwertiger Materialien, polemische Schriften gegen Ornamentreichtum der Wiener Werkstätte
Kat. XIX. 11

Lorch Melchior
Maler, Kupferstecher und Holzschneider; geb. um 1527 in Flensburg, gest. nicht vor 1583 in Kopenhagen; seit 1547 in Diensten des Pfalzgrafen Otto Heinrich, Reisen in die Niederlande und nach Italien, von Wien aus Begleitung der kaiserlichen Gesandtschaft nach Konstantinopel, seit 1580 „Hofcontrafayer" des dänischen Königs Friedrich II.
Kat. V. 46

Lotto Lorenzo
Maler; geb. um 1480 in Venedig, gest. 1556 im Kloster Loreto; unstetes Wanderleben zwischen Treviso, Bergamo und Venedig, Studium der venezianischen Malerei und in Rom 1509 Raffaels, gefolgt vom Eindruck des Raumlichtes Correggios, in Altarbildern zunehmende Spannungswerte, psychologische Porträts
Kat. V. 1

Lurçat Jean
Maler; geb. 1892 in Bruyères-en-Vosges, gest. 1966 in Paris; Ausbildung in Nancy bei →Prouvé, 1912 Niederlassung in Paris; Wiederbelebung der Tapisseriekunst in Frankreich seit den 30er Jahren durch Rückgriffe auf deren früheste Entwicklungsstufen
Kat. XIII. 47

Macdonald Margaret
Designerin, Metall- und Textilkünstlerin; geb. 1865 in Newcastle-under-Lyme, gest. 1933 in Chelsea; Studium an der Glasgow School of Art, 1896 Teilnahme an der Arts & Crafts Exhibition in London zusammen mit Ch. R. Mackintosh, den sie 1900 heiratet
Kat. XIII. 30

Magnasco Alessandro
Maler; geb. 1667 in Genua, dort gest. 1749; Lehre in Mailand, wo er meiste Zeit seines Lebens verbringt, 1703–1711 in Florenz für Medici tätig, seit 1735 in Genua ansässig, phantastische Landschaften sowie Kloster-, Einsiedler- und Hexenszenen in nervöser, skizzenhafter Pinselführung, Einfluß S. Rosas und →Callots
Kat. X. 18

Magritte René
Maler; geb. 1898 in Lessines, gest. 1967 in Brüssel; Studium an der Brüsseler Académie des Beaux-Arts, seit 1927 in Paris Verbindung zu →Breton, P. Eluard u. a., 1929 Text für die Zeitschrift „La Révolution Surréaliste", seit 1930 in Brüssel ansässig; Isolierung von banalen Gegenständen des Alltags bzw. deren Verknüpfung zu unerwartetem Zusammenhang eröffnet neue Realitätsebenen
Kat. XIV. 48, 49, XV. 20, XVI. 30

Mair Melchior
Augsburger Goldschmied; geb. um 1565, gest. um 1613
Kat. I. 11

Mandar Charles François
geb. um 1757, gest. um 1830; als „Ingénieur des Ponts et Chaussées" und „Professeur d'architecture au l'École des Ponts et Chaussées Paris" publiziert er 1801 ein Fortifikationslehrbuch
Kat. IV. 64

Marcantonio →Raimondi

Mariani Antonio
Bildhauer; tätig um 1910; Einfluß A. Rodins
Kat. XV. 9

Martin John
Maler und Graphiker; geb. 1789 in Haydon Bridge, gest. 1854 in London; Illustrationen zu J. Miltons „Paradise Lost" (1825–1827) und zur Bibel (1831–1835), zur Steigerung des Schauerlichen Historienbilder, z. T. auf Glas gemalt und von hinten beleuchtet, weiters paläontologische, geologische und ökologische Forschungen
Kat. XI. 14–16

Masnago Alessandro
Steinschneider; tätig in der 2. Hälfte des 16. Jh.s in Mailand, hochgeschätzt von Rudolf II.
Kat. V. 64, 65

Masson André
Maler; geb. 1896 in Balagny-sur-Thérain/Oise, lebt seit 1947 in Aix-en-Provence; 1922 nach schwerer Kriegsverletzung Rückkehr nach Paris, 1924–1928 enge Kontakte zu den Surrealisten, Publikation der „écriture automatique" in der Zeitschrift „La Révolution Surréaliste", 1934 bis 1936 (Beginn des spanischen Bürgerkriegs) Aufenthalt in Katalonien, 1941 Emigration in die USA; expressiv-rhythmischer Malgestus wegweisend für amerikanisches „Action Painting"
Kat. XIV. 25, XIV. 46, XVI. 28

Mayer Daniel
deutscher Vorlagenstecher und Architekturentwerfer; geb. um 1600, gest. um 1656
Kat. VII. 61

Mazzola →Parmigianino

Meissonnier Juste Aurèle
Architekt, Ornamentzeichner und Goldschmied; geb. um 1693/95 in Turin, gest. 1750 in Paris; 1726 „dessinateur de la chambre et du cabinet du roi", 1720–1750 in Opposition zum Klassizismus Entwicklung eines ins Phantastisch-Kapriziöse weisenden Rocaillestils; Entwürfe für Kunsthandwerk und Innenausstattungen
Kat. X. 12

Meister IO
Kat. IV. 44

Meister I Q V
Maler, Dekorateur und Radierer; tätig um 1543; obwohl nur wenige monogrammierte Blätter bekannt sind, vermutlich einer der fruchtbarsten Radierer der Schule von Fontainebleau (Anschluß an →Fantuzzi und →Mignon), höchst erfindungsreich im Ornament (zuweilen identifiziert mit Jean Vignay bzw. Jean Vaquet)
Kat. VII. 22

Meister L. D.
Kupferstecher und Radierer; der Name Léon Davent, mit dem der Meister L. D. identifiziert wird, erscheint nur auf 1 Stich nach Giulio →Romano; „L. D." hat seine Blätter 1540–1556 signiert, Tätigkeit in Fontainebleau wohl nur bis 1548, Haupt-Interpret →Primaticcios, Erzielung virtuoser Lichteffekte
Kat. V. 54–56, V. 59, 60, VIII. 17

Meldolla Andrea (gen. Schiavone)
Maler und Stecher; geb. um 1510/15 in Zara (?)/Dalmatien, gest. 1563 in Venedig; seit 1541 in Venedig dokumentiert, Verarbeitung manieristischer Formensprache seines Lehrers →Mazzola und venezianischen Kolorits zu expressivem, skizzenhaften Stil unter Nachwirkung der byzantinischen Tradition seines Ursprungslandes, Einfluß auf Frühwerk Tintorettos
Kat. VII. 10, 11

Mendini Alessandro
Designer und Architekt; geb. 1931 in Mailand; Herausgabe der Zeitschriften „Casabella", „Modo" und „Domus" (radikales, „neomodernes" Design), Mitglied der „Global Tools" (freie Schule für Entwicklung individueller Kreativität), Entwürfe u. a. für Alessi, Zanotta und Fiat
Kat. XV. 50

Merian Matthäus d. Ä.
Kupferstecher und Verleger; geb. 1593 in Basel, gest. 1650 in Schwalbach; Stecher- und Glasmalerlehre in Zürich, Wanderschaft nach Straßburg, Nancy, Paris, Süddeutschland und in die Niederlande, 1624 Übernahme des Kunstverlages seines Schwiegervaters Th. de Bry in Frankfurt, zunächst deutsche Städtestiche nach eigenen Zeichnungen, in der Folge Publikation bedeutender topographischer Stichsammlungen
Kat. IV. 60

Messerschmidt Franz Xaver
Bildhauer; geb. 1736 in Wiesensteig/Schwaben, gest. 1783 in Preßburg; 1752 kommt er nach Wien und wird Schüler an der Akademie, 1765 Reisen nach Rom, Paris und London, 1769 Substitutprofessor an der Akademie, 1774 Entlassung nach ersten Anzeichen geistiger Erkrankung; seit etwa 1770 fast ausschließliche Fertigung von „Charakterköpfen"
Kat. XI. 1, 2

Metzker Jeremias
Augsburger Uhrmacher; nachweisbar 1555–1599
Kat. V. 61

Meurl Leonhard
Harnischätzer Ferdinands I.; gest. 1547
Kat. II. 18

Michelangelo Buonarotti
Bildhauer, Maler, Zeichner, Architekt und Dichter; geb. 1475 in Caprese, gest. 1564 in Rom; nach seiner Ausbildung in Florenz (erste Meisterwerke) 1505 von Papst Julius II. nach Rom berufen zur Konzipierung dessen Grabmales und der Dekoration der Sixtinischen Decke, 1520 folgt Auftrag für die Gestaltung der Grabkapelle der Medici in Florenz, seit 1534 entsteht das Monumentalfresko des Jüngsten Gerichts in der Sixtina; als Universalgenie erlangt Michelangelo schon zu Lebzeiten höchsten Ruhm, die kraftvoll-gewaltige Sprache („terribilità") seiner stark bewegten Formen leitet Entwicklung des Manierismus ein
Kat. III. 19

Mignon Jean
Maler und Radierer; dokumentiert 1535–1555; 1537–1540 in Fontainebleau tätig, seit 1550 in Paris nachgewiesen; arbeitet hauptsächlich nach Vorlagen von →Penni
Kat. III. 18, V. 10

Millan Pierre
Stecher und Münzpräger; erwähnt 1542–1556; wohl bedeutendster Pariser Stecher gegen Mitte des 16. Jh.s, vermutlich Lehrer von →Boyvin
Kat. I. 25

Miseroni Ottavio
Mitglied Mailänder Familie von Steinschneidern; gest. 1624; seit 1588 für Rudolf II. in Prag tätig, Ernennung zum Edelsteinschneider am Hof
Kat. VIII. 56, 57

Momper Joos de
Landschaftsmaler und -zeichner; geb. 1564 in Antwerpen, dort gest. 1635; in den 80er Jahren Italienreise aus stilistischen Gründen vermutet, 1611 Dekan der Antwerpener Lukasgilde; schon zu Lebzeiten werden die kleinformatigen phantastischen Berglandschaften zu begehrten Sammlerstücken, Einführung realistischer Details
Kat. VIII. 3

Monogrammist M
Kat. VI. 27

Monogrammist MW
Kat. VIII. 28

Monogrammist P P
Kupferstecher; tätig Anfang 16. Jh. in Oberitalien; enge Beziehung zu G. Campagnola
Kat. IV. 34

Morazzone Pier Francesco (eig. Mazzucchelli)
Maler; geb. 1573 in Morazzone, gest. 1626 oder vorher; vor 1600 in Rom, Eindruck der römischen und Sieneser Manieristen und F. Baroccis, venezianische Malerei in Venedig oder Mailand kennengelernt; Altarmaler und Freskant lombardischer Heiligtümer
Kat. I. 31

Moreau Gustave
Maler; geb. 1826 in Paris, dort gest. 1898; prägende Zusammenarbeit mit Th. Chassériau, 1858–1860 Italienaufenthalt, Einfluß der Präraffaeliten, 1885 in Holland Studium der Werke Rembrandts, frühe Erfolge mit präziösen, erotisch gefärbten mythologischen und biblischen Szenen, Vorbild für Schriftsteller der „décadence", später für symbolistische Maler (seit 1892 Professor an der École des Beaux-Arts)
Kat. XIII. 12, XIII. 53–55, XIII. 70

Moreelse Paulus
Maler, Zeichner für den Holzschnitt und Architekt; geb. 1571 in Utrecht, dort gest. 1638; um 1598 bis 1601 Italienreise, bald wichtige Porträtaufträge in Amsterdam und Utrecht, 1611 Gründungsmitglied der Utrechter Lukasgilde, Träger zahlreicher Ehrenämter, seit den 20er Jahren auch idealisierende Bildnisse in Schäfertracht
Kat. II. 2

Mossa Gustave Adolf
Maler, Aquarellist und Illustrator; geb. 1883 in Nizza, gest. 1971; tätig in Nizza; kleinteilig aufgesplitterte Fabelwelten dominieren plastisch herausgezeichnete Chimärenwesen mit erotisch-sadistischer Ausstrahlung (Einfluß →Moreaus)
Kat. XIII. 37

Mucha Alfons
Maler, Illustrator und Entwerfer für Kunsthandwerk; geb. 1860 in Eibenschütz/Mähren, gest. 1939 in Prag; Studium in München, Wien und Paris, wo er sich 1890 niederläßt, erlangt Berühmtheit durch Plakate für Sarah Bernhardt, 1904–1913 USA-Aufenthalt, sein Anteil an der Pariser Weltausstellung 1900 führt sogar zur Bezeichnung des „Art Nouveau" als „Style M"
Kat. XIII. 31, XIII. 59–64, XIII. 77

Muller Jan
Maler und Kupferstecher; geb. 1571 in Amsterdam, dort gest. 1628; nach Aufenthalten in Augsburg und Italien (um 1595) vorwiegend in Amsterdam tätig; Stiche nach Bildhauern der Prager Schule sowie nach →Spranger und →Goltzius, dessen Technik er übernimmt
Kat. III. 17, IV. 21, IV. 33, VII. 16, VII. 37

Munch Edvard
Maler und Graphiker; geb. 1863 in Loeiten/Norwegen, gest. 1944 auf Ekely/Oslo; 1889 in Paris Verbindung zu den Neo-Impressionisten, P. Gaugin und V. van Gogh, 1897 Präsentation des ersten „Lebensfrieses" auf dem Salon des Indépendants in Paris, 1902 Ausstellung bei der Berliner Sezession, 1908–1909 Nervenheilanstalt Kopenhagen, 1909–1915 Wandbilder für die Universität Oslo; Wegbereiter des Expressionismus, u. a. im kontraststarken Medium des Holzschnitts
Kat. XIII. 17–19

Nahl Johann August d. Ä.
Bildhauer; geb. 1710 in Berlin, gest. 1785; 1741–1746 als „Directeur des ornements" für Berliner und Potsdamer Repräsentationsbauten tätig: zusammen mit G. W. von Knobelsdorff Prägung des Raumeindrucks des frühen friderizianischen Rokoko, seit 1753 Dekorationen für das Kasseler Schloß Wilhelmstal
Kat. X. 16

Negroli Filippo
Mailänder Waffenschmied; erwähnt 1531–1553; seine hervorragende Position innerhalb der Familienwerkstatt beweisen Inschriften auf meisterlichen Waffenstücken und früh einsetzender Ruhm in der Kunstliteratur seit 1550
Kat. I. 18, IV. 43

Nilson Johann Esaias
Augsburger Miniaturmaler, Zeichner und Kupferstecher; geb. 1721, gest. 1788; 1764 Ernennung zum kurpfälzischen Hofmaler; Rokokoornamentik seines graphischen Werkes vorbildlich für Bilddekor und Formengebung der zeitgenössischen Porzellan- und Fayenceindustrie
Kat. X. 13

Nomé François de
Maler; geb. um 1593 in Metz, gest. nach 1640 in Neapel; 1602–1610 Ausbildung in Rom, danach ständig in Neapel tätig; Hauptmeister des phantastischen Architekturstücks mit gotischen Reminiszenzen
Kat. IX. 3–6

Normand Carl Peter Joseph
Architekt, Zeichner und Kupferstecher; geb. 1765 in Goyencourt/Somme, gest. 1840 in Paris; im Anschluß an Rom-Stipendium erscheinen seit 1801 Umrißstiche nach Architekturmotiven, Gemälden und Skulpturen
Kat. X. 30

Oelze Richard
Maler; geb. 1900 in Magdeburg, gest. 1980 in Posteholz/Hameln; 1921–1926 Studium am Bauhaus in Weimar bei J. Itten, seit 1926 in Dresden (Kontakt zu O. Dix) und Berlin tätig, 1932–1936 in Paris Verbindung mit den Surrealisten (→Breton, →Ernst), nach Militärdienst und Gefangenschaft Rückzug in Einsiedlerleben nach Worpswede
Kat. XVI. 2, XVI. 50

Olbrich Joseph Maria
Architekt, Graphiker, Entwerfer für Kunsthandwerk; geb. 1867 in Troppau, gest. 1908 in Düsseldorf; 1890–1893 Studium an der Wiener Akademie, 1894–1899 Mitarbeiter O. Wagners, 1897 Gründungsmitglied der Wiener Secession, für die er 1898 das Ausstellungsgebäude baut, 1899 Berufung nach Darmstadt, Bauten für die Künstlerkolonie auf der Mathildenhöhe
Kat. XIII. 43

Oldenburg Claes
Plastiker und Environmentkünstler; geb. 1929 in Stockholm, lebt in New York; 1937 Niederlassung in Chicago, 1946–1954 Studium an der Yale University und am Art Institute, Chicago, 1956 Übersiedlung nach New York, 1962 erste Ausstellung der großformatigen „Soft Sculptures", 1965 Beginn der Monument-Zeichnungen
Kat. XIX. 1

Opel Peter
Regensburger Gewehrschäfter; erwähnt 1575, 1586 und 1596
Kat. II. 21

Oppenheim Meret
Objektkünstlerin; geb. 1913 in Berlin, gest. 1985 in Carona/Schweiz; 1932 Niederlassung in Paris, über →Giacometti und J. Arp Kontakt zu den Surrealisten, mit denen sie 1933 ausstellt, unter Eindruck →Duchamps erste „ready-mades", 1938 bis 1940 Studium an der Kunstgewerbeschule in Basel, wo sie ab 1948 lebte
Kat. XIV. 47

Orgeix Christian d'
Maler, Zeichner und Objektkünstler; geb. 1927 in Foix/Ariège, lebt in Paris und Südfrankreich; 1946 Niederlassung in Paris; bezeichnet sich als Reaktionär, verhaftet in der gotischen Tradition und im italienischen 18. Jh., „verhängnisvolle" Bildwelt, in der hervorquellendes Wachstum schon von (ästhetischem) Verfall betroffen ist
Kat. XV. 51, XVI. 41

Ossorio Alfonso
Maler und Objektkünstler; geb. 1916 in Manila, amerikanischer Staatsbürger; Studium u. a. in Harvard und an der Rhode Island School of Design, 1949 Bekanntschaft mit J. Pollock und J. Dubuffet in Paris, Auseinandersetzung mit „abstract expressionism" und „art brut"
Kat. XV. 37

Paalen Wolfgang
Maler; geb. 1907 in Wien, gest. 1959; Studien in Frankreich, Deutschland und Italien, ausgedehnte Reisen, 1929–1939 in Paris Verbindungen zu „Abstraction-Création" und zur Surrealistengruppe, 1939 Niederlassung in Mexico, Gründung einer Avantgarde-Zeitschrift
Kat. XVI. 70

Page Robin
Objekt- und Happeningkünstler; geb. 1932 in London (kanadischer Abstammung), lebt in Düsseldorf; 1952–1954 Studium an der Vancouver School of Art, 1960 Parisaufenthalt, 1962 Teilnahme am „Festival of Misfits" in London (u. a. mit →Koepcke und →Spoerri), Spiel mit Fiktionsebenen
Kat. XVII. 17

Palissy Bernard
Keramiker; geb. um 1500 in Saintes oder Agen, gest. 1589 oder 1590 in Paris; erlernt Glasmalerei und läßt sich nach Wanderschaft in Saintes nieder, bald berühmt für Platten mit naturalistischen Nachbildungen von Pflanzen und Kleintieren, 1562 Werkstattverlegung nach Paris, Aufträge für königlichen Hof; als Protestant wird Palissy während der Religionskämpfe in der Bastille eingekerkert und stirbt dort
Kat. I. 20, V. 68, VIII. 16, VIII. 44, 45, VIII. 47

Palladio Andrea (eig. Andrea di Pietro)
Architekt und Theoretiker; geb. 1508 in Padua, gest. 1580 in Vicenza; um 1540 Hinwendung zur Architektur, Antikenstudium anläßlich mehrerer Romreisen, 1554 Publikation „L'antichità di Roma", seit Ende der 40er Jahre als Baumeister von Palästen, Villen und Sakralbauten in Vicenza, Venedig und im Veneto tätig, 1570 Publikation „I quattro libri dell'architettura"
Kat. IX. 10

Parmiggiani Claudio
Assemblage- und Performancekünstler; geb. 1943 in Luzzara/Reggio Emilia, lebt in Turin; 1956–1958 in landwirtschaftlicher Kooperative tätig, 1959–1961 Studium in Modena, Reisen nach Osteuropa (Kontakt mit J. Kolar) und in den Nahen Osten, Verfremdung von Zitaten aus der Kunstgeschichte
Kat. XV. 48

Parmigianino (eig. Francesco Mazzola)
Maler und Graphiker; geb. 1503 in Parma, gest. 1540 in Casal Maggiore; vorwiegend in Parma, Rom (1523–1527) und Bologna (1527–1530) tätig, Studium der Werke Correggios, →Michelangelos und Raffaels, Wegbereiter des manieristischen Formenrepertoires: Dehnung der Proportionen zugunsten eleganten Linienflusses, dekorative Farbigkeit; bedeutendes Radierwerk
Kat. I. 5, IV. 7, VII. 17, VIII. 25

Penni Luca
Maler; geb. um 1500/04 in Florenz, gest. 1556 in Paris; Ausbildung in Raffael-Werkstatt, 1537 bis 1540 Mitarbeit an Dekorationen in Fontainebleau, Tapisserie-Kartons, später als selbständiger Künstler Staffeleibilder und Stichvorlagen mit klassizistischem Einschlag
Kat. V. 10

Perino del Vaga (Pietro Bonaccorsi)
Maler; geb. um 1500/01 in Florenz, gest. 1547 in Rom; im Anschluß an Ausbildung in Florenz in Rom Studium Raffaels, →Michelangelos und der Antike, Beteiligung an der Ausmalung der Loggien im Vatikan, weitere Freskenaufträge für den Palazzo Doria in Genua und für das Castel Sant'Angelo in Rom
Kat. V. 33–37, V. 39

Petel Georg
Bildhauer; geb. um 1590/93 in Weilheim, gest. 1634 in Augsburg; Studien in Italien und den Niederlanden, 1625 Niederlassung in Augsburg, kleinplastische Werke in Elfenbein und Buchsbaumholz, großplastische in Holz und Bronze
Kat. VIII. 50

Pfeffenhauser Anton
Augsburger Plattner; geb. um 1525, gest. 1603; seit 1550 zahlreiche Harnischaufträge, u. a. für Kaiser Maximilian II., Don Sebastian, König von Portugal, und Herzog Albrecht V. von Bayern
Kat. II. 24

Pfeifer Melchior
Kat. IV. 41

Pfleger Abraham I.
Mitglied Augsburger Goldschmiedefamilie; gest. um 1605/06 in Augsburg; arbeitet für die Fugger
Kat. VIII. 49

Pian Antonius de
Architektur- und Dekorationsmaler und Lithograph; geb. 1784 in Venedig, gest. 1851 in Wien; Studium in Venedig (Einfluß Canalettos) und Wien, 1816 „Decorateur der K. K. Oberst Hoftheater Direktion"
Kat. X. 32

Picabia Francis
Maler; geb. 1878 in Paris, dort gest. 1953; kubistische Anregungen, Kontakte mit →Duchamp, 1913 Besuch der „Armory Show" in New York, Verbindung zu „Dada" Zürich und seit 1920 Mitglied von „Dada" Paris, 1926 Rückkehr zur gegenständlichen Malerei, 1940–1945 Aufenthalt in Südfrankreich, später flächige, von Farbfeldern bestimmte abstrakte Bilder
Kat. XV. 15–18

Picasso Pablo
Maler, Graphiker und Bildhauer; geb. 1881 in Malaga, gest. 1973 in Mougins; 1904 Niederlassung in Paris, Freundschaft mit G. Apollinaire, seit 1907 Entwicklung des Kubismus, 1912 erste „papiers collés", seit 1920 „Neoklassizistische Periode", 1925–1927 Annäherung an den Surrealismus, 1937 „Guernica" als Protest gegen den spanischen Bürgerkrieg; Skulpturen, keramische Arbeiten und bedeutende graphische Zyklen
Kat. XIV. 34–38, XVI. 26, 27

Piccinino Lucio
Plattner und Tausiator; um 1550 bis nach 1589 tätig in Mailand; fertigt Prunkharnische übersponnen von reichem ornamentalen und figürlichen Hochrenaissancedekor
Kat. II. 23

Pichler Walter
Bildhauer und Architekturzeichner; geb. 1936 in Deutschnofen, lebt im Burgenland; 1955–1959 Studium an der Hochschule für Angewandte Kunst, Wien, 1963 architektonische Arbeiten zu Stadtentwicklungen und Sakralbauten, erste Ausstellung zusammen mit →Hollein in Wien, Aufenthalte in New York und Mexiko, seit 1972 Errichtung der aus Gebäuden und Skulpturen bestehenden Anlage in St. Martin/Burgenland
Kat. XV. 43

Piranesi Giovanni Battista
Architekt und Radierer; geb. 1720 in Mogliano/Veneto, gest. 1778 in Rom; seit 1740 in Rom tätig; rund 1000 Blätter umfassendes graphisches Werk: Veduten von Rom und Umgebung („Vedute di Roma"), archäologische Bestandsaufnahmen („Antichità di Roma"), Architekturphantasien, reich an Perspektive- und Beleuchtungseffekten („Carceri")
Kat. X. 6, 7

Pistoletto Michelangelo
Maler, Aktionist und Objektkünstler; geb. 1933 in Biella, lebt in Turin; zunächst als Restaurator tätig, 1963 erste „Spiegelbilder" mit aufgedruckten Figuren in Lebensgröße, seit 1970 Happenings, zuletzt Kompositplastiken aus Antikenzitaten
Kat. XV. 49

Plečnik Josef
Architekt und Entwerfer für Kunsthandwerk; geb. 1872 in Laibach, dort gest. 1957; 1895 bis 1898 enger Schüler O. Wagners, Italien- und Frankreichreise, 1903–1905 Bürogebäude „Zacherlhaus" in Wien, 1910–1912 Heilig-Geist-Kirche (Stahlbeton), 1911–1920 Professor an der Kunstgewerbeschule in Prag, danach an der Universität Laibach, zahlreiche offizielle Aufträge in der Tschechoslowakei und in Slowenien
Kat. XIX. 10

Poelzig Hans
Architekt; geb. 1869 in Berlin, dort gest. 1936; Studium an der Technischen Hochschule Berlin, Aufenthalte in Breslau, Dresden, Berlin und Ankara, einflußreiche Lehrtätigkeit, 1918/19 Umbau des Großen Schauspielhauses in Berlin (Stalaktitendecke), später Aufgabe der expressionistischen, phantasievollen Formen zugunsten sachlicher Monumentalität, 1929/30 Verwaltungsgebäude der IG-Farben in Frankfurt/Main
Kat. XIX. 6

Poirier Anne und Patrick
Dokumentatoren und Installationskünstler; beide geb. 1942 (in Marseille bzw. Nantes); Zusammenarbeit seit 1970, Romstipendium und Mitarbeit am französischen Pavillon auf der Weltausstellung in Osaka, Rückreise über Ruinenstätten Angkors und Indiens, 1971–1973 subjektive Modellrekonstruktion „Ostia Antica"; die „offizielle" archäologische Geschichtsschreibung erweitern sie um individuelle Spurensicherungen und kreieren somit neuartige Mythologien
Kat. XV. 44–47

Polke Sigmar
Maler; geb. 1941 in Oels/Niederschlesien, lebt bei Düsseldorf und in Zürich; seit 1953 in der BRD ansässig, 1961–1967 Studium an der Düsseldorfer Kunstakademie, 1963 Mitbegründer der Gruppe „Kapitalistischer Realismus"; in ironischer Bildsprache deckt Polke Widersprüchlichkeiten und Clichées der Konsumgesellschaft auf
Kat. XV. 30

Ponce Jacquio
Bildhauer und Stukkateur; tätig um 1535–1570; im Anschluß an Studienzeit in Rom vielleicht zusammen mit →Primaticcio nach Frankreich gekommen, 1552 Arbeit an der Grotte des Schlosses von Meudon, 1559–1570 wird er als Mitarbeiter an den Grabmälern Franz I. und Henri II. in St. Denis fast zum Rivalen G. Pilons
Kat. II. 1

Portois & Fix
Wiener Fabrik für Wohnungseinrichtungen samt Zubehör; gegründet 1881 von A. Portois (1841 bis 1895 Pariser Raumausstatter) und A. Fix (1845 bis 1918 Wiener Tapezierermeister); um 1900 Blütezeit der Möbelproduktion, rege Exporttätigkeit, internationale Auszeichnungen)
Kat. XIII. 80

Prechtl Michael Mathias
Graphiker und Maler; geb. 1926 in Amberg, lebt in Nürnberg; nach russischer Gefangenschaft 1950–1956 Studium an der Nürnberger Akademie, seit 1961 verstärkte Auseinandersetzung mit →Dürer („Skizzenbuch der Niederländischen Reise"), graphische Zyklen in Buchform
Kat. XVI. 66

Primaticcio Francesco
Maler, Bildhauer und Architekt; geb. 1504 in Bologna, gest. 1570 in Paris; Gehilfe Giulio →Romanos bei den Dekorationen des Mantovaner Palazzo del Tè, 1532 Eintritt in Dienste Franz I., der ihm zusammen mit →Rosso die Ausstattung des Schlosses von Fontainebleau anvertraut, 1540 übernimmt er nach dem Tod Rossos mit großer Autorität die Leitung der Arbeiten, die reiche Stichproduktion nach Primaticcios Werken verbreitete rasch die aktuellen Strömungen der italienischen Malerei in Europa
Kat. V. 57, VII. 22

Prouvé Victor
Bildhauer, Maler und Entwerfer; geb. 1858 in Nancy, gest. 1943 in Sétif; Studium in Paris und Nancy bei →Gallé, nach dessen Tod 1904 Übernahme der Werkstatt, 1905 in Deutschland Auseinandersetzung mit der Arbeit des Münchner Werkbundes, 1918 Rektor der Akademie von Nancy
Kat. XIII. 16, XIII. 46, XIII. 75, 76

Putz Leo
Maler; geb. 1869 in Meran, dort gest. 1940; Studium in München und 1891/92 in Paris, 1899 Mitbegründer der Münchner Künstlervereinigung „Die Scholle", weiters Mitglied der Berliner, Wiener und der Münchner Neuen Secession, 1928–1933 Aufenthalt in Rio de Janeiro, Umwandlung der früheren dekorativ-heiteren Freilichtmalerei zu exotischem Expressionismus
Kat. XIII. 36

Quad von Kinkelbach Matthias
Geograph, Kupferstecher und Formschneider; geb. 1557 in Deventer, gest. nach 1609 (in der Pfalz ?)
Kat. VIII. 87

Raimondi Marcantonio
Kupferstecher; geb. um 1480 in Argini (?)/Bologna, gest. bald nach 1527 in Bologna (?); Schüler von F. Francia, seit 1505 Studium der Werke →Dürers und der Venezianer, seit 1512 Mitarbeiter Raffaels in Rom bis zu dessen Tod 1520, zahlreiche Reproduktionsstiche nach Raffael, 1524 Verhaftung aufgrund der Publikation der „Modi" (Illustrationen zu P. Aretinos „Sonetti lussuriosi" nach Vorlagen Giulio →Romanos), 1527 Flucht nach Bologna
Kat. III. 20, IV. 17, IV. 20, IV. 69, V. 43, V. 52, VI. 21, 22, VII. 18, VII. 29

Rainer Arnulf
Maler und Zeichner; geb. 1929 in Baden/Wien, lebt in Wien und Paris; 1952/53 Paris- und Italienaufenthalte, im Anschluß an monochrome Schwarzbilder und Übermalungen entwickelt er in den 60er Jahren eine halluzinativ-exhibitionistische Arbeitsweise; Physiognomiestudien, gestische Handmalereien, Überzeichnungen von Photovorlagen
Kat. XI. 28, 29, XVI. 25, XVII. 4

Ray Man
Photograph und Maler; geb. 1890 in Philadelphia, gest. 1976 in Paris; 1913 Besuch der „Armory Show" in New York, 1917 zusammen mit →Duchamp und →Picabia Gründung von „Dada" New York, seit 1921 in Paris Anschluß an die Surrealisten, 1924 Beteiligung an R. Clairs Film „Entrácte", Einführung der photographischen Technik in die moderne Kunst („Rayogramme")
Kat. XIV. 8–22

Reichlin Bruno und **Reinhart** Fabio
geb. 1941 in Luzern und 1942 in Bellinzona; seit 1970 gemeinsames Architekturbüro in Lugano, 1972–1974 Assistenten von →Rossi; spannungsreiche Synthese zwischen Moderne und neueren historisierenden Architekturtendenzen, 1972 bis 1974 Casa Tonini bei Lugano (Neo-Palladianismus in klaren, offenliegenden Strukturen)
Kat. XIX. 20

Riccio Andrea (eig. Briosco)
Bildhauer; geb. 1470 in Padua, dort gest. 1532; nach Goldschmiedelehre Ausbildung bei Donatello-Schüler B. Bellano, Verkehr in den gelehrten Kreisen der Padovaner Universität, große Produktion von Bronze-Statuetten, in denen Riccio eine Synthese von Klassizismus und Naturalismus anstrebt
Kat. V. 74, VIII. 36

Richter Gerhard
Maler; geb. 1932 in Dresden, lebt in Düsseldorf; Studium in Dresden und Düsseldorf, 1963 Gründung der Gruppe „Kapitalistischer Realismus" zusammen mit →Polke, seit 1964 systematische Sammlung von Photos als Malvorlagen, „verunklärende" Übertragung auf Leinwand, 1966 „Farbtafeln", seit 1968 Städte- und Gebirgsbilder sowie „abstrakte" Bilder nach photographischen Vergrößerungen von Malstrukturen
Kat. XVIII. 4–7

Ricoveri →**Barbiere**

Riemerschmid Richard
Architekt, Maler und Kunsthandwerker; geb. 1868 in München, dort gest. 1957; 1888–1890 Studium an der Münchner Akademie, 1897 Gründungsmitglied der „Vereinigten Werkstätten für Kunst und Handwerk", 1901 Innenausbau des Müchner Schauspielhauses, 1912–1924 Leitung der Münchner Kunstgewerbeschule, seit 1926 der Kölner Werkschulen
Kat. XIII. 33

Ring Hermann Tom
Mitglied westfälischer Malerfamilie; geb. 1521 in Münster, dort gest. 1596; Wanderschaft vermutlich in die Niederlande, nach Tod des Vaters Ludger Übernahme von dessen Werkstatt, vornehmlich Porträts bekannt (Einfluß H. Holbeins)
Kat. VI. 12

Rivius Gualtherius (eig. Walter Ryff)
deutscher Mediziner, Philosoph und Architekturtheoretiker; geb. um 1500, gest. um 1548; 1548 Publikation des ersten deutschen Vitruvkommentars „Vitruvius Teutsch"
Kat. VII. 52

Robert Hubert
Maler und Zeichner; geb. 1733 in Paris, dort gest. 1808; seit 1754 in Rom wird er 1759 Stipendiat der französischen Akademie und widmet sich unter dem Eindruck der Werke G. P. Panninis und →Piranesis der Architekturmalerei, 1794 nach vorübergehender Haft durch Robespierre Ernennung zum Konservator am Louvre, an dessen Gestaltung als Galerie Robert maßgeblich beteiligt ist; Spezialist von Ruinenlandschaften
Kat. X. 14, 15

Rochegrosse Georges
Maler, Illustrator und Lithograph; geb. 1859 in Versailles, gest. 1938 in El Biar/Algier (Stiefsohn von Th. de Banville); orientalisierende Historienmalerei, allegorische Wandbilder im Treppenhaus der Pariser Sorbonne, Illustrationen u. a. zu G. Flaubert und V. Hugo, Plakatentwürfe
Kat. XV. 11

Romano Giulio
Maler, Architekt, Theaterarchitekt und Entwerfer von Teppichkartons; geb. 1499 (?) in Rom, gest. 1546 in Mantua; als engster Schüler Raffaels Mitarbeit und Nachfolge bei dekorativer Ausstattung des Vatikans und der Villa Farnesina, 1527 im Anschluß an den „sacco di Roma" Berufung nach Mantua durch Federigo Gonzaga, Übernahme der Bauleitung und der Innendekoration des Palazzo del Tè
Kat. IV. 47, V. 22

Rombeaux Égide
Bildhauer, Elfenbeinschnitzer und Medailleur; geb. 1865 in Schaerbeek-Brüssel, gest. ?; 1891 Rompreis, Lehrtätigkeit in Antwerpen und Brüssel; Büsten, Marmorgruppen von Nymphen und auch Satans Töchtern
Kat. XIII. 42

Rops Félicien
Maler und Graphiker; geb. 1833 in Naumur, gest. 1898 in Essonnes/Paris; Studium an der Brüsseler Akademie, 1856 Gründung der satirischen Zeitschrift „Uylenspiegel", in Lithographien Einfluß H. Daumiers, 1874 Niederlassung in Paris, dämonisch-erotische Sujets, Illustrationen zu B. d'Aurévilly, Th. Gautier, St. Mallarmé, 1884 Mitbegründer der belgischen Gruppe „Les Vingt"
Kat. XIII. 7–11

Rossetti Dante Gabriel
Dichter und Maler; geb. 1828 in London (italienischer Abstammung), gest. 1882 in Birchington-on-Sea; 1848 Mitbegründer der Bruderschaft der Präraffaeliten nach Vorbild der deutschen Nazarener, in Opposition zum akademischen Klassizismus und Materialismus Rückkehr zur „primitiven" Schönheit der Quattrocento-Kunst, zur Natur und zum einfachen Leben
Kat. XII. 1

Rossi Aldo
Architekt; geb. 1931 in Mailand; 1973 auf Mailänder Triennale Einrichtung der Architekturabteilung „Architettura Razionale", Rationalismus (eigener Wille, spielerische Komponente) der Tyrannei des Zwecks im Funktionalismus entgegengesetzt, Anknüpfung an klassische Architekturmuster italienischer Städte in „neutralem" Baustil
Kat. XIX. 18

Rosso Fiorentino Giovanni Battista
Maler; geb. 1494 in Florenz, gest. 1540 in Paris; Ausbildung vielleicht bei A. del Sarto, während römischer Studienzeit Kontakte zu →Perino del Vaga und→Parmigianino, nach „sacco di Roma" 1527 häufige Ortswechsel bis zur Berufung an den französischen Hof, 1532 1. Hofmaler Franz I., zusammen mit →Primaticcio Ausstattungsarbeiten in Fontainebleau; Einführung des italienischen Manierismus in Frankreich und Schaffung eines neuen Dekorationsstiles
Kat. I. 1, 2, I. 28, III. 21, IV. 6, V. 17, VI. 19, VII. 40

Rota Martino
Kupferstecher und Radierer; geb. um 1520 in Sebenico, gest. 1583 in Wien; tätig in Venedig, Florenz, Rom, seit 1568 in Wien als der „Röm. K. Majestet Conterfetter, Maler u. Bildhauer"
Kat. VI. 10

Rubens Peter Paul
Maler; geb. 1577 in Siegen, gest. 1640 in Antwerpen; lernt u. a. bei →Verhaeght und →van Veen, 1600–1608 Italienaufenthalt, in Diensten des Mantovaner Herzog Vincenzo Gonzaga Reisen in diplomatischer Mission nach Spanien, Venedig, Rom, 1608 Rückkehr nach Antwerpen, Berufung als Hofmaler des Statthalters Erzherzog Albert in Brüssel, zahlreiche offizielle Aufträge für Ausstattungen von Kirchen und öffentlichen Gebäuden Antwerpens, in den 30er Jahren auch für den englischen und spanischen Hof
Kat. I. 23

Sadeler Aegidius
Mitglied bedeutender Antwerpener Stecherfamilie, geb. um 1570 in Antwerpen, gest. 1629 in Prag; 1589 Aufnahme in Antwerpener Gilde, Reise nach Rom und Venedig, 1597 Berufung an den Prager Hof, wo er für Rudolf II., Matthias und Ferdinand II. tätig ist; zahlreiche Stiche nach Werken der Prager Hofkunst
Kat. IV. 5, VI. 34, 35, VII. 35

Sadeler Daniel
Eisenschneider und Büchsenmacher aus Antwerpen; gest. 1632; 1602–1610 tätig in Prag, danach in München
Kat. II. 20

Sadeler Emanuel II.
Eisenschneider aus Antwerpen (Bruder des →Daniel); dokumentiert seit 1595, gest. 1610; tätig in München in Diensten Herzog Wilhelms V. von Bayern
Kat. II. 19

Sadeler Raphael
Kupferstecher (Bruder des →Aegidius); geb. 1560 oder 1561 in Antwerpen, gest. nicht vor 1628 in München oder Venedig; 1582 Mitglied der Antwerpener Gilde, Aufenthalte in Köln, Antwerpen, München und Venedig
Kat. VII. 36

Saenredam Jan Pietersz.
Kupferstecher; geb. 1565 in Saerdam, gest. 1607 in Assendelft; 1589 kurze Zeit bei →Goltzius in der Lehre, dann in Amsterdam bei →de Gheyn, Reproduktionsstiche u. a. nach →Goltzius und nach Italienern
Kat. III. 16, VII. 24, VII. 30

Saint-Phalle Niki de
Plastikerin; geb. 1930 in Neuilly-sur-Seine, lebt in Soissy-sur-Ecole/Paris; 1933 Niederlassung in New York, 1951 Rückkehr nach Paris, 1960 Mitglied der „Nouveaux Réalistes", 1961 „Schießreliefs", aus denen Farbe hervorquillt, 1964 erste Polyesterkolosse „Nanas", 1966 begehbare Riesenplastik in Stockholm zusammen mit J. Tinguely, Bühnenbild- und Kostümentwürfe
Kat. XV. 27–29

Salamanca Antonio
Kupferstecher und Verleger; geb. um 1500 in Mailand, gest. 1562 in Rom; 1530 als Buchhändler in Rom ansässig; Veduten römischer Denkmäler und Blätter nach Marcantonio →Raimondi
Kat. V. 33, V. 39

Samaras Lucas
Objekt- und Photokünstler; geb. 1936 in Kastoria/Griechenland, lebt in New York; seit 1948 in den USA ansässig; Studium u. a. bei Kaprow; erzeugt Funktionsuntüchtigkeit von Gebrauchsgegenständen durch Überspannen, Zersägen oder psychologische Abschreckung (Nägel)
Kat. XVII. 18

Sánchez Coello Alonso
Maler; geb. um 1531 in Benifayó/Valencia, gest. 1588 in Madrid; um 1550 Niederlassung in Flandern, Schüler von A. Moro, seit 1555 in Diensten Philipps II. wird er als „Pintor de Cámara" der bevorzugte Porträtist der königlichen Familie und der hohen Aristokratie; Synthese von niederländischem Detailrealismus und eindrucksvollem Bildmuster →Tizians
Kat. II. 5

Sarluis Léonard
Maler und Illustrator; geb. 1874 im Haag, gest. 1949; um 1894 Niederlassung in Paris, Illustrationen u. a. zu G. de Pawlowskis „Voyage au Pays de la Quatrième Dimension", Plakat für Sâr Paladans Salon de la Rose-Croix 1892
Kat. XV. 7

Salvodo Giovan Gerolamo
Maler, möglicherweise aus Brescia stammend; geb. um 1485, gest. um 1549; Eindruck lombardischer Malerei bevor er sich in Venedig niederläßt und die Werke Giov. Bellinis, Giorgiones und →Lottos studiert, wirkungsvolle Licht-/Schatteneffekte weisen auf Caravaggio voraus
Kat. II. 3

Schardt Johann Gregor van der
Bildhauer; geb. um 1530 in Nijmegen, gest. um 1581 in Nürnberg (?); im Anschluß an Italienreise, 1569 Eintritt in Dienste Kaiser Maximilians II., zuerst in Wien, ab 1570 in Nürnberg, später Aufträge für dänischen König Frederick II.; fertigt vorrangig Bronze-Statuetten und Terrakottabüsten unter Einfluß Cellinis und →Bandinellis
Kat. I. 9, 10

Scharoun Hans
Architekt; geb. 1893 in Bremen, gest. 1972 in Berlin; 1912–1914 Studium an der Technischen Hochschule Berlin, Kontakte zum Kreis um B. Taut, Entwicklung organischen Baustiles, Projekte für die Berliner Siedlung Siemensstadt und die Breslauer Werkbund-Ausstellung von 1929, nach 1945 u. a. Bauten der Neuen Philharmonie und der Staatsbibliothek in Berlin
Kat. XIX. 3

Schlottheim Hans
Uhr- und Automatenmacher in Augsburg; geb. um 1544/47, gest. vor 1626; tätig weiters in Prag (1585) und Dresden (1592)
Kat. VIII. 39

Schnitzer Anton
Silberschmied und Trompetenbauer in Nürnberg, erwähnt 1579–1598
Kat. VIII. 78

Schoen Erhard
Maler und Zeichner für den Holzschnitt; geb. nicht vor 1491 in Nürnberg, dort gest. 1542; tätig bei H. Springinklee und für den Verlag Koberger, 1517 drei Holzschnitte für den „Theuerdank" Maximilians und Mitarbeit an der „Ehrenpforte", Anlehnungen an H. S. Beham und →Dürer
Kat. VII. 45, 46

Schönfeld Johann Heinrich
Maler; geb. 1609 in Biberach, gest. 1684 in Augsburg; Wanderschaft über Basel nach Italien, seit 1562 in Augsburg tätig, Aufträge für den kaiserlichen Hof und den Salzburger Erzbischof Graf Thun; minuziöse Figurenstaffage durchwogt phantastische Raumbühnen der Historien (Stilelemente N. Poussins, S. Rosas und →Callots)
Kat. IX. 7, 8

Schultze Bernard
Maler und Plastiker; geb. 1915 in Schneidemühl/Westpreußen, lebt in Köln; 1934–1939 Studium in Berlin und Düsseldorf, in den 50er Jahren informelle Bilder und Reliefs, seit 1961 „unter dem Diktat des Unbewußten" raumausgreifende Farbplastiken aus Draht, Stoff, Papier und Kunststoff („Migofs")
Kat. XVI. 23

Scultori Adamo (gen. Mantovano)
Kupferstecher; geb. um 1530 in Mantua, gest. 1585; Sohn des Giov. Batt. Scultori, in Literatur vielfach fälschlich als „Adamo Ghisi" bezeichnet, Einfluß von →Giorgio Ghisi
Kat. VIII. 22

Sekal Zbynek
Plastiker und Zeichner; geb. 1923 in Prag, lebt seit 1970 in Wien; 1945–1950 Studium an der Prager Hochschule für angewandte Kunst, Reisen u. a. nach Paris und Rußland; arbeitet mit Holz, Metall und Leder, akzentuiert natürliche Strukturen und Veränderungsprozesse
Kat. XVI. 67, 68

Seligmann Kurt
Maler; geb. 1900 in Basel, gest. 1962 in New York; Studium in Genf und Florenz, 1929 Zusammenarbeit mit den Surrealisten in Paris (Einfluß von J. Arp und J. Mirò), 1939 Niederlassung in den USA; Publikation „The Mirror of Magic"
Kat. XV. 19

Sellier Charles
Maler; geb. 1830 in Nancy, dort gest. 1882; Schüler von L. Cogniet in Paris, 1857–1863 Stipendiat der Villa Medici in Rom; von Zeitgenossen gerühmte Lichtqualitäten seiner bildnerischen Fabelwelten aufgrund chemischer Farbveränderungen nicht mehr nachvollziehbar
Kat. XII. 17

Serlio Sebastiano
Architekt; geb. 1475 in Bologna, gest. um 1554 in Fontainebleau; in Rom Kontakte mit B. Peruzzi und dem Raffaelkreis, seit 1527 in Venedig tätig, 1541 Berufung durch Franz I. nach Frankreich, neben Bauaufträgen (Schloß Ancy-le-Franc) widmet er sich der Architekturtheorie
Kat. IV. 48

Seusenhofer Hans
Innsbrucker Waffenschmied; geb. 1470, gest. 1555; seit 1516 Hofplattner Maximilians I., später Ferdinands I., 1537 Nobilitierung
Kat. II. 18

Sigman Jörg
Augsburger Goldschmied und Zieselierer; geb. um 1527, gest. um 1601; 1548–1550 Zusammenarbeit mit →Helmschmid, 1552 Meister
Kat. I. 19, IV. 36

SITE
„Sculpture In The Environment"; gegründet 1971 in New York von J. Wines und A. Sky mit M. Stone und E. Sousa; Zusammenschluß von Architekten, Bildhauern, Autoren und Technikern mit dem Ziel „neue Konzepte im städtischen Ambiente" zu erarbeiten, seit 1971/72 Aufträge für amerikanische Supermarktkette „Best"
Kat. XIX. 23

Soane John
Architekt; geb. 1752 in Reading, gest. 1837 in London; Studium an der Royal Academy, 1777–1780 Romaufenthalt, wesentliche Impulse durch Antike und Barock für Ausbildung historisierenden Architekturstils, seit 1788 Architekt der Bank of England, 1792 Entwürfe für eigenes Wohnhaus mit vielseitiger Kunstsammlung
Kat. XI. 19

Solario Andrea
Maler; geb. um 1470/74 in Mailand (?), gest. 1524; seit 1490 Ausbildung in Venedig, 1507–1510 in Frankreich für den Kardinal d' Amboise tätig (Fresken im Schloß Gaillon), Spätwerk in der Lombardei trägt leonardeske Züge
Kat. I. 37

Solis Virgil
Kupferstecher und Zeichner für den Holzschnitt; geb. 1514, gest. 1562; Tätigkeit in Nürnberg unterbrochen von kurzem Aufenthalt in Zürich, Prägung durch →Dürer, J. Breu und H. Burgkmair; seine Ornamentstiche erlangen Bedeutung als Vorlagen für deutsche Maler, Bildhauer und Goldschmiede
Kat. V. 8

Spoerri Daniel
Objekt- und Installationskünstler; geb. 1930 in Galati/Rumänien, lebt in Köln, Paris und Wien; Ballett- und Pantomimestudium in Zürich und Paris, 1960 Mitbegründer des „Nouveau Réalisme", Entwicklung der „Fallenbilder" (ironische Infragestellung der Singularität von Künstler-Schöpfer und Kunstwerk), 1968 Eröffnung eines „Eat-Art"-Restaurants in Düsseldorf, 1981 zusammen mit M.-L. Plessen Installation des „Musée sentimental de Prusse" in Berlin, zuletzt Labyrinth-Projekte
Kat. XV. 22–24

Spranger Bartholomäus
Maler; geb. 1546 in Antwerpen, gest. 1611 in Prag; 1565 über Frankreich Reise nach Italien, 1575 Berufung durch Maximilian II. nach Wien, 1580 durch Rudolf II. nach Prag, Ernennung zum „Kammermaler" im folgenden Jahr, 1602 Reise in die Niederlande; mythologische und allegorische Sujets, zählt zusammen mit →Aachen und →Heintz zu den bedeutendsten Vertretern der Rudolfinischen Hofmalerei
Kat. I. 33, III. 7, III. 17, III. 22, V. 31, VI. 34, VII. 1, VII. 37

Stamkart Frans
Maler, Zeichner und Lithograph; geb. 1875 in Amsterdam, gest. ?; um 1897 Studium an der Amsterdamer Rijksakademie, 1901–1927 tätig in Hilversum, 1927 Niederlassung in Djakarta/Indonesien
Kat. XV. 6

Steingruber Johann David
Architekt und Stadtplaner; geb. 1702 in Wassertrüdingen, gest. 1787 in Ansbach; Wanderschaft an den Rhein, als fürstlich brandenburgischer Hof- und Landbauinspektor in Ansbach prägt er entscheidend das Stadtbild (Stadterweiterungspläne, Profan- und Sakralbauten), Buchwerke
Kat. X. 21

Stenvert Curt (eig. Curt Steinwendner)
Maler, Filmemacher und Objektkünstler; geb. 1920 in Wien, lebt in Köln und Wien; 1945–1949 Studium an der Wiener Akademie bei →Gütersloh und F. Wotruba, Interesse für kinetische Kunst führt Stenvert auch zum Film, seit 1962 surreale Objektmontagen, die „der Programmierung von Erkenntnis- und Erlebnisprozessen von Gesellschaften dienen"
Kat. XV. 33–35

Stimmer Tobias
Maler, Zeichner, Formschneider, Zeichner für den Holzschnitt; geb. 1539 in Schaffhausen, gest. 1584 in Straßburg; Einfluß oberdeutscher Kunst, →Dürers und der Venezianer, seit 1565 in Schaffhausen Leiter einer großen Werkstatt, u. a. allegorisch-figürliche Fassadenmalereien, seit 1582 in Straßburg als badischer Hofmaler tätig, künstlerische Ausgestaltung der Astronomischen Uhr im Straßburger Münster
Kat. I. 22, VI. 28

Stoer Lorenz
Maler und Zeichner; tätig 1555–1620; bis 1557 in Nürnberg dokumentiert, anschließend in Augsburg, sein Hauptwerk bildet das Vorlagebuch „Geometria et Perspectiva" 1567
Kat. VII. 49

Stom(er) Matthias
Maler; geb. um 1600 in Amersfoort (?), gest. um 1650; Ausbildung vermutlich in Utrecht, 1630/32 in Rom nachweisbar, später in Neapel, ab 1641 in Messina und Palermo tätig; Prägung durch Utrechter Caravaggisten und neapolitanische Malerei, großformatige Gemälde, vor allem religiöser und genrehafter Thematik
Kat. VIII. 7

Strathmann Carl
Maler, Illustrator und Entwerfer für Kunsthandwerk; geb. 1866 in Düsseldorf, gest. 1939 in München; 1882–1889 Studium in Düsseldorf und Weimar, 1891 Niederlassung in München, neben Landschaften klassisch-erotische und spukhafte Sujets symbolistischer Prägung (Einfluß →Toorops), Karikaturen für „Fliegende Blätter" und „Jugend"
Kat. XII. 16, XIII. 32

Strobel Bartholomäus d. J.
Maler; geb. 1591 in Breslau, gest. um 1660/70 (?) in Thorn; 1624 als ehemaliger Kammermaler der Kaiser Matthias und Ferdinand bezeichnet, später Hofmaler des Erzherzogs Karl von Österreich, des Fürstbischofs von Breslau und des polnischen Königs Wladislaw IV.
Kat. V. 6

Stuck Franz von
Maler, Bildhauer, Architekt, Entwerfer von Kunsthandwerk; geb. 1863 in Tettenweis/Niederbayern, gest. 1928 in München; 1881–1885 Studium an der Münchner Akademie, Einfluß u. a. von →Böcklin und →Klinger, 1892 Mitbegründer der Münchner Sezession, seit 1895 vielgeehrter Professor der Münchner Akademie, 1879–1898 Konzeption der Stuck-Villa als Gesamtkunstwerk, Illustrationen für „Fliegende Blätter" und „Jugend"
Kat. XIII. 13, 14, XV. 14

Susini Giovanni Francesco
Florentiner Bildhauer und Bronzegießer; gest. 1646; Neffe und Schüler von Antonio Susini, dessen Werkstatt er übernimmt, vorwiegend mythologische Statuengruppen bekannt
Kat. VIII. 35

Swanenburgh Willem
Kupferstecher; geb. um 1581/82 in Leiden, dort gest. 1612; Schüler seines Vaters, des Leidener Malers Isaac; u. a. Stiche nach →Rubens, A. Bloemaert, →Moreelse und →Saenredam
Kat. VI. 31

Tanguy Yves
Maler; geb. 1900 in Paris, gest. 1955 in Woodbury/Connecticut; Matrose der Handelsmarine, Autodidakt, 1925 Anschluß an die Surrealistengruppe, Reisen durch Afrika und den Südwesten der USA, 1942 Niederlassung in Woodbury, Mitinitiator der amerikanischen Surrealistenbewegung aus emigrierten Europäern
Kat. XIV. 39, 40, 41, XVI. 38

Tanning Dorothea
Malerin und Objektkünstlerin; geb. 1912 in Galesbury/Illinois, lebt in Paris und New York; 1936 entscheidende Impulse durch New Yorker Ausstellung „Fantastic Art, Dada and Surrealism", 1939 Parisaufenthalt, 1942 in New York Bekanntschaft mit →Ernst, den sie 1946 heiratet, 1952 Übersiedlung nach Frankreich, Abwendung von präzisfigurativen Traumbildern zugunsten zerfließender, lyrischer Abstraktionen
Kat. XVI. 20

Thomkins André
Maler und Zeichner; geb. 1930 in Luzern, gest. 1985 in Essen; 1947–1950 Studium an der Kunstgewerbeschule Luzern, 1950 Parisaufenthalt, Interesse für Dada und Surrealismus, 1952 Übersiedlung nach Deutschland, ironisch-phantastische Bildsprache versehen mit grotesken lautmalerischen Titeln, Buchillustrationen
Kat. XVI. 55–60

Thonet Michael
Möbelentwerfer; geb. 1796 in Boppard/Preußen, gest. 1871 in Wien; seit 1830 Experimente mit Technik des „gebogenen Holzes", 1842 Berufung durch Prinz Metternich nach Wien, zusammen mit seinen 4 Söhnen Einrichtung von Fabriken für die Massenproduktion von Stühlen (Gebrüder Thonet), schnelle Expansion in Europa und Amerika
Kat. XV. 2

Tiepolo Giovanni Battista
Maler und Graphiker; geb. 1696 in Venedig, gest. 1770 in Madrid; wesentliche Impulse durch Werke G. B. Piazzettas und S. Riccis, seit den 20er Jahren des 18. Jh.s begehrtester Maler Venedigs (zahlreiche Fresken für Kirchen und Adelspaläste), Aufträge für Würzburg, Vicenza, für den französischen, englischen, russischen und spanischen Hof, Erschließung weiter, luftiger Lichträume primär mit Mitteln der Farbe
Kat. X. 1, 2

Tiepolo Giovanni Domenico
Maler und Radierer; geb. 1727 in Venedig, dort gest. 1804; lange Zusammenarbeit mit Vater →Giovanni Battista, 1757 Freskierung des Gästehauses der Villa Valmarana, Vicenza
Kat. X. 3–5

Tiffany Louis Comfort
Maler und Entwerfer für Glas und Kunsthandwerk; geb. 1848 in New York, dort gest. 1933 (Sohn des Goldschmieds Charles Lewis); unter Einfluß von W. Morris 1878 dekorativen Künsten zugewandt, 1885 Gründung der „Tiffany Glass Company, New York", Spezialverfahren zur Erzeugung irisierenden Glases „Tiffany Favrile Glass" wird Welterfolg (Vasen, Lampenschirme etc.), in Europa Vertrieb durch S. Bings „L'Art Nouveau" Paris und „Tiffany & Co." London
Kat. XIII. 79

Tiziano Vecellio
Maler; geb. um 1487/90 in Pieve di Cadore/Friaul, gest. 1576 in Venedig; Ausbildung in Venedig bei den Bellinis, 1508 Mitarbeiter Giorgiones, offizielle Aufträge für die „Serenissima", seit 1533 Hofmaler Karls V., weiters für Philipp II. tätig, Tizians Meisterschaft der Farbe bildet den Höhepunkt der venezianischen Malerei und bleibt vorbildlich für alle folgenden koloristischen Strömungen
Kat. VI. 32, VII. 13

Toorop Jan
Maler; geb. 1858 in Poerworedjo/Java, gest. 1928 im Haag; Studium in Amsterdam und Brüssel, Mitglied der belgischen Gruppe „Les Vingt", 1890 Freundschaft mit M. Maeterlinck und E. Verhaeren bewirkt Anschluß an den Symbolismus, auf Englandreise Prägung durch Präraffaeliten und W. Morris, 1895 Übertritt zum Katholizismus und Wendung zur religiösen Kunst
Kat. XII. 18

Tübke Werner
Maler und Graphiker; geb. 1929 in Schönebeck/Elbe; Studium in Magdeburg, Leipzig und Greifswald, mehrere Italienreisen, Verdienste um die moderne Historienmalerei im Zeichen des Sozialismus: universalistische Prägung durch Anknüpfung an europäische Maltradition von →Bruegel bis zum Expressionismus, zahlreiche offizielle Aufträge, u. a. Wandbilder für den „Palast der Republik" in Berlin
Kat. XVI. 17–19, XVI. 64, 65

Umdenstock Jean Pierre
Kat. XVI. 69

Ungers Oswald Maria
Architekt; geb. 1926 in Kaisersesch/Eifel; seit 1976 tätig in Köln, Berlin, Frankfurt und Karlsruhe; Wegbereiter des „Rationalismus" zusammen mit →Rossi, 1963 Plan für das Studentenheim in Enschede, 1979–1984 Errichtung des Deutschen Architekturmuseums in Frankfurt/Main (mehrschichtiges Spiel mit Thema „Architektur" anhand „Haus im Haus"-Motiv)
Kat. XIX. 17

Ursula (Schultze-Bluhm)
Malerin und Objektkünstlerin; geb. 1921 in Mittenwald, lebt in Köln; 1938 Übersiedlung nach Berlin, später nach Frankfurt/Main, seit 1950 entstehen Bilder mit Geschichten, Heirat mit →Schultze, seit 1951 regelmäßige Aufenthalte in Paris, 1954 Entdeckung durch J. Dubuffet
Kat. XVI. 22

Valentinis Sebastiano de
Maler und Radierer; gest. um 1560, nachweisbar in Udine 1540–1558
Kat. IV. 28

Valturius Robertus
Ingenieur und Theoretiker des 15. Jh.s
Kat. IV. 62

Vasari Giorgio
Maler, Architekt und Kunsthistoriograph; geb. 1511 in Arezzo, gest. 1574 in Florenz; seit 1524 in Florenz ansässig, Ausbildung bei A. del Sarto und →Bandinelli, 1531/32 Studium →Michelangelos in Rom, seit 1532 in Diensten der Medici organisatorische Betreuung der wichtigsten Bau- und Dekorationsaufträge; berühmt durch Verfassung der Künstlerviten von Cimabue bis Michelangelo (2 Ausgaben 1550 und 1568)
Kat. V. 19–21, VII. 27

Vaudoyer Antoine-Laurent-Thomas
Architekt, Zeichner und Stecher; geb. 1756 in Paris, dort gest. 1846; 1783–1788 Studienaufenthalt in Italien, 1793 Mitbegründer einer Architekturschule im Louvre
Kat. X. 30

Veen Gysbert van
Maler, Kupferstecher und Gemmenschneider; geb. 1562 in Leiden, gest. 1628 in Antwerpen; nach Italienreise seit 1612 in Antwerpen tätig
Kat. IV. 3

Veen Otto van (gen. Venius)
Maler; geb. 1556 in Leiden, gest. 1629 in Brüssel; im Anschluß an Italienreise seit 1585 in Diensten Alexander Farneses in Brüssel, 1593 Freimeister der Antwerpener Gilde; gemäßigter nordischer Manierismus mit klassizistischen Zügen
Kat. IV. 3

Veneziano Agostino (eig. Agostino dei Musi)
Kupferstecher; geb. um 1490 in Venedig, datierte Arbeiten 1509–1536; Ausbildung in Venedig unter dem Eindruck der Werke G. Campagnolas, J. de Barbaris und →Dürers, über Florenz gelangt er 1516 nach Rom, wo er ein Hauptschüler Marcantonio →Raimondis wird, Reproduktionsstiche nach Raffael, Giulio →Romano und Antiken
Kat. VI. 23, VII. 57, VII. 59

Venturi Robert
Architekt; geb. 1925 in Philadelphia, lebt in New York; kulissenhafte Vorblendung von Zitaten aus der normativen Architekturästhetik („architecture parlante") steht in ironisch gebrochenem Verhältnis zur eigentlichen Baustruktur, 1960–1963 „Guild House" in Philadelphia, 1962 „My Mother's House", Chestnut Hill/Pennsylvania, 1966 Publikation von „Komplexität und Widerspruch"
Kat. XIX. 22

Verhaeght Tobias
Maler; geb. 1561 in Antwerpen, dort gest. 1631; im Anschluß an Italienreise 1590 Aufnahme in Antwerpener Lukasgilde, panoramaartige Landschaftsbilder in Nachfolge →Bruegels
Kat. VIII. 5

Vesalius Andrea
Brüsseler Arzt; geb. 1514, gest. 1564; 1537 bis 1542 Professor an Universität von Padua
Kat. VI. 32

Vianen Paulus van
Goldschmied; geb. um 1570 in Utrecht, gest. 1613 in Prag; seit 1596 für Münchner Hof tätig, im Anschluß an Italienreise 1603 durch Rudolf II. nach Prag berufen; Vianens Werke werden vorbildlich für die niederländische Ornamentkunst des Frühbarock
Kat. VIII. 56

Vico Enea
Kupferstecher und Numismatiker; geb. 1523 in Parma, gest. 1567 in Ferrara; Prägung durch Werke →Venezianos, 1545 Berufung an den Florentiner, 1563 an den Ferrareser Hof; Buchillustrationen, die antiquarisches Interesse bezeugen
Kat. IV. 4

Viladrich Vilá Miguel
Maler; geb. 1887 in Torrelameo/Lérida, gest. ?; Reisen durch Spanien, nach Paris und Italien, bevor er sich in Fraga bei Lérida niederläßt und Bauern und Landschaft der Umgebung porträtiert, nach 1918 Reise nach Südamerika; sachlich-asketischer Stil im Anschluß an spanische „bodegón"-Tradition mit volkstümlich-naiver Note
Kat. XV. 12

Vischer Adam
Münchner Büchsenschäfter; nachweisbar bis 1610; 1599 Meister, Aufträge für den Hof
Kat. II. 19

Vostell Wolf
Graphiker und Happeningkünstler; geb. 1932 in Leverkusen, lebt in Berlin; Studium in Wuppertal, Paris und Düsseldorf, 1954 Prägung des Begriffes der „décollage" für seine Arbeit, Verwischen und Übermalen von Photomontagen, seit 1961 Happenings (Integration von sozialpolitischen Komponenten), 1962–1969 Herausgeber der Zeitschrift „Dé-Coll/age", Arbeiten mit Video
Kat. XV. 40

Vredeman de Vries Hans
Maler, Stecher und Architekt; geb. um 1527 in Leeuwarden/Friesland, gest. um 1604; Aufenthalte in Deutschland, Flandern und Holland, um 1597 Berufung an den Prager Hof durch Rudolf II.; Begründer der Antwerpener Architekturmalerei, Entwicklung phantasievoller Renaissanceornamentik (Einfluß von →C. Floris), Bücher
Kat. IV. 49, IV. 65, VII. 43, 44, VII. 62, IX. 21

Vredeman de Vries Paul
Architekturzeichner und -maler; geb. 1567 in Antwerpen, gest. nach 1630 (?); Schüler und Mitarbeiter seines Vaters →Hans
Kat. IV. 65

Vries Adriaen de
Bildhauer; geb. um 1545 im Haag, gest. 1626 in Prag; 1581 Gehilfe in →Giambolognas Werkstatt in Florenz, 1595 Romaufenthalt, 1596 Fertigung von Brunnenfiguren für Augsburger Stadtjubiläum, seit 1601 Hofbildhauer Rudolfs II. in Prag, weitere Aufträge für europäische Herrscherhäuser und hohe Aristokratie
Kat. IV. 1, VII. 16

Warhol Andy
„Business-Artist"; geb. 1928 (?) in Pittsburgh (tschechischer Abstammung), gest. 1987 in New York; seit 1949 in New York zunächst als Werbegraphiker tätig, Anfang der 60er Jahre einflußreichster Promotor der „Pop Art", im Siebdruckverfahren Monumentalisierung des Alltäglichen, serielle Vervielfältigung der „images" unserer Konsumwelt, seit 1966 Produktion kommerzieller Kinofilme, seit 1973 offizielle Porträtaufträge
Kat. IX. 2, XV. 31

Welcz Concz
Goldschmied und Medailleur; gest. vor 1555, tätig in St. Joachimsthal/Böhmen
Kat. VIII. 75

Wewerka Stefan
Architekt und Objektkünstler; geb. 1928 in Magdeburg, lebt in Köln und Berlin; 1946–1951 Architekturstudium in Berlin bei M. Taut, seit 1961 Verfremdung von Gebrauchsgegenständen durch Zerschneiden oder Verzerren
Kat. XVII. 19, 20

Wiener René
Buchbinder; geb. 1856, gest. 1939; Mitglied der „École de Nancy", 1874 Übernahme der Familienwerkstatt
Kat. XIII. 46

Wirrich Heinrich
Formschneider und Kupferstecher; gest. 1600 in Frankfurt; 1571 als „Oberster Pritschenmeister von Österreich" in kaiserlichen Diensten, später in Straßburg, seit 1575 in Frankfurt tätig
Kat. V. 14

Woeriot Pierre II.
Bronzebildhauer, Ziseleur, Zeichner und Stecher; geb. um 1531/32 in Neufchâteau, gest. nach 1596; tätig vorwiegend in Nancy und Lyon, Aufenthalte in Italien und Augsburg
Kat. VIII. 29

Woods Lebbeus
Architekt und Designer; geb. 1940 in Lansing/Michigan, lebt in New York; seit 1976 spekulative Architekturprojekte, utopische Modellkonstruktionen begleitet von universalistischen Erläuterungen in Prosa und Poesie
Kat. XIX. 14

Woudanus Johannes Cornelijs
Maler und Zeichner; geb. um 1570 in Het Woud/Delft, gest. 1615 in Leiden; u. a. Zeichnungen mit Leidener Ansichten und Bildnisse von Reformatoren und Ketzern
Kat. VI. 30, 31

Wtewael Joachim
Maler; geb. 1566 in Utrecht, gest. 1638; Schüler von J. de Beer, 1586–1590 Aufenthalte in Padua und Frankreich, 1611 Gründungsmitglied der Utrechter Lukasgilde; einer der beständigsten Anhänger des Manierismus unter seinen niederländischen Zeitgenossen
Kat. V. 32, VI. 3

Wunderlich Paul
Maler und Graphiker; geb. 1927 in Berlin, lebt in Hamburg, Paris und Zürich; 1947–1951 Studium an der Landeskunstschule Hamburg, 1960–1963 Parisaufenthalt; surrealistische Phantastik und jugendstilhafte Arabeske verbunden mit technischem Raffinement und realistischen anatomischen Details, zahlreiche lithographische Folgen
Kat. XVI. 14–16, XVI. 61–63

Zanetti Antonio Maria
Kunstsammler, Radierer und Holzschneider; geb. 1680 in Venedig, dort gest. 1757; Verdienste um Wiederbelebung des Clair-obscur-Holzschnittes
Kat. IX. 1

Zick Stefan
Mitglied Nürnberger Kunstdrechslerfamilie; geb. 1639, gest. 1715; spezialisiert auf Elfenbeinarbeiten, virtuose, mikrotechnisch ausgeklügelte Kunstkammerstücke, anatomische Präparate und naturwissenschaftliche Monstrositäten
Kat. VI. 40

Ziegler Johann
Vedutenzeichner und Kupferstecher; geb. um 1750 in Meiningen (?), gest. um 1812 in Wien; Studium an Wiener Akademie, Ansichten von Wien und Umgebung, der Rhein- und Donaulandschaften und der österreichischen Alpenländer
Kat. X. 27

Zoan Andrea
Kupferstecher, der Blätter mit „Z. A." signiert; umstrittene Identifizierung mit dem um 1475 dokumentierten Maler Zoan Andrea; seit ca. 1490 in Mailand ansässig, um 1519 vermutlich noch tätig (Porträtstich Karls V.)
Kat. VII. 58

Zoppo Agostino
Bildhauer; geb. um 1520 in Padua, dort gest. 1572; Mitarbeit an M. Sanmichelis Grabmal Contarini im Santo von Padua sowie an J. Sansovinos Sakristeitüre von S. Marco, Venedig
Kat. II. 10

Zorer Elias
Mitglied Augsburger Goldschmiedefamilie; gest. 1625
Kat. VIII. 52

Zuccari Federico
Maler und Kunsttheoretiker; geb. 1540 in S. Angelo in Vado, gest. 1609 in Ancona; Ausbildung in Rom bei seinem Bruder →Taddeo, Freskenaufträge u. a. für den Dogenpalast in Venedig, die Domkuppel von Florenz (nach dem Tod Vasaris 1574) und den Escorial (1585–1588), 1603 Publikation des Traktates „Idea"
Kat. VII. 32, 33

Zuccari Taddeo
Maler; geb. 1529 in S. Angelo in Vado, gest. 1566 in Rom; 1543 Ankunft in Rom, 1551 Beteiligung an Ausstattung der Villa di Papa Giulio, seit 1559 zusammen mit seinem Bruder →Federico Freskierung der Villa Farnese in Caprarola
Kat. IV. 57

Zucchi Jacopo
Maler und Zeichner; geb. 1541 (?) in Florenz, dort (?) gest. 1590 (?); Schüler von →Vasari und Stradanus, 1572 Eintritt in Dienste Kardinals Ferdinand I. Medici in Rom, Aufträge für Freskenausstattungen römischer Paläste und Kunstkammerstücke, Anklänge an nordische Bildphantasie
Kat. I. 26

Achleitner 1981
F. Achleitner, Psychogramm oder Gegenwelt? Über die Rolle der Zeichnung in der Architektur und über die Rolle der Architektur in der Zeichnung Rob Kriers in: Um Bau 4/1981, S. 71 ff

Ackermann 1967
G. M. Ackermann, Lomazzo's Treatise on Painting, in: Art Bulletin 1967

Ackermann 1966
J. S. Ackermann, Palladio, Harmondsworth 1966 (Stuttgart 1980)

Ackermann 1983
J. S. Ackermann, The Tuscan/Rustic Order. A Study in the Metaphorical Language of Architecture, in: Journal of the Society of Architectural Historians XLII, 1, 1983, S. 15 ff

Albricci 1976
G. Albricci, Le incisione di G. B. Scultori, in: Il conoscitore di stampe, Nr. 33/34, 1976, S. 10 ff

Albricci 1983
G. Albricci, „Il sogno di Raffaelo'' di Giorgio Ghisi, in: Arte cristiana, Nr. 71, 1983, S. 215 ff

Alexandrian 1972
S. Alexandrian, Hans Bellmer, Berlin 1972

Adhémar 1954
J. Adhémar, Aretino: Artistic Adviser to Francis I, in: Journal of the Warburg and Courtauld Institutes XVII, 1954, S. 311 ff

Algarotti 1752
F. Algarotti, Dialoghi sopra la luce, i colori, e l'attrazione, Neapel 1752

Allmeyer-Beck 1974
J. Ch. Allmeyer-Beck, Vom „Letzten Ritter'' zum „Kriegsunternehmer'', in: Renaissance, Geschichte, Wissenschaft, Kunst in Österreich, Horn 1974, S. 114 ff

An Der Heiden 1970
R. An der Heiden, Die Porträtmalerei des Hans von Aachen, in: Jahrbuch der Kunsthistorischen Sammlungen 66, 1970, S. 197 ff

Andreae 1986
B. Andreae, Laokoon und Lykophron. Zur Bedeutung der Laokoongruppe in hellenistischer Zeit, in: Studien zur klassischen Archäologie, Festschrift zum 60. Geburtstag von F. Hiller, Saarbrücken 1986

Andree 1977
R. Andree, Arnold Böcklin. Die Gemälde, Basel–München 1977

Andrews 1985
M. Andrews, Frank Gehry, Buildings and Projects, New York 1985

Antal 1975
F. Antal, Zum Problem des niederländischen Manierismus, in: Zwischen Renaissance und Romantik, Dresden 1975

Ariosto 1920
L. Ariosto, Sämtliche poetische Werke (Übers. A. Kissner), Berlin 1920

Ausst.-Kat. Abbate 1969
Nicolo dell'Abbate (S. M. Beguin), Bologna 1969

Ausst.-Kat. Aldegrever 1985
Heinrich Aldegrever und die Bildnisse der Wiedertäufer, Landschaftsverband Westfalen-Lippe, Westfälisches Landesmuseum für Kunst und Kulturgeschichte, Münster 1985

Ausst.-Kat. Anzinger 1986
Siegfried Anzinger, Galerie Krinzinger, Wien 1986

Ausst.-Kat.Arbeitsrat 1980
Arbeitsrat für Kunst, Berlin 1918–1921, Berlin 1980

Ausst.-Kat. Architekt und Ingenieur 1984
Architekt und Ingenieur, Herzog August-Bibliothek, Wolfenbüttel 1984

Ausst.-Kat. Architekten auf dem Lande 1986
Die Großen Architekten auf dem Lande, Bad Vöslau 1986

Ausst.-Kat. Architekturtheorie 1986
Deutsche Architekturtheorie zwischen Gotik und Renaissance (S. Vieten-Kreuels/W. Dieterlin), Universitätsbibliothek Düsseldorf 1986

Ausst.-Kat. Barock 1975
Deutsche Kunst des Barock, Herzog Anton Ulrich-Museum, Braunschweig 1975

Ausst.-Kat. Bayern 1972
Bayern – Kunst und Kultur (M. Petzet), Stadtmuseum München 1972

Ausst.-Kat. Beeldenstorm 1986
Kunst voor de beeldenstorm, Rijksmuseum, Amsterdam 1986, 2 Bde.

Ausst.-Kat. Bellmer 1967
Hans Bellmer (Hrsg. W. Schmied), Kestner Gesellschaft, Hannover 1967

Ausst.-Kat. Best Buildings 1979
Building for Best Products, Museum of Modern Art, New York 1979

Ausst.-Kat. Bill 1976
Dokumentation zur Ausstellung Max Bill, Hamburger Kunsthalle 1976

Ausst.-Kat. Bruegel 1975
Bruegel als Zeichner, Staatliche Museen, Stiftung Preußischer Kulturbesitz, Kupferstichkabinett, Berlin 1975

Ausst.-Kat. Broodthaers 1980
Marcel Broodthaers, Museum Ludwig, Köln 1980

Ausst.-Kat. Bugatti 1983
Die Bugattis, Museum für Kunst und Gewerbe, Hamburg 1983

Ausst.-Kat. Callot 1975
Jacques Callot, Stefano della Bella, dalle collezioni di stampe della Biblioteca degli Intronati di Siena (P. Ballerini/S. Di Pino Giambi/M. P. Vignolini), Palazzo Publico, Siena 1975

Ausst.-Kat.Carabin 1974
L'œuvre de Rupert Carabin 1862–1932 (I. Brunhammer), Paris 1974

Ausst.-Kat. Carracci 1956
Mostra dei Carracci (D. Mahon), Palazzo dell'Archiginnasio, Bologna 1956

Ausst.-Kat. de Chirico 1982/83
Giorgio de Chirico, der Metaphysiker (Hrsg. W. Rubin/W. Schmied/J. Clair), Haus der Kunst, München 1982/83

Ausst.-Kat.de Chirico 1983
Giorgio de Chirico, Art curial, Paris 1983

Ausst.-Kat. Coop Himmelblau 1986
Coop Himmelblau. Offene Architektur, Wohnanlage Wien 2, Architekturgalerie, München 1986

Ausst.-Kat. Cornell 1980
Joseph Cornell, The Museum of Modern Art, New York 1980

Ausst.-Kat. Cranach 1972
Lukas Cranach (D. Koepplin/T. Falk), 2 Bde., Basel 1972

Ausst.-Kat. Cuir 1985
Le Cuir au Musée de l'École de Nancy, Nancy 1985

Ausst.-Kat. Curiositäten 1978
Curiositäten und Inventionen aus Kunst- und Rüstkammer. Kunsthistorisches Museum, Waffensammlung, Wien 1978

Ausst.-Kat. Dada 1984
In the Mind's Eve: Dada and Surrealisme (Hrsg. T. A. R. Neff), Museum of Contemporary Art, Chicago–New York 1984

Ausst.-Kat. Dalí 1971
Dalí, Gemälde, Zeichnungen, Objekte, Schmuck (Ausstellung Salvador Dalí unter Einschluß der Sammlung Edward F. W. James), Staatliche Kunsthalle, Baden/Baden 1971

Ausst.-Kat. Dalí 1979
Salvador Dalí 1920–1980, Retrospektive, Centre George Pompidou, Paris 1979

Ausst.-Kat. Dalí 1982
Salvador Dalí, Palais Auersperg, Wien 1982

Ausst.-Kat. Delacroix 1964
Eugène Delacroix, Kunsthalle Bremen, Bremen 1964

Ausst.-Kat. Die letzte Reise 1984
Die letzte Reise, Stadtmuseum, München 1984

Ausst.-Kat. Die Muschel in der Kunst 1985
Die Muschel in der Kunst (S. Barten), Museum Bellerive, Zürich 1985

Ausst.-Kat. Donauschule 1965
Die Kunst der Donauschule, St. Florian–Linz 1965

Ausst.-Kat. Ernst 1970
Max Ernst, Das innere Gesicht, Hamburger Kunsthalle, Hamburg 1970

Ausst.-Kat. Ernst 1979
Max Ernst, Haus der Kunst, München 1979

Ausst.-Kat. Europa/Amerika 1986
Europa/Amerika, Museum Ludwig, Köln 1986

Ausst.-Kat. Eva 1986
Eva und die Zukunft. Das Bild der Frau seit der Französischen Revolution (Hrsg. W. Hofmann), Konzept und Katalog S. Paas und F. Gross, Hamburger Kunsthalle (11. Juli bis 14. September 1986), München 1986

Ausst.-Kat. Faszination 1980
Faszination des Objekts, Museum moderner Kunst, Wien 1980

Ausst.-Kat. Fontainebleau 1952
Fontainebleau e la maniera Italiana, Neapel 1952

Ausst.-Kat. Fontainebleau 1972
L'École de Fontainebleau, Grand Palais, Paris 1972

Ausst.-Kat. Fontainebleau 1973
Fontainebleau, Galerie National du Canada, Ottawa 1973

Ausst.-Kat. Fragner 1969
Jaroslav Fragner 1898–1967 (O. Nový), Prag 1969

Ausst.-Kat. Fuchs 1966
Ernst Fuchs „Sphinx'', Frankfurt/M., Galerie Sydow 1966

Ausst.-Kat. Füssli 1974
Johann Heinrich Füssli 1741–1825 (Hrsg. W. Hofmann), Hamburger Kunsthalle 1974/75, München 1974

Ausst.-Kat. Gallé 1986
Emile Gallé (J. Crevier), Paris 1986

Ausst.-Kat. Gesamtkunstwerk 1983
Der Hang zum Gesamtkunstwerk, Kunsthaus Zürich (Düsseldorf, Wien) 1983

Ausst.-Kat. Giambologna 1978
Giambologna, Kunsthistorisches Museum, Wien 1978

Ausst.-Kat. Gläserne Kette o. J.
Die gläserne Kette, Visionäre Archtiekturen aus dem Kreis um Bruno Taut 1919–1920, Leverkusen, Berlin o. O. o. J.

Ausst.-Kat. Gonzaga 1981
Splendours of the Gonzaga (Bearb. D. Chambers/ J. Martineau), Victoria and Albert Museum, London 1981

Ausst.-Kat. Götter und Römer 1985
Götter und Römer, Künstlerhaus, Palais Thurn und Taxis, Bregenz 1985

Ausst.-Kat. Goya 1980
Francisco José de Goya y Lucientes, Das Zeitalter der Revolution 1789–1830 („Kunst um 1800''), Hamburger Kunsthalle 1980

Ausst.-Kat. Guimard 1975
Hector Guimard 1867–1942 (Y. Brunhammer/ K. Bußmann/R. Kock), Landesmuseum Münster (16. März bis 27. April 1975), Greven 1975

Ausst.-Kat. Hablik 1979
Wenzel Hablik. Bilder – Graphik – angewandte Kunst, Regensburg–Erlangen 1979

Ausst.-Kat. Hablik 1980
Wenzel Hablik, Designer, Utopian Architect, Expressionist, Artist, London 1980

Ausst.-Kat. Hablik 1981
Wenzel Hablik, Aspekte zum Gesamtwerk, Itzehoe–Lübeck 1981

Ausst.-Kat. Italian Prints 1978
Sixteenth Century Italian Prints (Bearb. H. S. Sopher/C. Lazzaro-Bruno), Pomona College, Claremont/California 1978

Ausst.-Kat. Italienische Kleinplastiken 1976
Italienische Kleinplastiken, Zeichnungen und Musik der Renaissance, Waffen des 16. und 17. Jahrhunderts, Schloß Schallaburg 1976

Ausst.-Kat. Jamnitzer 1985
Wenzel Jamnitzer, Germanisches Nationalmuseum, Nürnberg 1985

Ausst.-Kat. Jamnitzer, Lencker, Stoer 1969
Jamnitzer, Lencker, Stoer, Drei Nürnberger Konstruktivisten des 16. Jahrhunderts, Albrecht Dürer Gesellschaft, Nürnberg 1969

Ausst.-Kat. Jugendstil 1977
Jugendstil, Palais des Beaux-Arts, Bruxelles 1977

Ausst.-Kat. Karl V. 1958
Karl V., Kunsthistorisches Museum, Wien 1958

Ausst.-Kat. Khnopff 1979
Ferdinand Khnopff 1858–1921, Musée des Arts Décoratifs, Paris 1979 (Bruxelles 1980, Hamburg 1980)

Ausst.-Kat. Klapheck 1985
Konrad Klapheck, Retrospektive 1955–1985 (Hrsg. W. Hofmann), Hamburger Kunsthalle, München 1985

Ausst.-Kat. Klinger 1984
Max Klinger, Wege zum Gesamtkunstwerk (M. Boetzkes/D. Gleisberg/E. Mai/H.-G. Pfeifer/ U. Planner-Steiner/H. Ch. Wolff), Roemer- und Pelizaeus-Museum, Hildesheim 1984

Ausst.-Kat. Labyrinthe 1966
Labyrinthe, Berlin 1966

Ausst.-Kat. Lorrain 1982
Claude Lorrain e i Pittori lorrenesi in Italia nel XVII secolo (J. Thuillier), Accadèmia di Francia, Rom 1982

Ausst.-Kat. Luther 1983
Luther und die Folgen für die Kunst (Hrsg. W. Hofmann), Hamburger Kunsthalle, München 1983

Ausst.-Kat. Magritte 1978/79
Retrospèctive Magritte, Palais des Beaux-Arts, Bruxelles 1978, Centre Georges Pompidou, Paris 1979

Ausst.-Kat. Manierizmus 1961
Manierizmus, Szépmüvészeti Múzeum, Budapest 1961

Ausst.-Kat. Maniérisme 1955
Le Triomphe du Maniérisme Européen, De Michel-Ange au Gréco. Rijksmuseum, Amsterdam 1955

Ausst.-Kat. Man Ray 1966
Man Ray, Los Angeles 1966

Ausst.-Kat. Marcantonio Raimondi 1981
The Engravings of Marcantonio Raimondi. Spencer Museum of Art. University of Kansas, Lawrence 1981

Ausst.-Kat. Masson 1976
André Masson (C. Lachner/W. Rubin), The Museum of Modern Art, New York 1976

Ausst.-Kat. Master Bronzes 1986
Renaissance Master Bronzes from the Collection of the Kunsthistorisches Museum, Smithsonian Institution, Washington 1986

Ausst.-Kat. Matthias Corvinus 1984
1440–1519 Friedrich-Matthias Corvinus-Maximilian, Sonderausstellung, Klosterneuburg 1984

Ausst.-Kat. Medici 1980
Theater art of the Medici (A. R. Blumenthal), Dartmouth College Museum and Galleries, Hannover (New Hampshire) und London 1980

Ausst.-Kat. Michelangelo 1964
Fortuna di Michelangelo nell'incisione (Bearb. M. Rotili), Museo del Sannino, Benvenuto 1964

Ausst.-Kat. Moreau 1986
Gustave Moreau Symboliste (T. Stooss), Kunsthaus Zürich 1986

Ausst.-Kat. Mossa 1978
Gustav Adolf Mossa 1883–1971 et les Symboles (Hrsg. J. R. Soubrian), Musées de Nices, Nizza 1978

Ausst.-Kat. Mucha 1980 I
Alfons Mucha 1860–1939, peintures, illustrations – affiches, arts décoratifs, Grand Palais, Paris 1980 (Mathildenhöhe Darmstadt 1980)

Ausst.-Kat. Mucha 1980 II
Alfons Mucha, Mathildenhöhe, Darmstadt 1980

Ausst.-Kat. Mucha 1981
Alfons Mucha och Tjeckisk Art Nouveau. En utställing från det tjeckiska Nationalmuseet och Konsthantverksmuseet i Prag (Alfons Mucha and Czech Art Nouveau. An Exhibition from National Gallery in cooperation with Museum of Applied Art, Prag), Malmö Konsthall 1981/82

Ausst.-Kat. museum 1978
„museum'', Städtische Galerie im Lenbachhaus, München (Braunschweig) 1978

Ausst.-Kat. Nancy 1900 1980
Nancy 1900. Jugendstil in Lothringen. Zwischen Historismus und Art Déco (J. A. Schmoll gen. Eisenwerth/H. Schmoll gen. Eisenwerth), Stadtmuseum München 1980, Mainz/Murnau 1980

Ausst.-Kat. Natur und Antike 1985/86
Natur und Antike in der Renaissance. Liebieghaus, Museum Alter Plastik, Frankfurt/M. 1985/86

Ausst.-Kat. Olbrich 1983
Josef Olbrich 1867–1908, Darmstadt 1983

Ausst.-Kat. Oldenburg 1975/76
Zeichnungen von Claes Oldenburg. Thüringen–Basel – München – Berlin–Krefeld–Wien–Hamburg–Frankfurt–Hannover–Humlebaek 1975/76

Ausst.-Kat. Oppenheim 1984/85
Meret Oppenheim, Bern, Frankfurt, Berlin 1984/85

Ausst.-Kat. Palladio 1973
Andrea Palladio, Basilica Palladiana, Vicenza 1973

Ausst.-Kat. Palladio 1975
Andrea Palladio (M. Kubelik), Kunstgewerbemuseum der Stadt Zürich 1975

Ausst.-Kat. Palladio 1980
Palladio e Verona, Verona 1980

Ausst.-Kat. Parmigianino 1963
Graphische Sammlung Albertina, Parmigianino und sein Kreis, Zeichnungen und Druckgraphik aus eigenem Besitz (K. Oberhuber), Albertina, Wien 1963

Ausst.-Kat. Peinture Française 1982
La peinture française du XVIIe siècle dans les collections américaines, Grand Palais, Paris 1982 (New York, Chicago 1982)

Ausst.-Kat. Picasso 1980 I
Pablo Picasso, Retrospektive, Museum of Modern Art (W. Rubin), New York 1980 (mit einer Chronologie von J. Fluegel, München 1980)

Ausst.-Kat. Picasso 1980 II
Œuvre reçues en paiement des droits sucession (D. Bozo), Grand Palais, Paris 1980

Ausst.-Kat. Pichler 1977
Walter Pichler, Kestner Gesellschaft, Hannover 1977

Ausst.-Kat. Piranesi 1967
Giovanni Battista Piranesi (M. Winner), Staatliche Museen Berlin, Stiftung Preußischer Kulturbesitz, Kupferstichkabinett, Berlin 1967

Ausst.-Kat. Pistoletto 1984
Michelangelo Pistoletto, Castello de Belvedere, Florenz 1984

Ausst.-Kat. Plattnerkunst 1954
Die Innsbrucker Plattnerkunst (V. Oberhammer), Landesmuseum Ferdinandeum, Innsbruck 1954

Ausst.-Kat. Plečnik 1986 I
Architekt Jože Plečnik, Laibach 1986

Ausst.-Kat. Plečnik 1986 II
Jože Plečnik, Architecte 1872–1957, Paris 1986

Ausst.-Kat. Poccetti 1980
Disegni di Bernardino Poccetti (P. C. Hamilton), Gabinetto Disegni e Stampe degli Uffizi, Florenz 1980

Ausst.-Kat.Poelzig 1986
Der dramatische Raum, Hans Poelzig, Malerei Theater Film, Krefeld 1986

Ausst.-Kat. Poirier 1985
Anne e Patrick Poirier, Maison de la Culture, Grenoble 1985

Ausst.-Kat. Poirier 1986
Anne and Patrick Poirier, Lost Archetypes, Bath Festival 1986

Ausst.-Kat. Präraffaeliten 1973/74
Präraffaeliten, Staatliche Kunsthalle Baden-Baden 1973/74

Ausst.-Kat. Princely Magnificance 1980
Princely Magnificance. Court Jewels of the Renaissance 1500–1630, London 1980

Ausst.-Kat. Prospekt '86 1986
Prospekt '86, Eine internationale Ausstellung aktueller Kunst, Frankfurter Kunstverein 1986

Ausst.-Kat. Putz 1980
Leo Putz 1869–1940. Gedächtnisausstellung zum 40. Todestag. Eine Ausstellung des Meraner Museums in Zusammenarbeit mit der Kurverwaltung und dem Rotary Club Meran. Kurhaus Meran 1980, Bozen 1980 (Innsbruck 1980, München 1981)

Ausst.-Kat. Rainer 1968
Arnulf Rainer (Einf. W. Hofmann), Museum des 20. Jahrhunderts, Wien 1968

Ausst.-Kat. Rainer 1980/81
Arnulf Rainer (D. Honisch), Nationalgalerie, Staatliche Museen, Stiftung Preußischer Kulturbesitz, Berlin 1980 (Baden-Baden 1981, Bonn 1981, Wien 1981)

Ausst.-Kat. Revision 1984
Die Revision der Moderne. Postmoderne Architektur 1960–1980 (Hrsg. H. Klotz), Deutsches Architekturmuseum, Frankfurt/M. 1984

Ausst.-Kat. Revolutionsarchitektur 1970
Revolutionsarchitektur, Boullée, Ledoux, Lequeu (G. Metken/K. Gallnitz), Staatliche Kunsthalle, Baden-Baden 1970

Ausst.-Kat. Riemerschmid 1982/83
Richard Riemerschmid. Vom Jugendstil zum Werkbund. Werke und Dokumente (Hrsg. W. Nerdinger), Ausstellung der Architektursammlung der Technischen Universität München, des Münchner Stadtmuseums und des Germanischen Nationalmuseums Nürnberg, Stadtmuseum München 1982 (Nürnberg 1983)

Ausst.-Kat. Rops 1985
Félicien Rops 1833–1898. Centre culturel de la Communauté française Wallonie-Bruxelles „Le Botanique'' et les Musées royaux des Beaux-Arts de Belgique, Brüssel 1985 (Paris 1985, Nizza 1985)

Ausst.-Kat. Rossi 1983
Aldo Rossi opere recenti, Modena, Perugia 1983

Ausst.-Kat. Rubens 1977
Peter Paul Rubens, Kunsthistorisches Museum, Wien 1977

Ausst.-Kat. Schönfeld 1967
Johann Heinrich Schönfeld, Bilder, Zeichnungen, Graphik (Einl. H. Pée), Museum Ulm 1967

Ausst.-Kat. Seizième Siècle 1965/66
Le Seizième Siècle. Peintures et Dessins dans les Collections Publiques Françaises, Petit Palais, Paris 1965/66

Ausst.-Kat. Spielkarten 1974
Spielkarten. Ihre Kunst und Geschichte in Mitteleuropa, Graphische Sammlung Albertina, Wien 1974

Ausst.-Kat. Stenvert 1975
Curt Stenvert, Objekte 1962–1974, Österreichische Galerie, Wien 1975

Ausst.-Kat. Stilleben 1979
Stilleben in Europa, Westfälisches Landesmuseum für Kunst und Kulturgeschichte, Münster 1979/80

Ausst.-Kat. Stimmer 1984
Tobias Stimmer, Spätrenaissance am Oberrhein (D. Koepplin), Kunstmuseum Basel 1984

Ausst.-Kat. Symmetrie 1986
Symmetrie in der Kunst, Natur und Wissenschaft, Mathildenhöhe, Darmstadt 1986

Ausst.-Kat. Tanguy 1982
Yves Tanguy (K. Schmidt), Staatliche Kunsthalle Baden-Baden, München 1982

Ausst.-Kat. Thomkins 1986
André Thomkins, Kunsthaus Zürich 1986

Ausst.-Kat. Tiepolo 1970
Le acqueforti dei Tiepolo, Udine (Loggia del Lionello), Mailand 1970

Ausst.-Kat. Tiepolo 1976
Etchings by the Tiepolos, Eaux-Fortes des Tiepolos (G. Nox/E. Dee), National Galerie, Ottawa 1976

Ausst.-Kat. Tiepolo 1985
Giambattista Tiepolo, il segno e l'enigma (D. Succi), Görz (Kastell) und Venedig 1985

Ausst.-Kat. Tizian 1971
Tizian und sein Kreis (T. Dreyer), 50 venezianische Holzschnitte aus dem Berliner Kupferstichkabinett, Staatliche Museen, Stiftung Preußischer Kulturbesitz, Berlin 1971

Ausst.-Kat. Toscana dei Medici 1980
Firenze e la Toscana dei Medici nell'Europa del Cinquecento. 4 Bde., Florenz 1980

Ausst.-Kat. Traum des Orpheus 1984
Der Traum des Orpheus. Mythologie in der italienischen Gegenwartskunst 1967 bis 1984 (Hrsg. H. Friedl), Stadtmuseum, München 1984

Ausst.-Kat. Tübke 1976
Werner Tübke, Dresden 1976

Ausst.-Kat. Vasari 1964
Mostra di Disegni del Vasari e della sua cerchia (P. Barocchi), Florenz 1964

Ausst.-Kat. Vision 1986
Vision der Moderne. Das Prinzip Konstruktion (Hrsg. H. Klotz), Deutsches Architekturmuseum, Frankfurt/M., München 1986

Ausst.-Kat. Warhol 1985
Warhol versus de Chirico, Marisa del Re Gallery, New York 1985

Ausst.-Kat. Welt im Umbruch 1980
Welt im Umbruch – Augsburg zwischen Renaissance und Barock. 2 Bde, Rathaus Augsburg 1980

Ausst.-Kat. Wittelsbach 1980
Wittelsbach und die Bayern, Landshut, München 1980

Ausst.-Kat. Wort und Bild 1981
Wort und Bild. Buchkunst und Druckgraphik in den Niederlanden im 16. und 17. Jahrhundert, Belgisches Haus, Köln 1981

Ausst.-Kat. Wunderkammer 1986
Wunderkammer (A. Lugli), XLII Esposizione Internazionale d'Arte, La Biennale di Venezia, Venedig 1986

Ausst.-Kat. Wunderlich 1974
Paul Wunderlich (mit Werkkatalog, Hrsg. Jensen), Kiel 1974

Ausst.-Kat. Wunderlich 1977
Paul Wunderlich, Brüssel 1977

Ausst.-Kat. Zanetti 1969
Caricature di Antonio Maria Zanetti (A. Bettagno), Venedig 1969

Ausst.-Kat. Zeitspiegel 1986
„Zeitspiegel'', Galerie Pels-Lensden, Berlin 1986

Bachtler 1978
M. Bachtler, Die Nürnberger Goldschmiedefamilie Lencker, in: Anzeiger des Germanischen Nationalmuseums 1978, S. 71 ff

Bacou 1976
R. Bacou, A propos des dessins de figures de Piranèse, in: Piranèse et les Français, Colloquium in der Villa Medici 1976, Hrsg. Georges Brunel, Rom 1978, S. 33 ff

Ballot 1924
M. J. Ballot, La Ceramique Française. Bernard Palissy et les Fabriques de XVIe siècle, Paris 1924

Bandinelli 1979
B. Bandinelli, Memoriale, in: P. Barocchi (ed.), Scritti d'arte del Cinquecento, Bd. VI, Turin 1979

Bandmann 1960
G. Bandmann, Melancholie und Musik, Köln 1960

Barasch 1981
M. Barasch, The Mask in European Art – Meanings and Functions, in: Festschrift H. Jansen, New York 1981, S. 253 ff

Bardon 1963
F. Bardon, Diane de Poitiers et le Mythe de Diane, Paris 1963

Barner 1970
W. Barner, Barockrhetorik, Untersuchungen zu ihren geschichtlichen Grundlagen, Tübingen 1970

Barocchi 1950
P. Barocchi, Il Rosso Fiorentino, Rom 1950

Barocchi 1964
P. Barocchi, Vasari Pittore, Mailand 1964

Bartsch
A. Bartsch, Le Peintre-Graveur, 21 Bde., Wien 1803–1821 (illustrierte Neuauflage: The Illustrated Bartsch, General Editor: Walter I. Strauss, New York 1978 ff)

Bartsch 1920
A. Bartsch, Le Peintre-Graveur, nouvelle edition, Würzburg 1920, Bd. XVI

Bastelaer 1908
R. van Bastelaer, Les Estampes de Pieter Bruegel l'Ancien, Brüssel 1908

Bauer 1962
H. Bauer, Rocaille, Zur Herkunft und zum Wesen eines Ornament-Motivs, Berlin 1962 (= Neue Münchner Beiträge zur Kunstgeschichte, Hrsg. Hans Sedlmayr, Bd. 4)

Bauer-Haupt 1976
Bauer-Haupt (Hrsg.), Das Kunstinventar Rudolfs II., 1607–1611, in: Jahrbuch der Kunsthistorischen Sammlungen in Wien, Bd. 72, 1976

Baum 1980
E. Baum, Katalog des Österreichischen Barockmuseums im Unteren Belvedere in Wien, Wien und München 1980 (= Große Meister, Epochen und Themen der österreichischen Kunst, Barock, Österreichische Galerie Wien, Kataloge II/1 und 2)

Baumgart 1944
F. Baumgart, Zusammenhänge der niederländischen mit der italienischen Malerei in der zweiten Hälfte des 16. Jahrhunderts, in: Marburger Jahrbuch für Kunstwissenschaft XIII, 1944

Beaucamp 1985
E. Beaucamp, Werner Tübke, Arbeiterklasse und Intelligenz, Frankfurt/M. 1985

Beaulieu 1978
M. Beaulieu, Description raisonée des sculptures de Musée du Louvre, Tome II, Renaissance française, Paris 1978

Becker 1854
C. Becker, Jost Amman, Zeichner und Formschneider, Kupferätzer und Stecher, Leipzig 1854

Béguin/Binenbaum/Chastel 1972
S. Béguin/O. Binenbaum/A. Chastel et al., La Galerie François Ier au château de Fontainebleau, in: Revue de l'art (Sondernummer) 16–17, 1972

Béguin/Guillaume/Roy 1985
S. Béguin/J. Guillaume/A. Roy, La galerie d'Ulysse à Fontainebleau, Paris 1985

Behal 1981
V. J. Behal, Möbel des Jugendstils, München 1981

Beinert/Petri 1984
W. Beinert/H. Petri, Handbuch der Marienkunde, Regensburg 1984

Bell Dinsmoor 1942
W. Bell Dinsmoor, The Literary Remains of Sebastiano Serlio, in: The Art Bulletin 1942, S. 55 ff

Belluzzi 1976
A. Belluzzi, Porta Giulia a Mantova. Note sulla tipologia delle porte di città, in: Psicon 3, 1976, 8–9, S. 96 ff

Beneke 1887
O. Beneke, Hamburger Geschichten und Sagen, 1. Teil, Hamburg 1887[4]

Benesch 1928
O. Benesch, Beschreibender Katalog der Handzeichnungen in der Graphischen Sammlung Albertina, Bd. II. Die Zeichnungen der Niederländischen Schulen des XV. und XVI. Jahrhunderts, Wien 1928

Benesch 1933
O. Benesch, Beschreibender Katalog der Handzeichnungen in der Graphischen Sammlung Albertina, Bd. IV, V. Die Zeichnungen der Deutschen Schulen bis zum Beginn des Klassizismus, Wien 1933

Benešová 1978
M. Benešová, Dvacátá léta v díle E. Linharta in: Architektura ČSR, Prag, Jg. 37/1978, S. 178

Benz 1955
E. Benz, Adam, der Mythos vom Urmenschen, München 1955

Berckenhagen 1970
E. Berckenhagen, Staatliche Museen, Stiftung Preußischer Kulturbesitz, Die französischen Zeichnungen der Kunstbibliothek Berlin, Berlin 1970

Berenson 1938
B. Berenson, The Drawings of the Florentine Painters, Chicago 1938

Berliner 1926
R. Berliner, Ornamentale Vorlage-Blätter des 15. bis 18. Jahrhunderts, Leipzig 1926

Berliner/Egger 1981
A. Berliner/G. Egger, Ornamentale Vorlageblätter, 3 Bde., München 1981

Berti 1967
L. Berti, Il Principe dello Studiolo, Florenz 1967

BEST 1980/81
BEST und SITE, in: Jahrbuch für Architektur. Neues Bauen 1980/81, S. 113ff

Beyer 1930
C. Beyer, Max Klingers Graphisches Werk von 1909 bis 1919. Eine vorläufige Zusammenstellung im Anschluß an den Œuvre-Katalog von H. V. Singer (maschinenschriftlich), Leipzig 1930

Białostocki 1960
J. Białostocki, Characterization, Individual charakterization as an element of style, in: Encyclopedia of World Art, Hrsg. M. Salmi, Bd. 3, New York–Toronto–London 1960, Sp. 374f

Bierbaum 1924
O. J. Bierbaum, Franz von Stuck, Mit einem Nachwort von F. von Ostini (Künstlermonographien, Bd. XLII), Bielefeld–Leipzig 1924[4]

Bierens de Haan 1948
J. C. J. Bierens de Haan, Cornelis Cort, Den Haag 1948

Blei 1966
F. Blei, Geist und Sitten des Rokoko (1923), Gütersloh 1966

Bleibaum 1933
F. Bleibaum, Johann August Nahl, Der Künstler Friedrichs des Großen und der Landgrafen von Hessen-Kassel, Baden bei Wien–Leipzig 1933

Blondel 1738
J.-F. Blondel, De la distribution des maisons de plaisance et de la décoration des édifices en général, Bd. 2, Paris 1738

Blunt 1940
A. Blunt, Artistic Theory in Italy 1450–1600, Oxford 1940

Blunt 1953
A. Blunt, Art and Architecture in France 1500 bis 1700, London–Melbourne–Baltimore 1953 (= Pelican History of Art, Hrsg. N. Pevsner, Bd. 4)

Bober 1948
H. Bober, The Zodiacal Miniature of the „Très Riches Heures'' of the Duke of Berry – its Sources and Meaning, in: Journal of the Warburg and Courtauld Institutes 11, 1948, S. 1ff

Bobet/Rubinstein 1986
Ph. P. Bobet/R. Rubinstein, Renaissance Artists & Antique Sculpture. A Handbook of Sources with Contributions by Susan Woodford, London 1986

Boccia/Coelho 1967
L. Boccia/E. Coelho, L'arte dell'armatura in Italia, Mailand 1967

Bode 1903
W. von Bode, Werke moderner Goldschmiedekunst von W. Lucas von Cranach, Leipzig 1903

Bode 1916/17
W. von Bode, Neuerwerbungen kleinplastischer Arbeiten vom Meister B. G. und von Georg Schweiger, in: Amtliche Berichte aus den königlichen Kunstsammlungen 38, 1916/17, S. 20f

Boeheim 1889
W. Boeheim, Werke Mailänder Waffenschmiede in den kaiserlichen Sammlungen des Allerhöchsten Kaiserhauses, Wien 1889

Boeheim 1891
W. Boeheim, Augsburger Waffenschmiede, ihre Werke und Beziehungen zu kaiserlichen und anderen Höfen, in: Jahrbuch der Kunsthistorischen Sammlungen des Allerhöchsten Kaiserhauses, Bd. 12, Wien 1891, S. 121ff

Boeheim 1894
W. Boeheim, Album hervorragender Gegenstände aus der Waffensammlung des Allerhöchsten Kaiserhauses, 2 Bde., Wien 1894 und 1898

Boeheim 1897
W. Boeheim, Meister der Waffenschmiedekunst, Berlin 1897

Boethius de Boodt
A. Boethius de Boodt, Gemmarum et Lapidum Historia, 1. Aufl., Hanau 1609

Bois-Reymond 1978
J. du Bois-Reymond, Die römischen Antikenstiche Marcantonio Raimondis, phil. Diss., Hannover 1978

Bomford 1982
D. Bomford/A. Roy, Hogarth's Marriage à la Mode, in: National Gallery Technical Bulletin, Bd. 6, 1982, S. 44ff

Boorsch 1985
S. Boorsch, The engravings of Giorgio Ghisi, New York, The Metropolitan Museum of Art, 1985

Borderie/Rouse 1975
R. Borderie/H. Rouse (Hrsg.), Obliques. Littérature-théâtre. Numéro spécial. Hans Bellmer, Paris 1975

Borghini 1912
V. Borghini, Carteppio Artistico inedito di Vicenzo Borghini, Hrsg. A. Lorenzoni, Florenz 1912

Boschetto 1963
A. Boschetto, Giovan Girolamo Savoldo, Mailand 1963

Bosque 1985
A. de Bosque, Mythologie et Maniérisme aux Pays-Bas, Peinture – Dessins, Antwerpen 1985

Bousquet 1963
J. Bousquet, Malerei des Manierismus. Die Kunst Europas von 1520 bis 1620, München 1963

Braghieri 1984
G. Braghieri, Aldo Rossi, Zürich 1984

Braun 1914
E. W. Braun, Ein Wiener Aquatindruck aus dem Jahre 1722 von dem Glasmeister Gerhard Janssen, in: Mitteilungen der Gesellschaft für vervielfältigende Kunst, Beilage zu den Graphischen Künsten 37, 1914

Braunfels 1961
W. Braunfels, Cellini – Perseus und Medusa, Stuttgart 1961

Bredekamp 1985
H. Bredekamp, Vicino Orsini und der Heilige Wald von Bomarzo. Ein Fürst als Künstler und Anarchist, 2 Bde., Worms 1985

Brison 1970
Ch. Brison, Félicien Rops. Eine Monographie, Hamburg 1970

Broos 1977
B. P. J. Broos, Index of the formal sources of Rembrandt's art, Maarssen 1977

Brown 1977
Ch. Brown, A rediscovered painting by Cornelis van Haarlem, in: Burlington Magazine 119, 2, 1977

Brummer 1970
H. H. Brummer, The Statue Court in the Vatican Belvedere, Stockholm 1970

Bruwaert 1912
E. Bruwaert, Vie de Jacques Callot, graveur lorrain, Paris 1912 (1914[2])

Burda 1967
H. Burda, Die Ruine in den Bildern Hubert Roberts, phil. Diss., München 1967

Burke 1943
J. T. A. Burke, A classical aspect of Hogarth's theory of art, in: Journal of the Warburg and Courtauld Institutes, Bd. 6, 1943, S. 151ff

Burke 1955
J. T. A. Burke, The Analysis of Beauty, with the Rejected Passages from the Manuscript Drafts and Autobiographical Notes, Oxford 1955

Burke 1759 (1970)
E. Burke, A Philosophical enquiry into the origin of our ideas of the sublime and beautiful, London 1759[2] (Neudruck: Menston 1970)

Buschor 1958
E. Buschor, Medusa Rondanini, Stuttgart 1958 (Deutsches Archäologisches Institut, Abteilung Athen)

Buttlar 1982
A. von Buttlar, Der englische Landsitz 1715–1760, Symbol eines liberalen Weltentwurfs, phil. Diss., München, Mittenwald 1982 (= Studia Iconologica, Hrsg. H. Bauer und F. Piel, Bd. 4)

Camfield 1979
W. Camfield, Francis Picabia. His Art, Life and Times, Princeton (New Jersey) 1979

Carroll 1976
E. A. Carroll, The Drawings of Rosso Fiorentino, New York–London 1976

Cast 1981
D. Cast, The Calumny of Apelles, New Haven 1981

Castelli 1952
E. Castelli, Il domeniaco nell'arte, Mailand–Florenz 1952

Causa 1956
P. Causa, Francesco Nomé detto Monsù Desiderio, in: Paragone VII, 75, 1956, S. 30ff

Chambers 1779 (1977)
W. Chambers, A dissertation on Oriental gardening, London 1779 (Neudruck: Farnborough 1972)

Charcot/Richer 1887 (1972)
J.-M. Charcot/P. Richer, Les démoniaques dans l'art, Paris 1887 (Neudruck: Amsterdam 1972)

Charcot/Richer 1889 (1972)
J.-M. Charcot/P. Richer, Les difformes et les malades dans l'art, Paris 1889 (Neudruck: Amsterdam 1972)

Charlotte 1978
Étude préliminaires pour un musée des sciences à Charlotte in: L'architecture d'aujourd'hui, 1978, Nr. 197, S. 64 ff

Charpentier 1985
F.-Th. Charpentier, Le Cuir au Musée, Nancy 1985

Chastel 1975
A. Chastel (Hrsg.), Actes du Colloque Internationale sur l'Art de Fontainebleau (Fontainebleau et Paris, Oct. 1972), Paris 1975

Chicago Tribune Competition 1980
The International Competition for a New Administration Building for the Chicago Tribune MCMXXII. Containing All the Designs Submitted in Response to the Chicago Tribune's $ 100,000 Offer Commemorating Its Seventy Fifth Anniversary, June 10, 1922, New York 1980 (Reprint der Ausgabe von 1923)

Clot 1983
A. Clot, Soliman le Magnifique, Paris 1983

Cogliati Arano 1965
L. Cogliati Arano, Andrea Solario, Milano 1965

du Colombier 1949
P. du Colombier, Jean Goujon, Paris 1949

Coop Himmelblau 1979
Coop Himmelblau. Neue Arbeiten und Ideen, in: transparent, 1979, 5/6, S. 26 ff

Coop Himmelblau 1983
Coop Himmelblau. Architektur ist jetzt, Projekte, (Un)bauten, Aktionen, Statements, Zeichnungen, Texte, 1968 bis 1983, Stuttgart 1983

Coop Himmelblau 1984
La maison ouverte. Vienne, Autriche, Coop Himmelblau, in: L'architecture d'aujourd'hui, 236/1984, S. 30 ff

Coop Himmelblau 1985
L'immeuble brûlant – L'immeuble, sauvage, Vienne, Autriche, Coop Himmelblau, in: L'architecture d'aujourd'hui, 239/1985, S. 16 ff

Corboz 1978
A. Corboz, Peinture militante et architecture révolutionnaire, à propos du thème du tunnel chez Hubert Robert, Basel und Stuttgart 1978 (Eidgenössische Technische Hochschule, Institut für Geschichte und Theorie der Architektur, Bd. 20)

Corpus Palladianum
Corpus Palladianum, Bd. 1, Vicenza 1968: Semenzato, Camillo: La Rotonda

Cressedi 1975
G. Cressedi, Un Manoscritto derivato dalle „Antichità'' del Piranesi, Rom 1975

Curiger 1982
B. Curiger, Meret Oppenheim. Spuren durchstandener Freiheit, Zürich 1982

Czech 1977
H. Czech, Manierismus und Partizipation, in: ders.: Zur Abwechslung, Ausgewählte Schriften zur Architektur, Wien 1977

Dacosta Kaufmann 1976
T. Dacosta Kaufmann, Arcimboldo's Imperial Allegories, in: Zeitschrift für Kunstgeschichte 39, 1976, S. 275 ff

Dacosta Kaufmann 1985
T. Dacosta Kaufmann, L'école de Prague. La peinture à la cour de Rodolphe II., Paris 1985

Davis 1977
M. D. Davis, Piero della Francesca's Mathematical Treatises, Ravenna 1977

Delaborde 1887
H. Delaborde, Marc-Antoine Raimondi, Étude Historique et Critique suivie d'un Catalogue Raisonné des Œuvres du Maître, Paris 1887

Delogu 1931
G. Delogu, Pittori minori liguri, lombardi, piemontesi del Seicento e del Settecento, Venedig 1931

Delteil 1924
L. Delteil, Le Peintre-Graveur illustré, Paris 1924

Dempsey 1977
Ch. Dempsey, Annibale Carracci and the beginning of baroque style, Glückstadt 1977

Descharnes 1962
R. Descharnes, Dalí de Gala, Paris 1962

Dhanens 1956
E. Dhanens, Jean Boulogne, Brüssel 1956

Dietz 1977
H. Dietz, Intendierte, objektivierte und wahrgenommene Strukturen. Eine phänomenologische Untersuchung am Beispiel der visuellen Überlagerung, München 1977

Diez 1909/1910
E. Diez, Der Hofmaler Bartholomäus Spranger, in: Jahrbuch der Kunstsammlungen des Allerhöchsten Kaiserhauses XXVIII, 1909/10, S. 116 ff

Dijksterhuis 1956
E. J. Dijksterhuis, Die Mechanisierung des Weltbildes, Berlin–Göttingen–Heidelberg 1956

Dimier 1928
L. Dimier, Le Primatice, Paris 1928

Distelberger 1978
R. Distelberger, Beobachtungen zu den Steinschneidewerkstätten der Miseroni in Mailand und Prag, in: Jahrbuch der Kunsthistorischen Sammlungen in Wien, Bd. 74, 1978, S. 79 ff

Dobai 1975
J. Dobai, Die Kunstliteratur des Klassizismus und der Romantik in England, Bd. II, 1750–1790, Bern 1975

Dodd 1951
E. R. Dodd, The Greeks and the Irrational, Berkeley, Los Angeles und London 1951 (1973[8]) (= Sather Classical Lectures, Bd. 25, und Taschenbuchausgabe der University of California Press Nr. 74)

Donin 1948
R. K. Donin, Vincenzo Scamozzi und der Einfluß Venedigs auf die Salzburger Architektur, Innsbruck 1948

de Don Juan 1889/1890
C. V. de Don Juan, Madrider Bildinventar von 1544, in: Jahrbuch der Kunsthistorischen Sammlungen des Allerhöchsten Kaiserhauses, Wien, 10, 1889 / 11, 1890

Doren 1922/23
A. Doren, Fortuna im Mittelalter und in der Renaissance, in: Vorträge der Bibliothek Warburg, Bd. 2, Teil 1, 1922/23

Drexelio 1730
Ch. Drexelio, Kurzer Unterricht von der Dreh-Kunst (. . .), Regensburg 1730

Dubos 1719
J. B. Dubos, Kritische Bemerkungen über Poesie und Malerei, frz. Originalausgabe, Paris 1719 (Kopenhagen 1760)

Dückers 1976
A. Dückers, Max Klinger, Berlin 1976

Dunand 1977
L. Dunand/P. Lemarchaud, Les compositions de Jules Romain intitulées „Les Amour des Dieux'' gravées par Marc-Antoine Raimondi, Lausanne 1977

Dunster 1978
D. Dunster, Hector Guimard – Architectural Monographs, London 1978

Egg/Jobé/Lachouque 1971
E. Egg/Jobé/H. Lachouque/Ph. E. Cleator/D. Reichel, Kanonen. Illustrierte Geschichte der Artillerie, Lausanne 1971

Ehrmann 1945
J. Ehrmann, Massacre and persecution pictures in sixteenth century France, in: Journal of the Warburg and Courtauld Institutes, Bd. VIII, 1945, S. 195 ff

Ehrmann 1955
J. Ehrmann, Antoine Caron, peintre de la cour des Valois 1521–1599, Genf–Lille 1955

Ehrmann 1986
J. Ehrmann, Antoine Caron, Paris 1986

Eichler/Kris 1927
F. Eichler/E. Kris, Die Kameen im Kunsthistorischen Museum, Wien 1927

Eimer 1956
G. Eimer, Abstrakte Figuren in der Kunst der Renaissance, in: Kunsthistorisk Tidskrift, Stockholm, 25, 1956, S. 113 ff

von Einem 1956
H. von Einem, Beiträge zu Goethes Kunst-Auffassung, Hamburg 1956

Eisler 1979
C. Eisler, The Master of the Unicorn. The Life and Work of Jean Duvet, New York 1979

Emmerich 1976
I. Emmerich, Werner Tübke. Schöpfertum und Erbe, Wien 1976

Enciclopedia dell'Arte antica
Enciclopedia dell'Arte antica, 7 Bde., Rom 1958–1966

Engerth 1884
E. Engerth, Beschreibendes Verzeichnis der Gemälde der Kunsthistorischen Sammlungen des Allerhöchsten Kaiserhauses Bd. II, Wien 1884

van der Essen 1937
L. van der Essen, Alexandre Farnése, Prince de Parme, Gouverneur général des Pays-Bas (1545–1592), Bruxelles, 1933–1937, Bd. 5 (1585–1592), Avec une étude iconographique par Francis Kelly, 1937

Etlin 1984
R. A. Etlin, The architecture of death, The transformation of the cemetery in eighteenth century Paris, Cambridge (Massachusetts) 1984

Exsteens 1928
M. Exsteens, L'Œuvre gravé et lithographie de Félicien Rops, 2 Bde., Paris 1928

Fagiolo o. J.
M. Fagiolo, Effimero e Giardino: Il teatro della città e il teatro della natura, in: „Il potere e lo spazio – la scena del principe'', Florenz o. J.

Feaver 1975
W. Feaver, The Art of John Martin, Oxford 1975

Feigenbaum Chamberlin 1977
H. Feigenbaum Chamberlin, The influence of Galileo on Bernini's Saint Mary Magdalen and Saint Jerome, in: The Art Bulletin, Bd. 59, 1977, S. 71 ff

Félibien 1706
Félibien, Conférences de l'Académie Royale de peinture et de sculpture, Amsterdam 1706

Feuchtmüller 1976
R. Feuchtmüller, Das Neugebäude, Wien 1976

Feuerstein
G. Feuerstein, Coop Himmelblau, in: transparent, 1979, 5/6, S. 42ff

Feuillet 1700 (1979)
R. A. Feuillet, Choréographie ou l'art de décrire la danse, Paris 1700 (Neudruck: Hildesheim 1979)

Feuß 1982
A. Feuß, Wenzel Hablik, Werkübersicht, Veröffentlichungen, Forschungen, in: Nordelbingen, 51/1982, S. 131ff

Feuß 1987
A. Feuß, Zu Wenzel Habliks frühen Architekturphantasien, in: Steinburger Jahrbuch 1987, S. 50ff

Finsterlin 1920 I
H. Finsterlin. Der achte Tag, in: Bruno Taut, Frühlicht 1920–1922. Eine Folge für die Verwirklichung des neuen Baugedankens, Berlin–Frankfurt–Wien 1973 (Bauwelt Fundamente 8)

Finsterlin 1920 II
H. Finsterlin, Innenarchitektur, in: Bruno Taut, Frühlicht 1920–22, Eine Folge für die Verwirklichung des neuen Baugedankens, Berlin–Frankfurt–Wien 1963 (Bauwelt Fundamente 8)

Fiorillo 1791
J. D. Fiorillo, Über die Groteske, Göttingen 1791

Firenzuola 1910
A. Firenzuola, Novellen und Gespräche, Hrsg. u. Übers. A. Wesselski, München 1910

Fischel 1932
O. Fischel, Inigo Jones und der Theaterstil der Renaissance, in: Vorträge der Bibliothek Warburg, Hrsg. F. Saxl, Bd. IX, Vorträge 1930/1931, England und die Antike, S. 103ff, Berlin und Leipzig 1932

Fischel 1962
O. Fischel, Raphael, Berlin 1962

Fischer 1980/81
V. Fischer, Ironie und Schock – Die Architektur der Gruppe SITE, in: Jahrbuch für Architektur, Neues Bauen 1980/81, S. 123ff

Flanagan 1983
B. Flanagan, Gehry as Goth, in: The Architectural Review, CLXXIII/1983, Nr. 1036, S. 44ff

Fliedl 1977/78
G. Fliedl, Architektur als zweite Natur, Bemerkungen zur Architektur von C. N. Ledoux und E. L. Boullée, in: Wiener Jahrbuch für Kunstgeschichte, Bd. 30/31, 1977/78, S. 239ff

Flögel 1788
C. F. Flögel, Geschichte des Groteskkomischen, Liepnitz und Leipzig 1788

Focillon 1918
H. Focillon, Giovanni Battista Piranesi 1720–1778, 2 Bde., Paris 1918

Forssman 1956
E. Forssman, Säule und Ornament. Studien zum Problem des Manierismus in den nördlichen Säulenbüchern und Vorlageblättern des 16. und 17. Jahrhunderts, Stockholm 1956

Forssman 1961
E. Forssman, Dorisch, jonisch, korinthisch, Studien über den Gebrauch der Säulenordnungen in der Architektur des 16.–18. Jahrhunderts, Stockholm–Göteborg–Uppsala 1961 (= Acta Universitatis Stockholmiensis, Stockholm Studies in History of Art, Bd. 5)

Forssman 1965
E. Forssman, Palladios Lehrgebäude, Studien über den Zusammenhang von Architektur und Architekturtheorie bei Andrea Palladio, Stockholm–Göteborg–Uppsala 1965 (= Acta Universitatis Stockholmiensis, Bd. 9)

Forster 1971
K. W. Forster, Metaphors of Rule. Political Ideology and History in the Portraits of Cosimo I de Medici, in: Mitteilungen des Kunsthistorischen Instituts in Florenz XV, 1971, S. 65ff

Forster/Tuttle 1971
K. Forster/R. Tuttle, The Palazzo del Te, in: Journal of the Society of Architectural Historians 30, 1971, S. 267ff

Frank 1981
J. Frank, Architektur als Symbol, Elemente deutschen neuen Bauens (Wien 1931), Reprint Wien 1981

Frank Symposion 1985
Josef Frank Symposion 1985. Dokumentation und Nachlese, in: Um Bau 10/1985

Franz 1966
H. G. Franz, Einführung in: Faksimiledruck Christoph Jamnitzer, Neuw Grotteßken Buch (Nürnberg 1610), Graz 1966

Freedberg 1950
S. J. Freedberg, Parmigianino, Cambridge 1950

Frerichs 1971
L. Ch. J. Frerichs, Mariette et les eaux-fortes des Tiepolos, in: Gazette des Beaux-Arts, 113, 1971, 2, S. 233ff

Friedlaender 1930
W. Friedlaender, Der antimanieristische Stil um 1590 und sein Verhältnis zum Übersinnlichen, in: Vorträge der Bibliothek Warburg, Hrsg. F. Saxl, Bd. VIII: Vorträge 1928–1929 über die Vorstellungen der Himmelsreise der Seele, Leipzig 1930, S. 214ff

Friedrich 1964
H. Friedrich, Epochen der italienischen Lyrik, Frankfurt/M. 1964

Frommel 1967/68
C. L. Frommel, Baldassare Peruzzi als Maler und Zeichner, in: Beiheft zum Jahrbuch für Kunstgeschichte, Bd. 11, Wien–München 1967/68

Frongia 1981
M. L. Frongia, Rapporti fra Redon e Flaubert: Il dio caldeo Oannes, in: Ricerche di Storia dell'Arte, Bd. 13/14, 1981, S. 119ff

Frosien-Leinz 1986
H. Frosien-Leinz, Antikisches Gebrauchsgerät – Weisheit und Magie in den Öllampen Riccios, in: Ausst.-Kat.: Natur und Antike in der Renaissance (Hrsg. H. Beck/P. C. Boll), Liebieghaus, Frankfurt/M. 1986

Fülop-Miller 1947
G. Fülop-Miller, Macht und Geheimnis der Jesuiten. Eine Kultur- und Geistesgeschichte, Wiesentheid 1947

Fumagalli 1982
P. Fumagalli, Périphéries (Maison Tonini TI), in: archithese 12/1982, Nr. 1, S. 32ff

Gablik 1971
S. Gablik, Magritte, München–Wien–Zürich 1971

Gaheis 1801
Fr. v. P. Gaheis, Wanderungen und Spazierfahrten in den Gegenden um Wien, 2. Aufl., Bd. IV, Wien 1801

Gallet 1980
M. Gallet, Claude-Nicolas Ledoux, Leben und Werk des französischen „Revolutionsarchitekten" (Paris 1980), Darmstadt 1983

Gamber 1958
O. Gamber, Der italienische Harnisch im 16. Jahrhundert, in: Jahrbuch der Kunsthistorischen Sammlungen in Wien 1958, S. 73ff

Garas 1967
K. Garas, Die Entstehung der Galerie des Erzherzogs Leopold Wilhelm, in: Jahrbuch der Kunsthistorischen Sammlungen in Wien 63, 1967, S. 39ff

Gasselseder 1938
E. Gasselseder, Chronologischer Katalog der Landschaftsgärten in Wien und Niederösterreich, Wien 1938 (Manuskript)

Gehry 1986
The Architecture of Frank Gehry, New York 1986

Geiger 1949
B. Geiger, Magnasco, Bergamo 1949

Geiger 1954
B. Geiger, I Dipinti Ghiribizzosi de Giuseppe Arcimboldo, Florenz 1954

Geiger 1960
B. Geiger, Die skurrilen Gemälde des Giuseppe Arcimboldi, Wiesbaden 1960

Gentili 1980
A. Gentili, „Virtus" e „Voluptas" nell'opera di Lorenzo Lotto, in: Atti del Convegno Internazionale di Studi per il Quinto Centenario della nàscita, Asolo 1980

Gerszi 1972
T. Gerszi, Goltzius und Jan Müller: Beiträge zu ihrer Zeichenkunst, in: Nederlands kunsthistorisch Jaarboek 23, 1972

Gibbons 1968
F. Gibbons, Dosso and Battista Dossi, Court Painters at Ferrara, Princton 1968

Giesecke 1911
A. Giesecke, Giovanni Battista Piranesi, Leipzig 1911 (= Meister der Graphik, Hrsg. H. Voss, Bd. VI)

Gilbert 1955
C. E. Gilbert, The Works of Girolamo Savoldo, New York 1955

Goethe 1896
J. W. von Goethe, Der Sammler und die Seinigen (Goethes Werke, hrsg. im Auftrage der Großherzogin Sophie von Sachsen, Bd. 47, Weimar 1896, S. 119ff)

Goldstein 1980
B. Goldstein, Frank Gehry, in: Architectural Review, CLXVIII/1980, Nr. 1001, S. 26ff

Golson 1971
L. M. Golson, Serlio, Primaticcio und the Architectural Grotto, in: Gazette des Beaux-Arts 113, 1971

Gombrich 1935
E. Gombrich, Zum Werke Giulio Romanos II, in: Jahrbuch der Kunsthistorischen Sammlungen in Wien N. F. IX, 1935, S. 121ff

Gombrich 1978 I
E. H. Gombrich, The Sala dei Venti in the Palazzo del Tè, in: Symbolic Images. Studies in the Art of the Renaissance II, Oxford 1978, S. 109ff

Gombrich 1978 II
E. H. Gombrich, Kunst und Illusion, Zürich 1978

Gombrich 1982
E. H. Gombrich, Ornament und Kunst, Schmucktrieb und Ordnungssinn in der Psychologie des dekorativen Schaffens (engl. 1979), Stuttgart 1982

Gorsen 1980
P. Gorsen, Kunst und Krankheit. Metamorphosen der ästhetischen Einbildungskraft, Frankfurt/M 1980

Gothein 1926
M.-L. Gothein, Geschichte der Gartenkunst, 2 Bde., Jena 1926

Grancsay 1928
S. Grancsay, An enriched Shield – English or German 2, in: Bulletin of the Metropolitan Museum of Art 23, New York 1928, S. 198 ff

De Grazia 1985
D. De Grazia, Giorgio Ghisi, in: Print Quarterly, II, Nr. 4, 1985, S. 318 ff

De Grazia-Bohlin 1979
D. De Grazia-Bohlin, Prints and related drawings by the Carracci Family, Washington 1979

Grewenig 1984
M. M. Grewenig, Die „Villa suburbana" Hellbrunn und die frühen architektonischen Gärten in Salzburg, in: Mitteilungen der Gesellschaft für Salzburger Landeskunde, 1984

Grimschitz/Thomas 1959
B. Grimschitz/B. Thomas, Ars Venandi in Austria, Wien 1959

Groß 1923
A. Groß, Vorlagen der Werkstätten des Lucio Piccinino, in: Jahrbuch der Kunsthistorischen Sammlungen, Bd. 26, Wien 1923–1925, S. 123 ff

Grosshans 1980
R. Grosshans, Maerten van Heemskerck, Die Gemälde, Berlin 1980

Guimard 1978
Hector Guimard (Architectural Monographs 2; Publisher: Papadakis, Editor: D. Dunster), London 1978

Haag Bletter 1984
R. Haag Bletter, Dekonstruktionen, in: Werk, Bauen + Wohnen 1984, Nr. 7/8, S. 20 ff

Hablik 1963
W. Hablik, die freitragende Kuppel und ihre Variabilität, unter Berücksichtigung verschiedener Materialien und Verwendungsmöglichkeiten, in: Bruno Taut, Frühlicht 1920–1922. Eine Folge für die Verwirklichung des neuen Baugedankens, Berlin–Frankfurt–Wien 1963, S. 173 ff

von Hagedorn 1762
Ch. L. von Hagedorn, Betrachtungen über die Mahlerey, Leipzig 1762

Hahlbrock 1976
P. Hahlbrock, Gustave Moreau oder Das Unbehagen in der Natur, Berlin 1976

Hainisch 1949
E. Hainisch, Der Architekt Johann Ferdinand Hetzendorf von Hohenberg, Innsbruck–Wien 1949

Haraszti-Takács 1958
M. Haraszti-Takács, „La fucina di Vulcano": una tela di Pier Francesco Morazzone, in: Acta Historiae Artium, Budapest 1958

Haraszti-Takács 1968
M. Haraszti-Takács, Die Manieristen, Budapest 1968

Harprath 1984
R. Harprath, Ippolito Andreasi as a Draughtsman, Master Drawings XXII, 1984

Harten 1986
J. Harten (Hrsg.), Gerhard Richter, Bilder, 1962–1985, Werkverzeichnis von D. Elger, Köln 1986

Hartlaub 1925
G. F. Hartlaub, Giorgiones Geheimnis, Ein kunstgeschichtlicher Beitrag zur Mystik der Renaissance, München 1925

Hartlaub 1953
G. F. Hartlaub, Zu den Bildmotiven des Giorgione, in: Zeitschrift für Kunstwissenschaft, VIII, 1953, S. 57 ff

Hartleb 1985
R. Hartleb, Max Klinger (Welt der Kunst), Berlin 1985

Hartmann 1981
G. Hartmann, Die Ruine im Landschaftsgarten, phil. Diss., Bochum–Worms 1981

Hartmann 1969
J. B. Hartmann, Die Genien des Lebens und des Todes. Zur Sepulkralikonographie des Klassizismus, in: Römisches Jahrbuch 12, 1969

Hartmann 1977
P. Hartmann, Fuchs über Ernst Fuchs (einf. Text M. Brion), München–Zürich 1977

Hartt 1958
F. Hartt, Giulio Romano, New Haven 1958

Haskell 1971
B. Haskell, Claes Oldenburg. Object Into Monument, Pasadena 1971

Haskell 1982
F. Haskell/N. Penny, Taste and the Antique. The Lure of Classical Sculpture 1500–1900, London 1982[2]

Hassauer/Roos 1984
F. Hassauer/P. Roos, Félicien Rops. Der weibliche Körper – der männliche Blick, Zürich 1984

Haus-Rucker-Co 1978
Die urbane Identität. Objekte und Konzepte gegen eine penetrante Gleichförmigkeit neuer Stadtgestaltungen, in: Bauwelt, 69/1978, Nr. 46/47, S. 1702 ff

Haus-Rucker-Co 1983
Haus-Rucker-Co 1967 bis 1983, Braunschweig–Wiesbaden 1983

Hayward 1956/58
J. Hayward, The Sigman Shield, in: Journal of the Arms and Armour Society 2, London 1956/58, S. 21 ff

Hayward 1968
J. F. Hayward, Die Kunst der alten Büchsenmacher, Hamburg–Berlin 1968

Hayward 1976
J. F. Hayward, Virtuoso Goldsmiths 1590–1620, London 1976

Hayward 1979/80
J. F. Hayward, The Revival of Roman Armour in the Renaissance, The endevours at recreating the pomp of the Caesars for the princes of the Cinquecento, in: Robert Held, Art, Arms and Armour, an International Anthology, Vol. 1, 1979/80

Hävernick 1966
W. Hävernick, Wunderwurzeln, Alraunen und Hausgeister im deutschen Volksglauben, in: Beiträge zur deutschen Volks- und Altertumskunde 10, 1966

Heckscher 1947
W. S. Heckscher, Bernini's Elephant and Obelisk, in: Art Bulletin, September 1947, S. 155 ff

Heckscher 1958
W. Heckscher, Rembrandt's Anatomy of Dr. Nicholaas Tulp, New York 1958

Hedergott 1960
R. Hedergott, Eine Braunschweiger Zeichnung von Agostino Veneziano. Gedanken zur Physiognomik der Groteske, in: Beiträge zur Kunstgeschichte, Festschrift für Heinz Rudolf Rosemann 1960, S. 126 ff

Held 1969
J. Held, Rembrandt's Aristotle and other Rembrandt Studies, Princeton 1969

Heikamp 1957
D. Heikamp, Vicende di Federico Zuccari, in: Rivista d'Arte XXXII/1957, S. 175 ff

Heikamp 1966 I
D. Heikamp, In margine alla „Vita di Baccio Bandinelli" del Vasari, in: Paragone XVII, 1966, 191/11, S. 51 ff

Heikamp 1966 II
D. Heikamp, La Medusa del Caravaggio e l'armatura dello scià Abbas di Peresia, in: Paragone XVII, 1966, 199, S. 62 ff

Heikamp 1967
D. Heikamp, Federico Zuccari a Firenze 1575–1579, in: Paragone XVII, 1967, 205, S. 44 ff

Heinz 1960
G. Heinz, Katalog der Graf Harrach'schen Gemäldegalerie, Wien 1960

Heinz 1963
G. Heinz, Studien zur Porträtmalerei an den Höfen der österreichischen Erblande, in: Jahrbuch der Kunsthistorischen Sammlungen 59, 1963, S. 113 ff

Heitmann 1982/83
B. Heitmann, Hercules und Cacus, in: Stiftung zur Förderung der Hamburgischen Kunstsammlungen, Erwerbungen 1982/83, S. 30 ff

Heitmann 1983
B. Heitmann, Gut und Böse im Widerstreit, in: Jahrbuch des Museums für Kunst und Gewerbe Hamburg, Bd. 2, 1983, S. 7 ff

Heitmann 1984
B. Heitmann, Hercules und Cacus. Erwerbungsbericht, in: Jahrbuch des Museums für Kunst und Gewerbe Hamburg, Bd. 3, 1984, S. 219 ff

Helm 1928
R. Helm, Skelett- und Todesdarstellungen bis zum Auftreten der Totentänze, Straßburg 1928

Henkel/Schöne 1967
A. Henkel/A. Schöne, Emblemata. Handbuch zur Sinnbildkunst des 16. und 17. Jahrhunderts, Stuttgart 1967

Hermack 1978
C. Hermack, Die Kunst der europäischen Gold- und Silberschmiede von 1450–1830, München 1978

Heuss 1939
Th. Heuss, Hans Poelzig. Bauten und Entwürfe. Das Lebensbild eines deutschen Baumeisters, Berlin 1939

Hevesi 1906
L. Hevesi, Acht Jahre Secession, Wien 1906

Hibbard 1975
H. Hibbard, Michelangelo, London 1975

Hilger 1966
W. Hilger, Zum Porträt Kaiser Ferdinands I. im Stadtmuseum von Linz, in: Kunstjahrbuch der Stadt Linz 1966, S. 63 ff

Himmelheber 1983
G. Himmelheber, Die geliebten Grottenmöbel, in: Weltkunst, Heft 3, 1983

Hind 1922
M. Hind, Giovanni Battista Piranesi, A critical study, London 1922

Hirschfeld 1782
C. I. I. Hirschfeld, Theorie der Gartenkunst, Bd. 4, Leipzig 1782

Hirschmann 1919
O. Hirschmann, Hendrick Goltzius, Leipzig 1919

Hocke 1959
G. R. Hocke, Manierismus in der Literatur, Sprachalchimie und esoterische Kombinationskunst, Hamburg 1959

Hockney 1976
P. Hockney, David Hockney by David Hockney, New York 1976

Hofmann 1956 I
W. Hofmann, Zu Daumiers graphischer Gestaltungsweise, in: Jahrbuch der Kunsthistorischen Sammlungen in Wien, Bd. 52, NF. Bd. 16, 1956, S. 147–181 (phill. Diss., Wien 1950)

Hofmann 1956 II
W. Hofmann, Die Karikatur von Leonardo bis Picasso, Wien 1956

Hofmann 1963
W. Hofmann, Das Zeitalter der Gewalt, in: Roberto Sebastian Matta, Sonderausstellung des Museums des 20. Jahrhunderts, Wien 1963, S. 10ff

Hofstätter/Ludwig 1982
H. H. Hofstätter/J. Ludwig, Horst Egon Kalinowski, Collagen 1956–1981, Bildschreine 1958/59, Heidelberg 1982

Hogarth 1753
W. Hogarth, The Analysis of Beauty (1753), hrsg. J. Burke, Oxford 1955

Hogarth 1914
W. Hogarth, Aufzeichnungen, Übers. u. Hrsg. M. Leitner, Leipzig 1914

Hogarth 1955
W. Hogarth, The analysis of beauty, with the rejected passages from the manuscript drafts and autobiographical notes, Hrsg. Joseph Burke, Oxford 1955

Holländer 1985
H. Holländer, Rudolf Hausner, Werkmonographie, Offenbach/M. 1985

Hollstein
F. H. W. Hollstein, Dutch and Flemish etchings, engravings and woodcuts ca. 1450–1700, Amsterdam, Bd. Iff

Holsten 1976
S. Holsten, Allegorische Darstellungen des Krieges 1870–1918, ikonologische und ideologiekritische Studien, München 1976 (= Studien zur Kunst des neunzehnten Jahrhunderts, Bd. 27. Forschungsunternehmen der Fritz Thyssen Stiftung, Arbeitskreis Kunstgeschichte)

Holten/Pierre 1975
R. von Holten/J. Pierre, Christian d'Orgeix, Paris 1975

Hook 1977
J. Hook, The sac of Rome, 1527, London–Basingstoke 1972

Horst 1912
C. Horst, Barockprobleme, München 1912

Hunt 1963
J. Hunt, Jewelled neck furs, a „Flohpelz'', in: Pantheon 21, 1963, S. 151ff

Hutter 1967
H. Hutter, Gütersloh. Zwischen den Zeilen. Texte und Miniaturen A. P. Gütersloh. Auswahl u. Einleitung H. Hutter, Wien 1967

Idea
Idea, Jahrbuch der Hamburger Kunsthalle, Bd. V, 1986, S. 159

Ilg 1895
A. Ilg, Album von Objekten aus der Sammlung kunstindustrieller Gegenstände des Allerhöchsten Kaiserhauses, Arbeiten der Goldschmiede- und Steintechnik, Wien 1895

Impey 1977
O. Impey, Chinoiserie, The impact of Oriental styles on Western art and decoration, Oxford 1977

Isermeyer 1967
Ch. A. Isermeyer, Die Villa Rotonda von Palladio, Bemerkungen zu Baubeginn und Baugeschichte, in: Zeitschrift für Kunstgeschichte, Bd. 30, 1967, S. 207ff

Jäger 1984
M. Jäger, Die Ästhetik als Antwort auf das kopernikanische Weltbild, Hildesheim–Zürich–New York 1984 (= Philosophische Texte und Studien, Bd. 10)

Janson 1946
H. W. Janson, Titian's Laocoon Caricature and the Vesalian-Galenist Controversy, in: Art Bulletin XXVIII, 1946, S. 49ff

Janson 1952
H. W. Janson, Apes and Apes Lore in the Middle Ages and the Renaissance, in: Studies of the Warburg Institutes. Vol. 20, London 1952

Janus 1973
Janus, Man Ray, München 1973

Jensen/Cornway 1983
R. Jensen/P. Cornway, Ornamentalism, The New Decorativness in Architecture and Design, Harmondsworth 1983 (1985)

Jessen 1894
P. Jessen, Katalog der Ornamentstich-Sammlung des Kunstgewerbemuseums in Berlin, Leipzig 1894

Jessen 1920
P. Jessen, Der Ornamentstich, Berlin 1920

Johnson 1982
E. J. Johnson, What Remains of Man – Aldo Rossi's Modena Cemetery, in: Journal of the Society of Architectural Historians, XLI/1982, Nr. 1, S. 38ff

Judson 1970
R. J. Judson, Dirck Barendsz 1534–1592, Amsterdam 1970

Justi 1872
C. Justi, William Hogarth, in: Zeitschrift für Bildende Kunst, Bd. 7, 1872, S. 1ff, 44ff

Juynboll 1934
W. R. Juynboll, Het komische genre in de italiaansche Schilderkunst gedurende de zeventiende en de achtiende eeuw, Bijdrage tot de Geschiedenis van de Caricatuur, phil. Diss., Leiden 1934

Kahan 1976
G. Kahan, Jacques Callot, Artist of the Theatre, Athens (Georgia) 1976

Kat. Augsburg 1984
Katalog Städtische Kunstsammlungen, Augsburg 1984

Kat. Berlin 1894
P. Jessen, Koenigliche Museen zu Berlin, Kunstgewerbe-Museum, Katalog der Ornamentstich-Sammlung, Berlin 1894

Kat. Berlin 1985
Kunstgewerbemuseum Berlin. Zur Eröffnung des neuen Gebäudes, Berlin 1985

Kat. Bologna 1880
Raccolta di Antichi Strumenti. Armonici. Comune di Bologna, Bologna 1880

Kat. Braunschweig 1969
Herzog Anton Ulrich-Museum, Verzeichnis der Gemälde, Braunschweig 1969

Kat. Budapest 1967
A. Pigler, Katalog der Galerie alter Meister, Museum der Bildenden Künste, Budapest 1967

Kat. Budapest 1975
Katalog der ausländischen Bildwerke des Museums der Bildenden Künste in Budapest, 2 Bde., Budapest 1975

Kat. Detroit 1971
F. J. Cummings, The Detroit Institute of Arts, Illuminated Handbook 1971

Kat. Dresden 1965
Katalog der Skulpturensammlung, Staatliche Kunstsammlungen, Dresden 1965

Kat. Edinburgh 1978
Italian and Spanish Painting in the National Gallery of Scotland, Bearb. H. Brigstocke, Edinburgh 1978

Kat. Frankfurt 1971
Städelsches Kunstinstitut, Verzeichnis der Gemälde aus dem Besitz des Städelschen Kunstinstituts und der Stadt Frankfurt, Frankfurt/M. 1971

Kat. Hamburg 1960
L. B. Döry, Museum für Kunst und Gewerbe Hamburg, Katalog der Ornamentstichsammlung, Hamburg 1960

Kat. Hamburg 1967
Hundert Meisterzeichnungen aus der Hamburger Kunsthalle 1500–1800, Bearb. W. Stubbe, Hamburg 1967

Kat. Hamburg 1969
Meisterwerke der Graphik, Bearb. W. Stubbe, Hamburger Kunsthalle, Hamburg 1969

Kat. Hamburg 1977
Ch. Theuerkauff/L. L. Möller, Die Bildwerke des 18. Jahrhunderts (= Kataloge des Museums für Kunst und Gewerbe Hamburg, Bd. IV), Braunschweig 1977

Kat. Innsbruck 1977
Kunstkammer, Führer durch das Kunsthistorische Museum Nr. 24, Innsbruck 1977

Kat. Kassel 1980
J. M. Lehmann, Italienische, französische und spanische Gemälde des 16.–18. Jahrhunderts, Staatliche Kunstsammlungen Kassel, Fridingen 1980

Kat. London 1962
Ph. Phouncey/J. A. Gere, Italian Drawings in the Department of Prints and Drawings in the British Museum, Raphael and his Circle, London 1962

Kat. London 1964
J. Pope-Henessy, Italian Sculpture in the Victoria and Albert Museum, 3 Bde., London 1964

Kat. Madrid 1898
V. de Don Juan, Catalogo historico – descripticade la Real Armeria de Madrid, Madrid 1898

Kat. München 1973
Alte Pinakothek, Katalog I., Deutsche und Niederländische Malerei zwischen Renaissance und Barock, Bearb. E. Brockhagen/K. Löcher, München 1973

Kat. München 1983
Bayerische Staatsgemäldesammlungen, Alte Pinakothek München, Erläuterungen zu den ausgestellten Gemälden, München 1983

Kat. Nancy 1897
Catalogue descriptif et annoté des tableaux, dessins, statues et bas-reliefs du Musée de Nancy, Nancy 1897

Kat. Nürnberg 1977
Katalog des Germanischen Nationalmuseums in Nürnberg, München 1977

Kat. Paris 1965
Ch. Sterling/H. Adhémar, Musée National du Louvre, Peinture, École française XIVe, XVe et XVIe siècles, Paris 1965

Kat. Paris 1974 I
P. Rosenberg/N. Reynaud/I. Compin, Musée du Louvre, Catalogue illustré des peintures, École française XVIIe et XVIIIe siècles, Bd. II (M–Z), Paris 1974

Kat. Paris 1974 II
Catalogue des Peintures Dessins Cartons Aquarelles exposés dans les Galeries du Musée Gustave Moreau, Paris 1974

Kat. Paris 1983
J. Byam-Shaw, The Italian Drawings of the First Lugt Collection, Vol. 1–3, Paris, Institute Néerlandais 1983

Kat. Paris 1985
Musée Picasso Paris, Bestandskatalog der Gemälde, Papier-collés, Reliefbilder, Skulpturen und Keramiken, Einf. D. Bozo/Katalog M. L. Besuard-Bernadac, München 1985

Kat. Stuttgart 1984
Zeichnungen des 15. bis 18. Jahrhunderts, Graphische Sammlung, Staatsgalerie Stuttgart 1984

Kat. Venedig 1904
Pauly e Cie. Ponte Consorzi. Fabrique de verreries et meubles artistiques, Venise 1904 (Verkaufskatalog)

Kat. Wien 1960
Katalog der Gemäldegalerie, 1. Teil, Italiener, Spanier, Franzosen, Engländer, Kunsthistorisches Museum, Wien 1960

Kat. Wien 1966
Katalog der Sammlung für Plastik und Kunstgewerbe, 3 Bde., Wien 1966

Kat. Wien 1972
Katalog der Gemäldegalerie, Akademie der bildenden Künste in Wien, Wien 1972

Kat. Wien 1973
Verzeichnis der Gemälde, Kunsthistorisches Museum, Bearb. K. Demus, Wien 1973

Kat. Wien 1979
Katalog der Sammlung Hahn, Museum moderner Kunst, Wien 1979

Kat. Wien 1982
Porträtgalerie zur Geschichte Österreichs von 1400–1800, Katalog der Gemäldegalerie, Kunsthistorisches Museum, Wien 1982

Kauffmann 1955 (1968)
E. Kauffmann, Architecture in the age of reason, Baroque and Post-Baroque in England, Italy and France (1955), Hamden (Connecticut) 1966–New York 1968

Kaufmann 1970
G. Kaufmann, Die Kunst des 16. Jahrhunderts, Propyläen Kunstgeschichte Bd. 8, Berlin 1970

Keil 1983
R. Keil, Proportionslehre und Kunstbuchliteratur als künstlerisches Lehrmaterial im 16. Jahrhundert, phil. Diss., Wien 1983

Keil 1985
R. Keil, Die Rezeption Dürers in der deutschen Kunstbuchliteratur des 16. Jahrhunderts, in: Wiener Jahrbuch für Kunstgeschichte XXXVIII, 1985, S. 144 ff

Kelso 1978
R. Kelso, Doctrine for the Lady of the Renaissance, Illinois 1978

Kemp 1975
W. Kemp, Die Beredsamkeit des Leibes. Körpersprache als künstlerisches und gesellschaftliches Problem der bürgerlichen Emanzipation, in: Städel-Jahrbuch, Neue Folge, Bd. 5, 1975, S. 111 ff

Kerber 1947
O. Kerber, Von Bramante zu Lucas von Hildebrandt, Stuttgart 1947

Kern 1977
H. Kern, Arnulf Rainer. Photoüberzeichnungen Franz Xaver Messerschmid, München 1977

Kern 1982
H. Kern, Labyrinthe, München 1982

Kerrich 1829
T. Kerrich, A catalogue of the prints after Martin Heemskerck, London 1829

Kimball 1964
F. Kimball, The creation of the Rococo (1943), New York 1964

Kircher 1644
A. Kircher, Ars magna lucis et umbrae, Rom 1644

Klarwill o. J.
E. Klarwill (Hrsg.), Die Erinnerungen der Baronin du Montet (1795–1853), Zürich–Wien–Leipzig o. J.

Klauke 1986
J. Klauke, Eine Ewigkeit ein Lächeln. Arbeiten 1970/86, Köln 1986

Klauner 1961
F. Klauner, Spanische Porträts des 16. Jahrhunderts, in: Jahrbuch der Kunsthistorischen Sammlungen 57, 1964, S. 141 ff

Klauner 1978
F. Klauner, Das Kunsthistorische Museum in Wien, Salzburg–Wien 1978

Klemm 1979/80
Ch. Klemm, Trophäen, in: Ausst.-Kat. „Stilleben in Europa", Münster (Landesmuseum) 1979/80

Klopfer 1911
P. Klopfer, Von Palladio bis Schinkel, Esslingen 1911 (= Geschichte der Neueren Baukunst, Hrsg. J. Burckhardt u. a., Bd. 9)

Klotz 1978
H. Klotz (Hrsg.), Robert Venturi, Komplexität und Widerspruch in der Architektur, Braunschweig 1978 (Bauwelt Fundamente 50)

Klotz 1980/81
H. Klotz, Über das Zeichnen, in: Jahrbuch für Architektur 1981/1982, S. 153 ff

Klotz 1985
H. Klotz, Moderne und Postmoderne, Architektur der Gegenwart 1960–1980, Braunschweig–Wiesbaden 1985

Knab 1968
E. Knab, Ausstellungskatalog Graphische Sammlung Albertina, Die Kunst der Graphik, Bd. V, Jacques Callot und sein Kreis, Wien 1968

Knab/Mitsch/Oberhuber 1983
E. Knab/E. Mitsch/K. Oberhuber, Raphael, Die Zeichnungen, Stuttgart 1983

Knecht 1982
R. J. Knecht, Francis I., Cambridge 1982

Knopp 1966
N. Knopp, Das Garten-Belvedere, Das Belvedere Liechtenstein und die Bedeutung von Ausblick und Prospektbau für die Gartenkunst, München 1966

Knox 1960
G. Knox, Catalogue of the Tiepolo drawings in the Victoria and Albert Museum, London 1960

Knox 1972
G. Knox, Tiepolo: The dating of the „Scherzi di Fantasia" and the „Capricci", in: Burlington Magazine, 114, 2, 1972, S. 837 ff

Knox 1980
G. Knox, Giambattista and Domenico Tiepolo, A study and catalogue raisonné on the chalk drawings, 2 Bde., Oxford 1980

Koegler 1926
H. Koegler, Beschreibendes Verzeichnis der Baseler Handzeichnungen des Urs Graf, Basel 1926

Koegler 1947
H. Koegler, Hundert Tafeln aus dem Gesamtwerk des Urs Graf, Basel 1947

Konecny 1982
L. Konecny, Hans von Aachen and Lucian: An Essay in Rudolfine Iconography, in: Leids Kunsthistorisch Jaarbook, 1982, S. 237 ff

Körte 1935
W. Körte, Der Palazzo Zuccari in Rom, Leipzig 1935

Köster 1975
K. Köster, Mehrfachbände und Vexierbücher, in: AGB Separatdruck aus „Archiv für Geschichte des Buchwesens", Bd. XIV, Lieferung 8, 1975

Kratzsch 1979
K. Kratzsch, Das „Weimarische Ingenieurkunst- und Wunderbuch" und seine kulturgeschichtlichen Zeichnungen, in: Marginalien 73, 1979, S. 30 ff

Kratzsch 1981
K. Kratzsch, Das Weimarische Ingenieur- und Wunderbuch, Codex Wimariensis, Fol. 328, in: Studium zum Buch und Bibliothekswesen, Bd. 1, Leipzig 1981, S. 54 ff

Krempel 1974
U. Krempel (Hrsg.), Materialien zur Kunst der Bauernkriege, Bochum 1974

Kriegeskorte 1986
W. Kriegeskorte, Giuseppe Archimboldo, Köln 1986

Krier 1975
R. Krier, Stadtraum in Theorie und Praxis an Beispielen der Innenstadt Stuttgarts, Stuttgart 1975 (Schriftenreihe des Institutes Zeichnen und Modellieren, Universität Stuttgart, 1)

Krier 1982
R. Krier, On Architecture, London–New York 1982

Kris 1926
E. Kris, Der Stil „Rustique", in: Jahrbuch der Kunsthistorischen Sammlungen in Wien, N. F. 1/1926, S. 115 ff

Kris 1932 I
E. Kris, Goldschmiedearbeiten, Bd. 1, Wien 1932

Kris 1932 II
E. Kris, Die Charakterköpfe des Franz Xaver Messerschmidt, Versuch einer historischen und psychologischen Deutung, in: Jahrbuch der Kunsthistorischen Sammlungen in Wien, N. F., Bd. VI, 1932, S. 169 ff

Kris 1952
E. Kris, Psychoanalytic explorations in art (New York 1964) 1952[1]

Kris/Kurz 1934
E. Kris/O. Kurz, Die Legende vom Künstler. Ein geschichtlicher Versuch, Wien 1934

Kubiček/Šlapeta 1967
A. Kubiček/Šlapeta, Jaroslav Fragner 1898–1967, in: L'architecture d'aujourd'hui, Boulogne s. S. 1967, Nr. 132, S. 15

Kunoth 1956
G. Kunoth, Die Historische Architektur Fischers von Erlach, Düsseldorf 1956 (= Bonner Beiträge zur Kunstwissenschaft, Hrsg. H. von Einem u. H. Lützeler, Bd. 5)

Kunoth-Leifels 1962
E. Kunoth-Leifels, Über die Darstellungen der „Bathseba im Bade", Essen 1962

Kurz 1951
O. Kurz, „Gli Amori de'Carracci – Four forgotten Paintings by Agostino Carracci, in: Journal of the Warburg and Courtauld Institutes 1951, S. 221 ff

Kusenberg 1931
K. Kusenberg, Le Rosso, Paris 1931

Langedijk 1981
K. Langedijk, The Portraits of the Medici, I, Firenze 1981

Larner 1979
G. u. C. Larner, The Glasgow Style, Edinburgh 1979

Larssen 1967
L. O. Larssen, Adriaen de Vries, Wien 1967

Larsson 1974
L. O. Larsson, Von allen Seiten gleich schön. Studien zum Begriff der Vielansichtigkeit der europäischen Plastik von der Renaissance bis zum Klassizismus (= Acta Universitatis Stockholmiensis, Stockholm 1974)

Lebel 1940
R. Lebel, Notes sur Antoine Caron et son œuvre, in: Bulletin de la Société de l'Histoire de l'Art Français, 1940, S. 27 ff

van Lennep 1966
J. van Lennep, Art el alchimie, Brüssel 1966

Leithe-Jasper 1975
M. Leithe-Jasper, Beiträge zum Werk des Agostino Zoppo, in: Sonderdruck aus Jahrbuch des Stiftes Klosterneuburg, Neue Folge, Bd. 9, 1975

Leithe-Jasper/Distelberger 1982
M. Leithe-Jasper/R. Distelberger, Schatzkammer und Sammlung für Plastik und Kunstgewerbe, London–München 1982

Leitner 1866–1870
Qu. von Leitner, Die Waffensammlung des österreichischen Kaiserhauses im K. K. Artillerie-Arsenal-Museum zu Wien, Wien 1866–1870, S. 17 ff

Leitschuh 1904
F. F. Leitschuh, Flötner Studien, Straßburg 1904

Lepenies 1969
W. Lepenies, Melancholie und Gesellschaft, Frankfurt/M. 1969

Lessing 1754 (1838)
G. E. Lessing, Zergliederung der Schönheit, geschrieben von W. Hogarth, aus dem Englischen übers. von C. Mylius, 1754, Vorbericht (= Gotthold Ephraim Lessings sämmtliche Schriften, Hrsg. K. Lachmann, Bd. 4, Berlin 1838, S. 101 ff)

Lessing 1890
G.E. Lessing, Zergliederung der Schönheit, die schwanken Begriffe vom Geschmack festzusetzen, geschrieben von W. Hogarth, aus dem Englischen übersetzt von C. Mylius, in: Gotthold Ephraim Lessings sämtliche Schriften, Hrsg. K. Lachmann, 3. Aufl., besorgt durch F. Muncker, Bd. 5, Stuttgart 1980, S. 368 ff

Lessing 1981
G.E. Lessing, Hamburgische Dramaturgie, Hrsg. K. L. Berghahn (1767/68), Stuttgart 1981

Lêvêque 1984
J. J. Lêvêque, L'École de Fontainebleau, Neuchâtel 1984

Levertin 1911
O. Levertin, Jacques Callot, Eine Studie, Minden 1911

Lichtenberg 1795
G. Ch. Lichtenberg, Ausführliche Erklärung der Hogarthischen Kupferstiche, LXXXVI, Die Analyse der Schönheit, 1795, in: Georg Christoph Lichtenbergs vermischte Schriften, Bd. 13, Göttingen 1854, S. 57 ff

Lichtenberg 1850
G. Ch. Lichtenberg, Ausführliche Erklärung der Hogarthischen Kupferstiche, 14. Lieferung, Teil 86, Hrsg. K. Gutzkow (1834), in: Georg Christoph Lichtenbergs vermischte Schriften, Bd. 9, Göttingen 1850

Lieure 1969
J. Lieure, Jacques Callot, 8 Bde. (Paris 1927 bis 1929), Nachdruck: New York 1969

Lightbown 1978
R. Lightbown, Sandro Botticelli, 2 Bde., London 1978

Lindeman 1929
C. M. A. A. Lindeman, Joachim Anthonisz Wtewael, Utrecht 1929

Linfert 1931
C. Linfert, Die Grundlagen der Architekturzeichnung (Mit einem Versuch über französische Architekturzeichnungen des 18. Jahrhunderts), in: Kunstwissenschaftliche Forschungen, Bd. 1, 1931, S. 133 ff

Linzeler 1932
A. Linzeler, Inventaire du Fonds Français Graveurs du Seizième Siècle, T. 1 (Bibliothèque Nationale), Paris 1932

Lippmann 1887
F. Lippmann, Zeichnungen von Sandro Botticelli zu Dantes Göttlicher Komödie nach den Originalen im K. Kupferstichkabinett zu Berlin, Berlin 1887 (Im Anhang die Kupferstiche der Florentiner Dante-Ausgabe von 1841)

Lippmann 1896
F. Lippmann, Zeichnungen von Sandro Botticelli zu Dantes Göttlicher Komödie, Berlin 1896

Löcher 1973
K. Löcher, Der Perseus-Zyklus von Edgar Burne-Jones, Stuttgart 1973

Loevgren 1951
S. Loevgren, Il Rosso Fiorentino à Fontainebleau, in: Figura I, 1951

Lohmeyer 1942
K. Lohmeyer, Palagonischer Barock – Das Haus der Laune des „Prinzen von Palagonia", Berlin 1942

Lomazzo 1965
G. P. Lomazzo, Idea del tempio della pittura (1590), Bologna 1785², Neudruck der ersten Auflage: Hildesheim 1965

López-Rey 1953
J. López-Rey, Goya's Caprichos, Beauty, Reason and Caricature, 2 Bde., Westport (Connecticut) 1953

de Lorris 1976 ff
G. de Lorris/J. de Meun, Der Rosenroman, übersetzt und eingeleitet von K. August Ott, 3 Bde., München 1976 ff

Luchner 1958
L. Luchner, Denkmal eines Renaissancefürsten. Versuch einer Rekonstruktion des Ambraser Museums von 1583, Wien 1958

Ludwig 1978
H. J. Ludwig, Die Türkenkriegsskizzen für Rudolf II., Frankfurter Dissertationen zur Kunstgeschichte 3/1978

Lugt
F. Lugt, Musée du Louvre. Inventaire général des dessins des écoles du nord, Paris 1929–1968

Lukeš 1985
Z. Lukeš, Projekty z archívu – purismus, in: Technický magazín, Prag, Jg. 28/1985, Nr. 7

Lukeš 1986 I
Z. Lukeš, Architekti Devětsilu, in: Československý architekt, Prag, Jg. 32/1986, Nr. 20, S. 8 (1898–1949)

Lukeš 1986 II
Z. Lukeš, Nerealizované projekty IX – Dvě Fragnerovy puristické studie, in: Architektura ČSR, Prag, Jg. 45/1986, 2. Seite des Umschlages

Lukeš/Švácha 1983
Z. Lukeš/R. Švácha, Předobrazy E. Linharta, in: Výtvarná kultura Prag, Jg. 7/1983, Nr. 5

Lüttichau 1983
M.-A. von Lüttichau, Die deutsche Ornamentkritik des 18. Jahrhunderts, in: Studien zur Kunstgeschichte, Bd. 24, Hildesheim 1983

Lybyer 1913
A. H. Lybyer, The Gouvernment of the Ottoman Empire in the Time of Suleyman the Magnificent, New York 1913

Lynch 1968
J. B. Lynch, Lomazzo's Allegory of Painting, in: Gazette des Beaux-Arts 1968, II, S. 325 ff

Mac Gregor 1978
J. M. Mac Gregor, The discovery of the art of the insane, phil. Diss., Princeton 1978

Mahon 1957
P. Mahon, After thoughts of the Carracci Exhibition, in: Gazette des Beaux-Arts 1957, S. 291 ff

Male 1932
E. Male, L'Art réligieux après le concile de Trente, Paris 1932

Malvasia 1841
C. C. Malvasia, Felsina Pittrice, Bologna 1841

Mandyczewski 1912
E. Mandyczewski, Zustand zur Geschichte der K. K. Gesellschaft der Musikfreunde in Wien, Wien 1912

Manuel 1959
F. E. Manuel, The eighteenth century confronts the gods, Cambridge–Massachusetts 1959

Markx-Veldman 1971
I. Markx-Veldman, Een serie allegorische prenten van Coornhert met een ontwerptekening van Maarten van Heemskerck, in: Bulletin van het Rijksmuseum, 1971, S. 70

Markx-Veldman 1986 I
I. Markx-Veldman, Leerrijke reeksen van Maarten van Heemskerck. De eeuw van de Beelderstorm. Staatsuitgeverij, s' Gravenhage 1986, Frans Hals Museum, Haarlem 1986

Markx-Veldman 1986 II
I. Markx-Veldman, Maarten van Heemskerck and Dutch Humanism in the Sixteenth Century, Maarssen 1986

Masahiro 1981
S. Masahiro, Il significato dell'arte per Hogarth, in: Notizie de Palazzo Albani, X, 2, 1981, S. 88 ff

Mascha 1910
O. Mascha, Félicien Rops und sein Werk. Katalog seiner Gemälde, Originalzeichnungen, Lithographien, Vernis-mous, Kaltnadelblätter, Heliogravüren usw. und Reproduktionen, München 1910

Mason Rinaldi 1965
S. Mason Rinaldi, Appunti per Paolo Fiammingo, in: Arte Venta 1965, S. 95 ff

Mason Rinaldi 1978
S. Mason Rinaldi, Paolo Fiammingo, in: Saggi e memoria dell'arte 1978, S. 47 ff

Massari 1980
S. Massari, Incisori Mantovani del Cinquecento, Istituto Nazionale per la Grafica-Cartografia, Rom 1980

Massobrio
G. Massobrio, La soggiola di Vienna, Turin o. J.

Mathieu 1976
P.-L. Mathieu, Gustave Moreau. Leben und Werk mit OEuvre-Katalog, Stuttgart–Berlin–Köln–Mainz 1976

Mathieu 1985
P.-L. Mathieu, Gustave Moreau. The Watercolors, New York 1985

Maurice 1976
K. Maurice, Die deutsche Räderuhr, 2 Bde., München 1976

Mayer 1962
A. Mayer, Das Bild der Kirche, Hauptmotive der Ekklesia im Wandel der abendländischen Kunst, Regensburg 1962

Mayer-Pasinski 1981
K. Mayer-Pasinski, Max Klingers Brahmsphantasie, Frankfurt/M. 1981

Mayor 1952
A. H. Mayor, Giovanni Battista Piranesi, New York 1952

Mc Allister Jonson 1966
Mc Allister Jonson, Niccolo dell'Abbate's Eros and Psyche, in: Bulletine of the Detroit Institute of Art 45/2/1966, S. 27 ff

Meaume 1860
E. Meaume, Recherches sur la vie et les ouvrages de Jacques Callot, 2 Bde., Paris 1860

Mendelssohn 1968
M. Mendelssohn, Schriften zur Philosophie, Aesthetik und Apologetik, Hrsg. M. Brasch, 2 Bde. (Leipzig 1880), Neudruck: Hildesheim 1968

van der Meer/Weber 1982
J. H. van der Meer/R. Weber, Catalogo degli strumenti musicali dell'Accademia filarmonica di Verona, Verona 1982

Metken 1974
G. Metken, Die Präraffaeliten. Ethischer Realismus und Elfenbeinturm im 19. Jahrhundert, Köln 1974

Michel 1911
W. Michel, Das Teuflische und Groteske in der Kunst, München 1911

Middeldorf 1932
U. Middeldorf, Alessandro Allori e il Bandinelli, in: Rivesta d'Arte, anno XIV, 1932

Mielke 1967
H. Mielke, Hans Vredeman de Vries. Verzeichnis der Stichwerke und Beschreibung seines Stils sowie Beiträge zum Werk Gerard Graennings, Diss., Berlin 1967

Mielke 1975
H. Mielke, Antwerpener Graphik in der 2. Hälfte des 16. Jahrhunderts, in: Zeitschrift für Kunstgeschichte 38, 1975, S. 29 ff

Mielke 1979
H. Mielke, Manierismus in Holland um 1600. Kupferstiche, Holzschnitte und Zeichnungen aus dem Berliner Kupferstichkabinett, Berlin 1979

Miller 1978
N. Miller, Archäologie des Traums, Versuch über Giovanni Battista Piranesi, München–Wien 1978

Miller 1982
N. Miller, Heavenly Saves – Reflections on the Garden Grotto, George Allen & Unwin, London–Boston–Sydney 1982

Mitter 1977
P. Mitter, Much maligned mosters, History of European rections to Indian art, Oxford 1977

Moeller 1985
M. M. Moeller, Sprengel Museum Hannover, Malerei und Plastik des 20. Jahrhunderts, Hannover 1985

Molmenti 1896
P. Molmenti, Acque-forti dei Tiepolo, Venedig 1896

Monbeig-Goguel 1972
C. Monbeig-Goguel, Inventaire General des Dessins Italiens I, Vasari et son temps, Paris 1972

Morassi 1962
A. Morassi, A complete catalogue of the paintings of G. B. Tiepolo, London 1962

Moschini 1979
F. Moschini (Hrsg.), Aldo Rossi. Progetti e disegni 1962–1979, Florenz 1979

Mourlot 1970
F. Mourlot, Picasso Lithographe, 4 Bde. (Monte Carlo 1949–1964), deutsch Genf 1970

Mucha 1965
J. Mucha, Alfons Mucha. Meister des Jugendstils, Prag 1965

Mucha 1971
J. Mucha/M. Henderson/A. Scharf, Alphonse Mucha. Posters and Photographs, London 1971

Müller 1970
L. P. Müller, Le opere „geometrissate" di Luca Cambiaso, in: Arte Lombarda 15, 1970, S. 33 ff

Muraro/Rosand 1976
M. Muraro/D. Rosand, Tiziano e la silografia veneziana del Cinquecento, Vincenza 1976

Murray 1971
P. Murray, Piranesi and the Grandeur of Ancient Rome, London 1971 (Walter Neurath Memorial Lecture 1971)

Musidiak-Schlott 1982
G. Musidiak-Schlott, Salvador Dalí und die Bildtradition: Studien zur religiösen Malerei Dalís, phil. Diss., Tübingen 1982

Nagler 1848
G. K. Nagler, Neues allgemeines Künstler-Lexikon, Bd. 18, München 1848

Nasse 1909
H. Nasse, Jacques Callot, in: Meister der Graphik, Hrsg. H. Voss, Bd. 1, Leipzig 1909

Nasse 1913
H. Nasse, Stefano della Bella, Straßburg 1913

Nefzger 1980
U. Nefzger, Salzburg und seine Brunnen, Salzburg 1980

Neumann 1957
E. Neumann, Florentiner Mosaik aus Prag, in: Jahrbuch der Kunsthistorischen Sammlungen in Wien, Bd. 53/1957, S. 157 ff

Neumann 1961
E. Neumann, Die Tischuhr des Jeremias Metzker von 1564 und ihre nächsten Verwandten, in: Jahrbuch der Kunsthistorischen Sammlungen in Wien 57/1961, S. 97 ff

Neumann 1970
J. Neumann, Kleine Beiträge zur Rudolfinischen Kunst und ihre Auswirkungen, in: Umeni 18, 1970, S. 142 ff

Neumann 1979
J. Neumann u. a., Die Kunst der Renaissance und des Manierismus in Böhmen, Prag 1979

Neuwirth 1973
W. Neuwirth, Das Glas des Jugendstils, München–Wien 1973

Neuwirth 1986
W. Neuwirth, Loetz Austria 1900, Wien 1986

Nicolai 1785
F. Nicolai, Reisebeschreibung durch Deutschland und die Schweiz im Jahre 1781, 1785

Norman 1972
A. V. B. Norman, Amendments and additions to the catalogue of armour in the Wallace Collection, London, in: Journal of the Arms and Armour Society, Bd. 7, London 1972, S. 202 ff

Nowotny/Dobai 1967
Nowotny/Dobai, Gustav Klimt, Salzburg 1967

Oberheide 1933
A. Oberheide, Der Einfluß Marcantonio Raimondis auf die nordische Kunst des 16. Jahrhunderts, Diss., Hamburg 1933

Oberhuber 1958
K. Oberhuber, Die stilistische Entwicklung im Werk Bartholomäus Sprangers, phil. Diss., Wien 1958

Oberhuber 1966
K. Oberhuber, Ausstellungskatalog Graphische Sammlung Albertina, Die Kunst der Graphik III. Renaissance in Italien. 16. Jahrhundert. Werke aus dem Besitz der Albertina, Bearb. K. Oberhuber, Wien 1966

Oberhuber 1967
K. Oberhuber, Ausstellungskatalog Graphische Sammlung Albertina, Die Kunst der Graphik IV, Zwischen Renaissance und Barock. Das Zeitalter von Bruegel und Bellange, Werke aus dem Besitz der Albertina, Wien 1967

Ohnesorge 1893
K. Ohnesorge, Wendel Dietterlin, Maler von Straßburg, Leipzig 1893, S. 27 ff

O'Dell-Franke 1977
I. O'Dell-Franke, Kupferstiche und Radierungen aus der Werkstatt des Virgil Solis, Wiesbaden 1977

O'Malley 1964
C. D. O'Malley, Andreas Vesalius of Brussels 1514–1564, Berkeley–Los Angeles 1964

Orchard 1986
K. Orchard, Androgynität in der Kunst des 15. und 16. Jahrhunderts, Mag. Arbeit, Hamburg 1986

Ortner 1977
L. Ornter, Provisorische Architektur. Medium der Stadtgestaltung, in: Kunstforum international 19/1977, 1, S. 170 ff

Otto 1975
I. Otto, Katalog der Streichinstrumente, Musikinstrumenten-Museum Berlin, Berlin 1975

Ovid
P. Ovidius Naso, Metamorphosen (Hrsg. E. Rösch), München 1964

Paladilhe 1971
J. Paladilhe, Gustave Moreau, suivi de Gustave Moreau au regard changeant des générations par José Pierre, Paris 1971

Panofsky 1915
E. Panofsky, Dürers Kunsttheorie, Berlin 1915

Panofsky 1956
D. u. E. Panofsky, Pandora's Box. The Changing Aspects of a Mythical Symbol, London 1956

Panofsky 1958
E. Panofsky, The Iconography of the Galerie Francois I. at Fontainebleau, in: Gazette des Beaux-Arts, II/1958

Panofsky 1960
E. Panofsky, Idea, ein Beitrag zur Begriffsgeschichte der älteren Kunsttheorie, Berlin 1960

Panofsky 1964
E. Panofsky, Mors Vitae Testimonium. The Positive Aspects of Death in Renaissance and Baroque Iconography, in: Studien zur toskanischen Kunst, Festschrift für Ludwig Heinrich Heydenreich, München 1964

Panofsky 1969
E. Panofsky, Problems in Titian, mostly iconographic, New York 1969

Partridge 1978
L. W. Partridge, Divinity and Dynasty at Caprarola: Perfect History in the Room of Farnese Deeds, in: The Art Bulletin, Vol. LX, No. 3, September 1978, S. 494

Paulson 1965
R. Paulson, Hogarth's graphic works, 2 Bde., New Haven – London 1965

Paulson 1971
R. Paulson, Hogarth: his life, art and times, 2 Bde., New Haven – London 1971

Pée 1971
H. Pée, Johann Heinrich Schönfeld, Berlin 1971

Peltzer 1911/1912
R. A. Peltzer, Der Hofmaler Hans v. Aachen, seine Schule und seine Zeit, in: Jahrbuch der Kunstsammlungen des Allerhöchsten Kaiserhauses XXX, 1911/12, S. 135 ff

Penrose 1975
R. Penrose, Man Ray, London 1975

Pérouse de Montclos 1969
J.-M. Pérouse de Montclos, Étienne-Louis Boullée 1728–1799, de l'architecture classique à l'architecture révolutionnaire, Paris 1969

Perring 1967
A. Perring, Bemerkungen zur Freundschaft zwischen Michelangelo und Tommaso de Cavalieri, in: Stil und Überlieferung in der Kunst des Abendlandes: Akten des 21. Internationalen Kongresses für Kunstgeschichte in Bonn 1964, Bd. 2, S. 164 ff, Berlin 1967

Petrucci 1964
A. Petrucci, Panorama della incisione italiana. Il Cinquecento, Rom 1964

Pevsner 1925
N. Pevsner, Gegenreformation und Manierismus, in: Repetitorium für Kunstwissenschaft, Bd. 46, Berlin – Leipzig 1925

Pevsner 1940
N. Pevsner, Academies of art, past and present, London 1940 (New York 1973)

Pfankuch 1974
P. Pfankuch (Hrsg.), Hans Scharoun, Bauten, Entwürfe, Texte, Berlin 1974 (Schriftenreihe der Akademie der Künste, 10)

Pfeifer 1980
H.-G. Pfeifer, Max Klingers (1857–1920) Graphikzyklen. Subjektivität und Kompensation im künstlerischen Symbolismus als Parallelentwicklung zu den Anfängen der Psychoanalyse, in: Gießener Beiträge zur Kunstgeschichte, Bd. V, Gießen 1980

Pfeiffer 1961
W. Pfeiffer, Zu einer Deckenvisierung des Wendel Dietterlin, in: Jahrbuch der Hamburger Kunstsammlungen VI, 1961, S. 54 ff

Phillips 1982
P. Phillips, Le hasard romanesque, in: L'Architecture d'aujourd'hui, 1982, Nr. 224, S. 80 ff

Pichler 1983
W. Pichler, Skulpturen Gebäude Projekte, Salzburg – Wien 1983

Piel 1962
F. Piel, Ornament-Grotteske in der italienischen Renaissance, Zu ihrer kategorialen Struktur und Entstehung (Neue Münchner Beiträge zur Kunstgeschichte, Hrsg. Hans Sedlmayr, Bd. 3, Berlin 1962)

Pigler 1954
A. Pigler, A New Picture by Lorenzo Lotto, in: Acta Historiae Artium Academiae Scientiae Hungaricae I, 1954, S. 165 ff

Pignatti 1965
T. Pignatti, Le acqueforti dei Tiepolo, Florenz 1965

Pillsbury 1974
E. Pillsbury, Drawings by Jacopo Zucchi, in: Master Drawings, Bd. 12, 1, 1974, S. 3 ff

Pinder 1932
W. Pinder, Zur Physiognomik des Manierismus, in: Festschrift L. Klages, Leipzig 1932, S. 148 ff

Piranesi 1972
G. B. Piranesi, The polemical works, Hrsg. J. Wilton-Ely, London 1972

Pittaluga 1930
M. Pittaluga, L'Incisione italiana nel Cinquecento, Milano 1930

Placzek 1968
A. K. Placzek, Einführung in Nachdruck: Hans Vredeman de Vries, Perspectiva, New York 1968

Plan 1914
P.-P. Plan, Jacques Callot, Maître Graveur (1593–1635) suivi d'un Catalogue Chronologique, Brüssel – Paris 1914[2]

Planiscig 1919
L. Planiscig, Die Estensische Kunstsammlung, Wien 1919

Planiscig 1924
L. Planiscig, Die Bronzeplastiken. Publikationen aus den Sammlungen für Plastik und Kunstgewerbe, Bd. 4, Wien 1924

Planiscig 1927
L. Planiscig, Andrea Riccio, Wien 1927

Platon
Platon, Das Gastmahl oder von der Liebe, Stuttgart 1979

Plon 1887
E. Plon, Leone Leoni et Pompeo Leoni, Paris 1887

Pötzl-Malíková 1982
M. Pötzl-Malíková, Merkwürdige Lebensgeschichte des Franz Xaver Messerschmidt, k. u. k. öffentlicher Lehrer der Bildhauerkunst. Hrsg. von dem Verfasser der freimüthigen Briefe über Böhmens und Österreichs Schaafzucht Wien 1794, Faksimile Ausgabe, Wien 1982

Pohle 1965
A. Pohle, Sphinx und Chimäre. Zu einer Episode der Tentation de sain Antoine, in: Aufsätze zur Themen- und Motivgeschichte, Festschrift für Hellmuth Petriconi zum siebzigsten Geburtstag am 1. April 1965 von seinen Hamburger Schülern, Hamburg 1965, S. 135 ff (= Hamburger romanistische Studien, Reihe A, Bd. 48. A. Allgemeine romanistische Reihe, Hrsg. M. Kruse und W. Hempel)

Pohlenz 1984
M. Pohlenz, Die Stoa, Geschichte einer geistigen Bewegung, Göttingen 1984[6]

Poley 1938
J. Poley, Claude Gillot, phil. Diss., Würzburg 1938

Popham 1953
A. E. Popham, The Drawings of Parmigianino, London 1953

Popham 1971
A. E. Popham, Catalogue of the Drawings of Parmigianino, 3 Bde., London – New Haven 1971

Pope-Hennessy 1965
J. Pope-Hennessy, A Sketch-Model by Benvenuto Cellini, in: Victoria and Albert Museum Bulletin 1/1, 1965, S. 5 ff

Pope-Hennessy 1985
J. Pope-Hennessy, Cellini, London 1985

Populus 1930
B. Populus, Claude Gillot (1673–1722), Catalogue l'œuvre gravé, Paris 1930

Portalis/Béraldi 1880
B. R. Portalis/H. Béraldi, Les Graveurs du dix-huitième siècle, Bd. 3, 1, Paris 1880

Posener 1970
J. Posener (Hrsg.), Hans Poelzig. Gesammelte Schriften und Werke, Berlin 1970 (Schriftenreihe der Akademie der Künste, 6)

Posner 1977
D. Posner, Jacques Callot and the dances called Sfessania, in: The Art Bulletin, Bd. 59, 1977, S. 203 ff

Pötschner 1969
P. Pötschner, Das Haus der Laune im Park zu Laxenburg – Wirklichkeit und Modell, in: alte und moderne kunst 14, 1969, Nr. 106, S. 52 ff

Preibisz 1911
L. Preibisz, Martin van Heemskerck, Ein Beitrag zur Geschichte des Romanismus in der Niederländischen Malerei des XVI. Jahrhunderts, Leipzig 1911

Prinzhorn 1968
H. Prinzhorn, Bildnerei der Geisteskranken. Ein Beitrag zur Psychologie und Psychopathologie der Gestaltung, Berlin – Heidelberg – New York 1968 (Neudruck der 2. Auflage, Erstauflage 1922)

Prinzhorn 1980
Die Prinzhorn-Sammlung. Bilder, Skupturen, Texte aus psychiatrischen Anstalten (ca. 1890–1920), Königstein 1980

Promies 1961
W. Promies, Die Bürger und der Narr oder das Risiko der Phantasie – Eine Untersuchung über das Irrationale in der Literatur des Rationalismus, phil. Diss., München 1961

Puppi 1973
L. Puppi, Andrea Palladio, Venedig 1973

Puttfarken 1980
T. Puttfarken, Golden Age and Justice in Sixteenth-Century Florentine Political Thought and Imagery: Observation on Three Pictures by Jacopo Zucchi, in: Journal of the Warburg and Courtauld Institutes, Nr. 43, 1980, S. 130 ff

Raggio 1958
O. Raggio, The Myth of Prometheus, in: Journal of the Warburg and Courtauld Institutes XX, 1958, S. 44 ff

Ramiro 1893
E. Ramiro (= E. Rodrigues), Catalogue Descriptif et Analytique de l'Œuvre gravé de Félicien Rops, Brüssel 1893[2]

Ramiro 1895
E. Ramiro, Supplement au Catalogue de l'Œuvre gravé de Félicien Rops par Erastène Ramiro. Illustrations de Félicien Rops. Fleurons et Culps-de-lamps par Armand Rassenfosse, Paris 1895

Reade 1967
B. Reade, Beardsley, London, Studio Vista, 1967

Rearick 1958/59
W. Rearick, Battista Franco and the Crimoni Chapel, in: Saggi e memorie di storia dell'arte 2, 1958/59

Van Regteren Altena 1983
I. Q. van Regteren Altena, Jacques de Gheyn. Three generations, vol. 1–3, The Hapue 1983

Reichlin/Reinhart 1974
B. Reichlin/F. Reinhart, Die Historie als Teil der Architekturtheorie, in: archithese, 11/1974, S. 20ff

Reichlin/Reinhart 1979
Intrinsic architecture. Works by Bruno Reichlin and Fabio Reinhart, in: Lotus International, 22/1979, I, S. 94ff

Rennert/Weill 1984
J. Rennert/A. Weill, Alphonse Mucha. The Complete Posters and Panels, Uppsala 1984

Reschke 1981
W. Reschke, Wenzel Hablik (1881–1934) in Selbstzeugnissen und Beispielen seines Schaffens, Münsterdorf 1981

Reudenbach 1979
B. Reudenbach, G. B. Piranesi, Architektur als Bild, Der Wandel in der Architekturauffassung des achtzehnten Jahrhunderts, München 1979

Revue de l'art 16/17 1972
„La Galerie Francois I. au Château de Fontainebleau", Sonderband der Revue de l'art 16/17, 1972

Reznicek 1961
E. K. J. Reznicek, Die Zeichnungen von Hendrick Goltzius, Utrecht 1961

Reznicek 1980
E. K. J. Reznicek, Jan Harmensz. Muller as Draugthsman: Addenda, in: Master Drawings 18, 1980, Nr. 2

Rheims 1965
M. Rheims, Kunst um 1900, Wien–München 1965

Richelson 1978
P. W. Richelson, Studies in the Personal Imagery of Cosimo I. de Medici, Duke of Florence, New York–London 1978

Ries 1981
H. Ries, Jacques Callot: Les Misères et les Malheurs de la Guerre, phil. Diss., Tübingen 1981

Ringler 1964
J. Ringler, Christoph Gandtner, der kunstreiche Hafner aus Meran, in: Der Schlern 28, 1964

Ringler 1965
J. Ringler, Tiroler Hafnerkunst, Innsbruck 1965

Ripa 1971
C. Ripa, Baroque and Rococo pictorial imagery, The 1758–60 Hertel edition of Ripa's Iconologie, Hrsg. E. E. Maser, New York 1971

Rizzi 1971 I
A. Rizzi, Mostra Tiepolo, disegni e acqueforti, Udine 1971

Rizzi 1971 II
A. Rizzi, L'opera grafica dei Tiepolo, Le acqueforti, Mailand 1971

Robert-Dumesnil 1941
A. P. F. Robert-Dumesnil, Catalogue Raisonné des Estampes, Le Peintre-Graveur Français, Bd. V, Paris 1941

Robertson 1923
J. G. Robertson, Studies in the genesis of Romantic theory in the eighteenth century, Cambridge 1923

Rosand 1970
D. Rosand, The Crisis of the Venetian Renaissance Tradition, in: L'Arte 11–12, 1970

Roscher
W. H. Roscher (Hrsg.), Ausführliches Lexikon der griechischen und römischen Mythologie, Leipzig 1884ff

Rose 1970
B. Rose, Claes Oldenburg, New York 1970

Roselius 1974
L. Roselius d. J. (Hrsg.), Bernhard Hoetger 1874 bis 1949. Sein Leben und Schaffen. Mit 90 Abbildungen und Werkverzeichnis. Hrsg. aus Anlaß der 100. Wiederkehr seines Geburtstages, Bremen 1974

Rosenau 1976
H. Rosenau, Boullée and visionary architecture, London–New York 1976

Rosenauer-Neubauer 1964
M. Rosenauer-Neubauer, Niccolo dell'Abbate, phil. Diss., Wien 1964

Rosenberg/Reynaud/Compin 1974
P. Rosenberg/N. Reynaud/I. Compin, Musée du Louvre, Catalogue illustré des peinture, École française XVIIe et XVIIIe siècles, 2 Bde., Paris 1974

Rosenblum 1967
R. Rosenblum, Transformations in late eighteenth century art, Princeton (New Jersey) 1967

Rossi 1973
Aldo Rossi, Die Architektur der Stadt. Skizze zu einer grundlegenden Theorie des Urbanen, Düsseldorf 1973

Rossi 1984
Aldo Rossi. Tre città, Perugia, Milano, Mantova, Mailand 1984 (Quaderni di Lotus, 4)

Rothrock/Gulick 1979
O. J. Rothrock/E. van Gulick, Seeing and meaning: observations on the theatre of Callot's Primo Intermedio, in: New Mexico Studies in the Fine Arts, Bd. IV, 1979, S. 16ff

Rubin 1972
W. S. Rubin, L'arte dada e surrealista, Mailand 1972

Ruckelshausen 1975
O. Ruckelshausen, Typologie des oberitalienischen Porträts im Cinquecento, in: Gießener Beiträge zur Kunstgeschichte 3, 1975

Rukschcio/Schachel 1982
B. Rukschcio/R. Schachel, Adolf Loos. Leben und Werk, Salzburg 1982

Russell 1972
D. Russell, Rare etchings by Giovanni Battista and Giovanni Domenico Tiepolo, Washington–New York–London 1972

Russell 1975
H. D. Russell u. a., Jacques Callot, Prints and related drawings, in: Ausst.-Kat. National Gallery of Art, Washington D. C. 1975

Sack 1910
E. Sack, Giambattista und Domenico Tiepolo, Hamburg 1910

Sacken 1859
E. von Sacken, Die vorzüglichsten Rüstungen und Waffen der K. K. Ambraser Sammlungen, 2 Bde., Wien 1859 und 1862

Sahut 1979
M.-C. Sahut, Le Louvre d'Hubert Robert, in: Éditions de la Réunion des Musées Nationaux, Les dossiers du département des peintures, Paris 1979

Sälze 1965
K. Sälze, Tier und Mensch, Gottheit und Dämon. Das Tier in der Geistesgeschichte der Menschheit, München 1965, S. 109ff

Santarcangeli 1967
P. Santarcangeli, Il libro dei labirinti, Storia di un mito e di un simbolo, Florenz 1967

Santifaller 1975
M. Santifaller, Zur Graphik Giambattista Tiepolos, in: Pantheon, Bd. 33, 1975, S. 327ff

Sayag 1983
A. Sayag, Hans Bellmer. Photographien, bez.: à Henri Porisot son ami Hans Bellmer, München 1983

Schack 1977
G. Schack (Hrsg.), Horst Janssen: Die Kopie, Hamburg 1977

Schedelmann 1972
H. Schedelmann, Die großen Büchsenmacher. Leben, Werke, Marken, Braunschweig 1972

Scheicher 1979
E. Scheicher, Die Kunst- und Wunderkammern der Habsburger, Wien–München–Zürich 1979

Scheicher 1981
E. Scheicher, Ein Fest am Hofe Erzherzog Ferdinand II., in: Jahrbuch der Kunsthistorischen Sammlungen, N. F. 77, Wien 1981, S. 119ff

Schiedlausky 1972
G. Schiedlausky, Zum sogenannten Flohpelz, in: Pantheon 30, 1972, S. 476ff

Schiefler 1907
G. Schiefler, Verzeichnis des graphischen Werkes Edvard Munchs bis 1906, Berlin 1907 (Neudruck Oslo 1974)

Schiff 1973
G. Schiff, Johann Heinrich Füssli 1741–1825, 2 Bde., Œuvrekatalog Schweizer Künstler I, Zürich–München 1973

Schleier 1973
R. Schleier, Tabula Cebetis oder „Spiegel des Menschlichen Lebens, darin Tugent und Untugent abgemalet ist", Berlin 1973

Schlosser 1901
J. von Schlosser, Album ausgewählter Gegenstände der Kunsthistorischen Sammlung des Allerhöchsten Kaiserhauses, Wien 1901

Schlosser 1910
J. von Schlosser, Werke der Kleinplastik in der Skulpturensammlung des Allerhöchsten Kaiserhauses, Bd. I, Bildwerke in Bronze, Stein, Ton, Wien 1910

Schlosser 1920 I
J. von Schlosser, Materialien zur Quellenkunde der Kunstgeschichte, VII. Heft, Die Geschichtsschreibung des Barock und des Klassizismus, in: Akademie der Wissenschaften in Wien, Phil.-historische Klasse, Sitzungsberichte, 1950, Bd. 3, Abhandlung, Wien 1920

Schlosser 1920 II
J. von Schlosser, Die Sammlung alter Musikinstrumente, Wien 1920

Schlosser 1924
J. von Schlosser, Die Kunstliteratur, Wien 1924

Schlosser 1956
J. von Schlosser, Magnino, La letteratura artistica, Florenz–Wien 1956

Schlosser 1978
J. von Schlosser, Kunst und Wunderkammern der Spätrenaissance, Braunschweig 1978 (1. Aufl. 1908)

Schmeller 1968
A. Schmeller, Lehmden – Winterlandschaften, Wien 1968

Schmied 1967
W. Schmied, Der Zeichner Alfred Kubin, unter Mitwirkung der Graphischen Sammlung Albertina und des Oberösterreichischen Landesmuseums (Katalog: A. Marks), Salzburg 1967

Schmoll 1966
J. A. Schmoll gen. Eisenwerth, Jacques Callot – Das Welttheater aus der Kavaliersperspektive, in: Festschrift Werner Hager, Hrsg. G. Fiensch u. M. Imdahl, Recklinghausen 1966, S. 81 ff

Schnackenburg 1970
B. Schnackenburg, Beobachtungen zu einem neuen Bild von Bartholomäus Spranger, in: Niederdeutsche Beiträge zur Kunstgeschichte IX/1970

Schneede 1972
U. M. Schneede, Max Ernst, Stuttgart 1972

Schrenck/Thomas 1981
J. Schrenck/E. Thomas, Die Heldenrüstkammer, Osnabrück 1981

Schreyer 1936
E. Schreyer, Paintings by Alessandro Magnasco, in: Bulletin of the Detroit Institute of Arts, Bd. 16, Dezember 1936, S. 34 ff

Schröder 1971
T. Schröder, Jacques Callot, Das gesamte Werk, 2 Bde., München 1971

Schwarz 1969
A. Schwarz, The complete works of Marcel Duchamp, London 1969

Scott 1975
J. Scott, Piranesi, New York–London 1975

Scully/Moneo 1985
V. Scully/R. Moneo, Aldo Rossi, Buildings and Projects, Essays by V. Scully and R. Moneo, New York 1985

Sedlmayr 1939/40
H. Sedlmayr, Die Kugel als Gebäude, oder: Das Bodenlose, in: Das Werk des Künstlers, Bd. 1, 1939/40, S. 278 ff

Sedlmayr 1964
H. Sedlmayr, Der Tod des Lichtes. Übergangene Perspektiven zur modernen Kunst, Salzburg 1964

Sedlmayr 1976
H. Sedlmayr, Johann Bernhard Fischer von Erlach, Wien 1976[2]

Seghers 1961
L. Seghers, Europäische Allegorie, München 1961

Seibt 1985
F. Seibt (Hrsg.), Renaissance in Böhmen, München 1985

Seling 1980
H. Seling, Die Kunst der Augsburger Goldschmiede 1529–1868, 3 Bde., München 1980

Sers 1983
Ph. Sers (Hrsg.), Man Ray, Objets de mon affection, Paris 1983

Seznec 1943
J. Seznec, Saint Antoine et les monstres, Essai sur les sources et la signification du fantastique de Flaubert, in: Publications of the Modern Language Association of America, Bd. 58, 1943, S. 195

Seznec 1949
J. Seznec, Nouvelles études sur La Tentation de Saint Antoine, in: Studies of the Warburg Institutes, Hrsg. F. Saxl, Bd. 18, London 1949

Shearman 1967 I
J. Shearman, Giulio Romano: tradizione, licenze, artifizi, in: Bolletino del Centro Internazionale di studi sull architettura Andrea Palladio IX/1967, S. 354 ff

Shearman 1967 II
J. Shearman, Mannerism, in: Style and Civilization, Hrsg. J. Fleming u. H. Honour, Harmondswort (Middlesex) 1967

Shearman 1983
J. Shearman, The Early Italian Pictures in the Collection of Her Majesty the Queen, Cambridge 1983

Shoemaker/Broun 1981
I. H. Shoemaker/E. Broun, The Engravings of Marcantonio Raimondi, Laurence (Kanada) 1981

Simmen 1980
J. Simmen, Ruinenfaszination, Frankfurt/M. 1980

Singer 1909
H.-W. Singer, Max Klingers Radierungen, Stiche und Steindrucke, Wissenschaftliches Verzeichnis, Berlin 1909

SITE 1980
SITE. Architecture as Art, London 1980

Šlapeta 1982 I
V. Šlapeta, Jaroslav Fragner, in: Macmillan Encyclopedia of Architects. The Free Press, Collier Macmillan Publ. New York–London 1982, Vol. 2, S. 107–108

Šlapeta 1982 II
V. Šlapeta, Eugen Linhart, in: Macmillan Encyclopedia of Architects, The Free Press, Collier Macmillan Publ., New York–London 1982, Vol. 3, S. 13–14

Slatkes 1975
L. J. Slatkes, Hieronymus Bosch and Italy, in: Art Bulletin LVII/1975, S. 335 ff

Sluys 1961
F. Sluys, Didier Barra et François de Nomé dits Monsù Desiderio, Paris 1961

Soby 1955
J. T. Soby, Giorgio de Chirico, The Museum of Modern Art, New York 1955 (1966)

Spalt/Czech 1981
J. Spalt/H. Czech, Josef Frank 1885–1967, Wien 1981

Speth-Holterhoff 1957
S. Speth-Holterhoff, Les Peintures Flamands de Cabinets d'Amateurs au XVIIe siècle, Brüssel 1957

Spies 1971
W. Spies, Pablo Picasso, Das plastische Werk, Stuttgart 1971

Spies 1982
W. Spies, Max Ernst. Loplop. Die Selbstdarstellung des Künstlers, München 1982

Spies/Metken 1975
W. Spies/S. u. G. Metken, Max Ernst. Werke 1906–1925, Œuvrekatalog, Köln 1975
(Max Ernst. Werke 1925–1929, Köln 1976)
(Max Ernst. Werke 1929–1938, Köln 1979)

Stangos 1980
N. Stangos (Hrsg.), Bilder von David Hockney, Zürich 1980

Starý 1959
O. Starý, Jaroslavu Fragnerovi, in: Architektura ČSR, Prag, Jg. 18/1959, S. 107–111

Starý/Kopecký 1950
O. Starý/V. Kopecký, E. Linhart, in: Architektura ČSR, Prag, Jg. 9/1950, S. 46

Stechow 1967
W. Stechow, On Büsnick, Lipozzi and an Ambigous Allegory, in: Essays in the History of Art presented to Rudolf Wittkower, London 1967, S. 193 ff

Stein 1974
R.. Stein, Leo Putz. Mit einem Verzeichnis der Gemälde und bildartigen Entwürfe, Wien 1974

Steinberg 1968
L. Steinberg, Michelangelo's Florentine Pietà, The Missing Leg, in: Art Bulletin 50, 1968

Steinberg 1970
L. Steinberg, The Metaphors of Love and Birth in Michelangelo's Pietàs, in: T. Bowie/C. v. Christenson (Hrsg.), Studies in Erotic Art, New York 1970, S. 231–338

Stix/Fröhlich-Bum 1932
A. Stix/L. Fröhlich-Bum, Beschreibender Katalog der Handzeichnungen in der Graphischen Sammlung Albertina. Die Zeichnungen der Toskanischen, Umbrischen und Römischen Schulen, Bd. III, Wien 1932

Stix/Spitzmüller 1941
A. Stix/A. Spitzmüller, Beschreibender Katalog der Handzeichnungen der Albertina, Schulen von Ferrara, Bologna, Parma, Modena, Lombardei, Genuas, Neapel und Siziliens, Bd. VI, Wien 1941

Stöcklein 1922
H. Stöcklein, Meister des Eisenschnittes, Esslingen 1922

Stölzl 1986
Ch. Stölzl (Hrsg.), Michael Mathias Prechtl, München 1986

Strauss 1977
W. L. Strauss, Hendrik Goltzius 1558–1617. The Complete Engravings and Woodcuts, New York 1977

Streitz 1973
E. Streitz, La Rotonde et sa geometrie, Lausanne 1973

Streng 1963
F. Streng, Augsburger Meister der Schmiedgasse um 1600, in: Blätter des Bayerischen Landesvereins für Familienkunde 26, 1963, Nr. 1, S. 277 ff

Stridbeck 1956
C. G. Stridbeck, Bruegelstudien. Untersuchungen zu den ikonologischen Problemen bei Pieter Bruegel d. Ä. sowie dessen Beziehungen zum niederländischen Romanismus, Uppsala 1956

Strobl
A. Strobl, Gustav Klimt, Die Zeichnungen 1878–1903, 3 Bde., Salzburg 1980, 1982, 1984

Strobl 1964
A. Strobl, Das Zeitalter Albrecht Dürers. Werke aus dem Besitz der Albertina, Wien 1964

Suida 1958
W. Suida, Luca Cambiaso, Mailand 1958

Suida Manning/Suida 1958
B. Suida Manning/W. Suida, Luca Cambiaso, Mailand 1958

Summers 1977
D. Summers, Contrapposto: Style and Meaning in Renaissance Art, in: The Art Bulletin, Bd. 59, 1977, S. 336

Surtees 1971
V. Surtees, The Paintings and Drawings of Dante Gabriel Rosetti (1838–1883), A Catalogue Raisonné, 2 Bde., Oxford 1971

Syamken 1965
G. Syamken, Die Bildinhalte des Alessandro Magnasco, phil. Diss., Hamburg 1965

Tafuri 1968
M. Tafuri, Il mito naturalistico nell'architettura del Cinquecento, in: L'Arte 1, 1968, S. 7 ff

Tafuri 1985
M. Tafuri, Venezia e il Rinascimento. Religione, scienza, architettura, Turin 1985

Ternois 1962 I
D. Ternois, L'Art de Jacques Callot, Paris 1962

Ternois 1962 II
D. Ternois, Jacques Callot, Catalogue complet de son œuvre dessiné, Paris 1962

Tervarent 1944
G. de Tervarent, Instances of Flemish Influence in Italian Art, in: Burlington Magazine 1944, S. 290 ff

Tesauro 1654
E. Tesauro, Il cannochiale aristotelico, Idea dell'arguta et ingeniosa elocutione oratoria, lapidaria et simbolica esaminato co' principii del divino Aristotele, Rom 1654

Thieme/Becker
U. Thieme/F. Becker, Allgemeines Lexikon der Bildenden Künstler, Leipzig 1907–1950

Theuerkauff/Möller 1977
Ch. Theuerkauff/L. L. Möller, Museum für Kunst und Gewerbe Hamburg, Die Bildwerke des 18. Jahrhunderts, in: Kataloge des Museums für Kunst und Gewerbe Hamburg, Bd. IV, Braunschweig 1977

Thirion 1971
J. Thirion, Rosso et les arts décoratifs, in: Revue de l'art 1971

Thomas 1944
B. Thomas, Harnischstudien I vom Jahrbuch des Kunsthistorischen Museums, 1944

Thomas 1958
B. Thomas, Die Waffen Kaiser Karls V. in Wien, in: Alte und Moderne Kunst, Bd. 3, Heft 11, Wien 1958, S. 21 ff

Thomas 1960
B. Thomas, Die Münchner Harnischvorzeichnungen des Étienne Delaune für die Emblem- und die Schlangengarnitur Heinrichs II. von Frankreich, in: Jahrbuch der Kunsthistorischen Sammlungen in Wien 56, XX/1960, S. 7 ff

Thomas 1974
B. Thomas, Die Innsbrucker Plattnerkunst, Ein Nachtrag, in: Jahrbuch der Kunsthistorischen Sammlungen, Bd. 70, Wien 1974, S. 189

Thomas 1976/78
B. Thomas, The Erbach and Vienna Burgonet, in: Livrustkammaren, Bd. 14, Stockholm 1976–78, S. 262 ff

Thomas 1978
B. Thomas, Habsburgische Heraldik und Meisterwerke der Goldschmiedekunst in Wien, in: Zeitschrift für Genealogie und Heraldik, 11. (XXV) Band, Jän./März 1978

Thomas/Gamber 1958
B. Thomas/O. Gamber, L'arte milanese dell'armatura milanese, in: Storia di Milano, Bd. 11, Mailand 1958

Thomas/Gamber/Schedelmann 1963
B. Thomas/O. Gamber/H. Schedelmann, Die schönsten Waffen und Rüstungen, Heidelberg 1963

Thomas/Gamber/Schedelmann 1974
B. Thomas/O. Gamber/H. Schedelmann, Armi e armature Europee, Mailand 1974[2]

Tietze/Martin 1914
H. Tietze/F. Martin, Die profanen Denkmale der Stadt Salzburg, in: Österreichische Kunsttopographie, Bd. XIII, Wien 1914

Tietze/Tietze-Conrat
H. Tietze/E. Tietze-Conrat/O. Benesch/K. Garzarolli-Thurnlackh, Beschreibender Katalog der Handzeichnungen in der Albertina. Die Zeichnungen der deutschen Schulen bis zum Beginn des Klassizismus, Bd. IV, V, Wien 1933

Tigler 1963
P. Tigler, Architekturtheorie des Filarete (= Neue Münchner Beiträge zur Kunstgeschichte, Hrsg. H. Sedlmayr, Bd. 5), Berlin 1963

Timm 1969
W. Timm, Edvard Munch, Graphik, Berlin 1969

Timofiewitsch 1968
W. Timofiewitsch, Die sakrale Architektur Palladios, München 1968

Tintelnot 1939
H. Tintelnot, Barocktheater und barocke Kunst, Die Entwicklungsgeschichte der Fest- und Theater-Dekoration in ihrem Verhältnis zur barocken Kunst, Berlin 1939

Torczyner 1977
H. Torczyner, René Magritte, Zeichen und Bilder, Köln 1977

Tschmelitsch 1975
G. Tschmelitsch, Zorzo, genannt Giorgione, Wien 1975

Ungeheuer/Bense 1981
G. Ungeheuer, Chimären ihrer Jahrhunderte – Zeichen für jeden Tag, in: Zeichen und Realität, Akten des 3. semiotischen Kolloquiums Hamburg (1981), Hrsg. K. Oehler, Bd. 1, Tübingen 1984 (= Probleme der Semiotik, Hrsg. R. Posner, Bd. 1, I), S. 17 ff

Ungers 1983
O. M. Ungers, Die Thematisierung der Architektur, Stuttgart 1983

Unverfehrt 1980
G. Unverfehrt, Hieronymus Bosch, Die Rezeption seiner Kunst im frühen 16. Jahrhundert, Berlin 1980

Vagnetti 1980
L. Vagnetti, Il processo di maturazione di una scienza dell'arte, in: La prospettiva rinascimentale, Codificazioni e transpressioni, Hrsg. D. Emiliani, Florenz 1980, S. 458 ff

Vasari-Milanesi 1880
G. Vasari, Le vite de piu eccellenti pittori, scultori e architettori, Hrsg. G. Milanesi, Florenz 1880

van de Velde 1975
C. van de Velde, Frans Floris, Leven en Werken, 2 Bde., Brüssel 1975

Veldmann 1977
I. M. Veldmann, Maerten van Heemskerck and Dutch Humanism in the 16th Century, Amsterdam 1977

Venturi 1934
A. Venturi, Storia dell'Arte Italiana, Bd. IX, La pittura del Cinquecento, Teil VII, Mailand 1934 (S. 597 ff: Bernardino Poccetti)

Venturi 1979
Robert Venturi, Denise Scott Brown, Steven Izenour, Lernen von Las Vegas. Zur Ikonographie und Architektursymbolik der Geschäftsstadt, Braunschweig 1979 (Bauwelt Fundamente, 53)

Venturi 1981
Venturi, Rauch and Scott Brown, o. O. 1981 (a + u, Architecture and Urbanism, 1981, Nr. 12, Extra Edition)

Verheyen 1967
E. Verheyen, Jacopo Strada's Mantuan Drawings of 1567/68, in: Art Bulletin 49/1967, S. 62 ff

Verheyen 1972 I
E. Verheyen, Die Malerei in der Sala di Psiche des Palazzo del Tè, in: Jahrbuch der Berliner Museen, 1972, S. 33 ff

Verheyen 1972 II
E. Verheyen, Studien zur Baugeschichte des Palazzo del Tè zu Mantua, in: Mitteilungen des Kunsthistorischen Institutes in Florenz, 1972, S. 73 ff

Verheyen 1977
E. Verheyen, The Palazzo del Tè in Mantua, Baltimore–London 1977

De Vesme 1906
A. de Vesme, Le peintre-graveur italien, Mailand 1906

De Vesme/Massar 1971
A. de Vesme/P. D. Massar, Stefano della Bella, Catalogue raisonné, New York 1971

Veyrat 1895
G. Veyrat, La caricature à travers les Siècles, Paris 1895

Vico 1953
G. Vico, La scienza nuova seconda, Hrsg. F. Nicolini (1744), Bari 1953; deutsch: G. Vico, Die neue Wissenschaft über die gemeinschaftliche Natur der Völker, Übers. E. Auerbauch, Reinbek 1966

Vitzthum 1972
W. Vitzthum, Die Handzeichnungen des Bernardino Poccetti (phil. Diss., München 1955), München 1972

Vogt-Göknil 1958
U. Vogt-Göknil, Giovanni Battista Piranesi „Carceri", Zürich 1958

Volkmann 1965
H. Volkmann, Giovanni Battista Piranesi, Architekt und Graphiker, Berlin 1965

Volkmann 1897
L. Volkmann, Iconografia Dantesca, Leipzig 1897

Voltelini 1894
Voltelini, Urkunden und Regesten aus dem k. u. k. Haus-, Hof- und Staatsarchiv in Wien, in: Jahrbuch der Kunsthistorischen Sammlungen des Allerhöchsten Kaiserhauses 15/2, 1894, S. LXXXVII

Voss 1913
H. Voss, Jacopo Zucchi, Ein vergessener Meister der florentinischen Spätrenaissance, in: Zeitschrift für Bildende Kunst, 1913

Voss 1964
H. Voss, Johann Heinrich Schönfeld, Ein schwäbischer Maler des 17. Jahrhunderts, Biberach an der Riß 1964

Voss 1973
H. Voss, Franz von Stuck 1863–1928, München 1973

Walch 1971
N. Walch, Die Radierungen des Jacques Bellange. Chronologie und kritischer Katalog, München 1971

Wallentin 1985
I. Wallentin, Der Salzburger Hofbaumeister Santino Solari, phil. Diss., Salzburg 1985

Warburg 1895
A. Warburg, I costumi teatrali per gli intermezzi del 1589. I disegni di Bernardo Buontalienti e il libro di conti di Emilio de' Cavalieri, in: Atti dell'Accademia del Reale Istituto Musicale di Firenze, 1895 (wiederabgedruckt in: A. Warburg, Gesammelte Schriften, Hrsg. G. Bing u. F. Rougemont, Bd. 1, Leipzig–Berlin 1932: Die Erneuerung der heidnischen Antike, Kulturwissenschaftliche Beiträge zur Geschichte der europäischen Renaissance, S. 259 ff)

Warburg 1902
A. Warburg, Bildniskunst und florentinisches Bürgertum. I. Domenico Ghirlandajo in Santa Trinità, Die Bildnisse des Lorenzo de' Medici und seiner Angehörigen, Leipzig 1902 (wiederabgedruckt in: A. Warburg, Gesammelte Schriften, Hrsg. G. Bing u. F. Rougemont, Bd. 1, Leipzig–Berlin 1932, S. 89–126)

Warncke 1978
C. F. Warncke, Christoph Jamnitzers „Neuw Grottesken Buch" ein Unikat in Wolfenbüttel, in: Wolfenbütteler Beiträge 3/1978, S. 65f

Warnke 1985
M. Warnke, Hofkünstler. Zur Vorgeschichte des modernen Künstlers, Köln 1985

Wazbinski 1978
Z. Wazbinski, Il Giorgione – un precursore dell'accademia, in: Giorgione. Atti del Convegno Internazionale di Studio per il 5° centenario della nàscita, Castelfranco Veneto 1978

Weber 1834
C. J. Weber, Deutschland oder Briefe eines in Deutschland reisenden Deutschen, Bd. II, Stuttgart 1834

Weisbach 1919
W. Weisbach, Trionfi, Berlin 1919

Wendorff 1985
R. Wendorff, Zeit und Kultur. Geschichte des Zeitbewußtseins in Europa, Opladen 1985 (1980[1])

Werner 1980
F. Werner, Lieder, die man nicht erwartet – neue Architektur im Tessin, in: Bauwelt, 71/1980, Nr. 39, S. 1727ff

Wescher 1974
H. Wescher, Die Geschichte der Collage vom Kubismus bis zur Gegenwart, Köln 1974

Wiebenson 1978
D. Wiebenson, The picturesque Garden in France, Princeton (New Jersey) 1978

Wilberg Vignau-Schuurman 1969
Th. A. G. Wilberg Vignau-Schuurman, Die emblematischen Elemente im Werk Joris Hoefnagels, phil. Diss., Leiden 1969

Wilk 1980
Ch. Wilk, Thonet, 150 Years of Furniture, New York 1980

Wilmes 1985
U. Wilmes, Rosso Fiorentino und der Manierismus. Ein Beitrag zur Entwicklung der Tafelmalerei im 16. Jahrhundert, Essen 1985

Wind 1981
E. Wind, Heidnische Mysterien in der Renaissance, Frankfurt/M. 1981

Windisch-Graetz 1983
F. Windisch-Graetz, Möbel Europas. Renaissance, München 1983

Wines 1975
J. Wines, Iconografia del disastro. De-architecturization, in: L'architettura, 21/1975, Nr. 2, S. 92ff

Winkler 1984
G. Winkler, Max Klinger, Leipzig 1984

Winner 1962
M. Winner, Gemalte Kunsttheorie, in: Jahrbuch der Berliner Museen IV/1962, S. 151ff

Winner 1974
M. Winner, Zum Nachleben des Laokoon in der Renaissance, in: Jahrbuch der Berliner Museen XVI/1974

Winner 1983
M. Winner, Gemalte Allegorien des Disegno, in: Römisches Jahrbuch der Kunstgeschichte 20/ 1983

Wittkower 1938/39
R. Wittkower, Transformations of Minerva in Renaissance Imagery, in: Journal of the Warburg Institutes 2, 1938/39, S. 194ff

Wittkower 1952
R. Wittkower, Architectural Principles in the Age of Humanism (1949), London 1952

Wittkower 1963
R. u. M. Wittkower, Born under Saturn. The character and conduct of artists. A documented history from antiquity to the French revolution, (New York 1969) 1963

Wittkower 1974
R. Wittkower, Palladio and English Palladianism, London 1974

Wilton-Ely 1978
J. Wilton-Ely, The mind and art of Giovanni Battista Piranesi, London 1978

Wolfthal 1977
D. Wolfthal, Jacques Callot's Miseries of War, in: Art Bulletin, Bd. 59, 1977, S. 221ff

Wolpe 1972
B. Wolpe, Johann David Steingruber, Architektonisches Alphabet, New York 1972

Wurzbach 1906
A. v. Wurzbach, Niederländisches Künstler-Lexikon, Wien–Leipzig 1906

Wuthenow 1978
R.-R. Wuthenow, Muse, Maske, Meduse – Europäischer Ästhetizismus, Frankfurt/M. 1978

Zahn 1923
L. Zahn, Die Handzeichnungen des Jacques Callot unter besonderer Berücksichtigung der Petersburger Sammlung, München 1923

Zerner 1952
H. Zerner, Ghisi et la gavure maniériste à Mantove, in: L'Œil Nr. 88, I, 1962, S. 26–33

Zerner 1969
H. Zerner, Die Schule von Fontainebleau. Das graphische Werk, München–Wien 1969

Zerner 1980
H. Zerner, L'estampe erotique au temps de Titien, in: Tizian e Venezia. Convegno Internazionale di Studi, Venezia 1976, Vicenza 1980, S. 85ff

Zervos 1949
Ch. Zervos, Déssins de Pablo Picasso 1892–1948, Paris 1949

Zimmer 1971
J. Zimmer, Joseph Heintz der Ältere als Maler, Weißenhorn 1971

Zimmerli 1979
W. Zimmerli, Ezechiel (= Biblischer Kommentar, Altes Testament, Hrsg. S. Herrmann u. H. W. Wolff, Bd. XIII/1 u. 2, 2. Aufl., Neukirchen-Vluyn 1979, 2 Bde.)

Zimmermann 1909/1910
H. Zimmermann, Zur Ikonographie des Hauses Habsburg – Angebliche und wirkliche Bildnisse des Don Carlos, in: Jahrbuch der Kunsthistorischen Sammlungen des Allerhöchsten Kaiserhauses 1909/1910, S. 153ff

Zülch 1932
W. K. Zülch, Entstehung des Ohrmuschelstiles (= Heidelberger Kunstgeschichtliche Abhandlungen, Hrsg. C. Neumann u. K. Lohmeyer, Bd. 12, Heidelberg) 1932

Zykan 1969
J. Zykan, Laxenburg, Wien–München 1969

Photonachweis

Herausgeber und Verlag danken den Besitzern der abgebildeten Werke für die Überlassung der Abbildungsvorlagen; ferner folgenden Photographen:

A.D.A.G.P., Paris
Jörg P. Anders, Berlin
Artothek, Kunstdia-Archiv, Jürgen Hinrichs, Wien
Ch. Bahier, Ph. Migeat, Paris
Dore Barleben, Berlin
C.N.M.H.S./S.P.A.D.E.M., Paris
Soňa Divišova, Prag
Documentation photographique de la Réunion des musées nationaux, Paris
Ursula Edelmann, Frankfurt
Jacques Faujour (Juliette Man Ray, A.D.A.G.P.)
Founders Society Detroit Institute of Arts
Fonds Albertina
Beatrice Frehn, Hamburg
Inge Fuxbauer, Wien
Vladimir Fyman
Giraudon, Paris
Studio Grünke, Hamburg
Colorphoto Hans Hinz, SWB, Allschwil-Basel
Studio Yves Hervochon, Paris
Jacqueline Hyde, Paris
Jaroslav Jeřábek, Prag
Foto Józsa, Prag
Ruth Kaiser, ABCV, Hamburg
B. P. Keiser, Braunschweig
Inge Kitlitschka, Klosterneuburg
Ralph Kleinhempel, Hamburg
Hartwig Koppermann, München
Institut für Kunstgeschichte, Wien
Gilbert Mangin, Nancy
Georg Mayer, Wien
Photo Meyer KG, Wien
Bildarchiv, Foto Marburg
Hans Petersen, Hornbaek
Pfauder, Dresden
Elsa Postel, Berlin
Rheinisches Bildarchiv, Köln
Landesbildstelle Rheinland, Düsseldorf
Georg Riha, Wien
Friedrich Rosenstiel, Köln
Adam Rzepka, Paris
Sacha photography, Düsseldorf
Presse Foto Schachinger, Wien
Iris Scheffler, Berlin und Hannover
Ingrid Schindler, Wien
Lothar Schnepf, Köln
Philipp Schönborn, München
Sindhöringer, Wien
Udo F. Sitzenfrey, Wien
S.P.A.D.E.M., Paris
Union des Arts Décoratifs, Service Photographique
Gudrun Vogler, Wien
F. Walch, Paris
Photo Willsberger, Wien